Historia de la lengua española

BIBLIOTECA ROMÁNICA HISPÁNICA

Fundada y dirigida por DÁMASO ALONSO

———————

NUEVA BIBLIOTECA ROMÁNICA HISPÁNICA

Dirigida por FRANCISCO RICO

NUEVA BIBLIOTECA ROMÁNICA HISPÁNICA

Fundada y dirigida por Dámaso Alonso, la Biblioteca Románica Hispánica ha acogido durante medio siglo lo más y mejor de los estudios filológicos. Por sus diversas colecciones (Antología Hispánica, Campo Abierto, Diccionarios, Estudios y Ensayos, Estudios Lingüísticos, Manuales y Textos) han transitado los grandes maestros del romanismo y el hispanismo, desde Ramón Menéndez Pidal (cuarenta años ya de su muerte), Amado Alonso o Leo Spitzer, hasta Rafael Lapesa (conmemoramos ahora el centenario de su nacimiento), Martín de Riquer, Emilio Alarcos Llorach (una década sin su presencia), Eugenio Coseriu o Fernando Lázaro Carreter. El catálogo es apabullante y supera con creces el millar de referencias. Todas ellas, en su tiempo y a su manera, han comportado alguna contribución al desarrollo de esas disciplinas humanísticas. Además, algunos libros han alcanzado la categoría de cimas en la bibliografía de lingüística y de crítica literaria. La fidelidad de sucesivas generaciones de lectores y adeptos así lo ha sancionado. Deudores o no de su época y de la corriente que siguieron en su día (desde la estilística hasta el estructuralismo), hoy nadie pone en duda que Poesía española, Historia de la lengua española, Mis páginas preferidas, Diccionario de términos filológicos, Góngora y el «Polifemo» *o* Teoría literaria *son clásicos, y que como tales se leen y se consultan y no requieren aditamentos. Su autoridad es indiscutible; su vitalidad incuestionable. Loco atrevimiento sería querer empañar esos textos con añadidos de discípulos o especialistas bienintencionados; ni que decirse tiene que torpe empeño sería también renunciar a ellos si fuera menester.*

Nace, así, esta Nueva Biblioteca Románica Hispánica (NBRH) con la decidida voluntad de reunir en una colección única los textos mayores del romanismo y del hispanismo, formen parte del catálogo de Gredos o de otros fondos editoriales. Desde luego, la intención primordial de la NBRH es poner en las manos del lector la crema de estos, con disposición de página y diseño de cubierta más decorosos con los criterios ortotipográficos del siglo XXI. Poner, sí, el vino viejo en odres nuevos, siguiendo el consejo bíblico tan querido por algunos de nuestros maestros filólogos; pero también crear, incorporar savia buena a estos odres de la NBRH, si por esta entendemos nombres, preteridos o no, como los de H. J. Chaytor, Ulrich Leo, Juan Ferraté o Carlos-Peregrín Otero entre los primeros, y los de María Rosa Lida de Malkiel, Marcel Bataillon, Félix Martínez-Bonati o el mismísimo don Marcelino, cuya obra, selecta o completa, vaga hoy sometida a los azares de la mercancía de lance. En cualquier caso, no será, o no será solo, la NBRH un baúl de los recuerdos para añorantes. El gusto y la necesidad de la consulta siguen siendo un acicate para la ciencia filológica, que, a pesar de todas las sacudidas y trabas extraacadémicas, sigue avanzando en el nuevo milenio; por ello, es de todo punto imprescindible que la savia más reciente corra por esta colección: la filología de hoy tendrá también su espacio en la NBRH. Una colección, un pequeño mundo, para quienes todavía pasan las noches y los días leyendo con deleite y con provecho algunos de los mejores libros sobre lengua y sobre literatura.

RAFAEL LAPESA

Historia
de la lengua española

PRÓLOGO DE RAMÓN MENÉNDEZ PIDAL

EDITORIAL GREDOS, S. A.

MADRID

CONTENIDO

I. LAS LENGUAS PRERROMANAS

§1. Pueblos aborígenes, inmigraciones y colonias, 25.— §2. Las lenguas de la Hispania prerromana, 31.— §3. El vascuence y su extensión primitiva, 36.— §4. Substratos lingüísticos prerromanos en la fonología española, 43.— §5. Huellas prerromanas en la morfología española, 49.— §6. Vocabulario español de origen prerromano, 51.— §7. Celtismos del latín, 54.— §8. Vasquismos, 55.

II. LA LENGUA LATINA EN HISPANIA

§9. Romanización de Hispania, 57.— §10. El latín, 61.— §11. Helenismos, 61.— §12. Hispania bajo el Imperio, 65.— §13. El cristianismo, 66.— §14. La decadencia del Imperio, 67.

III. LATÍN VULGAR Y PARTICULARIDADES DEL LATÍN HISPÁNICO

§15. Latín literario y latín vulgar, 69.— §16. Orden de palabras, 70.— §17. Morfología y sintaxis, 71.— §18. Cambios fonéticos, 75.— §19. Vocabulario, 79.— §20. El latín vulgar de Hispania en relación con el del resto de la Romania, 81.— §21. Arcaísmos del latín hispánico, 84.— §22. Dialectalismos itálicos en el latín de Hispania, 90.— §23. Neologismos del latín hispánico, 95.—

IX. LA ÉPOCA ALFONSÍ Y EL SIGLO XIV

X. TRANSICIÓN DEL ESPAÑOL MEDIEVAL AL CLÁSICO

XI. EL ESPAÑOL DEL SIGLO DE ORO. LA EXPANSIÓN IMPERIAL. EL CLASICISMO

XII. EL ESPAÑOL DEL SIGLO DE ORO. LA LITERATURA BARROCA

NOTA A ESTA EDICIÓN

La mera mención de la *Historia de la lengua española*, monumental en intención, extensión e importancia, justificaría la ubicación de don Rafael Lapesa Melgar (1908-2001) entre nuestros más insignes filólogos. *[famosos]* Las numerosas reediciones de este manual, que el autor fue corrigiendo y ampliando en el curso de casi cuarenta años (entre 1942 y 1981), atestiguan la excepcional vitalidad con que ha servido de guía a sucesivas generaciones de estudiosos e interesados por las cuestiones lingüísticas. El legado filológico del maestro Lapesa, impulsado por un profundo amor a la lengua, es ingente: *[muy grande]* pocos especialistas han publicado tanto y de tan alta calidad sobre las materias. Entre sus múltiples obras de referencia obligada, la editorial Gredos tuvo ocasión de publicar, además de la *Historia de la lengua española*, una recopilación *[juntar o reunir (compile)]* de sus artículos, reunidos en dos tomos titulados *Estudios de morfosintaxis histórica del español*, así como tres de sus más relevantes estudios de crítica e historia literaria: *De la Edad Media a nuestros días*, *De Berceo a Jorge Guillén* y *Poetas y prosistas de ayer y de hoy*. ¿Qué mejor manera de conmemorar los cien años del nacimiento de este autor que entregarnos a la lectura y el estudio de su mejor legado filológico?

A LA MEMORIA
DE DON TOMÁS NAVARRO TOMÁS,
MAESTRO MUY QUERIDO,
POR CUYA INICIATIVA ESCRIBÍ
EL PRIMER (ESBOZO) DE ESTE LIBRO

bosquejar; bosquejo; diseño primero
n. rough draft

PRÓLOGO

La historia de la lengua española ha sido ya objeto de obras muy valiosas, a las que se viene a sumar, muy bien venida, esta del señor Lapesa, sin asomo de conflicto entre ellas. Cada una busca su interés en campos muy diferentes, pues la historia de un idioma se puede concebir y se ha concebido bajo planes más diversos que cualquier otra historia, debido a la vaguedad con que se ofrece la cronología de la evolución lingüística, y, por consiguiente, las múltiples maneras posibles de considerar y combinar el estudio de los elementos gramaticales y estilísticos, ora tradicionales, ora individuales, que es preciso considerar.

El plan que el señor Lapesa adopta es sencillo y claro, además de ser convenientemente comprensivo. Toma como hilo conductor la historia externa del idioma español, y simultáneamente, a través de ella, expone la evolución interna gramatical y léxica. El lector profano (pues el libro no quiere ser sólo guía para los que buscan la especialización) no tropieza con capítulos de pura técnica gramatical, y, sin embargo, se inicia en esta técnica, encontrándola bajo forma fácil, diluida en la exposición de las vicisitudes más generales por que el idioma atraviesa.

Otra cualidad principal que más puede desearse en un libro de esta índole es la de reflejar con precisión el estado de los estudios referentes a las cuestiones tratadas. El señor Lapesa logra este mérito plenamente. No sólo conoce la bibliografía del vasto tema, sino que para manejarla le dan particular aptitud sus trabajos personales, publicados en la *Revista de Filología Española*, y su práctica en la enseñanza, siempre concebida dentro de una aspiración a difundir el rigor de los métodos científicos. Así, puntos tan complicados y difíciles como la situación del latín hispano dentro de la Romania o el desarrollo preliterario del español primitivo, se hallan trazados con todo acierto bajo los aspectos más esenciales que pueden hacerse entrar en una breve historia.

También merece aplauso la idea de ensanchar el estudio lingüístico con el de los principales estilos literarios. En la descripción de éstos hallamos la oportunidad de observación que nos prometían anteriores trabajos especiales del autor, como su hermoso estudio consagrado al padre Ribadeneyra.

Esperamos que este libro, que sabe decir lo sustancial y sabe decirlo bien, contribuya a difundir conocimientos lingüísticos a que tan poca atención suele concederse.

R. MENÉNDEZ PIDAL
Madrid, 1942

ADVERTENCIAS PRELIMINARES
A EDICIONES ANTERIORES

La presente obra ha sido escrita con el deseo de ofrecer, en forma compendiada, una visión histórica de la constitución y desarrollo de la lengua española como reflejo de nuestra evolución cultural. Dirijo mi intento a todos cuantos se interesan por las cuestiones relativas al idioma, incluso a los no especializados. Por eso me he esforzado en satisfacer las exigencias del rigor científico sin abandonar el tono de una obra de divulgación.

El lector advertirá en ella numerosas y extensas lagunas; en parte serán imputables al autor; en parte obedecen a que muchos extremos se hallan casi inexplorados. Con todo, he creído útil adelantar aquí mi bosquejo, esperando que sus defectos sean estímulo para otros investigadores.

Mentor constante de mi trabajo han sido las obras de don Ramón Menéndez Pidal y de los maestros procedentes de su escuela filológica. Debo orientación y sugerencias a los libros, ya clásicos, de Karl Vossler, *Frankreichs Kultur und Sprache*, y W. von Wartburg, *Évolution et structure de la langue française*. He tenido muy en cuenta *The Spanish Language*, de W. J. Entwistle (Londres, 1936), y la *Iniciación al estudio de la historia de la lengua española*, de mi buen amigo Jaime Oliver Asín (Zaragoza, 1938).

R. L.

Madrid, mayo de 1942

Para la segunda edición he considerado las observaciones hechas a la primera en las reseñas del padre Ignacio Errandonea, *Razón y Fe*, septiembre de 1942; Salvador Fernández Ramírez, *Revista de Filología Española*, XXVI, 1942, pp. 531-535; Yakov Malkiel, *Language*, XXII, 1946, pp. 46-49; J. A. Palermo, *Word*, III, 1947, pp. 224-228; Heinrich Lausberg, *Roma-*

nische Forschungen, LX, 1947, pp. 230-232, y Robert K. Spaulding, *Romance Philology*, I, 1948, pp. 272-275, así como indicaciones verbales de Amado Alonso y de Manuel Muñoz Cortés. A todos ellos expreso aquí mi reconocimiento. He procurado incorporar al texto las aportaciones de la investigación en los últimos años; he revisado mis puntos de vista en cada cuestión y he ampliado las citas bibliográficas. Suprimo la breve antología final, ajena al plan originario de la obra.

Madrid, julio de 1950

Había proyectado refundir por completo la presente Historia para su tercera edición. No he tenido tiempo de hacerlo, y, por lo tanto, me limito a ponerla al día, corregirla, eliminar los puntos más discutibles, completar otros y anticipar datos de futuros estudios en cuestiones que estimo importantes. He tenido en cuenta las reseñas y observaciones hechas a la segunda edición por mi maestro Américo Castro, verbalmente; Antonio Tovar, *Anales de Filología Clásica*, Buenos Aires, V, 1952, pp. 155-157; Yakov Malkiel, *Romance Philology*, VI, 1952, pp. 52-63; Robert K. Spaulding, *Hispanic Review*, XXI, 1953, pp. 80-84; Bernard Pottier, *Romania*, LXXIII, 1952, pp. 410-411; E. Aranda, *Anales de la Universidad de Murcia*, 1950-1951, pp. 481-484, y Juan M. Lope, *Nueva Revista de Filología Hispánica*, VIII, 1954, pp. 319-323. A todos doy vivamente las gracias.

Madrid, enero de 1955

Nuevamente he tenido que diferir la refundición de esta obra y limitarme a ponerla al día para la cuarta edición. Las investigaciones hechas en los últimos años en el campo de los substratos prerromanos, así como sobre los orígenes del andaluz, su propagación y otros aspectos de la dialectología hispánica han obligado a modificar sobre todo los capítulos correspondientes. Además, he tenido en cuenta las reseñas hechas a ediciones anteriores por Manuel Muñoz Cortés (*Clavileño*, II, 1951, n.° 11, pp. 73-75); D. L. Canfield (*Hispania*, XXXIX, 1956, pp. 132-133), y Gregorio Salvador (*Archivo de Filología Aragonesa*, VIII-IX, 1956-1957, pp. 266-269), a quienes quedo vivamente agradecido.

Madrid, septiembre de 1959

PARA LA OCTAVA EDICIÓN

Sale de nuevo, tras peripecias que no vienen al caso, un libro nacido hace mucho tiempo, en circunstancias que sí merecen recuerdo. Corría el año 1937; en el duro Madrid de la guerra, yo estaba encargado de mantener la comunicación entre los restos del Centro de Estudios Históricos y la Junta para Ampliación de Estudios, trasladada a Valencia. Con tal motivo sostenía frecuente correspondencia con don Tomás Navarro Tomás, que en una de sus cartas me propuso que escribiera un breve manual de divulgación sobre la historia de la lengua española. Acepté y me lancé con entusiasmo a la tarea: en medio de la contienda fratricida se me brindaba la ocasión de hacer algo por la España de todos. Meses después, en la primavera de 1938, el libro estaba casi terminado; pero hube de interrumpir la redacción de lo que faltaba, pues, movilizada mi quinta, me destinaron a enseñar las primeras letras a soldados analfabetos, quehacer inolvidable como experiencia humana. Cuando terminó la guerra y volví a mi libro, comprendí que rebasaba los límites de la divulgación y podía ser instrumento útil para la iniciación de filólogos. La acogida que tuvo en ambientes universitarios y revistas lingüísticas me hizo incorporar en ediciones sucesivas los frutos de la investigación propia y ajena. Ahora, pasados quince años desde la sexta, última realmente corregida y aumentada, se imponía una revisión a fondo; mientras la hacía, leí la noticia de que don Tomás había encontrado lejos de España el eterno descanso, y decidí rendirle homenaje con mi dedicatoria.

La revisión ha sido ardua, como si preparase mi programa de oposiciones a la cátedra que desempeñé en la Universidad de Madrid durante más de treinta años y que dejé hace dos al jubilarme. El libro se ha incrementado en más de una tercera parte; acaso haya perdido atractivo para el lector meramente aficionado; me alegraría si, en cambio, ha aumentado su interés para el lingüista.

Quiero expresar mi gratitud a los alumnos que a lo largo de tantos años me han alentado abriéndose a la vocación, dándome su asentimiento o incitándome con su perplejidad cuando las cosas no estaban claras; a los jóvenes profesores que colaboraron conmigo en la cátedra; a los colegas que me han tenido al tanto de sus publicaciones; a Manuel Muñoz Cortés, Manuel Ariza y Félix Martín Cano, que me han suministrado importante bibliografía; a Francisco Marcos y Jesús Cantera, que gentilmente atendieron mis consultas; a la Editorial Gredos, que con ejemplar diligencia ha compensado mi irremediable lentitud; a sus habilísimos linotipistas; y muy especialmente a su sabio corrector don Miguel José Pérez, gracias al cual se han salvado no pocos descuidos míos y a quien se debe el índice de nombres propios.

El libro que en 1942 salió con atrevimiento juvenil reaparece cuando su autor ha entrado en eso que llaman ahora «la tercera edad». Recuerdo inevitablemente la pregunta de la Epístola moral: «De la pasada edad ¿qué me ha quedado?»; y me respondo que, por encima del cansancio, queda el afán ilusionado de seguir inquiriendo el mensaje que se guarda en el ser y el devenir de nuestra lengua.

R. L.

Madrid, enero de 1980

En esta novena edición he completado la puesta al día representada por la octava. Corrijo algunos errores, amplío la descripción del español antiguo, incorporo datos nuevos y añado referencias a extremos que antes no había tenido en cuenta. Agradezco valiosas observaciones y sugerencias a Fernando González Ollé, Francisco Marcos Marín, Pedro Álvarez de Miranda y José Giner; y a Eduardo Tejero, el tiempo y esfuerzo dedicados al índice de topónimos y antropónimos con que ha querido facilitar el manejo del libro.

R. L.

Madrid, 1 de enero de 1981

SIGNOS ESPECIALES USADOS

Las barras (/... /) encuadran representaciones de f o n e m a s y transcripciones f o n o l ó g i c a s ; los corchetes ([...]) delimitan representaciones de s o n i d o s o a r t i c u l a c i o n e s , y transcripciones f o n é t i c a s ; las letras en cursiva reproducen o representan g r a f í a s : /antoχadíθo/, [an̪tǫχaɖíθo], *antojadizo*. El signo < precede a la forma originaria: *ocho* < ŏ c t o ; > antecede a la resultante: ŏ c t o > *ocho*. Con + se da a entender 'seguido de': *haber de* + infinitivo. El paréntesis indica que los sonidos o fonemas comprendidos en él desaparecieron en la ulterior evolución de la palabra: o c (u) l u s; o también que desaparecen con frecuencia o en ciertas condiciones: *quisier(e)*, *primer(o)*; el apóstrofo marca el lugar donde previamente hubo un sonido o fonema desaparecido ya: o c ' l u s .

VOCALES:

ā, ē, ī, ō, ū	
â, ê, î, ô, û	Vocal larga.
a:, e:, o:	
ă, ĕ, ĭ, ŏ, ŭ	Vocal breve.
ä, ö, ü	Vocal palatalizada, como las del alemán en *Träne*, *König*, *würdig*.
[a̦]	/a/ de matiz palatal, como en *calle*, *hache*.
[ạ]	/a/ de matiz velar, como en *pausa*, *caja*.
ę, i̦, ǫ, u̦	Vocal abierta.
ẹ, i̧, ọ, ụ	Vocal cerrada.
[i̯], [u̯]	/i/, /u/ semivocales, como en *aire*, *caudal*.
[j], [w]	/i/, /u/ semiconsonantes, como en *tiempo*, *suelo*.

21

CONSONANTES:

/b/	Fonema bilabial sonoro, oclusivo en español antiguo; oclusivo o fricativo, según su entorno, en español moderno.
[b]	/b/ oclusiva, como en *tambor, enviar*.
[ƀ]	/b/ fricativa, como en *deber, ave*.
[ć]	/c/ (= /k/) latina en trance de adelantar su articulación hacia el paladar ante /e/, /i/, como en c e r v u s , v i c i n u s .
/ĉ/	Fonema prepalatal africado sordo, como en *chico, noche*.
/d/	Fonema dental sonoro, oclusivo o fricativo según su entorno.
[d]	/d/ oclusiva, como en *falda, tienda*.
[đ]	/d/ fricativa, como en *vado, poder*.
/ḍ/	Fonema alvéolo-prepalatal retroverso (cacuminal), como en el sardo *steḍḍa*.
/g/	Fonema velar sonoro, oclusivo o fricativo según su entorno.
[g]	/g/ oclusiva, como en *tengo, manga*.
[ǥ]	/g/ fricativa, como en *agua, lago*.
[ǵ]	/g/ latina en trance de adelantar su articulación hacia el paladar ante /e/, /i/, como en g e l u , s a g i t t a .
/ǧ/ o [ǧ]	Fonema o alófono prepalatal africado sonoro rehilante, como el inglés de *just, gentle* o el italiano de *vergine, raggio*.
/h/ o [h]	Fonema o alófono aspirado faríngeo sordo, como el de *mujer, hambre, mosca* en la pronunciación popular andaluza.
[ɦ]	/h/ sonora, como la extremeña de *mujer, botijo*.
/l/	Fonema alveolar líquido lateral sonoro.
[ḷ]	/l/ dental, como en *alto, falda*.
/l·l/, [l·l]	/l/ doble o geminada, como en el latín c a p ĭ l l u .
/ḽ/	Fonema palatal lateral sonoro, como el de *valle, sello, llano* en la pronunciación castellana vieja.
/m/	Fonema bilabial nasal sonoro.
[m̥]	/m/ ensordecida, como la pronunciación que se da a la /s/ de *mismo, pasmar*, en el Mediodía de España.
/n/	Fonema alveolar nasal sonoro.
[ṇ]	/n/ dental, como en *andar, puente*.
/ṋ/	Fonema palatal nasal sonoro, como en *baño, peña*.

/r/	Fonema alveolar vibrante sonoro sencillo, como en *caro*, *pera*.
/ř/	/r/ fricativa y asibilada sonora, como en el riojano *para*.
[ř̥]	/r/ fricativa y asibilada sorda, como en el riojano *otro*.
/r̄/	Fonema alveolar vibrante sonoro múltiple, como en *risa*, *carro*, *perra*.
[r̄̆]	/r̄/ fricativa y asibilada, como en el chileno *roto*.
/s/	Fonema siseante fricativo sordo.
/ś/	/s/ ápico-alveolar cóncava, como la castellana de *sol*, *casa*, o la catalana de *sol*, *massa*.
[ş]	/s/ dental, como en *este*, *pasto*.
[s̄]	/s/ dental o dento-alveolar coronal plana.
/s̰/	/s/ predorso-dental convexa, como la francesa de *savoir*, *poisson*.
/ş/	/s/ enfática árabe (*ṣād*).
/ŝ/	Fonema dental africado sordo, como el italiano de *forza* o el alemán de *Zeit*.
/š/	Fonema prepalatal fricativo sordo, como el del gallego *xeito*, catalán *peix*, italiano *lasciare*, inglés *shame*, alemán *Schiff*.
/t/	Fonema dental oclusivo sordo.
/ṭ/	/t/ enfática árabe (*ṭā'*).
/ţ/	/t/ alveolar o alvéolo-prepalatal, apical o retroversa.
/ţṣ/	Fonema alveolar o alvéolo-prepalatal africado sordo retroverso.
/ţś/	Fonema ápico-alveolar africado sordo no retroverso.
/v/	Fonema labial fricativo sonoro del español antiguo, articulado como [ḅ] bilabial o [v] labiodental según las regiones. En otras lenguas, fonema labiodental fricativo sonoro, francés *venir*, italiano *venire*.
/y/	Fonema palatal central sonoro no rehilante, fricativo o africado.
[y]	/y/ fricativa, como la castellana de *ayer*, *mayo*.
[ŷ]	/y/ africada, como la castellana de *conyugal*, *el yunque*.
[ẙ]	/y/ fricativa sorda, como la chilena de *jefe* o la alemana de *ich*, *gleichen*.

[y̆]	/y/ africada sorda del bable occidental en *mucher*, *agucha*.
/z/	Fonema fricativo siseante sonoro.
/ż/	/z/ ápico-alveolar cóncava, como la catalana de *casa*, *rosa*.
[z̪]	/z/ dental, como en *desde*, *las diez*.
/z̮/	/z/ predorso dental convexa, como en el judeo-español *hermoza* o en el francés *poison*.
/ẑ/	Fonema dental africado sonoro, como el italiano de *mezzo*, *azzurro*.
/ž/, [ž]	Fonema o alófono prepalatal fricativo sonoro rehilante, como el portugués de *janela*, el francés de *jamais*, *gentil*, el inglés de *pleasure*, etc.
/θ/	Fonema interdental fricativo sordo ciceante, como el castellano de *cerca*, *decir*.
/φ/, [φ]	Fonema o alófono bilabial fricativo sordo.
/χ/	Fonema velar fricativo sordo, como en *jardín*, *mojar*, *gente*.
[χ̇]	/χ/ postpalatal, frecuente en la dicción hispanoamericana, sobre todo ante /e/, /i/, *gente*, *México*.

I

LAS LENGUAS PRERROMANAS

heterogéneo — Compuesto de partes/elementos muy distintos.

§ I. PUEBLOS ABORÍGENES, INMIGRACIONES Y COLONIAS

1. La historia de nuestra Península antes de la conquista romana encierra un cúmulo de problemas aún distantes de ser esclarecidos. Los investigadores tienen que construir sus teorías apoyándose en datos heterogéneos y ambiguos: restos humanos, instrumental y testimonios artísticos de tiempos remotos; mitos, como el del jardín de las Hespérides o la lucha de Hércules con Gerión, que, si poetizan alguna lejana realidad hispánica, sólo sirven para aguzar más el deseo de conocerla sin la envoltura legendaria; indicaciones —imprecisas muchas veces, contradictorias otras— de autores griegos y romanos; monedas e inscripciones en lenguas ignoradas; nombres de multitud de pueblos y tribus de diverso origen, que pulularon en abigarrada promiscuidad; designaciones geográficas, también de varia procedencia. Combinando noticias y conjeturas, etnógrafos, arqueólogos y lingüistas se esfuerzan por arrancar espacio a la nebulosa, que defiende paso a paso su secreto.

2. Al alborear los tiempos históricos, pueblos con un idioma común que sobrevive en el vasco actual se hallaban establecidos a ambos lados del Pirineo. Por la costa de Levante y regiones vecinas se extendía, quizá como resto de un dominio anterior más amplio, la cultura de los iberos, de origen probablemente norteafricano: a ellos debió la Península el nombre de Iberia, que le dan los escritores griegos.[1]

---

1. Según A. García y Bellido, *Los más remotos nombres de España*, Arbor, 1947, pp. 5-28, la denominación de Iberia procedería de unos iberos asentados en la zona de Huelva, mejor que de los iberos del este peninsular.

3. La actual Baja Andalucía y el sur de Portugal fueron asiento de la civilización tartesia o turdetana, que hubo de recibir tempranas influencias de los navegantes venidos de Oriente. Se ha relacionado a los tartesios con los tirsenos de Lidia, en Asia Menor, de los cuales proceden los tirrenos o etruscos de Italia. Incluso se ha dado como posible una colonización etrusca en las costas españolas del Mediodía y Levante, ya que desde Huelva al Pirineo hubo topónimos que reaparecen con forma igual o análoga en Etruria o en otras zonas italianas (*Tarraco, Subur*, un río *Arnus*, etc.).[2] Esperemos a que otras investigaciones confirmen o rechacen las hipótesis.

El florecimiento de la civilización tartesia fue largo, y la antigüedad nos ha transmitido curiosas noticias acerca de ella. La Biblia dice que Salomón enviaba sus naves a Tarsis —el nombre bíblico de Tartessos—, de donde volvían cargadas de oro, plata y marfil. También los fenicios sostenían relaciones comerciales con el sur de España: el profeta Isaías menciona las naves de Tarsis como símbolo de la pretérita grandeza de Tiro. Heródoto cuenta que Argantonio, rey de Tartessos, proporcionó a los focenses plata bastante para construir un muro, con el que resistieron algún tiempo los ataques de Ciro. La longevidad y riquezas de Argantonio[3] se hicieron proverbiales en la Hélade. Estas noticias responden al hecho indudable de que los dos pueblos navegantes del Mediterráneo oriental, fenicios y griegos, se disputaron el predominio en la región tartesia. La pugna, que acabó con la desaparición de las factorías griegas, barridas por los cartagineses, herederos de los fenicios, debió de acarrear la ruina de Tartessos.

4. Los fenicios se establecieron, pues, en las costas meridionales. Ya hacia el año 1100 antes de Jesucristo tuvo lugar la fundación de G á d i r ,

---

2. Véase Adolf Schulten, *Die Etrusker in Spanien* y *Die Tyrsener in Spanien*, Klio, XXIII, 1930, y XXXIII, 1940.

3. El nombre de Argantonio ha dado lugar a diversas hipótesis. H. Hubert (Revue Celtique, XLIV, 1927, pp. 84-85) ve en él un céltico a r g a n t o s , hermano del latín a r - g e n t u m ; ya fuese *Argantonio* el nombre efectivo de un monarca, ya se tratara sólo del sustantivo que designaba la plata, personificado míticamente como símbolo de las riquezas tartesias, revelaría de todos modos la presencia de celtas en Tartessos o tierras inmediatas. En cambio, Schulten (Klio, XXIII, 1930, p. 339) cree descubrir en A r g a n t o n i o un etrusco a r c n t i con adición de un sufijo griego. Los topónimos *Arganda, Argandoña*, de otras regiones, apoyan la hipótesis celtista (véase § 1₈).

cuyo nombre equivalía a 'recinto amurallado'; deformado por los romanos (G a d e s) y árabes (Q ā d i s), ha dado el actual *Cádiz*. Otras colonias fenicias eran A s i d o , hoy Medinasidonia, relacionable con el *Sidón* asiático; M á l a k a > *Málaga*, probablemente 'factoría' y A b d e r a , hoy *Adra*. Más tarde, los cartagineses reafirmaron, intensificándola y extendiéndola con sus conquistas, la influencia que habían tenido sus antecesores los fenicios en el sur. A los cartagineses se debe la fundación de la nueva C a r t a - g o (Cartagena), capital de sus dominios en España, y la de P o r t u s M a g o n i s > *Mahón*, que lleva el nombre de un hijo de Asdrúbal. De origen púnico se dice ser el nombre de H i s p a n i a , que en lengua fenicia significa 'tierra de conejos', así como el de E b u s u s > *Ibiza*, que originariamente querría decir 'isla o tierra de pinos' o 'isla del dios Bes', divinidad egipcia cuyo culto, muy popular en el mundo púnico, se halla atestiguado en monedas y figurillas de la isla.[4]

5. La colonización helénica, desterrada del sur, prosiguió en Levante, donde se hallaban L u c e n t u m > *Alicante*, H e m e r o s c o p i o n (Denia), R h o d e (Rosas) y E m p o r i o n > *Ampurias*. Al contacto con las civilizaciones oriental y griega se desarrolló el arte ibérico, que alcanzó brillantísimo florecimiento: las monedas y metalistería, las figurillas de Castellar de Santisteban, las esculturas del Cerro de los Santos y el singular encanto de la Dama de Elche, demuestran hasta qué punto acertaron los hispanos primitivos a asimilarse influencias extrañas dándoles sentido nuevo.

6. Respecto al centro y oeste de la Península, las primeras noticias claras de los historiadores antiguos y los hallazgos de la moderna arqueología atestiguan inmigraciones indoeuropeas que, procedentes de la Europa central, comenzaron con el primer milenio antes de nuestra era y se sucedieron durante varios siglos. Parece ser que las primeras corresponden a la cultura de los campos de urnas funerarias. En el siglo VI pueblos célticos

---

4. Véanse Albert Dietrich, *Phönizische Ortsnamen in Spanien*, Abhandlungen für die Kunde des Morgenlandes, XXI, 2, Leipzig, 1936; José M.ª Millás, *De toponimia púnico-española*, Sefarad, I, 1941; J. M. Solá Solé, *La etimología púnica de Ibiza*, ibid., XVI, 1956, y *Toponimia fenicio-púnica*, «Enciclopedia Lingüística Hispánica», I, 495-499. Para otras etimologías dadas a H i s p a n i a , véase B. Maurenbrecher, *Zu «Hispania» und «Hispanus»*, Berliner Philologische Wochenschrift, 1938, LVIII, 142-144.

habían llegado hasta Portugal y la Baja Andalucía, y estaban ya instalados allí; a ellos se refiere, hacia el año 445, Heródoto de Halicarnaso, en dos pasajes donde por primera vez consta de manera fidedigna el nombre de *celtas*. Es posible que hubiera otras oleadas célticas posteriores. En este marco hay que encuadrar las diversas afirmaciones e hipótesis sobre la presencia de ligures, más o menos indoeuropeizados, y de indoeuropeos ilirios, vénetos y hasta germanos, en la Hispania prerromana. Tratándose de una época en que las distintas etnias no estaban plenamente configuradas, es muy difícil precisar si los invasores centroeuropeos que llegaron aquí en tiempos más remotos eran preceltas, esto es, pueblos anteriores a la existencia o venida de los celtas, o eran protoceltas, es decir, celtas que todavía no se llamaban así y cuya lengua no se había diferenciado marcadamente aún de las de sus vecinos ilirios o vénetos, protogermanos, etc. Hay también quienes suponen que en las primeras migraciones participaron, junto a los protoceltas, pueblos afines (paraceltas), ya fuesen indoeuropeos, ya de otro origen. Las tres teorías —precéltica, protocéltica y paracéltica— tratan de explicar el hecho de que en las inscripciones peninsulares indoeuropeas hay algunos rasgos lingüísticos ajenos, según veremos, al arquetipo celta.[5]

---

5. H. d'Arbois de Jubainville, *Les Celtes depuis les temps les plus anciens jusqu'en l'an 100 avant notre ère*, París, 1914; H. Hubert, *Les Celtes et l'expansion celtique jusqu'à l'époque de La Tène*, París, 1932; P. Bosch-Gimpera, *Etnología de la Península Ibérica*, Barcelona, 1932; *El poblamiento antiguo y la formación de los pueblos de España*, México, 1944, y *Paletnología de la Península Ibérica*, Graz, 1974; J. Pokorny, *Zur Urgeschichte der Kelten und Illyrier*, Zeitsch. f. celtische Philologie, XX, 1936, y XXI, 1938; A. Tovar, *Estudios sobre las primitivas lenguas hispánicas*, Buenos Aires, 1949; *Indo-European Layers in the Hispanic Península*, «Proceedings of the VIIIth. Congress of Linguists», 1957, 705-720; *Lenguas prerromanas de la Península Ibérica. Lenguas indoeuropeas. 1. Testimonios antiguos*, «Enciclopedia Lingüística Hispánica», I, Madrid, 1960, 101-126; *The Ancient Languages of Spain and Portugal*, Nueva York, 1961; *La lucha de lenguas en la Península Ibérica*, Madrid, 1968, 76-96; *El nombre de celtas en Hispania*, «Homenaje a García Bellido», III (Rev. de la Univ. Complutense, XXXVI, 1977, n.° 109), 163-178, y *Einführung in die Sprachgeschichte der Iberischen Halbinsel*, Tubinga, 1977, 97-124; M. Almagro, *La España de las invasiones célticas*, «Historia de España» dirigida por R. Menéndez Pidal, I, vol. II, Madrid, 1952, 241-278; U. Schmoll, *Die Sprachen der vorkeltischen Indogermanen Spaniens und das Keltiberische*, Wiesbaden, 1959, etc. J. Corominas usa el término *sorotáptico* (del gr. σορός 'urna cineraria' y θάπτειν 'enterrar') para designar a preceltas y paraceltas, así como a sus lenguas.

7. La hipótesis de una inmigración ligur, basada en referencias de historiadores griegos, fue renovada por Menéndez Pidal con el apoyo de significativas coincidencias formales entre topónimos españoles y otros de zonas italianas o francesas que se han venido considerando ligúricas: *Langa* (Soria, Zaragoza, Cuenca y Ávila), *Berganza* (Álava) y *Toledo*, por ejemplo, corresponden a *Langa*, *Bergenza* y *Toleto* de Piamonte y Lombardía. Aunque no exclusivo, se ha dado como característicamente ligur el sufijo -*asco*, que abunda en denominaciones geográficas de la mitad septentrional de España: *Beasque*, *Viascón* (Pontevedra); *Girasga*, *Retascón*, *Tarascón* (Orense); *Piasca* (Santander); *Benasque* (Huesca); *Balasc* (Lérida); más al sur, *Magasca*, río de la provincia de Cáceres; *Benascos* (Murcia). Se dan también como ligures las terminaciones -*osco*, -*usco* de *Amusco* (Palencia), *Ledusco* (Coruña), *Orusco* (Madrid), *Biosca* (Lérida). Algunos de estos nombres se hallan con forma idéntica o gemela en la región mediterránea francesa, en el valle del Ródano o en el norte de Italia. Igual sucede con *Velasco* (Álava, Logroño, Soria, etc.), derivado de b e l a 'cuervo' y arraigado en la onomástica personal hispánica, y *Balasc* (Lérida), que tienen paralelos en el Mediodía francés, Lombardía y Ticino (*Balasque*, *Velasca*, *Balasco*). Los que ofrecen la raíz *b o r m , *b o r b , *b o r n (*Bormela* en Portugal, *Bormate* en Albacete, *Bormujos* en Sevilla, *Bornos* en Cádiz, *Borbén* en Pontevedra) tienen analogías no sólo en el dominio ligur, sino también en el antiguo de los ilirios. Lo mismo ocurre con el sufijo -*ona*, de *Barcelona*, *Badalona*, *Ausona*, *Tarazona*, frecuente en el sur de Francia, norte de Italia y en la Iliria balcánica. Algunos topónimos como *Corconte*, *Corcuera* y los derivados de *c a r a u 'piedra' (*Caravantes*, *Carabanzo*, *Caravia*, *Carabanchel*, de Soria, Asturias y Madrid), sólo encuentran semejantes en Iliria. Precisamente han admitido algunos que la lengua de los ligures, no indoeuropea en su origen, sufrió el influjo de vecinos indoeuropeos, que, según unos, fueron los ilirios, y, según otros, los *Ambrones*; de estos últimos nos hablan los toponímicos *Ambrona*, *Ambroa* y *Hambrón*, de Soria, Coruña y Salamanca.[6]

6. M. Gómez-Moreno, *Sobre los iberos y su lengua*, «Homenaje a Menéndez Pidal», III, Madrid, 1925; J. Pokorny, *Zur Urgeschichte* (véase n. 5), especialmente t. XXI, 148-156; R. Menéndez Pidal, *Sobre el substrato mediterráneo occidental*, Zeitsch. f. romanische Phi-

8. Muchas ciudades fundadas por los celtas tienen nombres guerreros, compuestos con b r i g a 'fortaleza' o s e g o , s e g i 'victoria': C o n i m - b r ĭ g a > *Coimbra*, M i r o b r ĭ g a (Ciudad Rodrigo), M u n d o b r ĭ g a > *Munébrega* (junto a Calatayud), N e m e t o b r ĭ g a (Puebla de Trives), L a c o b r ĭ g a (Carrión), B r i g a n t i u m (Betanzos), B r i g a e t i u m (Benavente), S e g o n t i a > *Sigüenza*, S e g ŏ v i a > *Segovia* y *Sigüeya* (León). Otros nombres célticos que contienen en vez de b r i g a su sinónimo d u n u m , se encuentran todos en el Pirineo central y oriental: *Navardún* (Zaragoza), *Berdún* (Huesca), *Verdú* y *Salardú* (Lérida), B i s u l d u - n u m > *Besalú* (Gerona). De otros tipos tenemos U x ă m a > *Osma*, que es probablemente un superlativo celta equivalente a 'muy alta'; formaciones análogas parecen S e g i s ă m o > *Sasamón* (Burgos) y *Ledesma* (véase § 2₂). Céltico es el sufijo -a c u superviviente en *Luzaga*, *Buitrago*, *Sayago* y otros. Una ciudad antigua, donde ahora está La Bañeza (León), se llamaba B e d u n i a , como hoy *Bedoña* (Guipúzcoa), *Begoña* (Vizcaya), *Bedoya* (Santander), *Bedoja* (Coruña); derivan todos del celta b e d u s 'zanja, arroyo'. Los celtas adoraban a los ríos; recuerdo de este culto son los nombres *Deva* (Guipúzcoa y Santander) y *Ríodeva* (Teruel), cuya raíz indoeuropea es la misma del latín d i v u s , d e u s . *Coruña* y *Coruña del Conde* (Burgos) son resultado del celta C l u n i a . Más al sur, se atribuye origen celta a *Alcobendas*, topónimo hermano del nombre personal A l c o v i n - d o s 'corzo blanco'; *Coslada*, de c o s l o , c o s l a 'avellana'; *Arganda*, *Argandoña*, *Argance*, de a r g a n t o 'metal brillante, plata'; *Yebra* < A e - b ŭ r a , y algunos más de la antigua Carpetania. En el Occidente abundan los nombres célticos; aparte de algunos ya mencionados, hay *Évora*, proce-

lol., LIX, 1938, y Ampurias, II, 1940; *Ligures o ambroilirios en Portugal*, Rev. da Faculdade de Letras de Lisboa, X, 1943, y *Toponimia prerrománica hispana*, Madrid, 1952; G. Bonfante, Rev. de Fil. Hisp., VII, 1945, 392, y *Il retico, il leponzio, il ligure, il gallico, il sardo, il corso*, Atti dei Convegni Lincei, 39, Roma, 1979, 208-209; A. Tovar, *Estudios sobre las primit. lenguas hisp.* (véase n. 5), 96-119 y 194-210; J. Hubschmid, *Lenguas prerromanas no indoeuropeas. Testimonios románicos y Toponimia prerromana*, en «Enciclopedia Ling. Hispánica», I, 1960, 42-48, 57-66, 466-474 y 482-486, y *Die asko-/ usko- Suffixe und das Problem des Ligurischen*, Revue Internat. d'Onomastique, 18-19, 1966-1967 (reseñado por A. Tovar, Language, 46, 1970, 695-699); M. Rabanal, *Hablas hispánicas. Temas gallegos y leoneses*, Madrid, 1967, 99-137, etc.

dente de otro A e b ŭ r a , *Braga* (< B r a c ă n a o B r a c ă l a , variantes de B r a c ă r a), el río *Támega* (< T a m ă g a), etc. Peculiar de los ártabros, que habitaban hacia la actual provincia de La Coruña, es la terminación -*obre* de *Fiobre, Illobre, Tiobre* y unos treinta pueblos más, todos situados en Galicia.[7]

§ 2. LAS LENGUAS DE LA HISPANIA PRERROMANA

1. En la época de Augusto el geógrafo griego Estrabón afirmó que entre los naturales de la Península hispana había diversidad de lenguas. Tal aserto ha sido plenamente corroborado por los estudios que en nuestro siglo se han hecho sobre las inscripciones de lápidas y monedas antiguas. La escritura ibérica ofrece ya pocas dificultades para su lectura, gracias a que don Manuel Gómez-Moreno, el gran maestro de la arqueología hispánica, descubrió en ella una combinación de signos silábicos, como los de los sistemas gráficos cretense y chipriota, con signos representativos de sendos fonemas, como los de los alfabetos fenicio y griego. También Gómez-Moreno descifró la escritura tartesia, precedente de la ibérica y más arcaica.[8] La

"el mero mero"

7. Véanse las obras de D'Arbois de Jubainville, Hubert y Tovar mencionadas en las notas 5 y 6. Además, A. Castro y G. Sachs, «*Bedus*», Rev. de Filol. Esp., XXII, 1935, 187; R. Menéndez Pidal, *Toponimia prerrománica hispana*, 179-220; A. Tovar, *Numerales indoeuropeos en Hispania*, Zephyrus, V, 1954, 17-22; *El sufijo -ḳo: indoeuropeo y circumindoeuropeo*, Archivio Glottologico Italiano, XXXIX, 1954, 56-64; *Topónimos con -nt- en Hispania, y el nombre de Salamanca*, «Actes et Mémoires du Cinquième Congrès Internat. de Sciences Onomastiques», II, Salamanca, 1958, 95-116; *Más conexiones precélticas en hidrónimos y orónimos de Hispania*, «Homenaje al Prof. Alarcos García», II, Valladolid, 1966, 81-88; *Hidronimia europea antigua: Jarama, balsa*, Habis, I, 1970, 5-9; J. Corominas, *Suggestions on the origin of some old place names in Castilian Spain*, «Romanica. Festschrift für G. Rohlfs», Halle (Saale), 1958, 97-120; *Acerca del nombre del río Esla y otros celtismos*, Nueva Rev. de Filol. Hisp., XV, 1961, 45-50, y *Tópica hespérica*, 2 vols., Madrid, 1971-1972; J. Hubschmid, *Toponimia prerromana*, «Enciclopedia Lingüística Hispánica», I, Madrid, 1960, 482-491; M. Rabanal (véase n. 6); A. Moralejo Lasso, *Toponimia gallega y leonesa*, Santiago de Compostela, 1977, etc.

8. M. Gómez-Moreno, *De epigrafía ibérica. El plomo de Alcoy*, Rev. de Filol. Esp., IX, 1922, 341-366; *Sobre los iberos y su lengua*, «Homenaje a Menéndez Pidal», III, Ma-

ibérica sirvió no sólo para la propia lengua, sino también, lo mismo que el alfabeto latino, para lenguas precélticas o célticas; pero no se ha encontrado hasta ahora ninguna inscripción que al lado de la versión indígena contenga otra en una lengua bien conocida. A pesar de ello el análisis de los textos ha permitido reconocer como elementos gramaticales o derivativos ciertas secuencias de caracteres que se repiten en determinadas circunstancias. Su identificación, así como la de no pocas raíces, es relativamente fácil en el caso de inscripciones precélticas y célticas por la comparación con otras lenguas de igual rama o de otras lenguas indoeuropeas. En bastantes ocasiones se ha llegado a inferir sentido plausible, aunque pocas veces seguro todavía. Cuando se trata de inscripciones ibéricas o tartesias, la dificultad es mucho mayor. Aun con estas limitaciones, las principales zonas lingüísticas de la Hispania prerromana pueden distinguirse con cierta claridad.

2. En el centro, oeste, norte y noroeste las migraciones centroeuropeas dieron por resultado el afianzamiento de lenguas precélticas y célticas. La de los lusitanos, representada por las inscripciones de Arroyo del Puerco o de Malpartida (Cáceres), Lamas de Moledo (Portugal, cerca de Viseo) y Cabeço das Fraguas (también en Portugal, junto a Guarda), mantenía la /p/ indoeuropea (*porcom*) que el celta perdió. Igual conservación se daba en tierras hoy leonesas y palentinas (p a r ă m i , véase § 6₂; P a l a n t i a > *Palencia*). La lengua de los celtíberos se extendía por las actuales provincias de Burgos, Logroño, Soria y Guadalajara, sur de Navarra y oeste de Zaragoza y Teruel; a ella corresponden las inscripciones murales de Peñalba de

drid, 1925, 475-479; *Las lenguas hispánicas*, discurso de recepción en la R. Acad. Esp., 1942; *La escritura ibérica*, Bol. R. Acad. de la Historia, CXII, 1943, 251-278; *Digresiones ibéricas*, Bol. R. Acad. Esp., XXIV, 1945, 276-288; *Miscelánea (Dispersa, emendata, inedita). Excerpta: La escritura ibérica y su lenguaje. Suplemento de epigrafía ibérica*, Madrid, 1948; y *La escritura bástulo-turdetana (primitiva hispánica)*, Rev. de Archivos, Bibliot. y Mus., LXIX, 1961, 879-950; J. Vallejo, *La escritura ibérica. Estado actual de su conocimiento*, Emerita, XI, 1943, 461-475; A. Tovar, *Los signos silábicos ibéricos y las permutaciones del vascuence*, ibid., 209-211; *Lengua y escritura en el Sur de España y Portugal*, Zephyrus, XII, 1961, 187-196, y *Revisión del tema de las lenguas indígenas de España y Portugal*, «Miscelánea de Estudos a Joaquim de Carvalho», Figueira da Foz, 1962, 784-794; J. Casares, *El silabismo en la escritura ibérica*, Bol. R. Acad. Esp., XXIV, 1945, 11-39; U. Schmoll, *Die südlusitanischen Inschriften*, Wiesbaden, 1961, etc.

Villastar (Teruel), en caracteres latinos, y los bronces de Luzaga (Guadala-jara) y Botorrita (Zaragoza), ambos en escritura ibérica; el de Botorrita, re-cientemente descubierto, es de considerable extensión. El celtibérico era una lengua céltica, pero arcaizante, con notables diferencias respecto al galo. Las formas prerromanas antecesoras del topónimo *Ledesma* (Soria, Logroño y Salamanca) ilustran sobre las divergencias entre las lenguas cel-tibérica y lusitana: mientras en Celtiberia se atestigua L e d a i s a m a , en Lusitania aparece B l e t i s a m a , que supone *Pletisă m a 'muy an-cha', anterior o ajena a la caída celta de la /p/. En los últimos decenios se ha avanzado mucho en el conocimiento de las lenguas hispánicas prerroma-nas de origen indoeuropeo: se ha reconstruido la declinación celto-hispáni-ca; se han identificado no pocos elementos léxicos y nombres propios de lu-gar; y la onomástica personal ha sido estudiada a la vista de sus relaciones con otras lenguas indoeuropeas.[9]

3. En el sur llegó a haber núcleos de población púnico-fenicia que con-servaron su lengua hasta el comienzo de la época imperial romana. Inde-pendientemente, los turdetanos o tartesios tuvieron su lengua propia, que,

9. Véase la bibliografía indicada en las notas 5, 6 y 7, así como C. Hernando Balmori, *Sobre la inscripción bilingüe de Lamas de Moledo*, Emerita, III, 1935, 77-119; A. Tovar, *Las inscripciones ibéricas y la lengua de los celtíberos*, Bol. R. Acad. Esp., XXV, 1946, 1-42; *Canta-bria prerromana*, Madrid, 1955; *Las inscripciones de Botorrita y de Peñalba de Villastar y los lí-mites orientales de los celtíberos*, Hispania Antigua, 3, 1973, 367-405, y *Ein neues Denkmal der Keltiberischen Sprache: die Bronze von Botorrita*, Zeitsch. für Celtische Philologie, 34, 1975, 1-19; J. Caro Baroja, *La geografía lingüística de la España antigua a la luz de la lectura de las inscripciones monetales*, Bol. R. Acad. Esp., XXVI, 1947, 197-243; M. Lejeune, *Celti-berica*, Salamanca, 1955, y *La grande inscription celtibère de Botorrita*, Comptes Rendus de l'Académie des Inscriptions et Belles Lettres, 1973, 622-647; M. Palomar Lapesa, *La ono-mástica personal pre-latina de la antigua Lusitania*, Salamanca, 1957, y *Antroponimia prerro-mana*, «Enciclopedia Lingüística Hispánica», I, Madrid, 1960, 347-387; M.ª L. Albertos Firmat, *La onomástica personal primitiva de Hispania Tarraconense y Bética*, Salaman-ca, 1966; J. de Hoz y L. Michelena, *La inscripción celtibérica de Botorrita*, Salamanca, 1974; *Actas del I Coloquio sobre Lenguas y Culturas Prerromanas de la Península Ibérica. Salamanca 27-31 de mayo de 1974*, Salamanca, 1976, y *Actas del II Coloquio [...] Tubinga 17-19 de junio de 1976*, Salamanca, 1979 (con comunicaciones de L. Fleuriot y H. Schwerteck sobre las inscripciones de Botorrita y Peñalba de Villastar); Juan Gil, *Notas a los bronces de Botorrita y de Luzaga*, Habis, VIII, 1977, 161-174, etc.

según Estrabón, contaba con algún cultivo en poemas y leyes versificadas. Parece que el tartesio, hablado desde el Algarbe hasta el Bajo Guadalquivir, era distinto del ibérico,[10] extendido por el este de Andalucía, todo levante y la parte oriental del Valle del Ebro hasta llegar por el sur de Francia más allá del Rosellón. A pesar de que cuenta con abundante documentación y pasan del millar sus palabras registradas, es muy poco lo que se sabe del ibérico: su sistema fonológico, algunas raíces y sufijos, la reiterada aparición de otros elementos cuyo significado se desconoce. Nada hay seguro respecto a su procedencia, aunque ciertos indicios la hacen suponer camítica, norteafricana. Sus coincidencias con el vasco se reducen a la carencia de /r/ y /f/ iniciales; posesión de un sufijo *-tar* de gentilicios (*saitabietar* 'saitabense, de Játiva', como *bermeotar* 'natural de Bermeo'); existencia de un pronombre *-en* que parece corresponder a la desinencia vasca de genitivo; abundancia de topónimos con elemento inicial *ili-* (I l e r d a > *Lérida*, I l ĭ c i > *Elche*, I l i b e r i s , etc.) que hace pensar en el vasco *iri*, *uli*, *uri* 'ciudad'; y algún antropónimo como E n n e c e s , identificable con E n - n e k o > *Íñigo*. Pero el que las dos lenguas compartan estos y otros rasgos no quiere decir que tengan origen común ni que una descienda de otra: el contacto entre los dos pueblos hubo de originar mutuo influjo lingüístico, más activo probablemente por parte de los iberos, dado el mayor avance de su cultura. El conocimiento del vasco ha servido poco para interpretar las inscripciones ibéricas: caso aparentemente positivo es el de un vaso de Liria (Valencia) decorado con la figura de un guerrero y que tiene grabada la frase *gudua deisdea*, equivalente a 'grito de guerra' o 'llamada a la guerra' en vasco actual; pero no hay certeza de que *gudu* y *dei* pertenezcan al léxico vasco patrimonial: pueden ser préstamos del ibérico multisecularmente conservados en vasco.[11]

10. Aparte de los estudios de Gómez-Moreno, Tovar y Schmoll citados en la nota 8 y referentes a la escritura y lengua tartesia o turdetana, véanse otros de Tovar, *Lenguas prerrom. de la Pen. Ibérica. A) Lenguas no indoeuropeas. Testimonios antiguos*, «Enciclop. Ling. Hisp.», I, 1960, 5-9, y *El oscuro problema de la lengua de los tartesios*, en «Tartessos y sus problemas. V Symposium internac. de Prehistoria Peninsular», Barcelona, 1969, 341-346.

11. Gómez-Moreno, *Sobre los iberos y su lengua*, véase nota 6; J. Caro Baroja, *Observaciones sobre la hipótesis del vasco-iberismo*, Emerita, X, 1942, 236-286, y XI, 1943, 1-59; *Sobre el vocabulario de las inscripciones ibéricas*, Bol. R. Acad. Esp., XXV, 1946; *La geografía lin-*

El problema lingüístico se ha mezclado durante largo tiempo con cuestiones étnicas. Humboldt, apoyándose en semejanzas de nombres geográficos —muchas de ellas rechazadas hoy—, creyó probar la identidad lingüística y racial de vascos e iberos, primitivos pobladores de toda la Península, y aunque reconoció la importancia del elemento celta, lo supuso mezclado con el ibérico en la mayor parte de Hispania. De este modo la teoría vasco-iberista amparó la idea de una primitiva unidad lingüística peninsular: así Hübner, en 1893, tituló *Monumenta Linguae Ibericae*, con genitivo singular, su valiosísima colección epigráfica, donde hay inscripciones indoeuropeas junto a las propiamente ibéricas, y Schuchardt, en 1908, intentó reconstruir la declinación ibérica a base de morfemas vascos.[12] Hoy no parece sostenible el parentesco —no ya la identidad— entre las dos lenguas. Tampoco se admite la comunidad de raza: aunque algunos hayan defendido que los dos pueblos son ramas distintas del tronco caucásico, la procedencia africana de los iberos parece indudable. Luego examinaremos (§ 3$_{3-7}$) la posibilidad de que en época remotísima, anterior a las invasiones indoeuropeas y quién sabe si incluso preibérica, el vasco o lenguas afines a él se hablaran en regiones peninsulares muy alejadas de los modernos límites del euskera.

4. La interpenetración y superposición de distintas gentes y lenguas debía de ser grande en toda la Península. Hasta en la Gallaecia, considerada tradicionalmente como céltica, había pueblos de nombres bárbaros, probablemente no celtas y acaso relacionables con otros de Asturias y Can-

---

güística de la Esp. antigua, véase n. 8; Tovar, *Estudios sobre las prim. leng.*, *The Ancient Languages...*, *La lucha de lenguas...*, y *Einführung*, véase n. 5; *Léxico de las inscripciones ibéricas* (*celtibérico e ibérico*), «Estudios dedicados a Menéndez Pidal», II, Madrid, 1951, 273-323; *Lenguas prerrom. de la Pen. Ibér. A) Lenguas no indoeuropeas. Testimonios antiguos*, «Enciclop. Ling. Hisp.», I, 1960, 10-26; *Fonología del ibérico*, «Miscelánea Homenaje a André Martinet. Estructuralismo e Historia», III, Univ. de La Laguna, 1962, 171-181; L. Michelena, *La langue ibère*, «Actas del II Coloquio sobre Leng. y Cult. Prerrom. de la Pen. Ibér.», Salamanca, 1979, 23-39, etc.

12. W. von Humboldt, *Prüfung der Untersuchungen über die Urbewohner Hispaniens vermittelst der Vaskischen Sprache*, Berlín, 1821 (trad. de F. Echebarría, *Primitivos pobladores de España y lengua vasca*, Madrid, 1959); H. Schuchardt, *Die iberische Deklination*, Sitzungsberichte der k. Akademie der Wiss. in Wien, Phil.-Hist. Klasse, CLVII, 1908, II, 1-90.

tabria. A su vez, por tierras de Lérida, los nombres de los caudillos ilergetes muertos por los romanos en el año 205, denuncian también la mezcla
lingüística: *Indibilis* o *Andobales* parece un compuesto de elementos celtas e
ibéricos; *Mandonio* es un derivado de la misma palabra ilirio-celta que subsiste en el vasco *mando* 'mulo'. Y *bárscunes* o *báscunes* (< v a s c ŏ n e s) ha
sido explicado recientemente como una denominación indoeuropea (precéltica o céltica) que significaría, o bien 'los montañeses, los de las alturas',
o bien, en sentido figurado, 'los orgullosos, los altivos'.[13]

§ 3. EL VASCUENCE Y SU EXTENSIÓN PRIMITIVA

1. Mientras que el resto de la Península aceptó el latín como lengua propia, olvidando sus idiomas primitivos, la región vasca conservó el suyo. No
por eso permaneció al margen de la civilización que trajeron los romanos;
la asimiló en gran parte, y el enorme caudal de voces latinas que incorporó,
transformándolas hasta adaptarlas a sus peculiares estructuras, es la mejor
prueba del influjo cultural romano. Desde nombres como *abere* 'animal'
(< h a b e r e 'hacienda', 'bienes'), *kipula* y *tipula* 'cebolla' (< c e p u l l a) o
errota 'molino' (< r ŏ t a 'rueda'), hasta *pake*, *bake* 'paz', *errege* 'rey'
(< r e g e), *atxeter* 'médico' (< a r c h i a t e r), *pesta* o *besta* 'fiesta', *liburu*
'libro', *gurutz* 'cruz', *abendu* 'diciembre' (< a d v e n t u s), no hay esfera
material o espiritual cuya terminología no esté llena de latinismos.[14]

2. Respecto al origen de la lengua vasca, se han indicado hipotéticos
parentescos, sin llegar a ninguna solución irrebatible. Dos son las opiniones más persistentes y favorecidas: según unos, el vascuence es de procedencia africana y presenta significativas coincidencias con las lenguas ca-

13. A. Tovar, *Etimología de «vascos»*, Bol. Sociedad Vascong. de Amigos del País, II,
1946, 46-56, y *A propósito del vascuence «mando» y «beltz» y los nombres de Mandonio e Indí-
bil*, «Homenaje a don Julio de Urquijo», I, San Sebastián, 1949, 109-118 (artículos incluidos en *Estudios sobre las prim. leng. hispán.*, 1949).

14. G. Rohlfs, *La influencia latina en la lengua y la cultura vascas*, Revista Internacional
de Estudios Vascos, 1933; J. Caro Baroja, *Materiales para una historia de la lengua vasca en su
relación con la latina*, Acta Salmanticensia, 1946, y V. García de Diego, *Manual de dialectología española*, 1946, 195-221.

míticas (beréber, copto, cusita y sudanés); otros, en cambio, apoyándose principalmente en semejanzas de estructura gramatical, sostienen que hay comunidad de origen entre el vasco y las lenguas del Cáucaso; y no faltan teorías conciliadoras, según las cuales el vasco es una lengua mixta: pariente de las caucásicas en su origen y estructura primaria, incorporó numerosos e importantes elementos camíticos, tomados de la lengua o lenguas ibéricas, recibió influencias indoeuropeas precélticas y célticas, y acogió finalmente abundantísimos latinismos y voces románicas.[15] La solución es difícil por escasez de datos: si el latín, en los veintidós siglos que han transcurrido desde su implantación en Hispania, ha cambiado hasta convertirse en nuestra lengua actual, la transformación del vasco a lo largo de sus cuatro o cinco milenios de probable existencia tiene que haber sido incomparablemente mayor. Pero su evolución interna es casi desconocida: algunas inscripciones romanas dan palabras sueltas vascas; los documentos medievales suministran nombres personales y algunos adjetivos; las Glosas Emilianenses, en el siglo x, contienen dos frases breves y de controvertida interpretación; en el xII la guía de peregrinos a Compostela atribuida a Aimeric Picaud reúne un pequeño vocabulario. Hasta el si-

15. Véanse, entre otros, H. Schuchardt, *Baskisch und Hamitisch*, Rev. Int. de Estudios Vascos, IV, 1913; J. de Urquijo, *Estado actual de los estudios relativos a la lengua vasca*, Bilbao, 1918; R. Menéndez Pidal, *Introducción al estudio de la lingüística vasca*, 1921; A. Trombetti, *Le origini della lingua basca*, Memorie della Reale Accademia delle Scienze dell'Istituto di Bologna, 1925; Joseph Karst, *Origines mediterraneæ*, *Die vorgeschichtlichen Mittelmeervölker*, 1931; R. Lafon, *Basque et langues kartvèles*, Rev. Int. de Estudios Vascos, XXIV, 1933; *Études basques et caucasiques*, Acta Salmanticensia, V, 1952, y el capítulo *La lengua vasca* de la «Enciclop. Ling. Hisp.», I, 1960, 67-97; C. C. Uhlenbeck, *De la possibilité d'une parenté entre le basque et les langues caucasiques*, Rev. Int. de Est. Vascos, XV, 1924; *Vorlateinische indogermanische Anklänge im Baskischen*, Anthropos, XXXV-XXXVI, 1940-1941, y *La langue basque et la linguistique générale*, Lingua, I, 1, 59-76; A. Tovar, *Notas sobre el vasco y el celta*, Bol. de la R. Sociedad Vascongada de Amigos del País, I, 1945, 31-39; N. M. Holmer, *Iberocaucasian as a linguistic type*, Studia Linguistica, I, 1947; K. Bouda, *Baskischkaukasische Etymologien*, 1949, y *Neue b.-ḳ. Etymologien*, 1952; A. Tovar, *La lengua vasca*, 2.ª ed. 1954; *El Euskera y sus parientes*, Madrid, 1959; *The Ancient Languages of Sp. and Port.*, 127 y ss.; *El método léxico-estadístico y su aplicación a las relaciones del vascuence*, Bol. R. Soc. Vascong. de Amigos del País, XVII, 1961; *Mitología e ideología sobre la lengua vasca*, Madrid, 1980, etc.

glo XVI no posee el vascuence textos extensos y sólo en época muy reciente ha recibido cultivo literario no oral. Hoy se nos ofrece como un idioma que mantiene firme su peculiarísima estructura, tanto fonológica como gramatical, pero sometido a secular e intensa influencia léxica del latín y del romance, y fraccionado en multitud de dialectos. Comparando unos y otros y aprovechando toda la documentación existente se ha reconstruido hace poco el devenir de su fonética en los tiempos historiables.[16]

3. El actual dominio de la lengua vasca es un pequeño resto del que hubo de tener en otras épocas. Aun rechazando la inmensa mayoría de los supuestos vasquismos alegados por Humboldt en la toponimia antigua y moderna, los nombres de lugar proporcionan el mejor argumento de que el eusquera o lenguas muy relacionadas con él tuvieron en nuestra Península, antes de la romanización, una extensión muy amplia. Vascos son muchos topónimos repartidos a lo largo del Pirineo, sobre todo desde Navarra hasta el Noguera Pallaresa. Son compuestos integrados por lexemas como b e r r i 'nuevo', g o r r i 'rojo' y e r r i 'lugar'; así *Javier* y *Javierre* corresponden a e š a b e r r i 'casa nueva', con /š/ dialectal, variante de la /č/ de e c h e, e c h e a 'casa'; *Lumbierre* proviene de i r u m b e r r i 'ciudad nueva'; *Ligüerre* y *Lascuarre* de i r i g o r r i 'ciudad roja' y l a t s c o r r i 'arroyo rojo' respectivamente; *Esterri* vale 'lugar cercado', y *Valle de Arán* es una denominación tautológica, pues a r a n significa 'valle' en vasco. Más al oriente, al sur del Segre, la comarca de la *Segarra* toma su nombre del vasco s a g a r 'manzana'; en ella está *Sanahuja* < *S a n i g o i a , del vasco z a n i 'vigilante, guardián', y g o i a 'alto'. En la Cerdaña, *Estahuja* 'cercado de arriba' < *e s t a g o i a , se opone a *Estavar* 'cercado de abajo' (vasco b a r r e n 'bajo'). Cerca de Puigcerdá, *Crexenturri*, escrito *Crescenturi* en los siglos X y XI, junta al nombre personal galo C r a s s a n t u s el apelativo vasco u r i , u r r i , variante de i r i 'ciudad, villa'. En el Rosellón la actual Elne se llamaba en la Antigüedad I l i b e r i s , que corresponde al vasco I r i b e r r i 'ciudad nueva', y en la costa gerundense *Tossa* procede de I t u r i s s a , que contiene el vasco i t u r 'fuente'. Aunque estos dos últimos casos no sean seguros (I l i b e r i s podría ser ibérico e

---

16. Luis Michelena, *Fonética histórica vasca*, San Sebastián, 1961 (2.ª ed. muy aumentada, *ibid.*, 1976-1977).

I t u r i s s a tiene un elemento final tal vez no vasco), la epigrafía corrobora el testimonio general de la toponimia pirenaica: en la Alta Ribagorza una inscripción romana del siglo I de nuestra era da nombres personales vascos; en unos plomos del Vallespir (Rosellón), también de época imperial romana, se invoca repetidamente a diosas fluviales llamándolas *niskas*, d o m n a s   n i s k a s ,   n e s c a s (< vasco n e s k a 'muchacha'). Los mencionados topónimos pirenaicos no pueden considerarse fruto de influjo vasco tardío, pues han experimentado iguales cambios fonéticos que las palabras latinas al pasar a los romances aragonés o catalán; por lo tanto, es preciso admitir que existían ya en la época en que se iniciaron esos cambios, es decir, antes de los siglos VI al VIII; y como no pueden atribuirse a una población que hablara latín, tienen que ser forzosamente anteriores a la romanización, esto es, indígenas.[17]

4. Al suroeste del actual dominio vasco, en el sur de Álava, noroeste de la Rioja, y en la Bureba y Juarros, al este de Burgos, abundan topónimos como *Ochanduri, Herramelluri, Cihuri, Ezquerra, Urquiza, Zalduendo, Urrez*. Todavía en tiempo de Fernando III, hacia 1235, los habitantes del valle riojano de Ojacastro estaban autorizados para responder en vascuen-

---

17. Los diptongos /ié/ de *Javierre, Lumbierre, Belsierre* y /uá/, /ué/ de *Lascuarre, Ligüerre* prueban que b e r r i , g o r r i y e r r i existían en ellos cuando p ĕ t r a dio *piedra* y b ŏ n u , *buano, bueno*. El contraste entre estos topónimos aragoneses y los catalanes *Esterri, Algerri*, que no diptongan, demuestra que unos y otros son anteriores a la diferenciación de los romances aragonés y catalán. Igual divergencia ofrecen dos terminaciones de origen discutido: la de los aragoneses *Bentué, Aquilué* frente a los catalanes *Ardanuy, Beranuy*, y la de *Aragüés, Arbués* en Huesca frente a *Arahós, Arbós* en Lérida. Véanse R. Menéndez Pidal, *Sobre las vocales ibéricas ę y ǫ en los nombres toponímicos*, Revista de Filología Española, V, 1918, 225-255; *Orígenes del español*, §§ 25 y 96, y *Javier-Chabarri*, Emerita, XVI, 1948, 1-13; G. Rohlfs, *Le gascon*, 1935, § 3; *Le suffixe préroman -ue, -uy dans la toponymie aragonaise et catalane*, Archivo de Filología Aragonesa, IV, 1952, 129-152, y *Sur une couche préromane dans la toponymie de Gascogne et de l'Espagne du Nord*, Rev. de Filol. Esp., XXXVI, 1952, 209-256; P. Aebischer, «*Crexenturri»: Note de toponymie pyrénéenne*, Zaragoza, Instituto de Estudios Pirenaicos, 1950; A. Badia, *Le suffixe -ui dans la toponymie pyrénéenne catalane*, «Mélanges de Phil. Rom. offerts à Karl Michaëlsson», 31-37; y J. Corominas, *Estudis de Toponímia catalana*, I, Barcelona, 1965, 82-91 y 155-217; *De toponimia vasca y vascorománica en los Bajos Pirineos. Dos notas epigráficas*, Pamplona, 1973, y *Les Plombs Sorothaptiques d'Arles*, Zeitsch. f. rom. Philol., CXI, 1975, 1-53, etc.

ce a las demandas judiciales. En la provincia de Soria, *Iruecha*, *Zayas* y otros nombres de lugar son asimismo de origen vasco. Ahora bien, no es seguro que la expansión vasca por Rioja, Burgos y Soria fuese primitiva; pudo ser resultado de la repoblación durante los siglos ix al xi.[18]

5. Se suele admitir que, en época anterior a la instalación de los cántabros, astures y celtas galaicos, la franja septentrional correspondiente pudo estar habitada por pueblos afines al vasco. A ese fondo primario son atribuibles topónimos como, en Santander, *Selaya* (vasco z e l a i 'campo, prado') y, quizá de la misma raíz, *Selores*, *Selorio*, *Sela*, *Selgas* y antiguo *Selórzeno*, hoy *Solórzano*; también *Urbel* (< vasco u r 'agua' y b e l 'oscuro'). En la frontera meridional de Cantabria, *Amaya* proviene del vasco a m a r , a m a i 'límite'. Plinio habla de una comunidad astur, los E g i - v a r r i , que parecen haber tomado nombre de un topónimo compuesto de e g i 'cresta de montaña' y b a r r i , variedad vasca occidental de b e - r r i 'nuevo'; para la presencia de este adjetivo en un orónimo, recuérdese *Peña Vieja* en los Picos de Europa. El *Urría* de Asturias se ha relacionado con el vasco u r r i 'colmo'; pero es más probable que tenga su origen en otro u r r i , variante de u r i 'ciudad', que en territorio inmediato al vascón forma parte de C a l a g u r r i s > *Calahorra* y de los híbridos G r a c - c h u r r i s , *Crexenturri* (véanse antes, apartado 3, y § 9₄). Este mismo elemento se encuentra en el nombre de los G i g u r r i , comunidad astur que ocupaba una de las entradas de Galicia; el F o r u m   G i g u r r o r u m se llamaba en 1206 «uallem de *Orres*» y hoy *Valdeorras*; la evolución G i g u - r r i o *G i g ŭ r r e s > *Orres* está documentada en cada una de sus etapas. En el extremo occidental, cerca de la costa atlántica gallega, I r i a   F l a - v i a ha hecho pensar, desde Humboldt, en el vasco i r i 'ciudad'. En la

18. Véanse J. J. B. Merino-Urrutia, Boletín de la Sociedad Geográfica, LXXI y LXXII (1931-1932), y Revista Intern. de Estudios Vascos, XXVI (1935); *La lengua vasca en la Rioja y Burgos*, 3.ª ed., Logroño, 1978; J. Caro Baroja, *Materiales para una historia de la lengua vasca*, 17-19; R. Menéndez Pidal, *Orígenes del español*, 3.ª ed., § 98, 473, y *Sobre la toponimia ibero-vasca de la Celtiberia*, «Homenaje a don Julio de Urquijo», III, 1950, 463-467; E. Alarcos Llorach, *Apuntes sobre toponimia riojana*, Berceo. Bol. de Est. Riojanos, V, 1950, 473-513; C. Sánchez Albornoz, *El nombre de Castilla*, «Estudios dedic. a M. Pidal», II, 1950, 636 n.; y los trabajos de varios autores reunidos en los tomitos «Geografía Histórica de la Lengua Vasca», Zarauz, 1960.

meseta, por tierras de León, Valladolid y Zamora, discurre el *Valderaduey*, río llamado antes *Araduey*, y en el siglo x *Aratoi*; a r a - t o i significa en vasco 'tierra de llanuras', sinónimo de «Tierra de Campos», que es el nombre actual de la comarca regada por el Valderaduey. En el centro, la antigua A r r i a c a coincidía con el vasco *arriaga* 'pedregal'; los árabes cambiaron el nombre de la ciudad, sustituyendo A r r i a c a por Wa d - a l - h a ğ a r a , que significa también 'río o valle de piedras' > *Guadalajara*. *Aranjuez* (antes *Arançuex*) y *Aranzueque* (Guadalajara) guardan indudable relación con a r a n z 'espino', componente del vasco actual *Aránzazu*. Los nombres prerromanos de la cordillera Ibérica, I d u b ĕ d a , y de Sierra Morena, O r o s p ĕ d a , han recibido explicación satisfactoria por etimología vasca (i d i - b i d e 'camino de los bueyes', y o r o t z p i d e 'camino de los terneros'). En el sur, I l i b ĕ r i s o I l l i b ĕ r i s , antecedente de la *Elvira* inmediata a Granada, se ha tenido por latinización de I r i b e r r i 'ciudad nueva'; y en A s t ĭ g i > *Écija* (Sevilla), A l ŏ s t ĭ g i > *Huécija* (Almería) se ha reconocido aspecto claramente vasco, identificando su -t ĭ g i con t e g i 'cabaña'.[19]

6. En casi toda la Península se encuentran topónimos con el sufijo *-eno* o *-én*, *-ena*. Su repartición no es igual en todas las regiones, tanto por el número como por el carácter de la base nominal a que se aplica el sufijo. Escasean en el centro y noroeste, donde *Caracena* (Soria y Cuenca), *Navaleno*

---

19. Humboldt, *Primitivos pobladores*, 39, 43, 107, 131, 142-143, 147; H. Schuchardt, *Die iberische Deklination*, Sitzungsberichte der K. Akademie der Wissenschaften in Wien, Philos.-Hist. Klasse, CLVII, 1908, 71; R. Menéndez Pidal, *Orígenes del español*, §§ 24₆ₐ, 25₁, y 41₆ₐ; *Toponimia prerrom.*, 25, 26 y 247; A. Tovar, *Cantabria prerromana*, Madrid, 1955, 13 y 17; *Esp.* amarraco, *vasc.* amar, amai y el topónimo Amaya, «Ethymologica. W. von Wartburg zum siebzigsten Geburtstag», Tubinga, 1968, 831-834; R. Lafon, *Noms de lieux d'aspect basque en Andalousie*, «Vᵉ Congrès Intern. de Toponymie et d'Anthroponymie. Actes et Mémoires», Salamanca, 1958, 125-133; J. Hubschmid, «Enciclop. Ling. Hisp.», I, 454-465; J. Corominas, *Tópica Hespérica*, I, 1972, 47-48. De los muchos topónimos a los que estos y otros autores atribuyen origen vasco, cito sólo aquellos que me parecen más probables o más representativos. Para los G i g u r r i , véase J. Maluquer, *Los pueblos celtas*, «Hist. de España, dir. por M. Pidal», I, vol. III, Madrid, 1954, 19; R. Menéndez Pidal y A. Tovar, *Los sufijos con -rr- en España y fuera de ella, especialmente en la toponimia*, Bol. R. Acad. Esp., XLVII, 1958, 185-186; A. García y Bellido, *La latinización de Hispania*, Archivo Esp. de Arqueología, XL, 1967, n. 6, y Hubschmid, «Enciclop. Ling. Hisp.», I, 468-469 y 481.

(Soria), *Teleno* (León), *Borbén* (Pontevedra) derivan de gentilicios y apelativos prerromanos, y donde son pocos los formados sobre nombres personales latinos, como *Vidalén* < V i t a l i s (Orense), *Visén* < V i s i u s (Coruña), *Toreno* < T u r i u s (León). En cambio, estos últimos abundan en Aragón, Lérida, Levante, Murcia, Andalucía y Portugal: *Leciñena* < L i - c i n i u s, *Cariñena* < C a r i n i u s, *Mallén* < M a l l i u s (Zaragoza); *Grañén* (Huesca) y *Grañena* (Lérida) < G r a n i u s ; *Cairén* < C a r i u s, *Bairén* < V a r i u s y muchos más en Valencia; *Villena* < B e l l i u s (Alicante); *Archena* < A r c i u s (Murcia); *Lucainena* < L u c a n i u s , *Purchena* < P o r c i u s (Almería); *Canena* < C a n u s , *Jamilena* < *S a m e l l u s (Jaén); *Lucena* < L u c i u s (Córdoba y Huelva); *Mairena* < M a r i u s, *Marchena* < M a r c i u s (Sevilla); *Lucena* y *Marchiena* en Portugal, juntamente con *Galiena* < G a l l i u s , *Barbacena* < B a r b a t i u s , etc. La vitalidad del sufijo no sólo se mantuvo durante la época romana, sino aun después, ya que *Requena* (Valencia y Palencia) parece derivar del germánico R i c h k i s . Geográficamente el mayor arraigo corresponde al oriente y mediodía peninsulares, lo que está en armonía con el hecho de que topónimos y gentilicios - e n u s , - e n a se den en etrusco y se extiendan por todo el litoral mediterráneo desde Asia Menor. En la onomástica latina existían G a l l i e n u s, «L u c i e n a gens», B e l l i e n u s, etc., y gentilicios en - ē n u s están muy atestiguados designando pueblos y gentes de la Hispania antigua. De otra parte el vascuence posee un morfema *-en* (*-ena* con el artículo *-a*; variante *-enea*) para formar derivados de apelativos (*Ibarrena*, de i b a r 'valle, vega') o con valor posesivo (*Michelena, Simonena, Errandoena* 'de Miguel, Simón o Fernando'); en la toponimia aparece en ocasiones aplicado a nombres latinos antiguos (*Manciena* < M a n c i u s , en Vizcaya; *Urbiñenea* < U r b i n i u s , en Guipúzcoa). En el sufijo *-én*, *-ena* de los topónimos peninsulares de base antroponímica parecen haber confluido factores de diverso origen; uno de ellos ha debido de ser vasco.[20]

20. R. Menéndez Pidal, *El sufijo «-en», su difusión en la onomástica hispana*, Emerita, VIII, 1940. G. Rohlfs, *Aspectos de toponimia española* (Boletim de Filologia, Lisboa, XII, 1951, 244) y J. M. Pabón, *Sobre los nombres de la «villa» romana en Andalucía* («Estudios dedic. a Menéndez Pidal», IV, 1953, 161-164), creen que los topónimos meridionales en *-én*, *-ena* pueden proceder, en parte al menos, del sufijo latino *-anus* transformado por la imela árabe. Véase réplica de Menéndez Pidal a Rohlfs en *Toponimia prerrománica hispana*, 158.

7. Es innegable que, cuando se trata de topónimos situados lejos del País Vasco, la atribución de vasquismo ha de hacerse con reservas tanto mayores cuanto lo sea la distancia. Lo mismo cabe decir de elementos compositivos o derivativos extendidos por áreas de amplitud difusa. Uno de los estudiosos que con mayor cautela ha abordado la cuestión da como posible que la lengua vasca «hace poco más de dos mil años se extendiera a lo largo de los Pirineos hasta el Mediterráneo», y reconoce que «elementos toponímicos vascos acreditan que hace tres mil años esta lengua u otra afín se extendía por los montes y valles de Santander y Asturias».[21] Otro investigador, tras explicar por semejanzas con el vascuence nombres de lugar de regiones apartadas, se pregunta: «¿Vascos en la Costa Brava, en Valencia, en Andalucía, e incluso al occidente de esta última región? No, sin duda eran iberos y nos hallamos ante elementos comunes a las dos lenguas. En consecuencia, más vale no decidirse entre vasco e ibero cuando se trabaja en toponimia románica, y limitarse a hablar de ibero-vasco. De manera totalmente provisional un nombre explicable mediante el vasco podrá atribuirse al vasco o al ibérico basándose en razones geográficas».[22] A estas consideraciones ha de añadirse que tanto los indoeuropeos preceltas y celtas como los iberos se impusieron a habitantes previos cuyas lenguas pudieron tener conexión con el vasco e influir como substrato en las de sus dominadores.

§ 4. SUBSTRATOS LINGÜÍSTICOS PRERROMANOS EN LA FONOLOGÍA ESPAÑOLA

1. La romanización de la Península fue lenta, según veremos, pero tan intensa que hizo desaparecer las lenguas anteriores, a excepción de la zona vasca. No sobrevivieron más que algunas palabras especialmente significativas o muy arraigadas, y unos cuantos sufijos. Cuestión muy discutida es

21. A. Tovar, *El Euskera y sus parientes*, 1959, 93. Véanse sus objeciones respecto al vasquismo de A r a t o i , I r i a   F l a v i a , I l i b ĕ r i s y -*én*, -*ena*, Anales de Filología Clásica, V, 1952, 156.

22. J. Corominas, *Estudis de Toponímia Catalana*, I, 98.

si, a través del latín, subsistieron hábitos prerromanos en la pronunciación, tonalidad y ritmo del habla, y si esos rescoldos primitivos influyeron en el latín hispánico hasta la época en que nacieron los romances peninsulares.[23]

El historiador Espartiano da una noticia interesante sobre las diferencias entre el latín de Roma y el de Hispania: siendo cuestor Adriano (emperador de 117 a 138 d. C.), hispano e hijo de hispanos, leyó un discurso ante el Senado; y era tan marcado su acento regional que despertó las risas de los senadores. Si un hombre culto como Adriano conservaba en la Roma del siglo II peculiaridades fonéticas provincianas, mucho más durarían éstas entre el vulgo de Hispania. Sin duda, la influencia de los substratos primitivos no es el único factor en la formación de los romances; la penetración de la cultura latina hubo de reducirla mucho. Pero cuando un fenómeno propio de una región es muy raro o desconocido en el resto de la Romania, si en el idioma prelatino correspondiente existían tendencias parecidas, debe reconocerse la intervención del factor indígena. Veamos algunos casos:[24]

2. La /f/ inicial latina pasó en castellano a [h] aspirada, que en una etapa más avanzada ha desaparecido (f a g e a > [haya] > [aya]). El foco inicial del fenómeno se limita en los siglos IX al XII al norte de Burgos, La Montaña y Rioja. Al otro lado del Pirineo, el gascón da igual tratamiento a la /f/ latina (f i l i u > *hilh* [hiḷ]). Son, pues, dos regiones inmediatas al País Vasco, Cantabria y Gascuña, las que coinciden. Gascuña (< V a s c o n i a) es la parte romanizada de la primitiva zona vasca francesa. Y el vascuence parece no tener /f/ originaria; en los latinismos suele omitirla (f i l u > *iru*; f i c u > *iko*) o sustituirla con /b/ o /p/ (f a g u > *bago*; f e s t a > *pesta*).

---

23. Véanse A. Alonso, *Substratum, superstratum*, Rev. de Filol. Hisp., III, 1941, 185-218; R. Menéndez Pidal, *Modo de obrar el substrato lingüístico*, Rev. de Filol. Esp., XXXIV, 1950, 1-8; y F. H. Jungemann, *La teoría del sustrato y los dialectos hispano-romances y gascones*, Madrid, 1956.

24. Hasta mediados de nuestro siglo se vino admitiendo que la /ś/ ápico-alveolar del norte y centro de la Península era distinta de la latina y procedía del substrato prerromano vasco o ibérico. Pero los estudios de A. Martinet (*Concerning some Slavic and Aryan Reflexes of I.E. s*, Word, VII, 1951, 91-92), M. Joos (*The Medieval Sibilants*, Language, XXVIII, 1952, 222-231), F. H. Jungemann (*La teoría del sustrato*, 68-101) y Álvaro Galmés de Fuentes (*Las sibilantes en la Romania*, Madrid, 1962) obligan a aceptar que la /ś/ ápico-alveolar existía originariamente en latín.

Además, el vasco —incluso el vizcaíno durante la Edad Media— poseía una /h/ aspirada que pudo sustituir también a la /f/, con la cual alterna a veces. Cantabria, la región española cuya romanización fue más tardía, debió de compartir la repugnancia vasca por la /f/; es cierto que los cántabros eran de origen indoeuropeo, pero el substrato previo de la región parece haber sido semejante al vasco; por otra parte, los cántabros aparecen constantemente asociados con los vascos durante las épocas romana y visigoda. La hipótesis de un substrato cántabro que actuara desde los tiempos de la romanización cuenta con el apoyo de un hecho significativo: en el este de Asturias y nordeste de León la divisoria actual entre la /f/ y la /h/ aspirada coincide con los antiguos límites entre astures y cántabros.[25] Este substrato cántabro se vio reforzado decisivamente en la Alta Edad Media por el adstrato vasco en la Rioja, la Bureba y Juarros, donde, según se ha dicho, subsistían en el siglo XIII núcleos vascos no romanizados aún.[26]

3. A causa análoga se ha atribuido la ausencia de /v/ labiodental en la mayor parte de España y en gascón, siendo así que el fonema existe en los demás países románicos, en zonas laterales del mediodía peninsular, y existió en español antiguo, aunque no en las regiones del norte. El vasco no lo conoce, al menos desde la Edad Media, y en la primera mitad del siglo XVI la pronunciación bilabial indistinta para /b/ y /v/ románicas se atribuía especialmente a gascones y vizcaínos.[27] Ahora bien, la ausencia de /v/

---

25. R. Menéndez Pidal, *Orígenes del español*, § 41₈; L. Rodríguez Castellano, *La aspiración de la «h» en el Oriente de Asturias*, Oviedo, Instituto de Estudios Asturianos, 1946, y A. Galmés de Fuentes y D. Catalán Menéndez-Pidal, *Un límite lingüístico*, Revista de Dialectología y Tradiciones Populares, II, 1946, 196-239.

26. Véanse §§ 3₄ y 46₁. Fuera de Castilla y Gascuña, el cambio /f/ > [h] o la caída de la /f/ sólo aparecen en casos o lugares aislados. Es cierto que el intercambio entre /f/ y /h/ se ve atestiguado en ejemplos dialectales latinos (h i r c u s - f i r c u s , h o r d e u m - f o r d e u m , etc.); pero siempre habrá que preguntarse por qué razón ha cundido única y precisamente a ambos lados de Vasconia. Véase R. Menéndez Pidal, *Orígenes del español*, § 41, y *Manual de Gramática Histórica Española*, 6.ª ed., 1941, § 4, nota, donde contesta objeciones de J. Orr. También las combate F. Lázaro Carreter, *F > H. ¿Fenómeno ibérico o romance?*, «Actas de la Primera Reunión de Toponimia Pirenaica», Zaragoza, 1949.

27. Convendrá aclarar conceptos desde el principio: la semiconsonante que el latín transcribía con *u* o *v* (u e n i o , v e n i o ; u i n u m , v i n u m ; l e u i s , l e v i s) y que se

labiodental se extendía a fines de la Edad Media desde Galicia y norte de Portugal, pasando por León, Castilla y Aragón, hasta la mayor parte de Cataluña y algunas zonas del Mediodía francés, aparte del Rosellón y Gascuña.[28] En este caso el vasquismo parece manifestación parcial de un substrato más antiguo y extenso que el representado por la aspiración o pérdida de la /f/ inicial latina.

4.   Aparte de los casos más seguros de influencia, se observan significativas semejanzas entre la fonología vasca y la castellana. En ambas, el sistema de las vocales consta de sólo cinco fonemas, repartidos en tres grados de abertura; dentro de los límites de estos grados, cada una de las vocales, firmes y claras, admite variedades de timbre según el carácter de la sílaba y de los sonidos circundantes.[29] Los tres fonemas /b/, /d/, /g/ pueden ser oclusi-

---

pronunciaba [w] en el latín clásico, pasó a articularse como [ƀ] fricativa bilabial desde la época del Imperio, confluyendo así con la [ƀ] resultante de haberse aflojado la /b/ intervocálica (h a b e r e , c a b a l l u s , p r o b a r e), antes oclusiva. Este fonema /ƀ/ de doble origen se hizo más tarde /v/ labiodental en unas zonas del dominio románico, pero se mantuvo bilabial en otras. Parece ser que en la Península la articulación [v] arraigó principalmente en las regiones más romanizadas, Levante y la mitad meridional, mientras que en el resto subsistió la [ƀ]. El español antiguo transcribía con *u* o *v* el fonema fricativo (*uenir*, *auer*, *cauallo*, *uino* o *venir*, *ayer*, *cavallo*, *vino*), cuya pronunciación debió de ser [v] en unas regiones, [ƀ] en otras; en cambio transcribía con *b* el fonema oclusivo bilabial /b/, procedente de /b/ latina inicial (b e n e > *bien*, b r a c c h i u m > *braço*) o de /p/ latina intervocálica (s a p e r e > *saber*, l u p u s > *lobo*); pero las confusiones empezaron muy pronto en el norte, y se corrieron al sur, hasta eliminar la [v] en la segunda mitad del siglo XVI salvo en Portugal, Levante y Baleares (véanse §§ 53₄ y 92).

28.   Así lo ha demostrado Dámaso Alonso, *La fragmentación fonética peninsular*, Suplemento al tomo I de la «Enciclop. Ling. Hisp.», Madrid, 1962, 155-209. El betacismo del norte peninsular ha sido relacionado con el del Mediodía italiano, como consecuencia de la colonización suritálica (véase después, § 22), por H. Lüdtke (*Sprachliche Beziehungen der apulischen Dialekte zum Rumänischen*, Revue des Études Roumaines, III, 4, 1957, 146) y P. Blumenthal (*Die Entwicklung der romanischen Labialkonsonanten*, Romanistische Versuche und Vorarbeiten, 38, Bonn, 1972, 80-81). Sería necesario un examen más detenido de estas analogías.

29.   Este resultado ha sido posible en castellano porque las vocales acentuadas /ę/ y /ǫ/ del latín vulgar se hicieron [je], [we] (b ĕ n e > *bien*, b ŏ n u > *bueno*) y porque los elementos constitutivos de tales diptongos se identificaron con los fonemas /i/, /u/, /e/ (véase E. Alarcos Llorach, *Fonología española*, 3.ª ed., 1961, §§ 143 y 144). Alarcos supone que la

vos [b], [d], [g] o fricativos [b̵], [đ], [g̵], según condiciones iguales en las dos lenguas. Tanto en vascuence como en los romances peninsulares la /r/ de una sola vibración y la /r̄/ de dos o más son fonemas distintos que se oponen en posición intervocálica; en posición inicial, donde nuestros romances tienen sólo /r̄/, el vasco exige prótesis de una vocal (*errota*, *errege*, § 3,; *arraza* 'raza', *arrosa* 'rosa'), que también se dio en español preliterario (*arroturas* 'roturas, roturaciones'), dejó huella en topónimos y apellidos (*Arriondas*, *Arredondo*) y aparece como prefijo en multitud de dobletes léxicos (*ruga* / *arruga*, antiguos *rancar*, *rastrar*, *repentir* junto a *arrancar*, *arrastrar*, *arrepentir*, *rebatar* / *arrebatar*, *rebozar* / *arrebozar*, etc.).[30] Latinismos como p l a n - t a t u han perdido la consonante inicial en su adaptación vascuence (*landatu*); cosa análoga sucedió en la evolución castellana de los grupos iniciales latinos /pl-/, /cl-/, /fl-/ (p l a n u > *[pl̦anu] > [l̦ano]).[31] Estas y otras coincidencias no parecen casuales.

5. En el Alto Aragón, las oclusivas sordas intervocálicas latinas se conservan frecuentemente sin sonorizar (*ripa*, *foratar*, *lacuna*). En algunos valles de la misma región (Fanlo y Sercué) se sonorizan las oclusivas que siguen a nasal o líquida (*cambo* 'campo', *puande* 'puente', *chungo* 'junco', *aldo* 'alto', *suarde* 'suerte'); restos dispersos en otras localidades denuncian que el fenómeno alcanzó antaño a todo el Pirineo aragonés. En la Rioja de los siglos x y xi las Glosas Emilianenses conservan de ordinario las sordas intervocálicas (*lueco*, *moueturas*, etc.), mientras sonorizan tras /n/ la /t/ de a l i q u a n t a s > *alguandas*; en documentos riojanos de la época hay otros ejemplos semejantes. Los dos rasgos se dan en bearnés y coinciden con el tratamiento que da el vasco a las oclusivas de los latinismos que ha adopta-

---

diptongación surgiría cuando hispanos acostumbrados a su sistema vocálico de una sola /e/ y una sola /o/ trataron de adoptar la distinción latina vulgar entre /ẹ/ y /ę/, entre /ọ/ y /ǫ/, bimatizando enfáticamente las dos vocales abiertas. Esta hipótesis merecerá total asentimiento si se llega a probar que los hispanos no vascos del centro peninsular hablaban lenguas con vocalismo de cinco fonemas, como el vasco, y no de diez, como el latín clásico, o de siete, como el latín vulgar de Hispania. Véase luego, § 18,.

30. Menéndez Pidal, *Orígenes*, § 40,; Michelena, *Fon. Hist. Vasca*, § 8.1.

31. Menéndez Pidal, *Orígenes del español*, § 102. F. H. Jungemann, *La teoría del sustrato*, pp. 177 y 189, rechaza, sin argumentos concluyentes, el influjo vasco.

do: el vasco no altera las intervocálicas (*tipula* 'cebolla', *ķuķula* 'cogolla', *iz-patha* 'espada'); pero sonoriza las que van tras *m, n, r* o *l*, tanto en los latinismos (t e m p ŏ r a > *dembora*, f r o n t e > *boronde*, a l t a r e > *aldare*) como en formaciones indígenas (*emenķoa* > *emengoa, Iruntiķ* > *Irundiķ*). En vasco, el carácter sordo o sonoro de una oclusiva depende de los sonidos vecinos, sin constituir rasgo fonológico diferencial; y la escritura ibérica empleaba un mismo signo para sorda y sonora, meras variantes, sin duda, de un mismo fonema.[32]

6. Otros cambios fonéticos españoles pueden atribuirse a substratos distintos del vasco. La sonorización de las oclusivas sordas intervocálicas latinas parece coincidir originariamente en la Península y en la Romania con la existencia de un anterior dominio céltico. Entre los celtas hispanos la indiferenciación de sordas y sonoras debía de ser grande, a juzgar por grafías alternas como *Doitena* y *Doidena, Ambatus* y *Ambadus, Arcailo* y *Argaela, Ataecina* y *Adaegina, -briga* y *-brica*. Estas vacilaciones se extendían por todo el noroeste peninsular a partir de la línea Lisboa-Medellín-tierras de Soria; en las mismas regiones alcanzaron también a palabras latinas (i m u - d a u i t por i m m u t a u i t, p e r p e d u o, P e r e c r i n u s, A u c u s - t i n u s en inscripciones de la época romana); y hubieron de constituir base favorable para la sonorización de las oclusivas sordas intervocálicas, que en los siglos IX al XI aparece especialmente arraigada en Galicia, Portugal, Asturias y León.[33]

---

32. Véanse las distintas opiniones expuestas por Saroïhandy, *Vestiges de phonétique ibérienne en territoire roman*, Revista Internacional de Estudios Vascos, VII, 1913; R. Menéndez Pidal, *Orígenes del español*, §§ 46 y 55; G. Rohlfs, *Le Gascon*, 1935, §§ 364-370; A. Kuhn, *Der hocharagonesische Dialekt*, Revue de Linguistique Romane, XI, 1935, 70-77; W. D. Elcock, *De quelques affinités phonétiques entre l'aragonais et le béarnais*, 1938; reseña de esta obra por T. Navarro Tomás, Revista de Filología Hispánica, I, 1939, 175-176; A. Tovar, *Los signos silábicos ibéricos y las permutaciones del vascuence*, Emerita, XI, 1943, 209 y ss., y A. Martinet, *De la sonorisation des occlusives initiales en basque*, Word, VI, 1950, 224-233. Para las Glosas y documentos riojanos, véase F. González Ollé, *La sonorización de las consonantes sordas tras sonante en la Rioja. A propósito del elemento vasco en las Glosas Emilianenses*, Cuad. de Invest. Filológ., Logroño, IV, 1979, 113-121.

33. A. Tovar, *La sonorización y caída de las intervocálicas y los estratos indoeuropeos en Hispania*, Boletín de la R. Acad. Esp., XXVIII, 1948; *Sobre la cronología de la sonorización...*

7. En casi todos los países románicos donde estuvieron asentados los celtas, el grupo latino /kt/ evolucionó hasta llegar a /it/ o /ĉ/, soluciones en que se reparten los romances occidentales (lat. n o c t e , f a c t u > port. *noite, feito*; esp. *noche, hecho*; cat. *nit, fet*; prov. *nuech, fach*; fr. *nuit, fait*). La primera fase del fenómeno (relajación de la /k/ en [χ], sonido igual al de la *j* castellana moderna) aparece en inscripciones galas y es general en irlandés. En inscripciones celtibéricas constan R e c t u g e n u s y su reducción R e t u g e n o , que probablemente habrá de leerse *R e i t u g e n o ; el nombre es el mismo de R h e t o g e n e s , héroe numantino mencionado por Appiano.[34] Como el grupo /ks/ ha seguido una transformación análoga a la de /kt/ (lat. l a x a r e > port. *leixar*; esp. *lexar*; fr. *laisser*), con igual extensión, podría ser también de origen céltico.

8. Por último, en el centro y noroeste peninsulares y en otras zonas occidentales de Europa hay testimonios célticos de vocales inflexionadas por la acción de otra vocal siguiente; por ejemplo, a un nominativo A n c e t u s corresponde un genitivo A n g e i t i . En este fenómeno se ha visto un anticipo de la metafonía que con diversa intensidad y alcance se da en la Romania occidental: lat. f ē c ī , v ē n ī > fr. *fis, vins*; esp. *hice, vine*; port. *fiz, vim*. Será necesario precisar las condiciones en que tal inflexión se produce en las lenguas célticas y en los distintos romances.[35]

§ 5. HUELLAS PRERROMANAS EN LA MORFOLOGÍA ESPAÑOLA

1. En lenguas célticas de Hispania —al menos en la celtibérica— los nombres de tema en /-o/ tenían /-os/ como desinencia de nominativo plural: en

---

en la Romania Occidental, «Homenaje a Fritz Krüger», I, 1952, 9-15; *The Ancient Lang. of Sp. and Port.*, 1961, 93-95; *La lucha de lenguas...*, 1968, 88, y *Einführung in die Sprachgeschichte der iber. Halbinsel*, 1977, 111-112; S. da Silva Neto, *História da Língua Portuguesa*, Río de Janeiro, 1952, 147-151. No rechazan la posibilidad del substrato céltico A. Martinet, *Celtic Lenition and Western-Romance Consonants*, Language, XXVIII, 1952, 192-217, ni Jungemann, *op. cit.*, 152 y 189.

34. W. Meyer-Lübke, *Introducción a la lingüística románica*, Madrid, 1926, § 237; Tovar, *The Ancient Lang. of Sp. and Port.*, 81; Silva Neto, *História*, 146.

35. A. Tovar, *The Ancient Lang.*, 95; *Einführung*, 112.

inscripciones aparecen a r a t i c o s , c a l a c o r i c o s , l u t i a c o s , etc., en función de sujeto. Ello pudo contribuir a que el nominativo plural latino en /-i/ desapareciera en Hispania y quedase una forma única *-os* para nominativo y acusativo. Véase § 18₁.

2. En español se conservan algunos sufijos derivativos nominales de abolengo prerromano. De ellos, los que tienen hoy mayor vitalidad son los despectivos *-arro, -orro, -urro* (*buharro, machorro, baturro*), de origen mediterráneo primitivo.[36] Por los siglos xi y xii subsistían *-ieco* y *-ueco* (*ḳannariecas, pennueco*), procedentes de - ĕ c c u y - ŏ c c u no latinos; ahora sólo se encuentran, con pérdida total de significado, en palabras sueltas (*muñeca, morueco*) y en nombres de lugar (*Barrueco, Batuecas*).[37] En *peñasco, nevasca, borrasca* parece sobrevivir un sufijo ligur - a s c o .[38] Acaso tenga el mismo origen el patronímico español en *z* (*Sánchez, Garciaz, Muñiz, Muñoz, Ferruz*); las tesis contrarias a su abolengo prerromano no han logrado ofrecer ninguna solución satisfactoria, mientras que las terminaciones *-az, -ez, -oz*, abundan en toponimia peninsular y alpina presumiblemente ligur; este sufijo *-z* fue incorporado por el vasco con valor posesivo o modal.[39] Del precéltico o céltico - a i k o , - a e c u , muy atestiguado en inscripciones hispanas, proviene *-iego*, bastante activo en otro tiempo, pero

36. R. Menéndez Pidal y A. Tovar, *Los sufijos con -rr- en España y fuera de ella*, Bol. de la R. Acad. Esp., XXXVIII, 1958, 161-214.

37. Menéndez Pidal, *Orígenes*, § 61.

38. Menéndez Pidal, *Toponimia prerrom. hisp.*, 79, 81-83 y 162-165. Supone origen no ligur J. Hubschmid, «Encicl. Ling. Hisp.», I, 462-463, y *Die asḳo-/usḳo-Suffixe und das Problem des Ligurischen* (véase n. 6).

39. Menéndez Pidal, *Toponimia prerrom. hisp.*, 167-172; Menéndez Pidal y A. Tovar, *Los sufijos españoles en «-z», y especialmente los patronímicos*, Bol. R. Ac. Esp., XLII, 1962, 371-460. Para otras teorías, véanse Baist, *Grundriss der rom. Phil.*, de Gröber, I, 2.ª ed., 908; Cornu, *ibid.*, 992; Carnoy, *Le latin d'Espagne d'après les inscriptions*, 232-235; W. Meyer-Lübke, *Romanische Namenstudien*, Sitzungsberichte der k. Akad. in Wien, 184, 1917, 5-17, y *Die iberoromanischen Patronymika auf «-ez»*, Zeitsch. f. r. Philol., XL, 1919-1920, 208-210; E.C. Hills, *Spanish patronymics in -z*, Revue Hispanique, LXVIII, 1926, 161-173; L. H. Gray, *L'origine de la terminaison hispano-portuaise -ez*, Bulletin de la Société de Linguistique de Paris, XXXVII, 1935, 163-166; J. Caro Baroja, *Materiales para una historia de la lengua vasca en su relación con la latina*, 1942, 102-113; E. García Gómez, *Hipocorísticos árabes y patronímicos hispánicos*, Arabica, 1954, 129-135.

apenas empleado hoy fuera de los derivados antiguos como *andariego, nocherniego, mujeriego, solariego, palaciego, labriego*, etc.[40]

3. Aparte hay que señalar la extraña afición del español a formar derivados mediante la añadidura de un incremento inacentuado con vocal *a* (*relámpago, ciénaga, médano, cáscara, agállara*, de *lampo, cieno, meda, casca, agalla*). Las consonantes del sufijo son indiferentes, según se ve en *murciégano* y *murciégalo* > *murciélago*, de *murciego*, o en las alternancias *sótano* y antiguo *sótalo, Huércanos* y *Huércal(o) Overa*. A veces sólo se conoce la forma derivada y no la primitiva; así ocurre en *ráfaga, bálago* y tantos otros. Los esdrújulos latinos que se han conservado no bastan para explicar un fenómeno tan amplio; en cambio, la toponimia prelatina abunda en nombres como N a i ă r a y los ya citados T a m ă g a y B r a c ă r a , con sus variantes B r a c ă n a y B r a c ă l a , semejantes a los actuales *Huércanos, Nuévalos, Solórzano*. El sustantivo *páramo* es indudablemente prerromano, y probablemente lo es también *légamo* o *légano*. Parece tratarse, por lo tanto, de un hábito heredado de las lenguas peninsulares anteriores al latín.[41]

§ 6. VOCABULARIO ESPAÑOL DE ORIGEN PRERROMANO

1. Son muy numerosas las palabras españolas que no encuentran etimología adecuada en latín ni en otras lenguas conocidas. No pocas, exclusivas de la Península, son tan viejas, arraigadas y características que invitan a suponerlas más antiguas que la romanización: por ejemplo, *abarca, artiga, aulaga* o *aliaga, barda, barraca, barro, cueto, charco, galápago, manteca, perro, rebeco, samarugo, silo, sima, tamo, toca, tojo*;[42] pero no se ha encontrado fun-

---

40. Y. Malkiel, *The Hispanic Suffix -(i)ego. A Morphological and Lexical Study based on Historical and Dialectal Sources*, Berkeley, 1951.

41. R. Menéndez Pidal, *Manual de Gramática histórica española*, § 84; *Orígenes del español*, §§ 61 y 61 bis, y *Sufijos átonos en el Mediterráneo Occidental*, Nueva Rev. de Filol. Hisp., VII, 1953, 34-55; J. R. Craddock, *Latin Legacy versus Substratum Residue. The Unstressed 'Derivational' Suffixes in the Romance Vernaculars of the Western Mediterranean*, Berkeley-Los Ángeles, 1969.

42. Véanse, ante todo, el *Dicc. crít. etim. de la lengua castellana* de J. Corominas, Madrid, 1954, y su *Tópica Hespérica*, II, Madrid, 1972, 194-235; R. Menéndez Pidal, *Orígenes*,

damento suficiente para señalarles procedencia concreta de alguna lengua prerromana conocida. Mayor es la probabilidad de acierto cuando entre la palabra española y una de lengua prerromana hay afinidades fonéticas y significativas suficientes para suponer entre ambas parentesco o relación no explicables por vía latina o posterior: *vega* tenía en los siglos x y xi las formas *baica* y *vaiga*, semejantes al vasco *ibaiko* 'ribera'; *arto* 'cambronera' corresponde al vasco *arte* 'encina'; *igüedo* y el vasco *aketo* 'macho cabrío' postulan un étimo común *e k o t o ; *vilorta* significa lo mismo que el vasco *bilur*; *pestaña* vale igual que el vasco *piztule*, en conexión con *pizta* 'legaña'; los altoaragoneses *ibón* 'laguna', y *sarrio* 'especie de gamuza o cabra montés' parecen relacionarse con los vascos *ibai* 'río', e *izar* 'altura', etc. Tal vez sea de origen libio *tamujo*, port. *tamuge*, planta que sólo se da en una franja de la Península y en una zona de Argelia donde estuvo asentada la antigua localidad de T a m u g a d i .[43] A juzgar por la geografía de sus posibles parientes parecen ibéricas, mediterráneas o acaso ilirio-ligures *barranco, carrasca, gándara* 'pedregal', *lama* 'barro', etc. *Nava* no sólo se extiende por todo el dominio castellano y vasco, sino también por zonas alpinas y en el celta insular. El léxico de origen precelta o celta comprende sustantivos referentes al terreno: *berrueco, légamo, serna*; nombres de árboles y plantas: *abedul, aliso, álamo, beleño, belesa, berro*; zoónimos: *garza, puerco* y *toro* (en la inscripción de Cabeço das Fraguas p o r c o m y t a u r o m se anticipan a los latinos p o r c u s y t a u r u s); terminología relacionada con los quehaceres rústicos: *busto* 'cercado o establo para bueyes' (b o u s t o m en el bronce de Botorrita), *amelga* o *ambelga, colmena, gancho, gorar* 'incubar', *güero, huero*; y otras palabras de campos semánticos diversos: *baranda, basca, berrendo, cantiga, tarugo*, los verbos *estancar, atancar, tranzar, virar*, etc. El calzón era prenda característica del vestido celta, y el término correspondiente, b r a c a , ha dejado el español *braga*; el uso de b r a c a en la Península está asegurado por la existencia de B r a c ă r a

§§ 13₁ y 85₁, y *Toponimia prerrom. hisp.*, 267-275; Silva Neto, *História*, 273-308; Hubschmid, «Encicl. Ling. Hisp.», I, 28-66 y 127-149; y A. Tovar, *Les traces linguistiques celtiques dans la Péninsule Ibérique*, «Celticum VI. Actes du Troisième Colloque Intern. d'Études Gauloises, Celtiques et Protoceltiques», Rennes, 1963, 381-403.

43. V. Bertoldi, Romance Philology, I, 197-198.

y los b r a c ă r i , pueblo que habitaba la región de Braga. El compuesto latino-celta O c t a v i o l c a (ciudad situada entre Reinosa y Aguilar de Campoo) atestigua el empleo de o l c a 'terreno cercado inmediato a la casa', de donde el español *huelga* (hoy casi olvidado; recuérdense nombres geográficos como *Las Huelgas* y compárese el francés *ouche*).

2. La epigrafía latina de la Península no proporciona muchos datos. En el ara votiva de León (siglo II d.C.), Tulio ofrece a la diosa Diana los ciervos cazados «in p a r a m i aequore»; *páramo* no tiene aspecto ibérico; debe de pertenecer a la lengua precéltica o protocéltica de los pueblos que habitaban el oeste de la meseta septentrional. B a l s a figura como nombre de una ciudad lusitana enclavada en terreno pantanoso; es la primera muestra del español y portugués *balsa*, cat. *bassa*. El bronce de Aljustrel (Portugal, siglo I) da «l a u s i a e lapides»; de *l a u s a vienen el español *losa*, port. *lousa*, cat. *llosa*.[44]

3. Los autores latinos citan como hispanas o ibéricas hasta unas treinta palabras, que en su mayoría no han llegado al romance. De las que han perdurado, algunas no son originarias de España, sino latinismos provinciales o voces extranjeras.[45] Quedan, sin embargo, ciertos testimonios interesantes: Varrón afirma que l a n c e a (> español *lanza*) no era voz latina, sino hispana; podría ser, en efecto, un celtismo peninsular. Plinio recoge a r r u g i a 'conducto subterráneo', antecedente de *arroyo*; da c u s c u - l i u m (> esp. *coscojo, coscoja*) como nombre de una especie ibérica de encina; y atribuye origen hispano a c u n i c u l u s (> esp. *conejo*).[46] Quintiliano señala como oriundo de Hispania el adjetivo g u r d u s 'estólido, necio' (> esp. *gordo*, con cambio de sentido); la palabra se usaba en latín

44. Véanse Carnoy, *Le latin d'Espagne d'après les inscriptions*, Bruselas, 1906, y J. Vives, *Inscripciones cristianas de la España romana y visigoda*, Barcelona, 2.ª ed., 1969.

45. Por ejemplo, c a n t h u s 'hierro con que se ciñe el borde de la rueda', africano o español según Quintiliano, es el origen del esp. *canto* 'borde'; pero es voz helénica o gala. San Isidoro recoge del vulgo peninsular m a n t u m , probable regresión del latín m a n - t e l l u m , y b a r c a , derivada seguramente del griego b a r i s 'barca egipcia' pero atestiguada ya hacia el año 200 d.C. en una inscripción del Algarbe.

46. Véase V. Bertoldi, Archivum Romanicum, XV, 1931, 400; Romance Philology, I, 204, y Nueva Revista de Filol. Hisp., I, 1947, 141-144; Plinio, 8, 217: «leporum generis sunt et quos Hispania cuniculos appellat».

desde varias generaciones antes.[47] Y en el siglo vii san Isidoro menciona en sus *Etimologías* c a m a , s a r n a y s t i p a , variante de s t i p p a > *estepa* 'mata resinosa parecida a la jara'. Es probable que el latín tomase de las lenguas hispánicas los nombres de algunos productos que se obtenían principalmente en la Península, como p l u m b u m (> esp. *plomo*), g a l e n a , m i n i u m (compárense el nombre fluvial *Miño* —en Galicia, tierra de donde se extraía abundante óxido de plomo— y el vasco *min* 'vistoso, encendido'). Hispania era ya gran exportadora de corcho: el latín s u b e r (> esp. *sobral* cat. *surer* port. *sovro, sobreiro* it. *sughero, sovero*) parece ser una voz peninsular adoptada.[48]

4. La influencia de las lenguas prerromanas en el vocabulario romance de la Península, según lo que podemos apreciar hoy, se limita a términos de significación sumamente concreta, referentes en su mayoría a la naturaleza y a la vida material. No pervive ninguno relativo a la organización política y social ni a la vida del espíritu.

§ 7. CELTISMOS DEL LATÍN[49]

No son prerromanos muchos celtismos que, tomados de los galos, adquirieron carta de naturaleza en latín y pasaron a todas o gran parte de las lenguas romances. Así ocurrió con un nombre característico del vestido celta, c a m i s i a (> esp. *camisa*). La vivienda celta dejó al latín c a p a n n a (> esp. *cabaña*); la bebida típica de los galos se llamaba c e r e v i s i a , origen del esp. *cerveza*. Medidas agrarias de igual procedencia son a r e p e n - n i s > *arpende* y l e u c a > *legua*. Los romanos aprendieron de los galos nombres de árboles, plantas y animales: a l a u d a y s a l m o son en español *alondra* y *salmón*. La habilidad de los galos como constructores de vehículos hizo que los romanos se apropiaran los celtismos carrus > *carro* y

47. S. Fernández Ramírez, Rev. de Filol. Esp., XXVI, 1942, 536, y A. Tovar, *Notas eti-mológicas*, «Homenaje a V. García de Diego», I, Madrid, 1976, 560-565.

48. V. Bertoldi, *La Iberia en el sustrato étnico-lingüístico del Mediterráneo*, Nueva Rev. de Filol. Hisp., I, 1947, 128-147.

49. W. Meyer-Lübke, *Introd. a la Ling. Románica*, Madrid, 1926, §§ 33-35.

c a r p e n t u m 'carro de dos ruedas'; c a r p e n t a r i u s 'carrero' am-
plió su sentido hasta hacerse equivalente de t i g n a r i u s , y es el origen
de *carpintero*.[50] Dos términos celtas que lograron gran difusión en el occidente de la Romania son *b r i g o s 'fuerza' (> esp. *brío*) y v a s s a l l u s
(> esp. *vasallo*), que sirvió para designar una relación social que los romanos desconocían.

§ 8. VASQUISMOS

Después de la romanización, el vascuence ha seguido proporcionando al
español algunos vocablos. En la Alta Edad Media el dominio de la lengua
vasca era más extenso que en la actualidad, y el crecimiento del reino navarro favoreció la adopción de vasquismos. En el siglo x las Glosas Emilianenses mezclan frases éuscaras con otras romances; en la onomástica española entraban nombres como G a r s e a > *García*, E n n ĕ c o > *Íñigo*,[51]
X e m e n o > *Jimeno*; y en el xiii el riojano Berceo empleaba humorística-
mente *bildur* 'miedo' como término conocido para sus oyentes. Por esta
época *annaia* 'hermano' y *echa* (< vasco a i t a , 'padre') formaban sobre-
nombres honoríficos o afectivos («*Minaya* Alvar Fáñez» en el Poema del
Cid; «*Miecha* don Ordonio», en documentos del siglo xii).[52] *Siniestro*, de
origen latino, contendía con *izquierdo* (< vasco e z k e r), que había de imponerse. De z a t i 'pedazo' y su diminutivo z a t i k o , vienen *zato* y *çati-
co* 'pedazo de pan', 'pequeña cantidad', usado por Berceo; en las cortes
medievales se llamaba *çatiquero* al criado que levantaba la mesa de los
señores.

50. El uso de c a r p e n t a r i u s con el valor de t i g n a r i u s aparece ya en Paladio
(*Thesaurus linguae latinae*, III, 1907, col. 489). *Carpintero* no es un galicismo evidente, como
pretende H. Lausberg (Romanische Forschungen, LX, 1947, 232); su antigüedad en España está asegurada por la del derivado *carpentería*, que figura en un documento ovetense de
los siglos ix o x (Muñoz y Romero, *Colección de Fueros Municipales*, 1847, 124).

51. G. M. Verd, S. J., *Íñigo, Íñiguez, Huéñega. Historia y Morfología*, Miscelánea Comi-
llas, XXXII, 1974, 5-61 y 207-293.

52. R. Menéndez Pidal, *Cantar de Mio Cid*, III, 1946, 1211, y *Chamartín*, en *Toponimia
prerr. hisp.*, 229.

El vocabulario español de origen vasco seguro o probable incluye además términos alusivos a usos hogareños, como *socarrar*;[53] nombres de minerales, plantas y animales, como *pizarra*, *chaparro*, acaso *zumaya*; prendas de vestir, *boina* y *zamarra*; agricultura, tracción y ganadería, *laya*, 'pala de labrar', *narria*, *cencerro*; navegación, *gabarra*; metalurgia, *chatarra*; supersticiones, *aquelarre*; juego, *órdago*, etc. Del vasco *buruz* 'de cabeza', cruzado probablemente con una voz árabe, vienen los españoles *de bruzos*, *de bruzas*, *de bruces*, y el portugués *de bruços*.[54] En ocasiones la palabra vasca es, a su vez, de origen latino o románico: así, del latín a u g u r i u m proviene la interjección vasca de saludo o despedida *agur*, de donde el español *agur*, usado como despedida a partir del siglo xvii por lo menos; el latín c ĭ s t e - l l a dio en vasco *txistera*, que ha pasado al castellano en la forma *chistera*; nuestra *chabola* es adopción reciente del vasco *txabola*, pero éste procede del francés antiguo *jaole* 'jaula o cárcel'.[55] A cambio de estos y otros escasos préstamos, la influencia léxica del español sobre el vasco ha sido, y sigue siendo, enorme.

53. J. Corominas, Revista de Filol. Hispánica, V, p. 8.
54. A. Tovar, Boletim de Filologia, VIII, Lisboa, 1947, 267.
55. A. Castro, Rev. de Filol. Esp., XX, 1933, 60-61; J. Corominas, *Dicc. crít. etimol.*

II

LA LENGUA LATINA EN HISPANIA

§ 9. ROMANIZACIÓN DE HISPANIA[1]

1. La segunda guerra púnica decidió los destinos de Hispania, dudosa hasta entonces entre las encontradas influencias oriental, helénica, celta y africana. En el año 218 a.C., con el desembarco de los Escipiones en Ampurias, empieza la incorporación definitiva de Hispania al mundo grecolatino. Gades, el último reducto cartaginés, sucumbe el 206, y los romanos emprenden la conquista de la Península. A principios del siglo II les quedaban sometidos el nordeste del Ebro, el litoral mediterráneo y la Bética. La contienda sostenida por lusitanos y celtíberos duró más: aun después de la destrucción de Numancia (133) se registran nuevas insurrecciones. En el siglo I repercuten en nuestro suelo las discordias civiles de Roma. La pacificación del territorio no fue completa hasta que Augusto dominó a cántabros y astures (año 19 a.C.).

Mientras tanto el señorío romano se había ido extendiendo por todo el mundo entonces conocido: a Italia y sus islas circundantes se añadían en el siglo II Iliria, Macedonia, Grecia, el norte de África y la Galia Narbonense; en el I, Asia Menor, Galia, Egipto, el sur del Danubio y los Alpes. Así el Oriente, colosal y refinado; la Hélade, cuna del saber y la belleza, pero incapaz de unificarse políticamente; y el Occidente europeo, habitado por pueblos discordes en mezcolanza anárquica, quedaban sujetos a la disciplina ordenadora de un Estado universal.

1. Véanse A. García y Bellido, *La latinización de Hispania*, Archivo Esp. de Arqueología, XL, 1967, y la bibliografía citada por K. Baldinger, *La formación de los dominios lingüísticos en la Península Ibérica*, Madrid, 1972, 104-105.

La primitiva Roma quadrata se había engrandecido gracias a virtudes supremas: ruda en un principio, como pueblo de agricultores y soldados, poseía un sentido de energía viril, de dominio, que le abrió el camino para cumplir su excelsa misión histórica. La cultura romana traía el concepto de la ley y la ciudadanía; pero el Estado no representaba sólo garantías para el individuo, sino que era objeto del servicio más devoto y abnegado. Al conquistar nuevos países, Roma acababa con las luchas de tribus, los desplazamientos de pueblos, las pugnas entre ciudades: imponía a los demás el orden que constituía su propia fuerza. Consciente de esta providencial encomienda, Virgilio la hacía saber a sus compatriotas:

> *Tu regere imperio populos, Romane, memento*
> *(hae tibi erunt artes), pacisque imponere morem,*
> *parcere subiectis et debellare superbos.*

El sentido práctico de los romanos los hizo maestros en la administración, el derecho y las obras públicas. Roma sentó la base de las legislaciones occidentales. Calzadas, puertos, faros, puentes y acueductos debidos a sus técnicos han desafiado el transcurso de los siglos. Y si, por naturaleza, el romano no sentía afición hacia el escape desinteresado del espíritu y de la fantasía, acertó a apropiarse la cultura helénica, bebiendo en ella lo que le faltaba. De este modo, la escuela romana llevaba a las provincias, a la vez que el nervio latino, el pensamiento y las letras griegas, la creación más asombrosa del intelecto y arte europeos.

Como consecuencia de la conquista romana hubo en Hispania una radical transformación en todos los órdenes de la vida: técnica agrícola e industrial, costumbres, vestido, organización civil, jurídica y militar. La religión de los conquistadores, con sus dioses patrios y los extranjeros que iba cobijando, convivió en la Península con el culto a divinidades indígenas. La mitología clásica alzó templos consagrados a Diana, Marte o Hércules, y pobló de ninfas los bosques hispanos. Aún hoy subsiste en Asturias la superstición de las *xanas*, hermosas moradoras de las fuentes, que tejen hilos de oro y favorecen los amores; *xana* es evolución fonética y semántica de D i a n a , la diosa virgen de los bosques y la caza.

2. La romanización más intensa y temprana fue la de la Bética, cuya cultura, superior a la de las demás regiones, facilitaba la asimilación de

usos nuevos. La feracidad de las comarcas andaluzas atrajo desde muy pronto a los colonizadores; ya en 206 a. C. tuvo lugar la fundación de Itálica, para establecimiento de veteranos; legionarios casados con mujeres españolas constituyeron la colonia liberta de Carteya (171), y Córdoba, más señorial, fue declarada colonia patricia (169). En la época de Augusto afirma Estrabón que los turdetanos, especialmente los de las orillas del Betis, habían adoptado las costumbres romanas y habían olvidado su lengua nativa. Esta noticia ha de referirse a las ciudades importantes, pues en los pequeños núcleos de población y en el campo el apego a las costumbres y lenguas nativas hubo de ser mucho más duradero.

A las costas mediterráneas y al valle del Ebro acudieron también muchos colonos. La política de atracción dio excelentes y tempranos resultados con los indígenas. En el año 90 a. C., durante la guerra social de Italia, combatían en las filas del ejército romano caballeros nativos de Salduia (Zaragoza), quienes merecían por su valor la ciudadanía romana y otros honores. Sertorio fundó la escuela de Osca (Huesca) a fin de dar educación latina a los jóvenes de la nobleza hispana, preparándolos para la magistratura, a la vez que se procuraba rehenes. Según Estrabón, la romanización de levantinos y celtíberos no estaba tan avanzada, hacia el comienzo de nuestra era, como la de los turdetanos.

Más retrasada se hallaba todavía la de Lusitania; y los pueblos del norte, galaicos, astures y cántabros, recién dominados, seguían viviendo con arreglo a sus rudos hábitos seculares.

3. Con la civilización romana se impuso la lengua latina, importada por legionarios, colonos y administrativos. Para su difusión no hicieron falta coacciones; bastó el peso de las circunstancias: carácter de idioma oficial, acción de la escuela y del servicio militar, superioridad cultural y conveniencia de emplear un instrumento expresivo común a todo el Imperio. La desaparición de las primitivas lenguas peninsulares no fue repentina; hubo un período de bilingüismo más o menos largo, según los lugares y estratos sociales. Los hispanos empezarían a servirse del latín en sus relaciones con los romanos; poco a poco, las hablas indígenas se irían refugiando en la conversación familiar, y al fin llegó la latinización completa.

4. Son interesantes a este respecto algunos nombres de lugar que mezclan elementos latinos con otros ibéricos o celtas. No es de extrañar que en

G r a c c h u r r i s (Alfaro) se junte al recuerdo de su fundador, Tiberio Sempronio Graco, la palabra vascona u r r i , integrante del nativo y cercano C a l a g u r r i s , hoy Calahorra:[2] la fundación de la ciudad ocurrió en el año 178 a.C., muy al principio de la conquista. Pero J u l i o b r i g a (cerca de Reinosa), C a e s a r o b r i g a (Talavera), A u g u s t o b r i g a (Ciudad Rodrigo), F l a v i o b r i g a (Bilbao o Portugalete), I r i a F l a v i a y otros, demuestran que en tiempo de César, de Augusto o de los Flavios el celta b r i g a y el i r i conservado en vasco guardaban su valor significativo. Para O c t a v i o l c a , véase § 6₁. Coinciden con esta deducción los testimonios de escritores latinos y griegos. Cicerón, en su tratado *De divinatione*, compara el desconcertante efecto de los sueños incomprensibles con el que produciría oír en el Senado el habla extraña de hispanos o cartagineses. El historiador Tácito (55?-120) refiere que un aldeano de Termes, en lo que hoy son tierras de Soria, acusado de haber intervenido en el asesinato del pretor Lucio Pisón (año 25 d.C.), se negó a declarar quiénes eran sus cómplices, dando grandes voces en su idioma nativo. Plinio el Mayor (23-79), al describir las explotaciones auríferas de la Península, registra abundante nomenclatura minera prerromana. Recordemos que, según Estrabón, en la época de Augusto sólo estaba próxima a consumarse la latinización de la Bética. En Levante el alfabeto ibérico siguió empleándose hasta muy entrada la época imperial, lo que implica supervivencia de las lenguas nativas. Más tarde un tratado *De similitudine carnis peccati*, atribuido a san Paciano, obispo barcinonense del siglo iv, o a Eutropio, que lo fue de Valencia en el vi, alaba la caridad de una dama que hablaba en lengua vernácula a desvalidos paganos que no sabían latín.[3] Es de suponer que en el centro, oeste y norte la latinización no se generalizaría sino más tarde aún. La toponimia asturiana abunda en derivados de nombres latinos de terratenientes (*Antoñana, Cornellana, Jomezana, Terenzana*, de A n t o n i u s , C o r n e l i u s , D i o m e d e s , T e r e n t i u s); pero la epigrafía de la misma región ofrece nombres indígenas de dioses, individuos y gentilidades hasta fines del siglo iv por lo menos.[4]

---

2. Véase § 3₃ y ₅.
3. García y Bellido, art. cit., 27-28.
4. María del Carmen Bobes, *La toponimia romana en Asturias*, Emerita, XXVIII, 1960,

§ 10. EL LATÍN

Entre las lenguas indoeuropeas, la latina se distingue por su claridad y precisión. Carece de la musicalidad, riqueza y finura de matices propia del griego, y su flexión es, comparativamente, muy pobre. Pero en cambio posee justeza; simplifica el instrumental expresivo, y si olvida distinciones sutiles, subraya con firmeza las que mantiene o crea; en la fonética, un proceso paralelo acabó con casi todos los diptongos y redujo las complejidades del consonantismo indoeuropeo. Idioma enérgico de un pueblo práctico y ordenador, el latín adquirió gracia y armonía al contacto de la literatura griega. Tras un aprendizaje iniciado en el siglo III a.C., el latín se hizo apto para la poesía, la elocuencia y la filosofía, sin perder con ello la concisión originaria. Helenizada en cuanto a técnica y modelos, pero profundamente romana de espíritu, es la obra de Cicerón, e igualmente la de Virgilio, Horacio y Tito Livio, los grandes clásicos de la época de Augusto.

Hispania contribuyó notablemente al florecimiento de las letras latinas; primero con retóricos como Porcio Latrón y Marco Anneo Séneca; después, ya en la Edad de Plata, con las sensatas enseñanzas de Quintiliano y con un brillante grupo de escritores vigorosos y originales: Lucio Anneo Séneca, Lucano y Marcial. En sus obras —especialmente en las de Séneca y Lucano—, españoles de tiempos modernos han creído reconocer alguno de los rasgos fundamentales de nuestro espíritu y literatura.

§ 11. HELENISMOS[5]

1. El influjo cultural de la Hélade se dejó sentir sobre Roma en todos los momentos de su historia. El contacto con las ciudades griegas del sur de Italia —la Magna Grecia— fue decisivo para la evolución espiritual de los romanos. Un cautivo de Tarento, Livio Andrónico, inauguró en el siglo III

241-284, y XXIX, 1961, 1-52; F. Diego Santos, *Romanización de Asturias a través de su epigrafía romana*, Oviedo, 1963.

5. Véase M. Fernández Galiano, *Helenismos*, «Encicl. Ling. Hisp.», II, Madrid, 1966, 51-77 (excelente visión de conjunto).

la literatura latina, traduciendo o imitando obras griegas. La conquista del mundo helénico familiarizó a los romanos con una civilización muy superior. Grecia les proporcionó nombres de conceptos generales y actividades del espíritu: i d e a , p h a n t a s i a , p h i l o s o p h i a , m u s i c a , p o e - s i s , m a t h e m a t i c a ; tecnicismos literarios: t r a g o e d i a , c o - m o e d i a , s c a e n a , r h y t h m u s , o d e , r h e t o r ; palabras relativas a danza y deportes: c h o r u s , p a l a e s t r a , a t h l e t a ; a enseñanza y educación: s c h o l a , p a e d a g o g u s ; en suma, a casi todo lo que representa refinamiento espiritual y material.

2. La lengua popular se llenó también de grecismos más concretos y seguramente más antiguos que los de introducción culta: nombres de plantas y animales, como o r ī g ă n u m , s ē p i a (> esp. *orégano, jibia*); costumbres y vivienda: b a l n ĕ u m , c a m ĕ r a , a p o t h ē c a (> *baño, cámara, bodega*); utensilios e instrumental: a m p ŏ r a y el diminutivo a m p ū l l a (por a m p h ŏ r a > *ánfora*), s a g m a , c h ŏ r d a (> *ampolla, jalma, cuerda*); navegación, comercio, medidas: a n c ŏ r a , h e m i n a (> *ancla, áncora, hemina*); instrumentos musicales: s y m p h o n ĭ a , c ĭ t h ă r a (> *zampoña, zanfoña, cedra, cítara*), etc.

Durante el Imperio, nuevos helenismos penetraron en el latín vulgar. La preposición k a t á tenía valor distributivo en frases como k a t a d u o , k a t a t r e i s 'dos a dos', 'tres a tres'; introducida en latín, es el origen de nuestro *cada*. El sufijo verbal - i z e i n fue adoptado por el latín tardío en las formas - i z a r e , - ĭ d ĭ a r e ; la primera, más erudita, sigue siéndolo en el español *-izar* (*autorizar, realizar, ridiculizar*), mientras que - ĭ d ĭ a r e ha dado el sufijo popular *-ear* (*guerrear, sestear, colorear*), más espontáneo y prolífico. El adjetivo m a c a r i o s 'dichoso, bienaventurado', se empleaba como exclamación en felicitaciones; de su vocativo m a c a r i e proceden el italiano *magari* y la antigua conjunción española *maguer, maguera* 'aunque'.[6] Luego (§ 13) veremos la importantísima contribución del griego al vocabulario y terminología cristianos.

---

6. Para el cambio de sentido, compárese la equivalencia entre «hágalo *enhorabuena*; no lo aprobaré» y «no lo aprobaré *aunque* lo haga». El portugués *embora* 'aunque' es originariamente *em boa hora*, 'enhorabuena'. El italiano *magari* ofrece aún los distintos grados de esta evolución. En español del siglo x *macare ķe* era ya equivalente de q u a m u i s

3. Las distintas épocas en que se introdujeron en latín los helenismos enumerados se revelan en las adaptaciones fonéticas que sufrieron. Los primeros y más populares fueron tomados al oído. Como el griego poseía fonemas extraños al latín, fueron reemplazados por los sonidos latinos más parecidos: la υ era semejante a la *u* francesa, pero en latín pasó a *u* velar; las aspiradas φ, θ, χ se transformaron en *p*, *t*, *c*. Así, μίνθα dio m ĭ n t a , de donde el esp. *menta*; θ ύ μ ο ς > *t ŭ m u m > esp. *tomillo*; π ο ρ φ ύ ρ α > p ŭ r p ŭ r a . Es frecuente en el latín arcaico y después en el vulgar que la oclusiva sorda κ se convierta en *g*, en lugar de *c*, su correspondiente latina: κυβερνᾶν > g ŭ b e r n a r e > esp. *gobernar*; κάμμαρος > g a m m ă r u s > esp. *gámbaro*, al lado de *cámaro* y *camarón*.

Cuando se intensificó la helenización de la sociedad elevada, los hombres cultos intentaron reproducir con más fidelidad la pronunciación griega. La υ se transcribió *y*, y se le dio su sonido de *u* francesa; φ, θ, χ se representaron con *ph*, *th*, *ch*, respectivamente. Esta costumbre se generalizó durante el período clásico, extendiéndose al latín vulgar. Pero en boca del pueblo la *y* se pronunció como *i*, la *ph* como *f*, *th* y *ch* como *t*, *c*. De esta manera κῦμα > c y m a > c ī m a dio en español *cima*; γύψος > g y p s u m > g ĭ p s u m > *yeso*; κόφινος > c o p h ĭ n u s > *cuévano*; ὀρφανός > o r - p h ă n u s > *huérfano*.

Los grecismos más recientes adoptados por el latín muestran los cambios fonéticos propios del griego moderno. La η, que en griego clásico equivalía a *e*, se cerró en *i*: ἀκηδία dio *acidia* 'pereza'; ἀποθήκη, a través de a p o t h ē c a , había pasado a *bodega*, pero según la pronunciación griega moderna y, probablemente, con evolución semiculta, resultó también *botica*. Las oclusivas sordas π, τ, κ se sonorizaron después de nasal; καμπή hubo de dar en latín no sólo c a m p a , sino también c a m b a , g a m b a , exigidos por el esp. ant. y cat. *cama* 'pierna'; it. *gamba*; fr. *jambe*; de σάνταλον pronunciado s á n d a l o n , viene el español *sándalo*.

4. La influencia del griego sobre el latín no debió de limitarse al vocabulario. Se han señalado paralelos sintácticos muy significativos entre el la-

---

(Glosas Silenses, 281). Sin embargo dos siglos después Ben Quzmán emplea *makkar* con el significado de 'ojalá' que también el ital. *magari* posee (García Gómez, *Todo Ben Quzmān*, III, Madrid, 1972, 473).

tín vulgar y el griego moderno: las perífrasis verbales d i c e r e   h a b e o
y   s c r i p t u m   h a b e o, origen del futuro y del perfecto románicos
(§ 17₅), corresponden exactamente a ἔχω εἰπεῖν, ἔχω γεγραμμένον; las romances *estoy diciendo*, *va y dice*, *tomo y me voy* tienen igualmente precursores
griegos. En las oraciones subordinadas las lenguas románicas se apartan
del latín y coinciden con el griego en el uso de los modos verbales infinitivo
y gerundio. Estas y otras muchas semejanzas, todavía no estudiadas a fondo, parecen responder a que tanto construcciones ya existentes en griego
clásico o helenístico como las que actuaban en él para transformarlo en el
moderno, penetraron como fermento en el latín hablado y así llegaron a las
lenguas románicas.[7]

5. La introducción de grecismos continuó tras la caída del Imperio romano. La dominación bizantina en el litoral mediterráneo de nuestra Península durante la segunda mitad del siglo vi y buena parte del vii hubo de
ocasionar la adopción directa de algunos.[8] A esta época parece corresponder la entrada de θεῖος, θεία > lat. tardío t h i u s , t h i a , que reemplazaron a   a v u n c u l u s , p a t r u u s , m a t e r t e r a   y   a m i t a (esp. *tío*,
tía); t h i u s era todavía griego para san Isidoro. Entrada la Edad Media o
ya en la Moderna el comercio y la navegación trajeron (ἐ)ξάμιτος > *xámet*,
xámed 'tela de seda'; tal vez σινδῶν > lat. c e n d a l u m , con cambio de sufijo, > esp. *cendal*; γαλέα > ant. *galea*, después *galera*; καῦμα 'quemadura',
'calor' > *calma*, que del sentido de 'bochorno' pasó a tomar el de 'bonanza';
κέλευσμα 'orden, mandato', 'canto del cómitre para acompasar el movimiento de los remeros' > lat. tardío *c l u s m a > genovés ant. *ciüsma* >
esp. *chusma* 'conjunto de galeotes'; ταπήτιον > fr. ant. *tapiz* > esp. *tapiz*, etc.

---

7. E. Coseriu, *Das Problem des griechischen Einflusses auf das Vulgärlatein*, «Sprache
und Geschichte. Festschrift für Harri Meier», Múnich, 1971, 135-147; «*Tomo y me voy*».
Ein Problem vergleichender europäischer Syntax, Vox Romanica, XXV, 1966, 13-55. G. Bonfante (*Italia e Grecia*, «To honor Roman Jakobson», La Haya-París, 1967, 363-373) relaciona también con el griego transformaciones acentuales y vocálicas en el latín vulgar, así
como la reducción de los casos. Véanse además W. Dietrich, *Der periphrastische Verbalas-
pekt in den romanischen Sprachen*, Beihefte zur Zeitsch. f. rom. Philol., CXL, Tubinga,
1973; y reseña de H. y R. Kahane, Rom. Philol., XXXI, 1978, 644-648.

8. Véase C. E. Dubler, *Sobre la crónica arábigo-bizantina de 741 y la influencia bizantina
en la Península Ibérica*, Al-Andalus, XI, 1946, 283-349.

La historia de estos grecismos medievales es muy compleja, por tratarse de voces que, en su gran mayoría, llegaron por vía indirecta.[9] Más adelante (§ 33,₁₁) veremos no pocos que vinieron a través del árabe.

6. La ciencia y filosofía medievales, renacentistas y modernas nutrieron y nutren su terminología con abundante incorporación de helenismos: unos, tomados ya por el latín en la Antigüedad; otros, directamente del griego; muchos son compuestos y derivados de nueva formación, que ni el griego clásico ni el bizantino conocieron (*cefalópodo*, *traumatología*, *anafilaxia*, *megalómano*, *diacronía*, *tecnocracia*, etc.). El helenismo literario, existente ya en la Edad Media, pero de importancia estilística desde el Renacimiento, será estudiado al historiar cada período de nuestra lengua, junto con las restantes manifestaciones de las tendencias cultas.

§ 12. HISPANIA BAJO EL IMPERIO

La división administrativa de la Península sufrió variaciones a lo largo de la dominación romana. A las dos primeras provincias, Citerior y Ulterior, sucedió la repartición de Agripa (27 a. C.) en Tarraconense o Citerior, Bética y Lusitania. En tiempo de Caracalla se constituyó como provincia aparte la Gallaecia-Astúrica, que comprendía el noroeste hasta Cantabria. Diocleciano escindió la Tarraconense, separando de ella la Cartaginense, con la franja central de Burgos, Toledo, Valencia y Cartagena. Desde Diocleciano las provincias peninsulares, con la Baleárica y la Tingitana, formaron la diócesis de Hispania, que dependía de la prefectura de las Galias.

Al principio del Imperio, Roma gozaba de una serie de privilegios que no alcanzaban a las provincias; pero la creciente incorporación activa de éstas a la vida romana exigió que disminuyera la desigualdad. El derecho

---

9. Véanse H. y R. Kahane, *Abendland und Byzanz: Sprache*, «Reallexikon der Byzantinistik», ed. por P. Wirth, I, Amsterdam, 1968; *Byzantinoromanica*, «Polychronion», homenaje a F. Dölger, Heidelberg, 1966, 304-317; *Graeco-Romance Etymologies*, Romance Philology, XIX, 1965, 261-267; XXI, 1968, 502-510, y «Studia Hispanica in honorem R. L.», I, Madrid, 1972, 323-333; de los mismos autores y A. Pietrangeli, *Cultural Criteria for Western Borrowings from Byzantine Greek*, «Homenaje a Antonio Tovar», Madrid, 1972, 205-229.

latino, y más aún la ciudadanía romana, sólo eran otorgados fuera de Italia como honor o recompensa. Pero cuando Hispania era ya —según Plinio— el segundo país del Imperio, Vespasiano extendió a todos los hispanos el derecho latino. Las dinastías de Césares y Flavios eran romanas; con la de los Antoninos comienzan los emperadores provinciales. Hispanos eran Trajano y Adriano, los príncipes que dieron mayor prosperidad al Imperio; después siguen otros africanos o ilirios. Roma cede sus prerrogativas y Caracalla (212) convierte en ciudadanos romanos a todos los súbditos imperiales.

§ 13. EL CRISTIANISMO

Conseguida la unificación jurídica, faltaba la espiritual. No bastaba el culto al emperador como símbolo de unidad suprema. Se sentía el ansia de una comunión universal, y el cristianismo vino a traerla como buena nueva; enseñaba la existencia de la vida interior, desdeñaba las grandezas terrenas, equiparaba el alma del hombre libre y la del esclavo y abrazaba a toda la humanidad redimida, por encima de los límites del Estado. Hispania ofrendó a la fe salvadora la sangre de sus numerosos mártires, la enérgica actitud de Osio frente a la herejía arriana, y la obra del mayor poeta cristiano del Imperio, el cesaraugustano Prudencio.

El cristianismo ayudó eficazmente a la completa latinización de las provincias. Muchos latinismos del vasco se deben indudablemente a las enseñanzas eclesiásticas. En los romances, la influencia espiritual del cristianismo ha dejado innumerables huellas. El análisis de la propia conciencia, el afán por ver en los actos la intención con que se realizaban, explica el crecimiento de los compuestos adverbiales b o n a m e n t e, s a n a m e n t e, aunque hubieran empezado a usarse antes.[10] El griego, como idioma más extendido en la parte oriental del Imperio, fue en los primeros tiempos instrumento necesario para la predicación a los gentiles; en él fueron escritos casi todos los textos del Nuevo Testamento. La doctrina y organización de la Iglesia están llenas de términos griegos, que constituyen la

10. K. Vossler, *Metodología filológica*, Madrid, 1930, 35.

última capa de helenismos acogida por el latín: e v a n g e l i u m , a n g ĕ -
l u s , a p o s t ŏ l u s , d i a b ŏ l u s , e c c l e s i a , b a s i l ĭ c a , e p i s c ŏ -
p u s , d i a c ŏ n u s , c a t e c h u m ĕ n u s , a s c e t a , m a r t y r , e r e -
m i t a , b a p t i z a r e , m o n a s t e r i u m , c o e m e t e r i u m . Muchas
de estas voces grecolatinas han tomado un sentido especial al emplearlas la
Iglesia: L o g o s - V e r b u m , c h a r ĭ t a s , a n g e l u s (en griego 'men-
sajero'), m a r t y r (en griego 'testigo'), a s c e t a (originariamente 'el que
se ejercita en algo, sobre todo el atleta'), etc. Especial difusión tuvo p a r a -
b o l a r e , formado sobre el griego p a r a b ŏ l a 'comparación': el vulgo lo
tomó del lenguaje eclesiástico y le dio el sentido de 'hablar' (fr. *parler*; it.
parlare); de p a r a b o l a vienen el esp. *palabra*; catalán *paraula*; fr. *parole*;
it. *parola*. Un símil del Evangelio (San Mateo, 25, vers. 14-30) habla del
siervo que no supo obtener provecho de la moneda (t a l e n t u m) que le
dio su señor; la imaginación popular sustituyó la acepción directa de 'moneda' por la alegórica de 'dotes naturales, inteligencia'; y en una época
afectiva, como la Edad Media, talento y talante valieron como 'voluntad,
deseo'. En la terminología militar romana p a g a n u s 'paisano, civil' se
contraponía al m i l e s ; y, como los cristianos primitivos se consideraban
m i l i t e s C h r i s t i , p a g a n u s vino a significar el no adepto a la
nueva fe.[11]

§ 14. LA DECADENCIA DEL IMPERIO

A partir del siglo III empiezan a asomar en el Imperio síntomas de descomposición. Las legiones eligen emperadores y se convierten en mesna-
das personales de sus caudillos. Las exacciones tributarias, cada vez más
duras, resultaban insostenibles para los terratenientes modestos, quienes
tenían que vender sus predios para defenderse del fisco, o se procuraban el
amparo de los poderosos mediante la cesión de la propiedad. De esta
manera aumentaban los latifundios, aparecía la adscripción del hombre
a la gleba y se iniciaban formas de relación social que habían de conducir a la

11. Véase H. Rheinfelder, *Kultsprache und Profansprache in den romanischen Ländern*,
1934, p. 132.

servidumbre, encomendaciones y behetrías. S e n i o r 'anciano' adquirió el sentido de 'amo, señor', en oposición al j u n i o r 'mozo, siervo'.

Cuando la invasión germánica amenazaba ya las desmoronadas fronteras del Imperio, empezó a cundir el nombre de *Romania*, que designó el conjunto de pueblos ligados por el vínculo de la civilización romana.

III

LATÍN VULGAR Y PARTICULARIDADES
DEL LATÍN HISPÁNICO

§ 15. LATÍN LITERARIO Y LATÍN VULGAR[1]

Desde el momento en que la literatura fijó el tipo de la lengua escrita, se inició la separación entre el latín culto, que era el enseñado en las escuelas y el que todos pretendían escribir, y el latín empleado en la conversación de las gentes medias y de las masas populares. Mientras la lengua literaria se depuraba hasta llegar al refinamiento de las odas de Horacio o la prosa de César y Tácito, el habla vulgar seguía apegada a usos antiguos; pero a la vez progresaba en sus innovaciones, desarrollando tendencias existentes en el idioma desde el primer momento, aunque repudiadas o aceptadas tan sólo parcialmente por la literatura.

Durante el Imperio, las divergencias se ahondaron en grado considerable: el latín culto se estacionó, mientras que el vulgar, con rápida evolución, proseguía el camino que había de llevar al nacimiento de las lenguas

1. Véanse, entre otros, E. Bourciez, *Éléments de Linguistique Romane*, 2.ª ed., París, 1923; W. Meyer-Lübke, *Introducción a la Lingüística Románica*, trad., adiciones y notas de A. Castro, Madrid, 1926; C.E. Grandgent, *Introducción al Latín Vulgar*, íd. de íd. de F. de B. Moll, Madrid, 1928; H.F. Muller, *A Chronology of Vulgar Latin*, Beihefte zur Zeitsch. f. rom. Philol., 78, Halle, 1929; S. da Silva Neto, *História da Lingua Portuguesa*, Río de Janeiro, 1952, 161-315, e *História do latim vulgar, ibid.*, 1977; K. Vossler, *Einführung ins Vulgärlatein*, herausgegeben und bearbeitet von H. Schmeck, Múnich, 1954; J.B. Hofman, *El latín familiar*, trad. y anotado por J. Corominas, Madrid, 1958; B. E. Vidos, *Manual de Ling. Rom.*, Madrid, 1963; H. Lausberg, *Ling. Rom.*, 2 vols., Madrid, 1965-1966; V. Väänänen, *Introduction au Latin Vulgaire*, París, 1967 (trad. esp. de Manuel Carrión, Madrid, 1968); I. Iordan y M. Manoliu, *Manual de Ling. Rom.*, revisión, reelaboración parcial y notas de M. Alvar, 2 vols., Madrid, 1972, así como la *Antología del Latín Vulgar* de M. Díaz y Díaz, Madrid, 1950, y el *Sermo Vulgaris Latinus, Vulgärlateinisches Lesebuch* de G. Rohlfs,

romances. Las gentes extrañas que iban romanizándose no percibían bien distinciones de matiz antiguas en la lengua que aprendían; en cambio, se percataban del valor significativo encerrado en las expresiones que entonces empezaban a apuntar; así ganaban terreno los usos nuevos. Al fin de la época imperial, las invasiones y la consiguiente decadencia de la cultura aceleraron el declive de la lengua literaria. Desde el siglo VII sólo la emplean eclesiásticos y letrados; pero su lenguaje revela inseguridades y admite vulgarismos, fabrica multitud de palabras nuevas y acoge, barnizándolas ligeramente, numerosas voces romances o exóticas. Es el *bajo latín* de la Edad Media.

Para el conocimiento del latín vulgar la documentación es escasa: fragmentos de una novela realista de Petronio que reflejan el habla ordinaria; textos descuidados, anónimos o de escritores de la decadencia; inscripciones lapidarias incultas; citas de gramáticos que reprenden incorrecciones del lenguaje: a esto se reduce el testimonio de la Antigüedad. Pero, en cambio, disponemos de la comparación entre las lenguas romances, cuya evolución podemos seguir paso a paso, y que obligan a suponer base latina para muchos de los cambios comunes que hay en ellas.

Veamos en qué diferían el latín literario y el vulgar:

§ 16. ORDEN DE PALABRAS[2]

1. La construcción clásica admitía frecuentes transposiciones; entre dos términos ligados por el sentido y la concordancia podían interponerse otros.

Halle / Saale, 1951; W. Manczak, *Le problème de la langue romane commune*, «Atti XIV Congresso Internaz. di Linguistica e Filol. Romanza», Nápoles, 1974, II, 61-74; E. Coseriu, *Der sogenannte «Vulgärlatein» und die ersten Diferenzierung in der Romania*, «Zur Entstehung der rom. Sprachen», Darmstadt, 1978, 257-291; A. Niculescu, *El latín vulgar. Consideraciones sobre un concepto*, Anuario de Letras, XVII, 1979, 243-255, etc.

2. Véanse Elise Richter, *Zur Entwicklung der romanischen Wortstellung aus der lateinischen*, Halle, 1903; J. Marouzeau, *L'ordre des mots dans la phrase latine. I. Les groupes nominaux*, París, 1922; *La phrase à verbe initial en latin*, Rev. des Études Latines, XV, 1937, 275-305, y *La phrase à verbe intérieur en latin*, ibid., XVI, 1938, 74-95.

Los poetas extremaban esta libertad; sin duda no pertenecían al habla normal frases con hipérbaton tan extremado como la de Virgilio «*silvestrem* t e n u i *musam* meditaris a v e n a»; pero eran corrientes otras más moderadas, como la de Cicerón «fuit *ista* quondam in hac republica *virtus*». El orden vulgar prefería situar juntas las palabras modificadas y las modificantes. Petronio ofrece aún «alter *matellam* tenebat *argenteam*», «quonam genere *praesentem* evitaremus *procellam*», pero tienden a imponerse «follem plenum habebat», «notavimus etiam res novas». Tras un lento proceso, el hipérbaton acabó desapareciendo en la lengua hablada.

2. En el latín clásico, las palabras determinantes solían quedar en el interior de la frase: «Castra sunt in Italia contra populum Romanum Etruriae faucibus conlocata». Entre s u n t y c o n l o c a t a están encerrados los complementos; el orden es curvilíneo, sintético. El latín vulgar propendía a una marcha en que las palabras se sucedieran con arreglo a una progresiva determinación; al mismo tiempo el período se hacía menos extenso: «apoculamus nos circa gallicinia, luna lucebat tamquam meridie; venimus inter monimenta» (Petronio). Al final de la época imperial este orden se abría camino incluso en la lengua escrita, aunque sobrevivían restos del antiguo, sobre todo en las oraciones subordinadas. Frases de la Regla de San Benito (siglo VI) dan idea de la transformación realizada: «Ad portam monasterii ponatur senex sapiens, qui sciat accipere responsum et reddere, et cuius maturitas eum non sinat vagari».

§ 17. MORFOLOGÍA Y SINTAXIS

1. Un cambio paralelo alteró esencialmente la estructura morfológica. En latín cada palabra llevaba en su terminación los signos correspondientes a las categorías gramaticales: la desinencia - u m de h o m i n u m añadía a la idea de «hombre», representada por el tema h o m i n -, las notas de genitivo y plural; el tema a m a - quedaba atribuido a la tercera persona del plural y recibía valor pasivo gracias a la adición de los morfemas - n t y - u r pospuestos (a m a n t u r). No obstante las desinencias casuales no bastaban para expresar con precisión las distintas relaciones encomendadas a cada una, y ya desde el latín más arcaico se auxiliaban con preposicio-

nes especificadoras. Incluso en el lenguaje literario contendían el genitivo y el ablativo con 'd e' para indicar relaciones partitivas, de materia, de origen, de referencia, etc.; así alternaban «pauci m i l i t u m» y «pauci d e n o s t r i s», «p i c i s glebas» y «templum d e m a r m o r e», «g e n e - r i s Graeci» y «Argolica d e g e n t e», «indignus a u o r u m» y «digni d e c a e l o». Igual ocurría en muchos contextos con el dativo («accidere a n i m o», «accommodare c o r p o r i vestem», «delegata p r i m o r i - b u s pugna») y el acusativo con 'a d' («accidere a d a n i m u m», «accommodare rem a d t e m p u s», «studiosos a d i l l u m volumen delegamus»). Las construcciones con d e + ablativo y a d + acusativo invadieron los restantes dominios del genitivo («d e D e o munus», «d e s o r o r e nepus») y del dativo («hunc a d c a r n i f i c e m dabo», Plauto; «a d m e magna nuntiauit»). El acusativo se empleó con preposiciones que antes eran exclusivas de ablativo: inscripciones pompeyanas dan «cum i u m e n t u m», «cum s o d a l e s» en vez de «cum i u m e n t o», «cum s o d a l i b u s».[3]

Por otra parte, la evolución fonética suprimía la /-m/ final, eliminaba la distinción entre vocales largas y breves e igualaba la /ŭ/ con la /ō/ (véase § 18₁), con lo que las desinencias de ciertos casos coincidieron con las de otros: el nominativo r o s ă dejó de distinguirse del acusativo r o s a (m) y del ablativo r o s ā. Lo mismo ocurrió con el acusativo a m i c ŭ (m) y el ablativo a m i c ō, con los que confluyó en determinadas áreas geográficas y niveles sociales el nominativo a m i c ŭ (s), cuya /-s/ omitían el latín arcaico y el rústico: inscripciones hispanas ofrecen nominativos L a b e o, a u n c u l o, m a r i t u, f a m u l u, etc.[4] En cambio, formas romances como *hombre, luz, verdad, ladrón* son resultado común de los acusativos h o m ĭ n e (m), l u c e (m), v e r i t a t e (m), l a t r o n e (m) y de los ablativos h o m i n ē, l u c ē, v e r i t ā t ē, l a t r ō n ē, pero no de los no-

3. Remito a *Los casos latinos: restos sintácticos y sustitutos en español*, Bol. R. Acad. Esp., XLIV, 1964, 62-73.

4. M. Díaz y Díaz, *Antología del Latín Vulgar*, Madrid, 1950, 131-135; Carnoy, *Le latin d'Espagne d'après les inscriptions*, 1906, 185-206, reúne alrededor de 60 ejemplos, que explica como descuidos o abreviaciones por estar generalmente en fin de línea. Tal explicación es insatisfactoria para omisión tan repetida.

minativos h o m o , l u x , v e r ĭ t a s , l a t r o . En el plural, el sistema latino clásico diferenciaba nominativo y acusativo en las dos primeras decli-
naciones (r o s a e / r o s ā s , l u p ī / l u p ō s); pero en las tres últimas
h o m i n ē s , l u c ē s , s e n s ū s , d i ē s valían para los dos casos, ambiva-
lencia contagiable a los temas en /-a/ y en /-o/. En éstos los nominativos
r o s a e , a m i c ī y l u p ī tenían desinencias comunes con formas del singular: el genitivo y dativo r o s a e , el genitivo a m i c ī , l u p ī respectivamente; por el contrario los acusativos r o s ā s , a m i c o s poseían morfemas inconfundibles de plural. La distinción entre desinencias casuales de
un mismo número podía desaparecer sin gran daño para la comprensión,
gracias sobre todo a las preposiciones; pero la oposición entre singular y
plural no contaba con más instrumento que las desinencias. Añádase que
el indoeuropeo tenía nominativos de plural / - ā s / y / - ō s /, conservados
en osco, umbro y celta; para / - o s / en celtibérico, véase § 5₁. Motivaciones
internas del sistema lingüístico se combinaron con la acción del substrato
para que inscripciones de diversas zonas del Imperio —entre ellas Hispania— atestigüen abundantes nominativos de plural como f i l i a s , l i -
b e r t a s , y para que en el latín hispánico hablado / - ō s / se generalizase
como desinencia de nominativo y acusativo de plural para los temas en /-o/.[5]

A consecuencia de todos estos cambios la flexión del nombre en el latín
vulgar fue limitándose progresivamente hasta oponer una forma única de
singular a otra forma única de plural. Sólo en francés y occitano antiguos
sobrevivió una declinación bicasual con formas distintas para el nominativo y para el régimen o caso oblicuo; pero desapareció antes del siglo xv mediante eliminación de las formas de nominativo.

2. También se simplificó la clasificación genérica: los sustantivos neutros pasaron a ser masculinos (m a n c i p i u m > *mancebo*, t e m p u s >
tiempo) o femeninos (s a g m a > *jalma*), con no pocas vacilaciones y ambigüedades, sobre todo para los que terminaban en - e o en consonante

---

5. D. Gazdaru, *Prejuicios persistentes en la morfosintaxis románica*, Romanica, I, 1968,
69-115, defiende justificadamente la necesidad de tener en cuenta los nominativos /- a s / y
/- o s / al explicar el plural románico. Pero en el singular, salvo en francés y occitano antiguos y en cultismos o semicultismos de otros romances, son excepcionales los restos inequívocos de nominativo.

(m a r e > *el mar* y *la mar*; l a c > fr. *le lait*; port. *o leite*; esp. *la leche*). Muchos plurales neutros se hicieron femeninos singulares a causa de su -a final: f o l i a > hoja, b r a c c h i a > *braza*, r a m a > *rama*, l i g n a > *leña*. De ahí el valor colectivo que conservan a veces, patente en «la caída de *la hoja*» y en el contraste *brazo / braza, leño / leña*, etc.

3. En la lengua clásica los comparativos en - i o r y los superlativos - i s s i m u s alternaban con perífrasis como m a g i s d u b i u s , m a x i m e i d o n e u s . El latín vulgar reemplazó f o r m o s i o r , g r a n - d i o r por m a g i s f o r m o s u s , p l u s g r a n d i s , y a l t i s s i m u s p o r m u l t u m a l t u s .

4. La influencia del lenguaje coloquial, que daba amplio margen al elemento deíctico o señalador, originó un profuso empleo de los demostrativos. Aumentó, sobre todo, el número de los que acompañaban al sustantivo, en especial haciendo referencia (anáfora) a un ser u objeto nombrado antes. En este empleo anafórico, el valor demostrativo de i l l e (o de i p s e , según las regiones) se fue desdibujando para aplicarse también a todo sustantivo que indicara seres u objetos consabidos sin mención previa; tal fue el punto de partida en la formación del artículo determinante, instrumento desconocido para el latín clásico y que se desarrolló al formarse las lenguas romances. A su vez el numeral u n u s , empleado con el valor indefinido de 'alguno', 'cualquiera', 'cierto', extendió sus usos acompañando al sustantivo que designaba entes no mencionados antes, cuya entrada en el discurso suponía novedad o conllevaba carga expresiva. Un personaje de Plauto dice «dum edormiscam u n u m somnum», frase traducible por 'mientras echo un sueñecito'; y Catulo habla de un poetastro que cuando lee sus propios versos se revela como «u n u s fossor aut caprimulgus» 'como un cavador o un cabrero'. Así se inició la creación del artículo indefinido.[6]

5. En la conjugación muchas formas desinenciales fueron sustituidas por perífrasis. Todas las formas simples de la voz pasiva fueron eliminadas: a p e r i u n t u r , a m a b a t u r , dejaron paso a s e a p e r i u n t ,

---

6. Remito a *Del demostrativo al artículo*, Nueva Rev. de Filol. Hisp., XV, 1961, 23-44, y *Dos estudios sobre la actualización del sustantivo en español. I: «Un», «una» como artículo indefinido en español*, Bol. de la Comis. Perm. de la Asoc. de Academias, n.º 21, 1975, 39-49.

a m a t u s e r a t . Se olvidaron los futuros c a n t a b o , d i c a m , mientras cundían c a n t a r e h a b e o , d i c e r e h a b e o , que en un principio significaban 'he de cantar', 'tengo que decir'. Una expresión semejante, c a n t a r e h a b e b a m , dio lugar a la formación de un tiempo nuevo, el postpretérito o condicional románico (*cantaría*, *amaría*). El verbo h a b e r e con el participio de otro verbo servía para indicar la acción efectuada, pero mantenida en sí o en sus consecuencias, como en español *tener* ('tengo estudiado el asunto'); más tarde adquirió el valor de perfecto, y al lado de d i x i , f e c e r a m surgieron h a b e o d i c t u m , h a b e b a m f a c t u m .

6. El desgaste que tuvo el significado de las preposiciones al aumentar sus usos hizo necesaria la formación de partículas compuestas, como d e x (d e - e x), a b a n t e , i n a n t e , d e i n t r o , d e t r a n s (> esp. ant. *des*; arag. *avant*; esp. ant. y vulgar *enante*, *enantes*; esp. general *delante*, *dentro*, *detrás*).

§ 18. CAMBIOS FONÉTICOS

1. En la fonética hay que señalar en primer término los cambios referentes al sistema acentual y al vocalismo.[7] El latín clásico tenía un ritmo cuantitativo-musical basado en la duración de las vocales y sílabas. Desde el siglo III empieza a prevalecer el acento de intensidad, esencial en las lenguas romances. Combinada con la transformación del acento, hubo también radical transformación en las vocales. En un principio las diferencias de duración estaban ligadas a diferencias de timbre: las vocales largas eran cerradas, y de timbre medio o abiertas las breves. De este modo, el timbre de una /ŭ/ breve (abierta) se aproximaba al de la /ō/ larga (cerrada), y lo mismo ocurría con la /ĭ/ y la /ē/. Desaparecida la distinción cuantitativa, se confundieron /u̯/ y /ǫ/, /i̯/ y /ę/. En Hispania, Galia, Retia y casi toda Italia las diez vocales clásicas quedaron reducidas a siete, según el esquema siguiente:[8]

---

7. H. Schuchardt, *Der Vokalismus des Vulgärlateins*, 3 vols., Leipzig, 1866-1868.

8. Los romances de Cerdeña, Calabria, Lucania, Sicilia y Dacia parten de otros sistemas vocálicos latino-vulgares. H. Lüdtke (*Die strukturelle Entwicklung des romanischen*

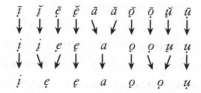

Por último se pronunciaron largas las vocales acentuadas que terminaban sílaba y breves las que estaban en sílaba acabada por consonante. En Hispania estas diferencias de duración debieron de ser menores que en otras zonas de la Romania, pues la misma suerte han corrido /ĕ/, /ŏ/ en pĕ-dem, nŏ -vum, que en s ĕ p - t e m , p ŏ r - t a m : unas y otras han dado /ié/, /ué/ (*pie, nuevo, siete, puerta*). En cambio, en otros romances ha habido evolución distinta según fuera libre o trabada la sílaba (fr. *pied-sept, neuf-porte*; it. *piede-sette, nuovo-porta*). El problema de la diptongación es uno de los más controvertidos en el devenir de las vocales latinas;[9] las más afectadas, aunque no en toda la Romania, fueron la /ĕ / y la /ŏ/, cosa bien explicable: mientras los cambios acentuales y cuantitativos recién expuestos condujeron a resultados /í/, /é/, /ó/, /ú/ que perpetuaban la doble condición de vocales largas y cerradas, esas mismas transformaciones convirtieron la /ĕ / y la /ŏ/ acentuadas en /é/ y /ó/, fonemas que rompían los hábitos del siste-

---

Vokalismus, Bonn, 1956) creyó encontrar vestigios de estos sistemas en español y portugués; pero lo rechazó convincentemente Dámaso Alonso, *La fragmentación fonética peninsular*, «Encicl. Ling. Hisp.», I, Suplemento, Madrid, 1962, 4-21.

9. Menéndez Pidal, *Orígenes*, §§ 22, 24₄, 25 y 26; F. Schürr, *Umlaut und Diphthongierung*, Rom. Forsch., L, 1936, 275-316; *La diptongación iberorrománica*, Rev. de Dialec. y Trad. Pop., VII, 1951, 379-390; *La diphtongaison romane*, Tubinga, 1970 (síntesis de otros varios estudios); *Epilogo alla discusione sulla dittongazione romanza*, Rev. de Ling. Rom., XXXVI, 1972, 311-321; *La metafonía y sus funciones fonológicas*, «Homenaje a V. García de Diego», I, Madrid, 1976, 551-555, y *Origen y repartición de los* ie, uo (ue) *iberorrománicos*, Iberoromania, n.° 8, 1978, 1-10; H. Weinrich, *Phonologische Studien zur rom. Sprachgeschichte*, Münster, 1958, 175-183; E. Alarcos Llorach, *Fonología española*, 3.ª ed., 1961, §§ 143 y 144; Dámaso Alonso, *La fragmentación fonét. peninsular*, «Encicl. Ling. Hisp.», I, Suplemento, 1962, 23-45; G. Bonfante, *Italia e Grecia*, «To honor R. Jakobson», La Haya-París, 1967, 364-365; G. Hilty, *Zur Diphthongierung im Galloromanischen und im Iberoromanischen*, «Philologische Studien für J. M. Piel», Heidelberg, 1969, 95-107; P. Spore, *La diphtongaison romane*, Odense, 1972, etc.

ma al ofrecer insólitamente asociados los rasgos de largas y abiertas. Ya en el siglo i de nuestra era el originario carácter breve de la /ĕ/ no fue obstáculo para que se confundiera con el diptongo / a e / monoptongado en /ĕ/: una inscripción hispana de los años 96-98 presenta N a e r v a e por N e r v a e , y otras del siglo ii t r i b u n i c i e , q u e s t u s , por t r i b u-n i c i a e , q u a e s t u s .¹⁰ Lo desacostumbrado de estas dos nuevas vocales /ē/ y /ō/ fue sin duda una de las causas de la inestabilidad y pronta bimatización de su timbre, mediante articulación cerrada de su momento inicial; poco antes del 120 d. C. se registra n i e p o s por n ĕ p o s , y en África, también durante el Imperio, D i e o por D e o, aparte de ejemplos menos seguros y posibles ultracorrecciones.¹¹

2. Desde los tiempos más remotos del latín hay casos de vocal postónica perdida. Ya en Plauto aparecen a r d u s , d o m n u s , c a l d u s por a r ĭ d u s , d o m ĭ n u s , c a l ĭ d u s , como consecuencia de la fuerza con que el latín primitivo había acentuado la sílaba inicial. En el latín vulgar, bajo el Imperio, el nuevo acento de intensidad renovó la tendencia a omitir la vocal: o c l u m , t r i b l u m , a u c a , de o c ŭ l u m t r i b ŭ l u m , a v ĭ c a , etc. En casos como v e t ŭ l u s , v i t ŭ l u s , la caída de la postónica dio lugar a la formación del grupo inusitado /tl/ (v e t l u s , v i t l u s), que pasó a /cl/ (v e c l u s , v i c l u s) por analogía con los numerosos -c l u s procedentes de -u c ŭ l u s , -i c ŭ l u s (a u r i c l a , o v i c l a , etc.). En menor grado se debilitó también la vocal protónica, que en algunas regiones, sobre todo en Galia, llegaba a elidirse: f r i g d a r i a < f r i-g i d a r i a , v e t r a n u s < v e t e r a n u s .¹²

3. La separación silábica tuvo un cambio de gran importancia: f i-l ĭ - u , v i - n ĕ - a y sus similares agruparon en una sola sílaba las vocales en contacto, con lo que la escansión fue f i - l i u , v i - n e a > v i - n i a .¹³

10. M. Díaz y Díaz, *El latín de la Pen. Ibér.*, *I. Rasgos lingüísticos*, «Encicl. Ling. Hisp.», I, 1960, 160.

11. Bourciez, *Éléments*, § 154; Grandgent, *Introd.*, § 177; A. Tovar, *Estado latente en latín vulgar: ¿cuándo se inicia la diptongación de breves?*, «Estudios ofrecidos a E. Alarcos Llorach», I, Oviedo, 1977, 241-246.

12. S. Kiss, *Les transformations de la structure syllabique en latin tardif*, Studia Romanica, Series Linguistica, fasc. II, Debrecen, 1972, 99-100.

13. *Ibid.*, 93-98.

En casos como v a - r ĭ - ŏ - l a , m u - l ĭ - ĕ - r e , la sinéresis acarreó el tránsito del acento a la vocal más abierta (v a - r i ó - l a , m u - l i é - r e). Esas /ĕ/, /ĭ/ átonas, así convertidas en semiconsonantes, originaron multitud de alteraciones fonéticas; son el elemento revolucionario que en lo sucesivo llamaremos *yod*.[14] La yod, fundiéndose con la consonante que precedía, la palatalizó: m u l i e r e > [muḷere], f i l i u > [fiḷu], v i n i a > [viṇa]. Así nacieron los fonemas palatales /ḷ/ y /ṇ/ (representados con *ll* y *ñ* respectivamente en nuestra ortografía actual), desconocidos por el latín clásico y característicos de las lenguas románicas. El grupo /t + yod/ se asibiló en /ŝ + yod/ o simplemente en /ŝ/: los dos grados se hallan descritos por gramáticos latinos,[15] y una inscripción da V i n c e n t ʒ u s por V i n c e n t i u s . Evolución parecida siguió el grupo /c + yod/, con resultado, ya que no idéntico al de /t + yod/, sí lo bastante cercano para que hubiera grafías como M α ρ σ ι ά ν ο ς y m e n d a t i u m por M a r c i a n u s , m e n d a - c i u m . Los grupos /d + yod/, /g + yod/ se redujeron a [j] o [y] (a d j u t a - r e > a y u t a r e); pero /d + yod/ se asibilaba frecuentemente, equivaliendo entonces a /ẑ/, y en esta alternancia, el sufijo verbal griego - ι ζ ε ι ν dio en latín el doble resultado - ĭ d ĭ a r e e - i z a r e (véase § 11₂).

4. En latín clásico, /c e /, /c i / sonaban /ke/, /ki/ y el valor de /g e /, /g i / era el que nosotros damos a *gue*, *gui*. Durante la época imperial las oclusivas /c/, /g/ situadas ante /e/, /i/[16] sufrieron un desplazamiento de su punto de articulación: las vocales palatales las atrajeron hacia la parte delantera de la boca. La [ć] llegó a pronunciarse de modo semejante a /ĉ/ (nuestra *ch*), grado que ofrecía el romance de la España visigoda y que conservan el italiano, retorromano, dálmata, rumano y picardo; y avanzando más aún,

14. El término «yod» designará también la [i̯] semivocal que nació al evolucionar grupos como /c'l/, /ct/, /cs/, /g'l/, /gn/ y originó resultados con consonante palatal (/o c ' l u / > [oi̯lu] > /oḷo/ > /ožo/, *ojo*, con *j* palatal en castellano antiguo; /f a c t u / > [faχtu] > [fai̯to] > [fei̯to] > /fêĉo/, *fecho*; /l a x u s / > [laχsus] > [lai̯sus] > [lei̯šos] > [lešos], cast. ant. *lexos*; /p u g n u / > [pui̯nu] > /puṇo/, *puño*).

15. Dice Quinto Papirio: «I u s t i t i a cum scribitur, tertia syllaba sic sonat, quasi constet ex tribus litteris *t, z*, et *i*, cum habeat duas *t* et *i*» (Keil, *Grammatici Latini*, VII, p. 216). Otro gramático, Pompeyo, afirma a propósito de la *i* en el grupo /t + yod/: «si dicas Titius..., perdit sonum suum et accipit sibilum» (*ibid.*, V, p. 104).

16. Las representaremos en adelante con los signos /ć/ y /ǵ/.

se hizo /ŝ/ (esto es, como *ts*) alveolar o dental; desde fines del siglo III hay ejemplos epigráficos (p a θ e , p a z e , i n t c i t a m e n t o , f e s i t en vez de p a c e , i n c i t a m e n t o , f e c i t) que revelan claramente la asibilación. La [ǵ] pasó a [j] o [y] (βειέντι por v i g i n t i) y era frecuente su pérdida entre vocales (f r i d u m por f r i g i d u m).[17]

5. Las consonantes sordas intervocálicas empezaron a contagiarse de la sonoridad de las vocales inmediatas. Inscripciones hispánicas de la época imperial dan i m u d a v i t y p e r p e d u o por i m m u t a v i t , p e r - p e t u o (véase § 4₆). Según veremos, la sonorización no fue general en la Romania, y en España tardó muchos siglos en eliminar por completo la resistencia culta.

6. Otros fenómenos de asimilación y absorción: el grupo /ns/ solía pronunciarse como simple /s/: m e n s a , a n s a > m e s a , a s a ; /rs/ pasaba a /ss/ y aun a /s/: d o r s u m > d o s s u m ; s u r s u m , d e o r s u m > s ū - s u m , d e o s u m (de donde vienen nuestros adverbios medievales *suso* 'arriba', *yuso* 'abajo'); en la Romania occidental y en Italia, /pt/ dio /tt/, luego reducida en español a simple /t/; a p t a r e > a t t a r e > esp. *atar*; s e p t e m > s e t t e m > esp. *siete*; y la /v/ seguida de /u/ desapareció frecuentemente: r i v u s > r i u s ; f l a v u s > f l a u s .

§ 19. VOCABULARIO[18]

1. El léxico del latín vulgar olvidó muchos términos del clásico, con lo cual se borraron diferencias de matiz que la lengua culta expresaba con palabras distintas: g r a n d i s indicaba principalmente el tamaño, y m a g - n u s aludía con preferencia a cualidades morales; el latín vulgar conservó sólo g r a n d i s . A l i u s era 'otro, diferente'; a l t e r 'otro entre dos, el otro'; pero a l t e r asumió el papel de a l i u s . Muchas voces clásicas fueron sustituidas por otras que al principio no eran sinónimas de ellas: j o - c u s 'burla' reemplazó a l u d u s 'juego'; c a s a 'cabaña', a d o m u s ;

---

17. Véase R. Menéndez Pidal, *Manual de gramática hist. española*, 6.ª ed., 1941, § 34₂.
18. Véase H. Lüdtke, *Historia del léxico románico*, Madrid, 1974, 31-65.

a p r e h e n d e r e 'asir, coger', a d i s c e r e ; c a b a l l u s 'caballo de carga, rocín', a e q u u s . Son frecuentes las metáforas humorísticas: p e r - n a 'jamón, pernil' se aplicó a miembros humanos en lugar de c r u s ; t e s t a 'cacharro, tiesto' se empleó para designar la cabeza (> fr. *téte*; esp. ant. *tiesta*), al lado de c a p u t (> it. *capo*; cat. *cap*); junto a c o m e - d e r e (> esp. *comer*), que sustituyó al clásico e d e r e , cundió m a n d u - c a r e (> fr. *manger*; prov. *manjar*), formado por derivación de M a n d u - c u s , personaje ridículo de la comedia. A veces los términos vulgares eran extranjeros: g l a d i u s sucumbió ante el grecismo s p a t h a (> esp. *espada*) y d i v e s ante el germánico r i k s (> *rico*).

2. El latín vulgar fue muy aficionado a la derivación. La expresividad afectiva prefería usar diminutivos como a u r i c ŭ l a , g e n ŭ c ŭ l u m , s o l i c ŭ l u m (> esp. *oreja, hinojo*; fr. *soleil*), en vez de a u r i s , g e n u , s o l . Muchos vocablos con sufijo átono lo cambiaron por otro acentuado: así r o t ŭ l a pasó a r o t ĕ l l a > esp. *rodilla*; f i b ŭ l a a *f i b ĕ l l a > esp. *hebilla*. Adjetivos derivados de nombres se sustantivaron: d i u r - n u m (> fr. *jour*; it. *giorno*) ocupó el puesto de d i e s en gran parte de la Romania; m a n e 'mañana' (> *la man* en el *Cantar de Mio Cid*) decayó ante *m a n e a n a o m a t u t i n u m (> esp. *mañana*, ant. *matino*; fr. *matin*; it. *mattino*). La formación verbal fue muy fecunda también: se crearon verbos derivados de nombres, como de c a r r u s , *c a r r i c a r e (> esp. *cargar*), y de f o l l i s , f o l l i c a r e (> esp. *holgar*); derivados de adjetivos, como de a l t u s , *a l t i a r e (> *alzar*) y de a m a r u s , a m a r i c a r e (> *amargar*); y derivados de otros verbos. Estos últimos, en especial los frecuentativos formados sobre participios, tomaron tal incremento que en muchos casos reemplazaron total o parcialmente a los verbos de que procedían: *a u s a r e (> esp. *osar*) sustituyó a a u d e r e ; a d j u t a r e (> *ayudar*), a a d j u v a r e ; *f i g i c a r e (> port. *ficar*; esp. *hincar*), a f i g e r e ; *u s a r e (> *usar*), a u t i ; *a c u t i a r e (> *aguzar*), a a c u e r e , etc.

§ 20. EL LATÍN VULGAR DE HISPANIA EN RELACIÓN CON EL DEL RESTO DE LA ROMANIA[19]

1. El latín vulgar se mantuvo indiviso, y en cierto grado uniforme, durante la época imperial; pero esta fundamental unidad no implicaba falta de diferencias regionales. Indudablemente las había, aunque frenadas mientras se mantuvieron la cohesión política del Imperio, la comunicación entre las diversas provincias, el influjo unificador de la administración y el servicio militar. Deshecho el Imperio en el siglo v, las provincias, convertidas en Estados bárbaros, quedaron aisladas unas de otras; la decadencia de las escuelas dejó al latín vulgar sin la contención que antes suponía el ejemplo de la lengua clásica. En cada región se abrieron camino innovaciones fonéticas y gramaticales, nuevas construcciones de frases, preferencias especiales por tal o cual palabra. Y llegó un momento en que la unidad lingüística latina se quebró, y las diferencias locales constituyeron dialectos e idiomas distintos.

Es difícil precisar cuáles de estas diferencias habían aparecido ya en el latín imperial y cuáles corresponden a la época románica primitiva, pues no alcanzaron pleno desarrollo hasta mucho después. Aun así, cabe distinguir en la Romania dos grupos lingüísticos bien caracterizados: el oriental, que comprende la antigua Dacia, cuna del rumano, Dalmacia y los dialec-

---

19. Véanse J. Jud, *Problèmes de géographie linguistique romane*, Rev. de Linguistique Romane, I, 1925, y II, 1926; M. Bartoli, *Introduzione alla Neolinguistica*, Ginebra, 1925; *Per la storia del latino volgare*, Archivio Glottologico Italiano, XXI, y *Caratteri fondamentali della lingua nazionale italiana e delle lingue sorelle*, Turín, 1936; G. L. Trager, *Classification of the Romance Languages*, Rom. Rev. Quart., XXV, 1932, 129-136; W. von Wartburg, *Évolution et structure de la langue française*, 1934 (trad. esp. de Carmen Chust, Madrid, 1966); *Die Ausgliederung der romanischen Sprachräume*, Zeitsch. f. rom. Phil., LVI (trad. por M. Muñoz Cortés con el título de *La fragmentación lingüística de la Romania*, Madrid, 1952); *Die Entstehung der romanischen Völker*, Halle, 1939; *La posizione della lingua italiana*, Florencia, 1940; Dámaso Alonso, reseña de los tres últimos estudios de Wartburg en la Rev. de Filol. Esp., XXIV, 1937-1940, 384-396; Harri Meier, *Die Entstehung der romanischen Sprachen und Nationen*, Fráncfort, 1941; Serafim da Silva Neto, *História da Língua Portuguesa*, Río de Janeiro, 1952-1954, 114 y ss., y *Fontes do Latim Vulgar. O Appendix Probi*, Río de Janeiro, 1956; A. Tovar, *A Research Report on Vulgar Latin and its Local Variations*, Kratylos, IX, 1964, 113-134, etc.

tos de la península itálica; y el occidental, constituido por Hispania, Galia, nórte de Italia o Galia Cisalpina, y Retia.

2. En los romances occidentales el ritmo del lenguaje tiende a concentrar la fuerza espiratoria en la vocal acentuada, detrás de la cual no suelen tolerar más de una sílaba. En consecuencia, ha desaparecido o se ha reducido mucho la acentuación dactílica. En cambio, los romances orientales conservan gran número de esdrújulos. Así, f r a x ĭ n u , t a b ŭ l a , p e c - t ĭ n e dan en francés *frêne, table, peigne*; en provenzal, *fraisse, taula, penche* o *pente*; en catalán, *freixa, taula, pinte*, y en español, *fresno, tabla, peine*; pero en italiano *frassino, tavola, pettine*, y en rumano, *frasine, piepten(e)*.[20]

3. En Occidente las oclusivas /p/, /t/, /c/ situadas entre vocales se sonorizaron por la acción del substrato céltico propicio (véanse §§ 4₆ y 18₅), sufrieron ulteriores relajaciones y han desaparecido en ciertos casos: r i p a , l a c t u c a , m u t a r e , s p a t h a , s p i c a , c a t e n a , c a p u t , f o c u s , a m i c a dan, por ejemplo, en español *riba, lechuga, mudar, espada, espiga, cadena, cabo, fuego, amiga*; en francés, *rivière, laitue, muer, épée, épie, chaîne, feu, amie*. En Oriente las oclusivas sordas se mantienen inalteradas: rumano *ripă, lăptucă, muta, spată, spică*; dálmata de Veglia *raipa, spuota, spaica, ḳataina*. En Italia los dialectos del norte sonorizan y llegan con frecuencia a la omisión de la consonante (*riva, spada, cadena* y *ḳena, fogo* y *fö, amiga* y *spia*), mientras los del sur conservan por lo general la sorda; las dos tendencias contienden en toscano y en la lengua literaria (*riva, lattuga, spada, redina <* r e t ĭ n a , pero *mutare, catena, capo, fuoco, amica*, con dobletes como *spica /*

---

20. Estas diferencias no han de entenderse como *hechos cumplidos* en el latín vulgar, ni siquiera en el de los siglos v al vii, sino como *tendencias apuntadas* entonces y que se fueron desarrollando en el transcurso de varias centurias. El español de los siglos x y xi decía aún *tábola, cuémpetet, póltero* 'potro', en alternancia con *tabla, cuemptet, poltro*, cada vez más favorecidos (Menéndez Pidal, *Orígenes del español*, §§ 32 y 58). La conservación o síncopa de la vocal postónica es uno de los aspectos del fenómeno, pero no el único; el español ha transformado voces dactílicas en trocaicas mediante la apócope de la vocal final (*mármol, árbol, césped, huésped, pómez*, ant. *júez*, etc.), procedimiento que se da también en otros romances occidentales; el portugués llega a igual resultado rítmico eliminando la *l* y *n* intervocálicas y deshaciendo los hiatos subsiguientes (m a c ŭ l a > *magoa*, n e b ŭ l a > *nevoa*, f r a x ĭ n u > *freixeo* > *freixo*). Por otra parte, la pérdida de las vocales finales en rumano transforma después en trocaicas muchas formas originariamente dactílicas.

spiga).[21] Añádase que en Occidente, también por probable influjo del substrato celta, los grupos /ct/ y /cs/ han pasado a /it/ o /č/, /is/, /iš/ o /š/ (véanse §§ 47 y 18 n. 14), lo que no ocurre en el centro y sur de Italia, ni tampoco en la Dacia.

4. En italiano, retorromano, dálmata y rumano la evolución de la [ć] (§ 18₄) no rebasó el punto de articulación prepalatal: c a e l u m, c e r v u s, v i c i n u s tienen /č/ o /š/ en los ital. *cielo, cervo, vicino*; retorr. *čiel, čierv* o *čerf, všin*; vegliota *čil, viĉain*; rum. *cer, cerb, vecin*. En Occidente, salvo en mozárabe, picardo y walón, prosiguió el desplazamiento hasta alcanzar articulación dental o interdental: fr. *ciel, cerf, voisin*; esp. *cielo, ciervo, vecino*; port. *céu, cervo, vizinho*.

5. En los plurales de nombres y adjetivos hay divergencias muy características. En retorromano, catalán, español y gallego-portugués los de tema en - o adoptan como desinencia única la del acusativo - o s, apoyada en Hispania por el nominativo celtibérico - o s (§ 5₁ y 17₁); a igual resultado llegaron el francés y el occitano al abandonar la declinación bicasual. En cambio el italiano y el rumano prefirieron el nominativo -ī (it. *lupi, muri, alti, buoni*; rum. *lupi, înalţii*), cuya /i/ final coincidió con el resultado fonético de los plurales en - e s (h o m i n ē s , c l a v ē s , m u l i e r e s > it. *uomini, chiavi*; rum. *oameni, muieri*).[22]

---

21. La conservación de las oclusivas sordas intervocálicas en aragonés pirenaico debe considerarse como fenómeno local de substrato vasco (véase § 4₅), por lo que no altera el hecho general de que la sonorización domine en todo el Occidente románico. Para el italiano, véanse G. Rohlfs, *Historische Grammatik der italienischen Sprache*, I, Berna, 1949, §§ 194-209 y 212; R.G. Urciolo, *The Intervocalic Plosives in Tuscan*, -P-T-C-, Berna, 1965 y reseña de H. Meier, Rom. Forsch., LXXVII, 1965, 409-415. Replantea el problema general en términos fonéticos I. Iordan, *Évolution des occlusives latines en roman*, Rev. de Ling. Rom., XXXVIII, 1974, 297-301.

22. El plural de los temas en -a se formó en la Romania occidental con la desinencia - a s común a nominativo y acusativo en la lengua vulgar (§17₁). Las formas italianas *pietre, capre* y las rumanas *piatre, capre*, etc., se han venido reconociendo como continuadoras de los nominativos latinos p e t r a e , c a p r a e . Sin embargo Paul Aebischer ha demostrado que en la Alta Edad Media documentos de toda Italia atestiguan profusamente plurales -*as* > -*es*, que con la pérdida de la -*s* final pudieron dar origen a las formas con -*e* generalizadas en el italiano normal, y a las dialectales en -*a*: *la sorèla* 'las hermanas', *tre kkapra* 'tres ca-

6. El futuro románico se ha formado con el auxilio de h a b e r e en Occidente e Italia: esp. *cantaré*; fr. *chanterai*; it. *canterò*, de c a n t a r e h a b e o . En Oriente, el auxiliar es v e l l e : rum. *voiŭ cînta*, de v o l o c a n t a r e.

7. Dentro de la Romania occidental unas lenguas se muestran más revolucionarias y otras más conservadoras. El francés ha llevado hasta el último extremo las tendencias generales. No se ha contentado con suprimir la acentuación esdrújula, sino que, debilitando toda vocal posterior al acento, ha generalizado el ritmo agudo. Después de sonorizar /p/, /t/, /c/, ha suprimido la sonora resultante de /t/ y en muchos casos la de /c/ (s p a t h a > *espée*, *épée*; j o c a r e > *jouer*, etc.). En cambio, el español es más lento en su evolución. En él domina el acento llano o trocaico, intermedio entre los abundantes proparoxítonos del Oriente y el ritmo oxítono del francés; incluso conserva la vocal postónica con relativa frecuencia (*pámpano*, *huérfano*, *cántaro*, *trébede*, *víbora* y tantos otros). La relajación de las sonoras intervocálicas procedentes de /t/ y /c/ latinas no ha llegado a una pérdida tan extensa como en francés (esp. *espada*, *jugar*). En términos generales puede decirse que los primeros textos franceses están ya más alejados del latín que el español actual.

§ 21. ARCAÍSMOS DEL LATÍN HISPÁNICO

Ha sido frecuente entre los romanistas relacionar esta evolución reposada con el carácter español, apegado a tradiciones y poco amigo de la expresión plebeya. Dejando a un lado estas razones psicológicas, poco seguras refiriéndose a época tan lejana, otros factores debieron contribuir a que el latín hispánico tuviera aspecto arcaizante en relación con el de Galia y, en muchos rasgos, con el de Italia.

1. La romanización de la Península comenzó a fines del siglo III antes de Cristo, al tiempo que Ennio y Plauto empezaban a elaborar literariamente el latín. Así como en América sobreviven usos que en los siglos XVI y XVII

---

bras', etc. (*Le pluriel -ā s de la première déclinaison latine et ses résultats dans les langues romanes*, Zeitsch. f. rom. Philol., LXXXVII, 1971, 74-98).

eran corrientes en el español peninsular y hoy no existen en él, de igual modo el latín de Hispania retuvo arcaísmos que en Roma fueron desechados. Por ejemplo, el esp. *cueva*, catalán y portugués *cova*, exigen un latín c ŏ v a , anterior a la forma clásica c a v a . En el latín arcaico existía un adjetivo relativo c u i u s - a - u m , que llega hasta Virgilio, pero que después no se emplea sino en el Derecho; de ese adjetivo provienen el español *cuyo-a* y el portugués *cujo-a*; los demás romances lo desconocen; sólo se ha conservado en Cerdeña, romanizada antes que Hispania. En Nevio, Plauto, Ennio y Terencio, contemporáneos de las primeras conquistas romanas en la Península, se encuentran f a r t u s con el sentido de nuestro *harto*; p e r n a con el valor de *pierna*; c a l l i 'cierta parte comestible del buey', probablemente los *callos*; c a m p s a r e o c a n s a r e > *cansar*; s a r r a r e > *cerrar*; r e s   n a t a 'las circunstancias, las cosas como están' y n a t u s n e m o , antecedentes de los medievales *cosa nada*, *homne nado* y de los indefinidos *nada* y *nadie*. En el n i n g u l u s de Ennio, formado sobre s i n - g u l u s y equivalente de n u l l u s , parece configurado el elemento inicial de *ninguno*. Terencio usa q u a e r e r e con el significado del español *querer*, y en el latín del siglo II son comunes f a b u l a r i y p e r c o n t a - r i > esp. *hablar*, *preguntar*; port. *falar*, *perguntar*. Tres autores que intervinieron en las guerras hispánicas emplean en sus obras vocablos que sólo han tenido descendencia en los romances peninsulares: entre los términos referentes a la vida agrícola usados por Marco Porcio Catón (234-149) figuran l a b r u m > *lebrillo*, t r a p e t u m > *trapiche*, p o c i l l u m > *pocillo*, v e r v a c t u m > *barbecho*, m a t e r i e s y m a t e r i a > *madera*, m u s - t a c e u s > *mostachón*, y en otro campo semántico l a c e r a r e , que había de perdurar en *lazerado* 'lastimado' y *lazrar* 'padecer' del español antiguo; en las sátiras de Lucilio (180-103) constan voces expresivas o jergales como r o s t r u m 'morro, jeta' > esp. *rostro*, port. *rosto*, b a r o , - o n i s 'ganapán' > *varón*, g u m i a 'tragón' > *gomia*, c o m e d o , - o n i s > *comilón*; también el adverbio d e m a g i s > cat. *demés*; esp. *demás*; port. *demais*. Varrón (116 - h. 26) atestigua c a p i t i u m 'cabezón de la túnica', precedente de c a p i t i a > *cabeza*; asimismo menciona la l u c a n a 'cierta clase de embutido', de donde deriva la l u c a n i c a de Marcial y otros, origen a su vez de *l u c a n i c e a > *longaniza*; cat. *llonganisa*. Más joven que Varrón y muerto antes que él, Lucrecio (97 o 96-55 o 53), aunque nunca estuvo en Hispania, emplea s a l i r e en la acepción de 'brotar una planta', sólo conservada en el español *salir*. Más tarde escritores de la Edad de Plata nacidos en la Península prueban que en el latín hispánico seguían vigentes antiguas voces que han sobrevivido exclusiva o casi exclusivamente en español y portugués: Séneca el filósofo muestra gran apego por a p t a r e (> esp. y port. *atar*), y, lo mismo que Quintiliano, se vale de p a n d u s 'curvo' (> esp. *pando*); las dos palabras corrían desde Plauto y Ennio.[23] El repetido uso de t r i t i c u m por Columela y el de «t r i t i c e u m frumentum» por Marcial anuncian la supervivencia de la palabra (sobre cuya etimología había discurrido Varrón) en el esp. y port. *trigo* (véase el apartado siguiente).

2. El distanciamiento geográfico de la Península respecto al centro del Imperio fue otra causa para que su latín cambiara con menos rapidez. Las innovaciones partían de Roma, foco principal de la Romania; allí confluía la población dispersa de las provincias y se emitían las modas de lenguaje. Galia era otro centro irradiador: su comunicación con la metrópoli, más estrecha que la de las demás regiones, el establecimiento de sede imperial en Tréveris y el carácter revolucionario del latín galo favorecían allí la difusión de las novedades procedentes de Roma, a las que se añadieron otras. En cambio, comarcas más alejadas, como Hispania, Cerdeña, el sur de Italia, Sicilia, los valles alpinos, Dalmacia y Dacia, ignoraron muchos neologismos y conocieron otros en grado insuficiente para que pudieran enraizar.

Así se explican las coincidencias léxicas entre el español y los romances meridionales, orientales y de zonas aisladas. Al desaparecer el clásico l o - q u i, triunfó f a b u l a r i o *f a b e l l a r e , que subsisten en el esp. *hablar*; port. *falar*; sardo *faeḍḍare*; retorromano *favler*; pero Italia y Galia adoptaron el tardío *p a r a b o l a r e (fr. *parler*; it. *parlare*). Las coincidencias del español con el rumano son especialmente abundantes; y como la Dacia quedó separada del resto de la Romania a partir del siglo III, revelan una etapa lingüística anterior a la escisión. En lugar del latín clásico i n -

23. S. da Silva Neto, *História da Língua Portuguesa*, 116 y 117; A. Tovar, *Latín de Hispania: aspectos léxicos de la romanización*, discurso de recepción en la R. Acad. Esp., Madrid, 1968, 10-35 y 45-46; *Altlatein und Romanisch: s a r r a r e , nicht s a r d a r e* , Glotta, XLVI, 1968, 267-274, y *Catón y el latín de Hispania*, «Philologische Studien für Joseph M. Piel», Heidelberg, 1969, 201-208.

v e n i r e , el lenguaje vulgar acudió a una metáfora propia de la caza: a f -
f l a r e 'resollar el perro al oler la presa' pasó a significar 'encontrar' (esp.
hallar; port. *achar*, dialectos meridionales de Italia *aḫḫari, ašá*, siciliano
ašari; retorr. obvaldés *unflá*; dálmata *aflar*; rum. *afla*); después surgió
*t r o p a r e , de origen discutido, que ha dado el fr. *trouver* y el it. *trovare*.
De los adjetivos p u l c h e r y f o r m o s u s , el primero, más selecto, no
subsistió en el latín vulgar; f o r m o s u s , más popular, queda en el español
hermoso; port. *formoso* y rum. *frumos*; pero b e l l u s , netamente vulgar y
más reciente, prevaleció en el centro de la Romania (fr. *beau*; it. *bello*; el español *bello* ha sido siempre literario, o, al menos, poco general). F e r v e -
r e se mantiene en el esp. *hervir*; port. *ferver*; pullés *ferve*; rum. *fierbe*; pero
b u l l i r e 'echar burbujas' se propagó por casi toda Italia (*bollire*) y Galia
(*bouillir*), desplazando a f e r v e r e . De modo similar l a t r a r e (esp. *la-*
drar; rum. *latra*), m e n s a (esp. *mesa*; rum. *masă*) y a r e n a (esp. *arena*;
rum. *arină*) son más antiguos que *b a u b a r e (fr. *aboyer*; it. *abbaiare*),
t a b u l a (fr. *table*; it. *tavola*) y s a b u l u m (francés *sable*; it. *sabbia, sab-*
bione). T r i t i c u m , cuya presencia en escritores hispanorromanos acabamos de mencionar, sólo se ha conservado en el español y portugués *trigo*,
en el sardo *tridicu* y en valles de los Alpes réticos (*tridik, tredi*); el resto de la
Romania prefirió f r u m e n t u m (> it. *frumento*) o adoptó *b l a t u m ,
tomado del fráncico (> fr. *blé*; prov. y cat. *blat*). A estos ejemplos se podrían
añadir bastantes más.[24]

3. Igual ocurre con fenómenos de tipo gramatical. Entre los sustitutos
del comparativo clásico b r e v i o r , l o n g i o r , la perífrasis m a g i s
l o n g u s era anterior a p l u s l o n g u s y estaba más admitida; m a -
g i s es la partícula comparativa que sigue usándose en los romances peninsulares y en rumano (port. *mais*; esp. *más*; cat. *més*; rum. *maĭ*); la Romania central prefirió p l u s (fr. *plus*; it. *più*).[25]

24. Véanse los estudios de Bartoli citados en la nota 19; S. da Silva Neto, *História da*
Língua Portuguesa, 118-130; G. Rohlfs, *Die lexikalische Differenzierung der romanischen*
Sprachen, Múnich, 1954 (trad. y notas de M. Alvar, *Diferenciación léxica de las lenguas ro-*
mánicas, Madrid, 1960). Para las coincidencias entre los romances hispánicos y el rumano,
véase bibliografía en Baldinger, *La formación de los dominios ling. en la Pen. Ib.*, 108, n. 100.

25. La comparación con p l u s no fue desconocida en España: las Glosas del siglo x
traducen a s p e r i u s por «*plus* áspero, *más*»; en portugués medieval existió *chus*, y Ber-

Los demostrativos h i c , i s t e , i l l e indicaban en latín la gradación de distancia en relación con las tres personas gramaticales; al perderse h i c , el latín peninsular expresó la triple gradación con i s t e , i p s e y e c c u (m)   i l l e o a t q u e [26] (e c c u m) i l l e (esp. *este, ese, aquel*; port. *este, esse, aquele*); en los demás países románicos, salvo Sicilia y el sur de Italia, los demostrativos se redujeron a distinguir la proximidad y la lejanía (fr. *celui-ci, celui-là*; it. *questo, quello*; rum. *acest, acel*). A igual polarización en dos categorías ha llegado el catalán moderno; pero el medieval distingue los tres grados como hace todavía hoy el valenciano (*est, eix, aquell*).[27]

En español, portugués y catalán (sobre todo catalán antiguo y valenciano) se conserva el pluscuamperfecto latino a m a v e r a m , p o t u e r a m , total o parcialmente convertido en subjuntivo (esp. *amara, pudiera*; port. *amara, podera, dormira*; cat. *amara, poguera, dormira*); fuera de la Península sólo existe en provenzal y en dialectos del sur de Italia; el francés lo olvidó muy pronto. El futuro a m a v e r o sólo queda precariamente en España y en la Romania oriental (port. *cantar, dormir*; esp. *cantare, durmiere*; dálmata *ḳanturo*, con valor de futuro imperfecto; rumano de Macedonia *cîntare, dormire*).

4. Otras veces los romances peninsulares concuerdan con los de rincones alpinos, Cerdeña o Dacia, en usos ajenos al latín clásico, que ha mantenido los suyos en Galia e Italia. En estos casos hay que suponer que las coincidencias son resultado fortuito de evoluciones independientes entre sí, o bien que se trata de innovaciones generales a toda la Romania en un tiempo determinado, pero desechadas más tarde en Italia y Galia, mientras se conservaban en regiones laterales o aisladas. Esto último parece haber

---

ceo usa *plus* y *chus*; en catalán ant. y dialectal hay *pus*. Pero tales restos no invalidan la general preferencia de los romances peninsulares por m a g i s .

26. Como introductor enfático a t q u e aparece frecuentemente ante demostrativos y sobre todo ante e c c u m , e c c a m (*Thesaurus Linguae Latinae*, I, 1076). Véase F. González Ollé, *Precisiones sobre la etimología de «aquel»*, «Homenaje a Muñoz Cortés», Murcia, 1977, II, 863-869. En gall.-port. ant. hay *aque* 'he aquí' (Dámaso Alonso, *Etimologías hispánicas*, Rev. de Filol. Esp., XXVII, 1943, 41-42).

27. Véase A. Badia, *Los demostrativos y los verbos de movimiento en iberorrománico*, «Estudios dedics. a M. Pidal», III, 1952, 3-31. En italiano central la triple referencia se mantuvo mediante la creación de *cotesto, codesto* (< e c c u (m)   t i b i   i s t u m); pero ya en el siglo XIV se extendía a costa suya *questo*, y hoy está en decadencia.

ocurrido con g e r m a n u s (> esp. *hermano*; port. *irmão*; catalán *germà*), que desplazó en España al clásico f r a t e r (> fr. *frère*; it. *fratello*), cosa que ocurre también en los dialectos de Bérgamo y la Valtelina: tales son los restos de un dominio anterior más amplio, pues g e r m a n u s aparece sustituyendo a f r a t e r en textos merovingios, y prevaleció hasta el siglo xii en toda Italia, a excepción del extremo sur.[28] En el fr. *vouloir*, it. *volere*, cat. *voler*, pervive v e l l e , vulg. v o l e r e , mientras que el centro y occidente de la Península, así como Cerdeña, adoptaron q u a e r e r e 'buscar', que Terencio (véase apartado 1) usaba como expresión de voluntad (> esp. y port. *querer*; logudorés *kerrere*); pero el francés antiguo conoció también *querre* 'désirer, vouloir', después eliminado.[29] En el latín clásico p a s s e r significaba propiamente 'gorrión, pardal'; pero en algún pasaje de Cicerón parece tener el sentido amplio que ha prevalecido en el esp. *pájaro*, port. *pássaro* y rum. *pasăre*;[30] el resto de la Romania prefirió a v i c e l l u (fr. *oiseau*; it. *uccello*; prov. *auzel*; cat. *aucel*).

5.   Sólo en el centro y occidente de la Península guardó el latín hablado ciertos rasgos de época clásica que desaparecieron en el uso de las demás provincias. Los numerales de decena mantuvieron la acentuación clásica - a g i n t a , asegurada por una inscripción hispana del siglo vi (s e p t u a - z i n t a) y por los derivados romances *sessaenta*, *setaenta* (> port. moderno *sessenta*, *setenta*; esp. moderno *sesenta*, *setenta*); en el resto de la Romania la terminación - a g i n t a sufrió un cambio de acento y se contrajo en - a n t a (fr. *quarante*, *soixante*; it. *quaranta*, *sessanta*).

Estas y otras particularidades, unidas a los demás arcaísmos señalados antes, debían de dar al latín de España cierto dejo de vetustez, compensado por la originalidad y abundancia de sus innovaciones (véase § 23).

28.   P. Aebischer, *L'italien prélittéraire a-t-il dit «germano» et «germana» pour «frère» et «soeur»? Étude de stratigraphie linguistique*, Zeitsch. f. rom. Philol., LVII, 211-239.

29.   En el siglo xiii Adam de la Halle alterna los dos verbos: «De bien amer *veil* maintenir l'usage: / plus douchement ne *quier* mon tans user» (Bartsch, *Chrestom.*, 76° a, 21-22). Los únicos restos de v o l e r e en español están fosilizados en pronombres indefinidos arcaicos: el preliterario *qualbis* (Menéndez Pidal, *Orígenes*, § 69) y *sivuelque*, *sivuelqual*, *qualsivuel* 'cualquiera', *sivuelquando* 'cuandoquiera', usados por Berceo.

30.   *De Finibus*, 2, 23: «Voluptas, quae p a s s e r i b u s nota est o m n i b u s , a nobis, a nobis intelligi non potest?».

§ 22. DIALECTALISMOS ITÁLICOS EN EL LATÍN DE HISPANIA[31]

1. Por testimonio de los historiadores antiguos se sabe que entre los legionarios venidos a Hispania durante el siglo II a.C. los romanos estaban en minoría respecto a itálicos de otra procedencia cuya lengua originaria no era el latín, sino el osco o el úmbrico, otros dialectos indoeuropeos. Muchos de esos legionarios se asentaron como colonizadores. La presencia de itálicos no latinos se renovó después con las guerras sertorianas de los años 80-72: Sertorio había nacido en la Sabina, tierra de dialecto sabélico-osco, y seguramente le acompañaron paisanos suyos. Las inscripciones hispano-latinas abundan en nombres personales como C a m p a n u s , S a b i n u s , L u c a n u s , T u s c u s , A p u l u s , que proclaman oriundez no romana. Otros gentilicios itálicos se han perpetuado en la toponimia española: la comarca de los *Oscos* en el occidente de Asturias, *Salentinos* en León, *Polentinos* en Ávila, se añaden al antiguo S p o l e t i n u m , cercano a la gran I t a l i c a , la «Itálica famosa» de Rodrigo Caro. Tales gentes reprodujeron en su nueva residencia los nombres de la originaria: *Abella* (Lérida), *Vinuesa* (Soria), el antiguo S u e s s a (Tarragona) y *Suesa* (Santander) son evidente recuerdo de A b e l l a , V e n u s i a y S u e s s a de Campania y Apulia.

31. Véanse R. Menéndez Pidal, *Orígenes*, §§ 52-55 y 96; *A propósito de* l- *y* ll *latinas. Colonización suditálica en España*, Bol. R. Acad. Esp., XXXIV, 1954, 165-216; y *Dos problemas iniciales relativos a los romances hispánicos*, «Encicl. Ling. Hisp.», I, 1960, LIX-CXXXVIII; H. Meier, *Ensaios de Filologia Românica*, Lisboa, 1948, 11-16; S. da Silva Neto, *História da Língua Port.*, 116-117, y *Fontes do Latim Vulgar*, Río de Janeiro, 3.ª ed., 1956, 166-169; V. Bertoldi, *Episodi dialettali nella storia del latino della Campania e dell'Iberia*, «Est. dedic. a M. Pidal», III, 1952, 33-53; Dámaso Alonso, *Metafonía y neutro de materia en España* (*sobre un fondo italiano*), Zeitsch. f. rom. Philol., LXXIV, 1958, 1-24; *La fragmentación fonética peninsular*, «Encicl. Ling. Hisp.», I, Supl., 1962, 105-154; A. Tovar, *Latín de Hispania*, 1968, 37-46. Entre los contradictores de la tesis suritálica destaca G. Rohlfs, *La importancia del gascón en los estudios de los idiomas hispánicos*, «I Congreso Internac. del Pirineo», 1952; *Concordancias entre el catalán y el gascón*, «VII Congr. Internac. de Ling. Románica», II, 1955, 663-672; *Oskische Latinität in Spanien?*, Revue de Ling. Romane, XIX, 1955, 221-225, y *Vorrömischer Lautsubstrate auf der Pyrenäenhalbinsel?*, Zeitsch. f. rom. Philol., LXXI, 1955, 408-413; C. Blaylock, *Latin* l-, -ll- *in the Hispanic Dialects: Retroflexion and Lenition*, Rom. Philol., XXI, 1967-1968, 392-409. Bibliografía crítica y más completa en K. Baldinger, *La formación de los dom. ling. en la Pen. Ib.*, 1972, 104-124.

2. Mucho se ha discutido la influencia que los inmigrantes itálicos no latinos pudieron ejercer en el habla de las provincias. Ha de tenerse en cuenta que hasta la Guerra Social (comienzos del siglo I a. C.) tanto el osco como el úmbrico gozaban plenitud de vida; doscientos años más tarde el osco seguía usándose aún, según lo demuestran inscripciones pompeyanas. Es muy significativo que una inscripción pamplonesa del año 119 dé o c - t u b e r por o c t o b e r , pues el vocalismo osco tenía /ū/ donde el latín /ō/; de o c t ū b e r proceden el esp. *octubre*, ant. *ochubre*; port. *Outubro*; cat. *uytubre*; en igual caso están el esp. *nudo* y el cat. *nu*, que presuponen *n ū - d u s en vez de n ō d u s . También los esp. *pómez, esteva* y *cierzo*, port. *pomes* y cat. *cerç* provienen de formas dialectales p ō m e x , s t ē v a y c ĕ r - c i u s (este último, usado por Catón) y no de las latinas puras p ū m e x , s t ī v a y c ĭ r c i u s .

3. La hipótesis del influjo suritálico en el latín traído a Hispania se fortalece en vista de una serie de coincidencias que se dan entre los actuales dialectos del Mediodía italiano, Sicilia y Cerdeña de una parte, y los romances hispánicos de otra. En el italiano meridional, siciliano y sardo la /r/ inicial de palabra se refuerza hasta pronunciarse /r̄/, esto es, como *rr-*, igual que en catalán, español, portugués y gascón. En zonas de ambas penínsulas se refuerza también la /l-/ inicial, que, equiparada a la /l·l/ interior, da en unas áreas resultado palatal (/ḷ/, /yy/ o, simplificado, /ļ/, /y/), y resultado cacuminal[32] en otras (/ḍḍ/, /ṭṣ/, /ḍ/, /ṭ/, etc.); así los suditálicos actuales *ḷḷuna, ḷuna, ḍḍuna, yupo, ḍana, ḍḍengua* tienen su paralelo en los catalanes *lluna, llop, llana, llengua*, en los astur-leoneses *lluna, llobu, llana, llingua* o *ḍuna, ṭṣuna, ṭṣobu, ṭṣana, ṭṣingua*, en los mozárabes *yengua, llanĉas* 'lanzas', etc., y en otras numerosas muestras en textos y toponimia del centro y sur peninsulares (véase § 44₃). La cacuminalización de /-l·l-/ interior y no de /l-/ inicial ocurre en la mayor parte del Mediodía italiano y en Sicilia, Cerdeña, el Pirineo aragonés y Gascuña.[33] Menor pujanza que el refuerzo de /r-/

---

32. «Cacuminales», «retroversos» o «retroflexos» son los sonidos que se articulan elevando la lengua hacia el paladar o los alvéolos de modo que los toque con el borde o cara inferior del ápice.

33. El meridionalismo del fenómeno tiene además en su apoyo el hecho de que el latín africano pronunciaba l l a r g u s , l l e x , según aseguran el gramático Pompeyo y san Isi-

y /l-/ t̶e̶ne el de /n-/ inicial, manifiesto sólo en astur-leonés (*ño, ñariz*) y esporádicamente en Italia (*nnutu nnido* en Apulia, *ignudo* del italiano general, etc.).[33 bis]

4. Caso más problemático es el de las reducciones /mb/ > /m/, que se da en catalán, aragonés, castellano y gascón (l u m b u > *lomo*, cat. *llom*; *p a - l u m b a > *paloma*, c o l u m b a > cat. *coloma*); /nd/ > /n/, general en catalán (d e m a n d a r e > *demanar*) y *gascón*, frecuente en aragonés antiguo; y /ld/ > /ll/, /y/ o /l/ (s o l d a t a > *sollada*), que se ve en ejemplos dispersos, pero numerosos, de Aragón, Castilla, León, Toledo y hasta de Sevilla y Cádiz, en la Edad Media.[33 ter] Las tres asimilaciones son normales en los dialectos del centro y sur de Italia, con las mismas diferencias de extensión e intensidad que en España; allí guardan innegable relación con el substrato lingüístico osco-umbro.[33 quater] También la sonorización de /p/, /t/, /k/ tras nasal, /r/ o /l/, practicada en valles alto-aragoneses (*cambo, fuande*, por *campo, fuente*) es corriente en el centro de Italia y existía en úmbrico. Aunque esta sonorización alto-aragonesa se halla en estrecha relación con la habitual en vasco (véase § 4₅), la influencia de los colonizadores itálicos pudo reforzar las tendencias nativas. Los cuatro fenómenos, aunque /mb/ > /m/ alcance mayor difusión, se congregan en España hacia la región pirenaica, en torno a las ciudades sertorianas O s c a e I l e r d a ; el nombre de O s c a (> *Huesca*) alude a la procedencia de sus colonos.[34]

---

doro (H. Schuchardt, *Vokalismus des Vulgärlateins*, III, 303; Silva Neto, *História da Língua Portuguesa*, 124).

33 bis.　Hay ejemplos aragoneses medievales y alguno actual aislado; véase Menéndez Pidal, «Encicl. Ling. Hisp.», I, LXXXIX-XC.

33 ter.　A los ejemplos aducidos por Menéndez Pidal (*Orígenes*, § 54) añade B. Pottier los de *alcalle, cabillo*, que llegan a superar en frecuencia a los de *alcalde, cabildo* en el siglo XIV y decaen más tarde (*Geografía dialectal antigua*, Rev. de Filol. Esp., XLV, 1962, 241-257).

33 quater.　Para la conservación de *-mb-* y *-nd-* en la escritura y en el uso culto o urbano durante la Edad Media y siglo XVI, véase Alberto Vàrvaro, *Capitoli per la storia linguistica dell' Italia Meridionale e della Sicilia*, Medioevo Romanzo [1980].

34.　Menéndez Pidal (*Orígenes*, § 55 bis y «Encicl. Ling. Hisp.», I, LXII-LXVI) asienta que O s c a es el nombre dado por los romanos a la ciudad, mientras las inscripciones monetales más antiguas en escritura ibérica la llaman B o l s c a n , y sólo unas pocas de las más modernas H o l s c a n u O l s c a n . Se ha atribuido a vasquismo la pérdida de la /b/

5. En el noroeste peninsular la /ŭ/ latina en posición final, articulada en romance como /u/, cierra la vocal tónica. El fenómeno está registrado en Portugal, el centro de Asturias y el valle del Pas, en Santander; falta exploración suficiente respecto de Galicia. En portugués la metafonía provocada por la /u/ final (escrita *o*), aparte del caso excepcional t ō t u > *tudo*, afecta casi exclusivamente a la /e/ y la /o/ procedentes de /ĕ/ y /ŏ/ latinas; ambas vocales se cierran ante la /u/ de nombres y adjetivos masculinos en singular (*cọrno, họrto, sọgro*) pero se conservan abiertas ante la /a/ del femenino y ante el resultado del plural latino /-ōs/ (*cọrnos, họrta, họrtos, sọgra, sọgros*). En el asturiano central la acción de la /u/ alcanza a toda /o/, /e/ y /a/; ya hacia 1155 se documenta *mancibo* frente a *manceba*; hoy, *pilu, cuirnu, sentu, silicusu*, frente a *pelos, cuernos, santos* y *santa, silicosos*. Y en el habla pasiega son normales *babiru, ispiju, arruyu, lubu, niitu, puiblo* contra *baberos, espejos, nietos, pueblos*, etc.; la /a/, sin llegar a /ę/, se hace algo palatal ante /u/. Excepción importante es el adjetivo aplicado a nombres de materia: termina invariablemente en /-u/, /-o/, aunque el nombre sea femenino, y no cierra la vocal tónica («tá *negro* el arroz», «borona *secur*»); los sustantivos de tema en /-o/ usados en sentido general de materia no cierran su vocal final ni inflexionan la tónica (*pelo*), pero lo hacen cuando se refieren a unidades concretas y numerables (*pilu*). Este neutro de materia se extiende desde el cabo de Peñas y Pola de Lena hasta zonas de la Montaña santanderina, como Cabezón de la Sal y el valle del Pas. Tanto la metafonía como

---

inicial, pero es hipótesis carente de fundamento: L. Michelena, *Fonética Histórica Vasca*, 1961, no menciona semejante fenómeno. Por otra parte Olscan es demasiado tardío: «O s c a —dice Menéndez Pidal— era corriente en latín cuando todas las monedas decían B o l s c a n y no O l s c a n»; y la supuesta reducción de O l s c a n a O s c a, contraria a la cronología, lo es también a la evolución fonética normal, ya que no se explica la desaparición de la /l/ sin dejar rastro. Finalmente es tentador el parecido entre B o l s c a n y el nombre de los v o l s c o s, el pueblo itálico vecino y enemigo de Roma en tiempo de Coriolano (véanse una leve insinuación de A. Tovar, Anales de Filol. Clás., 5, Buenos Aires, 1950-1952, 157, y el artículo de M. Dolç *Los primitivos nombres de Huesca*, Argensola, 1951, 153-165); en el siglo II Titinio menciona juntos a oscos y volscos como gentes que hablan sus lenguas respectivas por ignorar el latín (Tovar, *Latín de Hispania*, 38-39); sin embargo la identificación de B o l s c a n y v o l s c i exigiría demostrar previamente que B o l s - c a n es nombre posterior a la llegada de ítalos y no, como parece, indígena.

el neutro de materia tienen en el Mediodía italiano áreas, antigüedad y pujanza mayores que en el noroeste de nuestra Península. La filiación no deja lugar a dudas, pese a diferencias explicables por las distintas condiciones en que ambos fenómenos se desarrollaron en el país de origen y en el colonizado, aislados entre sí desde la caída del Imperio romano.[35]

6. Las lenguas iberorrománicas concuerdan con los dialectos del sur de Italia y Sicilia en rasgos característicos de su morfología y sintaxis: sistema y formas de los tres demostrativos (véase § 21₃); empleo de la preposición *a* ante objeto directo que designe persona individuada («si vvisto *a ffrátimo?*» '¿has visto a *mi hermano?*'); uso de t e n e r e a costa de h a b e r e para expresar la posesión, e incluso como verbo auxiliar; precedente umbro para f u i como perfecto de e s s e y de i r e , etc. En el léxico, aparte de las coincidencias que Hispania y las hablas suritálicas comparten con otras zonas periféricas de la Romania (§ 21₂), hay otras exclusivas de las dos penínsulas o de ambas y Sicilia o Cerdeña: el calabrés *dassare* y el siciliano *dassari* corresponden al cat. *deixar*, esp. *dejar*, gall. y port. *deixar*; la evolución semántica de p l ĭ c a r e , a p p l i c a r e ha conducido a igual resultado en el cal. *aḳḳiḳare*; sic. *ḳiḳari*; esp. *allegar, llegar*; gall. y port. *chegar*; lo mismo l e v a r e > cal. *levare*; sic. *livari*; esp. *llevar*; gall. y port. *levar*. En estos casos las preferencias suritálicas e iberorrománicas contrastan con la elección de l a x a r e , *a r r i p a r e y p o r t a r e en la Romania central (fr. *laisser, arriver, porter*; it. *lasciare, arrivare, portare*). A estos ejemplos podrían añadirse otros.[36] Además no debe olvidarse la procedencia de autores arcaicos latinos en cuyas obras se han señalado antecedentes de vocablos

35. R. Menéndez Pidal, *Pasiegos y vaqueiros*, Archivum, IV, 1954, 3-18; D. Alonso, véase nota 31; R.J. Penny, *El habla pasiega: ensayo de dialectología montañesa*, Londres, 1970, §§ 41-45 y 158. Robert A. Hall, Jr., niega la existencia de un «neutro de materia» y trata de explicar el fenómeno como resto del ablativo partitivo latino (*'Neuters', Massnouns, and the Ablative in Romance*, Language, XLIV, 1968, 480-486).

36. Véanse G. Rohlfs, *Die Quellen des unteritalienischen Wortschatzes*, Zeitsch. f. rom. Philol., XLVII, 1926, 135-164; H. Meier, *Ensaios de Filol. Rom.*, 11-16; Silva Neto, *Hist. da Lit. Port.*, 122-124; Menéndez Pidal, *Colonización sudit.*, CXXXVIII; Dámaso Alonso, *La fragmentación fonét. penin.*, 140-146; A. Tovar, *Latín de Hisp.*, 36 y 43; Joseph Palermo, *Il problema del siciliano. Alcune isoglosse ibero-siciliane rilevanti*, «Atti XIV Congr. Internaz. di Ling. e Filol. Romanza, Nápoles, 1974, 17-29».

hispanos típicos (§ 21₁): Nevio y Lucilio habían nacido en Campania, Plauto en Umbría y Ennio en Calabria. Por otra parte el gaditano Columela aplica a la higuera el adjetivo b i f e r a , que sólo subsiste, sustantivado, en Cosenza (*bífaru*), los Abruzzos (*vefere*), el esp. *breva*, gall. *bebra* y port. *bebera*, *befara*.

7. El influjo suritálico en el latín de Hispania no se manifiesta de manera uniforme. Son generales el refuerzo de /r/ inicial en /r̄/, la subsistencia de los tres demostrativos, el acusativo con 'a d' para el objeto directo personal, la extensión de t e n e r e y f u i a costa de h a b e r e e i v i , *d a - x a r e por l a x a r e , etc. Pero la palatalización de /l/ inicial en /ḻ/ no alcanzó a la Gallaecia ni al oeste de Lusitania; la asimilación /mb/ > /m/ sólo arraigó en la Tarraconense, y /nd/ > /n/ en el nordeste de ella. En cambio la /u/ final sólo provoca metafonía en el noroeste, y el neutro de materia se limita a parte de Asturias y de la Montaña. Por último los resultados cacuminales de /l/ y /-ll-/ sólo se producen en una zona de Asturias y León, a caballo de la cordillera cantábrica, y en otra del Pirineo aragonés. Estas diferencias han de atribuirse a factores de diversa índole: la variedad lingüística del sur de Italia era y es muy grande. El contingente de legionarios y colonos de unas y otras regiones no hubo de ser el mismo en cada expedición ni en cada época. Es de suponer que los itálicos asentados en la Tarraconense durante el siglo ii estarían menos latinizados que los combatientes de las guerras cántabro-astúricas bajo Augusto. Por otra parte los dialectalismos de su latín encontraron en layetanos, ilergetes y vascones substratos distintos de los precélticos y célticos del noroeste.

8. Sobre la posible relación del betacismo del norte peninsular con el suritálico, véase §4₃, n. 28.

§ 23. NEOLOGISMOS DEL LATÍN HISPÁNICO

1. En el latín hispánico apuntaban seguramente novedades exclusivas suyas. Perduraban rasgos de pronunciación y vocablos procedentes de las lenguas primitivas (véanse §§ 4-6). Otras veces eran procesos autóctonos del latín peninsular y pueden inducirse del ulterior desarrollo de los romances hispanos; así la tendencia a eliminar la conjugación - ĕ r e en beneficio de

las en - ē r e o - ī r e , reduciendo a tres los cuatro paradigmas verbales
(f a c ĕ r e > *hacer*, s c r i b ĕ r e > *escribir*); así también formaciones léxicas
como *e x p e r g i t a r e (> esp. y port. *espertar*, *despertar*) por e x p e r -
g i s c ĕ r e ; *a p p a c a r e (> esp., cat. y port. *apagar*), por e x s t i n g u e -
r e ; *c a l l a r e (> esp. y cat. *callar*, port. *calar*), por t a c e r e ; *m a n e -
a n a (> esp. *mañana*, port. *manhã*) junto a m a n e (> «la *man*» en el
Cantar de Mio Cid); *v e r a n u m t e m p u s (> esp. *verano*, port. *verão*);
*c i b a t a (> esp. *cebada*, port. *cevada*; con el sentido de 'avena', prov. y
cat. *civada*); c e r e o l a (> esp. *ciruela*, gall. *cirola*) por p r u n a ; cambios
de función gramatical, como el del participio c a l e n s , - e n t i s convertido en adjetivo sustituto de c a l i d u s (cat. *calent*; esp. *caliente*; port.
quente); o la extensión del adverbio t a r d e a uso sustantivo, en vez de
s e r a (esp., port. *tarde*); y cambios semánticos como el de s o b r i n u s
'primo segundo', que ocupó el lugar de n e p o s (esp. *sobrino*, port. *sobri-
nho*); el de r ī v u s , que del significado de 'arroyo' pasó al de 'curso importante de agua' (> cat. *riu*, esp. y port. *río*), propio de f l u v i u s o f l u -
m e n ; y el de c i b a r i a 'alimentos' a 'cereales, grano' (esp. *cibera*).[37]

2. Poseemos noticias concretas acerca de unas cuantas palabras características del latín hablado en nuestro suelo: Columela usa v u l t u r n u s
'viento del sur' (> esp. *bochorno*); él y Séneca emplean s u b i t a n e u s
(> esp. *supitaño*); y Séneca da a p r a v u s el valor de 'duro, riguroso, violento' conservado en el esp. *bravo*. Plinio cita el hispanismo f o r m a c ĕ u s
'pared', que ha dejado por única descendencia románica el español *horma-
zo* 'pared hecha de tierra'. En inscripciones hispanolatinas se encuentran
otras: c o l l a c t ĕ u s , regresión de c o l l a c t a n ĕ u s 'hermano de leche', es el origen del español medieval *collaço*; el masculino m a n c i -
p i u s , en lugar del neutro clásico m a n c i p i u m , prueba que era término usado entre el vulgo español; en efecto, se ha conservado en la Península
(esp. *mancebo*, cat. *masip*), mientras se ha perdido en el resto de la Roma-

37. Véanse J. Jud, *Problèmes de géographie linguistique romane*, Rev. de Ling. Rom., I,
1925, 181-236, y II, 1926, 163-207; Paul Aebischer, *Les dénominations des 'céréales', du 'blé'
et du 'froment' d'après les données du latin médiéval*, «Essais de Philologie Moderne», 1953,
77 y ss.; G. Rohlfs, *Aspectos y problemas del español en su enlace con los otros romances*,
«Probl. y principios del estructuralismo ling.», Madrid, 1967, 231-239.

nia. A l t a r i u m por a l t a r e es forma precursora del español *otero*, port. *outeiro*.

3. En los albores de la época romance, san Isidoro recoge muchas voces usadas en el habla vulgar de España. Algunas son privativas de ella: a n - t e n a t u s (> esp. *alnado*); a r g e n t ĕ u s 'blanco' (> esp. ant. *arienço*); b o s t a r 'establo de bueyes' (> esp. *bostar*, port. *bostal*); c a t e n a t u s (> esp. *candado*; port. *cadiado*; cat. *cadenat*); c o l o m e l l u s 'diente cani- no' (> esp. *colmillo*); s e r r a l i a 'lechuga silvestre' (> esp. *cerraja*; port. *ser- ralha*; cat. *serralla*). Una caprichosa etimología isidoriana dice que al gato se le llamaba c a t t u s «quia c a t t a t , id est, videt»; con ello nos da la certe- za de que en el siglo VII los hispanogodos empleaban el verbo c a t t a r e (<c a p t a r e) con el sentido de 'ver, mirar', propio del esp. medieval *catar*, conservado hoy en *catadura* 'aspecto', *catalejo*, *cataviento*. Y la afirmación isidoriana «omne satis viride a m a r u m dicitur» aclara el origen del esp. *amarillo*, port. *amarelo*.[38]

4. Frente a la consideración general del español y del rumano como ro- mances arcaizantes, hay reacciones que, con justicia, ponen de relieve la potencia creadora de sus neologismos.[39] Realmente son dos aspectos com- plementarios de la fuerte peculiaridad que caracteriza a cada una de las dos lenguas.

§ 24. DIFERENCIAS REGIONALES EN EL LATÍN HISPÁNICO

1. Durante el período romano el latín peninsular debía de ser bastante uniforme. Sin embargo, entre los siglos VI y X lo veremos fraccionarse en diversos dialectos románicos. Ya se han indicado los factores que contribu-

---

38. Menéndez Pidal, *Manual*, § 2; Carnoy, *Le latin d'Espagne d'après les inscriptions*, Bruselas, 1906; J. Sofer, *Lateinisches und Romanisches aus den Etymologiae des Isidorus von Sevilla*, Gotinga, 1930; A. Tovar, *Latín de Hisp.*, 34 y 36.

39. I. Iordan, *Paralelos lingüísticos rumano-españoles*, «Actas del II Congreso Intern. de Hispanistas», Nimega, 1967, 347-355; *El lugar del español entre los idiomas romances*, «Ac- tas del V Congreso...», I, Burdeos, 1977, 49-58. Más ponderadamente, Marius Sala, *El ru- mano y el español, áreas laterales de la Romania*, «Lengua, Literatura, Folklore. Est. dedic. a R. Oroz», Santiago de Chile, 1967, 439-448.

yeron a mantener la cohesión lingüística bajo el Imperio, y cómo, al desaparecer aquéllos, hubieron de surgir las variedades romances. Pero cuando tratamos de inquirir si antes del siglo VI apuntaban en España diferencias regionales que pudieran ser base de futuras escisiones, hemos de renunciar a la certidumbre absoluta y contentarnos con hipótesis.

2. La división administrativa romana no era arbitraria. Los conventos jurídicos que integraban las provincias parecen haberse atenido, en su demarcación, a núcleos previos de pueblos indígenas. A esta diversidad étnica —y posiblemente de substrato lingüístico— se añadió la concentración de actividades de cada convento en torno a su capital. Formábanse de este modo subcomunidades, dentro de las cuales se perpetuaban arcaísmos o aparecían innovaciones extrañas a las comarcas vecinas. La Iglesia estableció sus sedes episcopales con arreglo, generalmente, a la distribución de conventos y provincias romanas, continuándolas después del Imperio y profundizando la disociación. En la geografía dialectal quedan huellas de tan antiguas divisiones: la región de Miranda do Douro, que perteneció al convento y diócesis de Astorga, habla dialecto leonés, no obstante hallarse enclavada políticamente en tierra portuguesa desde fecha muy lejana.[40] Cantabria formaba parte de la Gallaecia, mientras la meseta burgalesa correspondía a la Cartaginense; el castellano de la Montaña y otras zonas norteñas fue, por algún tiempo, distinto del de Burgos en ciertos caracteres.[41]

3. La romanización se efectuó en distintas épocas y condiciones para cada región. Iniciada en la Bética y la Tarraconense, hubo de formarse en ellas el sedimento lingüístico que fue llevado más tarde al interior. En la Bética, apartada y culta, patria de retóricos y poetas, se hablaría seguramente un latín conservador, purista en cierto grado. En cambio, la Tarraconense oriental era ruta obligada de legionarios, colonos y mercaderes; es de suponer que acogiera una población flotante que se expresaría con descuido, traería novedades de lenguaje y propendería sin duda al neologismo. Al progresar la romanización, los focos ciudadanos de Évora, Brácara, Emérita y Astúrica recibieron, probablemente, el latín de la Bética, mien-

---

40. Menéndez Pidal, *El dialecto leonés*, 1906 (ed. Oviedo, 1962, 19-20).
41. Véase después, § 47₁.

tras el de la Tarraconense, avanzando por la vía romana del Ebro, debió de llegar hasta la meseta septentrional.[42] En Cataluña, Aragón y Burgos encontraremos más adelante ciertos rasgos innovadores que no aparecen en el sur y el oeste (reducciones /ai/ > /e/, /au/ > /o/, /mb/ > /m/).

La Tarraconense comunicaba con Italia y Galia más estrechamente que el resto de la Península, lo que dio lugar a mayor influencia lingüística de la Romania central. Así adoptó la contracción - a n t a en los numerales de decena (cat. y arag. *sixanta, quaranta*), en vez de - a g i n t a , y conoció como posesivo de la persona ellos el genitivo i l l o r u m (cat. *llur*; arag. *lor, lur*, como el francés *leur* e italiano *loro*) al lado de s u u s . En la parte más oriental de la región no fue eliminada la conjugación proparoxítona - ĕ r e , que subsistió también en Galia e Italia (cat. p r e h e n d ĕ r e > *pendre*, r e d d ĕ r e > *retre*, frente a *prender, render, rendir*, de los otros romances peninsulares). En el léxico, los catalanes *menjar, parlar, trobar, voler, taula, cosí* (< *c o s i n u s , de c o n s o b r i n u s), *donar, cercar* (< c ĭ r c a r e), *ociure* (< o c c i d e r e), etc., muestran preferencias opuestas a los castellanos y portugueses *comer, hablar-falar, hallar-achar, querer, mesa, cormano* - gall. *curmán* (< c o n g e r m a n u s), *dar, buscar, matar*. No es forzoso que todas estas divergencias aparecieran ya en la época imperial, ni tampoco en la visigótica; la mayoría debió de surgir en el último período de formación de los romances, cuando Cataluña dependía del Estado carolingio.[43]

---

42. Véase H. Meier, *Beiträge zur sprachlichen Gliederung der Pyrenäenhalbinsel*, Hamburgo, 1930, y *Die Entstehung der rom. Sprachen und Nationen*, Fráncfort, 1941.

43. La cuestión de si el catalán, en su origen, es lengua iberorrománica o galorrománica ha sido muy debatida. Véanse, entre otros, los estudios de K. Salow, *Sprachgeographische Untersuchungen über den östlichen Teil des Katalanisch-Languedokischen Grenzgebietes*, 1912; A. Griera, *La frontera catalanoaragonesa*, 1914, y crítica de R. Menéndez Pidal en la Rev. de Filol. Esp., III, 1916, 80 y ss.; A. Griera, *Afro-romànic o Ibero-romànic?*, Butlletí de Dialectologia Catalana, X, 1922, 34-53; W. Meyer-Lübke, *Das Katalanische*, 1925; reseña de esta obra por W. von Wartburg, Zeitsch. f. rom. Philol., LVIII, 1928, 157-161; Amado Alonso, *La subagrupación románica del catalán*, Rev. de Filol. Esp.. XIII, 1926, 1-38 y 225-261, y *Partición de las lenguas románicas de Occidente*, en «Miscel·lània Fabra», Buenos Aires (ambos artículos incluidos en *Estudios lingüísticos. Temas españoles*, Madrid, 1951, 11-127); M. Hagedorn, *Die Stellung des Katalanischen auf der Iberischen Halbinsel*, Zeitsch. f. neusprach. Unterricht, XXXVIII, 1939, 209-217; las gramáticas históricas catalanas de A. Ba-

§ 25. PALABRAS POPULARES, CULTAS Y SEMICULTAS[44]

1. La civilización occidental ha heredado el latín en dos formas distintas: como lengua hablada, madre de los idiomas románicos, y como vehículo universal y permanente de cultura. Consagrado por la Iglesia, se conserva en sus usos oficiales y en la liturgia católica, si bien con creciente retroceso frente a las lenguas de los respectivos países; la administración, leyes y cancillerías lo emplearon hasta la Baja Edad Media, y aún más tarde, en todos los países europeos; fue instrumento general de la exposición científica, y todavía hoy se usa como tal alguna vez; y las literaturas modernas, en especial desde el Renacimiento, no han perdido de vista el modelo de los poetas, historiadores y didácticos latinos.

A consecuencia de este doble legado, el vocabulario latino ha pasado a las lenguas romances siguiendo diversos caminos: unas palabras han vivido sin interrupción en el habla, libres del recuerdo de su forma literaria y abandonadas al curso de la evolución fonética; se han transformado al tiempo que nacían las nuevas lenguas y muestran en sus sonidos cambios regulares característicos; por ejemplo, f i l i u s , g e n e s t a , s a l t u s han dado en castellano *hijo*, *hiniesta*, *soto*, según leyes fonéticas que distinguen el castellano de otras lenguas romances.[45] Son las palabras llamadas *popu-*

---

dia, 1951. §§ 2 y 3, y de F. de B. Moll, 1952, §§ 5-8; G. Rohlfs, *Concordancias entre catalán y gascón*, «VII Congreso Internac. de Ling. Rom.», II, Barcelona, 1955, 663-672; *Diferenciación léxica de las lenguas románicas*, traducción y notas de Manuel Alvar, Madrid, 1960, y *Catalan, provençal, gascon et espagnol*, «Estudis... dedicats a la memòria de Pompeu Fabra», I, 1963-1968 [1971], 7-10; R. Brummer, *Das Katalanische —eine autonome Sprache*, ibid., 7-18; K. Baldinger, *La formación de los dominios lingüísticos en la Pen. Ib.*, Madrid, 1972, 125-160 (capít. «El catalán, lengua-puente»); G. Colón, *Quelques considérations sur le lexique catalan*, «La linguistique catalane. Actes et colloques», París, 1973, 239-280, y *El léxico catalán en la Romania*, Madrid, 1976, etc.

44. Véanse José Jesús de Bustos Tovar, *Contribución al estudio del cultismo léxico medieval*, Madrid, 1974, 9-114, y R. Wright, *Semicultismo*, Archivum Linguisticum, VII, 1976, 13-28.

45. En f i l i u (s) la /f/ ha tenido igual suerte que la de f a r i n a > *harina*, *f a m i - n e > *hambre*, etc., y el grupo /l + yod/ la misma que en m u l i e r e > *mujer*, a l i e n u (s) > *ajeno*. En g e n e s t a l a /g/ inicial ha desaparecido como la de g e r m a n u > *hermano*, g e l a r e > *helar*, y la /ĕ/ tónica ha diptongado como en t ĕ s t u > *tiesto*, l ĕ p o r e > *lie-*

lares o *tradicionales*, que constituyen el acervo más representativo de cada lengua.

2. Tan antiguas como las voces populares, y pertenecientes como ellas a la lengua hablada, hay otras que no han tenido un proceso fonético desembarazado de reminiscencias cultas. Mientras a r g i l l a y r i n g e r e se deformaban hasta llegar a *arcilla*, *reñir*, no sucedía igual con v i r g i n e o a n g e l u s , que en la predicación y ceremonias religiosas se pronunciaban de una manera más o menos distante de la latina pura, pero esencialmente respetuosa con ella; el oído de las gentes se acostumbró a la pronunciación eclesiástica, cuyo influjo impidió que se consumaran las tendencias fonéticas usuales: v i r g i n e dio *virgen*, no *verzen, y a n g e l u s , *ángel*, en vez de *año o *anlo. De igual modo s a e c ŭ l u m , r e g ŭ l a , a p o s - t ŏ l u s , e p i s c ŏ p u s , m i r a c ŭ l u m , p e r ī c ŭ l u m , c a p ĭ t ŭ - l u m , pasaron a *sieglo > siglo*, *regla*, *apóstol*, *obispo*, *milagro*, *peligro*, *cabildo*, muy distintos de las soluciones normales.[46] La influencia de la administración fue semejante a la de la Iglesia, aunque menos extensa. Los notarios redactaban sus documentos en latín, con arreglo a fórmulas muy repetidas, que, al ser leídas a los otorgantes, se grababan en su memoria. Cláusula muy usada en escrituras era «vendo tibi mea r a t i o n e in illa terra», y con este sentido perduró *ración* con su /i/ latina, que desapareció en el vulgar *razón*; en la data se mencionaba el nombre del monarca, y las repeticiones «r e g n a n t e Adefonso in Legione», «r e g n a n t e rege nostro Ordonio», juntamente con el « r e g n u m Dei» de la liturgia, hicieron que r e g n a r e y r e g n u m se detuvieran en *reinar*, *reino* y no llegaran a *reñar, *reño. En la mayoría de los casos citados, y en p h y s ĭ c u s > *físigo*, t o x ĭ c u s > *tósigo*, c a n o n ĭ c u s > *canónigo*, etc., la acción de la cultura no fue bastante poderosa para mantener la integridad formal de la palabra, pero sí para frenar o desviar el proceso fonético iniciado en ella; el resultado es lo que los lingüistas llaman *semicultismo*.

---

bre. En s a l t u s / a l / ante consonante ha dado /o/, como en a l t e r u m > *otro*, c a l - c e m > *coz*, etc.

46. De haber obedecido a las leyes fonéticas, hubieran dado *sejo, *reja, *abocho, *besbo o *ebesbo, *mirajo, *perijo, *cabejo como r e g ŭ l a > *reja*, t e g ŭ l a > *teja*, v e t ŭ l u > *viejo*, etcétera.

3. Los *cultismos* puros se atienen con fidelidad a la forma latina escrita, que guardan sin más alteraciones que las precisas para acomodarla a la estructura fonética o gramatical romance (e v a n g e l i u m > *evangelio*, v o l u n t a t e > *voluntad*). Algunos se han transmitido por el habla y la escritura combinadas; pero en su mayor parte han sido tomados directamente del latín literario, aunque éste fuera el bajo latín medieval.[47]

Una palabra latina puede originar dos romances, una culta y otra popular. En ocasiones los resultados tienen acepciones comunes (*fosa* y *huesa*, *frígido* y *frío*, *íntegro* y *entero*), pero aun en ellas hay distinto matiz afectivo o conceptual; por lo general son palabras completamente independientes, sin más nexo que el de la etimología, olvidado en el uso (*laico* y *lego*, *signo* y *seña*, *fingir* y *heñir*, *artículo* y *artejo*, *concilio* y *concejo*, *radio* y *rayo*, *cátedra* y *cadera*). Nótese que las voces populares suelen tener un sentido más concreto y material que las eruditas. Otras veces la duplicidad se da entre un derivado culto y un semicultismo (*secular* y *seglar*) o entre un semicultismo y una voz popular (*regla* y *reja*). La lengua se ha servido de estos dobletes para la diferenciación semántica: el culto *litigar* ha descargado al popular *lidiar* de uno de sus sentidos.

Desde que los idiomas románicos alcanzaron florecimiento literario, su léxico se ha enriquecido con incesante adopción de cultismos. En el siglo XIII, cuando los poetas del mester de clerecía y Alfonso el Sabio habilitaron el español para la expresión ilustrada, fueron muchas las voces latinas introducidas. A partir del Renacimiento, latinismos y grecismos dieron vestido a las nuevas ideas y sirvieron como elemento estilístico de primordial importancia. Y en los tiempos modernos el latín y el griego siguen siendo cantera inagotable de neologismos. Si las palabras populares son las que mejor reflejan la tradición oral del latín vulgar y ofrecen los rasgos fonéticos peculiares de cada romance, los cultismos revelan la perenne tradición del espíritu latino en la civilización europea. Su menor interés fonético se compensa crecidamente con el histórico-social: son índice de las apetencias, inquietudes, orientaciones ideológicas y conquistas científicas de los momentos culturales en que penetraron.

47. Por ejemplo, *aniquilar* no procede del clásico n i h i l, sino de la pronunciación bajo-latina n i c h i l ([nikil]).

IV

TRANSICIÓN DEL LATÍN AL ROMANCE. ÉPOCA VISIGODA

§ 26. LOS GERMANOS

En el año 409 un conglomerado de pueblos germánicos —vándalos, suevos y alanos— atravesaba el Pirineo y caía sobre España; poco después el rey visigodo Alarico se apoderaba de Roma y la entregaba al saqueo.

Así quedó cumplida la amenaza que secularmente venía pesando desde el Rhin y el Danubio. Los éxitos de Tiberio y Germánico habían sido amargados por el descalabro de Varo, cuyas legiones aniquiladas lloraba Augusto en la vejez. Tácito observaba el contraste entre la disoluta sociedad imperial y la vigorosa rudeza de los germanos, «magis triumphati quam victi». Desde el siglo III las agresiones germánicas se hicieron cada vez más fuertes: en una de ellas corrieron las Galias y llegaron a Tarragona (256-262); dos emperadores, Decio y Valente, murieron en lucha con los godos. Y apenas desapareció con el hispano Teodosio la última columna del Imperio, sobrevino la irrupción definitiva.

La penetración germánica en Roma no fue solamente guerrera. Desde el siglo I los germanos comenzaron a alistarse en las legiones; otros se establecían en territorio imperial como tributarios o colonos. Estilicón, el caudillo que Roma opuso al alud invasor, era de sangre bárbara.

§ 27. VOCES ROMANCES DE PROCEDENCIA GERMÁNICA[1]

1. Las relaciones sostenidas por los dos pueblos durante los siglos I al IV dieron lugar a un nutrido intercambio de palabras. Los germanos tomaron del latín nomenclatura del comercio, agricultura, industria, vivienda, derecho, etc.; pero también comunicaron a los romanos términos suyos. Roma importaba del norte el jabón, cuya fabricación desconocía; por eso el germánico s a i p o entró en el léxico latino, de donde pasó a las lenguas romances (s a p o n e > esp. *xabón, jabón*). Se traían de Germania pieles y plumas; con ellas se introdujo la palabra t h a h s u , latín t a x o (> esp. *tejón*). B u r g u s procede del germano b u r g s 'fuerte', 'pequeña ciudad' (> esp. *Burgo, Burgos*).

2. En la época de las invasiones fueron muchas las palabras germánicas que entraron en el latín vulgar. Los dos mundos estaban en contacto directo, ya fuera belicoso, ya pacífico. Los germanos, enseñoreados del territorio romano, conservaban con plena vitalidad sus lenguas, y los latinos aprendían de ellos denominaciones de cosas y costumbres extrañas, familiarizándose con expresiones germánicas. El vocabulario militar adoptó muchas, primero a causa de la convivencia en las legiones; después porque la nobleza germánica, dedicada principalmente a las armas, impuso su propia terminología. El latín b e l l u m fue sustituido por w e r r a (> it. *guerra*; fr. *guerre*; prov., cat., esp. y port. *guerra*); extensión parecida tuvieron w a r d ô n (> esp. *guardar*), r a u b ô n (> esp. *robar*) y w a r n j a n (> esp. *guarnir, guarnecer*). El guerrero germano llamaba h ĕ l m al casco que protegía su cabeza (> esp. *yelmo*); entre sus armas ofensivas figuraba el *dardo* (< germano d a r d), y buscaba *albergue* (< *h a r i b a i r g o) donde *guarecerse* (< w a r j a n). La equitación era una de sus mayores aficiones; por ello se han asentado en las lenguas románicas *s p a u r a o s p ŏ r o (> esp. *espuela, espolón*), y *f a l w , adjetivo de color aplicado al caballo, que dio el derivado latino f a l v u s : de un derivado suyo, *f a l v a r i u s , o de un cruce de f a l v u s con el latín v a r i u s , proceden el port. *fouveiro*, esp.

---

1. Véanse W. Meyer-Lübke, *Introducción a la lingüística románica*, §§ 36-47, y E. Gamillscheg, *Romania Germanica*, I, 1934.

overo. Todas estas voces y la mayoría de las que se mencionan a continuación dejaron también descendientes en Francia e Italia.

3. Al vestido germánico pertenecen h ŏ s a 'calzón corto' (> esp. ant. *huesa* 'bota alta'); f a l d a 'pliegue, regazo de la falda' (> esp. *falda*, *halda*), y c o f e a (> esp. *cofia*). Las tareas del campo están representadas por el verbo *w a i t h a n j a n 'apacentar', 'cultivar la tierra', origen del español *ganar*.[2] La construcción proporcionó s a l 'espacio abierto donde recibía el señor' (> esp. *sala*); el suevo *l a u b j o 'enramada' se conserva en el gallego *lobio* 'parral bajo', y el correspondiente franco *l a u b j a en el francés *loge* 'galería' (que pasó al italiano *loggia* y español *lonja*). El techo de las primitivas viviendas germánicas era un entramado o cañizo: b a s t j a n 'entretejer' ha dado el francés *bâtir* y el esp. ant. *bastir* 'construir, preparar, disponer'. Los germanos gustaban de la música y cantos heroicos: h a r p a (> esp. *farpa*, *arpa*) es el nombre de uno de sus instrumentos.

4. Al constituirse los estados bárbaros hubo en todos los aspectos de la vida un cambio esencial, debido en gran parte a la implantación de instituciones germánicas. Ese cambio se refleja en el vocabulario romance: el derecho germánico perpetuó voces como b a n 'proscripción, prohibición' (> latín medieval b a n n u m , fr. *ban*; esp. *bando*); el *bandido* es, originariamente, la persona proscrita que ha perdido la paz pública. Los bienes patrimoniales recibieron la denominación de a l ô d (> lat. mediev. a l o - d i u m > esp. *alodio*); la posesión o tenencia concedida por el señor al vasallo se designó mediante el franco *f ë h u 'ganado', que originó en latín medieval f e v u m (> fr. *fief*) y f e u d u m , con la /d/ de a l o d i u m (> esp. *feudo*). La diplomacia empleó h a r i w a l d (> fr. *héraut* > esp. *heraldo*, *faraute*); a n d b a h t i 'cargo, servicio' (> prov. *ambaissada* > it. *ambasciata* > esp. *embajada*); y t r i g g w a 'alianza' (> esp. *tregua*).

5. Otros germanismos se refieren al mundo afectivo. Es natural que los bárbaros, muy cuidadosos de su fama, conservaran con especial cariño palabras relativas al concepto de sí mismos, ofensas y valentía, como o r g ô - l i (> esp. *orgullo*); h a u n i t h a 'burla, mofa' (> fr. *honte*; prov. *anta*, *onta*

2. Véase R. Menéndez Pidal, Modern Philology, XXVII, 1930, 413-414. En la palabra española han debido de confluir el derivado de *w a i t h a n j a n y el del gótico *g a n a n 'codiciar': véase Corominas, *Dicc. crít. etimol.*, II, 654-656.

> esp. antiguo *onta*, *fonta*); s k e r n j a n 'burlarse' (> prov. *escarnir* > esp. *es-carnir*, *escarnecer*); h a r d j a n 'atreverse' (> fr. *hardi*, prov. *ardit* > esp. ant. *ardido*, *fardido*). Para indicar el decaimiento de ánimo, ya en tiempos del Imperio, se formaron *m a r r i r e y *e x m a r r i r e del germánico m a r r j a n (> fr. ant. *marrir*; esp. ant. *desmarrido* 'triste'; it. *smarrire*; rum. *amări*); el desfallecimiento físico se expresó también con un híbrido germano-latino *e x m a g a r e , de m a g a n 'tener fuerza' (> fr. *esmaier* y de éste el esp. *desmayar*).

6. De adjetivos han pasado r i k s 'poderoso', f r i s k 'reciente, lozano', difundidos por toda la Romania occidental (esp. *rico*, *fresco*); b l a n k 'brillante' (esp. *blanco*, probablemente a través del francés, como *blondo* y *gris*). El sustantivo w i s a 'manera' debió de ser adoptado en época temprana (fr. *guise*; it. *guisa*; esp. *guisa*, *guisar*, antes 'preparar, disponer'); en el español de los siglos XII y XIII *guisa* se empleó para la formación de adverbios compuestos (*fiera guisa* 'fieramente').

7. Son de notar, por último, traducciones parciales o completas de palabras germánicas. El prefijo g a - de g a r e d a n 'cuidar' fue reemplazado por los equivalentes latinos c u m - o a d - , surgiendo así *c o n r e - d a r e y *a d r e d a r e (> esp. *conrear*, *arrear*). Los dos elementos de g a h l a i b a 'el que comparte el pan' (h l a i f s 'pan') se han creído ver calcados en c o m p a n i o , origen de *compañón*, *compañero*, *compañía* y toda su familia léxica romance.[2 bis] Iguales procedimientos usaban los germanos para reproducir los compuestos latinos.

8. La historia detallada de los germanismos en las lenguas romances es sumamente compleja. Unos pertenecen al fondo común germánico; otros son exclusivos de un dialecto; algunos entraron independientemente en

---

2 bis. Tal es la tesis preferida por Friedrich Diez y tradicionalmente aceptada por los romanistas. Recientemente (Archiv f. d. Studium der n. Sprachen und Liter., t. 217, 1980, 1-25) Hans Dieter Bork ha defendido con fuertes razones la autonomía de c o m p a n i o , *c o m p a n i a en el marco de la composición latina, y Harri Meier ha abogado por la etimología c o m p a g i n a r e (apuntada, pero rechazada, por Diez) y su postverbal c o m - p a g i n a. Hay que aducir en su apoyo que c o m p a g i n a aparece repetidamente en textos leoneses y gallegos de los siglos X y XI como 'avenencia judicial', a veces con formas romances: «deuenimus [...] de judicio ad *copajina*» (año 1022, León, Arch. Episcopal, 113°); «deuenimus inde a *compania* bona» (1045, Tumbo Legionense, fol. 206 v.).

cada país, tomados del habla de los respectivos invasores. Los hay propagados a través del latín vulgar y por intermedio del bajo latín. Muchos han pasado de unos romances a otros. Especial poder de difusión tuvieron los germanismos introducidos por los francos: a través del latín tardío o del primitivo romance de la época merovingia pasó a España h ŏ s a , registrado ya por san Isidoro; otro tanto debió de ocurrir con f a l d a , h ĕ l m , c o m p a n i o , w a r d ô n y acaso w i s a . Después, el prestigio de la sociedad feudal y de la vida cortés bajo la monarquía capeta propagó, ya como galicismos o provenzalismos, *guarnir, dardo, bastir, sala, honta, escarnir, ardido, heraldo*, etc.

§ 28. LOS PRIMEROS INVASORES Y LOS VISIGODOS

1. De la primera invasión germánica que penetró en Hispania, dos pueblos desaparecieron pronto: los alanos fueron exterminados a los pocos años, y los vándalos, tras un breve asiento en la Bética, atravesaron el estrecho y pasaron al África (429). La estancia de ambas estirpes dejó huella en topónimos como *Puerto del Alano* (Huesca), *Bandaliés* (Huesca) y *Campdevánol* (Gerona). Los vándalos embarcaron junto a la antigua J u l i a   T r a d u c t a (hoy Tarifa); se ha supuesto que este lugar tomó un nuevo nombre referente al pueblo emigrado, *[P o r t u]   W a n d a l u , o, en boca de navegantes griegos, [P o r t u   w] a n d a l u s i u , origen del árabe a l - A n d a l u s (> esp. *andaluz, Andalucía*). Otros explican la pérdida de /w/ inicial por falsa identificación con el genitivo beréber;[3] de todos modos la filiación W a n d a l u s > ár. A n d a l u s está fuera de duda. Su recuerdo estaba muy vivo entre los españoles de los siglos XVI y XVII: el sevillano Gutierre de Cetina adoptó el nombre poético de *Vandalio*, y el Bachi-

---

3. Véanse J. Bruch, Rev. de Ling. Rom., II, 1926, 73-74, y W. Wycichl, Al-Andalus, XVII, 1952, 449. H. Livermore cree que el paso del estrecho hubo de hacerse por varios puertos y recuerda que el *Ajbar Maǧmua* llama ǧ a z i r a t - a l - a n d a l u s 'isla de los vándalos' al extremo meridional de España (*La isla de los vándalos*, «Actas del II Congreso Internac. de Hispanistas», Nimega, 1967, 387-393). No tiene en cuenta estos estudios M. Vallvé, *El nombre de Al-Andalus*, Anuario de Est. Med., IV, Barcelona, 1967, 361-367.

ller Sansón Carrasco del *Quijote* llama «Casildea de *Vandalia*» a su imaginaria dama sevillana. También hay reliquias toponímicas del pueblo suevo (varios *Suevos* y *Suegos* en Galicia, *Puerto Sueve* en Asturias), cuya influencia lingüística en el norte hubo de ser mucho mayor.

2. Los visigodos eran los más civilizados entre los germanos venidos a la Península. El siglo y medio que habían permanecido en la Dacia y al sur del Danubio, y los casi cien años que duró el reino de Tolosa, les habían hecho conocer la vida romana. No vinieron en gran número: se calcula en unos doscientos mil los que pasaron a España al comenzar el siglo VI, cuando su reino tolosano fue destruido por los francos. Recientes hallazgos arqueológicos indican que la región donde preferentemente se asentaron fue la meseta castellana, desde el norte de Palencia y Burgos hasta Soria, la Alcarria, Madrid y Toledo, con la actual provincia de Segovia como centro de más intensa colonización.[4]

La asimilación de los visigodos no progresó grandemente hasta mucho después de su instalación definitiva en el suelo español. Al principio evitaron la mezcla con los hispanorromanos; estaban prohibidos los matrimonios mixtos; el arrianismo de los dominadores establecía una división esencial con el catolicismo de los dominados; y los dos pueblos rehuían la convivencia hasta el punto de agruparse en núcleos diferentes, como demuestran los nombres de lugar *Godos, Revillagodos, Gudillos, Godojos, Godones, Gudín, Gudino, Goda*, de una parte, y de otra, *Romanos, Romanillos, Romanones, Romancos*.[5] Pero desde la abjuración de Recaredo (589), la actitud de los visigodos empezó a cambiar. La teocracia toledana conquistó las capas superiores de la sociedad goda y constituyó el más firme apoyo del poder real. Y al fin se llegó a la unificación jurídica para los individuos de ambas procedencias (h. 655).

La romanización de los visigodos no significa que éstos, como pueblo, careciesen de vigor. Perdieron, sí, la postura intransigente de dominio y se debilitó en ellos el sentido particularista de raza: Hispania no se llamó Gotia, mientras que Galia se convirtió en Francia. La fusión con los hispano-

---

4. Véase W. Reinhart, *Sobre el asentamiento de los visigodos en la Península*, Archivo Español de Arqueología, XVIII, 1945, 124-138.

5. R. Menéndez Pidal, *Orígenes del español*, § 103.

rromanos tuvo resultados de valor nacional superior: gracias a los visigodos, la idea de la personalidad de Hispania como provincia se trocó en conciencia de su unidad independiente. Transformaron las costumbres y el
derecho, y trajeron la simiente de la inspiración épica. Si durante el siglo VII es evidente la decadencia del reino toledano, que se derrumba como
un castillo de naipes al surgir la invasión árabe, la impronta visigótica está
grabada en muchas instituciones medievales y en la epopeya castellana.

§ 29. EL ELEMENTO VISIGODO EN ESPAÑOL

1. La influencia lingüística de los visigodos en los romances hispánicos no
fue muy grande. Romanizados pronto, abandonaron el uso de su lengua,
que en el siglo VII se hallaba en plena descomposición. No hubo en España
un período bilingüe tan largo como en Francia. El elemento visigodo no
parece haber influido en la fonética española: las palabras góticas adapta-
ron sus sonidos a los más próximos del latín vulgar o del romance primitivo, y por lo general sufrieron los mismos cambios que las hispano-latinas.
Hay excepciones, sin embargo: por ejemplo, *rapar*, *brotar*, *espeto*, *hato*, no
han sonorizado las oclusivas intervocálicas, tal vez porque los sonidos góticos eran más consistentes que los correspondientes latinos. En la morfología sólo queda el sufijo - i n g > *-engo*, en unos cuantos derivados de voces
latinas, como *abadengo*, *realengo*, *abolengo*.

2. La mayoría de los vocablos peninsulares de origen gótico tienen correspondientes —de igual procedencia o francos— en italiano, provenzal
o francés; así ocurre con los ya citados *albergue*, *espuela*, *guarecerse*, *tregua*,
tejón, y con *bramar* (< *b r a m ô n), uno de los germanismos más extendidos por la Romania. De los goticismos hispanos, unos estaban incorporados
al latín vulgar; los más datan del tiempo en que los ostrogodos dominaban
Italia y los visigodos el sur de Francia. Incluso los que no han dejado rastro
más que en la Península pueden haber penetrado en España latinizados
ya. Las etimologías góticas que se han propuesto para voces españolas pasan del centenar, pero escasean las seguras. La mayoría son reconstruccio-
nes basadas en las correspondencias habituales entre la fonología del gótico
y la de otras lenguas germánicas; en no pocos casos se les han opuesto en los

últimos años etimologías latinas arriesgadas o plausibles.[6] Entre los goticismos más probables —no controvertidos o que no han sido objeto de explicación más convincente— se encuentran representantes del derecho, como
el verbo *lastar* 'sufrir o abonar por otro' (< *l a i s t j a n o *l a i s t ô n 'seguir los pasos de alguien'), *sacar* (< s a k a n 'pleitear') y *sayón* (< s a g i o ,
s a i o , latinización de *s a g j i s 'notificador, ejecutor, ministro inferior
de justicia'). Los textos de la época dan títulos godos a los dignatarios, pero
sólo sobrevive *escanciano*, forma latinizada de *s k a n k j a ; el verbo
correspondiente, s k a n k j a n , es origen del esp. *escanciar*. La vida guerrera conservó *guardia*, *guardián* (< w a r d j a) y *espía* (< *s p a i h a). La
indumentaria, *ropa* (< *r a u p a), *hato* (< *f a t), *ataviar* (< *a t t a u j a n
'disponer, aparejar') y el antiguo *luva*, *lúa* 'guante' (< l ô f a 'palma de la
mano'). La agricultura, ganadería, ajuar e industrias domésticas ofrecen
brote, *brotar* (< *b r ŭ t), *parra* (< *p a r r a), *casta* (< *k a s t 'grupo de
animales'), *esquila* (< *s k i l l a), *esquilar* (< *s k a i r a n), *sera* y *serón*
(< *s a h r j a), *tapa* (< *t a p p a), *espeto* (< *s p i t u s), *aspa* (< *h a s p a
'devanadera') y *rueca* (< *r ŭ k k a).[7] De ascendencia gótica son los nombres de animales *ganso* (< *g a n s) y probablemente *gavilán* (< g a b i l a

6. Véanse E. Gamillscheg, *Historia lingüística de los visigodos*, Rev. de Filol. Esp., XIX,
1932, 117-150 y 224-260; *Romania Germanica*, I, 1934, y *Germanismos*, «Enciclop. Ling.
Hisp.», II, 1967, 79-91; J. Corominas, *Dicc. crít. etim. de la l. cast.*, 1954 (lista de germanismos y goticismos en el t. IV, 1195-1196); y numerosos artículos de Harri Meier, entre ellos
Sobre o superstrato visigótico no vocabulário hispano-português, «Actas do IX Congresso Internac. de Ling. Rom.», Lisboa, 1961, 67-70; *Zwei rom. Wortfamilien*, Romanistisches Jahrbuch, IX, 1958, 269-281; *Lateinisch-Romanisches*, *ibid.*, X, 1959, 281-284, y XI, 1960, 289-
292; *Entfernte Verwandte*, Romanische Forschungen, 71, 1959, 250-253; *Neue vulgärlateinische
Verben der Bewegung*, *ibid.*, 77, 247-258; *Zur Geschichte der Erforschung des germanischen Superstratwortschatzes im Romanischen*, «Sprachliche Interferenz. Festschrift f. W. Betz»,
Tubinga, 1977, 292-334; etc.

7. El diptongo de *rueca* y la /ǫ/ del ital. *rocca* y de los retorromanos *rocha*, *rokja*, etc.,
reclaman *r ǫ k k a , no *r ŭ k k a . Se ha pensado en un cruce con el equivalente latino
c ŏ l u s . De no aceptarse esto, habría que pensar en un origen no gótico, sino germano occidental *r ǫ k k a ; así Corominas, *Dicc. crít. etim.*, IV, 78-81. Más difíciles son de aceptar
la hipótesis de un cruce con el lat. r ŏ t a , o la etimología *r ŏ t ĭ c a de K. Maurer (Roman.
Jahrb., IX, 1958, 282-298), pues la rueca no rueda, aunque los profanos la confundan a menudo con el huso o la devanadera.

'horcón', por la forma de las garras). Por su valor emocional o vigor expresivo arraigaron g a s a l i a 'compañero' (> *agasajar*), *u f j o 'abundancia, exceso' (> *ufano, ufanía*) y *g a n ô 'avidez' (> *gana*). Añádanse, finalmente, verbos como *h r a p ô n 'arrancar' (> *rapar*), *t h r i s k a n 'pisotear, trillar' (> *triscar*), etc.

3. La onomástica española cuenta con buen número de nombres visigodos acomodados a la fonética y morfología latinas y romances.[8] Muy característicos son los compuestos cuya significación alude a la guerra, al valor personal, fama u otras cualidades relevantes: a l l 'todo' y w a r s 'prevenido' formaron *Álvaro*; f r i t h u 'paz, alianza' y n a n t h 'atrevido', F r i d e n a n d u s (> *Fernando*); h r o t h s 'fama' y r i k s 'poderoso', R o d e r i c u s (> *Rodrigo*); el mismo elemento inicial y s i n t h s 'dirección', dieron R u d e s i n d u s (> *Rosendo*); h a r j i s 'ejército' y m ē r i s 'famoso', *Argimiro*; *Elvira* (< G e l o v i r a) viene de g a i l s 'alegre, satisfecho', y w ē r s 'fiel'; la raíz primera de *Gonzalo* o *Gonzalvo* (< G u n d i s a l v u s) es g u n t h i s 'lucha'; A d e f o n s u s , I l d e f o n s u s y A l f o n s u s (de h a t h u s , h i l d s 'lucha' o a l l 'todo' y f u n s 'preparado'), han coincidido en *Alfonso*; *Adolfo* (< A t a u l f u s), *Ramiro*, *Bermudo*, *Galindo* y otros más son también de origen gótico.

4. Muchos restos de onomástica visigoda se conservan fosilizados en la toponimia. Las villas y fundos tomaban el nombre de su poseedor, indicado en genitivo latino; tal es el origen de *Guitiriz* (< Witerici), *Mondariz*, *Gomariz*, *Rairiz*, *Allariz*, *Gomesende*, *Hermisende*, *Guimarães* (< V i m a r a n i s), *Aldán*, *Gondomar* (< G u n d e m a r i), *Sendim* (< S e n d i n i), concentrados principalmente en Galicia y norte de Portugal. Esas regiones, que habían pertenecido al reino suevo, sirvieron de refugio a los visigodos

8. Para este apartado y los que siguen, véanse los estudios de E. Gamillscheg citados en las notas 1 y 6, así como los de W. Meyer-Lübke, *Romanische Namenstudien*, Sitzungsb. der k. Akad. der Wiss., Viena, 1904 y 1917; G. Sachs, *Die germanischen Ortsnamen in Spanien und Portugal*, Jena, 1932; J. M. Piel, *Os nomes germânicos na toponimia portuguesa*, Lisboa, I, 1937, y II, 1945; *Antroponimia germánica* y *Toponimia germánica*, «Encicl. Ling. Hisp.», I, 1960, 422-444 y 531-560; *Neue Beiträge zur galicisch-westgotischen Toponomastik*, «Sprache und Geschichte. Festschrift für H. Meier», Múnich, 1971, 373-401; A. Moralejo Lasso, *Toponimia gallega y leonesa*, Santiago de Compostela, 1977; Mercedes Etreros, *Toponimia germánica en la provincia de León*, Archivos Leoneses, 1978, 53-64, etc.

cuando huyeron de la invasión árabe; Alfonso I asentó allí a los que trajo de las tierras por él devastadas en la meseta.[9] Más extendidos están, aunque menos abundantes, los compuestos de un nombre común latino y otro propio visigodo como *Casanande*, *Castrogeriz* (< C a s t r u m   S i g e r i c i), *Villafáfila*, *Villeza* (< v i l l a   d e   A g ĭ z a), *Villasandino*, *Villalán* (< v i - l l a   E g i l a n i), etc.

5. Aunque el patronímico español en *-ez*, *-iz* sea de origen prerromano (véase § 5₂), su propagación o consolidación hubo de ser ayudada por los numerosos genitivos góticos latinizados en - r i c i > *-riz* (R o d e r i c i , S i g e r i c i , G u n t e r i c i , etc.) que se ponían a continuación del nombre individual para indicar el paterno.[10]

6. Los masculinos germánicos en -a poseyeron una declinación en -a, -a n i s , cuyos restos sobrevivían en el siglo XIII (*Cíntila-Cintillán*) y todavía se ven en *Froilán* al lado de *Fruela*, o en topónimos como el citado *Guimarães*.

§ 30. EL ROMANCE EN LA ÉPOCA VISIGODA

1. La importancia de las invasiones germánicas para la historia lingüística peninsular no consiste en los escasos elementos góticos o suevos que han subsistido en los romances hispanos. El hecho trascendental fue que a raíz de las invasiones sobrevino una grave depresión de la cultura y se dificultaron extraordinariamente las comunicaciones con el resto de la Romania. El latín vulgar de la Península quedó abandonado a sus propias tendencias. Además, los ciento setenta y cinco años que duró el reino suevo hasta su conquista por Leovigildo (585) y la constante insumisión de los cántabros supusieron barreras políticas que hubieron de ahondar las nacientes divergencias regionales del habla. Ahora bien, de las siete centurias que median entre el fin del mundo antiguo y los primeros monumentos conservados de las literaturas románicas peninsulares, el período visigótico es el menos conocido en cuanto se refiere a los fenómenos de lenguaje. Los es-

9. R. Menéndez Pidal y A. Tovar, *Sufijos en «z», especialmente los patronímicos*, Bol. R. Acad. Esp., XLII, 1962, 380-381.

10. *Ibid.*, 378-379.

critores hispano-godos usan el bajo latín, igual que las leyes, redactadas por eruditos. Sólo san Isidoro proporciona datos acerca del habla vulgar, pero se limitan casi exclusivamente al léxico. Faltan para la época visigoda los documentos notariales, que tanta luz arrojan sobre los cambios lingüísticos ocurridos en Galia durante el dominio merovingio y sobre el español durante los primeros siglos de la Reconquista. Sólo muy parcialmente llenan algo de ese vacío las pizarras escritas que se han encontrado en tierras de Ávila, Salamanca y Cáceres, y alguna en el noroeste de Asturias. Hay entre ellas misivas, conjuros y hasta algún borrador de texto importante, como el testamento del rey Wamba. Son muy difíciles de leer e interpretar. Su latín bárbaro muestra frecuentes confusiones en la declinación y abunda en grafías como *fibola*, *tegolas*, *custudiat*, *tonica* 'túnica', que atestiguan la igualación de /ŭ/ y /ō/; *Fielius*, *Flaina*, con su /d/ y su /v/ intervocálicas perdidas; *Bitorius*, *oliba* y *sourjno*, con /b/ y /v/ indistintas; o *ualiente* por *ualente*, prueba del acercamiento morfológico entre las conjugaciones - ē r e e - ī r e , si no lo es de la diptongación de /ĕ/ en /ie/, etc.[11]

2. Gracias a los dialectos mozárabes sabemos, aunque imprecisamente, el punto a que había llegado la transformación del latín vulgar de España a principios del siglo VIII. Veamos algunos de los procesos fonéticos que estaban gestándose en ese momento:

Proseguían los cambios consonánticos iniciados en el latín vulgar. La sonorización de las sordas intervocálicas ofrece los ejemplos p o n t i f i - c a t u s > *pontivicatus* y e c (c) l e s i a e > *eglesie* en inscripciones béticas de los años 665 y 691. La resistencia culta contra el fenómeno debía de ser grande, y por espacio de varios siglos continuó la fluctuación.[12]

El grupo /c + yod/ había llegado seguramente a la misma pronunciación dento-alveolar que /d + yod/ precedido de consonante o que /t + yod/ (c a l c ĕ a > /kalŝa/, igual que v ĭ r d ĭ a > /berŝa/ o p o t i o n e > /poŝo-

11. Véase M. Gómez-Moreno, *Documentación goda en pizarra*, Madrid, R. Acad. Hist., 1960. De gran interés son las *Notas sobre fonética del latín visigodo* de Juan Gil (Habis, I, 1970, 45-86), que añaden a los datos de estas pizarras los de inscripciones y manuscritos, así como algunos procurados por etimologías isidorianas.

12. Véanse W. Meyer-Lübke, *La sonorización de las sordas intervocálicas latinas en español*, Revista de Filología Española, XI, 1924; R. Menéndez Pidal, *Orígenes del español*, § 46, y H. Lausberg, Romanische Forschungen, LXI, 1948, 131.

ne/). En los demás casos la evolución de la /c/ ante /e/, /i/ estaba más retrasada: su palatalización se hallaba todavía en curso en el siglo vɪ, pues alcanzó a muchos nombres propios visigodos; por eso no tienen hoy pronunciación velar, sino dental o interdental, los topónimos portugueses *Cintães*, *Sintião* (< K h i n t ĭ l a), los gallegos *Cende*, *Cendemil* (< K h i n t h s) o el burgalés *Rezmondo* (< R i k i m ŭ n d s).[13] El sonido procedente de /ć/ o /k̑/ presentaba distintos grados de evolución: en pizarras escritas aparecen *anzila* y *quatorze* por a n c i l l a y q u a t u o r d e c i m ,[14] con grafía propia de articulación dental [ŝ] o [ẑ]; pero los resultados mozárabes prueban que dominaba aún el grado palatal [ĉ], como en italiano (c e r v u > /ĉervo/ o /ĉiervo/, p a c e > /p a ĉ e /). Es posible que tanto esta /ĉ/ como la /ŝ/ descendiente de /t + yod/ y /c + yod/ se sonorizasen entre vocales, haciéndose entonces, respectivamente /ǧ/ y /ẑ/.

En los grupos de consonantes / c ' l /, resultante de / - c (ŭ) l - / o /- t (ŭ) l - / se convirtió en la palatal lateral /ʎ/, lo mismo que / - g (u) l - / y /l + yod/: a u r i c u l a > o r i c l a > /oreʎa/; v e t ŭ l u > v e c l u > /veʎo/ o /vieʎo/; t e g ŭ l a > t e g l a > /teʎa/; f i l i u > /fiʎo/.[15] En vez de -ct- una pizarra escribe sólo -t- en *Bitorius* y otra en *protetorato*:[16] acaso reflejen imperfectamente la relajación de la /k/ implosiva en [χ] o ya su ulterior transformación en [i̯], pues siglos más tarde los mozárabes decían [noχte] y [noi̯te] o [nwei̯te] (< n ŏ c t e); paralelamente decían también, de m a x ĭ l l a , [maχ-seḷa] y [mai̯šeḷa] formas que cabe suponer existentes en la época visigoda.

3. Otros fenómenos asomaban solamente en determinadas regiones y marcan el principio de la escisión dialectal. Es probable que al final de la

13. Véanse Amado Alonso, *Correspondencias arábigo-españolas en los sistemas de sibilantes*, Rev. de Filol. Hisp., VIII, 1946, 12-76; W. Meyer-Lübke, *La evolución de la «c» latina delante de «e» e «i»*, Rev. de Filol. Esp., VIII, 1921, 225-251, y E. Gamillscheg, *Romania Germanica*, II, 1935, 51. La conservación de la /k/ velar en los topónimos *Requião*, *Quende*, *Quendemil*, etc., puede explicarse por el apego que los visigodos sentirían por su pronunciación tradicional, deformada por la palatalización en las adaptaciones romanizadas.

14. Gómez-Moreno, *op. cit.*, 47 y 86.

15. En la extrañísima pizarra XLVI (Gómez-Moreno, p. 86), encontrada en el occidente de Asturias, hay un *obegiam*, que, de no ser errata inscriptoria por *obeglam* < o v i - c ŭ l a m , plantearía graves problemas respecto a la evolución del grupo / c' l /.

16. Gómez-Moreno, 23 y 54.

época visigoda el habla de la Tarraconense hubiera comenzado a reducir a /e/, /o/ los diptongos latinos /ai/, /au/ y fundiera en /m/ el grupo /mb/ (c a - r r a r i a > *carraira* > *carrera*; a u r u > *oro*; p a l ŭ m b a > *paloma*, c o - l ŭ m b a > cat. *coloma*; véase § 24₃). Por el contrario, la Bética, Toledo, Valencia, Lusitania y Gallaecia conservaban los estados primarios /ai/, /au/, /mb/, según veremos en el capítulo VII.

Desde que la corte visigótica se estableció en Toledo, el centro cultural, político y lingüístico de la Península no estuvo en las comarcas primera y más hondamente romanizadas, Bética y Tarraconense, sino en la región central. En ella debió de cundir la diptongación de /ĕ/ y /ŏ/ tónicas según el proceso atestiguado ya en el latín imperial (§ 18₁); la diptongación debía de ser vacilante, con alternancia de [ie], [ia] para /ĕ/, [uo], [uö], [ua], [ue] para /ŏ/, e inseguridad en el acento (*sierra, siarra o síerra, síarra*; *buono, buöno, bueno, buano*, o *búono, búeno, búano*) según ocurre hoy en los dialectos más arcaizantes. Alternaban *sierra* y *siarra*, *buono, bueno* y *buano*. Esta diptongación espontánea de /ĕ/ y /ŏ/ no alcanzó a la Tarraconense oriental; amplias regiones de la Bética y Lusitania, así como el oeste de la Gallaecia, permanecieron fieles al último vocalismo del latín vulgar, sin conocer tampoco la alteración producida en el centro.

El tratamiento de ambas vocales cuando iban seguidas de yod establece otro criterio de división dialectal. El castellano no tiene diptongo en este caso (p ŏ d ĭ u > *poyo*, ŏ c (ŭ) l u > *ojo*, s ĕ d ĕ a t > *sea*); pero en el resto de la zona central la yod no fue obstáculo para el nacimiento del diptongo (leonés y aragonés *pueyo, güeyo, güeḽo, sieya*; moz. *ueḽo*). En catalán la yod tuvo efectos contrarios a los que aparecen en castellano, ya que sólo ante yod se ha dado el paso de /ĕ/, /ŏ/ a /ie/, /ue/, reducidos muy pronto a /i/, /u/ (f ŏ l ĭ a > [*fueḽa] > *fulla*; l ĕ c t u > [*ḽieito] > *llit*). La diptongación ante yod se extendía, por tanto, desde León y Toledo hasta el Mediterráneo, con excepción de Castilla.[17]

---

17. Es difícil admitir la hipótesis, sostenida por F. Schürr (véase § 18, n. 9), de que el castellano primitivo diptongara también /ŏ/ /ĕ/ ante yod y antes del siglo x redujese los diptongos de [*uoḽo], [*fuoḽa], [*sieya], [*lieito] a las vocales cerradas de [oḽo], [foḽa], [seya], [ḽeito]: véanse Diego Catalán y Álvaro Galmés, *La diptongación en leonés*, Archivum, IV, 1954, 99-102 y 115-117, y Dámaso Alonso, *La fragmentación fonética peninsular*, Encicl. Ling. Hisp., I, Supl., 1962, 41-42.

Difusión parecida debió de lograr el refuerzo de la /l/ inicial, que se hizo geminada y llegó más tarde a palatalizarse en las mismas regiones (l u p u , l u n a > leon. *llobu, lluna*; cat. *llop, lluna*; l i n g u a > leon. *llengua, llingua*; cat. *llengua*; moz. *yengua*; véase § 22₃).

4. El romance que se hablaba en España al terminar la época visigoda se hallaba en un estado de formación incipiente, con rasgos muy primitivos. Ofrecía grados iniciales por los que han atravesado otros romances, como la /ĉ/ o /ǧ/ de /ĉerasia/, /raǧimo/, intermedias entre la /ĉ/ latina y la asibilación; la /y/ (*yenesta, yermano*), primer resultado de la /ǵ/ latina vulgar; o la [χ] de [noχte], [maχseḷa]. No se había diferenciado grandemente de los romances extrapeninsulares, pues las soluciones /ḽ/ y /ņ/ de /fiḷo/, /viņa/, /ḽ/ de /oḷo/ - /ueḷo/, /veḷo/ - /vieḷo/ e /it/ de /noite/, /faito/, o databan del latín vulgar, u ocupaban casi todo el occidente de la Romania. Como hispanismos específicos pueden señalarse la diptongación de /ŏ/ y /ĕ/ en sílaba trabada (*puerta, siete* < p ŏ r t a m , s ĕ p t e m) y la geminación o palatalización de /l/ inicial (l i n g u a > *llengua*); y estos dos fenómenos ni eran generales en la Península, ni carecían totalmente de paralelos fuera.

5. Por encima de las variantes regionales, todavía poco acusadas, existía en el español naciente una fundamental unidad, representada por la conservación de /f/ y /y/ iniciales (*farina, yenesta*), y por los recién enumerados paradigmas /fiḷo/, /oḷo/, /vieḷo/, /noχte/, /faito/. Ahora bien, estos fenómenos comunes eran radicalmente distintos a los que más tarde habían de propagarse con la expansión castellana (*harina, hiniesta, hijo, ojo, viejo, noche, hecho*). Formas como *auro, carraira, palomba* y *pueyo*, opuestas también a las castellanas *oro, carrera, paloma* y *poyo*, ocupaban las mayores áreas del territorio peninsular. Se hablaba, pues, un romance precastellano. Tal vez en las montañas de Cantabria, teatro de frecuentes insurrecciones, apuntaran indicios de un dialecto nuevo; pero, dado que así ocurriera, no debían de rebasar los límites comarcales.[18]

---

18. Menéndez Pidal, *Orígenes*, § 103; M. Rabanal Álvarez, *La lengua hablada en tiempos de San Isidoro*, Archivos Leoneses, 1970, 1-15.

V

LOS ÁRABES Y EL ELEMENTO ÁRABE
EN ESPAÑOL[1]

§ 31. LA CIVILIZACIÓN ARÁBIGO-ESPAÑOLA

Cuando empezaba a consolidarse el aluvión germánico en Occidente, las tribus dispersas de Arabia, electrizadas por las doctrinas de Mahoma, encontraron un credo y una empresa aglutinante: la guerra santa. En menos de medio siglo se adueñaron de Siria, Persia, el norte de África y Sicilia; siete años les bastaron para conquistar España, y a continuación cayó en sus manos casi todo el Mediodía de Francia. Frente a la Europa cristiana y romano-germánica se alza el islam, que será su rival y a la vez su estímulo y complemento. Dos civilizaciones sostendrían en España una contienda prolongada y decisiva.

Los árabes, sirios y berberiscos que invaden la Península no traen mujeres: casan con hispano-godas, toman esclavas gallegas y vascas. Entre los musulmanes quedan muchos hispano-godos, los mozárabes, conservadores del saber isidoriano: unos consiguen cierta autonomía; los más exaltados sufren persecuciones y martirio; otros se islamizan; pero todos influyen en la España mora, donde se habla romance al lado del árabe, cunden relatos épicos sobre el fin de la monarquía goda y personajes mozárabes relevantes, se cantan villancicos romances y nace un tipo de canción lírica, el zéjel, en metro y lenguaje híbridos. El arco de herradura, característico de las construcciones visigodas, pasa a la arquitectura arábiga.

1. Véanse las excelentes exposiciones de conjunto, con rica bibliografía, de K. Baldinger, *La formación de los dominios lingüísticos en la Península Ibérica*, Madrid, 1972, 62-91 y 402-405, y Julio Samsò, *Los estudios sobre el dialecto andalusí, la onomástica hispanoárabe y los arabismos en las lenguas peninsulares desde 1950*, Índice Histórico Español, XVI, Barcelona, 1970 [1977], XI-XLVII.

Córdoba se convierte pronto en el centro de una brillantísima civilización islámica; florecen la agricultura e industrias y el comercio alcanza gran desarrollo. La vida es cómoda y refinada; el lujo y los festines alternan con la música, la danza y la poesía más exquisita. Califas y reyes de taifas reúnen copiosas bibliotecas, como la de Alhákem II, y protegen a los sabios. En Oriente, los árabes recogen las matemáticas indias, la ciencia y la filosofía griegas, e imprimen a todas sello propio.

En la Península, los primeros en sentir el influjo de la cultura musulmana son, naturalmente, los mozárabes; aun los que siguen profesando el cristianismo escriben a veces en árabe y suelen tomar nombres árabes. Les siguen los cristianos del norte, movidos por el ejemplo de los emigrados que acogen en sus reinos. En los siglos x y xi abundaban en León y Castilla nombres como *Abolmondar*, *Motárrafe*, *Ziti*, *Abohamor*; había quien, en vez de emplear el patronímico romance, indicaba el linaje anteponiendo *ibn* 'hijo de' al nombre paterno, según la costumbre semítica; así se formaron apellidos como *Benavides*, *Benigómez*. A la arquitectura ramirense de Santa María de Naranco sucede el predominio de la mozárabe; en los inventarios eclesiásticos aparecen citas numerosísimas de enseres, telas, joyas y preseas venidas del sur.[2] Sancho I de León va a la corte de los califas para que los médicos andalusíes curen su obesidad; Alfonso V sostiene talleres donde se fabrican tejidos morunos; y el conde castellano Sancho García recibe a los legados cordobeses vestido a usanza mora y sentado en cojines.

Al avanzar la Reconquista caen en poder de los cristianos Toledo (1085) y Zaragoza (1118), comarcas bien pobladas, con vida y tráfico intensos. Los mozárabes que las habitan están fuertemente arabizados y el contingente moro que permanece en ellas es muy numeroso. Los mudéjares y moriscos de las regiones que se van ocupando conservan sus creencias, instituciones, costumbres y hasta el uso de su lengua. El arzobispo don Raimundo (1125-1152) funda en Toledo la célebre escuela de traductores, y Alfonso el Sabio (rey de 1252 a 1284) reúne en su corte sabios judíos, conocedores de la ciencia árabe, al lado de los letrados cristianos. El renacimiento europeo del si-

---

2. Véanse M. Gómez-Moreno, *Iglesias Mozárabes. Arte español de los siglos IX al XI*, Madrid, 1919, y A. Steiger, *Zur Sprache der Mozaraber*, en «Sache, Ort und Wort. Festschrift Jakob Jud», Romania Helvetica, 20, 1943.

glo XII y la escolástica traban conocimiento con Aristóteles, Hipócrates y Dioscórides por medio de Avempace y Averroes, Avicena y los botánicos árabes.[2bis]

§ 32. EL HISPANO-ÁRABE Y SUS VARIEDADES

El dialecto de los musulmanes andalusíes ofrecía peculiaridades que lo caracterizaban frente a las otras variedades geográficas del árabe. Dentro del Ándalus existían diferencias regionales, así como divergencias entre el uso urbano y el campesino. Tales dialectalismos extensos o limitados eran propios del lenguaje vulgar, que además incorporaba multitud de préstamos romances tomados de los mozárabes. El lenguaje escrito procuraba mantenerse fiel al árabe clásico, o por lo menos al llamado «árabe medio», koiné bajo la cual se transparenta a veces la lengua hablada subyacente.[3] Pero hubo poetas y géneros poéticos que cultivaron artísticamente el dialecto vulgar y aun la mezcla de árabe y romance: así ocurría en la m u w a š š a h a o moaxaja y en el z a ǧ a l o zéjel, géneros cuya invención se atribuye a dos poetas de Cabra, el ciego Muhammad ben Hammud o Mahmud, y Muqqadam o Mocádem ben Muʿafa, contemporáneo del emir Abdalá (muerto en 912) (véase § 49). La elaboración poética del dialecto, con inserción de abundantes romancismos, se ve ya en Muhammad ben Masʿud (primera mitad del siglo IX), pero culmina en el Cancionero de Ben Quzmán (h. 1080-1160), el más extraordinario poeta de la España musulmana.[4]

2 bis. R. Menéndez Pidal, *España y la introducción de la ciencia árabe en Occidente*, Segovia, 1952, y *España, eslabón entre la Cristiandad y el Islam*, Col. Austral, 1956, 33-60; W. Montgomery Watt, *The Influence of Islam on Medieval Europe*, Edimburgo, 1972; Juan Vernet, *La cultura hispanoárabe en Oriente y Occidente*, Barcelona, 1978.

3. Véanse Amador Díaz García, *El dialecto árabe hispánico y el «Kitāb fī laḥn al-ʿāmma» de Ibn Hišām al-Lajmī*, Tesis doct. de la Univ. de Granada, 56, 1973; Federico Corriente, *A Grammatical Sketch of the Spanish Arabic Dialect Bundle*, Madrid, 1977, y J. Samsó, *Los estudios* (véase nota 1), XIII-VX.

4. Edición, traducción y estudio magistrales de Emilio García Gómez, *Todo Ben Quzmān*, 3 vols., Madrid, 1972 (artículos-reseña de J. Corominas, Al-Andalus, XXXVI, 1971, 241-254, y de A. Galmés de Fuentes, Rom. Phil., XXIX, 1975, 66-81); F. Corriente, *Gra-*

§ 33. VOCABULARIO ESPAÑOL DE ORIGEN ÁRABE[5]

El elemento árabe fue, después del latino, el más importante del vocabulario español hasta el siglo xvi. Sumando el léxico propiamente dicho y los topónimos, no parece exagerado calcular un total superior a cuatro mil formas.[5bis]

1. La guerra proporcionó muchos términos: los moros organizaban contra los reinos cristianos expediciones anuales llamadas *aceifas*, además de incesantes correrías o *algaras*; iban mandados por *adalides*; los escuchas y centinelas se llamaban *atalayas* y la retaguardia del ejército, *zaga*. Entre las

---

mática, métrica y texto del canc. hisp.-ár. de Aban Quzmán, Madrid, 1980; E. García Gómez y F. de la Granja, *Muḥammad ben Masʿūd, poeta herbolario del s. XI, vago predecesor de Ben Quzmān*, Al-Andalus, XXXVII, 1972, 405-443. El caudal de romancismos usados por Ben Quzmán suma unos doscientos, referentes a los campos léxicos más diversos; incluye instrumentos gramaticales como pronombres, adverbios, preposiciones y conjunciones, y hasta no pocas frases enteras. Sobre la invención de la moaxaja y su terminología, véase B. Dutton, *Some new evidence for the romance origins of the muwashshahas*, Bull. of Hisp. Studies, XLII, 1965, 73-81. Para las jarchas o estrofas finales, generalmente bilingües, de estas composiciones, véase nuestro § 49 y la bibliografía que allí se menciona.

5. Véanse R. Dozy y W. Engelmann, *Glossaire des mots espagnols et portugais dérivés de l'arabe*, Leiden, 1869; L. de Eguílaz, *Glosario etimológico de las palabras españolas de origen oriental*, Granada, 1886; E. K. Neuvonen, *Los arabismos del español en el siglo XIII*, Helsinki, 1941; A. Steiger, *Aufmarschstrassen des morgenländischen Sprachgutes*, Berna, 1950; *Origin and Spread of Oriental Words in European Languages*, Nueva York, 1963, y *Arabismos*, «Encicl. Ling. Hisp.», II, Madrid, 1967, 93-126; G. B. Pellegrini, *L'elemento arabo nelle lingue neolatine, con particolare riguardo all'Italia*, «Settimane di Studio del Centro Italiano dell'Alto Medioevo», Spoleto, 1965, 705 y ss; C. Maneca, *A proposito dei prestiti lessicali arabi dello spagnuolo*, Revue Roumaine de Linguistique, XII, 1967, 369-374; M. Lärinczi, *Acerca del cambio semántico de las palabras españolas de origen árabe*, ibid., XIV, 1969, 65-75; F. Marcos Marín, *Arabismos en Azorín y Doce nuevos arabismos para el Diccionario Histórico*, Al-Andalus, XXXIV, 1969, 143-158 y 441-450; John K. Walsh, *Notes on the Arabisms in Corominas' DCELE*, Hisp. Rev., XLII, 1974, 323-331.

5 bis. Los arabismos léxicos cuya etimología está identificada comprenden unas 850 palabras españolas sobre las que se han formado unas 780 derivadas. Sus variantes formales son muy numerosas, lo mismo que los vocablos de aspecto árabe cuya filiación concreta no ha sido aún establecida. Añádase más de un millar de topónimos seguros y casi quinientos probables.

armas figuraban el *alfanje* y la *adarga*; los saeteros guardaban las flechas en la *aljaba*; y la cabeza del guerrero se protegía con una malla de hierro o *almófar*. Fronteras y ciudades estaban defendidas por *alcazabas*, con almenas para que se resguardaran los que disparaban desde el *adarve*. Novedad de los musulmanes fue acompañar sus ataques o *rebatos*[6] con el ruido del *tambor*; sus trompas bélicas eran los *añafiles*. La caballería mora seguía táctica distinta que la cristiana: ésta era más firme y lenta; aquélla, más desordenada y ágil. Los *alféreces* o caballeros montaban a la *jineta*, con estribos cortos, que permitían rápidas evoluciones, y espoleaban a la cabalgadura con *acicates*. Entre sus caballos ligeros o *alfaraces* había muchos de color *alazán*; la impedimenta era llevada por *acémilas*, y en los arreos de las bestias entraban *jaeces*, *albardas*, *jáquimas* y *ataharres*.

2. Los moros eran hábiles agricultores: perfeccionaron el sistema romano de riegos, que aprendieron de los mozárabes; de ahí los nombres de *acequia*, *aljibe*, *alberca*, *azud*, *noria* y *arcaduz*. En sus *alquerías* y *almunias* se cultivaban *alcachofas*, *algarrobas*, *alubias*, *zanahorias*, *chirivías*, *berenjenas*, *alfalfa*. Los campos del Ándalus dieron productos desconocidos hasta entonces en Occidente, como el *azafrán*, la caña de *azúcar* y el *algodón*. La paja de las mieses se guardaba en *almiares*, y en *alfolíes* el grano, que después se molturaba en *aceñas* y *tahonas* mediante el pago de la *maquila*; la *aceituna* se molía en *almazaras*. Cuando los vergeles europeos estaban casi abandonados a la espontaneidad natural, la jardinería árabe llegaba a gran perfección artística. Los castellanos del siglo xv, al soñar con el anhelado rescate de Granada, no encontraban nada comparable a sus jardines: el Generalife era «huerta que par no tenía». En la España mora había patios con *arriates* y surtidores, *azucenas*, *azahar*, *adelfas* y *alhelíes*, encuadrados por setos de *arrayán*. Nombres arábigos de árboles son *almez*, *alerce*, *acebuche*; y hasta en la flora silvestre se introdujeron denominaciones como *jara*, *retama*, *alhucema*, *almoraduj*; las tres últimas en alternancia con las románicas *hiniesta*, *espliego*, *mejorana*.

3. La laboriosidad de los moros dio al español el significativo préstamo de *tarea*. De los telares levantinos y andalusíes salían tejidos como el *barra-*

---

6. J. Oliver Asín, *Origen árabe de «rebato», «arrobda» y sus homónimos. Contribución al estudio de la táctica militar y de su léxico peninsular*, Madrid, 1928.

gán, de lana impermeable, o el *tiraz*, ricamente estampado; además se comerciaba con telas de Oriente: egipcio era el *fustán* y chino el *aceituní* que vestían las hijas del Marqués de Santillana. El verbo *recamar* y el antiguo *margomar* 'bordar' dan fe del prestigio que alcanzaron los bordados árabes. El curtido y elaboración de los cueros dejó *badana*, *guadamacil*, *tahalí*; los cordobanes fueron usados en toda Europa. *Alfareros* y *alcalleres* fabricaban *tazas* y *jarras* con reflejos dorados o vistosos colores, mientras los joyeros, maestros en el arte de la *ataujía*, hacían *ajorcas*, *arracadas* y *alfileres*, o ensartaban el *aljófar* en collares. Muy estimadas eran las preciosas arquetas de *marfil* labrado. Entre los productos minerales que se obtenían en la España mora están el *azufre*, *almagre*, *albayalde* y *alumbre*; y el *azogue* se extraía, como hoy, de los yacimientos mineros de *Almadén*, topónimo que significa 'la mina'.

4. La actividad del tráfico hacía que los más saneados ingresos del erario fueran los procurados por *aranceles* y *tarifas* de *aduana*. *Almacén*, *almoneda*, *zoco*, *alhóndiga*, *recua* y el antiguo *almayal*, *almayar* 'arriero',[7] recuerdan el comercio musulmán. El *almotacén* inspeccionaba pesas y medidas, de las que han perdurado muchas: *arroba*, *arrelde*, *quintal*, *fanega*, *cahíz*, *azumbre*. La moneda de los moros corrió durante mucho tiempo entre los cristianos; el primitivo *maravedí* era el dinar de oro acuñado en las *cecas* almorávides.

5. Las casas se agrupaban en *arrabales*, o bien se diseminaban en pequeñas *aldeas*. A la vivienda pertenecen *zaguán*, *azotea*, *alcoba* y su antiguo sinónimo *alhanía*;[7 bis] la luz penetraba por ventanas con *alféizar*, partidas por *ajimeces*. *Alarifes* y *albañiles* decoraban los techos con artesonados y *alfarjes*; levantaban *tabiques*, ponían *azulejos* y resolvían el saneamiento con *alcantarillas* y *albañales*. El *ajuar* de la casa comprendía muebles de *taracea*, *almohadas*, *alfombras*, *jofainas* y utensilios de cocina como *alcuzas* y *almireces*. Entre los manjares figuraban las *albóndigas* y el *alcuzcuz*, y en la repostería entraban el *almíbar*, el *arrope* y pastas como el *alfeñique* y la *alcorza*.

---

7. F. de la Granja, *Un arabismo inédito: almayar/almayal*, Al-Andalus, XXXVIII, 1973, 483-490.

7 bis. Germán Colón, *El arabismo «alhanía»*, «Studia Hispanica in hon. R. L.», III, 1975, 165-178.

6. Los moros vestían *aljubas* o *jubones*, *almejías*, *albornoces* y *zaragüelles*; calzaban *borceguíes*[8] y *babuchas*. Rezaban cuando el *almuédano*, desde lo alto del *alminar*, tocaba la señal de *zala* u oración. En los ratos libres tañían la *guzla*, el *albogue*, el *adufe* o el *laúd*; se entretenían con el *ajedrez*, y los *tahúres* aventuraban su dinero en juegos de *azar* (< a z - z a h r 'dado'). Los nobles sentían por la caza de altanería igual afición que los señores cristianos; conocían bien los *sacres*, *borníes*, *alcaravanes*, *neblíes*,[9] *alcotanes* y otras aves rapaces para las cuales disponían *alcándaras* o perchas.

7. Los cristianos españoles adoptaron instituciones, costumbres jurídicas y prácticas fiscales de los moros, con la terminología consiguiente: *alcaldes* y *zalmedinas* entendían en los pleitos y juicios; el *alguacil* fue primero 'gobernador', según el significado del árabe a l - w a z ī r 'lugarteniente'; pero descendió más tarde a la categoría de oficial subalterno. En las testamentarías intervenía, como hoy, el *albacea*. Los contratos se formalizaban por medio de documentos o *albalaes* y para festejarlos había convites de robra o *alboroque*. El *almojarife* cobraba impuestos y *alcabalas*.

8. Las matemáticas deben a los árabes grandes progresos. El sobrenombre de A l - χ u w ā r i z m ī, llevado por uno de sus más eminentes cultivadores, dio lugar a *algoritmo* 'cálculo numérico' y *guarismo*. Propagaron la numeración india, y con ella el empleo de un signo para indicar la ausencia de cantidad; el signo en cuestión se llamó s i f r 'vacío', de donde viene el español *cifra*.[10] Iniciaron además el *álgebra*. En la *alquimia* fueron constantes investigadores: instrumentos como el *alambique*, la *alquitara* y la *redoma*; términos tan usuales como *alcohol* y *álcali* hablan de sus esfuerzos para obtener el *elixir* o piedra filosofal. Gran prestigio tuvo la medicina

8. Para las contradictorias etimologías que se han dado a esta palabra, véase Marius Valkoff, *Les mots français d'origine néerlandaise*, 1931, 77, y Corominas, *Dicc. crít. etimol.*

9. Aunque el origen de la palabra pueda ser el latín n i b ŭ l u s , etimología propuesta por Diez y Meyer-Lübke, en hispano-árabe hubo cruce con *leblí*, *neblí* 'de Niebla', registrado como gentilicio por Pedro de Alcalá y, como adjetivo aplicado a una clase de halcones, por Dozy y Engelmann.

10. Además de aplicarse a los signos numéricos en general y a la criptografia, *cifra* era aún equivalente de 'cero' para nuestros clásicos. *Cero* arranca del mismo origen árabe, pero ha venido a través del it. *zero*, que a su vez proviene de z e p h i r u m , z e p h y r u m , adaptaciones bajo-latinas del ár. s i f r .

árabe: la autoridad de Avicena fue reconocida en Europa hasta el siglo xvɪɪɪ, y un refrán español lo proclama supremo curador: «más mató una cena que sanó Avicena». En la terminología médica europea entró n u χ ā ʿ 'médula espinal', que a través del bajo latín n u c h a y quizá influido por el ár. n u q r a 'cogote', ha dado *nuca*; calcos del árabe son *duramadre*, *piamadre* y *bazo*.[11] La farmacia conserva *jarabe*, *alquermes* y muchos nombres de plantas medicinales. La astronomía alfonsí usó muy nutrida nomenclatura arábiga; hoy tienen plena vigencia *cenit*, *nadir*, *auge*, *acimut*, etc., y numerosos nombres propios de estrellas, como *Aldebarán*, *Algol*, *Rigel*, *Vega* y muchos otros.[12]

9. No abundan los adjetivos: *horro*, *mezquino*, *baladí*, *baldío*, *zahareño*,[13] *gandul*; los antiguos *rahez* 'ruin' y *jarifo* 'vistoso'; algunos de color, como *azul*, *añil*, *carmesí*, y pocos más. Del indefinido árabe f u l ā n 'uno', 'cualquiera', procede *fulano* (esp. medieval *fulán*); y m a n k ā n a 'el que sea' dio origen a *mengano*. De verbos, aparte de los numerosos formados sobre sustantivos y adjetivos, hay algunos derivados directamente, como *halagar* (χ a l a q 'pulir'), *acicalar* y el ya citado *recamar*. Partículas de origen árabe son *marras*, *de balde*, *en balde*, *hasta* (de h a t t ā > esp. ant. *fata*, *ata*), la demostrativa *he* de *he aquí*, *hélo*; las interjecciones *hala*, *guay*, *ojalá*, así como la antigua *ya* 'oh' («¡*Ya* Campeador, en buena cinxiestes espada!»), y alguna otra.

10. En el léxico español de procedencia arábiga escasean palabras referentes al sentimiento, emociones, deseos, vicios y virtudes. La religión cristiana apoyaba los términos latinos, y el arabismo, cuando lo hubo, consistió en prestar alguna acepción nueva. Casi sólo las manifestaciones ruidosas de alegría (*alborozo*, *alboroto*, *albuélbola*) y la ceremoniosidad de las saluta-

---

11. H. Schipperges, *Die Assimilation der arabischen Medizin durch das lat. Mittelalter*, Wiesbaden, 1964 (reseña de K. Baldinger, Zeitsch. f. rom. Philol., LXXXII, 197-200); K. Baldinger, *La formación de los dom. ling.*, 1972, 82.

12. Véanse O. J. Tállgren, *Los nombres árabes de las estrellas y la transcripción alfonsina*, «Homenaje a Menéndez Pidal», III, 1925, 633-718; J. García Campos, *De toponimia arábigo-estelar*, Madrid, 1953; P. Kunitzsch, *Untersuchungen zur Sternnomenklatur der Araber*, Wiesbaden, 1961, y *Arabische Sternnamen in Europa*, Wiesbaden, 1959.

13. E. García Gómez, *Paremiología y filología: sobre «zahar» y «zahareño»*, Al-Andalus, XLII, 1977, 391-408.

ciones (*zalema*) dejaron términos árabes en la lengua de los cristianos. Sin embargo, *hazaña* desciende del árabe h a s a n a 'buena obra', 'acción meritoria', con influencia posterior de *fazer*,[14] y *aleve*, del ár. a l 'a i b 'vicio', 'acción culpable'.

11. Como en tantos aspectos de su civilización, también en el léxico fueron los árabes afortunados intermediarios. Transmitieron buen número de voces procedentes de diversas lenguas, y las amoldaron a su fonética igual que el español hizo con los arabismos. De origen sánscrito son, por ejemplo, *alcanfor* y *ajedrez*; los brahmanes de la India aparecen en el *Calila* castellano del siglo XIII con las formas *albarhamiún* y *albarhamín* de su original árabe.[15] Del persa vienen, entre otras, *jazmín*, *naranja*, *azul*, *escarlata*; los helenismos son muchos: ó r y z a > *arroz*, z i z y p h o n > *azufaifa*, d r a c h m é > *adarme*, á m b i x > *alambique*, c h y m e i a > *alquimia*, s i k e l ó s > *acelga*; y abundan las palabras latinas: [m a l u m] p e r s ĭ - c u m > *albérchigo*, m o d i u s > *almud*, c a s t r u m > *alcázar*. Las formas españolas son resultado de una doble adaptación: a la distancia que media entre el latín s i t ŭ l a o el griego t h e r m o s y los árabes a s - s e ţ l , a l - t u r m ŭ s , se ha añadido la deformación que lleva de estos últimos hasta los españoles *acetre*, *altramuz*. Estas deformaciones permiten reconocer los vocablos y nombres geográficos grecolatinos que han pasado a través del árabe. Aparte del artículo árabe a l, que suele anteponerse, la /p/, que no existía en árabe, fue sustituida por /b/ (p r a e c o q u u s > *albaricoque*, [m a l u m] p e r s ĭ c u m > *albérchigo*); la /g/ velar da a veces /ǧ/ sonido análogo al de nuestra antigua *j* palatal: T a g u s > *Tajo*, port. *Tejo*. Fenómeno peculiar del árabe hispano es la *imela* o paso de la /ā/ a /e/ y ulteriormente a /i/; así H i s p a l i s > *Hispalia dio I š b i l i ʸ a, origen de nuestra *Sevilla*.

12. Cuando a raíz de la invasión, los árabes entraron en contacto con los hispano-godos sometidos, tomaron de ellos la /č/ con que articulaban lo

14. J. Corominas, Vox Romanica, X, 67-72, y *Dicc. crít. etim.*

15. Francisco Marcos Marín, *Notas de literatura medieval (Alejandro, Mainete, Marco Polo...) desde la investigación histórica de «brahmán» y sus variantes*, Vox Romanica, XXXVI, 1977, 121-161, y *Notas de historia léxica para las literaturas románicas medievales*, Cuadernos de Investigación Filológica, III, Logroño, 1977, 19-61.

que había sido /č/ latina ante /e/ o /i/. Los árabes conservaron en las voces hispánicas este sonido, incluso después que los mozárabes alternaran las pronunciaciones /ĉ/ y /ŝ/. A esto se debe el predominio de /ĉ/ en las transcripciones árabes de voces romances (*aĉetaira* 'acedera', *ĉerasia* 'cereza', *riĉino* 'ricino'), así como la abundancia de *ch* por *c* en topónimos de las regiones que pertenecieron al Ándalus: *Conchel* (Huesca), *Alconchel* (Zaragoza, Cuenca, Badajoz, Portugal), *Conchillos* (Zaragoza) de c o n c ĭ l ĭ u ; *Escariche* (Guadalajara), *Escriche* (Teruel) del genitivo A s c a r i c i ; *Carabanchel* (Madrid), *Caramonchel* (Portugal); *Elche* < I l ĭ c e (Alicante); *Hornachuelos* < f ŭ r n a c ĕ u (Córdoba); *Turruchel* (Ciudad Real y Jaén, compárese *Torrecilla*); *Aroche* < A r ŭ c c i (Huelva), etc.[16]

§ 34. TOPONIMIA PENINSULAR DE ORIGEN ÁRABE[17]

Es nutridísima, no sólo en las zonas que estuvieron más tiempo bajo el dominio musulmán y donde los núcleos de población morisca fueron más importantes, sino también, aunque con menor intensidad, en la meseta septentrional y el noroeste, reconquistados en época temprana. Recordemos *Algarbe* (< a l - g a r b 'el poniente'); la *Mancha* (< m a n ǧ a 'altiplanicie'); los muchos *Alcalá* y *Alcolea* (< a l q a l a t 'el castillo' y su diminutivo a l - q u l a i ʿa t), *Medina* y *Almedina* (< m a d i n a t 'ciudad'), *Rápita*, *Rábida*, *Rábita* (< r ā b i t a 'convento militar para la defensa de las fronteras'); los compuestos de w a d i 'río' (*Guadalajara* 'río de las piedras'; *Gua-*

---

16. Véase Amado Alonso, *Correspondencias arábigo-españolas en los sistemas de sibilantes*, Rev. de Filol. Hisp., VIII, 1946, 30-40 y 55-56.

17. Véanse M. Asín Palacios, *Contribución a la toponimia árabe de España*, Madrid-Granada, 1940; Jaime Oliver Asín, *Historia de la Lengua Española*, 6.ª ed., Madrid, 1941, § 39; H. Lautensach, *Über die topographischen Namen arabischen Ursprungs in Spanien und Portugal (Arabische Züge im geographischen Bild der Iberischen Halbinsel)*, Die Erde, VI, 1954, 219-243, y *Maurische Züge im geog. Bild der Iber. Halbinsel*, Bonner Geogr. Abhandlungen, 28, Bonn, 1960, 11-33; J. Vernet Ginés, *Toponimia Arábiga*, «Encicl. Ling. Hisp.», I, Madrid, 1960, 561-578; E. Terés, *Sobre el nombre árabe de algunos ríos españoles*, Al-Andalus, XLI, 1976, 409-443; y los numerosos estudios particulares citados por Samsò (véase n. 1), xxiv-xxxiii.

dalquivir 'río grande'; *Guadalén* 'río de la fuente'), ǧ a b a l 'monte' (*Gi-braltar* 'monte de Tárik', *Javalambre*) o h i s n , h a s n 'fuerte, castillo' (*Iz-nájar* 'castillo alegre', *Aznaitín* 'fuerte de la higuera', *Aznalcázar*) y, además, *Alborge*, *Borja* (< b u r ǧ 'torre'); *Algar*, *Algares* (< a l - g a r 'cueva'); *Alge-ciras*, *Alcira* (< a l - ǧ a z i r a 'la isla'), *Almazán* (< a l - m a h s a n 'el forti-ficado'), *Maqueda* (< m a k ā d a 'firme, estable'), etc. Abundan los que tienen por segundo elemento un nombre personal (*Medinaceli* 'ciudad de Sélim', *Calatayud* 'castillo de Ayub', *Calaceite* 'castillo de Zaide'), así como los del tipo *Benicásim* 'hijos de Cásim', *Bugarra* < A b u Q u r r a . Muchos son híbridos arábigo-romances (*Guadalcanal* 'río del canal', *Guadalope*, *Guadalupe* 'río del lobo', *Guadiana* < w a d i   A n n a , *Guadix* < w a d i A c c i , *Castielfabib* 'castillo de Habib'), o añaden a una voz romance el ar-tículo árabe a l - (*Almonaster*, *Almonacid* < m o n a s t e r i u m , *Almonte*, *Alpuente*, *Alportel* < p o r t ĕ l l u m).

§ 35. FONÉTICA DE LOS ARABISMOS[18]

1. Los arabismos, tomados al oído, fueron acomodados a las exigencias de la fonología romance. Muchos fonemas árabes eran extraños al español, que los reemplazó por fonemas propios más o menos cercanos. El romance peninsular no tenía entonces más sibilantes fricativas que la /ś/ sorda y /ż/ sonora ápico-alveolares; así pues, las sibilantes fricativas dentales árabes fueron sustituidas por las africadas romances /ŝ/ y /ẑ/, escritas respectiva-mente *c* o *ç* y *z*. Había en árabe gran variedad de fricativas o constrictivas cuyo punto de articulación era el velo del paladar o la laringe; los romances peninsulares, en cambio, no contaban entonces más que con la [h] aspira-da, alófono castellano de la /f/, pues lo que hoy se escribe con *g* ante *e, i*

18. Véanse A. Steiger, *Contribución a la fonética del hispano-árabe y de los arabismos en el ibero-románico y en el siciliano*, Madrid, 1932; M.L. Wagner, Rev. de Filol. Esp., XXI, 1934, 238-242; Amado Alonso, *Correspondencias arábigo-españolas en los sistemas de sibi-lantes*, Rev. de Filol. Hisp., VIII, 1946, 12 y ss.; Maria Grossmann, *La adaptación de los fo-nemas árabes al sistema fonológico del romance*, Revue Roumaine de Linguistique, XIV, 1969, 51-64.

(*gente*, *giro*) o con *j* (*jamás*, *jabón*) eran hasta el siglo xvi fonemas palatales (/ğente/ o /žente/, /žamás/, /šabón/). En consecuencia, esas aspiradas o constrictivas árabes se representaron unas veces con la [h] familiar a los castellanos (*alharaca*, *alheña*); otras veces fueron reemplazadas por /f/, como en a l - h a u z > *alfoz*, a l - χ o r ğ > *alforja* (de ahí las alternancias *alholí/alfolí*, *Alhambra/Alfambra*); en ocasiones dan /g/ o /k/ (a l - ʿa r a - b ī y y a > *algarabía*, š a i χ > ant. *xeque*, mod. *jeque*); y no es rara la supresión total, sobre todo del ʿain (ʿa r a b > *árabe*; a l - ʿa r i f > *alarife*; a l - ʿa r d > *alarde*), pero también de otras velares o laríngeas (t a r e h a > *tarea*, χ a l ū q u i > *aloque*). Otro caso de adaptación fue el de los masculinos que terminaban en consonantes y grupos que desde el siglo xiv nuestra lengua no tolera en final de palabra: la dificultad se resolvió unas veces añadiendo una vocal de apoyo, como en los recién mencionados *árabe*, *alarife*, *alarde* y en a s - s ū q > ant. *azogue* 'mercado' y zoco; a r - r a ṭ l > *arrelde*; a l - ğ i b > *aljibe*, etc. Otras veces la consonante árabe fue sustituida por otra tolerable en castellano (a l - m u h t a s i b > ant. *almotaceb* > *almotacén*; a l - ʿa q r a b > *alacrán*; r a b ā b > *rabel*) o simplemente omitida (*rabé*). Los nombres árabes que terminaban en vocal acentuada o habían perdido la consonante que la seguía ofrecían un final entonces insólito en polisílabos nominales castellanos (sólo en la conjugación había formas *canté*, *salí*, *cantó*, *salió*, *velá*); por eso tomaron frecuentemente una consonante paragógica, mediante la cual se asemejaron a tipos de sustantivo o adjetivo habituales en nuestra lengua: a l - k i r ā ʾ > ant. *alquilé* pasó a *alquiler* según el modelo de *loguer*, *mujer*, *esparver*, *canciller*; junto a *albalá* (a l - b a r ā ʾ) y *alajú* (a l h a š ū) surgieron *albarán* y *alfajor*, concordes con las terminaciones romances *-án* y *-or*; a l - b a l · l ā ʿa y su variante a l - b a l · l ū ʿa dieron *albañal* o *albañar* y *albollón*, respectivamente, asimilados a los sufijos castellanos *-al*, *-ar* y *-ón*. Incluso arabismos en /-í/ la incrementaron con adición de consonante (a l - b a n n ā ʾ > *albañí* > *albañil*; a l - h u r ī > *alholí*, *alfolí*, junto a *algorín* y murciano *alforín*; θ a m a n ī > *celemín*), a pesar de que el sufijo adjetivo /-í/ se conservó generalmente inalterado, como después veremos (§ 36).

2. Una vez admitidos, los arabismos experimentaron los cambios fonéticos propios del romance. La palatalización y ulterior asibilación de /k/ ante /e/, /i/ estaban ya consumadas cuando se introdujeron los más antiguos, y

no les alcanzaron: la /k/ guarda en todos su articulación velar (m i s k ī n > *mezquino*). Pero los diptongos /ai/, /au/ han dado /e/, /o/ en castellano y catalán, /ei/, /ou/ en gallego-portugués (a l - d a i a > cast. y cat. *aldea*; port. *aldeia*; a s - s a u t > cast. *azote*; cat. *açot*; port. *açoute*).[19] Muchos préstamos viejos sonorizaron sus oclusivas sordas intervocálicas, como las voces latinas: a l - q u ṭ ū n > *algodón*, š a b a k a > *xábega*, *jábega*;[19 bis] t a ' l ī q a > *talega*; es de notar, sin embargo, que el *ta'* enfático y el *qaf* uvular eran total o parcialmente sonoros en el primitivo hispano-árabe.[20] También participaron los arabismos en la palatalización de /l·l/ y /nn/ geminadas > /ʎ/ y /ɲ/: a n - n ī l > *añil*, a l - b a n n ā ' > *albañil*, a n - n a f ī r > cast. *añafil*, cat. *anyafil*; a l - m u ṣ a l · l à > cast. ant. *almuçalla*; el portugués ha reducido estas consonantes dobles a sencillas (*anil*, *alvanel*, *anafil*, *almocela*, igual que a n n u > *ano* y c a p ĭ l l u > *cabelo*). El grupo /st/ (con *sin* o *sad* predorsales en árabe) fue interpretado en castellano como /ŝt/ y después reducido a /ŝ/ (escrita *ç*, *c*): m u s t a ' r i b > *moçárabe*, a l - f u s t a q > *alfócigo*; 'u s t u - w ā n > *çaguán*; el cambio alcanzó a las palabras grecolatinas transmitidas por los árabes: gr. m a s t i c h e ; lat. m a s t ĭ c u m > ár. a l m a ṣ ṭ i k a > cast. *almáçiga*, C a e s a r a u g u s t a > ár. S a r a q u s t a > esp. *Çaragoça*, A s t ĭ g i > ár. E s t i ǧ a > esp. *Écija*.[21]

3. El español no ha incorporado ningún fonema árabe. Nebrija, observando que las antiguas /ŝ/, /š/ y [h] aspirada, representadas gráficamente por *ç*, *x* y *h*, no tenían equivalentes en griego ni en latín y sí en árabe, creyó procedían de éste. Pero se trata de una simple coincidencia: la evolución autóctona de ciertas consonantes y grupos latinos en español había produ-

19. Steiger, *Contribución a la fonética de los arabismos*, 369-370, atribuye la conservación del diptongo /ai/ en *daifa*, *ataifor*, *alcaicería*, etc., a que la /a/ se había velarizado por contagio de la consonante velar o enfática que la precedía. Habría que tener en cuenta la fecha en que tales arabismos entraron en español, que parece ser posterior a la reducción castellana /ai/ > /e/. Existen además casos de /ei/ extraños en castellano (*aceite*, *aceita*, *albéitar*).

19 bis. M. Alvar, *Historia lingüística de «jábega»*, Anuario de Letras, XIII, 1975, 33-53.

20. Steiger, *Contribución*, 47 y 208-209; Corriente, *A Grammat. Sketch*, §§ 2.8.2. y 3, 2.22.2 y 3; G. Hilty, *Das Schicksal der lateinischen intervokalischen Verschlusslaute -p-, -t-, -ḳ- im Mozarabischen*, «Festschrift K. Baldinger», Tubinga, 1979, 145-160.

21. Amado Alonso, *Árabe st > esp. ç.— Esp. st > árabe ch*, PMLA, 1947, LXII, 325-338. (Incluido en *Estudios lingüísticos. Temas españoles*, Madrid, 1951, 128-150.)

cido los tres sonidos con absoluta independencia respecto del árabe, aunque éste los poseyera también. Se suele afirmar que el paso de /š/ a /ž/ (s a - p o n e > *xabón*, s u c u > *xugo*) ha sido fruto de influencia morisca, pues el árabe no tenía /š/ igual a la castellana y la transformaba en /ž/; y la pronunciación morisca /ž/ (*moxca*) está atestiguadísima hasta el siglo xvii. Con todo, nuestra /š/ adquiere de modo espontáneo un timbre chicheante que basta para explicar su frecuente sustitución por /ž/; el influjo morisco sólo es probable en nombres geográficos del Ándalus, como S a e t a b i s > *Xátiva*, S a r a m b a > *Xarama*, y en algún arabismo claro, como *xarabe*, *xarope*.[22]

4. Se ha apuntado la posibilidad de que la introducción de arabismos alterase la proporción de vocablos agudos, llanos y esdrújulos en el léxico español y favoreciera tipos especiales de palabra.[23] Será necesario comprobarlo mediante un estudio estadístico riguroso, que hasta ahora no se ha hecho; parece, no obstante, que el porcentaje de polisílabos agudos no verbales es mayor en las voces españolas de origen árabe que en las procedentes del latín; no ocurre igual con los proparoxítonos árabes, pues el cultismo literario y científico adoptó y adopta continuamente esdrújulos grecolatinos.[24] En cambio es evidente la especial abundancia de arabismos polisílabos graves terminados en /- a r / (*acíbar*, *albéitar*, *alféizar*, *aljófar*, *almíbar*, *almogávar*, *azófar*, *azúcar*, *nácar*, *nenúfar*, etc.), estructura escasísima en sustantivos de otro linaje (*néctar*); y el gran número de agudos que acaban en *-z* (*ajimez*, *almirez*, *cahíz*, *rahez*, *marfuz*, *alfiz*, *alfoz*), raros en el vocabulario español de origen latino (*nariz*, *cariz*), salvo en sufijos de sustantivos abstractos (*sencillez*, *timidez*) o de adjetivos cultos (*audaz*, *capaz*, *locuaz*, *voraz*, *feliz*, *atroz*, *veloz*).

22. Amado Alonso, *Trueques de sibilantes en antiguo español*, Nueva Rev. de Filol. Hisp., I, 1947, 5 y ss.

23. Y. Malkiel, Rom. Philol., VI, 1952, 62 y ss.

24. Una calicata hecha tomando como base 211 arabismos y 213 palabras españolas de otro origen arroja para los primeros un 33,8% de agudos, 61,2% de graves y 5% de esdrújulos, y para las segundas 11,7%, 77,5% y 10,8% respectivamente. No se han computado monosílabos, palabras átonas ni formas verbales (en éstas el acento está determinado por la morfología romance, incluso en verbos de raíz árabe). Por otra parte estos porcentajes basados en el español de hoy pueden no valer para el de los siglos xii y xiii, cuando *algib*, *alharem*, *achac*, etc., no habían tomado aún la /-e/ paragógica y cuando los cultismos grecolatinos esdrújulos eran muchos menos que ahora.

§ 36. ASPECTOS MORFOLÓGICOS Y SINTÁCTICOS DEL ARABISMO

1. En árabe el artículo a l - presenta normalmente al sustantivo, cualquiera que sea su género y número, tanto con referencia a entes determinados como entendido conceptualmente. Los sustantivos españoles de origen árabe, en su gran mayoría, han incorporado a sus respectivos lexemas este elemento *al-* sin valor de artículo, por lo que pueden ir acompañados de artículos y determinativos romances (*el alhelí, un alacrán, estos alborotos*)[25] y conservar su *al-* en la derivación (*alborotar, alcaldada, acemilero, alevoso*). Los arabismos españoles reflejan de ordinario la asimilación árabe del *lam* del artículo a las llamadas «letras solares» (dentales, sibilantes, /l/, /r/ y /n/): a θ - θ u m n > *azumbre*, a d d a r g a > *adarga*, a s - s a u t > *azote*, a r - r a b a d > *arrabal*, a n - n a f ī r > *añafil*; pero no faltan casos con /l/ no asimilada a la «solar» siguiente (a l - ḍ a i ʿ a > *aldea*, a l t u r m ū s > *altramuz*, aunque también hubo *atramuz*). La incorporación de a l - (o sus formas asimiladas) al lexema de los arabismos españoles contrasta con la ausencia de tal elemento en los arabismos del italiano (esp. *azúcar*, it. *zucchero*). Esta diferencia de trato ha sido objeto de interpretaciones poco convincentes.[26]

Por contagio de los arabismos, palabras españolas de otra procedencia han tomado *al-*, *a-* protéticos (lat. m e n a > ant. *mena*, mod. *almena* —acaso ya mozárabe—; *m a t e r i n ĕ a > *madreña, almadreña*; l i g u s t r u > *ligustre, aligustre*); otras han introducido /l/ epentética en su sílaba inicial (a m ĭ d d ŭ l a > *almendra*), o han trocado por /l/ en ella otra consonante implosiva (*a d m o r d i u > *almuerzo*, a r b u t ĕ u > *alborzo*).

2. La terminación /-ī/ ha pasado al español como parte integrante de adjetivos, sustantivados o no, de origen árabe (*cequí, jabalí, maravedí, muftí, muladí, baladí*, etc.), y sobre todo, como sufijo de gentilicios y otros derivados de nombres propios árabes (*fatimí, yemení, marroquí*). Con este valor

25. Véase J. M. Solá Solé, *El artículo* a l *en los arabismos del iberorrománico*, Romance Philol., XXI, 1968, 275-285.

26. Las discute acertadamente Solá Solé (véase nota anterior), quien por otra parte explica la disminución o ausencia de *al-* en los arabismos del catalán por su identificación con el artículo romance *el* al neutralizarse /a/ y /e/ átonas en el catalán oriental.

sigue activo en español para nuevas formaciones (*bengalí, iraní, iraquí, paquistaní, israelí*). Dos ejemplos de su vigencia a través de los siglos: en el XIII los sabios judíos que colaboraban en las empresas científicas de Alfonso X sugirieron un nuevo cómputo cronológico a partir de «la era *alfonsí*», forjando el derivado sobre un antropónimo no semítico; en 1951 Menéndez Pidal puso en circulación *andalusí* 'perteneciente o relativo al Ándalus' para distinguirlo de *andaluz* 'perteneciente o relativo a Andalucía'.[27] Normalmente *-í* en singular e *-íes* en plural valen para masculino y femenino (*hurí, huríes*); pero hay ejemplos medievales de *-ía* (< ár. - ī y y a), *-ías*: *marroquía, ceptías, tortoxías.*[28]

3. La cuarta forma (voz causativa) de los verbos árabes se caracteriza por anteponer un *álif* a la raíz trilítera, cuya primera consonante toma posición implosiva: a la forma básica h a z i n a 'estar triste' corresponde la cuarta a h z a n a 'entristecer, afligir'; a k a r u m a 'ser noble'; a k r a m a 'honrar a otro', etc.; en ciertas condiciones el *álif* es el único morfema causativo (m ā t a 'morir', a m ā t a 'matar').[29] De ahí que se haya atribuido a influjo árabe el valor causativo frecuente en el prefijo español *a-* (*aminorar, acalorar, ablandar, agravar, avivar*), señaladamente en *amatar* frente a *matar*. Aparte de este caso discutible[29 bis] y sin excluir la posibilidad de arabismo subsidiario, es preciso tener en cuenta que el prefijo latino a d -, con su /-d/ asimilada a la consonante siguiente, o perdida ante vocal en español, formaba multitud de verbos causativos: a c c o m m o d a r e , a f f i r m a - r e , a g g r e g a r e , a l l e v a r e , a n n o t a r e , a n n u l l a r e , a s s o - c i a r e , a d u n a r e > *aunar*.

4. Semejante es el caso de los plurales hispanorrománicos *los padres* 'el padre y la madre', *los reyes* 'el rey y la reina', *los duques* 'el duque y la du-

27. Véase J. K. Walsh, *The Hispano-Oriental Derivational Suffix* -í, Romance Philology, XXV, 1971, 159-172.

28. «Doblas d'oro *marroquías* o *ceptías*» 1284, Sevilla (Doc. Ling., 354°; «como la *marroquía* que me corrió la vara», Juan Ruiz, *L. de Buen Amor*, 1323c; «Dos ollas *tortoxías* vidriadas» 1380, *Inventarios aragoneses*, Bol. R. Ac. Esp., IV, 1917, 350.

29. Véanse Eva Salomonski, *Funciones formativas del prefijo a- estudiadas en el castellano antiguo*, Zúrich, 1944, y reseña de Eva Seifert, Vox Romanica, X, 306-309.

29 bis. A. Tovar, *«Matar» de «mactare»*, Thesaurus, XXXIV, 1979, 127-134, ha probado la vinculación latina de la palabra española.

quesa', *los guardas* 'el guarda y la guardesa', *los hermanos*, *los hijos*, etc., inclusivos de varones y hembras. El que fuera de la Península no haya lengua románica donde este uso tenga desarrollo tan amplio ha hecho pensar en influjo árabe;[30] pero el latín conocía r e g e s 'el rey y la reina', f r a t r e s 'el hermano y la hermana', f i l i i 'los hijos y las hijas', y hasta p a t r e s como sinónimo de p a r e n t e s .[31] El arabismo, si realmente existió, no hizo sino corroborar la herencia latina.

5. En el *Calila e Dimna*, en otras versiones medievales castellanas de textos árabes y en la literatura aljamiada, se dan profusamente fenómenos que, si bien están atestiguados casi todos en la sintaxis románica, no llegan a ser norma en ella y sí en la arábiga; véanse algunos: se emplean preposición + pronombre personal tónico en lugar de pronombre átono («ayuntáronse las aves *a él*», «ya encontré *a ellos*» por 'ayuntáronse*le*', 'ya *los* encontré'), y *de* + pronombre personal en vez de posesivo («las pisadas *dellos*», «el cabdiello *dellos*»). Abunda el posesivo pleonástico («*su* vida del hermitanno»). La frase relativa se introduce mediante un *que* cuya dependencia respecto al verbo introducido o respecto al antecedente se aclara después con una preposición + pronombre personal o con un posesivo («la jarra *que* yaze *en ella* muerte supitaña» 'en que yace, en que se oculta'; «la estrella *que* tú quisieres saber *su* lugar» 'cuyo lugar quisieres saber'). Son frecuentes otros tipos de anacoluto («*el que* quiere por su física aver gualardón en el otro siglo, non *le* mengua rriqueza en este mundo»; «et estos quatro tiempos, partiéron*los* a manera de los quatro elementos»). El sujeto impersonal se indica valiéndose de formas verbales de tercera persona, ya de plural («quando *vieren* en la tierra árbol grande..., es la tierra buena» 'cuando se viere'), ya de singular («*tuelga* las fojas e *eche* en ellas de los cominos e del orégano» 'quítense', 'échese'), o, más aún, utilizando la segunda persona de singular («quando esto *conocieres*, *para* mientes... al sennor de la faz»). Es abundantísima la coordinación copulativa («*et* detove mi mano

---

30. H. R. Lang, The Romanic Review, II, 1911, 339; H. Kuen, *Versuch einer vergleichenden Charakteristik der romanischen Schriftsprachen*, Erlangen, 1958, 16.

31. Véanse L. Spitzer, Archivum Romanicum, IX, 131; E. Löfstedt, *Syntactica*, I, Lund, 1942, 65-70 (con abundante bibliografía), y S. Mariner, *Parentes-cognati et affines*, Helmantica, XXVIII, 1977, 343-352.

de ferir *e* de aviltar *e* de rrobar *et* de furtar *e* falsar. *Et* guardé el mi cuerpo de las mujeres, *e* mi lengua de mentir...»); y muchas veces, tras una oración su-bordinada la conjunción copulativa precede a la principal o al verbo de ésta («si non ha cuydado de su vientre, *et* aquel es contado con las bestias nesçias»; «las uvas que son maduras fasta este tiempo *e* rriéguenlas»). La conjunción subordinativa *que* se repite tras inciso («e non fue seguro *que*, si me dexasse del mundo e tomasse rreligión, *que* lo non pudiera conplir»), etc. Todos o casi todos estos ejemplos tienen paralelo en otras lenguas románicas[32] y bastantes cuentan con precedente latino; a lo largo de la historia del español, desde el *Cantar de Mio Cid* hasta el lenguaje coloquial de hoy, se registran numerosísimas muestras de unos y otros, a pesar del freno impuesto por la norma culta, más racional que expresiva. No se trata, pues, de sintagmas prestados por el árabe; pero el arabismo, innegable en las traducciones medievales, hubo de contribuir a que tuvieran en la Península mayor arraigo que en francés o italiano.[33]

Junto al factor árabe es necesario tener en cuenta el hebreo, ya que no pocos de estos rasgos son comunes a las dos lenguas y abundan en versiones castellanas de la Biblia; además, los traductores del árabe al romance solían ser judíos. Si hay modelos árabes de reflexividad expresada por medio de «en mi coraçón», «con mi voluntad», los bíblicos son infinitos; recuérdese, de los Salmos, «dijo el necio *en su corazón*: no hay Dios». De igual modo, si el acusativo interno y otras especies de figura etimológica son frecuentes en las versiones del árabe («*bramó* Çençeba muy fuerte *bramido*»), en las de la Biblia son característicos giros intensivos como «*errando errará* la tierra», «*muchiguar muchiguaré* tu semen» o, en el latín de la Vulgata, «d e s i d e - r i o d e s i d e r a v i» 'he deseado con vehemencia'. Huella sintáctica de la convivencia medieval entre gentes de las tres religiones es la perdura-

---

32. Véase W. Meyer-Lübke, *Gram. des langues rom.*, III, §§ 58 y 378; 74; 76; 628; 92; 654, etc.

33. Véanse G. Dietrich, *Syntaktisches zu Kalila wa Dimna. Beiträge zur arabisch-spanischen Übersetzungskunst im 13. Jahrhundert*, Berlín, 1937; J. Oliver Asín, *Historia de la Lengua Española*, 1941, § 59; el estudio fundamental de Álvaro Galmés de Fuentes, *Influencias sintácticas y estilísticas del árabe en la prosa medieval castellana*, Madrid, 1956; y el de A. Hottinger, *Kalila und Dimna. Ein Versuch zur Darstellung der arabisch-altspanischen Übersetzungskunst*, Berna, 1958; F. Marcos Marín, *Estudios sobre el pronombre*, Madrid, 1978, cap. IV.

ción de *calla callando, burla burlando, yendo que íbamos, al pasar que pasé*, etcétera, en el español posterior.[34]

6. El orden de palabras normal en la frase árabe y hebrea sitúa en primer lugar el verbo, en segundo el sujeto y a continuación los complementos. Como en español y portugués el verbo precede al sujeto con más frecuencia que en otras lenguas romances, se ha apuntado la probabilidad de influjo semítico.[35] La hipótesis necesitaría comprobarse con un estudio riguroso del orden de palabras español en sus distintas épocas y niveles, parangonado con el de las demás lenguas románicas, el árabe y el hebreo. Tal estudio no existe aún;[36] las comparaciones parciales que hasta ahora se han hecho no son suficientes.[37]

§ 37. ARABISMO SEMÁNTICO, FRASEOLÓGICO Y PAREMIOLÓGICO[38]

La penetración árabe en español tiene otras manifestaciones más recatadas que la incorporación de vocabulario o sufijos. Hay palabras y expresiones

---

34. Galmés, *op. cit.*, 132-134 y 197-200; reseña de J. M. Solá Solé, Bibliotheca Orientalis, XV, 1958, 67-68.

35. T. B. Irving, *The Spanish Reflexive and Verbal Sentence*, Hispania, XXXV, 1952, 305-309; D. M. Crabb, *A Comparative Study of Word Order in Old Spanish and Old French Prose Works*, Washington, 1955; H. Kuen, *Versuch einer vergleichender Charakteristik der romanischen Schriftsprachen*, Erlangen, 1958, 16.

36. A pesar de la abundante bibliografía que hay sobre el tema; la recoge puntualmente Manuel Ariza, *Contribución al estudio del orden de palabras en español*, Univ. de Extremadura, Cáceres, 1978.

37. Crabb, *op. cit.* (véase nota 35), compara cinco textos medievales españoles con otros tantos franceses; pero en sus conclusiones atiende sólo al contraste entre versiones españolas y francesas de la Biblia y de la *Ascensión de Mahoma*, sin tener en cuenta que las españolas están hechas sobre originales hebreo y árabe, probablemente por judíos, mientras las francesas se basan en la Vulgata y la traducción latina de la *Ascensión*. No concede tampoco importancia al hecho de que en los fragmentos de las *Crónicas de los Reyes de Castilla*, del *Marco Polo* castellano (no del aragonés de Fernández de Heredia) y del *Corbacho* el orden predominante sea sujeto-verbo-objeto, con porcentajes que en las *Crónicas* y el *Marco Polo* son poco más o menos iguales a los de Joinville y el *Marco Polo* francés.

38. Véanse Américo Castro, *España en su historia*, 1948, 63, 65-79, 86-92, 218-219, 222,

completamente románicas en cuanto al origen y evolución formal de su significante, pero parcial o totalmente arabizadas en su contenido significativo, pues han adquirido acepciones nuevas por la presencia mental de una palabra árabe con la que tenían algún significado común. Así, el antiguo *poridat* tomó los sentidos de 'intimidad' y 'secreto' poseídos por los derivados del ár. χ ā l a ṣ a 'ser puro'; *casa* significó 'casa' y 'ciudad' según uso del árabe d ā r ; *infante* se concretó a significar 'hijo de noble', 'hijo de rey', apoyándose en el árabe w a l a d 'hijo', 'niño' y 'heredero del trono'; *acero* valió 'filo agudo' y 'energía, fuerza', según el árabe d o k r a 'acero de la espada', 'agudeza del filo', 'vehemencia, fuerza'. *Nuevas* aparece en la Edad Media con los sentidos de 'acaecimiento, suceso', 'hazañas', 'renombre' y 'relato', 'noticia', existentes todos en los árabes h a d ī θ, h u d ū θ.[38 bis] El árabe llama 'hijo de una cosa' a quien se beneficia de ella (el rico es i b n a d - d u n y ā 'hijo de la riqueza'; el ladrón, i b n a l - l a y l 'hijo de la noche', porque la noche favorece el robo); así se explica el primer elemento de *hijodalgo, hidalgo,* voz sinónima de 'hijo de bienes', según la definió Alfonso el Sabio. Dos de las palabras árabes (l u ǧ a y n y w a - r a q ā) que significan 'plata' poseen acepciones originarias de 'hoja, follaje' y 'lámina'; a imitación suya el latín p l a t t a 'lámina de metal' tomó el valor de a r g e n t u m en la Cataluña de los siglos x y xi, de donde pasó al resto de la España cristiana: el Poema del Cid ya no usa *ariento,* sino *plata.* En ocasiones una misma palabra árabe ha dado lugar a un calco semántico

---

253-255, 658-662, 668-671 y 686-689, y *La realidad histórica de España,* 1954, 106-112 y 567-572; L. Spitzer y A. Castro, Nueva Rev. de Filol. Hisp., III, 1949, 141-158; Max Leopold Wagner, *Über die Unterlagen der romanischen Phraseologie,* Volkstum und Kultur der Romanen, VI, 1933, 1-26; Paul Aebischer, «*Argentum» et «platta» en ibéro-roman. Étude de stratigraphie linguistique,* «Mélanges de linguistique offerts à Albert Dauzat», 1951, 12-21, y H. L. A. van Wijk, *El calco árabe semántico en esp. «adelantado», port. «adiantado»,* Neophilologus, 1951, 91-94, y *Algunos arabismos semánticos y sintácticos en el español y el portugués,* «Homenaje a J. A. van Praag», Norte, XII, 2, 1971; F. de la Granja, «*Llenar el ojo»,* Al-Andalus, XLI, 1976, 445-459.

38 bis. Emilio Lorenzo (*Algunos problemas en la traducción del «Cantar de los Nibelungos»,* Filol. Mod., n.° 63-64, febrero-junio 1978, 264) objeta que en el poema alemán *maere* tiene los sentidos de 'fama, renombre' y 'noticia'. No dice si la voz referida posee también, como la árabe y las nuevas del español medieval, las acepciones de 'acaecimiento' y 'hazañas'.

y a un préstamo léxico: g ā w a r a , que valía 'correr' y 'depredar', contagió este segundo sentido al español *correr* («agora *córrem'* las tierras que en mi empara están», Mio Cid, 964); de aquí el uso de *corredor* por 'depredador', que no impidió la introducción del arabismo léxico *almogávar* (< a l - m o g ā w i r , participio de g ā w a r a). De igual modo el español *adelantado*, port. *adiantado* reproducen la semántica de otro participio árabe, a l m u q a d d a m 'antepuesto', 'jefe', 'magistrado', 'autoridad' (compárese el lat. p r a e p o s i t u s) sin que esto fuera obstáculo para que se adoptase también *almocadén* 'caudillo, jefe de tropa'. El verbo esp. y port. *criar* suma a las acepciones de 'amamantar, alimentar' y 'educar' la de 'echar o dejar crecer' (carne, pelo, plumas, etc.), lo mismo que el ár. r a b - b a , 2.ª forma de r a b ā . El empleo de *señor* como 'dueño' se extiende en esp. medieval y clásico a expresiones como «la *señora de la trayçión*» 'la traidora', «la *señora del (buen) parecer*» 'la bien parecida' (Zifar) o «una bacía de açófar... *que era señora de un escudo*» 'que valía un escudo' (Quijote): todas ellas calcan las árabes con ḏ ū , fem. ḏ a t 'el de', 'el que tiene', 'el poseedor o dueño' + genitivo. La locución adverbial *con bien* 'felizmente' corresponde a la ár. b i - χ a y r , hebrea b ͤ ṭ o b; y *henchir* o *llenar el ojo* a alguien 'agradarle, gustarle mucho, satisfacerle' traduce literalmente el ár. m a - l a ' a l - ' a y n a .[39]

Al adoptar la vida española prácticas religiosas o sociales de origen musulmán, se han reproducido con palabras romances las fórmulas árabes correspondientes. Tal es el caso de las bendiciones «que Dios guarde», «que Dios mantenga», que antaño acompañaban la mención del rey o señor. La exclamación entusiasta «bendita sea la madre que te parió», el «si Dios quiere» con que se limita la confianza en los proyectos humanos al hablar

---

39. Se ha atribuido a arabismo el uso de *casa* con el sentido de 'habitación o cámara dentro de un edificio' y la construcción personalizada de *amanecer* y *anochecer* 'encontrarse uno en determinado lugar o estado al hacerse de día o de noche'; pero tal acepción de *casa* es normal en rumano, lo mismo que empleos personales de los verbos correspondientes a *amanecer* y *anochecer*. Como esto último ocurre asimismo, aunque en menor grado, en francés y provenzal, se ha pensado también en una base latina y no árabe. Véase E. Coseriu, *¿Arabismos o romanismos?*, Nueva Rev. de Filol. Hisp., XV, 1961, 4-22 (incluido después en *Estud. de Ling. Rom.*, Madrid, 1977, 40-69), y réplica de Américo Castro, *Sobre «yo amanezco» y «yo anochezco»*, Bol. de la R. Acad. Esp., XLVI, 1966, 187-190.

del futuro, o el «Dios le ampare» que se dice al mendigo, son también, entre otros, traducción viva de fraseología arábiga.[40] Por último el refranero español se ha nutrido ampliamente de refranes árabes traducidos, adaptados o refundidos.[41]

§ 38. APOGEO Y DECADENCIA DEL ARABISMO

La suerte de los arabismos hispánicos ha variado según las épocas. Hasta el siglo XI, mientras la Península estuvo orientada hacia Córdoba, se introdujeron sin obstáculo ni competencia. Durante la Baja Edad Media continúa pujante la influencia arábiga, aunque lucha ya con el latinismo culto y con el extranjerismo europeo. Después se inicia el retroceso: Villalobos, en 1515, censura a los toledanos porque empleaban arabismos con que «ensucian y ofuscan la polideza y claridad de la lengua castellana». Nuevas técnicas, modas e intereses suceden a los medievales, y la cultura musulmana, en franca decadencia, no podía ofrecer nada comparable al espléndido Renacimiento europeo. Mientras los moriscos permanecieron en España, su vestido, costumbres y usos tenían valor de actualidad; desde su expulsión quedaron sólo como recuerdo. Muchos términos árabes fueron desechados: *alfayate*, *alfajeme* no resistieron la competencia de *sastre* y *barbero*; el *albéitar* creyó ganar en consideración social llamándose *veterinario*, y el nombre de *alarife* se conservó únicamente en la memoria de los eruditos. Otros arabismos han sido recluidos en el habla campesina o regional. Pero la gran cantidad de los que subsisten con plena vida, muchos de ellos fundamentales, caracteriza al léxico hispano-portugués frente a los demás romances.

---

40. A. Castro, *España en su historia*, 89-92; *La realidad hist. de Esp.*, 119-124.

41. E. García Gómez, *Hacia un «refranero» arábigo-andaluz*, Al-Andalus, XXXV al XXXVII, 1970-1972; *Una prueba de que el refranero árabe fue incorporado en traducción al refranero español*, *ibid.*, XLII, 1977.

VI

EL PRIMITIVO ROMANCE HISPÁNICO

§ 39. LA ESPAÑA CRISTIANA HASTA EL SIGLO XI

1. El primer empuje de la invasión árabe ocupó todo el suelo peninsular, a excepción de pequeños focos de resistencia amparados en las montañas del norte. Los cristianos que los constituyen se limitan durante el siglo VIII a aprovechar las disensiones internas de los musulmanes para extender su escaso territorio, y a asolar la cuenca del Duero, evitando así la proximidad del enemigo. Alfonso I logra formar así un pequeño reino que se extendía desde la Galicia septentrional hasta Cantabria y Álava y que cincuenta años después fue capaz de resistir, bajo Alfonso II, poderosas acometidas musulmanas y emprender la lenta recuperación de la meseta. A cada reconquista definitiva sigue la repoblación de tierras yermas, que hacia el año 900 había llegado hasta el Duero, y hacia 950, hasta Sepúlveda, Salamanca y Coimbra. Por el nordeste la intervención de los francos crea la Marca Hispánica en el territorio de la Cataluña Vieja, desde el Rosellón hasta Barcelona, y apoya la subsistencia de pequeños señoríos pirenaicos independientes. A principios del siglo X uno de ellos, el de Pamplona, se erige en reino y reconquista la Rioja Alta. En la segunda mitad del mismo siglo el califato cordobés alcanza su máximo poderío militar, y Almanzor, en una serie de afortunadas campañas, pone a los cristianos en situación angustiosa; pero desde el XI, dividido el califato en pequeños reinos de taifas, la superioridad del norte sobre el sur es manifiesta, y los reyezuelos moros pagan tributo a los monarcas de León, Castilla, Aragón o Barcelona.

Los Estados cristianos sentían la continuidad histórica con el reino visigodo, bajo el cual se habían forjado el concepto nacional y la unidad religiosa de España. Es cierto que, al ocupar los moros la mayor parte de nuestro suelo, el nombre de *Spania* llegó a usarse como sinónimo del Ándalus, pero nunca perdió el valor que le habían dado san Isidoro y los concilios toledanos: Covadonga había sido «la salvación de España», que se vería restaurada mediante la expulsión de los sarracenos, detentadores pasajeros de un territorio que forzosamente abandonarían. Tales ideas, que encontramos repetidas en los cronicones, agrupaban a los distintos Estados en la empresa reconquistadora.[1]

2. No era un vivir muelle el de los cristianos independientes. En contraste con el regalo y brillantez de la España musulmana, la guerra asolaba campos y ciudades con incursiones destructoras. Las leyendas épicas guardaban siglos más tarde el recuerdo de los tiempos azarosos en que «los caualleros et los condes et aun los reys mismos parauan sus cauallos dentro en sus palatios, et aun... dentro en sus camaras o durmién con sus mugieres»[2] para acudir con presteza a los rebatos. Las ciudades eran pequeñas y modestas, y su industria, muy primitiva, se hallaba reducida a lo más indispensable. En las cortes y en los palacios de los nobles había algunas comodidades y hasta cierto lujo suntuario; pero las gentes humildes, inseguras y míseras, tenían que buscar el amparo de un señor haciéndose dependientes de él o caían en la servidumbre.

Las costumbres eran duras; el fermento germánico y los hábitos indígenas resurgen con más vigor del que harían suponer las leyes visigodas. Estaba muy arraigada la «venganza de la sangre», que perpetuaba los odios entre las familias enemigas; los juicios se resolvían frecuentemente por medio de ordalías; y los acreedores, en lugar de acudir al juez, ejecutaban por su cuenta los embargos.

3. A pesar de la barbarie dominante, la cultura era cualidad apreciada. De las escuelas monásticas salían letrados capaces de escribir cronicones u

1. R. Menéndez Pidal, *Orígenes del esp.*, § 92₁, y *La España del Cid*, I, 1929, 72-73; J. A. Maravall, *El concepto de España en la Edad Media*, 2.ª ed., Madrid, 1964, 17-32, 53-61, 222-261, etc. A los testimonios allí reunidos sobre el uso de *Hispania* o *Spania* con su tradicional sentido unitario o con referencia a la España cristiana puede añadirse el de Bermudo II, que en 996, cuando más agobiante era el acoso de Almanzor, afirma, sacando fuerzas de flaqueza: «Ego seppe dictus Veremudus rex, dum possideret [*sic*] regnum Spanie et rejeret [*sic*] universas urbes et provincias usque finibus terre, perveni in provincia Asturiense» (L. Serrano, *Cartulario del Monasterio de Vega*, 1927, 244).

2. *Primeᵣa Crónica General*, ed. Menéndez Pidal, cap. 791.

obras teológicas, y monjes que se dedicaban a copiar manuscritos. Escaseaba la producción nueva: el espíritu isidoriano daba sus últimos destellos, más pobres en el norte que entre los mozárabes; pero de él se nutrieron san Beato de Liébana, cuyas obras corrían en preciosos códices miniados; Teodulfo, obispo de Orleans, que tanto contribuyó al renacimiento carolingio, y Alfonso III, monarca que gozó fama de sabio. Había bibliotecas importantes, y los monasterios catalanes atrajeron por su ciencia a Gerberto (luego papa con el nombre de Silvestre II), que estudió en ellos antes de marchar a Córdoba. En los nobles, al lado de la destreza en las armas y el valor guerrero, se estimaba el conocimiento del derecho. En medio de la ignorancia ambiente, no desaparecieron las apetencias cultas, lo que explica en buena parte las fluctuaciones del lenguaje durante este período.

Hasta el siglo XI la comunicación de la España cristiana con Europa fue, salvo en Cataluña, poco intensa. En el reino leonés se mencionan espadas «franciscas», indicio de que la actividad comercial con Francia no se había interrumpido. Influencia carolingia se advierte en cargos e instituciones de la corte asturiana. Pero en el siglo X estos influjos se vieron eclipsados por el cordobés.

§ 40. EL LATÍN POPULAR ARROMANZADO[3]

Todos los usos cultos y oficiales seguían reservados al latín que se aprendía en las escuelas. El habla vulgar constituía ya una lengua nueva; pero se la calificaba despectivamente de «rusticus sermo». Entre el latín de los eruditos y el romance llano existía un latín avulgarado, escrito y probablemente hablado por los semidoctos, que amoldaba las formas latinas a la fonética romance. Conservaba restos de declinación y de voz pasiva, así como multitud de partículas y vocablos cultos; pero alteraba el timbre de las vocales (*inmóvele*, *flúmene*, *títolum*, en vez de i m m o b ĭ l e , f l u m ĭ n e , t i t ŭ - l u m); sonorizaba consonantes sordas (*probrio*, *edivigare*, *cíngidur*, *abud*,

---

3. Menéndez Pidal, *Orígenes*, § 95; M. Alvar, *El dialecto aragonés*, Madrid, 1953, 45-71, y *Rasgos de morfología romance en el latín notarial aragonés (1035-1134)*, Iberida, n.º 4, 1960, 141-146.

por p r o p r i o , a e d i f i c a r e , c i n g i t u r , a p u d); suprimía la /ǵ/ y grupos /gi/, /di/ intervocálicos (*reis, reliosis, remeum,* en lugar de r e g i s , r e l i g i o s i s , r e m e d i u m); admitía formas latino-vulgares o del romance más primitivo (*dau, stau* < d a b o , *stabo*,[4] en vez de d o , s t o ; *autairo, carraira* < a l t a r i u , c a r r a r i a); y acogía muchas otras incorrecciones. Este latín arromanzado existió también en Francia antes del renacimiento carolingio, que restauró los estudios e impuso un latín más puro. En España debía de usarse ya al final de la época visigoda; los mozárabes lo llamaban «latinum circa romancium», en oposición al «latinum obscurum». Y aunque la reforma cluniacense trató de purificar el latín en los textos solemnes, los más llanos siguieron mezclando latín y romance hasta comienzos del siglo XIII.

Mientras perduró tal forma de lenguaje intermedio, no estuvieron bien marcados los linderos entre el latín y el romance; palabras absolutamente romances aparecen latinizadas, mientras se romancean otras que no es de suponer hayan pertenecido nunca al habla vulgar (*artigulo* 'engaño' < a r - t i c ŭ l u s ; *acibere* 'recibir' < a c c i p e r e). La indeterminación de campos favorecía el semicultismo y, en efecto, muchos de los que sobreviven en español arrancan de esta época primitiva. Durante ella, toda voz latina era susceptible de ser deformada, y toda palabra vulgar podía ver detenido o desviado su proceso por influjo del latín culto.

§ 41. EL ROMANCE DE LOS SIGLOS IX AL XI[5]

1. El romance primitivo de los estados cristianos españoles nos es conocido gracias a documentos notariales que, si bien pretenden emplear el latín, insertan por descuido, ignorancia o necesidad de hacerse entender, formas, voces y construcciones en lengua vulgar. A veces el revestimiento latino es muy ligero, y los textos resultan doblemente valiosos.

4. J. Bastardas Parera, *Particularidades sintácticas del latín medieval (Cartularios españoles de los siglos VIII al XI)*, Barcelona-Madrid, 1953, § 56.
5. Para los apartados 1 al 5 de este párrafo, véase Menéndez Pidal, *Orígenes del español*, §§ 1-12, 20, 107-111, etc.

El romance aparece usado con plena conciencia en las *Glosas Emilia-nenses*, compuestas en el monasterio riojano de San Millán de la Cogolla, y en las *Glosas Silenses*, así llamadas por haber pertenecido su manuscrito al monasterio de Silos, situado al sureste de Burgos; probablemente fue copiado allí de un original procedente de San Millán de la Cogolla. Unas y otras datan del siglo x o comienzos del xi, y están en dialecto navarro-aragonés. Son anotaciones a unas homilías y un penitencial latinos; los monjes que los consultaban apuntaron al margen la traducción de palabras y frases cuyo significado no les era conocido. Las Emilianenses contienen dos glosas en vasco y un párrafo romance de alguna extensión, en parte traducido del latín y en parte reproducción de preces de uso cotidiano. Otros manuscritos de los siglos x y xi, originarios de la Rioja, Silos, Cardeña y quizá Oña y León, ofrecen algunas glosas romances mezcladas con glosas latinas muy superiores en número. El foco irradiador parece haber sido el cenobio de San Millán de la Cogolla.[6]

Las Glosas no son el primer intento de escritura en vulgar; para componerlas los anotadores manejaron una especie de diccionario latino-romance, no conservado, por desgracia. La transcripción de los sonidos extraños al latín revela cierta maestría, que exige una costumbre previa: los diptongos /ie/, /ue/ (*abiesas, nuestro, dueno, ierba*) están certeramente representados. La grafía de las consonantes demuestra que existía un sistema en el cual la *g* (pronunciada /y/ ante *e, i*) o la *i* servían para indicar el carácter palatal: *get, siegat, seingnale, punga, eleiso, uergoina*, valían /yet/, /sieyat/, /señale/, /puña/, /elešo/, /vergoña/ o /bergoña/. Había gran variedad de trans-

6. Tanto las Glosas Emilianenses como las Silenses están editadas por Menéndez Pidal en la colección de textos preliminar de los *Orígenes*. Las Silenses habían sido publicadas por Priebsch, Zeitsch. f. rom. Philol., XIX, 1895. Hay edición facsimilar de las Emilianenses con reproducción de la de Menéndez Pidal y prólogo de Juan B. Olarte Ruiz, Madrid, Ministerio de Educación y Ciencia, 1977. Sobre el carácter de ejercicio escolar que tienen estas Glosas, véase Francisco Rico, *El cuaderno de un estudiante de latín*, «Historia 16», III, 25, mayo de 1978, 75-78, y Manuel C. Díaz y Díaz, *Las primeras glosas hispánicas*, Univ. Autón. de Barcelona, 1978, estudio que abre insospechadas perspectivas y registra interesantes glosas romances, desconocidas hasta ahora, en códices distintos a los que contienen las Emilianenses y Silenses. Véase también Manuel Ariza, *Nota sobre la lengua de las glosas y su contexto latino*, Anuario de Est. Filológicos, Univ. de Extremadura, II, 1979, 7-18.

cripciones; muchas diferían de las que estamos habituados a encontrar desde el siglo XIII; pero éstas no fueron invención repentina, pues casi todas arrancan de la época primitiva y se impusieron a las demás tras larga selección. Por ejemplo, la *z* visigótica, trazada con amplio copete, originó un signo que, aplicado a las nuevas sibilantes dentales, dio lugar a la *ç*. No era inusitado escribir en romance, pero faltaba mucho para estabilizar la grafía.

2. El español primitivo carece de fijeza. Coinciden en el habla formas que representan diversos estados de evolución. En León contendían las latinas *altariu*, *carraria*, las protorrománicas *autario*, *autairo*, *carraira*, las posteriores *auteiro*, *outeiro*, *carreira* y las modernas *otero*, *carrera*, sin que faltaran combinaciones como *oterio*, *autero*, *outero*, *oteiro*, etc. La elección entre unas y otras dependía de la mayor o menor atención y de la cantidad de prejuicios cultos o arcaizantes. Era general la vacilación respecto a las vocales protónica y postónica: unas veces se pronunciaban con el timbre latino (*semitarium* / *semidariu*, *cómite* / *cómide*, *populato*); otras, con timbre vulgar (*semedario* / *semedeiro*, *pobolato*); y en muchas ocasiones desaparecían (*semdeiro* / *semdero*, *comde*, *poblato* / *poplato* / *poblado*). Alternaban la conservación y la pérdida de *e* final: frente a los dominantes *honore*, *salbatore*, *carrale*, se daban *honor*, *senior*, *carral*, *segar* y hasta *allend*, *adelant*, que empiezan a cundir en la segunda mitad del siglo XI: la vacilación fomentaba ultracorrecciones como *sone* < s ŭ n t, *stane* < s t a n t, *matode* (por *matod* 'mató', con *-d* por /-t/ latina). Luchaban las consonantes sordas intervocálicas (*labratío*, *capanna*) con las sonoras (*labradío*, *cabanna*); en un mismo documento se ven ejemplos contradictorios. De igual modo, en el espacio de pocas líneas, las Glosas Emilianenses ofrecen tres grados distintos de pretérito: el latino *lebantaui*, el intermedio *lebantai* y el romance *trastorné*, con el diptongo final reducido.

3. En medio de esta coexistencia de normas, al parecer caótica, la evolución lingüística avanza con pasos lentos, pero firmes. Poco a poco se van eliminando arcaísmos y disminuye la anarquía. Así, los diplomas del monasterio de Sahagún, que entre los años 900 y 950 muestran tantos casos de terminaciones *-airo*, *-eiro* como de *-ero*, no ofrecen ningún *-airo* en el siglo XI; la pugna se limita en adelante a *-eiro* y *-ero*; pero *-eiro* escasea mucho a partir de 1100, mientras se generaliza *-ero* como única solución. Si en el siglo XI abundan *cómide*, *semedeiro*, en el XII decaen visiblemente y se enta-

bla la lucha entre *comde*, *semdero* y *conde*, *sendero*, que habían de triunfar. De este modo se prepara el camino para la fijación de criterios, que llegará como fruto del cultivo literario.

4. No obstante, las oscilaciones con que se desarrollaban los procesos fonéticos permitieron a veces que una reacción culta los entorpeciera, deteniéndolos o limitándolos. Desde tiempo atrás había empezado a vocalizarse la /l/ interior seguida de consonante; en los siglos ix al xi, cuando se daban *sauto*, *souto* y *soto* < s a l t u , *autairo*, *outero*, *otero* < a l t a r i u , *taupa*, *taupín* < t a l p a , había también *auto* y *oto* < a l t u , *aubo* y *obo* < a l b u , *pauma* < p a l m a ; pero las formas latinas *alto*, *albo*, *palma* y otras semejantes prevalecieron desde el siglo xii, y el paso de /al/ + consonante a /o/, fracasado en muchos casos, no llegó a ser fenómeno general.

5. A causa de la inseguridad del lenguaje y de la natural aspiración a hablar bien, eran frecuentes los errores de falsa corrección, pues no había idea clara de las formas que debían emplearse. Quienes preferían *límide* a *limde*, solían escribir y pronunciar *cábera* en vez de *cabra*, añadiendo una vocal postónica que no existía en el latín c a p r a . Otros juzgaban que era demasiado vulgar decir /ḷosa/, a la manera castellana, o /ĉousa/, /ĉosa/, /šousa/, /šosa/, a la leonesa, pues recordaban vagamente que el latín tenía un grupo de consonante + *l* al principio de la palabra; pero como no acertaban con el originario clausa, usaban *flausa* o *plosa*. La ultracorrección es fenómeno endémico en esta época de vacilaciones.

6. En los primeros siglos de la Reconquista, los fonemas /ĉ/ y /ǧ/ procedentes de /ć/ ante /e/, /i/ (véanse §§ 18$_4$, 20$_4$ y 30$_2$) tomaron la articulación dental /ŝ/, /ẑ/; desde fines del siglo ix se registran ya en el norte de la Península abundantes transcripciones como *dizimus*, *conzedo*, *zereum*, *ziuaria*, *sizera*.[7] Los dialectos mozárabes no debieron de permanecer totalmente al margen de este cambio, pues los escritores árabes representan a veces con /s/ dental (*sin* o *sad*) la /ŝ/ que oían en el habla romance del Ándalus (*serbo* 'ciervo', *cabesairuela*).[8] Hacia 1100 un botánico sevillano anónimo da como

---

7. Años 875 y 907, Portugaliae Monumenta Historica, Diplomata et Chartae, n.ºs 5 y 10; año 950, Cartulario de San Vicente de Oviedo, etc.

8. Véase Amado Alonso, *Correspondencias arábigo-españolas*, Revista de Filología Hispánica, VIII, 1946, 34-39.

alternantes *ânqo* y *sinqo*, *âibaira* y *sibaira* 'cibera'. No obstante, los árabes continuaron usando /ĉ/ en el léxico de uso común y en los topónimos que habían recibido de sus dominados (véase § 33₁₂).

7. Las consonantes dobles latinas /l·l/ y /nn/ se transformaron en los fonemas palatales /ļ/ y /ŋ/, a excepción del dominio gallego y portugués, donde se simplificaron en /l/ y /n/. Así c a b a l · l u , a n n u dieron *caballo*, *año* en leonés, castellano y aragonés, *cavall*, *any* en catalán; existen pruebas de que la /nn/ latina sonaba /ŋ/ en territorio mozárabe, donde también se registran, aunque minoritariamente, transcripciones *ḳabalyo*, *šintilya* (< s c i n t ĭ l l a). En tierras cristianas hay desde el siglo x grafías indicadoras de palatalización.⁹ El cambio alcanzó a muchos arabismos (véase § 35₂). De todos modos, la /ļ/ procedente de /l·l/ tuvo que ser distinta de la originada por los grupos /c'l/, /g'l/ y /l + yod/, pues ésta pasó a /ğ/ > /ž/ en Castilla y a /y/ en el oriente y centro de León, así como en la Cataluña oriental y Baleares, mientras que la /ļ/ de *caballo*, *castiello* o *castillo*, *cavall*, *castell* permaneció inalterada en tales regiones.¹⁰

9. De una parte el resultado de /l·l/ latina se representa a veces de manera que no deja lugar a dudas respecto a su carácter palatal (por ejemplo, *ualge* 'valle' en un documento de San Millán de la Cogolla, año 1048, o en los citados *ḳabalyo*, *šintilya* de manuscritos árabes). De otra parte la grafía *ll* o su equivalente árabe se aplican al fonema procedente de /l + yod/ o /c'l/ (*spillu* < s p e c ŭ l u , Gl. Emilianenses, 115; *muller*, años 1023 y 1025, San Juan de la Peña; *Gulpellares* < v u l p i c ŭ l a , 1044, Cartulario de San Pedro de Arlanza; *šarralla* < s e r r a l i a y *podollaria* < p e d u c ŭ l u en transcripciones árabes). A su vez, la *nn* o su equivalente árabe se usan para representar la /ŋ/ nacida de /n + yod/, /nǵ/, /gn/ o /ng'l/ (*ḳastanna* < c a s t a n ĕ a , *franne* < f r a n g i t , en textos árabes; *Rianno* < R i v i a n g ŭ l u , año 1046; *pennora* < p i g n ŏ r a , 1104); véanse R. Menéndez Pidal, *Orígenes del español*, §§ 4 y 5; F. J. Simonet, *Glosario de voces ibéricas y latinas usadas entre los mozárabes*, Madrid, 1888, y M. Asín, *Glosario de voces romances registradas por un botánico anónimo hispanomusulmán* (siglos xi-xii), Madrid-Granada, 1943.

10. La evolución de la geminada /l·l/ y la de los grupos /c'l/, /g'l/, /l + yod/ llegaron a un mismo resultado /ļ/ en algunas zonas del occidente leonés (/purtieļu/, igual que /bieļu/, /uoļus/ 'ojos', /paļa/ en San Ciprián de Sanabria), en navarro-aragonés (*caballo*, *castiello*, igual que *viello*, *palla*) y en catalán occidental (*cavall*, *castell*, *vell*, *ull*, *palla*, todos con /ļ/). Pero en la mayor parte del dominio astur-leonés, en castellano y en el catalán oriental y balear la /l·l/ dio /ļ/ palatal lateral (*portiello*, *portillo*, *portell*), mientras que /l + yod/, /c'l/ y /g'l/ pasaron a tomar una articulación palatal central (ast.-leon. *paya*, *güeyu* < o c ' l u , *vieyu*; cast. *paja*, *ojo*, *viejo*, con *j* pronunciada [ğ] o [ž] hasta el siglo xvi; cat. oriental y balear

§ 42. EL SIGLO XI. INFLUENCIA FRANCESA.
PRIMEROS GALICISMOS Y OCCITANISMOS

1. Con el siglo XI se abre un nuevo período de la Reconquista. Tras la pesadilla de Almanzor, los moros dejan de ser enemigos temibles hasta la venida de los almorávides. Los cristianos, inferiores en cultura y refinamiento, les superan en vitalidad. En los Estados norteños aparecen síntomas de renovación. Reanudada la repoblación, los condes y reyes otorgan exenciones a las villas, para atraer moradores: esos fueros son el principio de las libertades municipales. La dinastía leonesa, tradicionalista, decae, mientras crecen Castilla y Navarra. Y es precisamente el gran rey vascón Sancho el Mayor (1000-1035) quien abre orientaciones transformadoras de las relaciones exteriores hispánicas.

La peregrinación a Santiago resultaba penosa; desde Roncesvalles seguía un camino abrupto, entre montañas. Sancho el Mayor lo desvía, ha-

---

/payə/, /úi/). En los dialectos mozárabes, a pesar de las confusiones *ḳabalyo*, *šintilya*, *šarralla*, lo general fue distinguir las grafías, transcribiendo con *ll* el resultado de /ḷḷ/ latina, y con *ly* el de /ḷ/ + yod/ y /c'l/, que además ofrecía las soluciones /ǧ/, /ǧǧ/ y posiblemente /č/ (*oreĉa*, *aquĉella* 'oreja', 'agujilla', § 44, n. 6). Véanse Amado Alonso, *Correspondencias arábigo-esp. en los sistemas de sibilantes*, Rev. de Filol. Hisp., VIII, 1946, 41-43; Dámaso Alonso, *La fragmentación fonét. penins.*, «Encicl. Ling. Hisp.», I, Supl., 1962, 94-100; y A. Galmés de Fuentes, *Resultados de -ll- y -ly-, -c 'l- en los dialectos mozárabes*, Rev. de Ling. Rom., XXIX, 1965, 60-97. Ante estos hechos caben tres explicaciones: 1) que /ḷḷ/ pasó a /ḷ/ cuando la /ḷ/ procedente de /c'l/, /g'l/ o /ḷ + yod/ había dejado de ser lateral y se había convertido en /y/, /ǧ/ o /ž/, incluso en /č/: es suposición no confirmada hasta ahora, más bien contradicha por los datos que poseemos; 2) que en las regiones donde /c'l/, /g'l/ y /ḷ + yod/ originaron palatal central hubo una etapa intermedia con /ḷ/ distinta de la /ḷ/ resultante de /ḷḷ/; y 3) que en la evolución de /c'l/, /g'l/ y /ḷ + yod/, grupos en cuya composición entraba un elemento no lateral, la palatal fue central (/y/ o /ǧ/) desde el principio. De las tres hipótesis, la segunda es la que está más de acuerdo con lo que conocemos del leonés y el catalán, donde la /y/ no surgió sino tras seculares testimonios de /ḷ/; también en la Castilla de los siglos X y XI grafías como *relias* 'rejas de arado', *Orzellione* 'Ordejón', *Spelia* 'Espeja', y *Gulpellares* 'Gulpejares', postulan la existencia de una /ḷ/ primitiva, siquiera fuese distinta (menos lateral seguramente) que la de *valle*, *ḳaballos*, *portiello* o *Kastiella*. Todavía en 1210, Santoña, alternan «Pumar *uiello*» y «puent *uiegga*» (Doc. Ling., 4.° 1. 36 y 41). Véanse Ramón Menéndez Pidal, *Orígenes del español*, §§ 5, 7 y 50; A. Badia Margarit, *Gramática Histórica Catalana*, 1951, § 87, IV, A., y E. Alarcos Llorach, *Fonología española*, 3.ª ed., 1961, § 156.

ciendo que atravesara por tierra llana. A partir de entonces afluyen a Compostela innumerables devotos europeos; la abundancia de franceses da a la ruta el nombre de «camino francés». A lo largo de ella se establecen colonos que pronto forman en nuestras ciudades barrios enteros «de francos».

A causa del apartamiento geográfico y cultural respecto al resto de la cristiandad, la Iglesia española gozaba de relativa autonomía y tenía caracteres propios, entre los cuales sobresalía la conservación de la liturgia visigóticomozárabe. Sancho el Mayor introdujo la reforma cluniacense en San Juan de la Peña y otros cenobios; pronto cundió en los principales monasterios de España. Los cluniacenses defendían la universalidad romana por encima de los particularismos nacionales y traían usos que eran desconocidos en nuestras prácticas religiosas. Así penetra el culto a las imágenes, contrario a las primitivas costumbres de la Iglesia española. La influencia ultrapirenaica se acentúa durante el reinado de Alfonso VI, casado sucesivamente con tres reinas extranjeras. Las hijas del monarca contraen matrimonio con Raimundo y Enrique de Borgoña. Gascón era Bernardo, abad de Sahagún y luego arzobispo de Toledo, y lemosín don Jerónimo de Périgord, nombrado por el Cid obispo de Valencia. La inmigración creció: en Toledo, Sahagún, Oviedo, Avilés y otros puntos los «francos» llegaron a tener jueces y merinos especiales.

España sale de su aislamiento, pero con perjuicio de sus tradiciones. El rito visigodo es sustituido por el romano; desaparece la escritura visigoda y en lugar suyo se emplea la carolingia. Al arte mozárabe sigue la arquitectura románica.

2. En el lenguaje entran muchos términos provenzales y franceses. Los nobles adoptan *homenaje* y *mensaje*, llaman *barnax* a las hazañas, *fonta* al deshonor y *palafré* al caballo de camino. Alborea la vida cortés, que pone de moda *cosiment* 'merced, benevolencia', *deleyt*, *vergel*. En las catedrales y monasterios se difunden *pitanza*, *fraire* > *fraile*, *monje*, *deán*. Los peregrinos se albergan en *mesones*, pagan con *argent*, piden *manjares* y *viandas* y las aderezan con *vinagre*. La introducción de galicismos no había de cesar ya en toda la Edad Media. La influencia lingüística de los inmigrantes «francos» favoreció la apócope de la *e* final en casos como *part*, *mont*, *allend*, *cort*, que a mediados del siglo XII habían adquirido extraordinaria difusión.[11]

11. Véanse más adelante §§ 51$_4$ y 54$_{3y4}$.

A los últimos años del xi corresponde la introducción de la grafía francesa *ch* para el fonema palatal africado sordo que hoy representamos así;[12] hasta comienzos del xiii contendió con las transcripciones *g*, *gg*, *i*, *ih*, que venían usándose desde antes y que servían también para la palatal sonora /ğ/ > /ž/.[13] La adopción de la *ch*, aunque al principio valió para los dos fonemas /č/ y /ğ/ (*conecho* por 'conejo' en el Fuero de Madrid, anterior a 1202), permitió a la postre distinguirlos en la escritura.

12. La pronunciación originaria de la *ch* francesa era africada, /č/, no fricativa /š/ como es hoy.

13. R. Menéndez Pidal, *Orígenes del español*, § 8.

VII

PRIMITIVOS DIALECTOS PENINSULARES. LA EXPANSIÓN CASTELLANA[1]

§ 43. REINOS Y DIALECTOS

1. Los reinos medievales son entidades más claramente definidas que las provincias romanas, conventos jurídicos y obispados. Al principio recordaban en cierto modo la división provincial romana: si León reproducía, ampliándola, la Gallaecia, Navarra quiso llenar el extremo occidental de la Tarraconense. Pero la fisonomía de cada reino se formó, libre de antecedentes tan lejanos, con el espíritu y tradición nacidos de su peculiar desarrollo histórico. Las tendencias que produjeron y mantuvieron el fraccionamiento político hacían que en el lenguaje los rasgos diferenciales prevalecieran sobre las notas congregadoras. La comunicación entre reinos independientes no era tan fácil y constante como dentro de uno solo. La vida se encerraba en círculos reducidos, favoreciendo la disparidad. Así, las divergencias que asomaban en el romance de la época visigoda se agrandaron hasta originar dialectos distintos. No es que se correspondan Estados y dialectos; pero la suerte de éstos guarda innegable relación con la de aquéllos.

2. Cada uno de los Estados cristianos tiene sus caracteres propios. Asturias, convertido en el reino leonés desde los primeros años del siglo x, es al comienzo el principal sostén de la Reconquista. El reino astur-leonés se siente heredero de la tradición visigótica, aspira a la hegemonía sobre los demás núcleos cristianos, y sus reyes se titulan repetidamente emperadores. Se rige con arreglo a las leyes visigodas del Fuero Juzgo, y su estructu-

1. Véanse los *Orígenes del español* de R. Menéndez Pidal, especialmente los §§ 86-106, y la *Dialectología española* de Alonso Zamora Vicente, 2.ª ed., Madrid, 1966.

ra social se caracteriza por el predominio de la alta nobleza. Lingüísticamente el reino leonés carecía de unidad: la franja occidental estaba ocupada por el gallego, que se prolongaba hacia el sur en el futuro portugués y era el más conservador entre los romances de la España cristiana. El asturleonés, hablado en el centro del reino, estuvo sujeto a la influencia gallega y a la de los mozárabes, que en gran número vinieron a establecerse en la cuenca del Duero y aun en Asturias. Topónimos como *Gallegos, Galleguillos, Toldanos, Coreses, Mozárvez, Huerta de Mozarvitos* hablan de estas dos corrientes migratorias. No obstante, el dialecto astur-leonés no permaneció estacionario: compartió o admitió poco a poco algunas de las innovaciones que surgían en la franja oriental, Castilla, donde se inauguraba el romance más revolucionario; dio curso a novedades autóctonas y fue recluyendo hacia occidente los rasgos más arcaizantes.

3. La antigua Cantabria, región constantemente insumisa durante el período visigótico, fue la cuna de Castilla. El nombre de C a s t e l l a 'los castillos' parece haber sido dado en los primeros tiempos de la Reconquista a una pequeña comarca fortificada por Alfonso I y Fruela I al sur de la cordillera.[2] A finales del siglo ix comienza a extenderse Castilla por la meseta de Burgos, llegando hasta el sur del Duero en la centuria siguiente. La frontera castellana fue teatro de incesantes luchas con los moros. Castilla es al principio un conjunto de condados dependientes de León, pero frecuentemente rebeldes. Unificada por Fernán González († 970), lucha por conseguir su autonomía, más tarde su independencia y, por último, la supremacía en la España cristiana. Fernán González y después Sancho II y el Cid son los principales representantes del antagonismo castellano contra León. En vez de atenerse al Fuero Juzgo, Castilla tiene por leyes sus «albedríos», esto es, sus costumbres. La poesía épica castellana celebraba, ya en los siglos x y xi, las gestas de los condes de Castilla, la trágica leyenda de los

---

2. Véase C. Sánchez Albornoz, *El nombre de Castilla*, «Estudios dedicados a M. Pidal», II, 1951, 629-641. Jaime Oliver Asín (*En torno a los orígenes de Castilla*, Madrid, 1974) sostiene que el nombre fue dado por beréberes asentados allí y oriundos de una Q a s ṭ ī - l y a tunecina, topónimo formado sobre el latín vulgar *c a s t e l l o s con -a, signo árabe de colectivo. Los cronistas árabes, sin embargo, no llaman Q a s ṭ ī l y a a la Castilla primitiva, sino al-Qilāʿ 'los castillos'.

siete Infantes de Lara y la muerte alevosa de Sancho II ante los muros de Zamora. El dialecto castellano evoluciona con más rapidez que los otros y, según veremos, se muestra distinto de todos, con poderosa individualidad. Castilla, levantisca y ambiciosa en su política, revolucionaria en el derecho, heroica en su epopeya, fue la región más innovadora en el lenguaje. Y así como su prodigiosa vitalidad la destinaba a ser el eje de las empresas nacionales, su dialecto había de erigirse en lengua de toda la comunidad hispánica.

4. En el Pirineo, el afán reconquistador es más remiso que en León y Castilla. Los mahometanos, en su primer empuje, habían invadido el Mediodía de Francia, y estaban sólidamente establecidos en el valle del Ebro cuando surgieron los Estados cristianos pirenaicos.

El reino de Navarra comienza a dar señales de vida con el siglo x, reconquistando la Rioja. Cien años después, su rey Sancho el Mayor consigue ser el monarca más poderoso del norte de España, pero desde su muerte (1035) Navarra queda aislada y su territorio cada vez más reducido. Sin embargo, entre Castilla y Aragón hubo una zona políticamente disputada que no llegó a prolongar hacia el sur el reino navarro, pero fue objeto de sus ambiciones hasta avanzado el siglo xii, y probable campo de su expansión demográfica. Esa zona, que comprende la Rioja, Soria, Molina y Cuenca, ofreció en su lenguaje, durante la Edad Media, ciertas coincidencias con el dialecto navarro-aragonés; y aunque la progresiva castellanización las barrió en su mayoría, algunas llegan aún hoy hasta la Andalucía oriental.[2 bis] Aragón, que empieza a figurar como reino independiente en el siglo xi, se extiende hacia el sur con las conquistas de Huesca (1096) y Zaragoza (1118), y aun pretende influir en el centro y occidente durante el reinado de Alfonso I el Batallador (1104-1134). El dialecto navarro-aragonés se asemeja mucho al de León; pero es más tosco, acaso por la ausencia de una corte refinada como la leonesa, y más enérgico, quizá por el primitivo fondo vasco de la zona pirenaica; está menos ligado que el leonés a tradiciones del pasado y más a particularidades locales. Pero los localismos pirenaicos no se expandieron al sur con la reconquista aragonesa del valle del

---

2 bis. Véase Diego Catalán, *De Nájera a Salobreña. Notas lingüísticas sobre un reino en estado latente*, «Studia Hisp. in hon. R. L.», III, Madrid, 1975, 97-121.

Ebro; el dialecto norteño no se impuso en Huesca y Zaragoza sin renunciar a ellos. Así como el astur-leonés representa en muchos aspectos la transición entre el gallego-portugués y el castellano, así el navarro-aragonés ofrece etapas intermedias entre el castellano y el catalán. Después de Cataluña, fueron Navarra y Aragón las regiones españolas que más pronto y con mayor intensidad experimentaron la influencia del Mediodía francés.[3] Navarra, vascófona o bilingüe entonces en la mayor parte de su territorio, recibió colonias de francos que conservaron hasta el siglo XIV sus lenguas originarias; por otra parte, la vecindad de Castilla favoreció la propagación de rasgos navarros en zonas burgalesas durante el siglo X y parte del XI, pero a continuación, la de castellanismos en Navarra.[4]

5. La primitiva Cataluña fue arrebatada a los musulmanes por Ludovico Pío. Al principio es un grupo de señoríos incorporados a Francia; pero esta dependencia se convierte en pura fórmula conforme crece el poderío del condado de Barcelona, que llega a constituir Estado aparte. En tiempos del conde Ramón Berenguer III (1096-1131) empieza Barcelona a intervenir políticamente en el sur de Francia. Cataluña, sin perder su cohesión con los demás pueblos cristianos de la Península y sin dejar de colaborar en la empresa común de la Reconquista, estuvo ligada a Francia por vínculos políticos y culturales, de los que se fue desprendiendo poco a poco. Situada junto al mar, se preparaba para futuras expansiones mediterráneas. Sobre su lengua, con esencial elemento iberorromano,[5] pesó durante varios siglos el influjo de la provenzal.

3. M. Alvar, *El dialecto aragonés*, Madrid, 1953, 12-18, 95-106; *Historia y Lingüística: «colonización» franca en Aragón*, «Festschrift W. von Wartburg», I, 1968, 129-150, y *Aragón. Literatura y ser histórico*, Zaragoza, 1976, 61 y ss.; L. Rubio, *Los documentos del Pilar (siglo XII)*, «VII Congreso de Historia de la Corona de Aragón», II, Barcelona, 1962, 321-328.

4. Véanse F. González Ollé, *El romance navarro*, Rev. de Filol. Esp., LIII, 1970, 45-93; R. Ciérvide, *El romance navarro antiguo*, «Fontes Linguae Vasconum», n.° 6, Pamplona, 1970; L. Michelena, *Notas sobre las lenguas de la Navarra medieval*, Homenaje a J. E. Uranga, Pamplona, 1971, 201-214; y Carmen Saralegui, *El dialecto navarro en los documentos del Monasterio de Irache (958-1397)*, Pamplona, 1977 (en especial, pp. 275-280).

5. Véase la bibliografía citada en el § 24, n. 43.

§ 44. SEMEJANZAS ENTRE LOS PRIMITIVOS DIALECTOS

1. El mayor interés del romance hispánico primitivo estriba en la luz que su estudio arroja para conocer la primaria repartición dialectal de la Península.

Los dialectos eran, al norte, el gallego-portugués, el leonés, el castellano, el navarro-aragonés y el catalán; al sur, los dialectos mozárabes, que, aislados de los demás y cohibidos por el uso del árabe como lengua culta, tuvieron una evolución muy lenta en algunos aspectos, por lo que a veces son una preciosa reliquia del romance que se hablaba en los últimos tiempos del reino visigodo. Conservaron, por ejemplo, los diptongos /ai/, /au/ (*carraira, lauša*), la /č/ de *čirolas* 'ciruelas', *ḳoraćón, ćerbo, ćinqo*, el grupo /pl-/ de *plantain* y la [χ] de *laχte, noχte, maχsella*, junto a pronunciaciones más evolucionadas /ei/, /ou/ (§ 45$_2$), *ŝerbo, ŝinqo* (§ 41$_6$), *lyorar* (< p l o r a r e, § 45$_3$) y *leyte, armolaita* 'remolacha', *noite* o *nueite, maysella* (§§ 4$_7$, 18 n. 14, 30$_{2 y 4}$). En otros casos, por el contrario, se mostraron notablemente innovadores, participando en los cambios g e n e s t a > *enešta* (junto a *yenešta*), o r i c l a > *oreǧa* (junto a *oreḽa*), -*iello* > -*illo* y p l o r a r e > *ḽorar*, junto a p l a n t a g ĭ n e > *plantain* (véanse las notas 7, 8, 12 y 16 de este capítulo).[6]

2. Aunque cada región tenía sus particularidades distintivas, todas, a excepción de Castilla, coincidían en una serie de rasgos que prolongaba la fundamental unidad lingüística peninsular, tal como existía antes de la invasión musulmana (véase § 30). Conservaban ante /e/, /i/ átonas la palatal procedente de /ǵ/ o /j/ latinas iniciales, como /y/ entre los mozárabes,

---

6. Para las hablas mozárabes véanse las obras de Simonet y Asín citadas en el § 41, n. 9; Menéndez Pidal, *Orígenes del español*, §§ 86-91; A. Zamora Vicente, *Dialectología española*, 1967, 15-54; M. Sanchis Guarner, *El mozárabe peninsular*, «Encicl. Ling. Hisp.», I, 1960, 293-342, y Emilio García Gómez, *Todo Ben Quzmān*, t. III, Madrid, 1972. Para aspectos particulares del mozárabe, véanse Amado Alonso, *Las correspondencias arábigo-españolas en los sistemas de sibilantes*, Rev. de Filol. Hisp., VIII, 1946, 12-76; D. A. Griffin, *Arcaísmos dialectales mozárabes y la Romania occidental*, «Actas del II Congr. Intern. de Hispanistas», Nimega, 1967, 341-345; los estudios de A. Galmés de Fuentes, Griffin, Hilty, etc., mencionados en los §§ 32 n. 4, 35 n. 20, 41 n. 10; 44 nn. 9-10 y 48 nn. 23-26, y el de Galmés de Fuentes, *El mozárabe de Sevilla según los datos de su «repartimiento»*, «Homenaje a S. Gili Gaya», Barcelona, 1979, 81-98.

como /ǧ/ o /ž/ en el norte: g e n e s t a , g e r m a n u , *j e n u a r i u >
moz. *yenešta, yermanella, yenair*; gall.- port. *giesta, janeiro*; leon. *Ienestares,
giermano, genero*; arag. *germano, girmano, geitar* (< *j e c t a r e); cat. *gines-
ta, germā, gener.*[7] Mantenían la /f/ en principio de palabra: f a l c e , f i l i u ,
f a r i n a > moz. *faûĉil, filyolo* o *filyuelo*; gall.- port. *fouce, fillo / filho, fariña
/ farinha*; leon. *foz, fillo > fiyo, farina*; arag. *falz, fillo, farina*; cat. *falç, fill, farina.* Los grupos /l + yod/, /c'l/ y /g'l/ daban /ľ/: s e r r a l i a , m u l i e r e ,
o c ŭ l u , c u n i c ŭ l u , t e ǧ ŭ l a > moz. *šarralla, mulleres, uelyo, ḳonelyo,
tella* (véase § 48₁); gall.-port. *muller / molher / mulher, ollo / olho, coenllo / coe-
llo / coelho, tella / telha*; leonés *muller > muyer, uello > ueyo / gueyo, tella >
teya*; arag. *muller, uello > güello, tella*; cat. *muller, ull, cunill, tella* (junto a
teula).[8] En el grupo /ct/ las alteraciones se limitaban al primer elemento, sin
modificar la articulación de la /t/: t r u c t a , l a c t e , f a c t u > moz.
truχta, laχtaira, junto a *leite*; gall.-port. *troita / truita / truta, leite, feito*; leon.
occid. *trueita, lleite, feito*; arag. *leite, feito / feto*; cat. *truita, llet, fet.* Y los grupos /sĉ/, /st + yod/ se resolvían en /š/: c r e s c i t , f a s c e , p i s c e , a s c i a -
t a , f a s c i a , u s t i u (por o s t i u m) > moz. *creše, faša*; gall.-port. *creixe,
feixe, peixe, faixa*; leon. *feixe / fexe, exata* en documento de hacia 1050, topónimo *Uxo* en Asturias; arag. *crexe, axada > ajada, faxa > faja*; cat. *creix, feix,
peix, aixada, faixa*.

7. Como en gallego-portugués ha desaparecido la consonante inicial de G e l o v i r a
> *Elvira*, g e r m a n u > *irman, irmão*, *j e q u a r i a > *iguaria*, Y. Malkiel (Langua-
ge, XX, 1944, 119-122) supone que la pérdida fue originariamente un vulgarismo común a
Castilla y al oeste peninsular, aunque en el oeste, más conservador, no logró generalizarse
como en Castilla; véanse objeciones de J. Piel, Rom. Forsch., LXIII, 1951. Entre los mozárabes hay ejemplos de pérdida (*enešta, onolyo* < g e n ŭ c ŭ l u en el *Glosario* publicado por
Asín). Véase también E. Alarcos Llorach, *Resultados de gᵉⁱ en la Península Ibérica*, Archivum, IV, 1954, 330-342, y *Fonología española*, 1961, § 155.
8. El mantenimiento de la solución /ľ/ no fue general en mozárabe; hay testimonios de
que en los siglos xi y xii se daba también la pronunciación /ǧ/ o /ǧǧ/: a u r i c (ŭ) l a
> *oreǧǧa*, c a u l i c (ŭ) l a > *qoleǧa*, a c u c (ŭ) l a + ĕ l l a > *aquǧǧella*, m i l i ŏ l u >
miǧuelo, coincidente con la castellana antigua de *oreja, colleja, agujilla, mijuelo.* El *ǧim* du-
plicado podría leerse también /ĉ/, *oreĉa, aquĉella.* Para esta /ǧ/, /ǧǧ/ o /ĉ/, así como para el
paso de /ľ/ a /y/ en leonés y catalán oriental y balear, véanse A. Galmés de Fuentes, *Resultados de -ll-, y -ly-, -c'l- en los dialectos mozárabes*, Rev. de Ling. Rom., XXIX, 1965, 60-97, y lo
que se dice en nuestro § 41₇, n. 10.

3. Menos extendida, pues no alcanzó al gallego-portugués, estaba la palatalización de /l/ inicial en /ļ/ o /y/ (véase § 22₃); pero los astur-leoneses *llogar, llavore, llabrar, llaguna* no estaban separados de los catalanes *lloc, llaurar, llengua, llacuna*, pues los mozárabes decían *llancâs* 'lanzas' y *yengua* 'lengua', *Yussena* 'Lucena', anticipando la palatalización documentada en ejemplos sueltos de Toledo, Madrid y Andalucía desde el siglo XIV. Desde el XIII se encuentran también algunos en castellano (*Llorenço, llenguaje, llamer, llazada*) y entre el XI y el XIV en aragonés (*Lloarre, lliçençia, llogares, lluego, llobo / llopo*). La toponimia del centro peninsular los registra también desde la parte no leonesa de la Montaña y el oeste de Vizcaya (*Lloreda, Llobera, Llaguno, Las Llamas*, de *lama* 'barrizal, cenagal'), Burgos (*San Llorente*) y Soria (*Los Llamosos*), hasta Jaén (*Llavajos*), Córdoba, Almería y Málaga (*Llamas, Llames*). Sin duda se trata de un fenómeno que tuvo gran difusión, pero considerado vulgar fuera del dominio catalán, por lo que en el resto de España permaneció fuera del uso escrito y fue relegado al claramente dialectal. Todavía en el siglo XVIII una representación pastoril malagueña empleaba *llocío* 'lucido', *llucero, llengua, llance*, etc., según veremos en el capítulo XV.[9]

4. Tampoco debían de estar separadas entonces las áreas hispánicas donde el plural femenino *-as* pasa a *-es*. Hoy ocurre esto, de una parte, en el asturiano central y en los islotes leoneses de San Ciprián de Sanabria (Zamora) y El Payo (Salamanca): *les cases, les patates, es outres ermanes*; de otra parte en todo el dominio catalán, valenciano y balear (*les cases, les altres germanes*). Pero los botánicos andalusíes recogen los plurales mozárabes *paumeš* 'palmas', *magraneš* 'granadas', *ṭapareš* 'alcaparras' (cat. *tàpares, tàperes*), etc., y en la toponimia de territorios mozárabes hay *Naves* (Cáceres), *Yeles* (Toledo), *Tobes* (Guadalajara), Villar de *Arenes* (Teruel), *Ares* (Castellón), *Cabanes* en el Repartimiento de Valencia, y abundantes ejemplos en el sur: *Sagres* y *Silves* en el Algarbe, *Lastres* en Córdoba, *Prunes* en Cádiz, *Campanes* y *Llames* en Málaga, *Canilles / Caniles, Fornes, Oliveres, Pitres* (< p ě -

---

9. R. Menéndez Pidal, *Dos problemas iniciales relativos a los romances hispánicos*, «Encicl. Ling. Hisp.», I, 1960, LXXXVII-CIII; A. Galmés de Fuentes, *Sobre la evolución de «l-» inicial en los dialectos mozárabes*, «Homenaje al Prof. Alarcos [García]», II, Valladolid, 1966, 31-37.

t r a s) en Granada, *Beires, Garriques* y *Perules* (junto al singular *Perula*) en Almería, entre otros muchos (compárense *Nava / Navas, Yela, Toba, Arenas, Ara, Cabanas, Sagra, Silva, Lastra, Pruna, Campana, Llama / Llamas, Canillas, Horna, Olivera, Beira / Vera, Garriga*).[10]

§ 45. REPARTICIÓN GEOGRÁFICA DE OTROS FENÓMENOS

1. La diptongación de /ĕ/, /ŏ/ acentuadas, iniciada en el latín imperial y continuada en el período visigótico (véanse §§ 18₁ y 30₃), proseguía en las regiones centrales con la misma inseguridad entre *amariello* y *amariallo*, *pieça* y *piaça, huerto, huorto* y *huarto.* Diptongaban, fuera de Castilla, las formas verbales ĕ s > *yes,* ĕ s t > *yet, ya,* ĕ r a m > *yera,* así como /ĕ/, /ŏ/ tónicas seguidas de yod: leon. *uey, ué* < h ŏ d i e; arag. *tiengat* < t ĕ n ĕ a t, *pueyo* < p ŏ d i u; moz. *uelyo* < ŏ c (ŭ) l u . Entre los mozárabes había grandes vacilaciones. Toledo y Levante conocían la diptongación, según demuestran los nombres geográficos O p t a > *Huete,* A u r i ŏ l a > *Orihuela,* M o n t ĕ l l u > *Montiel,* A l p ŏ b r i g a > *Alpuébrega;* en documentos y escritores musulmanes aparecen *dueña, bašcuel, mauchuel, šierra.*[11] En Zaragoza, el botánico Ben Buclárix, que floreció hacia el año 1100, al lado de *royuela, ķaštañuela, yedra,* da *ķalabağola, ķuliantrolo, ķardenella;* pero la toponimia ofrece *Buñuel, Estercuel,* y al sur, *Teruel* < T u r i ŏ l u m . En Andalucía, aunque O n ŭ b a dio *Huelva* y en Córdoba y Sevilla hay citas de *ķabesairuela, ķorriyuela* en el siglo x, una reacción posterior restauró las vocales latinas, únicas en las frases romances de Ben Quzmán (*bona, podo* 'puedo', *morte*). En el extremo sur, de Málaga a Almería, el diptongo no debió de prosperar, según se infiere de la toponimia (*Albuñol, Ferreirola, Daifontes, Castel de Ferro, Castel del Rey*). Tampoco parece haber

---

10. Menéndez Pidal, *ibid.*, XLVII-LII; A. Galmés de Fuentes, *Los plurales femeninos en los dialectos mozárabes,* Bol. R. Acad. Esp., XLVI, 1966, 53-67. El asturiano central y las hablas de los dos islotes leoneses coinciden también con el catalán en hacer *-en* las desinencias verbales - a n t (*canten, cantaben*).

11. Las formas con diptongo alternaban con formas que conservaban /é/, /ó/: junto a *Cardiel, ķardielo,* había *ķardelo, ķantarel;* junto a *bašcuel* se daba *šogro.*

tenido fortuna en la antigua Lusitania (E m ĕ r ĭ t a > *Mérida*; en Portugal *Alportel, Alfornel*). El gallego-portugués mantuvo las vocales /ę/, /ǫ/ (*amarelo, ceo, horta, porta*), y el catalán sólo conoció la diptongación ante yod (*cel, porta*, pero f ŏ l i a > /*fue̯la/ > *fulla*, p ŏ d ĭ u > /*pueyo/ > *puig*, l ĕ c t u > /*llieito/ > *llit*).

2. Los dialectos del sur y los occidentales conservaban los diptongos /ai/, /au/. La forma primitiva subsistía entre los mozárabes (*febrair, pandair, ḳerrai* 'querré', *lauša*), aunque no debían faltar los grados /ei/, /ou/ (m a u r u > *mourcat*; *Alpandeire, Capileira, Lanteira, Poqueira, Ferreirola* en la toponimia granadina). En gallego-portugués triunfaron /ei/, /ou/, que duran en la actualidad (*pandeiro, mouro, querrei, cantou*). Cataluña, Aragón y Burgos habían generalizado las reducciones /e/, /o/ (cat. *riera, reclosa*; aragonés *terzero, carnero, amparot*; cast. *pandero, carrera, oro, moro*). El leonés se mostraba intermedio entre el gallego y el castellano: *carrera, otero, coto* se propagaban desde el este al centro leonés, a costa de *carreira, outeiro, couto*. Parecida era la repartición de /mb/ y /m/; el grupo latino se mantenía en mozárabe (*polombina*), gallego-portugués (*pomba*) y leonés (*palomba*), mientras en Burgos, Aragón y Cataluña se usaba la asimilación /m/ (castellano y arag. *amos, camiar, paloma, lomo*; cat. *llom, coloma*).

3. Novedad del noroeste peninsular fue la evolución de los grupos iniciales /pl-/, /kl-/, /fl-/. La fase primera, consistente en la palatalización de la /l/ en /ʎ/, llegó hasta Castilla. Posteriormente, en todo el territorio gallego-portugués y en casi todo el leonés, las sordas /p/, /k/, /f/, fundidas con la /ʎ/, produjeron los resultados /ĉ/ o /š/ (gallego-port. *chan, chao, chousa, chama*; leon. *chano, xano, chosa, xosa, chama, xama*). Ya en los comienzos del siglo XII se registran en documentos leoneses *xosa, Xainiz* < F l a v i n u . El aragonés y el catalán no alteraron los grupos latinos (*plan, pla, clamar, flama*). Los mozárabes decían *plantain* 'llantén' (< p l a n t a g ĭ n e); pero dos jarchas del siglo XI usan *lyorare, lyorar* (= [ḷorár] < p l o r a r e).[12]

---

12. Llevan los números 6 y 29 en la ed. de García Gómez. Para las distintas soluciones de los grupos iniciales de consonante + /l/, véanse Y. Malkiel, *The Interlocking of Narrow Sound Change, Broad Phonological Pattern, Level of Transmission, Areal Configuration, Sound Symbolism*, Arch. Ling., XV, 1963, 144-173 y XVI, 1964, 1-33, y reseña de H. Meier, Arch. f. d. Studium d. n. Spr., CCIV, 1968, 385-390.

§ 46. FORMACIÓN Y CARACTERES DEL CASTELLANO

1. La romanización de Castilla había sido tardía, sin el florecimiento cultural que dio tinte conservador al latín hablado en la Bética. Entre los rudos cántabros y los pobladores de la meseta —donde se asentaron preferentemente los visigodos (véase § 28₂)— debieron de encontrar fácil acogida los neologismos. Probablemente, el influjo lingüístico de la corte toledana hubo de llegar muy atenuado durante la época visigoda. Por su posición geográfica era Castilla vértice donde habían de confluir las diversas tendencias del habla peninsular; el territorio que en el siglo x ocupó el condado de Fernán González había estado repartido en tres provincias romanas. La Montaña y los valles del alto Ebro y del alto Pisuerga pertenecieron a la Gallaecia; Álava y la Bureba, hasta los Montes de Oca, caían dentro de la Tarraconense; y el convento jurídico de Clunia, con Burgos y Osma, era el extremo septentrional de la Cartaginense.[13] El lenguaje de Castilla adoptó las principales innovaciones que venían de las regiones vecinas, dándoles notas propias. Con el este practicó las asimilaciones /ai/ > /e/, /au/ > /o/, /mb/ > /m/ (*carrera, oro, paloma, lomo*); con el noroeste palatalizó la /l/ de los grupos iniciales /pl-/, /cl-/, /fl-/ ([pḷanu], [kḷave], [fḷama]), aunque después siguió evolución distinta, suprimiendo la primera consonante (*llano, llave, llama*); y como el resto del centro diptongó /ĕ/ y /ŏ/ tónicas en /ié/ y /ué/ (*cielo, siete, fuego, puerta*), pero según otras normas que las que regían en León y Aragón. Durante la Reconquista el habla castellana estuvo menos sujeta a presiones retardatarias que la de León. El elemento gallego tan importante en la repoblación leonesa, lo fue poco en la castellana. El factor mozárabe está presente en nombres personales como *Abolmondar*, «Stevano *Even*arias», «*Izani* presbiter», y en los de lugar *Agés* (< ár. H a ǧ ǧ ā ǧ), *Mahamud*, Villa*nasur*, etc.;[14] pero en el condado castellano escasean iglesias de arquitectura mozárabe, que abundan en León y en las inmediaciones de

---

13. R. Menéndez Pidal, *Documentos lingüísticos de España. I. Reino de Castilla*, 1919, 2-4.

14. M. Gómez-Moreno, *Iglesias mozárabes*, Madrid, 1919, 263; R. Menéndez Pidal, *Orígenes del esp.*, doc. de h. 1030, Clunia; L. Serrano, *Cartulario de San Pedro de Arlanza*, Madrid, 1925, 35, 55-56; M. Asín Palacios, *Contribución a la toponimia árabe de España*, Madrid-Granada, 1940.

Castilla (Lebeña en el valle de Liébana; San Millán de la Cogolla en la Rioja; San Baudel de Berlanga en la Extremadura soriana). La azarosa vida castellana ofrecía «condiciones poco tentadoras para que los mozárabes pacíficos trasladasen allá sus casas ni fundaran monasterios».[15] En cambio, la toponimia, con nombres como los citados en el § 3₄ y como *Vizcaínos*, *Bascuñana*, *Báscones*, *Basconcillos*, *Bascuñuelos*, revela que el elemento vasco fue poderoso. No es la primera vez que la Historia halla juntos a cántabros y vascos; unidos aparecen en rebeliones contra los monarcas visigodos. Sabemos que núcleos de pobladores o repobladores vascos hablaban su lengua nativa, no sólo en el siglo x, sino hasta muy avanzado el xiii; esto hace suponer que otros estarían muy superficialmente romanizados. Su adaptación a la fonética latina sería de todos modos imperfecta. Probablemente los cántabros tenían ya dificultad para articular la *f* labiodental (véase § 4₂), pero los vascos, que aun hoy no aciertan a pronunciarla, contribuyeron sin duda a que el castellano reemplazara la /f/ por [h] aspirada o la omitiera.

2. Las circunstancias favorecieron, pues, la constitución de un dialecto original e independiente. En efecto, el castellano fue en la época primitiva un islote excepcional. En primer término se apartaba de los demás romances peninsulares por el especial tratamiento de fonemas y grupos consonánticos latinos; difería del resto de España en el paso de /f-/ inicial a [h] aspirada ([hoʒa], [hiʒo], [hoθ]) o en la pérdida de la /f-/ (f o r m a c e u > *Ormaza*, f ŭ r n e l l u > *Ornilla*); suprimía /ǵ/, /j/ iniciales ante /e/, /i/ átonas (*enero*, *hiniesta*, *hermano*), y los grupos /sć/, /st + yod/ daban /ŝ/ (*haça*, *açada*, *antuçano*) en vez de /š/, que era la solución dominante en toda la Península. Los diptongos /ué/, /ié/ de *suelo*, *puerta*, *piedra*, *tierra* separaban el castellano del gallego-portugués, catalán y mozárabe de varias regiones; pero la /o/ de *noche*, *poyo*, *ojo*, *hoja*, y la /e/ de *tengo*, *sea*, lo distinguían del leonés, aragonés y mozárabe central, pues en castellano la yod impedía la diptongación (véase § 30₃). Y la /ḻ/ de *llamar*, *llover*, *llama*, *llantén*, contrastaba tanto con los grupos intactos *clamar*, *ploure*, *flama*, *plantain*, del aragonés, catalán y mozárabe, como con los resultados /ĉ/, /š/ de los gallego-portugueses y leoneses *chamar*, *chouvir*, *chama*, *xama*, *chantar*, *xantar*.

15. M. Gómez-Moreno, *ibid.*, 264.

3. El castellano poseía un dinamismo que le hacía superar los grados en que se detenía la evolución de otros dialectos. Mientras el leonés y el aragonés se estancaban en las formas *castiello, siella, aviespa, ariesta*, el castellano —acompañado en parte por el mozárabe—[16] emprendía la reducción de /ie/ a /i/ ante /ḽ/ y ciertas alveolares: *castillo, silla, avispa, arista*. La /ḽ/ peninsular nacida de /c'l/, /g'l/ y /l + yod/ pasó a /ǧ/ > /ž/ en Castilla en época muy temprana (cast. *oreja* < a u r i c (ŭ) l a , *viejo, mujer, majuelo* < m a l l ĕ ŏ l u , contra *orella, vello / viello / vell, muller, malluelo / mallol* del resto de España), resultado conocido, pero no general, en mozárabe.[16 bis] Y el grupo /i̯t/ originado por la transformación de /ct/, /ult/, daba /ĉ/ en castellano (*hecho, leche, mucho*) cuando los otros romances hispánicos decían *feito / fet, leite / llet, muito*.

4. Por último, el castellano era certero y decidido en la elección, mientras los dialectos colindantes dudaban largamente entre las diversas posibilidades que estaban en concurrencia. Así superó las vacilaciones *puorta, puerta, puarta, siella, sialla*, duraderas en leonés y aragonés, escogiendo pronto *puerta* y *siella*.[17] De León a Cataluña contendían para el artículo masculino singular diversas formas, principalmente *el* y *lo*; el castellano las unifica en *el* desde muy temprano.[18]

---

16. Desde el siglo xi se registran entre los mozárabes *escobilla, carrasquilla, acuǧilla, ichitilla, ortiquilla*, etc. Véanse R. Menéndez Pidal, *Orígenes del español*, § 27, y Asín, *Glosario de voces romances*, 5-6 y 208. Para la reducción castellana /ie/ > /i/ véase Y. Malkiel, *Multiconditioned sound change and the impact of morphology on phonology*, Language, 1977, 757-773.

16 bis. Véase § 44, n. 8.

17. Esta elección fue temprana en relación con la prolongada inseguridad manifiesta hoy mismo en las zonas más dialectales astur-leonesas y altoaragonesas; pero no hubo de ocurrir tajantemente y desde el primer momento. Aparte de los muy raros ejemplos que transcriben *uo, ua* (*Gontruoda*, 939, en Castilla del Norte, y la preposición *exquantra, escuantra*, siglos xi al xiii), en los documentos de toda Castilla persisten hasta cerca de 1250 muchos casos de *o* interpretables como grafías imperfectas de /uo/, cuya bimatización era menos perceptible que la de /ie/ y /ue/. Véase R. Menéndez Pidal, *Orígenes del esp.*, 1950, § 24₅, y *Cantar de Mio Cid*, III, 1946, 1192-1196. Añado ejemplos en mi artículo *Sobre el Cantar de Mio Cid. Crítica de críticas. Cuestiones lingüísticas*, «Études de Philol. Romane et d'Hist. Littér. offertes à Jules Horrent», Lieja, 1980, 219-220.

18. Véase *Nominativo o caso oblicuo como origen de demostrativos y artículo castellanos*, «Festschrift K. Baldinger», Tubinga, 1979, 196-207.

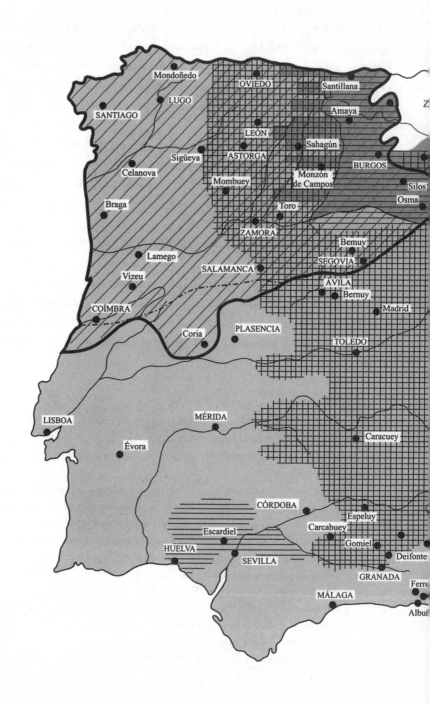

PRIMITIVA REPARTICIÓN DE ALGUNOS
CARACTERES FONÉTICOS DIFERENCIALES

---------- Límite de la España cristiana hacia 950.

Extensión primitiva de los diptongos
[wo], [we], [wa] < /ŏ/, y [ie], [ia] < /ĕ/.

Diptongación de /ŏ/ y /ĕ/ ante yod.

Palatalización de los grupos iniciales /pl-/, /cl-/, /fl-/.

Reducción de los diptongos /ai/, /au/, a /e/, /o/.

Conservación de los diptongos /ai/, /au/, /ei/, /ou/.

5. La aparición del castellano en la escritura fue una lenta revelación. Sólo algunos rasgos se traslucen en documentos del siglo x, cuando el condado pugnaba por desligarse de extrañas tutelas y su lenguaje tropezaba con la influencia de los dialectos vecinos, menos desacostumbrados para oídos cultos. En el monasterio de Silos, en plena tierra burgalesa, corrían entonces glosas en navarro-aragonés, propagado por los monjes riojanos de San Millán de la Cogolla. Los caracteres más distintivos del habla castellana no empiezan a registrarse con alguna normalidad hasta mediados del siglo xi, al tiempo que Castilla va sobreponiéndose a León y Navarra; aumentan entonces los ejemplos de /f/ sustituida por [h] u omitida (*Ormaza / Hormaza, hayuela*), así como los de *-iello > -illo* (*Celatilla, Tormillos, Formosilla*); y los de /ĉ/ y /ǧ/, que revisten muchas veces la grafía arcaica *g*, *gg* (*Cascagare* 'Cascajar', *Fregas* 'Frechas' < f r a c t a), penetran en la Rioja Alta (*peggare* 'pechar' < p a c t a r e , *ḳallega* 'calleja') y en el oriente de León (*Fonte Tega* < F o n t e t e c t a 'Fontecha', *Gragar* 'Grajal').

6. Sin embargo, aunque las grafías representativas de las soluciones fonéticas castellanas sean ya numerosas en los documentos de los siglos xi y xii, el latinismo de los escribas procuró evitarlas en la mayoría de los casos. Muchas veces el barniz latino origina formas antietimológicas como *plosa* o *flausa* por /ḷosa/ < c l a u s a , o *pectar(e)* por /peĉare/ < p a c t a r e . Las latinizaciones, correctas o ultracorrectas, amenguaron al generalizarse entre los notarios el uso del romance en el primer cuarto del siglo xiii. Pero aun después la resistencia culta afectó a un fenómeno tan característicamente castellano como el cambio /f/ > [h]; la causa está en que la [h] era un alófono llano del fonema cuya representación gráfica prestigiada por la tradición era la *f*: un historiador musulmán, Abu Bakr ben 'Abd-al Rahmān, refiriéndose a un hijo del rey García de Nájera († 1054), dice que «el nombre de *ilfante* lo pronuncian *ilhante*, cambiando la *fa'* en *ha'* al hablar».[19] Y no sólo debía de mantenerse la *f* en la escritura, sino también en la dicción esmerada o solemne: prueba de ello es que prevaleció *infante*.

19. Diego Catalán Menéndez-Pidal, *La pronunciación [ihante], por /ifante/, en la Rioja del siglo XI*, Romance Philology, XXI, 1968, 410-435.

§ 47. VARIEDADES REGIONALES DEL CASTELLANO

1. Dentro del territorio castellano había diferencias comarcales. Cantabria, origen de Castilla, fue el primer foco irradiador del dialecto. Allí debieron de incubarse los cambios /f/ > [h] y *-iello* > *-illo*, que en los siglos XI y XII aparecen con mayor caudal de testimonios en la Castilla Vieja y la Bureba. Pero el habla de esta Castilla cántabra retenía arcaísmos que decaían o habían desaparecido en Burgos: restos de diptongo /ei/ (*Tobeira, Lopeira*); vocal final /u/ (*orejudu, mesquinu*); vacilación entre /mb/ y /m/ (*cambio, palombar, ambos*), sobre todo en Álava y Campó; /mn/ etimológicas en *lumne, nomne, semnar*; ejemplos aislados de artículo *lo* («de *lu* lombu», «en *lo* soto»); y preposición fundida con el artículo *la* (*enna, conna*). Todo ello sobrevivía con varia intensidad cuando en Burgos dominaban o se usaban ya exclusivamente *-ero*, /o/ final, *camiar, palomar, amos, lumbre, nombre, sembrar*, artículo *el, en la, con la*.

2. La Rioja, antes navarra, se castellanizó a partir del siglo XI. Muy pronto, como acabamos de ver (§ 46₆), empezó a sustituir /f/ por [h] o a suprimirla, sin duda bajo la influencia, tan inmediata, de Vasconia. El subdialecto riojano, tal como lo emplea Gonzalo de Berceo, se parece más al de la Castilla norteña que al burgalés, pues decía *nomne, semnar, enna, conna*. La /i/ final por /e/ era muy corriente (*esti, essi, li, pudi, fizi, salvesti*), como hoy en algunas regiones leonesas. No se alteraba el grupo /mb/ (*palombiella, ambidos* < i n v i t u s , cast. *amidos*). Y la comparación usaba *plus* al lado de *mays, más* («*plus* blanco», «*plus* vermeio»). Perduraban además aragonesismos primitivos, sobre todo en la Rioja Baja.[20]

3. También el lenguaje de la Extremadura castellana (sur y este del Duero) ofrecía notables particularidades. En el Poema del Cid, compuesto o refundido hacia Medinaceli, hay rimas como *Carrión-muert-traydores-sol-noch-fuert*; en ellas, sin duda posible, el diptongo *ué* de *muert, fuert* es un retoque de los copistas; el original tendría *mort, fort*, sin diptongo, o

---

20. Véase M. Alvar, *El Becerro de Valbanera y el dialecto riojano del siglo XI*, Arch. de Filol. Aragonesa, IV, 1952, 153-184, y *El dialecto riojano*, México, 1969 (2.ª ed., Madrid, 1976); Suzanne Dobelmann, *Étude sur la langue des chartes de la Haute-Rioja au XIIIᵉ siècle*, Bull. Hisp., XXXIX, 1937, 208-214.

muort, fuort.[21] La influencia aragonesa fue intensa en tierras de Soria: algún documento del siglo XII está escrito en aragonés; no es de extrañar que en Mio Cid se encuentren orientalismos como *noves* o *nuoves* por 'nubes', *alegreya* 'alegría', *firgades* 'hiráis', etc.[22]

§ 48. TRANSFORMACIÓN DEL MAPA LINGÜÍSTICO DE ESPAÑA EN LOS SIGLOS XII Y XIII

Los dialectos mozárabes desaparecieron conforme los reinos cristianos fueron reconquistando las regiones del sur. Aquellas hablas decadentes no pudieron competir con las que llevaban los conquistadores, más vivas y evolucionadas.

1. La absorción se inició desde la toma de Toledo (1085). El núcleo mozárabe toledano era muy importante; conservaba seis parroquias, tenía jueces propios, y, estando ya bajo el dominio cristiano, siguió empleando el árabe para sus escrituras notariales;[23] sus costumbres públicas y jurídicas continuaron en uso durante mucho tiempo. El castellano se impuso en el reino de Toledo, pero tras lenta asimilación. En textos romances de los siglos XII y XIII aparecen abundantes restos dialectales: un documento alcarreño de 1189 da *outorguet, oitaua, parello*; uno toledano de 1191, *mulleres, fillos*;[24] el Fuero de Madrid, anterior a 1202, ofrece *tella* 'teja', *cutello* 'cuchillo', *geitar* 'echar', «tras *le* palacio», «in *lo* portiello» y otros rasgos no caste-

21. En vista de lo dicho en la nota 17 de este mismo capítulo, las rimas con /o/ o /uo/ podrían no ser dialectalismo, sino arcaísmo épico del Cantar.

22. Véase Menéndez Pidal, *Cantar de Mio Cid*, I, 74-76, y III, 1946, 1172, 1195, 1197. Para otros rasgos del Cantar atribuidos infundadamente a aragonesismo, véase el anunciado artículo en la nota 17.

23. Publicadas por A. González Palencia, *Los mozárabes de Toledo en los siglos XII y XIII*, 4 vols., Madrid, 1926-1930. En el árabe de estos documentos se deslizan muchas palabras romances. Estudia su fonética, juntamente con la de otros testimonios transcritos en árabe, Álvaro Galmés de Fuentes, *El dialecto mozárabe de Toledo*, Al-Andalus, XLII, 1977, 183-206 y 249-299.

24. Menéndez Pidal, *Orígenes del esp.*, § 91₄; véase también mi artículo *Mozárabe y catalán o gascón en el Auto de los Reyes Magos*, que aparecerá en la «Miscel·lània Aramon i Serra».

llanos.[25] Todavía en 1495 registra Nebrija en su *Vocabulario*: «faxa o *faysa*, como en Toledo; faxar o *faysar*, como allí».

2. A partir del siglo XII, la Reconquista progresa considerablemente. Portugal se extiende hacia el sur con la incorporación de Lisboa (1147), Beja y Évora (1166). Fernando II y Alfonso IX de León guerrean por Coria, Cáceres y Badajoz, que pasan a formar la Extremadura leonesa. Alfonso VIII de Castilla gana definitivamente Cuenca (1177). Ramón Berenguer IV expulsa a los moros de la Baja Cataluña, y Alfonso II de Aragón se apodera de Teruel (1170). En el siglo XIII se acentúa el empuje cristiano; en manos de san Fernando caen Jaén, Medellín, Córdoba (1236) y Sevilla (1248); Jaime I conquista Mallorca (1229) y Valencia (1238), y ayuda a Alfonso X a someter el reino de Murcia (1266). Los musulmanes quedaban reducidos al reino granadino.

3. Los dialectos del norte invaden la parte meridional de la Península sin resistencia apreciable, ya que la población mozárabe estaba muy disminuida por las persecuciones de almorávides y almohades. Sabemos que los mozárabes de Lusitania conservaban /l/ y /n/ intervocálicas, como indican los nombres de *Mértola*, *Grândola*, *Fontanas*, *Odiana*, localidades todas del sur de Portugal. Sin embargo, se generalizó la pérdida de ambos sonidos, propia de las gentes de Braga y Porto; el mismo *Lisbona* pasó a *Lisboa*. Los mozárabes de Córdoba, que empleaban *peǧ* o *peĉ* < p ĭ c e , *noχte*, *requere*, *ǩerrai*, los cambiaron por las formas castellanas *pez*, *noche*, *requiere*, *querré*. Y los de Levante y Baleares, que decían *fornair(o)*, *Corbeira*, *maura*, *palomba*, *colomba*, adoptaron las soluciones /e/, /o/, /m/ de los correspondientes catalanes y aragoneses *forner(o)*, *Corbera*, *mora*, *paloma*, *coloma*. Cuando los romances hablados por los reconquistadores diferían entre sí, el resultado dependió de las zonas en que predominaban gentes de una u otra procedencia: así los diptongos de los mozár. *šierra*, *baščuel* subsistieron en las regiones donde se instalaron principalmente aragoneses (Teruel, Segorbe, interior del reino de Valencia), mientras las formas con /e/, /o/ prevalecieron en el litoral, ciudad de Valencia e islas Baleares, asiento preferente de catalanes.[26]

25. Véase mi nota preliminar al Glosario del Fuero en las ediciones hechas por el Archivo de Villa de Madrid, 1932 y 1963.

26. Véase Álvaro Galmés de Fuentes, *El mozárabe levantino en los libros de Repartimientos de Mallorca y Valencia*, Nueva Rev. de Filol. Hisp., IV, 1950, 313-346. Por el con-

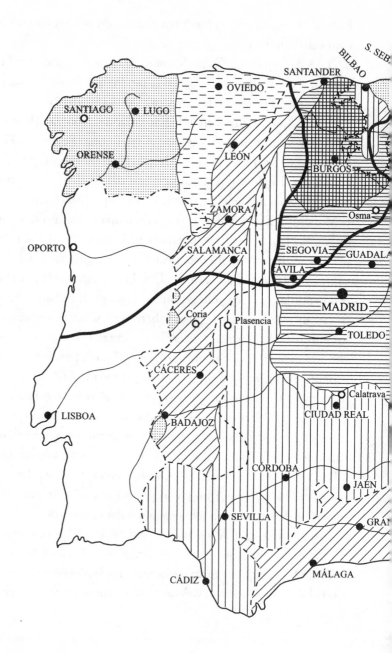

HUESCA

BARCELONA

RAGOZA

TARRAGONA

TERUEL

VALENCIA

ALICANTE

LA EXPANSIÓN CASTELLANA

JRCIA

——— Límite de los estados cristianos hacia 950.

- - - - Íd. de íd. en los siglos XIII y XIV.

— · — · — · Límites modernos.

–x–x–x– Límites del vascuence hacia 950.

▦ Primitiva zona de dialecto castellano.

☰ Regiones cuya castellanización se hallaba iniciada o avanzada en 1200.

▥ Regiones castellanizadas en el siglo XIII.

▨ Regiones castellanizadas desde el siglo XIV en adelante.

▤ Áreas actuales del leonés y el aragonés.

▦ Regiones bilingües.

4. Entre las regiones que vieron nacer los dialectos triunfantes y aquellas otras donde fueron importados existen diferencias que todavía hoy se advierten; al norte del Duero y entre el Pirineo y la línea Tamarite-Monzón hay zonas intermedias donde se mezclan caracteres de un dialecto y otro; al sur, las fronteras, más precisas, coinciden con los antiguos límites de los reinos.

5. La desaparición de las hablas mozárabes cierra un capítulo de la historia lingüística española. La Península quedó repartida en cinco fajas que se extendían de norte a sur. La central, de dialecto castellano, se ensanchaba por Toledo, Plasencia, Cuenca, Andalucía y Murcia, rompiendo el primitivo nexo que unía antes los romances del oeste con los del oriente hispánico. La cuña castellana —según la certera expresión de Menéndez Pidal— quebró la originaria continuidad geográfica de las lenguas peninsulares. Pero después el castellano redujo las áreas de los dialectos leonés y aragonés, atrajo a su cultivo a gallegos, catalanes y valencianos, y de este modo se hizo instrumento de comunicación y cultura válido para todos los españoles.

---

trario, Ernesto Veres D'Ocón, *La diptongación en el mozárabe levantino*, Rev. Valenciana de Filología, II, 1952, 137-148, se resiste a admitir la existencia de diptongación autóctona de /ĕ/ y /ŏ/ en el mozárabe levantino y balear; opone reparos, sin excluirla, Manuel Sanchis Guarner, *Introducción a la historia lingüística de Valencia*, [Valencia, 1949], 110-115, y *Els parlars romànics de Valencia i Mallorca anteriors a la Reconquista*, Valencia, 1961, 142-144; no hay muestras de diptongo en los mozarabismos del Vocabulista atribuido a Ramón Martí y estudiados por David A. Griffin (Al-Andalus, XXIII, 1958, y XXV, 1960), muy arcaizantes. En el mozárabe de Valencia y Baleares la diptongación hubo de ser vacilante, como en otras regiones de la España musulmana; acaso especialmente insegura o retrasada. Samuel Gili Gaya, *Notas sobre el mozárabe en la Baja Cataluña*, «VII Congreso Internacional de Lingüística Románica, II, Actas y Memorias», 1955, 483-492, publica datos que apoyan la semejanza entre el catalán y el mozárabe de Lérida y Tortosa.

VIII

EL ESPAÑOL ARCAICO. JUGLARÍA Y CLERECÍA.
COMIENZOS DE LA PROSA

§ 49. LA LÍRICA MOZÁRABE

Los primeros textos conservados en que se emplea el romance español con propósito literario proceden del Ándalus. La convivencia de hispano-godos, moros y judíos en la España musulmana dio lugar al nacimiento de un género de canción lírica, la m u w a š š a h a o moaxaja que, con el texto principal en árabe o en hebreo, insertaba palabras y hasta versos enteros en romance, sobre todo al final de la composición (χ a r ǧ a o *jarcha*). Según los preceptistas árabes, la mixtura de extranjerismos constituía uno de los atractivos de esta clase de poemas. Aunque la invención de la moaxaja parece remontarse al siglo x (véase § 32), las jarchas total o parcialmente romances publicadas hasta ahora (unas sesenta) pertenecen a moaxajas que datan de época posterior: la más antigua parece haber sido compuesta antes de 1042; la mayoría, a fines del siglo XI y durante el XII; tres, en tiempos de Alfonso X y una en el siglo XIV. Estas más tardías deben de ser supervivencias artificiosamente arcaizantes. Veinte son hebreas, y entre sus autores figuran poetas tan célebres como Mošé ben Ezra (h. 1060-h. 1140), Yehudá Haleví (nacido h. 1075) y Abraham ben Ezra (h. 1092-1167?). De texto árabe hay unas cuarenta y se anuncia la publicación de más. En todas ellas los fragmentos o palabras sueltas romances presentan graves dificultades de lectura e interpretación.

El interés mayor de las moaxajas consiste en que sus autores recogieron en las jarchas cancioncillas romances preexistentes. Así nos ponen en contacto con la más vieja lírica tradicional de la Península y de la Romania: estribillos de dos a cuatro versos donde las enamoradas cantan sus goces o cuitas, preludiando lo que habían de ser las cantigas de amigo gallego-portuguesas y los villancicos castellanos. Su encanto de flor nueva se realza con la extrañeza que le dan abundantes arabismos (como el muy repetido *habibi* 'amigo mío'), el dialecto mozárabe (*filyolu* 'hijuelo', *alyenu, yerma-nelas, corachón, welyos* u *olyos* 'ojos') y arcaísmos desconocidos o infrecuentes en la literatura posterior (*mibi* o *mib* 'mí'; futuros *farayo, morrayo* con la *-o* de h a b e o conservada, verbo *garir* 'decir' < g a r r i r e ; *yana* 'puerta' < j a n u a , etc.).[1]

1. Véanse J. M. Millás, *Sobre los más antiguos versos en lengua castellana*, Sefarad, VI, 1946, 362-371; S. M. Stern, *Les vers finaux en espagnol dans les muwaššahas hispano-hébraiques*, Al-Andalus, XIII, 1948, 299-343; *Un muwaššaha arabe avec terminaison espagnole*, ibid, XIV, 1949, 214-218, y *Les chansons mozarabes*, Palermo, 1953; Francisco Cantera, *Versos españoles en las muwaššahas hispano-hebreas*, Sefarad, IX, 1949, 197-234, y *La canción mozárabe*, Santander, 1957; Dámaso Alonso, *Cantigas de amigo mozárabes*, Revista de Filología Española, XXXIV, 1949, 251 y ss.; E. García Gómez, *Nuevas observaciones sobre las «jarŷas» romances en muwaššahas hebreas*, Al-Andalus, XV, 1950, 157-177; *Veinticuatro jarŷas romances*, ibid., XVII, 1952, 57-127; *Las jarchas romances de la serie árabe en su marco*, Madrid, 1965 (excelente edición de las correspondientes moaxajas árabes íntegras, con traducción española ajustada al metro original), y *Métrica de la moaxaja y métrica española*, Al-Andalus, XXXIX, 1974, 1-256; R. Menéndez Pidal, *Orígenes del español*, 3.ª ed., 1950; *Cantos románicos andalusíes*, Bol. de la R. Acad. Esp., XXXI, 1951, 187-270, y *La primitiva lírica europea. Estado actual del problema*, Rev. de Filol. Esp., XLIII, 1960, 279-354; Margit Frenk Alatorre, *Jarŷas mozárabes y estribillos franceses*, Nueva Rev. de Filol. Hisp., VI, 1952, 281-284, y *Las jarchas mozárabes y los comienzos de la lírica románica*, México, 1975; Rodolfo A. Borello, *Jaryas andalusíes*, Cuadernos del Sur, Bahía Blanca, 1959; Klaus Heger, *Die bisher veröffentlichten Harğas und ihre Deutungen*, Beihefte zur Zeitsch. f. rom. Philol., 101, Tubinga, 1960; M.ª del Rosario Fernández Alonso, *Amanecer lírico en España*, Montevideo, 1965; Gerold Hilty, *La poésie mozarabe*, Travaux de Ling. et de Littérature, Estrasburgo, VIII, 1970, 85-100; *«Zelosus» im Iberoromanischen*, «Sprache und Geschichte. Festschrift Harri Meier», Múnich, 1971, 227-252, y *Celoso-raquib*, Al-Andalus, XXXVI, 1971, 127-144; Elvira Gangutia Elícegui, *Poesía griega «de amigo» y poesía arábigo-española*, Emerita, XL, 1972, 329-396; J.M. Solá Solé, *Corpus de poesía mozárabe*, Barcelona, 1973; Junnosuki Miyoshi, *Jarcha como lírica integrada en moaxaja*, Hispanica, Soc. Japonesa de Filol. Hisp., n.º 18, 1974, 69-85 y 146-147; *Un estudio lingüístico sobre las líricas primitivas españolas*, Rev. de la Univ. de Sangyo de Kioto, n.º 3, 1974, 110-131 (ambos artículos en japonés), etc.

§ 50. APARICIÓN DE LAS LITERATURAS ROMANCES
DE LA ESPAÑA CRISTIANA

En los Estados cristianos existía, sin duda, poesía vulgar desde la formación misma de las lenguas romances. En los siglos x y xi los condes castellanos y los Infantes de Lara debían de ser ya objeto de poemas heroicos. Hubo también, sin duda, canciones líricas tradicionales. No poseemos, sin embargo, ningún texto literario de entonces. Hasta el siglo xii el romance sólo recibió de los letrados la denominación despectiva de «habla rústica» o la más exacta y duradera de «lengua vulgar». Pero hacia 1150 la *Chronica Adefonsi Imperatoris* lo califica ya de «nostra lingua», al tiempo que el Poema latino de Almería pondera el acento viril del hablar castellano comparándolo al son de atabales: «illorum lingua resonat quasi tympanotriba».[2] Este mayor aprecio coincide con menciones de fiestas cortesanas en que intervenían juglares, y con la fecha de los textos literarios más antiguos que se nos han transmitido.

El primero de ellos es el venerable *Cantar de Mio Cid*, obra maestra de nuestra poesía épica, refundido hacia 1140 en tierras de Medinaceli, transcrito —probablemente de la tradición oral de los juglares— a fines del siglo xii o comienzos del xiii, y conservado sólo en una copia del xiv.[3] Está en castellano con algunas particularidades locales. Castilla, que desde el siglo x venía cantando las hazañas de sus caudillos, imponía su dialecto como lengua de la poesía épica; también lo usaban otras manifestaciones poéticas, como el fragmento teatral del *Auto de los Reyes Magos* (fines del siglo xii) y narraciones de tipo religioso.

La poesía lírica floreció principalmente en las cortes de Galicia y Portugal, favorecida por el sentimentalismo y suave melancolía del alma gallega.

---

2. Así en la ed. de Juan Gil (*Carmen de expugnatione Almariae urbis*, Habis, V, 1974, 55, v. 149), que rectifica la lectura tradicional «quasi tympano tuba». *Chronica Adefonsi Imperatoris*, ed. J. Sánchez Belda, Madrid, 1950, § 36: «quotidie exiebant de castris magnae turbae militum, quod n o s t r a l i n g u a dicitur a l g a r a s»; § 102: «fortissimae turres, quae l i n g u a n o s t r a dicuntur a l c a z a r e s»; § 110: «insidias, quas l i n g u a n o s t r a dicunt c e l a t a s».

3. Para el carácter oral del Cantar, véase § 60.

Trovadores y juglares de otras partes de España empleaban el gallego como lengua de la poesía lírica. Alfonso X lo usa en sus *Cantigas* de alabanza a la Virgen, y los cancioneros gallego-portugueses de los siglos XIII y XIV contienen obras de leoneses y castellanos. Lo más valioso y original de la poesía medieval gallega son las llamadas *canciones de amigo* en que las ondas del mar de Vigo, las fuentes o las brumosas arboledas del noroeste escuchan confidencias de las doncellas enamoradas.

También en Cataluña hubo desde muy pronto poesía lírica de carácter áulico; pero los trovadores catalanes no emplearon al principio su propia lengua, sino la provenzal. El texto catalán más antiguo son unos sermones sin finalidad literaria, las *Homilías de Organá* (fines del siglo XII). La *Crónica* de Jaime I inaugura la verdadera literatura catalana, y muy pronto vienen a engrandecerla la obra gigantesca de Raimundo Lulio (1233-1315) y una brillante pléyade de historiadores y didácticos.

§ 51. INFLUENCIA EXTRANJERA

1. Los siglos XI al XIII marcan el apogeo de la inmigración ultrapirenaica en España, favorecida por enlaces matrimoniales entre reyes españoles y princesas de Francia y Occitania. Todas las capas de la sociedad, nobles, guerreros, eclesiásticos y menestrales, experimentaron la influencia de los visitantes y colonos extranjeros. En Navarra y Jaca, las dos principales entradas de la inmigración, hay muchas escrituras y algunos fueros en gascón o provenzal.[4] En otras regiones se encuentran documentos aislados como el Fuero de Avilés (hacia 1155), o el de Valfermoso de las Monjas (1189),

---

4. J. M. Lacarra, *Fuero de Estella*, Anuario de Hist. del Der. Esp., IV, 1927, 404-451, y *Ordenanzas municipales de Estella*, ibid., V, 1928, 434-445; M. Alvar, *Onomástica, Repoblación, Historia. (Los «Establimentz» de Jaca del siglo XIII)*, «Atti e Memorie del VIII Congr. Internaz. di Scienze Onomastiche», Florencia-Pisa, 1961, 28-52; *Fuero de Jaca*, ed. crít. de Mauricio Molho, Zaragoza, 1964; F. González Ollé, *La lengua occitana en Navarra*, Rev. de Dial. y Trad. Pop., XXV, 1969, 285-300; S. García Legarreta, *Documentos navarros en lengua occitana (primera serie)*, Anuario de Derecho Foral, II, 1976-1977, 395-729 (comprende 204 escrituras de 1232 a 1325, la mitad aproximadamente del total, que llega hasta fines del siglo XIV); T. Buesa, *Aspectos de Jaca medieval*, Jaca, 1979, etc.

escritos en un lenguaje extraño que mezcla dialectalismos asturianos o alcarreños con rasgos occitanos; también hay pasajes híbridos en el de Villavaruz de Rioseco (Valladolid). Los redactores o copistas de estos textos eran sin duda ultramontanos que intentaban acomodarse al romance de su nueva residencia, sin lograrlo aún completamente.[5] También el *Auto de los Reyes Magos*, compuesto en la misma época, muestra en sus rimas ser obra de un gascón que pretendía escribir en el castellano-mozárabe de Toledo.[6]

2. El desarrollo de las literaturas peninsulares se vio estimulado por el ejemplo de poetas franceses y provenzales que acompañaban a los señores extranjeros en sus peregrinaciones a Compostela o frecuentaban las cortes españolas. Los reyes Alfonso VII y Alfonso VIII de Castilla, así como el aragonés Alfonso II, les dispensaron honrosa y espléndida acogida. Una estrofa del *descort* plurilingüe que compuso Raimbaut de Vaqueiras está escrita en un dialecto hispánico —más bien leonés o aragonés que gallego—, y la única muestra que conocemos de la lírica castellana del siglo XII ha sido transmitida por el trovador Ramón Vidal de Besalú. El papel de los juglares españoles en su comunicación con los franceses no fue meramente pasivo; si muchos asuntos carolingios pasaron a la epopeya castellana, la leyenda del rey Rodrigo inspiró la gesta francesa de *Anseïs de Cartage*; y el poema de *Mainete* o mocedades de Carlomagno nació en Toledo, al calor de la leyenda que celebraba los amores de Alfonso VI con la mora Zaida.

3. De esta época data la introducción de numerosos galicismos y occitanismos: unos que siguen hoy en uso, como *ligero*, *roseñor* (después *ruiseñor*), *doncel* y *doncella*, *linaje*, *preste*, *peaje*, *hostal*, *baxel*, *salvaje*, *tacha* y mu-

---

5. Trato de todo ello en *Asturiano y provenzal en el Fuero de Avilés*, Acta Salmanticensia, II, 1948; *Los «francos» en la Asturias medieval y su influencia lingüística*, «Symposium sobre cultura asturiana de la Alta Edad Media», Oviedo, 1967, 341-353; *Los provenzalismos del Fuero de Valfermoso de las Monjas (1189)*, Philological Quarterly, LI, 1972, 54-59; y *Rasgos franceses y occitanos en el lenguaje del Fuero de Villavaruz de Rioseco (1181)*, «Mélanges Paul Imbs», Travaux de Ling. et de Littér., XI, Estrasburgo, 529-532.

6. Remito a *Sobre el Auto de los R. M: sus rimas anómalas y el posible origen de su autor*, «Homenaje a Fritz Krüger», Mendoza, II, 1954, 591-599 (incluido en *De la Edad Media a nuestros días*, Madrid, 1967, 37-47), y *Mozárabe y catalán o gascón* (que se publicará en la «Miscel·lània Aramon i Serra»), respuesta al artículo de J. M. Solá Solé, *El «Auto de los R. M»: ¿impacto gascón o mozárabe?*, Romance Philol., XXIX, 1975, 20-27.

chos más; otros que, corrientes entonces, han desaparecido, como *sen* 'sentido', *follía* 'locura', *sage* 'sabio, prudente', *paraje* 'nobleza', *calonge* 'canónigo', *sojornar* 'detenerse o permanecer en un lugar', *trobar* 'encontrar', *de volonter* 'por gusto', etc.[7]

De vital interés es el caso de *español* (< h i s p a n i ŏ l u s), gentilicio que como nombre propio consta en el Mediodía de Francia desde fines del siglo xi, unos decenios más tarde en Aragón, Soria y Navarra, y de 1192 a 1212 en Cataluña, Toledo, Burgos y Rioja, casi siempre entre inmigrantes «francos». En su origen hubo de designar a los hispano-godos que, ante la invasión árabe, se habían refugiado en el siglo viii al norte del Pirineo, así como a sus descendientes. Tanto en Occitania como en la Castilla del xiii contiende con *españón*, que puede venir de *h i s p a n i o n e o —más probablemente— ser acomodación de *español* al sufijo *-ón* de *bretón, borgoñón, gascón*, etc. Como adjetivo o sustantivo común lo usan trovadores occitanos hacia 1200,[7 bis] y después Berceo, el *Alexandre* y otros textos del siglo xiii. Su adopción era necesaria: como consecuencia de los avances de la Reconquista, *España* había dejado de emplearse como sinónimo del Ándalus y se aplicaba a la totalidad de los estados cristianos peninsulares; este concepto unitario requería la existencia del gentilicio correspondiente, y *español* vino a llenar este vacío.[8]

---

7. Véanse J. B. de Forest, *Old French borrowed Words in the Old Spanish of the twelfth and thirteenth Centuries*, The Rom. Rev., VII, 1916, 369-413 (reseña de A. Castro, Rev. de Filol. Esp., VI, 1919, 329-331); B. Pottier, *Galicismos*, Encicl. Ling. Hisp., II, 1967, 126-151; y Germán Colón, *Occitanismos, ibid.*, 153-192.

7 bis. En Cataluña puede considerarse adjetivo en «Iohannis *Espainol*» (1192, Poblet), «W. *Espanol*» (1210, Urgel); véase el artículo de Coll i Alentorn citado en la nota siguiente.

8. *Español* no puede ser palabra de origen castellano por la falta de diptongación de la vocal tónica y la apócope de la final; en cast. hubiera sido **españuelo*, mientras que en occitano abundan gentilicios como *boussagòu, gardiòu, masol, pradelhol, ribairol*. No es probable que *español* sea forma disimilada de *españón*, pues tal disimilación no se produce en *cañón, borgoñón, riñón, quiñón, peñón, piñón*, etc. Véanse P. Aebischer, *Estudios de toponimia y lexicografía románica*, Barcelona, 1948, 13-48; M. Coll i Alentorn, *Sobre el mot «espanyol»*, Estudis Romànics, XIII, 1963-1968, 27-41; Américo Castro, *«Español», palabra extranjera: razones y motivos*, Madrid, Cuadernos Taurus, 89, 1970 (reeditado con enmiendas y adiciones, y con un artículo preliminar mío sobre el tema, en *Sobre el nombre y el quién de los es-*

4. El prestigio de los «francos» en el ambiente señorial y eclesiástico hizo que los extranjerismos con final consonántico duro lo conservasen frecuentemente en español arcaico (*ardiment* 'atrevimiento', *arlot* 'vagabundo, pícaro', *duc, franc, tost* 'en seguida'). Además, incrementó en voces españolas la apócope de /-e/ final tras consonantes y grupos donde apenas se perdía antes (véanse §§ 41₂ y 42₂) y donde más tarde ha vuelto a ser de regla la vocal (*noch* 'noche', *dix* 'dije', *recib* 'recibe', *mont, part, allend, huest, aduxist*). La acción espontánea de la fonética sintáctica, que tendía a apocopar los pronombres enclíticos *me, te, se, le* (véase § 54₆) o reducía *todo* a *tod, tot,* también encontró apoyo en el ejemplo del provenzal.

En los primeros decenios del siglo XIII, formas como *fuent, part, nom* 'no me', *tot* dominaban de tal modo en la lengua escrita, que a juzgar por el testimonio de los documentos notariales y de la literatura parecería que la contienda estaba decidida. Pero la incorporación de los inmigrantes extranjeros a la sociedad española se consumó a las dos o tres generaciones, salvo casos excepcionales como el de Navarra. Y esta acomodación tuvo por resultado un creciente abandono de sus tendencias lingüísticas originarias. Por otra parte, la excesiva influencia social de los «francos» despertó una reacción nacional que se hizo ver con creciente intensidad. En la épica, un personaje carolingio fue transformado por los juglares españoles en Bernardo del Carpio, supuesto vencedor de los franceses en Roncesvalles. Durante el reinado de Fernando III disminuye grandemente el núme-

---

pañoles, Madrid, 1973); José Antonio Maravall, *Notas sobre el origen de «español»,* «Studia Hispanica in honorem R. L.», II, 1974, 343-354; y Manuel Alvar, *«Español». Precisiones languedocianas y aragonesas,* «Homenaje a V. García de Diego», I, Madrid, 1976, 23-33. Alvar demuestra que, aparte de sus otros significados, *España* designó además, en el primitivo reino aragonés, 'las tierras llanas', en oposición a 'la montaña', y sugiere que *español* pudo ser también en un principio gentilicio adecuado a tal acepción. Ángel Pariente (*Más sobre el étnico «español»,* Rev. de Filol. Esp., LIX, 1977, 1-32) rechaza esta última hipótesis, dada la mayor antigüedad de ejemplos en el Mediodía francés, y vuelve por los fueros de la etimología **h i s p a n i o n e,* sin tener en cuenta que los gentilicios italianos *romagnuolo, campagnuolo, sardegnuolo, bastiolo, guardiolo, brianzuolo,* etc., postulan decisivamente sufijo *-ŏ l u* como punto de partida (G. Rohlfs, *Historische Grammatik der italienischen Sprache,* III, Berna, 1954, 298, § 1086). Véase también F. Marcos Marín, *Curso de Gramática Española,* Madrid, 1980, § 3.2.

ro de obispos ultramontanos en Castilla y León. Todo ello concurre a que entre 1225 y 1252 se advierta algún decrecimiento de la apócope.[9]

§ 52. DIALECTALISMO

En los textos arcaicos destaca la vitalidad de las hablas locales, incluso en territorios de un mismo dialecto; dentro de Castilla, el _Cantar de Mio Cid_ presenta caracteres especiales de la Extremadura soriana (véase § 47$_3$); el _Auto de los Reyes Magos_ ofrece el diptongo _uo_ (mal transcrito, unas veces, _pusto_, otras _morto_) y _clamar_ en vez de _llamar_, probablemente por reflejo del habla toledana; en la _Disputa del alma y el cuerpo_, compuesta en la parte septentrional de Burgos, hay _huemne_ por 'hombre', rima _fuera / plera_ que obliga a suponer _fora_ o _fuora / plora_ en el original, plural _res_ por _reys_ < r e - g e s , y otras particularidades extrañas; y en los poemas de Berceo son muy abundantes los riojanismos. No se había llegado a la unificación del castellano literario.

Sin embargo, el castellano se iba generalizando como lengua poética del centro a costa del leonés y del aragonés. En la _Razón de amor_, delicado poema juglaresco de hacia 1205, el conjunto del lenguaje es aragonés,[9 bis] pero con castellanismos como _ojos, orejas, bermeja, mucho_. En la _Vida de Santa María Egipciaca_, el _Libre dels tres Reys d'Orient_ (o _Libro de la Infancia y Muerte de Jesús_) y en el _Libro de Apolonio_ hay abundantes grafías y rasgos fonéticos aragoneses (_senyor, duennya, peyor, seya, aqueixa_ por _aquessa_, _aparellada_, subjuntivo _sia_, etc.) atribuibles al copista, pero los textos originales

---

9. R. Lapesa, _La apócope de la vocal en castellano antiguo. Intento de explicación histórica_, «Est. dedic. a M. Pidal», II, 1951, 185-226, y _De nuevo sobre la apócope vocálica en castellano medieval_, Nueva Rev. de Filol. Hisp., XXIV, 1975, 13-23; Diego Catalán Menéndez Pidal, _En torno a la estructura silábica del español de ayer y del español de hoy_, «Sprache und Geschichte. Festsch. Harri Meier», Múnich, 1971, 77-110; «Current Trends in Linguistics», t. 9, La Haya, 1972, 1028, y _Lingüística íbero-románica. Crítica retrospectiva_, Madrid, 1974, 194, n. 541.

9 bis. Usa _pleno, plegar, ploro, fillo, fillos, feyta, dreyta, muito_; conserva /-d-/ y /-y-/ en _fryda, frydor, rridientes, rridiendo, seder, piedes, odí_ 'oí', _peyor, leyer_, e inserta /-y-/ antihiática en _ueyer_ (por _veer_ < v i d ē r e), etc.

parecen haber sido castellanos.[10] Más difícil es el caso del *Libro de Alexandre*, atribuido a Juan Lorenzo de Astorga en el códice más antiguo, fuertemente leonés, y a Berceo en un manuscrito del siglo xv lleno de aragonesismos; pero en los dos textos dominan formas castellanas como *semejar, fijo, fecho, trecho* en lugar o al lado de *semellar, fillo, feito, treito*; por ello, frente a la tesis defensora de la procedencia leonesa,[11] se ha pensado también que los dialectalismos pueden ser de copia y castellano el original.[12] De todos modos el hecho de que autores y copistas no generalizasen sus espontáneos usos dialectales muestra cómo la recitación de poemas épicos, ya secular entonces, había afirmado el predominio del castellano sobre sus vecinos laterales, que desde el primer momento evitan manifestarse plenamente en la literatura. Para encontrar escritos plenamente dialectales que no sean de carácter notarial o jurídico hay que acudir a textos históricos como el *Liber*

10. Para la *Vida de Santa María Egipciaca* véanse las edic. y estudios de María S. de Andrés Castellanos (Madrid, 1964), Manuel Alvar (I, Madrid, 1970) y Michèle Schiavone de Cruz-Sáenz, *The Life of Saint Mary of Egypt*, Barcelona, 1979; para el *Libro de la Infancia y Muerte de Jesús*, los de Alvar (Madrid, 1965); para el *Apolonio* los de C. C. Marden (Elliot Monographs, 2 vols., Baltimore-París, 1917 y 1922) y Alvar (3 vols., Madrid, 1976); Marden (II, 19-29) y Alvar (*L. de la Inf*, §§ 124 y 138; *Vida de Sta. M. Eg.*, §§ 543 y ss.; *Apolonio*, I, §§ 558 y ss.) dejan bien sentado el castellanismo originario de los tres poemas.

11. Es la de E. Gessner, *Das Altleonesische*, Berlín, 1867, y de R. Menéndez Pidal, *El dialecto leonés*, 1906, § 2 (ed. Oviedo, 1962, 21-24) y reseña a la ed. del ms. aragonés por Morel-Fatio (Cultura Española, VI, 1907, 545-552). La misma opinión sustenta J. Corominas, *Dicc. crít. etim.*, I, xxxiii. M.ª Teresa Echenique Elizondo (*Relaciones entre Berceo y el L. de Al.: el empleo de los pronombres átonos de tercera persona*, Cuad. de Invest. Filol., Logroño, 1979, 123-159) señala diferencias que hacen preferir origen leonés o aragonés, no castellano, para el *Alexandre*.

12. E. Müller, *Sprachliche und Textkritische Untersuchungen zum altspanischen L. de Alexandre*, Estrasburgo, 1910; Ruth Ingeborg Moll, *Beiträge zur einer kritischen Ausgabe des altspanischen L. de Al.*, Wurzburgo, 1938; Emilio Alarcos Llorach, *Investigaciones sobre el L. de Al.*, Madrid, 1948; y Dana A. Nelson, *El L. de Al.: A Reorientation*, Studies in Philol., LXV, 1968, 723-751; *Syncopation in El L. de Al.*, PMLA, LXXXVII, 1972, 1023-1037; etc. Nelson llega a poner a nombre de Berceo el *L. de Al.* en la edición crítica que acaba de publicar (Madrid, 1979). Véase, sin embargo, el art. de M.ª Teresa Echenique citado en la nota precedente. Siguen dando como anónimo el poema Louis F. Sas, *Vocabulario del Libro de Alexandre*, Madrid, 1976, y Jesús Cañas Murillo en su edición de Madrid, 1978.

Regum, navarro, a los *Anales Toledanos*, o a *Los diez mandamientos*, manual aragonés para la confesión.

§ 53. PRONUNCIACIÓN ANTIGUA[13]

El español distinguió hasta el siglo xvi fonemas que después se han confundido, y en algunos casos han sido sustituidos por otros nuevos.

1. La *x* de *ximio, baxo, exido, axuar* se pronunciaba como en el asturiano *Xuan*, el gallego *peixe* o los catalanes *mateix, xic*; representaba, pues, el fonema prepalatal fricativo sordo /š/, como en italiano la *sc* de *pesce* o como en inglés la *sh* de *ship*. Con *g* o *j* y también con *i* (*gentil, mugier, jamás, consejo* o *conseio, oreja* u *oreia*) se transcribía el fonema prepalatal sonoro rehilado, de articulación originariamente africada [ǧ], como la del italiano en *peggio, ragione* o la del inglés en *gentle, jury*; pero muy pronto, sobre todo entre vocales, se hizo fricativo, [ž], articulándose entonces como hoy en el port. *janela*, catalán *ajudar*, sin la labialización del fr. *jamais, gentil*.

2. Con *c* ante *e, i* o con *ç* ante cualquier vocal se representaba un fonema /ŝ/ dental africado sordo, especie de ['ş], como el italiano de *forza, senza, pazzo*; así *cerca* o *çerca, braço* sonaban /ŝerka/, /braŝo/, esto es, ['şerka], [bra'şo]. En cambio la *z* del español antiguo transcribía el fonema dental africado sonoro /ẑ/, articulado [ᵈẓ] como el italiano de *azzurro, mezzo* (esp. ant. *fazer* = /faẑer/ = [faᵈẓer]; *razimo* = /r̄aẑimo/ = [r̄zaᵈẓimo]). En posición implosiva /ŝ/ y /ẑ/ se neutralizaban en un sonido de articulación «floxa», seguramente fricativo, que en Castilla se escribía con *z*.

3. La *s* en principio de palabra o tras consonante en posición interior (*señor, pensar*) y la *-ss-* entre vocales (*passar, esse, amasse*) representaban el

---

13. Véanse Rufino José Cuervo, *Disquisiciones sobre la antigua ortografía y pronunciación castellana*, Revue Hispanique, II, 1895, y V, 1898, así como su nota 1 a la *Gramática* de Bello; J.D.M. Ford, *The Old Spanish Sibilants*, Studies and Notes in Philology, II, 1900; H. Gavel, *Essai sur l'évolution de la prononciation du castillan depuis le XIVᵉ siècle*, París, 1920; R. Menéndez Pidal, *Manual de Gramática histórica española*, 6.ª ed. 1941, § 35 bis, y Amado Alonso, *Examen de las noticias de Nebrija sobre antigua pronunciación española*, Nueva Rev. de Filol. Hisp., III, 1949, 1-82, y *De la pronunciación medieval a la moderna en español*, I, 1955 (2.ª ed. 1967); II, 1969 (el vol. III no tardará en aparecer).

fonema ápico-alveolar fricativo sordo /ŝ/, mientras que la -s- simple intervocálica (*rosa, prisión*) era signo del correspondiente fonema ápico-alveolar
fricativo sonoro /ż/, como en los catalanes *rosa, presó*. De este modo *condesa*
(del verbo *condesar* 'guardar, ahorrar' < c o n d e n s a r e), *espeso* ('gastado' < e x p e n s u s) y *oso* (de *osar* < *a u s a r e) se distinguían fonológica
y gráficamente de *condessa* (< c o m i t i s s a), *espesso* (< s p i s s u s) y *osso*
(< u r s u s). En posición implosiva (*aspa, asno*) la sordez o sonoridad de la
/s/ no constituían rasgo distintivo y dependían del carácter que tuviera
la consonante siguiente, como hoy ([aŝpa], [ażno]).

　　4.　El fonema labial sonoro que se transcribía con *b* no era el mismo que
se representaba con *u* o *v*; el primero era bilabial y oclusivo, con cierre completo de los labios (/b/): *cabeça, embiar, lobo, huebos* 'necesidad' (< ŏ p u s),
boto. El segundo era fricativo y de articulación bilabial [ƀ] o labiodental [v]
según las regiones: *cauallo* o *cavallo, auer* o *aver, hueuos* o *huevos, voto* se
pronunciaban con bilabial [ƀ] en Castilla y demás regiones del norte, por lo
que se confundía frecuentemente con /b/, cuya oclusión se aflojaba a menudo.[14] En la mitad meridional de España la articulación dominante parece haber sido, en un principio, labiodental; a consecuencia de ello, la distinción entre los fonemas /b/ y /v/ se mantuvo, al menos parcialmente, hasta el
siglo XVI.

　　5.　La [h] aspirada, ya procediese de /f-/ latina, ya de aspiradas árabes o
germánicas, no constituía fonema distinto de la /f/, sino un alófono de ella
(véase § 46₆); por eso alternaban sin daño para el significado *fijo* e *hijo, alfoz*
y *alhoz*, e incluso, con pérdida de la aspiración, *fonta, honta* y *onta, fardido,*
hardido y *ardido*, aunque la norma tradicional favoreciese la presencia de *f*,
al menos en la escritura, hasta el siglo XV inclusive.

　　6.　En resumen: el sistema consonántico medieval poseía cuatro fonemas (/ŝ/, /ǧ/ > /ž/, /ŝ/ y /ż/) desconocidos en el moderno; otros cuatro soni-

---

14.　En los manuscritos de Berceo aparecen *sauidor, saue, bale, lieba* (*Milagros*, estr. 94,
304, 310). En escrituras de Campó, Álava, Burgos y Valladolid figuran entre 1388 y 1432
bieren, varrio, Bitoria, labrada, labrar, abedes, debisa, Salbador (Menéndez Pidal, *Docs. Lingüísticos*, 35.° 146.°, 207.° y 233.°. Como fenómeno general a todo el norte de la Península,
véase Dámaso Alonso, *La fragmentación fonét. penins.*, «Encicl. Ling. Hisp.», I, Supl.,
1962, 155-209. Cf. nuestro § 4₃, notas 27, 28.

dos ([š] sorda y [ž] sonora, [b] oclusiva y [ƀ] fricativa) existen hoy, pero los componentes de cada pareja han perdido su individualidad fonemática, convirtiéndose en meras variantes o alófonos de los respectivos fonemas /š/ y /b/. Ha desaparecido la /v/, y la [h] aspirada se ha relegado al uso dialectal. En el español de la Edad Media, aunque la evolución fonética había hecho que diversos sonidos y grupos latinos coincidieran en un mismo resultado, la oposición entre *lexos* y *ceja*, *creçer* y *dezir*, *rosa* y *espesso*, *saber* y *aver*, respondía a la diferencia etimológica entre l a x u s y c i l i a , c r e s c e r e y d i c e r e , r o s a y s p i s s u , s a p e r e y h a b e r e . Desde el siglo XVI, más desligado de la etimología, el español articula igual la *j* de *lejos* y la de *ceja*, la *c* de *crecer* y de *decir*, la *s* de *rosa* y de *espeso*, la *b* de *saber* y la de *haber* o la de *lavar*.[14 bis] La herencia latina era más fuerte en la fonología medieval que en la nuestra.

§ 54. INSEGURIDAD FONÉTICA

1. El español de los siglos XII y XIII carece de la estabilidad que resulta de un largo uso como lengua escrita. Las tendencias espontáneas de la comunicación oral, desarrollándose sin trabas, se entrecruzan y contienden. A las variedades geográficas se añaden las vacilaciones que, dentro de cada dialecto, hay entre diversos usos fonéticos, morfológicos y sintácticos.[15]

2. Aunque Berceo empleó todavía *vendegar* (< v ĭ n d ĭ c a r e) por *vengar*, y hay algunos ejemplos similares más tardíos,[16] es raro encontrar ya casos de vocal protónica o postónica conservada, fuera de los que han durado hasta hoy; pero estaba aún reciente el recuerdo de la vocal perdida, lo que impedía el ajuste de las consonantes. Se decía *limde* o *limbde*, *comde*, *semde-*

14 bis. La ortografía siguió distinguiendo *saber* y (*h*)*aver* o (*h*)*auer*, *crecer* y *dezir* hasta 1726, *rosa* y *espesso* hasta 1763, *lexos* y *ceja* hasta 1815, aunque la igualación fonética dentro de cada pareja diera lugar a frecuentísimas cacografías.

15. Para el castellano del siglo XII y primera mitad del XIII es imprescindible acudir al estudio de R. Menéndez Pidal, *Cantar de Mio Cid, Texto, Gramática y Vocabulario*, Madrid, 1908-1911, y Adiciones insertas en la segunda edición, tomo III, 1946.

16. Aparecen *Uereçosa* 'Berzosa', 1259; *otórigo*, *otorigamos*, 1285; *comperar* 'comprar', 1293 (Menéndez Pidal, *Docs. Lingüísticos*, 33.°, 67.° y 331.°).

ro, *semnadura*, *vertad*, *setmana*, *judgar* o *jutgar*, *plazdo*, al lado de *linde*, *con-de*, *sendero*, *sembradura*, *verdad*, *semana*, *juzgar*, *plazo*. Se admitían, pues, como finales de sílaba sonidos que más tarde no han podido serlo, salvo en cultismos: las dentales de *setmana*, *judgar*, la *m* de *comde*, o las labiales de *riepto*, *cobdo*.

3. Igual ocurría en final de palabra. Por una parte, el lenguaje del siglo XII ofrece, aunque muy en decadencia, mantenimiento de la /e/ latina en casos donde más tarde había de ser forzosa la pérdida, esto es, tras /r/, /s/, /l/, /n/, /z/ y /d/ (*pendrare*, *Madride*). Pero al mismo tiempo la caída de la vocal final se propagó con extraordinaria virulencia después de otras consonantes y grupos (véase § 51₄). Podían así coincidir en un mismo texto el criterio más conservador y el más neológico: el *Auto de los Reyes Magos* usa *pace* y *biene* 'bien' (< b ĕ n e) junto a *achest*. Desde principios del siglo XIII son rarísimos los ejemplos de /-e/ final conservada tras alveolares, /ẑ/ o /d/, y formas como *verament*, *omnipotent*, *fuert*, *fizist* quedan entonces menos en desacuerdo con la evolución natural de la lengua.[17]

4. La relajación de la sílaba final no se limita a la vocal, pues solía ensordecer la consonante que la precedía o cambiar su articulación. La /v/ final se hacía /f/: *nube* > *nuf*, *nueve* > *nuef*, *nave* > *naf*, *ove* > *of* 'hube'. La /ž/ pasaba a /š/: *homenaje* > *omenax*. La /g/ aparece transformada en /k/: *Rodrigo* > *Rodric*, *Diago* > *Diac*. Y la /d/ tomaba un sonido asibilado que ora se escribía con *d* (*poridad*, *verdad*, *sabed*), ora con *t* (*poridat*, *verdat*, *sabet*) y a veces con *th* (*abbath*, *Uith* 'vid') o con *z* (*liz* por 'lid' en Berceo); probablemente era el de la [θ] que el castellano vulgar de hoy pronuncia en *saluz*, *Madriz*, *azmitir*.[18] Menos consistencia que esta dental final romance mostraba la /-t/ final latina, aunque durante el siglo XII abunda todavía, escrita como *t* o como *d*, en la tercera persona del verbo (*serat*, *fágat*, *veniet*, *serviot*, *éxid*, *vénid*, *diod*, *vernad*, *tornarad*, *pidiodle*, *levantodse*, junto a *seía*, *quiso*, *iudgó*, etc.).

5. El timbre de las vocales átonas estaba sujeto a todas las vacilaciones producidas por la acción de otros sonidos. La pronunciación fluctuaba entre *mejor* y *mijor*, *menguar* y *minguar*, *Sebastián* y *Sabastián*, *soltura* y *sultura*, *forçudo* y *furçudo*, *trobado* y *trubado*, *cobdicia* y *cubdicia*, *voluntad* y *velun-*

---

17. Para este apartado y el siguiente, véanse los estudios que se citan en la nota 9 (§ 51₄).

18. Menéndez Pidal, *Cantar de Mio Cid*, I, 223-225.

tad, *dizir* y *dezir*, etc. Otro tanto ocurría en las consonantes: *çerviçio*, *lleño*, *llaño* o *laño* se daban junto a *servicio*, *lleno* y *llano*.

6. Las alteraciones fonéticas propias de la espontaneidad oral rebasaban los límites de los vocablos y alcanzaban a la frase. Los pronombres enclíticos *me, te, se, le* y *lo* masculino (no el neutro) se apocopaban apoyados en participios, gerundios, pronombres y sustantivos («venido*m* es deliçio», «esto*t* lidiaré», «alabándo*s* ivan», «una ferída*l* dava», «tanto*l* querié»), aparte de los casos más generales *diot, quem, nol, ques*, donde la apócope tenía notable regularidad. Los sonidos de distintas voces en contacto dentro de un mismo grupo tónico se fundían o entremezclaban en conglomerados: además de *gelo* (< ĭ l l ĭ   ĭ l l u m)[19] y de *vedallo* 'vedarlo', *aoralo* 'adorarlo', *adobasse* 'adobarse', *dalde* 'dadle', que han tenido larga duración, había deformaciones fortuitas como *nimbla* 'ni me la', *tóveldo* 'túvetelo', *yollo* 'yo te lo', *vo'lo digo* 'vos lo digo', *sio* 'si yo', *sin* 'si me', *fústed* 'fuístete', *dandos* 'dadnos'. La forma de ciertas palabras variaba de manera normal según los sonidos iniciales de la voz siguiente: el título *doña* elidía su *a* ante vocal («*don* Elvira e *doña* Sol»); m u l t u m daba *much* ante vocal («*much* extraña») y *muy* ante consonante («*muy* fuerte»); igual alternancia presentaban las formas *el* y *la* del artículo femenino (*el* espada, *el* ondra, *el* una, frente a *la* cibdad, *la* puerta).[20] Los nombres propios masculinos solían apocoparse cuando les seguía el patronímico: *Martino, Ferrando* pasaban a *Martín Antolínez, Ferrand Gonçález*.

§ 55. IRREGULARIDAD Y CONCURRENCIA DE FORMAS

1. El extraordinario desarrollo de la evolución fonética impedía la regularización del sistema morfológico. Aparte de los contrastes que ofrece nuestra conjugación actual (*morimos-muero-muramos, tengo-tienes, visto-vestir, digo-dices, quiero-quise*), la lengua antigua conservaba otros (*tango-tañes* o

---

19. Esta aglutinación pronominal equivalía a nuestro *se lo* no reflexivo de «se lo di». Su evolución fonética había sido: ĭ l l ĭ - ĭ l l u m > [*elielo] > [*eželo] > [želo] = *gelo*.

20. El artículo ĭ l l a dio *ela*, que se reducía a *el* ante cualquier vocal (hoy sólo ante *a* acentuada, *el* alma, *el* águila, *el* hambre) y pasó a *la* ante consonante.

tanzes, vine-veno), en especial los producidos por el mantenimiento de abundantes pretéritos y participios fuertes, por ejemplo, *sove, crove, mise, tanxe, conuve, cinxe, cinto, repiso, erecho*, para los verbos *seer, creer, meter, tañer, conoçer, ceñir, repentirse, erzer*.

2. La flexión heredada del latín convivía con formas analógicas. Junto a *mise* (< m i s i) había *metí; cinxe, conuve* o *escriso* (< c i n x i , c o g n o v i , s c r i p s i t) contendían con *ceñí, conocí, escribió*. Añádase el gran número de duplicidades a que daba lugar la inseguridad fonética (*vale-val, dixe-dix, amasse-amás; dizía-dizíe-dizí-dizié*;[20 bis] *comeré-combré, feriré-ferré*); las procedentes de dobletes latino-vulgares (**f ŭ s t i > foste*, f u i s t i > *fueste*; d o r m ī m u s > *dormimos*, d o r m ī ĭ m u s > *durmiemos*); las confluencias de formas que habían sido independientes en latín, como *cantaro, pudiero* (- a v ĕ r o , p o t u e r o) y *cantare, pudiere* (- a v ĕ r i m , p o t u e - r i m); las bifurcaciones e intervenciones anómalas de la analogía (*perdudo-perdido, guarir-guarecer; andide-andude-andove*); y así podremos tener una idea del estado caótico en que se hallaba la flexión arcaica. Valga como ejemplo la segunda persona del pretérito: era dable elegir entre *feziste, fiziste, fizieste, fezist, fizist, fiziest, fezieste* y *feziest*; en total, ocho formas. Igual anarquía dominaba en el pronombre: *elle, este, esse* concurrían con sus correspondientes apócopes *ell-él, aquest, est, es* y con los regionalismos *elli, aquesti, esti, essi*. Y en los adverbios de modo competían *veramente, verament, paladinamiente, sennaladamient, fuertemientre, fuert mientre*.

§ 56. SINTAXIS

1. También se daban a un tiempo usos sintácticos contradictorios.

El artículo estaba menos extendido que en español clásico y moderno: se omitía frecuentemente cuando el sustantivo, en cualquier función, estaba determinado por un complemento con *de* («*vassallos* de mio Çid seýense sonrrisando» 'los vasallos') o por una oración de relativo («eran *apóstolos* en qui Él más fiaua» 'los apóstoles', Setenario); o cuando el sustantivo era

---

20 bis. Véase Y. Malkiel, *Toward a Reconsideration of the Old Spanish Imperfect in* -ía ~ié, Hisp. Rev., XXVII, 1959, 435-481.

término de preposición («si nós muriéremos *en campo, en castiello* nos entrarán», Cid). También era frecuente la ausencia de artículo cuando el sustantivo en función de sujeto se empleaba con sentido genérico («*rey* bien puede echar pidido a sus coyllazos», Fuero de Navarra); cuando era nombre de grupo, clase u oficio («*moros* lo reciben por la seña ganar», Cid), nombre de materia («*latón*, que es cobre tinto, lábrase meior», Saber de Astronomía), abstracto («*Amor* uerdadero... es muy noble cosa», Setenario), colectivo («¡Dios, qué alegre era tod *christianismo*!, Cid), etc. Pero desde los textos más primitivos hay ejemplos de artículo en todos estos casos: «non se cuémpetet *elo uamne* en siui», «qui dat a *los misquinos*», «*ena honore*», «*ela mandatione*» (Glosas Emil. 68, 48, 89); «labraua *el fierro*» (Gen. Estoria); «foron por el *morismo* todos mal derramados» (Berceo).[20 ter]

2.   Muchos verbos intransitivos se auxiliaban de ordinario con *ser*: «un strela *es nacida*», *son idos, exidos somos, son entrados*. Pero aparecía ya *aver*: «a Valencia *an entrado*», «*arribado an* las naves». Igual ocurría con los verbos reflexivos: «de nuestros casamientos agora *somos vengados*», «se *era alçado*», frente a «assaz te *as* bien *escusado*».[20 quater]

En los tiempos compuestos con *aver*, el participio concuerda por lo general con el complemento directo: «*la* avemos *veída* e bi[e]ne *percibida*», «no *la* avemos *usada*» (Auto de los Reyes Magos); «estas *apreciaduras* mio Çid *presas* las ha», «*çercados nos* han». Sin embargo, desde los primeros textos se da también el uso moderno con participio invariable: «tal *batalla* avemos *arrancado*», «*esta albergada* los de mio Cid luego la an *robado*».

3.   Sea por latinismo, por conservación arcaizante o por galicismo, el participio activo tiene bastante uso en algunos textos: «un sábado *esient*, domingo *amanezient*, / vi una visión en mio leio *dormient*» (Disputa del

---

20 ter.   Menéndez Pidal, *Cantar de Mio Cid*, I, §§ 109-118; R. Lapesa, *El sustantivo sin actualizador en español*, «Estudios Filol. y Ling. Homenaje a Ángel Rosenblat», Caracas, 1974, 302-303; Antonio Salvador Plans, *Contribución al estudio del artículo con preposición en la Edad Media*, Anuario de Est. Filol., I, Cáceres, 1978, 3-23, etc.

20 quater.   Para los usos de *aver* y *ser* como auxiliares, la concordancia del participio con el objeto directo, valores y frecuencia de los tiempos compuestos, etc., véase, además de la *Gramática* del *Cantar de Mio Cid* de Menéndez Pidal citada en la n. 15, la tesis de Concepción M.ª del Pilar Company, *Formalización del paradigma verbal compuesto en siete textos de la Edad Media*, México, 1980.

alma y el cuerpo); «todos *eran creyentes* que era transida» (Apolonio). En Berceo es especial la abundancia: «*murmurantes* estamos», «todos sus *conoscientes*», «*merezientes* érades de seer enforcados», «*entrante* de la iglesia enna somera grada». Muy en boga está la perífrasis con el verbo *ser* y adjetivo verbal en *-dor*: «tembrar querié la tierra dond *eran movedores*» 'de donde partían', «arrancar moros del campo e *seer segudador*» 'perseguirlos' (Mio Cid); «Elisabet su fembra li *fue otorgador*, de todo *fue* el fijo después *confirmador*» (Berceo).[21]

4. La negación se refuerza con términos concretos y pintorescos, sobre todo en expresiones peyorativas que hoy tienen semejantes en el habla, pero no en la literatura. Muy corriente es «non lo preçio *un figo*», «todo esto non vale *un figo*». En Berceo es notable la profusión y variedad de estas expresiones: «no lo preciaba todo quanto *tres cherevías*», «non valién *sendos rabos de malos gavilanes*», «non li valió todo *una nuez foradada*». De este origen es el indefinido *nemigaja* 'nada', usado hasta en las obras didácticas de Alfonso el Sabio.

El uso de la preposición *a* ante el objeto directo verbal (§ 22$_6$) era ya general con los pronombres tónicos y nombres propios referentes a persona («*a ti* adoro», «salvest *a Daniel*»); pero con los comunes de persona y los propios geográficos fluctuaba según existieran o no móviles individualizadores, relieve, mayor o menor carga afectiva o conveniencia de evitar anfibologías. Ello originaba aparentes contradicciones como «recibe *a Minaya*» y «recebir *las dueñas*», «*a quatro* matava» y «mataras *el moro*», «gañó a *Valençia*» y «el que *Valençia* gañó».[21 bis] *Por* contendía con *par* en fórmulas de

---

21. Esta perífrasis es especialmente usada en traducciones de textos semíticos. Véase A. Galmés de Fuentes, *Influencias sintácticas... del árabe*, Madrid, 1956, 176-180.

21 bis. Véanse Rafael Lapesa, *Los casos latinos: restos sintácticos y sustitutos en español*, Boletín de la Real Academia Española, XLIV, 1964, 76-82, y la bibliografía allí citada; María Antonia Martín Zorraquino, «*A*» + *objeto directo en el «Cantar de Mio Cid»*, «Mélanges offerts à C. Th. Gossen», Berna-Lieja, 1976, 555-565; Carmen Monedero Carrillo de Albornoz, *El objeto directo preposicional y la estilística épica.* (*Nombres geográficos en el Cantar de Mio Cid*), Verba, V, 1978, 259-303, y *El objeto directo preposicional en textos medievales.* (*Nombres propios de persona y títulos de dignidad*), que se publicará en el Boletín de la Real Academia Española; Germán Vega García-Luengos, *El objeto directo con «a» en el «P. de M. C.»*, Castilla, n.° 1, 1980, 135-152, etc.

juramento («*par* Sant Esidro», «*por* Dios uerdadero»); y *pora* expresaba la finalidad o la dirección, frente a muy escasas muestras de *para*, que no se extendió hasta la época alfonsí.[21 ter] La construcción transitiva directa alternaba frecuentemente con la preposicional («*cocear* non me *trevo*» y «nin se atreuió *a defenderse*», «saber *trobar*» y «saber *de trobar*», etc.).[21 quater]

5. No había la separación actual entre las incongruencias del habla y el rigor de la escritura. El español arcaico se contentaba con dar a entender, sin puntualizar; el oyente o lector ponía algo de su parte para comprender. Como frecuentemente ocurre en el lenguaje oral, se encomendaba a la entonación lo que de otro modo obligaría a usar recursos gramaticales.[22] Destaca la supresión de nexos: «nós imos otrosí sil podremos falar» = 'nosotros vamos también [para ver] si podemos hallarlo' (Auto de los Reyes Magos); «tan gran sabor de mí avia, sol fablar non me podía» = 'tan gran placer tenía conmigo [que] ni siquiera me podía hablar' (Razón de amor). A fuerza de emplearse sin partícula correlativa, *tanto* y *tan* llegaron a ser equivalentes de *mucho* y *muy*: «sano lo dexé e con *tan* gran rictad» = 'con muy gran riqueza'. Se omite con frecuencia el verbo *decir* ante su oración subordinada: «el mandado llegava que presa es Valencia» = '[diciendo] que ha sido tomada Valencia'; y no son raras las supresiones como «el que quisiere comer; e qui no cavalgue» = 'el que quisiere comer, [coma], y quien no, cabalgue'. Tampoco faltan alusiones a sustantivos inexpresos cuya idea se sobrentiende en otra palabra: «tienes' por *desondrado*, mas *la vuestra* es mayor» 'se considera deshonrado, pero vuestra [deshonra] es mayor'.

§ 57. IMPRECISA DISTRIBUCIÓN DE FUNCIONES

1. La correspondencia entre formas y funciones gramaticales era menos rigurosa que en el español moderno. No había distinción completa entre

---

21 ter. Véase Timo Riiho, «*Por*» y «*para*». *Estudio sobre los orígenes y evolución de una oposición prepositiva iberorrománica*, Helsinki, 1979.

21 quater. Véase Rafael Cano Aguilar, *Cambios en la construcción de los verbos en castellano medieval*, Archivum, XXVII-XXVIII, 1977-1978, 335-379.

22. Véase A. Badia, *Els origens de la frase catalana*, Anuari del Institut d'Estudis Catalans, 1952, y Adiciones.

cual y *el cual*: «Dios a *qual* solo non se encubre nada»; ni entre *cual* y *cual-quiera que*: «en *qual* logar lo podredes fallar, yo lo iré adorar». El adjetivo confundía su función con la del adverbio, modificando globalmente al verbo y al sujeto: «sonrisós el rey, tan *vellido* fabló», «violos el rey, *fermoso* sonrisava».

2. Los verbos *aver* y *tener* contendían como transitivos para expresar la posesión. Se prefería *aver* cuando el sentido tenía el matiz incoativo de 'obtener', 'conseguir', 'lograr', y *tener* para el durativo de 'estar en posesión de algo', 'mantener', 'retener': «quanta riquiza *tiene aver* la *yemos* nós» (Cid). Por otra parte, *aver* se empleaba más con objeto directo abstracto (*aver pavor, duelo, fambre*), mientras *tener* regía más frecuentemente nombres concretos («un *sombrero* que *tiene* Félez Muñoz», Cid). Los límites, de todos modos, eran muy laxos, con abundantes interferencias. Lo mismo ocurría con *ser* y *estar* como indicadores de situación: en el *Cantar de Mio Cid* alternan «el Señor que *es* en çielo» y «Padre que en cielo *estás*».[22 bis]

3. La pasiva refleja estaba en curso ya en el siglo x, con ejemplos inequívocos cuando el sujeto era cosa («abitationes antiguas desolabuntur: *nafregarsán*», Glosas Emil. 20; después «non *se faze* assí el mercado», Cid). Cuando el sujeto es un ser animado no escasean textos donde no es paciente sin más, pues coopera a la acción que recibe, la consiente o se inhibe ante ella («cum tal cum esto *se vençen* moros del campo» 'son vencidos' y 'se dan por vencidos', Cid). Tampoco eran tajantes las fronteras entre la construcción reflexiva y la de *ser* + participio (*seré maravillado* 'me maravillaré', Cid).[22 ter]

---

22 bis. Véanse Eva Seifert, «*Haber*» y «*tener*» *como expresiones de la posesión en español*, Rev. de Filol. Esp., XVII, 1930, 233-276 y 345-389; Jean Claude Chevalier, *De l'opposition* «*aver*»-«*tener*», Cahiers de ling. hispanique médiev., n.º 2, 1977, 5-48; J. Bouzet, *Orígenes del empleo de* «*estar*», «Est. dedic. a M. Pidal», IV, Madrid, 1953, 37-58; José María Saussol, «*Ser*» *y* «*estar*». *Orígenes de sus funciones en el* «*Cantar de Mio Cid*», Univ. de Sevilla, 1977. Véase también § 97₃ y su n. 77.

22 ter. Véanse F. Hanssen, *La pasiva castellana*, Santiago de Chile, 1912; C. B. Brown, *Passive Reflexive in the* «*Primera Crónica General*», PMLA, XLV, 1930, 454-467; Félix Monge, *Las frases pronominales de sentido impersonal en español*, Zaragoza, 1954; y María Antonia Martín Zorraquino, *Contribución al estudio de las construcciones pronominales en español antiguo*, «XIV Congr. Internaz. di Ling. e Filol. Romanza», Atti, III, 626-627 y 628.

4. Los modos y tiempos verbales tenían ya, en su mayoría, los significados fundamentales que hoy subsisten, pero con límites muy desdibujados. En el mandato, al lado del imperativo, podían usarse el presente o el imperfecto de subjuntivo: «por Raquel e Vidas *vayádesme* privado», «*dexássedes* vos, Cid, de aquesta razón». En oraciones subordinadas que hoy exigen subjuntivo aparece a veces el futuro de indicativo: «cuando los gallos *cantarán*», junto a «quando *fuere* la lid». La acción perfecta se expresaba, ora con el pasado simple *llegastes*, ora con los compuestos *sodes llegado*, *avedes llegado*; lo mismo ocurría en el pluscuamperfecto: «assil *dieran* la fe e ge lo *avién jurado*».

5. Las conjunciones ofrecen abundantes ejemplos de plurivalencia. *Cuando* tomaba amplio sentido causal: «*quando* las non queriedes... ¿a qué las sacávades de Valencia?» ('puesto que no las queríais'). La modal *como* se empleaba en oraciones finales: «adúgamelos a vistas... *commo* aya derecho» (= 'a fin de que obtenga satisfacción'); o con mero valor anunciativo: «mandaré *commo* í vayan» (= 'que vayan allí'). La partícula *que* asumía los más varios empleos: anunciativa: «dixo *que* verníe»; causal: «partir se quieren, *que* entrada es la noch»; final: «un sombrero tien en la tiesta / *que* nol fiziese mal la siesta» (= 'para que'); concesiva: «*que* clamemos merced, oydos non seremos» (= 'aunque'); restrictiva: «soltariemos la ganancia *que* nos diesse el cabdal» (= 'con sólo que'). Es cierto que el sistema conjuntivo era pobre, pero el uso múltiple de *que* no parece obedecer a falta de otros recursos. Existían *ca*, *porque*, *maguer*, etc., y, sin embargo, las encontramos sustituidas muchas veces por el simple *que*. No se sentía necesidad de precisar por medio de conjunciones especiales los distintos matices de subordinación cuando se deducían fácilmente de la situación o del contexto.

§ 58. ORDEN DE PALABRAS

1. Domina ya el orden en que el regente precede al régimen: «tornava la cabeça», «vio puertas abiertas», «si oviese buen señor»; pero en el *Cantar de Mio Cid* abundan los restos de la construcción inversa: «vagar non se dan», «el agua nos han vedada», «pues que a fazer lo avemos». Poco a poco, los ejemplos de régimen antepuesto van haciéndose menos frecuentes.

2. El pronombre átono, esencialmente enclítico entonces, no podía colocarse ante el verbo después de pausa, ni cuando precedieran sólo las conjunciones *e* o *mas*: «partió*s* de la puerta», «acógen*sele* omnes de todas partes», «e mand*ólo* recabdar».[23] Norma semejante seguían *aver* y *ser* con participio o atributo: «dexado *ha* heredades», «nacido *es* Dios», «alto *es* el poyo»; pero ya en Berceo aparece el auxiliar encabezando frase: «*avielo* el diablo puesto en grand logar». En cambio, la resistencia a que el pronombre átono rompiera pausa se prolongó durante muchos siglos.

3. Las palabras se desplazan según impulsos imaginativos o sentimentales. Los ponderativos *tanto* y *mucho* se colocan a la cabeza de la frase, separándose de los nombres o adjetivos a que modifican: «*tanto* avién *el dolor*», «sospiró Mio Cid ca *mucho* avié *grandes cuidados*». «*Much* era *bien andant* Eneas». De igual modo se escinden el sustantivo y sus complementos, el nombre y el adjetivo, el adverbio y el adjetivo: «*yra* a *de rey*», «*gentes* se le allegan *grandes*», «*bien* era *cerrada*».

4. En lugar del orden rectilíneo, domina la frase quebrada y viva, llena de repeticiones y cambios de construcción: «a *los de mio Çid* ya *les* tuellen el agua»; «*todas essas tierras, todas las* preava»; «*el moro*, quando lo sopo, plógo*l'* de coraçón». Había la costumbre de repetir o anunciar la oración subordinada por medio de un pronombre neutro: «Bi[e]ne *lo* veo sines escarno, / que uno omne es nacido de carne»; «Por dar a Dios servicio, por *esso* lo fizieron»; «*Esto* gradesco yo al Criador, / quando me las demandan de Navarra e de Aragón». Así se forman perífrasis conjuntivas como «*por esso* vos la do *que* la bien curiedes», «*por tal* fago aquesto *que* sirvan a so señor» = 'para que la cuidéis bien', 'para que sirvan a su señor'.

5. Miembros de la oración subordinada pasan a la principal: «Entendió *las palabras* que vinién por razón» = 'entendió que las palabras eran juiciosas' (Apolonio); «verán *las moradas* cómmo se fazen» (Cid); «paresce *de silençio* que non sodes usado» = 'parece que no estáis acostumbrados al

---

23. Es raro encontrar ejemplos de pronombre antepuesto al verbo tras pausa, como «iré, *lo aoraré*» del *Auto de los Reyes Magos*. Precedido de *e, y*, la anteposición era frecuente en cláusulas enlazadas con otras que hubieran sido introducidas por una conjunción subordinativa o por un pronombre relativo: «porque salí de la tierra sin so grado y*m* troxe ell aver»; «los quel mataron y*l* cativaron» (*Crónica General*, 42, *b*, y 282, *b*).

silencio' (Berceo). La frase no da la impresión de una sucesión meditada, sino de un conjunto expresivo constituido por unidades móviles y entre-cortadas:

> Dios lo quiera e lo mande, que de tod el mundo es señor,
> d'aqueste casamiento, ques' grade el Campeador.

> Una piel vermeja, morisca e ondrada,
> Cid, beso vuestra mano, en don que la yo aya.
>
> (Mio Cid, 2684-2685, 178-179.)

La frase ganaría ciertamente rigor diciendo «Dios, que de todo el mundo es señor, quiera y mande que el Campeador tenga motivo de alegría con este casamiento», «Cid, os pido obtener en don una piel bermeja, morisca y valiosa». Pero la lengua antigua prefería la vivacidad espontánea y desor-denada.[24]

§ 59. VOCABULARIO

1. Es interesante observar que en español antiguo existían muchos térmi-nos, hoy desaparecidos, que han tenido mejor fortuna en otros idiomas ro-mánicos. Al lado de *cabeça, pierna, mañana, tomar, fallar, salir, rodilla, que-dar,* vivían sus sinónimos *tiesta, camba* o *cama, matino, prender, trobar, exir, inojo, rastar* o *remanir,* correspondientes a los vocablos franceses *tête, jambe, matin, prendre, trouver,* ant. *eissir, genou, rester;* italianos *testa, gamba, matti-no, prendere, trovare, uscire, ginocchio, restare;* catalanes *testa, cama, matí, pendre, trobar, eixir, genoll, romanir.* La alternancia de unos y otros demues-

24. Thomas Montgomery (*Basque models for some syntactic traits of the «Poema de mio Cid»,* Bull. of Hispanic Studies, LIV, 1977, 95-99) pondera acertadamente la espontánea ex-presividad del Cantar, frente a los críticos que lo ven como obra de autor erudito. Más dis-cutible es convenir con él en que rasgos sintácticos como los anacolutos y pleonasmos del apartado 4 o la anteposición del régimen al verbo (§ 58$_1$) muestren influjo vasco: véase nues-tro § 36$_{5 y 6}$ a propósito de quienes atribuyen los mismos o parecidos fenómenos a influencia árabe, y también F. Marcos Marín, *Estudios sobre el pronombre,* Madrid, 1978, cap. IV.

tra que el léxico castellano no había acabado de escoger sus palabras más características.[25] Tal vez la fuerte influencia extranjera contribuyese a mantener la indecisión. Pero también hay en el *Roland* descendencia de palabras latinas perdida luego en francés y conservada en español: *delgée* 'delgada', *muiller* 'mujer', *oz* 'hueste', etc.

2. No faltan latinismos desde los textos más antiguos. En Mio Cid hay *laudar*, *mirra*, *tus* 'incienso', *vigilia*, *vocación*, *voluntad*, *monumento* 'sepulcro', *oración*; en el Auto de los Reyes Magos, *escriptura*, *çelestial*, *encenso*, *retóricos*. Semicultismos como *tránsido*, *omecidio*, *gramatgos*, *vertud*, eran muy frecuentes.

§ 60. EL LENGUAJE ÉPICO[26]

1. Los poemas heroicos se proponían evocar, engrandeciéndolos, hechos pasados, reales o ficticios, ante el auditorio de los castillos y las plazas, enca-

---

25. Véase H. Corbató, *La sinonimia y la unidad del Poema del Cid*, Hispanic Review, IX, 1941.

26. Véanse E. Kullmann, *Die dichterische und sprachliche Gestalt des «Cantar de Mio Cid»*, Rom. Forsch., XLV, 1931, 1-65; Américo Castro, *Poesía y realidad en el Poema del Cid*, Tierra Firme, I, 1935, 7-30 (incluido luego en *Hacia Cervantes*, Madrid, 1957); *España en su historia*, Buenos Aires, 1948, 231-272, y *La realidad histórica de España*, México, 1954, 248-287; Dámaso Alonso, *Estilo y creación en el Poema del Cid*, en *Ensayos sobre poesía española*, Madrid, 1944, 69-110; R. H. Webber, *Formulistic Diction in the Spanish Ballad*, Berkeley-Los Ángeles, 1951; R. Menéndez Pidal, *Romancero hispánico*, I, Madrid, 1953, 58-80, y *Poesía juglaresca y orígenes de las literaturas románicas*, Madrid, 1957, 361-375; Edmund de Chasca, *Estructura y forma en el P. de M. C.*, México, 1955; *El arte juglaresco en el «Cantar de M. C.»*, Madrid, 1967, y *Composición escrita y oral en el P. del C.*, Filología, XII, 1966-1967, 77-94; R. Lapesa, *La lengua de la poesía épica en los cantares de gesta y en el Romancero viejo*, Anuario de Letras, IV, México, 1964, 5-24 (después en *De la Edad Media a nuestros días*, 1967, 9-28); A. D. Deyermond, *The Singer of Tales and Mediaeval Spanish Epic*, Bull. of Hisp. Studies, XLII, 1965, 1-8, y *Structural and stylistic patterns in the C. de M. C.*, «Medieval st. in honor of R. W. Linker», Madrid, 1973, 55-71; D. G. Pattison, *The Date of the C. M. C.: a linguistic approach*, Modern Lang. Rev., LXII, 1967, 443-450 (crítica de R. Lapesa en el art. cit. en el § 46, n. 17); C. C. Smith, *Latin histories and vernacular epic in twelfth-century Spain: similarities of spirit and style*, Bull. of Hisp. Studies, XLVIII, 1971, 1-19; edición, con introd.

riñado con sus leyendas. La narración discurría llena de expresiones cristalizadas por la tradición y repetidas como fórmulas rituales. En el *Cantar de Mio Cid*, el nombre del héroe va acompañado de la frase *el que en buen hora nació* o *el que en buen hora ciñó espada*; los caballeros valerosos reciben el epíteto de *ardidas lanzas*, y su máxima proeza en el combate consiste en que la sangre enemiga les gotee hasta el codo después de haber teñido la espada, *por el cobdo ayuso la sangre destellando*; la meditación se indica siempre con el verso *una grant hora pensó e comidió*; y el dolor de la separación, con una comparación afortunada, *asís parten unos de otros como la uña de la carne*. Había, pues, una fraseología consagrada, grata a los juglares y al público, lo que constituye uno de los rasgos que caracterizan al estilo épico oral.[27]

2. Otra manifestación del oralismo es la escasez de encabalgamiento: en los poemas épicos predominan las series de versos no ligados entre sí por nexos sintácticos, sino yuxtapuestos sin otro enlace que el hilo de los hechos narrados. Cada verso o cada hemistiquio forma, en la mayoría de los casos, una unidad sintáctica independiente. En el *Cantar de Mio Cid* apenas pasan de un tercio los versos encabalgados.[28] Todavía es menor el porcentaje en el fragmento del *Roncesvalles* y en los de los Infantes de Lara.

3. La épica conserva usos lingüísticos arcaizantes, que daban sabor de antigüedad al lenguaje, a tono con la deseada exaltación del pasado, y que a

---

y notas, del *C. de M. C.*, Oxford, 1972 (a propósito de ella, J. Horrent, *Observations textuelles sur une édition récente du C. de M. C.*, Les Lettres Romanes, XXXII, 1978, 3-51); C. C. Smith, *On Sound-Patterning in the P. de M. C.*, Hisp. Rev., XLIV, 1976, 223-227, y *Estudios cidianos*, Madrid, 1977, 163-289; S. Gilman, *The Poetry of the «Poema» and the Music of the «Cantar»*, Philol. Quarterly, LI, 1972, 1-11, y *On «Romancero» as a poetic language*, «Homenaje a Casalduero», Madrid, 1972, 151-160; O. R. Ochrymowycz, *Aspects of Oral Style in the Romances Juglarescos of the Carolingian Cyde*, Iowa City, 1975; I. Michael, *P. de M. C.*, ed. con introducción y notas, Madrid, 1976; Th. Montgomery, *The «P. de M. C.»: oral art in transition*, en el vol. *«Mio Cid» Studies*, editado por A. D. Deyermond, Londres, 1977, 91-112, etc., etc.

27. E. de Chasca, *Compos. escrita y oral* (véase nuestra n. 26), 89-94, y *Registro de fórmulas verbales en el C. de M. C.*, Iowa City, 1968.

28. Del mismo, *Compos. escrita y oral*, 87-89. A. M. Badia Margarit caracteriza por contraposición esta «sintaxis suelta» del Cantar cidiano y la «sintaxis trabada» de la Primera Crón. General alfonsí en su excelente estudio *Dos tipos de lengua cara a cara*, «Studia Philologica. Hom. a Dámaso Alonso», I, Madrid, 1960, 115-139.

la vez servían para facilitar asonancias. Por eso nuestros poemas mantenían en las rimas la *e* final de *laudare*, *male*, *trinidade*, *señore*, y añadían esta *e* a palabras que originariamente no la tenían: *sone* 'son', *vane* 'van', *dirade* 'dirá', *consejarade* 'aconsejará', *alláe* 'allá'. Ambos usos, que arrancan del estado lingüístico propio de los siglos x y xi (§ 41₂), seguían siendo corrientes en la lírica tradicional y romances de los siglos xv-xvi; todavía los conserva el romancero sefardí.[29] Acaso fuera también arcaísmo épico la conservación de /o/ o /uo/ en las rimas del Cantar (véanse §§ 46₄ y 47₃, notas 17 y 21).

Destinada a un público señorial, la epopeya evita las palabras que pudieran ser demasiado vulgares: el *Cantar de Mio Cid* prefiere *siniestro* y *can* a *izquierdo* y *perro*, considerados, sin duda, como voces plebeyas; como antónimo de *rico* usa *menguado*, eludiendo *pobre*.

4. Los juglares extremaban la libertad sintáctica, empleando giros especiales como las aposiciones *Atiença las torres*, *Burgos la casa*, *Burgos essa villa*, *París essa ciudad*, en vez de usar 'las torres de Atienza', 'la ciudad de París'. Aprovechaban construcciones usadas en el lenguaje coloquial, pero nunca tan frecuentes en la literatura como en los textos épicos. Así llegó hasta el Romancero la profusión de demostrativos, que acentuaba el poder evocativo del relato («Sobre todas lo lloraba / *aquesa* Urraca Hernando; / ¡y cuán bien que la consuela / ese viejo Arias Gonzalo!»). También la perífrasis *querer* + infinitivo con el sentido de 'ir a', 'estar a punto de' («Media noche era por filo, los gallos *querían cantar*»). En las enumeraciones es típico el empleo de *tanto*, más expresivo, en lugar de *mucho*:

> Veriedes *tantas* lanças premer e alçar,
> *tanta* adáraga foradar e passar,
> *tanta* loriga falssar e desmanchar,
> *tantos* pendones blancos salir vermejos en sangre,
> *tantos* buenos cavallos sin sos dueños andar...
>
> (Mio Cid, 727-731.)

> Vieron mil moros mancebos, — *tanto* albornoz colorado,
> vieron *tanta* yegua overa, — *tanto* caballo alazano,

---

29. R. Menéndez Pidal, *La forma épica en España y en Francia*, Revista de Filología Española, XX, 1933, 345-352.

> *tanta* lanza con dos fierros, — *tanto* del fierro acerado,
> *tantos* pendones azules — y de lunas plateados...
>
> (Romance del obispo don Gonzalo.)

5. El uso de los tiempos verbales era particularmente anárquico. El narrador saltaba fácilmente de un punto de vista a otro; tan pronto enunciaba los hechos colocándolos en su lejana objetividad (pretérito perfecto simple), como los acompañaba en su realización, describiéndolos (imperfecto). Hasta el pretérito anterior o el pluscuamperfecto perdían su valor fundamental de prioridad relativa para tomar el de simples pasados. De pronto la acción se acercaba al plano de lo inmediatamente ocurrido (perfecto compuesto), o, disfrazada de actualidad presente, discurría más real —como si dijéramos, visible— ante la imaginación de los oyentes:

> *Partiós* de la puerta, por Burgos *aguijava*,
> *llegó* a Sancta María, luego *descavalga*,
> *fincó* los inojos, de coraçón *rogava*...
>
> Martín Antolínez, el burgalés complido,
> a mio Cid e a los sos *abástales* de pan e de vino,
> non lo *compra*, ca él se lo avié consigo;
> de todo conducho bien los *ovo bastidos*.
> *Pagós* mio Cid, el Campeador complido,
> e todos los otros que *van* a so çervicio.
> *Fabló* Martín Antolínez, odredes lo que *a dicho*.
>
> al rey Fáriz tres colpes le *avié dado*,
> los dos le *fallan* y el unol *ha tomado*...
> *bolvió* la rienda por írsele del campo.
> Por aquel colpe *rancado es* el fonssado.
>
> (Mio Cid, 51-53, 65-70, 760-764.)

La rapidez de esta transición y la expresiva espontaneidad de la sintaxis hacen que la marcha del Cantar esté llena de viveza.[30] A evitar el hieratis-

---

30. L. Spitzer, *Stilistich-Syntaktisches aus den spanisch-portugiesischen Romanzen*, Zeitsch. f. rom. Philol., XXXV, 1911, 257-308; S. Gilman, *Tiempo y formas temporales en*

mo contribuye también la frecuencia con que el juglar pasa, sin previo anuncio, al discurso directo, dramatizando la narración con el diálogo.[30 bis]

6. El tono es vigoroso; hay versos cuya energía varonil parece un eco del fragor del combate:

> Abraçan los escudos delant los coraçones,
> abaxan las lanças abueltas con los pendones,
> enclinavan las caras sobre los arzones,
> batién los cavallos con los espolones...
>
> (Mio Cid, 3615-3618.)

Y nunca la afirmación de la persona se ha hecho con fuerza comparable a la que vibra en el grito guerrero

> ¡Yo só Roy Díaz, el Cid, de Bivar Campeador![31]

Pero también, con sobria dignidad, hablan en el Poema del Cid sentimientos más suaves: el amor conyugal, «commo a la mie alma yo tanto vos quería»; la profundidad íntima del dolor, «¿a quém descubriestes las telas del coraçón?»; la incertidumbre del futuro, «agora nos partimos, Dios sabe el ajuntar»; la admiración ante la hermosura de la naturaleza, «ixié el sol, ¡Dios, qué fermoso apuntava!». Son escapes de fuerza concentrada; su eficacia consiste en que el juglar prefiere la emoción contenida a la blandura de las efusiones. Una repetición de versos basta para subrayar los momen-

---

el *P. del C.*, Madrid, 1961, demuestra que la libertad en el uso de los tiempos verbales obedece a un sistema de categorías y valores peculiar del poema y distinto del que rige en el Romancero. Véase también J. Szertics, *Tiempo y verbo en el Romancero viejo*, Madrid, 1967.

30 bis. Dámaso Alonso, *Estilo y creación en el P. del C.* (véase nuestra n. 26), y *El anuncio del estilo directo en el P. del C. y en la épica francesa*, «Mélanges Rita Lejeune», Gembloux, 1969, 379-393.

31. Manuel Muñoz Cortés ha demostrado que el pronombre *yo*, por encima de necesidades o conveniencias gramaticales, funciona en el Poema como instrumento para poner de relieve la actuación del héroe, de los suyos y del rey (*El uso del pronombre «yo» en el P. del C.*, «Studia Hisp. in hon. R. L.», II, Madrid, 1974, 379-397).

tos de mayor exaltación o patetismo. Con un rasgo certero queda sorprendida una actitud, retratado un personaje, insinuada una situación:

> El conde es muy follón, e dixo una vanidat...
> Asur Gonçález entrava por el palacio,
> manto armiño e un brial rastrando,
> bermejo viene, ca era almorzado.

Nada tan completo y sintético como el insulto que Pero Vermúdez arroja a uno de los infantes de Carrión:

> ¡E eres fermoso, mas mal varragán!
> Lengua sin manos, ¿quómo osas fablar?

Igual que su héroe, el poeta de Medinaceli sabía encontrar la expresión justa y comedida; como el Cid, «fablaba bien e tan mesurado»[32]. En su obra el idioma presentaba ya sus caracteres más permanentes: aliento viril y movilidad afectiva. Su ulterior elaboración literaria le había de prestar flexibilidad y justeza.

§ 61. EL MESTER DE CLERECÍA[33]

1. Hacia 1230 comienzan a aparecer poemas narrativos de tipo muy distinto al juglaresco. La «nueva maestría», sencilla y candorosa en Berceo,

32. Para los aciertos expresivos del Cantar véanse el artículo de Dámaso Alonso citado en la nota 26 y el libro de Eleazar Huerta *Indagaciones épicas*, Estudios Filol., Anejo 2, Valdivia, 1969.

33. Véanse G. Cirot, *L'expression dans Gonzalo de Berceo*, Rev. de Filol. Esp., IX, 1922, 154-170; Dámaso Alonso, *Berceo y los «topoi»*, en *De los siglos oscuros al de Oro*, Madrid, 1958, 74-85; Jorge Guillén, *Prosaic Language. Berceo*, en *Language and Poetry*, Cambridge, Mass., 1961, 1-24 (texto español en *Lenguaje y poesía*, Madrid, 1962, 11-39); B. Gicovate, *Notas sobre el estilo y originalidad de Berceo*, Bull. Hisp., LXII, 1960, 5-15; J. Artiles, *Los recursos literarios de Berceo*, Madrid, 1964; C. Gariano, *Análisis estilístico de los «Milagros de Nuestra Señora» de Berceo*, Madrid, 1965 (véase Margherita Morreale, *La lengua poética*

muestra en el *Apolonio*, y sobre todo en el *Alexandre*, un sentimiento de superioridad. Es en nuestra literatura la primera escuela de escritores sabios.

Los poetas del mester de clerecía, aunque componían sus obras en *román paladino* para que las entendiera el público no letrado, eran hombres doctos, con saber suficiente para tomar de textos latinos los asuntos de sus poemas, ya fueran leyendas piadosas o narraciones relativas a la antigüedad pagana. Es natural que en sus escritos se refleje el conocimiento del latín en abundantes cultismos: Berceo usa el superlativo *dulcíssimo*, y, además, *abysso* 'abismo', *convivio, exaudido, exilio, illeso, leticia, flumen, honorificencia*, entre otros muchos; de él se ha podido decir que «es el máximo introductor de cultismos en la lengua española». En el *Apolonio* aparecen *condición, conturbado, lapidar, malicia, ocasión, unción, ídolo, vicario*; en el *Alexandre, prólogo, tributario, silogismo, licencia, versificar, elemento, qualidad, femenino*, etc.[34]

2.   Por otra parte, aunque en la épica castellana lo heroico nunca se desprendió por completo de una base histórica o de la cercanía a la realidad, sus juglares trataban de elevar los hechos que narraban, y para conseguirlo se esforzaban por infundir dignidad a la expresión. Los poetas de clerecía

---

de Berceo: reparos y adiciones al libro de Carmelo Gariano, Hispanic Review, XXXVI, 1968, 142-151); T. A. Perry, *Art and Meaning in Berceo's Vida de Santa Oria*, New Haven-Londres, 1968; Aldo Ruffinato, *Berceo agiografo e il suo pubblico*, «Studi di Letteratura Spagnola», Roma, 1968-1970, 9-23; *La lingua di Berceo*, Univ. di Pisa, 1974; *Sillavas cuntadas e quaderna via in Berceo. Regole e supposte infrazioni*, Medioevo Romanzo, I, 1974, 25-43; Ian Michael, *The Treatment of Classical Material in the «Libro de Alexandre»*, Manchester, 1970; R. S. Willis, *The Artistry and Enigmas of the Libro de Alexandre*, Hisp. Rev., XLII, 1974, 33-42; Gaudioso Giménez Resano, *El mester poético de Gonzalo de Berceo*, Logroño, 1976; J. Artiles, *El «Libro de Apolonio», poema español del siglo XIII*, Madrid, 1976; Francisco López Estrada, *Mester de clerecía: las palabras y el concepto*, Journal of Hispanic Philol., III, 1978, 165-174; Manuel Alvar Ezquerra, *Algunos rasgos léxicos de Berceo y su cotejo con otros poemas hagiográficos*, Anuario de Letras, XVIII, 1978, 251-260; Nicasio Salvador Miguel, *«Mester de clerecía», marbete caracterizador de un género literario*, Rev. de Literatura, XLII, n.° 82, 1979, 5-30; Claudio García Turza, *La tradición manuscrita de Berceo*, con un estudio filológico particular del ms. 1533 de la B. N. de Madrid, Logroño, 1979, etc. Véase además la bibliografía indicada en las notas que siguen, así como antes en la 10 y la 12.

34.   José Jesús de Bustos Tovar, *Contribución al estudio del cultismo léxico medieval*, Madrid, 1974, 229-279 y 298-304.

—salvo el autor del *Poema de Fernán González*— tenían una actitud muy distinta: sus producciones versaban sobre asuntos que poseían el prestigio de la religión o pertenecían al mundo antiguo, remoto o desconocido para los oyentes; se imponía, pues, un acercamiento del autor a la mentalidad del público, y el lenguaje, aunque más latinizante que el de la épica, era menos escogido; desciende a menudo hasta la vulgaridad, y emplea, por tanto, muchas palabras desdeñadas por la literatura heroica tradicional; una de ellas, *pobre* (§ 60₃), aparece repetidamente en Berceo, el *Alexandre* y el *Apolonio*, con sus derivados *pobredat* y *pobreza*. Vocablos como *bocín* 'burla', *carboniento*, *mollera*, *pescuzada*, *porrada* encuentran acogida incluso en referencias a lo sagrado o lo heroico. La variedad de temas, que no se limitaban ya al relato de hazañas guerreras, favorecía el uso de un léxico más amplio que el de los juglares épicos. Por otra parte hay deliberada complacencia en poner en juego abundantes sinónimos; para el concepto de 'desdichado' se emplean *aciago*, *aojado*, *fadamaliento*, *fadeduro*, *malapreso*, *malastrugo*, *mal fadado*, *mesiello* (< misĕllus), *mesquino* y otros más.[35]

3. Las descripciones sorprenden escenas vivas y concretas de la realidad: gentes que al toque de vísperas acuden a la iglesia «con pannos festivales, sus cabeças lavadas, / los varones delante e aprés las tocadas», mientras una mujer prefiere «fer su massa, delgaçar e premir, / ir con ella al forno, su voluntat complir» (Berceo, Sto. Dom. 558-559); en la primavera «cantan las donzelletas, son muchas, a convientos, / fazen unas a otras buenos pronunciamientos», mientras los chiquillos, «los monagones», luchan «en bragas, sen vestidos» (Alexandre). Hasta en el anuncio del Juicio final aparece el detalle nimio y pintoresco: «non fincará conejo en cabo nin en mata» (Berceo). Este realismo ingenuo no se contenta con enunciar una idea; necesita concretarla en una serie de aspectos parciales: Berceo, refiriéndose al ayuno observado por el Bautista, dice que «abrenunció el vino, xidra, carne e pez». Si se cuenta que por intercesión de santo Domingo sa-

35. R. de Gorog, *La sinonimia en las obras de G. de B.*, Bol. R. Acad. Esp., XLVI, 1966, 205-276; *La sinonimia en Berceo y el vocabulario del L. de Alexandre*, Hisp. Rev., XXXVIII, 1970, 353-367; D. A. Nelson, *A Re-examination of Synonymy in Berceo and the «Alexandre»*, *ibid.*, XLIII, 1975, 351-369.

naron muchos enfermos, viene en seguida la especificación: «los unos de los piedes, los otros de las manos».

4. Abundan las comparaciones y metáforas, escasas en la épica: el autor del *Alexandre*, anunciando la cercana muerte de su protagonista, dice (estr. 2366):

> Tal es la tu ventura e el to principado
> *como la flor del lilio qui se seca privado.*

Y Berceo expresa en una serie de símiles la creciente virtud de santo Domingo de Silos (estr. 44):

> *Tal era como plata* moço quatrogradero,
> *la plata tornó oro* quando fue epistolero,
> *el oro margarita* en evangelistero;
> quando subió en preste *semejó al luzero.*

5. Estos poetas sabios componen sus obras para la recitación o lectura ante un auditorio al cual se dirigen con frecuencia:

> Sennores, si quisiéssedes, mientre dura el día
> destos tales miraclos aun más vos dizría.
>
> (Berceo, *Milagros*, 583.)

En sus escritos no pierden de vista la meta de esa comunicación oral,[36] por lo que adoptan algunas prácticas de la juglaría épica, más o menos combinadas con lo aprendido en retóricas y poéticas. Como los juglares, emplean multitud de epítetos y otras expresiones formularias cuya procedencia épica es evidente a veces: Berceo llama «fardida lança» al rey David y a Fernando I como el Cid a Martín Antolínez y a Álvar Fáñez; pero de ordinario las fórmulas usadas por los clérigos son diferentes, como corresponde a

---

36. Aunque no siempre hayan de tomarse al pie de la letra sus alocuciones al público; véase G. B. Gybbon-Monypenny, *The Spanish «Mester de Clerecía» and its intended public: concerning the validity as evidence of passages of direct address to the audience*, «Medieval Miscellany presented to Eugène Vinaver», Manchester, 1965, 230-244.

su distinto medio cultural.[37] Como en los cantares de gesta, en los poemas de clerecía abundan los versos que se yuxtaponen sin nexos; pero el cambio de rima a cada cuarteto impide que la sucesión sin variaciones se prolongue tanto como en las largas series épicas. Además, la proporción de versos encabalgados es mayor, hasta igualar o sobrepasar la de los yuxtapuestos. Esta mayor complejidad sintáctica no imprime rapidez al discurso: en muchas ocasiones un verso o un hemistiquio reproduce, glosa o explicita lo dicho en el anterior:

> Movióse la tempesta, *una oriella brava*;
> desarró el maestro que la nave guiava;
> *nin a sí nin a otri nul consejo non dava*;
> *toda su maestría non valié una hava.*
>
> (*Ibid.*, 591.)

6. Aunque el estilo tenga todos estos resabios de escuela, derivados algunos de la estrofa invariablemente usada, la expresión cobra muchas veces acento personal. A Berceo le «sale afuera la luz del coraçón» en la riqueza de diminutivos, de intimidad afectiva unos («tanto *la mi almiella* sufría cuita mayor»), despectivos otros («algún *maliello* que valía *poquillejo*») y llenos los demás de expresividad pintoresca («la oración que reza el preste *callandiello*»). Los santos de que habla le son familiares, y llama *pastorciello* a santo Domingo de Silos, o *serraniella* a santa Oria, que en la niñez «con ambos sus *labriellos* apretava sus dientes / que non saliessen dende [vierbos] desconvenientes»; Dios protege la virtud de san Millán «como guarda omne a su *niñita*», a las niñas de los ojos.[38] En Berceo y en el *Alexandre* no son raras las notas de ironía socarrona, y el *Apolonio* acierta a dar suaves sensaciones de melancolía.

37. Ian Michael, *A comparison of the use of epic epithets in the P. de Mio Cid and the Libro de Alexandre*, Bull. of Hisp. Studies, XXXVIII, 1961, 32-41; Dana A. Nelson, *Generic versus Individual Style: The Presence of Berceo in the «Alexandre»*, Rom. Philol., XXIX, 1975, 143-184, y *«Nunca devriés nacer»: clave de la creatividad de Berceo*, Bol. R. Acad. Esp., LVI, 1976, 23-82.

38. Véase Fernando González Ollé, *Los sufijos diminutivos en castellano medieval*, Madrid, 1962, 17-26.

Así como en los poemas del mester de clerecía se revela el dominio técnico de la versificación regular, «a sílabas cuntadas», así también la base gramatical que el latín había proporcionado a sus autores da más precisión y fijeza al lenguaje; pero son obras prolijas, lentas. Antonio Machado las ha definido exactamente: «monótonas hileras / de chopos invernales, en donde nada brilla, / renglones como surcos de pardas sementeras». El rigor métrico y el relativo orden sintáctico cuestan un sacrificio: el de la soltura y sabrosa vivacidad del *Cantar de Mio Cid*.

§ 62. COMIENZOS DE LA PROSA ROMANCE

1. Mientras la poesía romance del centro peninsular conseguía un cultivo cada vez más amplio, las primeras manifestaciones de la prosa carecen de finalidad literaria: son al principio fueros y documentos en que el romance se mezcla con el latín; pero desde comienzos del siglo XIII el romance se va liberando de tutelas, al tiempo que los notarios y la cancillería real reducen progresivamente el uso del latín hasta limitarlo a documentos de carácter internacional.[38 bis] Entre 1194 y 1220 aparecen en prosa romance obras históricas —el *Cronicón Villarense* o *Liber Regum*, los lacónicos *Anales Toledanos Primeros*— o de asunto religioso —*Los diez Mandamientos*, tosco manual para confesores—. Carentes de valor literario, sólo interesan por sus aspectos históricos o dialectales: los *Anales Toledanos* ofrecen mozarabismos; el *Liber Regum* es fuertemente navarro y *Los diez Mandamientos* están en aragonés.[39] Bien es verdad que desde los días del arzobispo toledano don Raimundo existía una práctica que, sin dejar por el momento huella

38 bis. Amado Alonso, *Castellano, español, idioma nacional*, 2.ª ed., Buenos Aires, 1943, 66; D. W. Lomax, *La lengua oficial de Castilla*, «Actele [...] XII-lea Congres Intern. de Ling. ş i Filol. Rom.», Bucarest, 1971.

39. En los *Anales*, que sólo llegan a 1217, hay *fillo, fillos, filla, treuellaua* ('jugaba', cast. ant. *trevejar*), *ambidos, janero, jelado* (junto a *elada*), *clamando* (junto a *allegó*), etc. El *Liber Regum* ha sido editado con un estudio lingüístico por L. Cooper, Zaragoza, 1960. Véase Ramón Menéndez Pidal, *Crestomatía del español medieval*, I, 81-82, 105-107 y 108. El aragonesismo de *Los diez Mandamientos* no obsta para que al lado de *feito* y *dito* ofrezcan *dicho*, y *ageno* junto a *muller*.

escrita en lengua vulgar, fue para ésta un eficaz ejercicio de exposición didáctica: en las traducciones de obras árabes o hebreas colaboraban un judío, que hacía una versión oral romance, y un cristiano, que trasladaba esta versión romance al latín. Tal procedimiento llevaba ya un siglo de uso en tiempo de Fernando III († 1252), cuando aparecieron colecciones novelísticas como el *Calila e Dimna* (1251) en traducciones castellanas cuya sintaxis trasluce fuertemente la de los textos árabes originarios (véase § 36₅). También a mediados de siglo se trasladaron al castellano catecismos político-morales como el *Libro de la nobleza e lealtad*, *Poridat de las poridades*, *El Bonium o Bocados de Oro*, etc., consistentes en colecciones de sentencias donde predomina la sucesión de oraciones unidas por la conjunción copulativa: «*et* conuiene uos que ondredes el que de ondrar es, *et* poner a cada uno en el logar que merece, *et* que les fagades cosas por que uos amen, *et* que les razonedes bien ante ellos *et* enpos ellos, *et* que les dedes que uistan». Pero con frecuencia aparecen frases complejas, engalanadas con símiles y contrapuestas según el paralelismo antitético gustado por árabes y hebreos: «Quando el alimosna es en los flacos que la han menester, es la su pro manifiesta, assí como la pro de la melezina que conviene a la enfermedat; e la limosna en el que non la ha menester es como la melezina que non conuiene a la enfermedat». Así como se flexibiliza la sintaxis, también el vocabulario se enriquece con gran entrada de cultismos, sobre todo escolares y científicos, con significativa adopción de abstractos: *allegoría*, *comparación*, *elemento*, *estudio*, *geometría*, *música*, *poética*, *superfluydad*, etc.[39 bis]

2. Con el arzobispo don Raimundo se relaciona la primera obra extensa en prosa castellana, *La Fazienda de Ultramar*: Almerich, arcediano de Antioquía y antiguo compañero de estudios del prelado toledano, cumple un encargo de éste escribiendo para él un itinerario de Tierra Santa con mención de los pasajes bíblicos relativos a cada lugar. El original perdido hubo de componerse antes de 1152, fecha en que murió el arzobispo, y debió de estar en latín, lemosín o gascón; pero la versión castellana no parece

39 bis. Véase José Jesús de Bustos Tovar, *Notas para el léxico de la prosa didáctica del siglo XIII*, «Studia Hisp. in hon. R. L.», II, 1974, 149-155. El primer pasaje citado es de *Poridat*, ed. Lloyd A. Kasten, Madrid, 1957, 38; el segundo, de los *Bocados de Oro*, ed. Mechthild Crombach, Bonn, 1971, 4.

anterior al primer tercio del siglo XIII.[40] De todos modos es muy arcaica, con /-e/ conservada a veces (*altare, mare, tale, sene* < s ĭ n e , *yere* < h ĕ r i) junto a intensísima apócope (*af* 'ave', *nyef* 'nieve', *bef* 'bebe', *com* 'come', *flum, noch, conort, delant, mont, fezist*, «non *ris*, ca miedo *of*» 'no reí, porque tuve miedo', «que*t* guardará», etc.), y con forasterismos atribuibles a traducción chapucera de un original gascón, o a intervención de un traductor gascón o catalán.[41]

3. *La Fazienda de Ultramar* traduce del hebreo los pasajes bíblicos, aunque tenga también en cuenta la Vulgata. De este modo anticipa la doble procedencia que habían de tener las versiones españolas de los textos sagrados durante la Edad Media. Las dos más antiguas, incompletas, corresponden a mediados del siglo XIII: una de ellas incluye la «translación del Psalterio que fizo Maestre Herman el Alemán segund cuemo está en el ebraygo», aunque el resto proviene de la Vulgata. Se sabe que Hermann trabajó en las escuelas toledanas entre 1240 y 1256 traduciendo del árabe al latín comentarios de Averroes sobre Aristóteles; menos seguro es que dominara el romance del centro peninsular como para verter a él los Salmos. El manuscrito es una copia aragonesa del siglo XV que a pesar de muchos dialectalismos trasluce el castellano del XIII. La otra versión del XIII se conserva en manuscrito de la época, está en castellano y procede en su integridad del texto latino; parece haber sido hecha hacia 1260 y consultada por Alfonso X en la *General Estoria*. Su lenguaje es rico en arcaísmos, aunque no tantos como los de la *Fazienda*; y su sabor de fruta en agraz hace que el lector moderno se deleite catando continuos hallazgos expresivos:

40. Su editor, Moshé Lazar, creyó que publicaba el texto original del siglo XII (Acta Salmanticensia, Filos. y Letras, XVIII, 1965); pero no es verosímil que Almerich, probablemente lemosín, escribiera en castellano una obra destinada a un arzobispo gascón; si no lo hizo en la lengua vernácula de uno de los dos, lo haría en latín. Por otra parte el castellano de la versión conservada no parece anterior a 1152, sino más bien de hacia 1220.

41. Las vocales /a/ y /e/ átonas se confunden frecuentemente (*leverá, tornerá, ardarán* 'arderán', *prandamos* 'prendamos', *sará, sarás, saremos*); en final de palabra la /-a/ pasa a /-e/ no pocas veces (*Romelie, Sydonie, Galilee, Ydumee*, «*Osee* la propheta»); apócope de /-o/ en *Damasc, orgul, Tyr, leopart, desiert*, y /-e/ por /-o/ en *diable*; *eteu* por 'heteo'; plural *cherubins*; demostrativo neutro *ço* («per *ço*», «*ço* est»); «*sos* el árbol», occit. ant. *sotz* < s ŭ b t u s ; *foldres* 'rayos', etc.

Por ende uos digo que non seades en cueydado de uuestra alma, qué combredes ni qué uistredes. ¿No es más el alma que la vianda, e el cuerpo más que la uestidura? Tenet mientes a las uolatilias del cielo, que ni sembran ni siegan ni allegan en orrios, e da les a comer el uuestro Padre celestial. ¿Pues non sodes uos más que ellas? ¿Quál de uos cueda que podrie annader un copdo a su estado?[42]

42. *El Evangelio de San Mateo según el manuscrito escurialense I.I.6*, ed. y estudio de Thomas Montgomery, Anejo VII del Bol. de la R. Acad. Esp., Madrid, 1962, 31-32; Montgomery y S. W. Baldwin han editado después el resto de *El Nuevo Testamento* según el mismo códice, Anejo XXII del Bol. mencionado, Madrid, 1970. Una versión castellana del Pentateuco hecha en el siglo xiv según el texto hebreo fue publicada por Américo Castro, A. Millares Carlo y A. J. Battistessa (*Biblia Medieval Romanceada*, I, Buenos Aires, 1927). Hay otras versiones parciales de diversos manuscritos. Sobre las traducciones bíblicas españolas véanse Margherita Morreale, *Apuntes bibliográficos para la iniciación al estudio de las traducciones bíblicas medievales en castellano*, Sefarad, XX, 1960, 66-109, y *Vernacular Scriptures in Spain*, en «The Cambridge History of the Bible», t. 2, Cambridge, 1969, 465-491. Otras ediciones y estudios parciales: J. Cornu, *Das Hohelied in castilianischer Sprache des 13. Jahrhunderts nach der Handschrift des Eskorial I.j.3*, Beiträge zur rom. und engl. Philol., 1902, 126-128; A. G. Solalinde, *Los nombres de animales puros e impuros en las trad. mediev. de la Biblia*, Modern Philol., XXVII, 1929-1930, 473-485, y XXVIII, 1930-1931, 83-98; L. Wiese, *Los Libros de los Macabeos... nach dem Cod. I-j-6 des Escorial*, Gesamm. Aufsätze zur Kulturgeschichte Spaniens, Münster, 1930, 356-360; O. H. Hauptmann, *A Glossary of the Pentateuch of Escorial Biblical Manuscript I.j.4*, Hisp. Rev., X, 1942, 34-46; R. Levy, *The Vocabulary of the Escorial Manuscript I.j.4, ibid.*, XI, 1943, 57-63; R. Oroz, *El vocabulario del ms. escurialense I-j-8 según la Biblia Med. Romanceada*, Bol. del Inst. de Filol. de la Univ. de Chile, IV, 1944-1946, 261-434; Margherita Morreale, *Los catálogos de virtudes y vicios en las Biblias romanceadas de la Edad Media*, Nueva Rev. de Filol. Hisp., XII, 1958, 149-159; *Biblia romanceada y Diccionario histórico*, «Studia Philologica. Homen. a Dámaso Alonso», II, 1961, 509-536; *Arcaísmos y aragonesismos en el Salterio del Ms. Bíblico Escur. I-j-8*, Arch. de Filol. Aragon., XII-XIII, 1961-1962, 7-23; *Latín eclesiástico en los libros sapienciales y romanceamientos bíblicos. Cuadros para el estudio comparado del léxico med. cast.*, Bol. R. Acad. Esp., XLII, 1962, 461-477; *Aspectos no filo-lógicos de las versiones bíblicas med. en cast.*, Annali del Corso di Ling. e Lett. Straniere, V, Bari, 1962, 161-187; *El Canon de la Misa en lengua vernácula y la Biblia romanceada del s. XIII*, Hispania Sacra, XV, 1962, 203-219; *La fraseología bíblica en la General Estoria*, «Ling. and Lit. Studies in honor H. A. Hatzfeld», Washington, 1964, 269-278; *Apostillas lexicales a los romanceamientos bíblicos: letra A*, «Homage to J. M. Hill», Indiana University, 1968, 281-308; *De la comparación bíblica en un romanceamiento castellano del s. XIII*, «Litterae Hispanae et Lusitanae», Múnich, 1968, 241-298;

Llevada de la mano por la gnómica oriental y por las maravillas de los dos Testamentos, la prosa castellana había salido de su infancia. Ya se había hecho apta para recibir cultivo científico, doctrinal e histórico por obra del Rey Sabio.

Sobre el léxico de la traducción del Nuevo Testamento en el ms. escurialense I.I.6, Medioevo Romanzo, I, 1974, 304-315, *Lectura del primer capítulo del Libro de la Sabiduría en los romanceamientos bíblicos contenidos en Esc. I-I-6, General Estoria y Esc. I-I-4*, Rev. de Filol. Esp., LVIII, 1976, 1-33; *Una lectura de Sab. 2 en la «General Estoria»: la Biblia con su glosa*, Berceo, 1978, n.ᵒˢ 94-95, 235-254; y *La «Biblia moralizada» latino-castellana de la Bibliot. Nac. de Madrid*, Spanische Forschungen der Görresgesellschaft, XXIX, 1978, 437-456; Maria Lacetera Santini, *Tropos con palabras que indican partes del cuerpo en un romanceamiento bíblico del s. XIII*, Annali del Corso di Ling. e Lett. Straniere, X, Bari, 1968; Dolores Brown, *Los prefacios a las Epístolas de San Pablo en el ms. escur. I.I.2*, Nueva Rev. de Filol. Hisp., XIX, 1970, 87-101, etc.

IX

LA ÉPOCA ALFONSÍ Y EL SIGLO XIV[1]

§ 63. ALFONSO EL SABIO

1. El reinado de Alfonso X (1252-1284) es un período de intensa actividad científica y literaria dirigida por el mismo rey. Siendo aún infante había patrocinado la versión al castellano del *Lapidario* (1250) y del *Calila* (1251), y apenas hereda el trono emprende la redacción del *Setenario*. En torno al monarca se congregan juglares y trovadores, jurisconsultos, historiadores y hombres de ciencia. Prosigue la costumbre de que en las versiones de lenguas orientales trabajen emparejados judíos y cristianos, y fruto de su labor conjunta son varias traducciones latinas; pero es más frecuente que la obra quede en romance y que el cristiano ponga en castellano más literario la versión oral de su compañero. Esta preferencia por un texto romance, absteniéndose de pasarlo al latín, respondía a los afanes del monarca en punto a difusión de la cultura; pero es indudable que obedeció también a la intervención de los judíos, poco amigos de la lengua litúrgica de los cristianos.[2] La consecuencia fue la creación de la prosa castellana. El esfuerzo

---

1. Véase el estudio de R. Menéndez Pidal *De Alfonso a los dos Juanes. Auge y culminación del didactismo (1252-1370)*, incluido por Diego Catalán en los «Studia Hispanica in hon. R. L.», I, 1972, 63-83.

2. Véanse A. G. Solalinde, *Intervención de Alfonso X en la redacción de sus obras*, Rev. de Filol. Esp., II, 1915, 283-288; J. M. Millás Vallicrosa, *El literalismo de los traductores de la corte de Alfonso el Sabio*, Al-Andalus, I, 1933, 155-187; E. S. Procter, *The Scientific Activities of the Court of Alfonso X of Castile: The King and his Collaborators*, Modern Language Review, XL, 1945, 12-19; Gonzalo Menéndez Pidal, *Cómo trabajaron las escuelas alfonsíes*, Nueva Rev. de Filol. Hisp., V, 1951, 363-380; Américo Castro, *España en su historia*, 1948, 478-486; *La realidad histórica de España*, 1954, 451-468, y *Acerca del castellano escrito en tor-*

aunado de la corte alfonsí dio como resultado una ingente producción: las *Cantigas*, el más copioso cancionero dedicado a la Virgen; obras jurídicas que culminan en el admirable código de las *Siete Partidas*; una historia de España, la *Primera Crónica General*, y otra universal, la *General Estoria*; tratados de astronomía, mineralogía y astrología (*Saber de Astronomía, Lapidario, Libro de las Cruzes*); obras relativas a juegos y entretenimientos (*Libro de Ajedrez*), y una serie de traducciones y adaptaciones que, si no proceden todas directamente del Rey Sabio, fueron hechas siguiendo su ejemplo, en la corte o fuera de ella. Muerto Alfonso X, continuó la labor iniciada por él, y algunas de sus obras se acabaron durante los reinados de sus sucesores.

2. En producción tan extensa y en que intervenían tantos colaboradores no es exigible la absoluta uniformidad de criterio lingüístico: en efecto, el *Libro de las Cruzes* tiene aragonesismos y occitanismos como *uaraioron* 'barajaron, pelearon', *uetz* 'vez', *triplicitades, uocables, segont, Tolomeu* o *Tolomyeu*; en el de la *Ochava Espera* se lee «*yunc* o *enclum* sobre el que maian el fierro»; y en el de la *Açafeha* hay *crepúscol, ponent, tauletas, perpendicle*. No es de extrañar, pues en las respectivas traducciones intervinieron Juan y Guillén Aremón de Aspa, de nacimiento u origen gascón,[3] y Ber-

---

no a *A. el S.*, Filol. Romanza, I, 1954, 1-11; G. Hilty, prólogo a *El libro conplido en los iudizios de las estrellas* de Aly Aben Ragel, Madrid, 1954, y artículo sobre él en Al-Andalus, XX, 1955, 1-74; A. Galmés de Fuentes, *Influencias sint. y estil. del árabe en la prosa medieval cast.*, Madrid, 1956, 2-9; Diego Catalán Mz. Pidal, *De Alfonso X al Conde de Barcelos*, Madrid, 1962, y *El taller historiográfico alfonsí. Métodos y problemas en el trabajo compilatorio*, Romania, LXXXIX, 1963, 354-375; W. Mettmann, *Stand und Aufgaben der alphonsinischen Forschungen*, Romanistisches Jahrbuch, XIV, 1963, 269-293; David Romano, *Le opere scientifiche di Alfonso X e l'intervento degli ebrei*, «Oriente e Occidente nel Medioevo», Accad. Naz. dei Lincei, Roma, 1971, 677-711; Francisco Rico, *Alfonso el Sabio y la General Estoria*, Madrid, 1972; C. Faulhaber, *Latin Rhetorical Theory in Thirteenth and Fourteenth Century Castile*, Univ. of Calif. Press, Berkeley, 1972; H. y R. Kahane y A. Pietrangeli, *Hermetism in the Alfonsine Tradition*, «Mélanges Rita Lejeune», Gembloux, 1969, 443-455; Hans-Josef Niederehe, *Die Sprachauffassung Alfons des Weisen*, Tubinga, 1975; Georg Bossong, *Los Cánones de Albateni, ibid.*, 1978, y *Probleme der Übersetzung Wissenschaftlichen Werke aus dem Arabischen in das Altspanische zur Zeit Alfons der Weisen, ibid.*, 1979.

3. *Aspa* es 'Aspe', en la vertiente septentrional del Pirineo, junto a Som Port; *Aremón* es la forma gascona de 'Ramón'.

naldo el Arábigo, cuyo nombre era propio de «francos» en el siglo xiii. Otras diferencias corresponden al cambio del gusto lingüístico según los tiempos: los 116 primeros capítulos de la *Crónica General*, compuestos hacia 1270, tienen arcaísmos que no aparecen, con tanta intensidad por lo menos, en los capítulos restantes, escritos más tarde. La diferencia entre unos y otros nos ilustra acerca de la fijación interna de la lengua a lo largo del reinado de Alfonso X. La parte más vieja de la *Crónica* presenta, como los textos del siglo xii o principios del xiii, gran intensidad en la pérdida de la /-e/ final (*trist, quebrantest, recib, adux* 'aduje', *pued*), que es muy general en los pronombres enclíticos (*dim* 'dime', *tomét* 'te tomé', *quet la dará, quem lo faze*);[4] y ofrece también amalgamas fonéticas de palabras distintas (*quemblo* 'que me lo', igual al *nimbla* 'ni me la' de Mio Cid, *mayuntasse* 'me ayuntase', *té perdudo* 'te he perdido', *marid e mugier, poc a poco, tod esto*). En las partes más recientes la lengua de la *Crónica* posee mayor fijeza. Disminuye ostensiblemente la pérdida de /-e/ final, y sin llegar a una regularidad completa (queda todavía alguna alternancia entre *mont* y *monte, pris* y *prise*, etc.), domina el mantenimiento de la vocal en las palabras que hoy la conservan; desaparecen las formas reducidas, *-m, -t* por *me, te* enclíticos, y amengua *-s* por *se*, quedando sólo abundante uso de *-l* en lugar de *le* o *lo*.[4 bis] De igual modo tienden a eliminarse las alteraciones producidas por el contacto fortuito de unas palabras con otras: no es tan frecuente ya encontrar *tod esto* o casos similares, y faltan en absoluto los conglomerados como *quemblo*.

3. En este cambio fue decisiva la intervención del rey, que no se contentó con tener *emendadores* del lenguaje, sino que actuó personalmente en la corrección. Desde las primeras obras que salen de su corte se advierte que los prólogos reales no participan en algunos rasgos —como la apócope extrema de /-e/— que abundan en los textos prologados. Pero en 1276 el

4. Véanse los estudios citados en el § 51, nota 9, y R. Lapesa, *Contienda de normas lingüísticas en el castellano alfonsí*, Actas del Coloquio hispano alemán celebrado en Madrid, 1978 (de próxima publicación).

4 bis. También difieren los distintos fragmentos de la *Primera Crónica General* en el uso de *le* y *lo* para el acusativo masculino, así como en la frecuencia con que uno y otro se apocopan. Véase María Teresa Echenique Elizondo, *Apócope y leísmo en la P. C. G. Notas para una cronología*, Studi Ispanici, Pisa, 1979.

monarca dio un paso más: descontento con la versión que sus colaboradores habían hecho años antes del *Libro de la Ochava Espera*, resolvió darle él la forma definitiva, para lo cual «tolló las razones que entendió eran sobejanas et dobladas et que non eran en castellano drecho, et puso las otras que entendió que complían; et cuanto en el lenguaje, endreçólo él por sise»: Alfonso X, por sí mismo, suprimió las repeticiones y enmendó la expresión hasta conseguir la corrección pretendida.

El «castellano drecho» era refractario a la apócope extranjerizante: aunque los colaboradores regios de la *General Estoria* siguieran empleando en 1280 *fuert, huest, yent, dix* y hasta *lech, nief, laf* 'llave' (probablemente por influjo de versiones bíblicas anteriores) y aunque no falten *doblet, uiolet, baldrac*, etc., en la nomenclatura del *Libro de Acedrex*, de 1283, el ejemplo del rey contribuyó decisivamente a la reposición o adición de la vocal, triunfantes por completo en tiempo de sus sucesores. Por otra parte ese «castellano drecho» respondía en general al gusto de Burgos, pero con ciertas concesiones al lenguaje de Toledo y León. Algunos rasgos burgaleses demasiado regionales, como el paso de /f-/ > [h] (*fijo-hijo*),[4 ter] la reducción de *-iello* a *-illo* (*castiello-castillo*) y la igualación de /v/ y /b/, quedaron todavía fuera de la lengua literaria,[5] deslizándose en ella subrepticiamente. En cambio se incrementó la interposición de palabras entre el pronombre y el verbo (*que me non den*; *se de mí partió*; *que me tú diziés*), menos desarrollada antes en Castilla y característica de León, Galicia y Portugal. Toledo, donde con más frecuencia se hallaba la corte, había eliminado ya los rasgos más salientes de su anterior dialecto mozárabe. No parece tener base histórica la tradición, persistentemente alegada siglos más tarde, según la cual Alfonso X ordenó que en los usos jurídicos el sentido de las palabras ambiguas o regionales se determinase de acuerdo con el uso de Toledo;[6] pero

4 ter. A pesar de que en Toledo *hijo* se encuentra atestiguado cinco veces entre mozárabes o moriscos en una escritura de 1206 (Doc. Ling. 267.°, final), no debía de ser uso preferido allí.

5. Aunque el mismo rey introdujera los castellanismos *pecadilla, pintadilla* en el gallego de su Cantiga 169, haciéndolos rimar con *filla, trilla, Sevilla* (ed. de W. Mettmann, II, Lisboa, 1961, 174-176). Lo advirtió ya Américo Castro, *España en su historia*, 342.

6. Véanse Amado Alonso, *Castellano, español, idioma nacional*, 2.ª ed., 1943, 66-67, y Fernando González Ollé, *El establecimiento del castellano como lengua oficial*, Bol. R. Acad. Esp., LVIII, 1978, 229-235.

aunque no hubiera disposición legal del rey en tal sentido, el habla toledana, castellanizada, pero sin los exclusivismos de la de Burgos o la Bureba,
sirvió de modelo en la nivelación lingüística del reino.

La grafía quedó sólidamente establecida; puede decirse que hasta el siglo xvi la transcripción de los sonidos españoles se atiene a normas fijadas
por la cancillería y los escritos alfonsíes.[7]

4. La labor de Alfonso X capacitó al idioma para la exposición didáctica. Tuvieron que ser abordados dos problemas fundamentales, referentes
a la sintaxis y al léxico.

Se requería disponer de una frase más amplia y variada que la usual
hasta entonces. La prosa de las *Partidas* supone un esfuerzo extraordinario
y fructífero. El pensamiento discurre en ella con arreglo a un plan riguroso, de irreprochable lógica aristotélica, con perfecta trabazón entre los
miembros del período. Valga como ejemplo un fragmento de la segunda
Partida:

> Cómo el rey debe amar, et honrar et guardar a su muger.— Amar debe el rey
> a la reina su muger por tres razones: la primera porque él et ella por casamien-
> to segund nuestra ley son como una cosa, de manera que se non pueden partir
> sinon por muerte o por otras cosas ciertas, segunt manda santa Eglesia; la se-
> gunda porque ella solamente debe ser segunt derecho su compaña en los sabo-
> res et en los placeres, et otrosí ella ha de seer su aparcera en los pesares et en los
> cuidados; la tercera porque el linage que de ella ha o espera haber, que finque
> en su lugar después de su muerte.
>
> Honrarla debe otrosí por tres razones: la primera porque, pues ella es una
> cosa con él, cuanto más honrada fuere, tanto es él más honrado por ella; la se-
> gunda...

Observemos que al encabezamiento, exposición de una idea general, sucede el estudio de los aspectos parciales, y dentro de cada uno, la enumeración de los fundamentos lógicos, las razones que apoyan la afirmación
inicial. La frase se alarga, complicada en oraciones incidentales, sin que
flaquee la solidez del razonamiento ni se pierda el hilo de la idea directriz.

7. M. G. Newhard, *Spanish Orthography in the Thirteenth Century*, Ph. Dissertation,
Univ. of North Carolina, 1960.

Esta frase, relativamente tan compleja, necesitaba conjunciones y locuciones conjuntivas especiales para cada tipo de relación entre las oraciones, y echa mano, aparte de los nexos que existían ya en tiempos del *Cantar de Mio Cid* (como *porque* y *otrosí* del pasaje citado y *pues que, de guisa que, maguer que*, etc.), de alguno hasta ahora no registrado antes de Berceo: «*como quier que* él tenié ley de los moros, ... amaua mucho los gentiles» (*Lapidario*); o sin testimonio prealfonsí conocido: «*aun que* perdiesse, ... no auiéy culpa» (*Acedrex*).[7 bis] Así la sintaxis ganaba flexibilidad y riqueza de matices. Quedan, no obstante, muchos rasgos de inmadurez. La conjunción *que* se repite cuando un inciso interrumpe el curso de la frase: «dixo el rey Salomón... *que* el que hobiese sabor de facer bien, *que* se acompañase con los buenos». Como en los más antiguos textos en prosa, la repetición de *et* es excesiva: «*Et* amistad de natura es la que ha el padre *et* la madre a sus fijos, *et* el marido a la muger; *et* esta non tan solamiente la han los homes». Reiteración tan monótona se da sobre todo en enumeraciones, textos históricos y pasajes descriptivos.

5. El problema del vocabulario consistía en la necesidad de hallar expresión romance para conceptos científicos o pertenecientes al pasado histórico, que hasta entonces sólo habían aparecido en lenguas más elaboradas, como el latín o el árabe.[8] En sus obras astronómicas y astrológicas Alfonso X y sus colaboradores usan numerosos tecnicismos árabes, muchos de los cuales han perdurado;[9] pero siempre que pueden aprovechan las disponibilidades del castellano, y las incrementan forjando derivados sobre la base de palabras ya existentes, como *ladeza* 'anchura, latitud', *longueza* 'longitud', *asmanza* 'opinión, creencia', *eñadimiento* ' aumento', *pala-*

---

7 bis. Véanse José Luis Rivarola, *Las conjunciones concesivas en español medieval y clásico*, Tubinga, 1976; Antonio Narbona Jiménez, *Las proposiciones consecutivas en español medieval*, Univ. de Granada, 1978, etc.

8. Véanse L. G. Ingamells, *Neologisms in Book II of «Espéculo» of Alfonso el Sabio*, «Medieval Hispanic Studies to Rita Hamilton», Londres, 1976, 87-97; M. Haring, *Los derivados aspectivos de base verbal en el «Setenario» de Alfonso el Sabio*, Cahiers de Ling. Hispan. Médiévale, II, 1977, 101-117; G. Bossong, *La abstracción como problema lingüístico en la literatura didáctica de origen oriental*, ibid., III, 1978, 99-132, así como sus *Probleme der Übersetzung* y demás bibliografía citada en la n. 2.

9. Véase A. R. Nykl, *Glosario preliminar de voces de origen árabe y persa en las traducciones hechas por orden del rey don Alfonso el Sabio*, Univ. de Wisconsin, 1957.

dinar 'publicar', procedentes de *lado* 'ancho', *luengo, asmar* 'creer', *eñader* 'añadir', *paladino*. Cuando se trata de ideas referentes al mundo antiguo, sustituyen en unos casos la palabra latina por otra romance que indique algo similar de la actualidad medieval, a veces con una explicación aclaratoria: las Euménides o Furias son en la *Crónica General* «las *endicheras* ('plañideras') *dell infierno*, a que llaman los gentiles deessas raviosas porque fazen los coraçones de los homnes raviar de duelo». Más frecuente es citar el vocablo latino o griego acompañándolo una vez de su definición castellana, para después poderlo emplear como término ya conocido: «fizieron los príncipes de Roma un corral grand redondo a que llamaban en latín *teatro*»; «dizen en latín *tribus* por linage»; «tanto quiere seer *dictador* cuemo mandador, et *dictadura* tanto cuemo mandado»; «*tirano* tanto quiere dezir como señor cruel, que es apoderado en algún regno o tierra por fuerça, o por engaño, o por traición». Los tecnicismos insustituibles, como *septentrión, horizón* 'horizonte', *equinoctial*, precisos en los tratados de astronomía, se incorporan decididamente al castellano, y lo mismo acontece con voces latinas de fácil comprensión: *húmido* 'húmedo', *diversificar, deidat*. Alfonso el Sabio, a pesar de haber introducido abundantísimos cultismos, no se salió de la línea trazada por la posibilidad de comprensión de sus lectores, y por ello casi todas sus innovaciones lograron arraigo.[10]

6. La prosa alfonsí, aunque tiene rasgos inconfundibles, no posee estilo personal; lo impedían la diversidad de las materias, el carácter de vasta compilación y el esfuerzo por amoldarse al estilo de sus distintas fuentes. Limitándonos a las obras históricas, la vemos reflejar la expresión apasionada o conceptuosa de Ovidio, la pintoresca de Suetonio, el barroquismo de Lucano o la retórica de san Isidoro y del toledano don Rodrigo; y ello, luchando con la necesidad de aclarar cuanto a sus lectores pudiera resultar oscuro, y con las dificultades de una lengua literariamente incipiente para reproducir el arte de lenguas muy elaboradas.[11]

10. H. A. Van Scoy, *Alfonso X as a Lexicographer*, Hisp. Rev., VIII, 1940, 277-284; J. Roudil, *Alphonse le Savant, rédacteur de définitions lexicographiques*, «Mélanges P. Fouché», París, 1970, 153-175.

11. Aparte del art. de Menéndez Pidal citado en la n. 1 y de su anterior *Antología de prosistas españoles*, 6.ª ed., Madrid, 1932, 7-10, véanse D. Donald, *Suetonius in the Primera*

7. La prosa castellana quedaba definitivamente creada. La enorme gimnasia que supone la obra alfonsí la había convertido en vehículo de cultura, cumpliendo así el generoso afán de divulgación expuesto en el prólogo del *Lapidario*: lo mandó «trasladar de aráuigo en lenguaie castellano porque los omnes lo entendiessen meior et se sopiessen dél más aprouechar».

Si en las *Cantigas* y otras poesías siguió el Rey Sabio la costumbre de usar el gallego como lengua lírica, su vasta producción en prosa favoreció extraordinariamente la propagación del castellano, elevado al rango de lengua oficial en los documentos reales. Este nuevo impulso se deja ver en las comarcas dialectales de León: hacia 1260, en los comienzos del reinado de Alfonso X, se tradujo el Fuero Juzgo en una versión fuertemente leonesa;[12] por entonces los notarios de Salamanca y occidente de Asturias empleaban un leonés muy influido por el gallego. Pero después, hacia 1275, cuando ya se había difundido el ejemplo de las leyes y documentos alfonsíes, un cambio radical de orientación sustituyó la influencia gallega por la castellana.[13] De todos modos, continuó el uso de una mezcla de leonés y castellano tanto en documentos como en textos literarios, según muestra, entre otros, el poema juglaresco *Elena y María*. En Navarra y Aragón, que tenían cancillería real propia, la penetración castellana en el lenguaje notarial y jurídico fue

---

Crónica General through the «Speculum Historiale», Hisp. Rev., XI, 1943, 95 y ss.; A. M. Badia Margarit, *La frase de la Prim. Crón. Gen. en relación con sus fuentes latinas*, Rev. de Filol. Esp., XLII, 1958-1959, 179-210, y *Los «Monumenta Germaniae Historica» y la «Prim. Cr. Gen.» de A. el S.*, «Strenae. Homenaje a García Blanco», Salamanca, 1962, 69-75; María Rosa Lida de Malkiel, *La «General Estoria»: notas literarias y filológicas*, Rom. Philol., XII, 1958, 111-142, y XIII, 1959, 1-30; Fernando Lázaro Carreter, *Sobre el «modus interpretandi» alfonsí*, Iberida, n.º 6, diciembre de 1961, 97-114.

12. Publicada por la R. Acad. Esp. en 1815. Véanse E. Gessner, *Das Altleonesische*, Berlín, 1867; R. Menéndez Pidal, *El dialecto leonés*, § 2,; Manuel García Blanco, *Dialectalismos leoneses de un códice del Fuero Juzgo*, Salamanca, 1927; V. Fernández Llera, *Gramática y vocabulario del Fuero Juzgo*, Madrid, 1929. Para el leonés del siglo XIII es fundamental la obra de Erik Staaff, *Étude sur l'ancien dialecte léonais*, Uppsala, 1907. También es de interés el artículo de Takamasa Hata *Las formas procedentes de - ŏ c t - y de - a c t - , - e c t - en León y Zamora en la Edad Media*, 1969 (título trad. del japonés).

13. Véanse R. Menéndez Pidal, *Orígenes del esp.*, § 50, y R. Lapesa, *El dialecto asturiano-occidental en los documentos notariales de la baja Edad Media*, «Homen. a V. García de Diego», Madrid, 1976, I, 225-245.

menor que en tierras leonesas. De todos modos, hacia 1300 el Fuero General de Navarra ofrece *dicho, drecho, fecho, taiar, semeiar, meior,* aunque en minoría respecto a *dito, dreyto, fruyto, tayllar, semeyllar, mellor;*[14] en los Fueros de Aragón y en el de Alfambra se repiten *ermano* y *pechar,* frente a *peytar* y un conjunto de rasgos aragoneses bien conservados. En el Fuero de Teruel, de igual fecha aproximada, las soluciones castellanas *derecho, prouecho, trasnochar, abeja, aparejado, coger, coneio* son casi generales, mientras escasean las aragonesas *feyto, feytiço, fruyto, fillo, aparellado, muller.*[15]

§ 64. LA HERENCIA ALFONSÍ (1284-1320)

Muerto Alfonso X, el trabajo de sus escuelas disminuyó en intensidad y redujo su campo de acción. Sancho IV (1284-1295) no se sintió atraído por la ciencia arábiga ni continuó la ambiciosa historia universal que su padre había emprendido. Concentró su interés en dar a su heredero enseñanzas prácticas sobre conducta y gobernación, en procurarse un vademécum que condensara los saberes reconocidos sobre Dios y el mundo, y en reajustar los textos y materiales alfonsíes sobre el pasado de España. Así surgieron los *Castigos e documentos,* el *Lucidario*[16] y una producción cronística que había

14. Véanse Francisco Ynduráin, *Contribución al estudio del dialecto navarro-aragonés antiguo,* Zaragoza, 1945, y Ángeles Líbano Zumalacárregui, *El Romance Navarro en los Manuscritos del Fuero Antiguo del Fuero General de Navarra,* Pamplona, 1977. En cambio los documentos de Irache estudiados por C. Saralegui (véase § 43 n. 4) y los incluidos en los cómputos de Takamasa Hata (*Las formas procedentes de - c t - y - (u) l t - en la Edad Media en el Norte de la Península Ibérica,* 1968, en japonés) ofrecen predominio absoluto de /č/ sobre /it/ en Navarra desde mediados del siglo XIII.

15. Gunnar Tilander, *Los Fueros de Aragón, según el manuscrito 458 de la Biblioteca Nacional de Madrid,* Lund, 1937 (fragmentos de ellos y del Fuero de Alfambra en Alvar, *Textos hispánicos dialectales,* I, Madrid, 1960, 367-372; en el de Alfambra hay también *lecho,* y *muger* frente a *ouellas, concello, orella*); Max Gorosch, *El Fuero de Teruel,* Estocolmo, 1950. En el Alto Aragón el dialecto se conservaba más puro: véanse los *Documentos Lingüísticos del Alto Aragón* publicados por Tomás Navarro, Siracusa, Nueva York, 1957, y reseña de J. Corominas, Nueva Rev. de Filol. Hisp., XII, 1958, 65-75.

16. *Castigos e documentos,* ed. Agapito Rey, Bloomington, Indiana, 1952; *Los «Lucidarios» españoles,* ed. R. P. Kinkade, Madrid, 1968.

de proseguir durante los reinados de sus sucesores. Es probable que *La Gran Conquista de Ultramar* se debiera también a iniciativa de don Alfonso llevada a cabo por Sancho IV, con interpolaciones posteriores;[16 bis] las leyendas que en ella se entrelazan con la historia de las cruzadas marcan el principio de la novela caballeresca, con su ambiente exótico y abundantes galicismos. Fuera de la corte la actividad literaria culta se reparte entre la didáctica moralizante y la evasión de la fantasía, orientaciones que se combinan en el *Zifar*. Faltan la grandeza de miras y la potencia impulsora del Rey Sabio, pero se prepara el camino a los grandes moralistas don Juan Manuel, don Sem Tob y Ayala.[17]

El «castellano drecho» propugnado por Alfonso X como norma de la lengua escrita triunfa ahora definitivamente. Los documentos notariales sólo ofrecen predominio de la apócope *s i e t*, *-ment*, *Torr*, *recibient* en la Rioja Baja, lindante con Navarra y Aragón, y en Murcia, donde Jaime I había asentado muchos vasallos catalanes; en la Montaña *este*, *parte*, *siete* se equiparan con *mont*, *dont*, *Escalant*; y en la Castilla del Norte, Álava, la Rioja Alta y Toledo hay todavía *Lop*, *veynt*, *-mient*, «*argent* bibo», *fuent*, etc., en proporción estimable, pero muy minoritaria. En el resto del territorio castellano los notarios habían generalizado las formas con /-e/; los casos de apócope son muy raros.[18]

§ 65. LOS ESTILOS PERSONALES: DON JUAN MANUEL, JUAN RUIZ, DON SEM TOB Y AYALA

Desde el segundo cuarto del siglo XIV la literatura castellana cuenta con escritores de fuerte personalidad que dejan huella inconfundible en su respectivo estilo.

1. La prosa de Alfonso X se continúa y perfecciona en la obra de don Juan Manuel, que le da acento más personal y reflexivo. Don Juan Manuel

---

16 bis. Uno de los manuscritos da como promotor a Alfonso X y otro a Sancho IV.

17. Richard P. Kinkade, *Sancho IV: puente literario entre Alfonso el Sabio y Juan Manuel*, PMLA, LXXXVII, 1972, 1039-1051.

18. Los cito en *La apócope de la vocal en cast. antiguo*, «Est. ded. a M. Pidal», II, 1951, 221-222.

es el primer autor preocupado por la fiel transmisión de sus escritos, que corrige de su propia mano, dejándolos en un monasterio para que no le sean imputables los errores de copia. Es también el primero en tener conciencia de sus procedimientos estilísticos: «Sabed que todas las razones son dichas por *muy buenas palabras et por los más fermosos latines*[19] que yo nunca oí decir en libro que fuese fecho en romance; et poniendo declaradamente complida la razón que quiere decir, *pónelo en las menos palabras que pueden seer*». El estilo de don Juan Manuel, basado en la expresión selecta y concisa, era el que convenía a su espíritu de grave moralista. Su frase es densa, cargada de intención, precisa. Pero tal justeza no evita repeticiones debidas a la insistencia en el encadenamiento lógico: «et *porque* cada homne *aprende* mejor aquello de que se más *paga, por ende* el que alguna cosa quiere *mostrar* a otro, débegelo *mostrar* en la manera que entendiese *que será más pagado* el que lo ha de *aprender*».[20]

19. 'Expresiones elegantes'. Véase A. G. Solalinde, *La expresión «nuestro latín» en la General Estoria de Alfonso el Sabio*, «Homenatge a Antoni Rubió i Lluch», I, 1936, 133-140.

20. Véanse F. Donne, *Syntaktische Bemerkungen zu Don Juan Manuel's Schriften*, Jena, 1891; J. Vallejo, *Sobre un aspecto estilístico de don Juan Manuel*, «Homenaje a Menéndez Pidal», II, 1925, 63-85; R. Menéndez Pidal, *Nota sobre una fábula de don Juan Manuel y de Juan Ruiz*, «Hommage à Ernest Martinenche», París, [1939], 183-186 (después en *Poesía árabe y poesía europea*, Buenos Aires, 1941, 128-133); María Rosa Lida de Malkiel, *Tres notas sobre don J. M.*, Rom. Philol., IV, 1950-1951, 155-194; Giovanna Marrone, *Annominazione e iterazioni sinonimiche in J. M.*, Studi Mediolatini e Volgari, II, 1954, 57-70; K. Scholberg, *Sobre el estilo del Conde Lucanor*, Kentucky Foreign Lang. Quarterly, X, 1963, 198-203, y *Figurative Language in J. M*, «Don Juan Manuel Studies», Londres, 1977, 143-156; R. Esquer, *Dos rasgos estilísticos en Don Juan Manuel* [paralelismos y simetrías], Rev. de Filol. Esp., XLVII, 1964, 429-435; E. Caldera, *Retorica, narrativa e didattica nel «Conde Lucanor»*, Miscellanea di Studi Ispanici, XIV, Pisa, 1966-1967, 5-120; M. Muñoz Cortés, *Intensificación y perspectivismo lingüístico en la elaboración de un ejemplo de «El C. Luc.»*, «Estudios dedic. a M. Baquero Goyanes», Murcia, 1974, 529-586; M.ª del Carmen Bobes, *Sintaxis narrativa en algunos ensiemplos de «El C. Luc.»*, Prohemio, VI, 1975, 254-276; J. E. Keller, *A Re-Examination of D. J. M.'s Narrative Techniques. La Mujer Brava*, Hispania, LVIII, 1975, 45-51; B. Darbord, *Relations casuelles et étude textuelle (El C. Luc.)*, Cahiers de Ling. Hisp. Médiévale, II, 1977, 49-100; Diego Catalán, *Don J. M. ante el modelo alfonsí*, «Don J. M. Studies», Londres, 1977, 17-52; José Romera Castillo, *Estudios sobre «El Conde Lucanor»*, Madrid, 1980, etc. Excelente bibliografía es la de Daniel Devoto, *Introducción al estudio de don J. M. y en particular de El C. Luc.*, París, 1972. José Manuel Blecua, a quien se

2. Otro gran estilista, de temperamento opuesto al de don Juan Manuel, es Juan Ruiz, Arcipreste de Hita. Su lenguaje efusivo y verboso trasluce un espíritu lleno de apetencias vitales y de inagotable humorismo. Escribe para el pueblo, y al pueblo deja su *Libro de Buen Amor*, con libertad para añadir o amputar estrofas. Extraordinario observador de la vida y la realidad, las plasma en escenas animadas y pintorescas enumeraciones. No se detiene en seleccionar la expresión: acumula frases y palabras equivalentes, todas jugosas y espontáneas. Prodiga los diminutivos reveladores de afecto, ironía o regodeo sensual:

> Los labrios de la boca tiémbranle un *poquillo*,
> El color se le muda bermejo e amarillo,
> El coraçón le salta así a *menudillo*,
> Apriétame mis dedos en sus manos *quedillo*.

Y su vocabulario inagotable, concreto y realista, es provechoso ejemplo para el lector moderno, acostumbrado a la expresión intelectual y abstracta. El Arcipreste de Hita inicia el empleo de modismos y refranes (*pastrañas*, *fablillas*), que habían de tener gran cabida en obras culminantes de nuestra literatura.[21]

---

debe la ed. del *Libro Infinido* y del *Tratado de la Asunción* (Granada, 1952), así como la mejor que hay de *El Conde Lucanor* (Madrid, Castalia, 1969), prepara la de las restantes obras de don Juan Manuel.

21. Ediciones de J. Ducamin (Toulouse, 1901); J. Cejador (Madrid, Clás. Castell., 1913); María Rosa Lida (selección, Buenos Aires, 1941); G. Chiarini (Milán-Nápoles, 1964); M. Criado de Val y E. W. Naylor (Madrid, 1965); Joan Corominas (Madrid, 1967); R. S. Willis (Princeton, 1972); J. Joset (Madrid, Clás. Castell., 1974), y C. Real de la Riva (Salamanca, 1975). Vocabularios de J. M. Aguado, *Glosario sobre Juan Ruiz*, Madrid, 1929; H. B. Richardson, *An Etymological Vocabulary to the L. de B. A.*, Yale Univ. Press, 1930; y M. Criado de Val, E. W. Naylor y J. García Antezana, *L. de B. A. Glosario de la edición crítica*, Barcelona, 1972. Atañen al lenguaje y estilo del *L. de B. A.*: R. Menéndez Pidal, reseña sobre la ed. de Ducamin, Romania, XXX, 1901, *Poesía juglaresca y juglares*, Madrid, 1924, y artículo cit. en nuestra n. 20; F. Weisser, *Sprachliche Kunstmittel des Erzpriester von Hita*, Volkstum und Kultur der Romanen, VII, 1934, 164-243; L. Spitzer, *Zur Auffassung der Kunst des Arc. de H.*, Zeitsch. f. rom. Philol., LIV, 1934, 237-270; F. Lecoy, *Recherches sur le L. de B. A.*, París, 1938; María Rosa Lida, *Notas para la interpretación, influencia, fuentes y*

3. Al morir Alfonso XI (1350) y heredar el trono Pedro I, el rabino don Sem Tob de Carrión le aleccionó con una colección de *Proverbios morales* que, a pesar del fuerte lastre que la tradición hace gravitar sobre el género, revelan notable originalidad, tanto en su contenido como en su forma. Su religiosidad no impide que la existencia humana aparezca en ellas como

---

texto del *L. de B. A.*, Rev. de Filol. Hisp., II, 1940, 105-150, y *Nuevas notas para la interpretación del L. de B. A.*, Nueva Rev. de Filol. Hisp., XIII, 1959, 17-82; Américo Castro, *España en su historia*, Buenos Aires, 1948, 371-469, y *La realidad histórica de España*, México, 1954, 378-442; F. Lázaro, *Los amores de Don Melón y Doña Endrina. Notas sobre el arte de Juan Ruiz*, Arbor, n.° 62, febrero de 1951, 5-27; Lore Terracini, *L'uso dell'articolo davanti al possessivo nel L. de B. A.*, Univ. di Torino, 1951; Dámaso Alonso, *La bella de Juan Ruiz, toda problemas*, Ínsula, VII, n.° 79, julio de 1952 (incluido en *De los siglos oscuros al de Oro*, Madrid, 1964, 86-99), y *La cárcel del Arcipreste*, Cuadernos Hispanoam., XXX, n.° 86, 1957, 165-177; A. Castillo de Lucas, *Refranes de interés médico en el L. de B. A.*, Rev. de Dial. y Tradic. Pop., IX, 1953, 380; Ulrich Leo, *Zur dichterischen Originalität des Arc. de H*, Fráncfort del meno, 1958; Margherita Morreale, *Apuntes para un comentario literal del «L. de B. A.»*, Bol. R. Acad. Esp., XLIII, 1963, 249-364; *Más apuntes para un comentario literal del «L. de B. A.» con otras observaciones al margen de la reciente ed. de G. Chiarini, ibid.*, XLVII, 1967, 233-286 y 417-497, XLVIII, 1968, 117-144; *Glosario parcial del «L. de B. A.»: palabras relacionadas por su posición en el verso*, «Homenaje», Univ. Utrecht, La Haya, 1966, 391-448; *Más apuntes... sugeridos por la ed. de J. Corominas*, Hisp. Rev., XXXIX, 1969-1971, 272-313; *El sufijo -ero en el L. de B. A.*, Arch. de Filol. Arag., XIV-XV, 1963-1964, 235-244, y *«Falló çafir golpado»: análisis de la adaptación de una fábula esópica en el L. de B. A.*, «Studia Hisp. in hon. R. L.», III, 1975, 369-374; A. N. Zahareas, *The Art of Juan Ruiz, Archpriest of Hita*, Madrid, 1965; C. Gariano, *El mundo poético de J. R.*, Madrid, 1968; A. Vàrvaro, *Nuovi studi sul L. de B. A.*, Rom. Philol., XXII, 1968, 133-157; K. W. J. Adams, *J. Ruiz's Manipulation of Rhyme: Some Linguistic and Stylistic Consequences*, «Libro de B. A. Studies», Londres, 1970, 1-28; A. D. Deyermond, *Some Aspects of Parody in the L. de B. A., ibid.*, 53-77; Diego Catalán, *«Aunque omne non goste la pera del peral...» (Sobre la sentencia de J. R. y la de su «B. A.»)*, Hisp. Rev., XXXVIII, 1970, 56-96; G. B. Gybbon-Monypenny, *The text of the «L. de B. A.»: recent editions and their critics*, Bull. of Hisp. St., XLIX, 1972, 217-235; *El Arc. de Hita. El libro, el autor, la tierra, la época*, «Actas del I Congr. Intern. sobre el Arc. de H.», Barcelona, 1973 (con artículos de R. S. Willis, E. Alarcos Llorach, N. Salvador, J. Martínez Ruiz, F. Márquez Villanueva, J. García Antezana y J. Gella Iturriaga tocantes a lenguaje y estilo); J. Muñoz Garrigós, *Un leonesismo del «L. de B. A.»*, «Est. lit. dedic. a M. Baquero Goyanes», Murcia, 1974, 339-350, y *El manuscrito T del «L. de B. A.»*, Anales de la Univ. de Murcia, XXXV, Curso 1976-1977, 147-225; E. Alarcos Llorach, *Apostillas textuales al L. de B. A.*, «Homen. a V. García de Diego», I, 1976, 1-12, etc.

azarosa contienda en que es preciso poner en juego sagacidad y cautela. Si en esta moral del vivir alerta se trasluce el alma judaica del autor, también se manifiesta en la exaltación del intelecto y la alabanza del libro. Por otra parte los hemistiquios heptasílabos, leves aunque preñados de sentido, se pueblan de comparaciones con riqueza imaginativa de origen oriental.[22]

4. En el terrible reinado de Pedro I se forja el alma de Pero López de Ayala, conciencia vigilante de un mundo en ocaso. Ante el resquebrajamiento de la sociedad medieval, la mirada penetrante del cronista descubre los males que la han minado, analiza la concatenación de los hechos y los narra con aparente objetividad e implacable cálculo de los efectos. Su poesía satírica tiene igual carga de intención e igual acierto en la elección de detalles significativos; y en la religiosa personaliza la tensión de los salmos penitenciales con angustia y hondura nuevas en la lírica de Castilla (estr. 740, 749):

> Non entres en juizio con tu siervo, Señor,
> ca yo só tu vencido e conozco mi error...

> Los días me fallescen, el mal se me acrescienta,
> non ha mal nin perigros quel coraçón non sienta...[23]

22. *Proverbios morales*, edited with an introduction by Ig. González Llubera, Cambridge, 1947; Américo Castro, *España en su historia*, Buenos Aires, 1948, 561-572; E. Alarcos Llorach, *La lengua de los «Proverbios morales» de don Sem Tob*, Rev. de Filol. Esp., XXXVI, 1951, 249-309; y Luisa López Grigera, *Un nuevo códice de los «Proverbios morales» de Sem Tob*, Bol. R. Acad. Esp., LVI, 1976, 221-281.

23. Véanse Américo Castro, *Lo hispánico y el erasmismo*, Rev. de Filol. Hisp., IV, 1942, 4-11 (después en *Aspectos del vivir hispánico*, Santiago de Chile, 1949, 62-72); R. Lapesa, *El Canciller Ayala*, «Historia General de las Literaturas Hispánicas», dirigida por G. Díaz-Plaja, Barcelona, I, 1949, 493-512; R. B. Tate, *López de Ayala, humanist historian?*, Hisp. Rev., XXV, 1957, 157-174; J. Gimeno Casalduero, *La personalidad del Canciller P. L. de A.*, Monteagudo, n.° 36, 1961, 2-8 (ampliado, en *Estructura y diseño en la liter. cast. medieval*, Madrid, 1975, 143-161), y *P. L. de A. y el cambio poético de Castilla a comienzos del XV*, Hisp. Rev., XXXIII, 1965, 1-14; L. Urrutia Salaverri, *Algunas observaciones sobre el libro por muchos mal llamado «Rimado de Palacio»*, Cuadernos Hispanoam., n.°ˢ 238-240, 1969, 459-474; G. Di Stefano, *Aspetti del «Realismo Morale» nel Rimado de Palacio*, Miscellanea di Studi Ispanici, Pisa, 1969-1970, 5-23; Kenneth R. Scholberg, *Sátira e invectiva en la España medieval*, Madrid, 1971, 179-189, etc. Las *Crónicas* de Ayala carecen de edición que respon-

§ 66. GÉNEROS LITERARIOS, LENGUAS Y DIALECTOS
EN EL SIGLO XIV

1. El *Libro de Buen Amor*, aunque en gran parte fuese narrativo y conservara la tradicional estrofa del mester de clerecía, contenía abundantes fragmentos líricos —oraciones, cantigas varias, canciones de serrana— en otras formas de versificación, especialmente el *zéjel* o villancico, de vieja raigambre hispano-arábiga. Otro tanto ocurre con el *Rimado de Palacio* del Canciller Ayala, donde hay algunas canciones religiosas. El castellano invade el terreno reservado al gallego: Alfonso XI escribe en castellano una linda poesía trovadoresca,[24] y a fines del siglo XIV, aunque algunos de los poetas más antiguos del *Cancionero de Baena* prefieran todavía el gallego en sus obras de amores, la mayoría de la total producción lírica está en castellano. Además el gallego usado es muy impuro; a veces se trata realmente de una lengua híbrida, con un ligero barniz gallego.[25] De todos modos, el influjo de la lírica gallego-portuguesa dejó huellas lingüísticas en castellano: así *coita*, *coitado* se usaron durante algún tiempo junto a *cueita* > *cueta*, *cuita*, *cuitado*, originariamente leoneses o aragoneses. Como derivados

---

da a las exigencias de la moderna crítica textual; hay que acudir, pues, a la de Llaguno, *Crón. de los Reyes de Castilla*, 1779, o a la de Rosell en la Bib. de Aut. Esp., LXVI y LXVII. Del *Rimado* o *Poesías* hay las eds. de A. F. Kuersteiner (Nueva York, 1920, 2 vols.), K. Adams (Salamanca, 1971), J. López Yepes (Vitoria, 1974), J. Joset (Madrid, 1978, 2 vols.) y Michel García (Madrid, 1978, 2 vols.); está dispuesta para publicación otra de Germán Orduna. Del *Libro de Job* y *Las Flores de los «Morales de Job»* hay las de F. Branciforti (Messina-Florencia, 1962, y Florencia, 1963; reseña de Margherita Morreale, Hisp. Rev., XXXIV, 1966, 361-366). De interés para el lenguaje y texto del *Rimado* son los artículos de A. F. Kuersteiner, *The use of the relative pronoun in the «R. de P.»*, Revue Hisp., XXIV, 1911, 46-170; D. C. Clarke, *Hiatus, Synalepha and Line Length in López de Ayala's Octosyllables*, Rom. Philol., I, 1948, 347-356; G. Orduna, *El fragmento P del «R. de P.» y un continuador anónimo del C. A.*, Filología, VII, 1961, 107-119, y *Una nota para el texto del «R. de P.»: Venecia, Venençia, Abenençia*, Bull. of Hisp. Studies, XLI, 1964, 111-113; y sobre todo M. A. Zeitlin, *A Vocabulary to the «R. de P.»* of P. L. de A., tesis inédita, Univ. de California, 1931.

24. *Cancionero de la Vaticana*, 209.°. Los abundantes galleguismos parecen ser, en gran parte, de copia sólo.

25. Véase mi artículo *La lengua de la poesía lírica desde Macías hasta Villasandino*, Rom. Philol., VII, 1953, 51-59.

de l a e t u s habían contendido en el centro de España el castellano *liedo* y el gallego-portugués *ledo*; desde el siglo xiv sólo se registra *ledo*. A fines de la misma centuria se incrementa en Castilla el empleo de *alguién, alguien*, bajo la acción del portugués *alguem*.[26]

2. El dialecto leonés se mezcla con el castellano en cierto número de producciones literarias. No sabemos si la primitiva versión, hoy perdida, de la *Demanda del Santo Grial*, sería leonesa pura o ya mediatizada: los textos conservados guardan muchos occidentalismos, igual que la *Estoria del rey Guillelme*, la de *Otas de Roma* y otros relatos novelescos.[27] El *Poema de Alfonso Onceno* pretende estar «en lenguaje castellano», aunque se escapen algunos lusismos y muchos rasgos leoneses;[28] también abundan éstos en el *Libro de miseria de omne*, copiado, al parecer, en la parte leonesa de la Montaña.[29]

3. La independencia política de Aragón respecto de Castilla, y su unión con Cataluña, explican la mayor resistencia del dialecto aragonés, así como el fuerte influjo catalán que en él se percibe. En el siglo xiv el aragonés tiene considerable florecimiento autónomo, sobre todo en obras históricas y traducciones cuyo gran propulsor es Juan Fernández de Heredia (1310?-1396), Gran Maestre de la Orden de San Juan. Su estancia en Morea y Rodas despertó su interés por el mundo helénico; puesto en relación con sabios griegos, hizo verter al aragonés las *Vidas paralelas* de Plutarco y

26. Véase Y. Malkiel, *Hispanic «algu[i]en» and related formations*, Univ. of California Publications in Linguistics, 1948.

27. K. Pietsch, Modern Philology, XIII, 1915-1916, y *Spanish Grail Fragments*, Chicago, 1924-1925; *Estoria del rey Guillelme* y *El caballero Plácidas*, ed. Knust, *Dos obras didácticas y dos leyendas*, Biblióf. Esp., Madrid, 1878; *Otas de Roma*, ed. H. L. Baird, Madrid, 1976; Francisco Marcos Marín, *Comentario morfológico y sintáctico de un texto medieval* [= Otas, fragmento del cap. XVII, según la *Crestomatía del esp. mediev.* de Menéndez Pidal, II, 456], «Comentarios lingüísticos de textos», I, Univ. de Valladolid, 1979, 71-106.

28. Véase Diego Catalán Menéndez-Pidal, *Poema de Alfonso XI*, Madrid, 1953, 33-49.

29. Edit. por M. Artigas, Bol. Bibl. Menéndez Pelayo, I y II, 1919-1920. Hay en él leonesismos indudables como *direy, sey, fuey* (< f u i t), *vozi, mugeris, vidi, axidrezi* 'ajedrez', *lla, llos, lleña* 'leña', *chamar*. Sin embargo es posible que el original fuese aragonés, a juzgar por los femeninos *trista, dolienta*, los numerales *setenta* y *ochenta* en rima con *santa* y *canta*, muchos *pl-, cl-, fl-* iniciales, etc.

los discursos que Tucídides había puesto en boca de los personajes de sus *Historias*: son las primeras traducciones de clásicos griegos a una lengua moderna europea. No es de extrañar el amor de Heredia por la Grecia antigua: por aquellos años Pedro IV de Aragón, duque de Atenas, mandaba a sus guerreros proteger la Acrópolis por ser ésta —según dice en su catalán— «la pus richa joya que al mon sia, e tal que entre tots los Reys de chrestians envides la porien fer semblant». El futuro rey Juan I, el amador de toda cortesía —entonces infante aún—, pedía con avidez al maestre copias de los textos antiguos que pudiese reunir. Las auras del humanismo llegaban a la Corona de Aragón antes que a Castilla. No por eso dejaba de introducirse la influencia castellana en el aragonés literario: aunque en las obras de Heredia preponderan las formas regionales, aparecen también *fecho*, *mucho*, *hoy*, *hermano*.[30]

§ 67. LA EVOLUCIÓN DEL CASTELLANO EN EL SIGLO XIV

En el transcurso del siglo XIV la lengua liquida alguna de sus más importantes vacilaciones, desecha anteriores prejuicios respecto a fenómenos típicos de la fonética castellana y camina hacia su regularización.

1. La apócope extrema de la /-e/, tan intensa desde fines del siglo XI hasta la época alfonsí, está ahora en plena decadencia. Las zonas del nor-

---

30. Véanse A. Badia Margarit, *Algunas notas sobre la lengua de Juan Fernández de Heredia*, Rev. de Filol. Esp., XXVIII, 1944, 177-189, y *Sobre los extranjerismos léxicos de J. F. de H.*, «Homen. a F. Krüger», II, Mendoza, 1954, 193-197; B. Pottier, *Un manuscrito aragonés: «Las vidas de hombres ilustres» de Plutarco*, Arch. de Filol. Arag., III, 1950, 243-250; Luis López Molina, *Tucídides romanceado*, Madrid, 1960; Regina af Geijerstam, ed., con estudio preliminar, de la *Grant Crónica de Espanya* (libros I y II), Uppsala, 1964; Fred Hodcroft, *Notas sobre la Crónica de Morea. Fonética*, Arch. de Filol. Arag., XIV-XV, 1963-1964, 83-102. Aparte de estas y otras obras de Heredia, son textos aragoneses de interés el *Libro de las Coronaciones*, compuesto en 1353 por orden del Rey Ceremonioso, y el *Libro de las maravillas del mundo* de Juan de Mandevilla (ed. y estudio de Pilar Liria Montañés, Zaragoza, 1979), aunque éste vierta con torpeza un texto francés reproduciendo sin traducirlas las palabras dificultosas. Texto navarro importante es la *Crónica General de España* de fray García de Eugui.

te donde parece tener aún cierto arraigo son Álava y Soria, sin duda influidas por la vecindad del navarro-aragonés, cuyas soluciones habituales eran *suficient, muert, nueit* 'noche'. En el reino de Toledo el lenguaje del Arcipreste de Hita conserva como arcaísmo popular algo de lo que antes había sido preferencia de señores y clérigos, y así usa todavía *nief* 'nieve', *trax, dix, conbit, promed* 'promete', *yot* 'yo te', «que*d* muestre» 'que te muestre', *dam* 'dame', *págan* 'págame', etc.; las reducciones y deformaciones de *me* y *te* se dan con especial insistencia en boca de las serranas, como caracterizando su rusticismo. También en Andalucía se encuentran ejemplos como «corporal *ment*» hasta 1370. Finalmente, el habla de los judíos, representada por los textos aljamiados de don Sem Tob y las *Coplas de Yoçef*[30 bis] emplea «ke*m* fizo», «no*t* fartas», *princep, sab*. Pero todas éstas son supervivencias excepcionales que se extinguen antes de acabar el siglo XIV; en 1390 o 1400 era ya absoluto el restablecimiento de la /-e/, salvo, como hoy, cuando quedaban como finales las consonantes /d/, /l/, /n/, /r/, /s/ o /z/ no agrupadas (*bondad, sol, pan, señor, mes, luz*). Aun dentro de este límite, la apócope nunca había sido general en la conjugación: aunque la regularidad fonética apoyaba *pid, pud, val, vin, vien, tien, quier, pudier, quis, pus, fiz, aduz* y similares, la regularidad morfológica favorecía las correspondientes formas con /-e/; desde la segunda mitad del siglo XIV la tendencia general prefiere claramente *pide, pude, vine, quise, puse, aduze*, y la alternancia se restringe a *vien-viene, tien-tiene, diz-dize, faz-faze, fiz-fize, quier-quiere*, y algún raro caso más. En los pronombres enclíticos *se, le*, las formas apocopadas («no*s* me parte», «dixo*l*», «que*l*») contienden con las formas plenas, a cuyo favor se inclina la balanza.

2. El diminutivo *-illo*, arraigado en Castilla desde tiempos remotos, pero rehusado por la lengua literaria, que prefería la forma arcaizante *-iello*, se generaliza ahora. En dos manuscritos del *Libro de Buen Amor* es ya la solución habitual, con casos asegurados por la rima;[31] y desde el últi-

---

30 bis. Compuestas entre 1330 y 1350 aproximadamente; publicadas por I. González Llubera, Revue Hisp., LXXXI, 1933, 422-433, y después en Cambridge, 1935.

31. Por ejemplo, en la estrofa 1240 consuenan *quadrilla, silla* y *cortilla* con *villa*, que nunca tuvo *-ie-*.

mo tercio del siglo xiv apenas aparece *-iello* en textos castellanos.[32] Sin éxito tan grande, se propaga también el paso de *f-* inicial a *h*, que aparece ya en algunos documentos oficiales; pero en la literatura sigue dominando la *f*, *fazer*, *ferir*, aunque en el *Libro de Buen Amor* aparezcan *hato*, *hadeduro*, *Henares*, *heda* 'fea' y algún otro ejemplo.

3. Los imperfectos y condicionales *sabiés*, *tenié*, *robariedes*, frecuentes aún en el Arcipreste de Hita, son reemplazados en la mayoría de los escritores por los terminados en *-ía*: *entendías*, *veía*, *quería*, *fazíades*;[32 bis] la desaparición de las formas con *-ié* no fue completa, y en épocas posteriores surgen bastantes casos en la lengua escrita. Comienza a omitirse la /-d-/ en las desinencias verbales *-des*: *andarés* e *yrés* aparecen en el *Libro de Buen Amor*;[33] en el *Libro de miseria de omne* hay *enfiés*, *entendés*, junto a *avedes*, *olvidedes*, y en la *Danza de la muerte* (hacia 1400) menudean *soes*, *bayaes*, *yrés*, *abrés*, *esteys*, *darés*, *tenés*. Y aumentan los ejemplos, muy raros antes, de *nos otros*, *vos otros*, junto a *nos* y *vos*; en un principio las formas compuestas ponían de relieve el contraste con otra persona o pluralidad: «Si pesa a *vos otros*, bien tanto pesa a mí» (Juan Ruiz). «¿Qué nos mandades a *nosotros* fazer?» (Ayala).[34]

32. En el retablo donado por el Canciller Ayala al monasterio de Quejana en 1396 (hoy en el museo de Chicago) se lee «esta *capiella*». El *Cancionero de Baena* conserva *siella* y *Castiella*, junto a varios *Castilla* en un poema de Ruy Páez de Ribera, compuesto en 1407 (n.° 289). En el mismo cancionero, una composición del leonés fray Diego de Valencia (n.° 227) pone en rima *bellas*, *rodillas* y *querellas*, donde es evidente la modernización de un original *rodiellas*. Los últimos ejemplos castellanos que conozco se dan en el habla rústica de los pastores en la *Vita Christi* de frey Íñigo de Mendoza, hacia 1465, y después en Rodrigo de Reinosa y Torres Naharro (véase ed. de la *Vita Christi* por Marco Massoli, Univ. de Firenze, 1977, 307).

32 bis. Véase Y. Malkiel, *Towards a Reconsideration of the Old Spanish Imperfect in -ía ~-ié*, Hisp. Rev., XXVII, 1959, 435-481.

33. *Andarés*, véase 1332 *d*, es lectura de dos manuscritos y exigida por el metro; *yrés*, 1451 *d*, sólo en el ms. S; otros ejemplos de la misma obra son más discutibles. Véase Rufino José Cuervo, *Las segundas personas de plural en la conjugación castellana*, Romania, XX, 1893, 71-86 (después en *Disquisiciones filológicas*, I, Bogotá, 1939, 109-127).

34. *Libro de B. Amor*, 1692 *a*; «E del mal de *vos otros* a mí mucho me pesa», 1702 *b*; *Crónica del rey don Pedro*, año XVII, cap. IV. El ejemplo más antiguo que conozco es uno del *Alexandre* (ed. R. S. Willis, estr. 1823): «non serién tan crueles los príncipes seglares /

§ 68. CULTISMOS Y RETÓRICA

1. A lo largo del siglo XIV continúa sin interrupción la entrada de cultismos, impulsada por la actividad de las nacientes universidades, la formación de juristas en el Colegio español de Bolonia y las traducciones de obras doctrinales e históricas. La del *Regimiento de príncipes* de Egidio Colonna, hecha por fray Juan García de Castrojeriz hacia 1345, tuvo gran resonancia. A ella y a las de Fernández de Heredia (§ 66₃) hay que añadir las muy influyentes del Canciller Ayala, que puso en castellano los *Morales* de san Gregorio Magno, el *De consolatione* de Boecio, las dos primeras *Décadas* de Tito Livio (a través de la traducción francesa de Pierre Berçuire) y parte del *De casibus principum* de Boccaccio. Así entran *cabtela* 'cautela', *magnánimo, magnanimidad, presunción, presuntuoso* (Castrojeriz), *asimilar, iniquo, mutación, negligent, occorrir, olligarchía, ornado, pollítico, preiudicio* 'perjuicio', *próspero, reputar, solicitar, solicitud, squisito, statuto, súbito, theremotu, victuperio, voluntario* (Heredia), *ypócrita, ypocresía* (Ayala), etc. Como puede verse, los cultismos, que habían mantenido relativamente pura su forma durante la época alfonsí, vuelven a alterarla como en tiempos anteriores con deturpaciones propias de transmisión oral descuidada y correspondiente ultracorrección: frecuentes son *astralabio, dino, entinción, solepnidat*; junto a *iniquo* los manuscritos de Heredia usan *inico*; y sus ultracorrectos *soplenidades, divigno, abtupno* (lat. a u t u m n u s), o el *rebto* por *recto* de los de Ayala, pueden añadirse a los mencionados *cabtela, olligarchía, pollítico, victuperio*. Se había perdido el respeto a la forma latina de las palabras cultas y se tardaría mucho en recobrarlo parcialmente.[35]

2. En los últimos decenios del siglo llegan a Castilla corrientes literarias semejantes al retoricismo que caracteriza la prosa y poesía francesas de entonces. Escritores provistos de cierta cultura se esfuerzan por lucirla mediante amplificación elocuente, artificios retóricos, referencias a la mitología e historia antigua, primores de rima y abundancia de latinismos más o

nin veriemos *nos otros* tantos malos pesares». Véanse S. Gili Gaya, Rev. de Filol. Esp., XXX, 1946, y L. Spitzer, *ibid.*, XXXI. 1947.

35. Véase Américo Castro, *Glosarios latino-españoles de la Edad Media*, 1936, p. LXVII.

menos alterados. Esa tendencia ya figura, caricaturizada, en el sermón que encabeza el *Libro de Buen Amor*; pero medio siglo después arrecia sin parodia. En la poesía los «versetes de antiguo rimar», como llamaba el Canciller a la cuaderna vía, quedan arrumbados por las altisonantes octavas de arte mayor, portadoras de mensajes pedantes y engolados. Hacia 1396, cuando Enrique III apartó de su corte al condestable Ruy López Dávalos, frey Lope del Monte compuso un decir «por manera de metáforas oscuras e muy secretas», cuyo principio reza así:

> El çentro çeleste con su rredondeza
> confirme sus orbes en rreta sustancia,
> costringa domar la su concordancia,
> disponga senblantes d'esquiva dureza,
> e sigua natura via de proeza
> e cesse Fortuna su infortunidat...[36]

En la prosa hay ejemplos de desarrollos paralelísticos y contrapuestos, que no siempre se deben a afán de lucimiento. Si san Agustín había puesto la retórica al servicio de la catequesis, fray Pedro Fernández Pecha, uno de los fundadores de la Orden Jerónima, busca en la retórica agustiniana un instrumento para expresar con intensidad la propia conversión y mover a sus lectores:

> Fabla, Señor, e sana el tu moço. Toca el lugarejo ['la sepultura'], e resucitará el muerto. Llame la tu boz e despertará el que duerme. Non te culpo, Señor, porque te partes, mas ruégote que me sufras. Ca vienes a mí e non te acoge la mi memoria; párasteme delante e non te acoge el mi entendimiento...[37]

36. *Cancionero de Baena*, 348.°.
37. *Soliloquios*, publ. por el P. Ángel Custodio Vega, O. S. A., La Ciudad de Dios, CLXXV, 1962, 710-763; trato de su estilo en *Un ejemplo de prosa retórica a fines del siglo XIV: los Soliloquios de F. P. F. P.*, «Studies in Honor of L. A. Kasten», Madison, Wis., 1975 (incluido después en *Prosistas y poetas de ayer y de hoy*, Madrid, 1977, 9-24).

§ 69. LA LITERATURA ALJAMIADA

La convivencia de gentes «de las tres religiones» en la España medieval hizo que el romance no se escribiera sólo en caracteres latinos, sino también en los del alefato hebreo y en los del alifato árabe. Así ocurrió con las cancioncillas mozárabes utilizadas por poetas árabes y hebreos del Ándalus en los siglos XII al XIII (§ 49). Más tarde, al avanzar la Reconquista, son los mudéjares y los judíos habitantes en la España cristiana quienes escriben frecuentemente en romance valiéndose de sus respectivos sistemas de escritura; después de 1492 siguieron haciéndolo en España los moriscos hasta su expulsión en tiempo de Felipe III, y aún más tarde en el norte de África. Los judíos sefardíes en la diáspora publicaron en caracteres hebreos biblias y otros textos romances (véase cap. XVI).

El siglo XIV, el más caracterizado por la arquitectura mudéjar, es el de mayor florecimiento de la literatura aljamiada, adjetivo que procede del árabe a l - ʿ a ǧ a m ī y a 'lengua extranjera'. En letra hebrea están dos manuscritos de los *Proverbios morales* de don Sem Tob, así como las *Coplas de Yoçef*; y en letra árabe el *Poema* de *Yúçuf*. Al siglo XIV parecen corresponder poemas en alabanza de Mahoma, uno en cuaderna vía, otro en zéjeles; y de la misma época deben de arrancar gran parte de las leyendas o *recontamientos* que los moriscos del XVI copiaban amorosamente, y las *Leyes de moros*, ampliadas y comentadas por el alfaquí segoviano Iça Ben Gebir en una *Suma de... la Ley y Çunna* de 1462. Los textos aljamiados moriscos abundan, como es de esperar, en especiales arabismos léxicos, fraseológicos y sintácticos, y su transcripción es un precioso testimonio para conocer la pronunciación efectiva del romance: alguno de Ocaña refleja perfectamente la dicción toledana del siglo XV.[38] Pero tanto el *Yúçuf* como la mayoría de los manuscritos del XVI están en aragonés u ofrecen muchos aragonesismos; hay que tener en cuenta que casi todos fueron hallados en casas aragonesas, cuyos desvanes les sirvieron de secular escondrijo. Otro rasgo que suelen ofrecer es su notable arcaísmo, que les hace conservar usos que en el siglo XVI habían desaparecido en la norma de la sociedad cristiana.

38. Juan Martínez Ruiz, *Un nuevo texto aljamiado: el recetario de sahumerios en uno de los manuscritos árabes de Ocaña*, Rev. de Dial. y Tradic. Pop., XXX, 1974, 3-17.

Caso representativo es la versión aljamiada de *París y Viana*, que aragonesiza y arcaíza un texto castellano impreso en Burgos en 1524.[38 bis]

Los textos aljamiados no interesan sólo como reliquia de un drama histórico ni como testimonio lingüístico: el *Yúçuf*, el *Libro de las Batallas* y el *Recontamiento del rey Ališandre* poseen efectivo valor literario; el *Libro de las Batallas* plantea importantes cuestiones sobre los orígenes de la épica; cuentos y leyendas moriscas influyeron en *El condenado por desconfiado* y en Gracián; y la mística de san Juan de la Cruz presenta sorprendentes afinidades con la de un morisco de Arévalo.[39]

38 bis. Gisela Labib, *El papel de la literatura aljamiada en la transmisión de algunos aspectos estructurales de la lengua árabe sobre el aragonés* (Actas del Congr. Intern. sobre Liter. aljamiada y morisca, Oviedo, 1972, publicadas en Madrid, 1978, 337-363), atribuye a influjo morisco rasgos como la conservación de las sordas intervocálicas latinas /-p-/, /-t-/, /-k-/, el mantenimiento de la /-d-/, las consonantes antihiáticas de *cayer, megollo, tovalla, cadaguno*, etc. Pero estos fenómenos son ya característicos del primitivo dialecto aragonés, anteriores a la hipotética influencia morisca, que, a lo sumo, habría contribuido a su perduración.

39. *Leyes de moros* y *Suma de... la Ley y Çunna*, ed. P. de Gayangos, Memorial Hist. Esp., V, 1853; F. Guillén Robles, *Leyendas moriscas*, Col. de Escrit. Castellanos, 3 vols., Madrid, 1885-1886; R. Menéndez Pidal, *Poema de Yúçuf. (Materiales para su estudio)*, Rev. de Arch., Bibl. y Mus., VII, 1902; 2.ª ed., Granada, 1952; A. R. Nykl, *El «Libro del Recontamiento del rey Alisandre»*, Rev. Hisp., LXXVII, 1928, 409-611; *Historia de los amores de París y Viana*, Madrid, 1970, y *El Libro de las Batallas*, 2 vols., Madrid, 1975, edit. y estudiados por Álvaro Galmés de Fuentes, con exposición muy completa de las peculiaridades lingüísticas de los textos aljamiados. Anticipo de ella es *Interés, en el orden lingüístico, de la literatura española aljamiadomorisca*, «Actes du Xᵉ Congrès Intern. de Ling. et Philol. Romanes (Estrasburgo, 1962)», París, 1965, 527-546. Véanse también R. Kontzi, *Aspectos del estudio de textos aljamiados*, Thesaurus, XXV, 1970, 4-20, y *Aljamiadotexte*, Wiesbaden, 1974, 2 vols.; las *Actas del Coloquio Intern.* de Oviedo, 1972 (véase nota precedente); y Ursula Klenk, *La Leyenda de Yūsuf, ein Aljamiadotext*, Beihefte zur Zeitsch. f. rom. Philol., 134, Tubinga, 1978.

X

TRANSICIÓN DEL ESPAÑOL MEDIEVAL AL CLÁSICO

§ 70. LOS ALBORES DEL HUMANISMO (1400-1474)

1. En los últimos años del siglo XIV y primeros del XV se empiezan a observar síntomas de un nuevo rumbo cultural. Se introduce en España la poesía alegórica, cuyos modelos son la *Divina Comedia* de Dante y los *Triunfos* de Petrarca; Ayala traduce parte de las *Caídas de Príncipes* de Boccaccio, que hacen reflexionar sobre la intervención de la Fortuna o la Providencia en la suerte de los humanos. Los tres grandes autores italianos fueron muy leídos e imitados.[1] Con la ya secular influencia francesa, mantenida por el incre-

---

1. Son clásicos los estudios de B. Sanvisenti, *I primi influssi di Dante, del Petrarca, e del Boccaccio sulla letteratura spagnuola*, Milán, 1902, y de A. Farinelli, *Dante in Spagna-Francia-Inghilterra-Germania*, Turín, 1922, e *Italia e Spagna*, 2 vols., Turín, 1929. Añádanse Joaquín Arce, *La bibliografía hispánica sobre Dante y España entre dos centenarios, 1921-1965*, «Dante nel Mondo», Florencia, 1965, 407-431, y *Situazione attuale degli studi danteschi in Spagna*, «D. in Francia. D. in Spagna», Bari, 1978, 99-120; M. Morreale, *Apuntes bibliográficos para el estudio del tema «D. en Esp. hasta el s. XVII»*, Annali del corso di Ling. e Lett. straniere, Bari, VIII, 1967; y José A. Pascual, *La traducción de la «Divina Comedia» atribuida a D. Enrique de Aragón. Estudio y edición del Infierno*, Salamanca, 1974; Francisco Rico, *Cuatro palabras sobre Petrarca en España (siglos XV y XVI)*, «Convegno Internaz. F. Petrarca», Accad. Naz. dei Lincei, Roma, 1976, 49-58, y *De Garcilaso y otros petrarquismos*, «Hommage à M. Bataillon», Rev. Litt. Comp., LII, 1978, 325-338; M.ª Isabel López Bascuñana, *Algunos rasgos petrarquescos en la obra del M. de Santillana*, Cuadernos Hispanoam., n.° 331, enero de 1978, 19-39, y *Boccaccio en Santillana*, Rev. da Faculdade de Letras, Lisboa, 1976-1977, 127-144; J. Arce, M. de Riquer y otros, Filol. Moderna, XV, n.° 55, dedicado a Boccaccio, junio de 1975; J. Arce, *Boccaccio nella letteratura castigliana. Panorama generale e rassegna biografico critica*, en «Il Bocc. nelle culture e lett. nazionali», Florencia, 1978, 63-105; Ottavio Di Camillo, *El Humanismo Castellano del Siglo XV*, Valencia, 1976, etc.

mento de las costumbres cortesanas y caballerescas, comenzaba a competir la de la Italia trecentista. La conquista de Nápoles por Alfonso V de Aragón (1443) intensificó las relaciones literarias con Italia. En Castilla, los paladines de la nueva orientación son, primero, micer Francisco Imperial[2] y don Enrique de Villena; después, el Marqués de Santillana y Juan de Mena.

Al mismo tiempo crecía el interés por el mundo grecolatino, atestiguado ya en el último tercio del siglo XIV por las traducciones de Fernández de Heredia y Ayala. Don Enrique de Villena traslada la *Eneida*, y tanto su versión como sus nutridas glosas al poema virgiliano dejaron larga huella en la literatura castellana.[3] Juan de Mena puso en romance la *Ilias latina*, el compendio homérico atribuido entonces a «Píndaro Tebano»; don Alonso de Cartagena romanzó obras de Séneca y Cicerón; y Pedro Díaz

2. R. Lapesa, *Notas sobre Miçer F. I.*, Nueva Rev. de Filol. Hisp., VII, 1953, 337-351, y *Los endecasílabos de I.*, «Miscel. Filol. dedic. a Mons. A. Griera», San Cugat del Vallés-Barcelona, II, 1960, 23-47; A. Woodford, *Ed. crít. del «Dezir a las syete Virtudes» de F. I.*, Nueva Rev. de Filol. Hisp., VIII, 1954, 268-294; M. Morreale, *El «Dezir a las s. v.» de F. I. Lectura e imitación prerrenacentista de la Div. Comedia*, «Est. dedic. a R. Oroz», Santiago de Chile, 1967, 307-377; J. Gimeno Casalduero, *Origen y significado de una alegoría: Juan II en el «Decir» de Francisco Imperial*, «Homenaje a Casalduero», Madrid, 1972 (después en *Estructura y diseño en la Lit. Cast. Medieval*, Madrid, 1975, 163-177); Joaquín Arce, *El prestigio de Dante en el magisterio lingüístico-retórico de Imperial*, «Studia Hisp. in hon. R. L.», I, Madrid, 1972, 105-118; *Préstamos léxicos y prestigio literario (¿«cándido», cultismo dantesco?)*, Rev. de Letras, Mayagüez, n.º 20, 1973, 351-361, y *La «Div. Com.», clave interpretativa de una estrofa de Imperial, «1616»*, I, 1978, 59-67; G. E. Sansone, *Saggi Iberici*, Bari, 1974; C. I. Nepaulsingh, ed. y est. del *«Dezir a las s. v.» y otros poemas*, Clás. Castell., 221, Madrid, 1977, etc.

3. Véase Ramón Santiago Lacuesta, *Sobre los manuscritos y la traducción de la «Eneida», de Virgilio, hecha por Enrique de Villena*, Filol. Moderna, n.º 42, junio de 1971, 297-311; *La traducción y comentarios de la «Eneida» virgiliana por E. de Villena*, Madrid, 1974, y sobre todo *La primera versión castellana de la «Eneida» de Virgilio*, Madrid, 1979, con excelente edición, estudio y vocabulario de los seis primeros cantos. Ediciones fidedignas de otras obras de Villena son la de *Los doze trabajos de Hércules* por M. Morreale, Madrid, 1958; la de la *Epístola a Suero de Quiñones*, Univ. of British Columbia Hisp. Studies, Londres, 1974, y del *Tratado de la Consolación*, Clás. Castell., 208, Madrid, 1976, ambas por Dereck C. Carr, aparte de la traducción de Dante, atribuida a don Enrique y editada por J. A. Pascual (véase n. 1). Por último, es de interés la tesis inédita de Ernestina Garbutt-Parrales, *Los latinismos en la obra de E. de V.*, Univ. of Southern California, 1977.

de Toledo, a través del texto latino de Pier Cándido Decembri, el *Fedón* platónico.[4]

La antigüedad no es para los hombres del siglo xv simple materia de conocimiento, sino ideal superior que admiran ciegamente y pretenden resucitar, mientras desdeñan la Edad Media en que viven todavía y que se les antoja bárbara en comparación con el mundo clásico. Alfonso V concierta una paz a cambio de un manuscrito de Tito Livio. Juan de Mena siente por la *Ilíada* una veneración religiosa, llamando al poema homérico «sancta e seráphica obra». Cuando la atención se ahincaba en las lenguas griega y latina, aureoladas de todas las perfecciones, el romance parecía «rudo y desierto», según lo califica el mismo Juan de Mena.[5]

2. Resultado de tanta admiración fue el intento de trasplantar al romance usos sintácticos latinos sin dilucidar antes si encajaban o no dentro del sistema lingüístico del español.[6] Se pretende, por ejemplo, remedar el hipérbaton, dislocando violentamente el adjetivo del sustantivo: «pocos hallo que *de las mías* se paguen *obras*» ('a quienes gusten mis obras'); «*a la moderna* volviéndome *rueda*»; «*las potencias* del ánima *tres*».[7] Se adopta el participio de presente en lugar de la oración de relativo, del gerundio o de otros giros, como en estos versos de Santillana: «¡Oh vos, *dubitantes*, creed las estorias!»; «yo sería *demandante*, / *guardante* su cirimonia, / si el puerco de Calidonia / se mostró tan *admirante*». Se emplea mucho el infinitivo dependiente de otro verbo, a la manera latina: «honestidad e contenencia non es dubda *ser* muy grandes e escogidas virtudes».[7 bis] Corriente es tam-

---

4. Margherita Morreale ilustra cómo se hacían estas versiones (*Apuntes para la historia de la traducción en la Edad Media*, Rev. de Literatura, fasc. 29-30, junio de 1959, 3-10).

5. Otros juicios análogos han sido recogidos por J. Amador de los Ríos, *Hist. crít. de la lit. esp.*, VII, 48 y 216, y E. Buceta, Rev. de Filol. Esp., XIX, 1932, 390.

6. Para el lenguaje y estilo literarios del siglo xv es fundamental el libro de María Rosa Lida de Malkiel, *Juan de Mena, poeta del prerrenacimiento español*, México, 1950, 125-332. Véanse también las pp. 160-174 y 257-260 de mi estudio *La obra literaria del Marqués de Santillana*, Madrid, 1957; las ediciones de la *Comedieta* y la *Defunsion* por M. P. A. M. Kerkhof, Groninga, 1976, y La Haya, 1977, etc.

7. Ejemplos de don Enrique de Villena, Juan de Mena y Arcipreste de Talavera.

7 bis. Véase Joaquín González Muela, *El infinitivo en «El Corbacho» del Arcipreste de Talavera*, Granada, 1954.

bién la colocación del verbo al final de la frase: «¿Pues qué le aprovechó al triste... si su amor *cumpliere*, e aún el universo mundo por suyo *ganare*, que la su pobre de ánima por ello después en la otra vida perdurable detrimento o tormento *padezca*?».[8] La adjetivación, hasta entonces parca, empieza a prodigarse, con frecuente anteposición al sustantivo: «los *heroicos* cantares del *vaticinante* poeta Omero» (Mena); «los *fructíferos* huertos abundan e dan *convinientes* fructos» (Santillana). No siempre hay diferencia de función entre los calificativos antepuestos y los pospuestos, como puede verse en otros ejemplos del Marqués: «la eloquencia *dulçe* e *fermosa* fabla»; «nunca... se fallaron si non en los ánimos *gentiles, claros* ingenios e *elevados* espíritus».

3. La prosa busca amplitud y magnificencia, desarrollando las ideas de manera reposada y profusa, y repitiéndolas a veces con términos equivalentes: «*Cómmo*, pues, o *por quál manera*, señor muy virtuoso, estas sciencias hayan primeramente venido en mano de los *romancistas* o *vulgares*, creo sería *difícil inquisición* e una *trabajosa pesquisa*».[9] «Pero si aver quisiere su *amor* e *querencia*, conviene que al *huego* e *vivas llamas* ponga el libro que compuse».[10] El pensamiento se distribuye en cláusulas simétricas o contrapuestas: «... Así como en el *comienço* se pone alguna fabla primera *que prólogo llaman*, que quiere dezir *primera palabra*, non era sinrazón en el *fin* poner otra que *ultílogo llamen*, que quiera dezir *postrimera palabra*. E commo *el prólogo abre la puerta* para entrar a *lo que quiere fablar*, así el *ultílogo la cierre sobre lo que ya es fablado*».[11] El paralelismo entre los miembros del período se subraya frecuentemente con semejanzas de sonidos o formas gramaticales al final de cada cláusula, dando al estilo carácter cercano a la prosa rimada: «Así la *muger* piensa que no hay otro bien en el mundo sinon *aver*, *tener* e *guardar* e *poseer*, con solícita guarda *condesar*, lo ageno francamente *despendiendo* e lo suyo con mucha industria *guardando*».[12]

Es grande la influencia de los tratados retóricos, tanto clásicos como medievales. Igual conjunción hay en los modelos de la prosa, que ora imita

8. Pasajes del *Corbacho*, del Arcipreste de Talavera.
9. Santillana, *Prohemio al Condestable de Portugal*.
10. Arcipreste de Talavera, *Corbacho*.
11. Del *Oracional* de Alonso de Cartagena.
12. Arcipreste de Talavera, *Corbacho*.

el período ciceroniano, ora reproduce los artificios practicados por san Ildefonso en la época visigoda.[13]

4. El latinismo alcanza todavía con más intensidad al vocabulario.[14] Ávidos de mostrarse a la altura de las nuevas maneras italianas, refinadas y sabias, los escritores introducen sin medida enorme cantidad de palabras cultas. En sólo una estrofa de Santillana encontramos *exhortar*, *disolver*, *geno* ('género', 'raza', latín g e n u s), *subsidio*, *colegir*, *describir*, *servar* 'conservar', *estilo*; y en otra de Juan de Mena, *obtuso*, *fuscado* 'oscuro', *rubicundo*, *ígneo*, *turbulento*, *repunar* 'repugnar'. Muchos de los cultismos citados y de los abundantísimos que saltan a la vista en cuanto tomamos un fragmento literario de la época no resultan hoy extraños porque llegaron a arraigar, ya en el lenguaje elevado, ya también en el habla llana; pero el aluvión latinista del siglo xv rebasaba las posibilidades de absorción del idioma; muchos neologismos no consiguieron sedimentarse y fueron olvidados pronto, como sucedió con *geno*, *ultriz* 'vengadora', *sciente* 'sabio', *fruir* 'gozar', *punir* 'castigar' y otros semejantes. Si unimos a lo antedicho la constante alusión a mitos y episodios históricos de Grecia y Roma,[14 bis] nos formaremos idea del alarde culto que domina en los escritos del siglo xv.

13. Véanse E. von Richthofen, *Alfonso Martínez de Toledo, und sein Arcipreste de Talavera*, Zeitsch. f. r. Philol., LXI, 1941, 414-534, y *Zum Wortgebrauch des Erzpriesten von Talavera*, Zeitsch. f. rom. Philol., 72, 1956, 108-114; María Rosa Lida, Rev. de Filol. Hisp., VII, 1945, 380 y ss.; F. López Estrada, *La retórica en las «Generaciones y Semblanzas» de Fernán Pérez de Guzmán*, Rev. de Filol. Esp., XXX, 1946, 310-352. Don Alonso de Cartagena tradujo para don Duarte de Portugal el primer libro del *De Inventione* ciceroniano con el título *De la Retórica* (ed. de Rosalia Mascagna, Nápoles, 1969).

14. Véanse W. Schmid, *Der Wortschatz des Cancionero de Baena*, Berna, 1951; C. C. Smith, *Los cultismos literarios del Renacimiento. Pequeña adición al Dicc. crít. etim. de Corominas*, Bull. Hisp., LXI, 1959, 236-272; Margherita Morreale, *El glosario de Rabí Mosé Arragel en la «Biblia de Alba»*, Bull. of Hisp. Stud., XXXVIII, 1961, 145-162; J. A. Pascual, E. Garbutt-Parrales, R. Lapesa y M. R. Lida de Malkiel, véanse notas 1, 3 y 6; M.ª Isabel López Bascuñana, *Cultismos, arcaísmos, elementos populares y lenguaje paremiológico en la obra del Marqués de Santillana*, Anuario de Filología, 3, Barcelona, 1977, 279-313; Antero Simón González, *Vocabulario de Juan de Mena*, tesis doctoral inédita, Madrid, 1953.

14 bis. Véanse las obras citadas en la n. 6, así como J. Gimeno Casalduero, *La «Defunsión de don Enrique de Villena» del Marqués de Santillana*, «Studia Hispanica in honorem R. L.», II, Madrid, 1974, 269-279 (después en *Estructura y diseño en la Lit. Cast. Medieval,*

Las ambiciones de estos primeros humanistas contrastan con su escaso respeto a la forma de los latinismos que introducen: *inorar, cirimonia, absuluto, noturno, perfeción* demuestran que la enseñanza del latín seguía adoleciendo de los defectos de la transmisión oral y era insuficiente para mantener las formas *ignorar, ceremonia, absoluto, nocturno, perfección.* Por otra parte, las galas cultistas resultaban postizas cuando faltaba aún preparación para vestirlas.

5. No todos los neologismos importados en esta época son latinos. La vida señorial seguía nutriéndose de costumbres francesas, a las que responde la introducción de galicismos como *dama* (que acarreó la depreciación de *dueña*), *paje, galán, gala, corcel* (o *cosser*) y muchos otros; menos frecuentes son *reguardar* 'mirar', *esguarde* 'consideración, benevolencia', *visaje* 'rostro', etc. Unas coplas satíricas de entonces presentan al Marqués de Santillana «con fabla casi extranjera, / vestido como francés». Ya en épocas anteriores habían entrado algunos italianismos, en su mayoría referentes a la navegación (*galea, avería, corsario*); ahora entran en gran número (*tramontana, bonanza, piloto, gúmena, mesana, orza*), acompañados de otros que pertenecen a distintos órdenes de la vida (*atacar, escaramuza; ambaxada, embaxada; lonja, florín; belleza, soneto, novelar,* etc.). Hubo italianismos de uso pasajero, como *uxel* 'pájaro' (it. *ucello*), *donna* 'dama, mujer' y otros.[15]

6. A pesar de la poderosa corriente de refinamiento, no fue olvidado el lenguaje popular. De una parte lo reclamaba así la creciente intervención del pueblo en la vida nacional;[16] de otra parte, los hombres cultos del Renacimiento empezaban a interesarse por los productos más espontáneos y na-

Madrid, 1975, 179-195); M.ª Isabel López Bascuñana, *La mitología en la obra del Marqués de Santillana*, Bol. Bibliot. M. Pelayo, LIV, 1978, 297-330, etc.

15. Véase J. Terlingen, *Los italianismos en español desde la formación del idioma hasta principios del siglo XVII*, Amsterdam, 1943, y reseña de J. Gillet, *Romance Philology*, II, 1948-1949, 246 y ss.; J. A. Pascual, *La traducción de la Div. Comedia*, 85-150; M.ª Isabel López Bascuñana, *Los italianismos en la lengua del M. de Santillana*, Bol. R. Acad. Esp., LXVIII, 1978, 545-554, etc.

16. Véase Américo Castro, *Lo hispánico y el erasmismo*, Revista de Filología Hispánica, IV, 1942, 26 y ss. (después en *Aspectos del vivir hispánico*, Santiago de Chile, 1949, 94 y ss.).

turales. Santillana, que pule y ennoblece las tradicionales serranillas, reúne la primera colección de «refranes que dicen las viejas tras el fuego», aunque todavía califique de «ínfima poesía» los cantares y romances «de que las gentes de baxa e servil condición se alegran». El Arcipreste de Talavera, continuando el camino iniciado en el siglo xiv por el otro arcipreste, Juan Ruiz, se complace en aprovechar la vena del habla cotidiana en largos párrafos llenos de viveza, pero desmedidos en su locuacidad:

> Piénsase Marimenga que ella se lo meresce; aquella, aquella es amada e bien amada, que non yo triste, cuytada. Todo ge lo dio Fulano, por cierto que es amada. ¡Ay, triste de mí, que amo e non só amada! ¡O desventurada! Non nascen todas con dicha. Yo, mal vestida, peor calçada, sola, sin compañía, que una moça nunca pude con este falso alcançar, en dos años anda que nunca fize alforza nueva; un año ha pasado que traygo este pedaço; ¿por qué, mesquina, cuytada, o sobre qué? Lloraré mi ventura, maldeziré mi fado, triste, desconsolada, de todas cosas menguada...

7. En la primera mitad del siglo xv pervivían en la lengua muchas inseguridades: no se había llegado a la elección definitiva entre las distintas soluciones que en muchos casos contendían. Así alternaban indiferentemente las grafías *t* y *d* finales, *edat*, *voluntat* y *edad*, *voluntad*; la *f-* inicial de *fazer*, *folgar*, *fuego*, preferida por la literatura, luchaba con la [h] aspirada de *hazer*, *holgar*, *huego*, dominantes en el habla; en Castilla la Vieja se extendía la omisión de esta [h] (*ebrero* 'febrero'). Se vacilaba entre *dubda* y *duda*, *ome* y *hombre*, *judgar* y *juzgar*. Las vocales inacentuadas alteraban con frecuencia su timbre: *sofrir*, *venir*, *robí* 'rubí'. Seguían en vigor formas verbales como *andude* 'anduve', *prise* 'prendí', 'tomé', *conquiso* 'conquistó', *fuxo* 'huyó', *seyendo*, *veyendo* 'siendo, viendo'; escasos en la lengua escrita, se ven, sin embargo, *serién* y hasta *serín* 'serían', *podrié* 'podría', *deviedes* 'debíais'. Y aún quedaban, aunque raros, algunos restos de la antigua pérdida de *e* final, como *fiz* 'hice', *nol*, *sil* 'no le', 'si le', incluso durante el reinado de Enrique IV.[17]

17. Los pastores de las *Coplas de Mingo Revulgo* usan «*unol* pela, *otrol* quita». Por la misma época, el poeta cortesano Cartagena escribe: «si no*l* va mejor que suele / con consuelo que*l* consuele» (*Cancionero General* de Hernando del Castillo, composición 149)

A estos arcaísmos hay que añadir duplicidades que hasta poco antes no habían existido, como la contienda entre *vengades, demandades, tenedes, venides, sodes* y *vengás* o *vengáis, tenés* o *tenéis, venís, sos* o *sois*;[18] y las derivadas del restablecimiento de la forma latina de las palabras, como *flama* junto a *llama, planto* frente a *llanto.*

8. El castellano se emplea sin resistencia en la poesía lírica. El Marqués de Santillana recordaba la reciente boga del gallego y escribió una composición en esta lengua, aunque ya con rasgos portugueses (*coraçaon*). Más corriente es que gallegos como Juan Rodríguez del Padrón poeticen en castellano, usado también por el Condestable de Portugal en la prosa y verso de su *Sátira de felice e infelice vida.*[18 bis] En Aragón, la entronización de la dinastía castellana con Fernando I (1412) y la intervención aragonesa en las luchas políticas de Castilla aceleran el abandono del dialecto regional por los poetas cortesanos: el *Cancionero de Stúñiga,* reunido en la corte de Alfonso V, tiene muy pocos dialectalismos. Sólo un trovador de los más antiguos, Pedro de Santafé, escribe *res* 'nada', *cort, pensant, veye, creye, forte,* etc., aunque rehúye otros aragonesismos salientes. Hasta Cataluña llega la expansión del castellano, apareciendo ya poetas bilingües como Torrellas (Pere Torroella), a pesar de ser el siglo xv período de máximo esplendor de la literatura catalana.

§ 71. EL ESPAÑOL PRECLÁSICO (1474-1525)[19]

1. La penetración de la cultura clásica se extiende e intensifica durante la época de los Reyes Católicos. A la admiración extremosa —a veces superfi-

---

y Rodrigo Cota, en unas coplas satíricas, «lo ques' da», *supiés, vien,* «yol vi» (*Canc. Castellano del siglo XV,* Nueva Bib. Aut. Esp., XXII, n.° 967).

18. Rufino José Cuervo, véase § 67, n. 33; Roberto de Souza, *Desinencias verbales correspondientes a la persona «vos/vosotros» en el «Cancionero General»,* Filología, X, 1964, 1-95, y R. Lapesa, *Las formas verbales de segunda persona y los orígenes del «voseo»,* «Actas del III Cong. Intern. de Hispanistas», México, 1970, 519-531.

18 bis. Véase Elena Gascón Vera, *Don Pedro, Condestable de Portugal,* Madrid, 1979.

19. Véase R. Menéndez Pidal, *La lengua en tiempo de los Reyes Católicos. (Del retoricismo al humanismo.)* Cuadernos Hispanoamericanos, V, 1950, 9-24.

cial— por el mundo grecolatino sucede el afán de conocimiento verdadero. La misma reina, bajo la dirección de doña Beatriz Galindo, aprende con sus damas el latín, y logra que tanto el príncipe don Juan como las infantas lleguen a dominarlo. Estimulada por tan insigne ejemplo, la nobleza se entrega con avidez al estudio. En la corte regia o en los palacios de los grandes enseñan hombres de letras venidos de Italia, como Pedro Mártir de Anglería, Lucio Marineo Sículo y los hermanos Geraldino. Muy eficaz también es la acción de los humanistas hispanos: tras los esfuerzos de Alonso de Palencia, surge el gran renovador Antonio de Nebrija (1442-1522), que emprende la reforma de la didáctica universitaria, desterrando métodos anquilosados e introduciendo los que, formulados por Lorenzo Valla, habían contribuido al resurgimiento de la latinidad en Italia.[20] Él y el portugués Arias Barbosa implantan en España los estudios helénicos, cultivados con éxito por su inmediato seguidor Hernán Núñez, el Comendador Griego. Se multiplican las traducciones de libros clásicos, y la imprenta, que empieza entonces a propagarse, hace que la difusión sea más extensa y fiel. Al comenzar el siglo XVI se recogen ya los primeros frutos: Cisneros encuentra a su disposición un plantel de hombres sabios con los cuales funda la Universidad de Alcalá, nueva en fecha y espíritu, y les encomienda la elaboración de la Biblia Poliglota.

2. Conforme gana intensidad y hondura, el movimiento renacentista se despoja de las demasías formales que habían acompañado a su iniciación. Los escritores de la época de los Reyes Católicos, más conscientes que Santillana o Mena del valor del propio idioma, no pretenden forzarlo en aras de la imitación latina, que abandona estridencias y adquiere solidez. La extrema afectación de antes se convierte en elegancia culta. Isabel la Católica era muy aficionada a la expresión «buen gusto», que, aplicada al lenguaje literario, resume la corriente que se abría paso.

Representativa de este cambio es la evolución estilística de Juan de Lucena: su *Dialogo de vita beata*, obra juvenil de 1463, es una de las más atrevidas tentativas de latinizar la sintaxis y el léxico castellanos; pero la *Epístola exhortatoria a las letras*, escrita ya bajo los Reyes Católicos, atenúa el latinismo, que es todavía más discreto en el *Tractado de los gualardones... e*

---

20. Francisco Rico, *Nebrija frente a los bárbaros*, Univ. de Salamanca, 1978.

del oficio de los harautes, compuesto durante la guerra de Granada (1482-1492). No por eso abandona otros caracteres de la prosa más elaborada. Tanto él como otros autores revelan notable facilidad en el arte del período extenso y complejo, repartido con excesiva simetría o demasiado abundoso de sinónimos innecesarios, pero desarrollado con armonía y habilidad:[21] «Los epitafios, los týtulos, las estatuas, los trivnfales arcos atyuaron a los romanos su virtud más quel deleyte della misma; y *tanto* la república *avmentó quanto creçió* la fama de sus defensores: ca la remuneraçión haze *más poderoso al que la haze*, y *al que la resçibe más merecedor* y osado», (*Tractado de los gualardones*); «Si te plaze matarme, *por voluntad* obra lo que *por justicia* no tienes por qué; la muerte que tú me dieres, aunque *por causa de temor la rehúse, por razón de obedecer la consiento*, aviendo por mejor *morir en tu obediencia* que *vevir en tu desamor*» (Diego de San Pedro, *Cárcel de Amor*);[22] «Cuando bien comigo *pienso*, muy esclarecida Reina, i *pongo delante los ojos* el antigüedad de todas las cosas que para nuestra *recordación* i *memoria* quedaron escriptas, una cosa *hallo* y *saco* por conclusión mui cierta» (Nebrija, prólogo a la *Gramática*).

3. En la *Celestina*, obra maestra de esta prosa, confluyen, templadas, la tendencia sabia de los humanistas y la popular del *Corbacho*. Los párrafos elocuentes, donde se busca el estilo elevado, ofrecen bastante amaneramiento. Domina en ellos la colocación del verbo al final de las oraciones: «en dar poder a natura que de tan perfeta hermosura te *dotasse*, e fazer a mi inmérito tanta merced que verte *alcançasse*, e en tan conveniente lugar que mi secreto dolor manifestarte *pudiesse*». Aunque raras, no faltan consonancias como las de *natura-hermosura*, *dotasse-alcançasse* del párrafo citado. Abundan las amplificaciones: «¿Quién te podría contar, señora, sus daños, sus inconvenientes, sus fatigas, sus cuidados, sus enfermedades, su frío, su calor, su descontentamiento, su rencilla, su pesadumbre, aquel arrugar de cara, aquel mudar de cabellos, aquel poco oír, aquel debilitado

21. Margherita Morreale, *El tratado de Juan de Lucena sobre la felicidad*, Nueva Rev. de Filol. Hisp., IX, 1955, 1-21; R. Lapesa, *Sobre Juan de Lucena: escritos suyos mal conocidos o inéditos*, «Collected Studies in Honor of Américo Castro's Eightieth Year», Oxford, 1965 (después en *De la Edad Media a nuestros días*, Madrid, 1967, 122-144).

22. K. Whinnom, *Diego de San Pedro's Stylistic Reform*, Bull. Hisp. Stud., XXXVII, 1960, 1-15.

ver...?». El léxico, rico y expresivo, está salpicado de latinismos como *inmérito*, *fluctuoso*, *cliéntula*, *sulfúreo*, *litigioso*, *diminuto*. Y en la sintaxis resaltan construcciones latinas de infinitivo o participio de presente: «no creo *ir* conmigo el que contigo queda»; «tanto es más noble el *dante* que el *recibiente*». Pero todos estos rasgos cultos no se prodigan con tanta cargazón pedantesca como en los prosistas de la época anterior, y el hipérbaton no existe casi. Junto al período amplio aparece la frase cortada, ya hilvanando refranes, ya engastando máximas, paralelo humanista de la sabiduría vulgar: «Aquel es rico que está bien con Dios; más segura cosa es ser menospreciado que temido... Mi amigo no será simulado y el del rico sí; yo soy querida por mi persona, el rico por su hacienda...». El lenguaje llano incurre, como el del Arcipreste de Talavera, en verbosidad prolija, pero las necesidades del diálogo le imprimen dramatismo y variedad. La charla de Celestina, tesoro de dichos populares, se entretiene en digresiones, pero no pierde el hilo sinuoso con que su malicia la conduce al fin propuesto.[23]

23. Para el lenguaje y estilo de la *Celestina* véanse Carmelo Samonà, *Aspetti del Retoricismo nella «Celestina»*, Roma, 1953; M. Criado de Val, *Índice verbal de «La Celestina»*, Madrid, 1957; Stephen Gilman, *The Art of La Celestina*, Madison, Wisconsin, 1956, 17-55 (trad. española de Margit Frenk de Alatorre, *La Celestina: arte y estructura*, Madrid, 1974); María Rosa Lida de Malkiel, *La originalidad artística de «La Celestina»*, Buenos Aires, 1962; J. Homer Herriott, *Notes on Selectivity of Language in the «Celestina»*, Hisp. Rev., XXXVII, 1969, 77-101; R. P. y L. S. de Gorog, *La sinonimia en «La Celestina»*, Madrid, 1972; J. Muñoz Garrigós, *Contribución al estudio del léxico de «La Celestina»*, tesis inédita, Murcia, 1972 (vocabulario completo de la obra); Lloyd Kasten y Jean Anderson, *Concordance to the Celestina (1499)*, Madison, 1976. Sobre temas lingüísticos o estilísticos particulares: R. E. House, *The present status of the problem of authorship of the Celestina*, Philol. Quarterly, II, 1923, 38-47; R. E. House, M. Mulroney e I. G. Probst, *Notes on the author of the C.*, *ibid.*, III, 1924, 81-91; J. Vallejo, F. Castro Guisasola y M. Herrero García, *Notas sobre «La Celestina». ¿Uno o dos autores?*, Rev. de Filol. Esp., XI, 1924, 402-412; John W. Martin, *Some Uses of the Old Spanish Past Subjunctives (with Reference to the Authorship of La C.)*, Rom. Philol., XII, 1958, 52-67; H. Mendeloff, *Protasis and Apodosis in «L. C.»*, Hispania, XLII, 1959, 376-381; *The Passive Voice in «L. C.»;* Rom. Philol., XVIII, 1964, 41-46; *The Epithet in «L. C.» (1499)*, «Studi di filol. rom. offerti a Silvio Pellegrini», Padua, 1971, 355-362; F. González Ollé, *El problema de la autoría de L. C.*, Rev. de Filol. Esp., XLIII, 1960, 441-445 (con atención a los diminutivos); F. W. Hodcroft, *«L. C.»: errores de interpretación en el estudio de su sintaxis*, Filol. Moderna, 14, 1964, 154-156; P. B. Goldman, *A new interpretation of «comedor de huevos asados»*

4. En la poesía decae la moda alegórico-mitológica, aunque Juan de Mena era considerado como el supremo poeta español y su ejemplo influía en autores como Padilla el Cartujano, que compite con el maestro en el número de alusiones librescas y latinismos (*dulcísono, estelífero, fatídico, mortífero, comoto* 'conmovido', *latitante* 'oculto', *mesto* 'triste').[24] Lo general es ahorrar estos recursos; Jorge Manrique se deshace de ellos y expresa con lisura y sinceridad su dolor ante la vanidad de las cosas.[25] La lírica amatoria persigue, más que los atavíos clásicos, la sutileza del concepto, como en la célebre canción del Comendador Escrivá:

(L. C., act. I), Rom. Forsch., LXXVII, 1965, 363-367; F. Roselli, *Iterazioni sinonimiche ne «L. C.»*, Miscellanea di Studi Ispanici, XIV, 1966-1967, 121-149; G. A. Shipley, *El natural de la raposa: un proverbio estratégico de la Celestina*, Nueva Rev. de Filol. Hisp., XXIII, 1974, 35-64; *«¿Quál dolor puede ser tal...?»: a Rhetorical Strategy for containing Pain in L. C.*, Mod. Lang. Notes, XC, 1975, 143-153; *Concerting through Conceit: Unconventional Sickness Images in «L. C.»*, The Mod. Lang. Review, LXX, 1975, 324-332, y *Usos y abusos de la autoridad del refrán en L. C.*, «La C. y su contorno social», Barcelona, 1977, 231-244; S. Sandoval Martínez, *Sintagmas no progresivos trimembres en «L. C.»*, «Est. Lit. dedic. a M. Baquero Goyanes», Murcia, 1974, 471-476; J. Muñoz Garrigós, *Andar a pares los diez mandamientos: un pasaje oscuro de L. C.*, «Homen. a Muñoz Cortés», Murcia, 1976, 437-446; A. Abruñedo y M. Ariza, *El adjetivo calificativo en L. C.*, «La Celestina y su contorno social», Barcelona, 1977, 213-228; J. Gella Iturriaga, *444 refranes de L. C.*, *ibid.*, 245-268; F. Monge, *Celestina; la seducción y el lenguaje*, «Orbis Medievalis. Mélanges Bezzola», Berna, 1978, 269-280, etc.

24. Sobre el estilo y lenguaje del Cartujano véase M.ª R. Lida de Malkiel, *Juan de Mena, poeta del prerrenacimiento español*, 427-455; Joaquín Gimeno Casalduero. *Sobre el Cartujano y sus críticos*, Hisp. Rev., XXIX, 1961, y *Castilla en «los doce triunfos» del Cartujano, ibid.*, XXXIX, 1971 (ambos estudios, incluidos en *Estructura y diseño en la Liter. Cast. Medieval*, Madrid, 1975); y Enzo Norti Gualdani, ed. y estudio de *Los doce triunfos de los doce apóstoles*, Univ. di Firenze, I, 1975, II, parte I, 1978.

25. Véanse Pedro Salinas, *Jorge Manrique o tradición y originalidad*, Buenos Aires, 1947; Leo Spitzer, *Dos observaciones sintáctico-estilísticas a las Coplas de Manrique*, Nueva Rev. de Filol. Hisp., IV, 1950, 1-24 (sobre «el posesivo patético» y el infinitivo sustantivado); Américo Castro, *Muerte y belleza. Un recuerdo a J. M.*, en *Hacia Cervantes*, Madrid, 1957, 51-57, y *Cristianismo, Islam, poesía en J. M.*, [1958], en *Sobre el nombre y el quién de los españoles*, Madrid, 1973, 285-300; Jesús Castañón Díaz, *Cara y cruz de las Coplas de J. M*, Publicaciones de la Inst. Tello Téllez de Meneses, n.º 35, 1975 (?), 141-172; Hans Flasche, *Die Deixis in den «C. que fizo don J. M.»*, en «Sprache und Mensch in der Romania. Homen. a H. Kuen», Wiesbaden, 1979, 61-79.

> Ven, muerte, tan escondida
> que no te sienta conmigo,
> porque el gozo de contigo
> no me torne a dar la vida.[26]

La novedad mayor consiste en la acogida que se dispensa a la inspiración popular. Los poetas cortesanos de la época de los Reyes Católicos cultivan la imitación y glosa del Romancero y de las canciones tradicionales, contagiándose a menudo de su facilidad y candorosa frescura. Juan del Encina en lo profano y fray Ambrosio Montesino en la poesía religiosa, son los representantes más destacados de esta nueva tendencia.

§ 72. EVOLUCIÓN, VARIEDADES Y EXTENSIÓN DEL CASTELLANO (1474-1525)

1. El idioma continúa despojándose del lastre medieval. Desaparece la alternancia gráfica de *t, d* finales, y apenas se ven sino formas con *d, antigüedad, voluntad, merced*. La literatura conserva abundantes restos de *f* inicial, *fallar, fasta, fablar, fermosura*, pero es muy general la *h, hazañas, holgar, herir*, que se impone por completo entre 1500 y 1520;[27] en Castilla la Vieja esta *h* no se aspiraba ya. Por las mismas fechas se resuelve a favor de *y* su alternancia con *e* como conjunción copulativa; la de *non* y *no* se había resuelto decenios antes. Había vacilaciones de vocalismo (*sofrir, deferir, joventud, mochacho, cevil*) que penetraron hasta muy avanzado el período clásico. En los cultismos se consolida la adaptación de la fonética latina a los hábitos de la pronunciación vulgar, reduciendo los grupos de consonantes: e x e m p - t u s , e x c e d e r e , p e r f e c t u s , d i g n u s , s e c t a corrían en las formas *esento, eceder, perfeto, dino, seta*. En la morfología contendían *darvos* y *daros, os despierta* y *vos han envidia*. Las antiguas formas en *-ades, -edes, -ides*

---

26. R. Lapesa, *Poesía de cancionero y poesía italianizante*, en *De la Edad Media a nuestros días*, Madrid, 1967, 150-152.

27. Para Nebrija la [h] era la pronunciación normal en 1492: «La *f* corrómpese en *h*, como nos otros la pronunciamos» (*Gramática*, ed. Madrid, 1946, II, 25).

habían sido reemplazadas por *deseáis, esperás, tenéis, ganaréis, sojuzgarés, pornés* 'pondréis', *dormís*. Fuera del habla popular escasea el uso del artículo con el adjetivo posesivo: *la tu torre, la tu rabiosa ansia* son raros en relación con los ya normales *mi gloria, tu suavísimo amor*.[28] Perduraban formas antiguas como *ell alma, all espada*, al lado de *el alma, el espada* y *la espada; só, vo, estó,* junto a *soy, voy, estoy; imos, ides,* alternando con *vamos, vais;* y *fue, fuemos, fuestes, sei* (imperativo de *ser*), *seído, veyendo,* con *fui, fuimos, fuistes, sé, sido, viendo,* etc.

2. La unidad lingüística del centro de la Península estaba casi consumada. El dialecto leonés vivía solamente en el habla rústica; como rusticismo lo emplean los pastores de Juan del Encina y Lucas Fernández, y así pasó al teatro del Siglo de Oro, convertido en el convencional «sayagués», «lenguaje pastoril» o «villanesco».[29] En cuanto al aragonés, eran patentes al principio de esta época sus diferencias con el habla de Castilla: la hierba *hinojo* sirvió de símbolo a la unión de los dos reinos, porque, al decir de un poeta, «llámala Castilla *inojo*, / que es su letra de *I*sabel; / llámala Aragón

28. R. Lapesa, *Sobre el artículo con posesivo en castellano antiguo*, «Sprache und Geschichte. Festschrift für Harri Meier», Múnich, 1971, 277-296.

29. R. Menéndez Pidal, *El dialecto leonés*, 1906 (2.ª ed., Oviedo, 1962); J. de Lamano, *El dialecto vulgar salmantino*, Salamanca, 1915; J. E. Gillet, *Notes on the Language of the Rustics of the Sixteenth Century*, «Hom. a M. Pidal», I, Madrid, 1925, 443-453, y notas a su ed. de la *Propalladia* de Torres Naharro, Filadelfia, 4 vols., 1943-1961; Dámaso Alonso, estudio preliminar y notas a su ed. de la *Tragicomedia de Don Duardos* de Gil Vicente, Madrid, 1942; Frida Weber de Kurlat, *Latinismos arrusticados en el sayagués*, Nueva Rev. de Filol. Hisp., I, 1947, 166-170, y *El dialecto sayagués y los críticos*, Filología, I, 1949, 43-50; P. Teyssier, *La langue de Gil Vicente*, París, 1959; Charlotte Stern, *Sayago and Sayagués in Spanish History and Literature*, Hisp. Rev., XXIX, 1961, 217-237; O. T. Myers, *Juan del Encina and the «Auto del Repelón»*, Hisp. Rev., XXXII, 1964, 189-201; F. González Ollé, est. prelim. a su ed. de las *Obras dramáticas* de Fernán López de Yanguas, Clás. Castell., 162, Madrid, 1967, LXV-LXIX; Humberto López Morales, *Elementos leoneses en la lengua del teatro pastoril de los siglos XV y XVI*, «Actas del II Congr. Intern. de Hisp.», Nimega, 1967, 411-419; M.ª del Carmen Bobes, *El sayagués*, Archivos Leoneses, 44, 1968, 384-402; John Lihany, *El lenguaje de Lucas Fernández. Estudio del dialecto sayagués*, Bogotá, 1973; *Auto del Repelón*, ed. facsímil de la de 1509, con prólogo y vocabulario de L. L. Cortés, Salamanca, 1974; María Josefa Canellada, ed. de las *Farsas y Églogas* de Lucas Fernández, Clás. Castalia, 72, Madrid, 1976, 27-59, etc.

finojo, / que es su letra de Fernando». Pero el aragonés, muy influido ya por el castellano, desapareció pronto en el uso literario y notarial.[30] En 1513 don Pedro Manuel de Urrea, que escribía en la aldea aragonesa de Trasmoz, al pie del Moncayo, no acoge dialectalismos en sus poemas corteses; y los personajes de sus églogas hablan castellano con vocablos convencionalmente pastoriles procedentes de Encina (*huzia* 'confianza', *aballar* 'apartarse, moverse', *huego* 'fuego', *aquellotrar* 'cavilar, meditar'), aunque lo sazonan empleando *herbajar* 'apacentar el ganado, alquilar para él una pradera', *brollador* 'manantial', *drecho, rabañar, rabaño, salz* 'sauce', *calliço* 'calleja', *espolsar* 'sacudir', *bulco* 'vuelco', *çaffrán* 'azafrán', etc., vivos todavía hoy en el coloquio aldeano regional.[31] Unos quince años después, hacia 1528, Jaime de Huete se disculpa de insertar aragonesismos en sus comedias *Tesorina* y *Vidriana*; como los de Urrea, son casi todos léxicos, aparte del sufijo diminutivo de *pobretas, anadetas*.[32] La castellanización de la fonética hubo de ser rápida en las ciudades y menos en el campo, a juzgar por los textos aljamiados que en el siglo XVI corrían entre los labriegos moriscos (véase § 69).

3. Dentro del dominio castellano la creciente unificación lingüística se vio favorecida por la difusión de la imprenta, exigente auxiliar de la norma; pero no por eso quedaron excluidas las modalidades regionales. Ya se ha dicho que el habla de Castilla no pronunciaba la [h] aspirada y confundía /b/ y /v/; desde tiempo atrás había empezado a ensordecer las sonoras /ẑ/, /-ż-/ y /ž/, haciéndolas coincidir con /ŝ/, /-ŝ-/ y /š/, con las consiguientes inseguridades gráficas entre *z* y *c, ç, -s-* y *-ss-, g, j* y *x*.[33] En León

---

30. Sobre la castellanización del lenguaje escrito en Aragón, véanse F. Lázaro, *Formas castellanas en documentos zaragozanos de los siglos XV y XVI*, en Argensola. Rev. del Inst. de Estudios Oscenses, II, 1951, 43-47, y B. Pottier, *L'évolution de la langue aragonaise à la fin du Moyen Âge*, Bull. Hisp., LIV, 1952, 184-199. M. Alvar (*Noticia lingüística del Libro Verde de Aragón*, Arch. de Filol. Arag., II, 1947) prueba que una copia del célebre libelo hecha en 1623 conserva, aunque castellanizada, abundantes aragonesismos correspondientes a su redacción de fines del siglo XV.

31. *Églogas dramáticas y poesías desconocidas de P. M. de U.*, ed. y est. preliminar de Eugenio Asensio, Madrid, Joyas Bibliófilas, 1950.

32. Sobre Huete, véase M. Alvar, *Aragón, literatura y ser histórico*, Zaragoza, 1976, 220-221.

33. Un escriba montañés torpe e inculto ofrece en 1410 *façen, raçon, façer, rayçes, vsso* junto a *vso* (Menéndez Pidal, *Docs. Lingüísticos*, 11.°). Confusiones parecidas abundan en

y Aragón este ensordecimiento y la confusión de /b/ y /v/ estaban muy avanzados.[34]

En Sevilla y la costa atlántica de Andalucía las africadas /ŝ/ y /ẑ/ (*ç, c* y *z* en la escritura) se habían aflojado, y las fricativas resultantes de ellas —dentales o interdentales— empezaron a confundirse con las fricativas ápico-alveolares /ş/ (escrita *s-, -ss-* o *-s*) y /ż/ (escrita *-s-* entre vocales): en 1419 un documento de Sanlúcar o Niebla repite varias veces *diesmo*; en el *Cancionero de Baena*, cuyo colector era marchenero y en el que figuran muchos poetas sevillanos, aparecen *escaçeza, çatán* 'Satán', *çedal* 'sedal', *çenado* 'senado', *azaz*, ant. 'assaz', *Amadiz*; en escritos de 1487, *Andrez, Blaz*; en 1488-1492, *sirios* 'cirios', *fiçieçe* 'hiciese', ant. 'fiziesse', etc. Juan de Padilla el Cartujano (1468-1522), profeso en un monasterio de Sevilla, rima alguna vez *-s-* con *-z-* (*genoveses / meses / vezes; dehesa / reza*) y *ç* con *-ss-* (*recibiesses / padeçes*), igualando alveolares y dentales, pero sin mezclar sordas con sonoras. Desde Sevilla y la costa la confusión se propagó a Córdoba, Antequera y enclaves en Jaén;[34 bis] y con la conquista del reino granadino, fue llevada a Málaga, oeste y sur de Granada y suroeste de Almería por las gentes de Sevilla y Cádiz que allí se instalaron. La fuerte intervención de andaluces en la conquista de las islas Canarias y en la colonización de América expandió este y otros rasgos de la dicción sevillana por los nuevos dominios atlánticos de España.[35]

---

escritos más cuidados, como el códice *S* del *Libro de Buen Amor*, copiado por el salmantino don Alonso de Paradinas hacia 1418. Más tarde el *Arnalte y Lucenda* de Diego de San Pedro, impreso en Burgos en 1492, da *nueba, fabor, rresceuid, descabalgar, lebantado, tubo* y *eso, necesidad, diese, sobrase, pasión*, etc. Véanse además Amado Alonso, *Trueques de sibilantes en ant. esp.*, Nueva Rev. de Filol. Hisp., I, 1947, 1-12, y Dámaso Alonso, *La fragmentación fonética peninsular*, «Enciclop. Ling. Hisp.», I, Supl., 1962, 85-103.

34. Así lo demuestran las transcripciones *despoxado, antoxa, mexor, adolezer, nazer, fermossa, cossa, acavarse, bida*, etc. (*Cancionero de Palacio*, ed. Francisca Vendrell de Millás, 1945, *passim*). Véase también Dámaso Alonso, *La fragmentación*, 162-166.

34 bis. En 1492, Alcalá la Real, encuentro *surgiano, surgía* por 'cirujano', 'cirugía'. Véase § 93, n. 36.

35. Véanse Amado Alonso, *Hist. del ceceo y del seseo españoles*, Thesaurus, VII, 1951, 111-200 (después en *De la pronunciación medieval a la moderna en español*, II, 1969, 47-144); R. Lapesa, *Sobre el ceceo y el seseo andaluces*, en «Estructuralismo e Historia. Miscelánea

El habla toledana, estimada como modelo de buena dicción, se mantenía al margen de unas y otras innovaciones; pero conservaba rasgos mozárabes como *faysa, faysar* por *faxa, faxar* (véase § 48₁) y usaba arabismos insólitos en otras partes: el célebre médico Francisco López de Villalobos, zamorano, escribe: «en Castilla los curiales no dicen... *albaceha*, ni *almutacén*, ni *ataiforico*, ni otras muchas palabras moriscas con que los toledanos ensucian y ofuscan la polideza y claridad de la lengua castellana».[36]

4. La difusión del castellano como lengua literaria se intensifica en las regiones catalanas: en Valencia abundan los poetas bilingües y algunos emplean exclusivamente el castellano; Narciso Viñoles, traductor de un *Suplemento de todas las crónicas del mundo* (Valencia, 1510), declara que «osó alargar la mano suya para ponerla en esta limpia, elegante y graciosa lengua castellana, la cual puede muy bien, entre muchas bárbaras y salvajes de aquesta nuestra España, latina sonante y elegantísima ser llamada». En el *Jardinet d'Orats*, cancionero barcelonés acabado en 1486, hay veinte poesías castellanas en un total de ochenta y cuatro composiciones. En la misma obra figura la descripción de unas justas en que intervienen caballeros de la alta sociedad barcelonesa: los motes que sacan son coplas castellanas con más o menos mezcla de catalán. El poeta rosellonés Pedro Moner escribe en castellano la mayoría de sus composiciones. Otro tanto ocurre en Portugal: el *Cancionero de Resende* contiene obras castellanas de autores portugueses, al contrario de lo que había ocurrido hasta el siglo XIV, cuando el gallego-portugués era la lengua de la poesía lírica; y Gil Vicente emplea el castellano en sus obras más elevadas y cortesanas, mientras escribe en portugués las de carácter más popular.[37] Caso especial es el de Cristó-

---

Homenaje a André Martinet», I, 1957, 67-94, y *El andaluz y el español de América*, «Presente y Futuro de la Lengua Española», II, 1963, 173-182; R. Menéndez Pidal, *Sevilla frente a Madrid*, en la recién mencionada Miscelánea Martinet, III, 1964, 99-165; y Diego Catalán, *El çeçeozezeo al comenzar la expansión atlántica de Castilla*, Boletim de Filologia, XVI (1956-1957), 305-334, y *Génesis del español atlántico. Ondas varias a través del océano*, Univ. de La Laguna, 1958.

36. Menéndez Pidal, *Orígenes*, § 91₄.

37. Véanse M. Menéndez Pelayo, *Antología de poetas líricos castellanos*, VII; Martín de Riquer, *Juan Boscán y su cancionero barcelonés*, 1945, 31-34; Dámaso Alonso y P. Teyssier, véase § 72₂, nota 29; Alonso Zamora Vicente, ed., pról. y notas a la *Comedia del Viudo*, Lisboa, 1962; y Stephen Reckert, *Gil Vicente: espíritu y letra*, I, Madrid, 1977.

bal Colón, que habiendo residido nueve años en tierras portuguesas antes de su primera visita a España, escogió el castellano como lengua de cultura: las incorrecciones de sus escritos se han venido atribuyendo en su mayoría a lusismo; pero recientemente se ha hecho ver que muchas de ellas (*bem*, *pam*, *um*, *bom*, *logo*, *moiro*, *noite*, *povo*, *perigo*, etc.) deben proceder del genovés nativo de Colón, pues están atestiguadas en Génova desde el siglo xv o antes, aunque no falten otros lusismos.[38]

§ 73. EL CASTELLANO, OBJETO DE ATENCIÓN Y ESTUDIO.
DE VILLENA A NEBRIJA

1. El enfrentamiento con las dificultades en las traducciones y el afán por crear nuevos moldes expresivos hicieron reflexionar a los escritores sobre la lengua que aspiraban a ilustrar. Villena traza en su *Arte de trobar* el primer esbozo de una fonética y ortografía castellanas, con certeras observaciones a veces; en sus obras es frecuente —como antes en las alfonsíes— que un término culto o poco conocido vaya acompañado por otro aclarador: «seis *instrumentos*, siquiere *órganos*, que forman en el hombre bozes articuladas»; «*percude* si quier, o *fiere* el ayre»; «buena *euphonia*, siquiere *plazible son*».[39] La preocupación por la sinonimia, por las diferencias de matiz semántico y

38. R. Menéndez Pidal, *La lengua de Cristóbal Colón*, Bull. Hispanique, XLII, 1940, 5-28 (después en la Colección Austral, n.° 280, Buenos Aires-Madrid, 1942, etc.); B. E. Vidos, *Contributo ai portughesismi nel Diario di Cristoforo Colombo*, Archiv f. das St. der neueren Spr. und Liter., CCXIV, 1977, 49-59; Virgil I. Milani, *The Written Language of Christopher Columbus* (Suppl. to «Forum Italicum», Buffalo, 1973), plantea la tesis favorable al genovés, reseñada por P. Boyd-Bowman, Hisp. Rev., XLIV, 1976, 85-86; Joaquín Arce, que compartía la tesis portuguesa (*Significado lingüístico-cultural del Diario de Colón*, estudio preliminar [con muy fino análisis estilístico a la ed. del *Diario*], Alpignano, 1971), se muestra partidario de la genovesa en *Sobre la lengua y origen de Colón*, Arbor, marzo de 1977, 121-125. Otro aspecto del lenguaje de Colón es el estudiado por Julio F. Guillén Tato, *La parla marinera en el Diario del primer viaje de C. C.*, Madrid, 1951 (reseña de H. R. Kahane, Hisp. Rev., XXI, 1953, 263-265).

39. F. J. Sánchez Cantón, *El «Arte de trovar» de don E. de V.*, Rev. de Filol. Esp., VI, 1919, 171 y 177; F. Tollis, *L'orthographe du castillan d'après Villena et Nebrija*, Rev. de Filol. Esp., LIV, 1971, 53-106; R. Santiago Lacuesta, *Sobre «el primer ensayo de una prosodia y una*

por el sentido etimológico de las palabras se manifiestan reiteradamente en el *Oracional* de don Alonso de Cartagena.[40] Otro tipo de interés ofrece la «tabla por a. b. c.» que Mosé Arragel antepuso a su traducción de la Biblia, con definiciones que de ordinario apuntan al sentido religioso de los términos glosados.[41] A mediados de siglo, un vocabulario anónimo, caprichoso a menudo, da a veces noticias estimables sobre la consideración social de palabras y frases.[42] Frente a lo primitivo y asistemático de todas estas aportaciones, el *Universal Vocabulario* de Alonso de Palencia (1490) se revela como la obra de un humanista poseedor de buena técnica lexicográfica; aunque es un diccionario de latín, no se limita a dar las equivalencias castellanas de cada voz, sino que es riquísimo en noticias sobre muchas otras.[43]

2. El proceso lingüístico de unificación y expansión coincidía con el afortunado momento histórico en que las energías hasta entonces dispersas se congregaban para fructificar en grandiosas empresas nacionales. En agosto de 1492, meses después de la rendición de Granada y estando en viaje las naves de Colón, salía de la imprenta la *Gramática* castellana de Antonio de Nebrija. El concepto de «artificio» o «arte», esto es, regulación gramatical, estaba reservado a la enseñanza de las lenguas cultas, esto es, latín y griego: era una novedad aplicarlo a la lengua vulgar, pues se creía que, aprendida de los labios maternos, bastaban la práctica y el buen sentido para hablarla debidamente. Es cierto que —limitándonos a las lenguas romances— había habido *Donatos* provenzales, y que desde fines del siglo XIII el uso del francés en la corte inglesa había hecho necesario el empleo de ma-

ortografía castellanas»: el Arte de trovar de E. de V., Miscellanea Barcinonensia, XIV, 1975, 39-52.

40. K. R. Scholberg, *Alfonso de Cartagena: sus observaciones sobre la lengua*, Nueva Rev. de Filol. Hisp., VIII, 1954, 414-419.

41. Margherita Morreale, *El glosario de Rabí Mosé Arragel en la «Biblia de Alba»*, Bull. of Hisp. Studies, XXXVIII, 1961, 146-152.

42. F. Huarte Morton, *Un vocabulario castellano del siglo XV*, Rev. de Filol. Esp., XXXV, 1951, 310-340.

43. Ed. facsimilar, Madrid, Comisión Perman. de la Asoc. de Academias de la Lengua Esp., 1967 (con nota prelim. de S. Gili Gaya); John M. Hill, *«U. V.» de Alfonso de Palencia. Registro de voces españolas internas*, Madrid, R. Acad. Esp., 1957; reseña de M. Morreale, Quaderni Iberoam., n.° 23, 1959, 543-544.

nuales para que los anglosajones aprendieran algo de la pronunciación, grafía, elementos gramaticales y léxico franceses. Pero estos tratados rudimentarios no se pueden comparar con el de Nebrija, infinitamente superior a ellos en valor científico y alteza de miras. Pertrechado de sólidos conocimientos humanísticos, Nebrija los aprovecha para desentrañar el funcionamiento de nuestro idioma; su clarividencia le hace observar los rasgos en que el castellano difiere del latín, y así son pocas las ocasiones en que le atribuye clasificaciones o accidentes inadecuados. Gusta de aplicar a la terminología gramatical palabras netamente castellanas, como *dudoso* y *mezclado* por 'ambiguo' y 'epiceno', *passado, venidero, acabado, no acabado, más que acabado* por 'pretérito', 'futuro', 'perfecto', 'imperfecto' y 'pluscuamperfecto', *partezilla* 'partícula', etc.[44] Reprueba el latinismo forzado, y su comedimiento es parejo de su agudeza. Acierto singular es el de unir el estudio gramatical con el de la métrica y las figuras retóricas, como si entreviera la indisoluble unidad, predicada por la estilística y estructuralismo actuales, del lenguaje y la creación literaria.

En cuanto a los propósitos de Nebrija, expuestos en el memorable prólogo que dirigió a la reina, fue el primero en fijar normas para dar consistencia al idioma, a fin de que «lo que agora i de aquí adelante en él se escriviere, pueda quedar en un tenor i estenderse por toda la duración de los tiempos que están por venir, como vemos que se ha hecho en la lengua griega y latina, las cuales, por aver estado debaxo de arte, aunque sobre ellas han passado muchos siglos, todavía quedan en una uniformidad»: afán de perpetuidad, netamente renacentista. En segundo lugar, el saber gramatical de la lengua vulgar facilitaría el aprendizaje del latín. Finalmente, la exaltación nacional que ardía en aquel momento supremo convenció a Nebrija de que «siempre la lengua fue compañera del imperio»,[45]

---

44. Véanse Luis Juan Piccardo, *Dos momentos en la historia de la gramática española*, Rev. de la Fac. de Humanidades y Ciencias, 4, Montevideo, 87-112; I. González Llubera, *Notas para la crítica del Nebrisense*, Bull. of Hisp. St., IV, 1927, 89-92; Julio Casares, *Nebrija y la Gramática castellana*, Bol. R. Acad. Esp., XXVI, 1947, 335-367; J. Fernández Sevilla, *Un maestro preterido: E. A. de Nebrija*, Thesaurus, Bol. Inst. Caro y Cuervo, XXIX, 1974, 1-33, etc. Véase la n. 46 de este capítulo.

45. Véase Eugenio Asensio, *La lengua compañera del imperio. Historia de una idea de Nebrija en España y Portugal*, Rev. de Filol. Esp., XLIII, 1960, 399-413.

por lo que añade: «El tercero provecho deste mi trabajo puede ser aquel que, cuando en Salamanca di la muestra de aquesta obra a vuestra real Majestad e me preguntó que para qué podía aprovechar, el mui reverendo padre Obispo de Ávila me arrebató la respuesta; e respondiendo por mí, dixo que después que vuestra Alteça metiesse debaxo de su iugo muchos pueblos bárbaros e naciones de peregrinas lenguas, e con el vencimiento aquéllos ternían necessidad de reçebir las leies quel vencedor pone al vencido, e con ellas nuestra lengua, entonces por esta mi Arte podrían venir en el conocimiento della, como agora nosotros deprendemos el arte de la gramática latina para deprender el latín». Estos presentimientos se convirtieron pronto en realidad: el descubrimiento de América abrió mundos inmensos para la extensión de la lengua castellana. Un Diccionario latino-castellano y castellano-latino y una Ortografía completan la obra romance de Nebrija.[46] Error suyo fue creer que el español se encontraba «tanto en la cumbre, que más se puede temer el descendimiento que esperar la subida». La espléndida floración literaria del Siglo de Oro se encargó de desmentirlo.

46. Véanse las ediciones de la *Gramática* hechas por E. Walberg (1909), I. González Llubera (1926) y P. Galindo y L. Ortiz (1946), así como los estudios de Amado Alonso, *Examen de las noticias de Nebrija sobre antigua pronunciación española*, Nueva Revista de Filología Hispánica, III, 1949; F. Tollis y J. Casares (véanse nuestras notas 39 y 44).

XI

EL ESPAÑOL DEL SIGLO DE ORO. LA EXPANSIÓN IMPERIAL. EL CLASICISMO

§ 74. ESPAÑA Y SU LENGUA EN EUROPA

1. Durante la Edad Media, España había defendido la suerte de la civilización occidental, librándola, al rescatar su propio suelo, de la amenaza musulmana; pero absorbida por la Reconquista y fraccionada en varios Estados, apenas había podido llevar su iniciativa a la política europea. Sólo Cataluña y Aragón, cuya misión en la contienda peninsular estaba cumplida a fines del siglo XIII pudieron entonces intervenir en Sicilia, Cerdeña y Oriente, culminando sus empresas mediterráneas en la conquista de Nápoles por Alfonso V. Elevada por los Reyes Católicos al rango de gran potencia, España se lanza con Carlos V a regir los destinos de Europa. Brazo de la causa imperial, se empeña en la defensa del catolicismo frente a protestantes y turcos, pone su esfuerzo al servicio de un ideal ecuménico, la unidad cristiana, y propaga en América la fe consoladora.

La expectación del mundo civilizado estuvo pendiente de la irrupción española. Cada éxito militar añadía prestigio a las cualidades de nuestros mayores, reconocidas aún por dominados y enemigos. Fue una aleccionadora afirmación de dignidad y hombría que no sólo ganaba tierras, sino que actuó sobre las costumbres, el concepto del honor, la literatura y el lenguaje de toda Europa. En Italia, la influencia hispánica, irradiada desde Nápoles y Milán, tuvo extraordinaria intensidad. El valor caballeresco, la sutileza de ingenio, la agilidad en el trato y la majestuosa gravedad de los españoles encarnaban el arquetipo social del Renacimiento, la perfecta cortesanía. Ceremonias y fiestas españolas arraigaban en las fastuosas cortes italianas. En Francia, tras una constante infiltración a lo largo del siglo XVI, el reinado de Luis XIII y la minoridad de Luis XIV señalan el momento de más profunda hispanización.

2. Traducidos a varios idiomas, el *Amadís*, la *Cárcel de Amor* y la *Celestina* inauguraron los triunfos de nuestras letras en el extranjero. Después, el *Marco Aurelio* y el *Relox de príncipes* de Guevara, el *Lazarillo*, la *Diana* de Montemayor, fray Luis de Granada, santa Teresa y san Juan de la Cruz, Cervantes, el teatro del siglo XVII, la novela picaresca, pedagogos como Huarte, políticos como Saavedra Fajardo y moralistas como Gracián, fueron objeto de la admiración de toda Europa, que los tradujo, imitó o recogió sus enseñanzas. El estilo de Guevara influyó en Inglaterra lo bastante para que se le haya considerado estímulo del euphuismo (véase § 78 n. 24). Los dramas y comedias de Lope, en versiones directas o refundidos, cosecharon aplausos en los más diversos escenarios. «En Italia y Francia los representantes de comedias, para aumentar la ganancia, ponen en los carteles que van a representar una obra de Lope de Vega, y sólo con esto les falta coliseo para tanta gente y caja para tanto dinero»: así se expresaba en 1636 el italiano Fabio Franchi.[1] Los clásicos franceses, desde Rotrou y Corneille hasta La Rochefoucauld y Lesage, pasando por Scarron, Molière y otros, se inspiraron con avidez en fuentes españolas. Las imprentas de Venecia, Milán, Amberes, Bruselas, París y Lyon publicaban constantemente obras de nuestros autores y en nuestro idioma.

3. La lengua española alcanzó entonces extraordinaria difusión. En Italia, según Valdés, «assí entre damas como entre cavalleros se tiene por gentileza y galanía saber hablar castellano». Otro tanto ocurría en Francia. En Flandes, incluso en los días en que el luteranismo y el deseo de independencia atizaban la rebelión, eran muchos los que aprendían nuestra lengua «por la necesidad que tienen della, ansí para las cosas públicas como para la contratación». Arias Montano, a quien pertenece la frase transcrita, proyectaba con el Duque de Alba, en 1570, la fundación de estudios de español en Lovaina, a fin de que la familiaridad con el idioma coadyuvase a la unificación espiritual. Después, la relación con gobernadores y jefes militares españoles hizo que la nobleza y alta burguesía flamencas y valonas aprendieran a hablar y escribir en español.[2] En la Inglaterra de

---

1. R. Menéndez Pidal, *Lope de Vega. El Arte Nuevo y la nueva biografía*, Revista de Filol. Esp., XXII, 1935, 374.

2. L. Morales Oliver, *Arias Montano*, Madrid, 1927, 171, y R. A. Verdonk, *La lengua española en Flandes en el siglo XVII*, Madrid, 1980.

Isabel y Jacobo I la rivalidad servía de acicate para fomentar el interés hacia el temible enemigo.[3] Respondiendo a la apetencia general, fueron muchos los diccionarios y gramáticas españoles que aparecieron en el extranjero durante los siglos XVI y XVII.[3 bis]

4. Resultado de esta influencia en todos los órdenes de la vida fue la introducción de numerosos hispanismos en otras lenguas, sobre todo en italiano y francés.[4] Algunos son valiosas muestras del concepto en que se tenía a nuestros compatriotas: así los italianos *sforzato, sforzo, sussiego, grandioso, disinvoltura*, o los franceses *brave, bravoure, désinvolte, grandiose*; no falta la apreciación irónica que revelan, por ejemplo, el it. *fanfarone*, los franceses *fanfarron, matamore* y *hâbler* 'hablar con jactancia'. La aplicación metafórica de *buen gusto* para indicar el acierto en la elección, usada ya por Isabel la Católica, era considerada a principios del siglo XVIII como una innovación española; ya entonces contaba largo empleo en Italia (*buon, miglior gusto*), ha-

---

3. Véanse Dámaso Alonso, Revista de Filología Española, XVIII, 1931, 15-23, y Otto Funke, *Spanische Sprachbücher im elizabethanischen England*, Wiener Beiträge zur Engl. Philol., 65, 1957, 191-214.

3 bis. Véase A. Roldán Pérez, *Motivaciones para el estudio del español en las gramáticas del siglo XVI*, Rev. de Filol. Esp., LVIII, 1976, 201-229.

4. Véanse R. Menéndez Pidal, *El lenguaje del siglo XVI*, Cruz y Raya, n.º 6, 1933 (después en *La lengua de C. Colón*, Col. Austral, 280, 1942, 53-100, y en *Mis páginas preferidas. Est. ling. e histór.*, Madrid, 1957, 9-45). Para los hispanismos del italiano, B. Croce, *España en la vida italiana durante el Renacimiento*, Madrid, 1925, 137-151; E. Zaccaria, *L'elemento iberico nella lingua toscana*, Bolonia, 1927; B. E. Vidos, *Sobre la penetración de hispanismos en napolitano e italiano*, Rev. de Filol. Esp., LVII, 1974-1975, 65-78, y *Saggio sugli iberismi in Pigafetta*, «Actas del V Congr. Intern. de Est. Ling. del Mediterráneo», Madrid, 1977, 57-67; y sobre todo G. L. Beccaria, *Spagnolo e spagnoli in Italia. Riflessi ispanici sulla lingua italiana del cinque e del seicento*, Turín, 1968. Para los del francés, E. Gamillscheg, *Etymologisches Wörterbuch der franz. Sprache*, Heidelberg, 1926; R. Ruppert, *Die spanischen Lehn- und Fremdwörter in der französischen Schriftsprache*, Múnich, 1915, y W. Fritz Schmidt, *Die spanischen Elemente im franz. Wortschatz*, Beiheft Z. f. r. Ph., Halle, 1914. Para los Países Bajos, J. Herbillon, *Éléments espagnols en wallon et dans le français des anciens Pays-Bas*, Lieja, 1961. Los hispanismos del inglés aquí citados figuran en el Diccionario de Oxford con fecha de ingreso correspondiente a los siglos XVI y XVII. Para los del alemán, véanse F. Kluge, *Etymologisches Wörterbuch der deutschen Sprache*, 1915; P. Scheid, *Studien zum spanischen Sprachgut im Deutschen*, Greifswald, 1934, y E. Ohmann, *Zum spanischen Einfluss auf die deutsche Sprache*, Neuphilologische Mitteilungen, XLI, 1940, 35-42.

bía pasado al francés *goût*, había originado la adopción del extranjerismo *gusto* en inglés y había sido calcada por el alemán *Geschmack*. La sociedad cortesana adoptó *crianza* y *cumplimiento* > it. *creanza, complimento*, fr. *compliment*; Castiglione usa *primor, accertare, avventurare*; en el siglo XVII francés se registran *menino* (que el español había tomado del portugués) y *grandesse* 'condición de grande del reino', que también aparece en inglés, si bien como crudo extranjerismo (*grandeza*), al tiempo que entraba *grande-grandio-grandee*. De distintos aspectos de la vida española hablan el it. *piccaro*, los ingl. *picaro, picaroon, desperado* 'desesperado', *siesta*, fr. *sieste*, y los alemanes *Siesta, Galan*. Danzas como la *chacona* y la *zarabanda* tuvieron larga fortuna y merecieron que los más exquisitos músicos franceses, italianos y alemanes elaboraran artísticamente sus ritmos (it. *ciaccona, sarabanda*, fr. *chaconne, sarabande*); *guitare, castagnette, passacaille* en francés, *passacaglia* y *passagaglio* en italiano, *guitar* en inglés y *Gitarre* en alemán, revelan también el poder expansivo de la música española. Otros préstamos se refieren a la vida militar (it. *morione*, fr. *morion* 'morrión', fr. *adjudant*, it. *rancio* 'rancho'); a la guerra y tráfico marítimos (ingl. *armada-armado, flota, embargo, supracargo, supercargo* 'sobrecargo'; fr. *embargo, falouque* o *felouque*; y alemanes *Karavelle, Schaluppe, Feluke, Superkargo*); al vestido (it. *gorra*, fr. *basquine, ropille*, inglés *sombrero*, al. *Mantilla*); a la vivienda (fr. *alcôve*, inglés *alcove*, al. *Alkoven*); a relaciones sociales y domésticas (fr. *camarade*, it. *aio, creato*); al juego (fr. *hombre, manille* 'malilla', *matador, quinola*); a productos naturales o elaborados (it. *manteca* 'ungüento, pomada', *salsapariglia* 'zarzaparrilla', *vainiglia*, fr. *mancenille, liquidambar*), etc. De la ortografía española procede el signo ç y con él el vocablo francés *cédille*. Y de nuestros místicos, las expresiones *oraison de quiétude, la folle du logis* 'la loca de la casa', 'la imaginación', *recueillement* y otras. A través de España llegaron a Europa multitud de americanismos (fr. *batate, patate, caïman, canot, cochenille, hamac, ouragan, maïs, pirogue, tabac*; it. *batata, patata, caimano, canoa, cocciniglia, amaca, furacano /uragano, mais, piragua / piroga, tabacco*; ingl. *potato, caiman, canoe, cochineal, hammok, hurricane, maize, pirogue, tobacco*, etc.). Con ellos entraron en francés *nègre, créole, mulâtre* y una nueva acepción de *métis*; en it. *mulatto, mesticcio*; en inglés, *negro, mestizo, mulatto*, y en alemán, *Neger, Mestize, Mulatte*.[5]

5. Para la fortuna de *Kanibal* y *Eldorado* en la literatura alemana, véase H. Janner, *Re-*

§ 75. EL ESPAÑOL, LENGUA UNIVERSAL

La creciente estimación de nuestra lengua ofrece un ejemplo altamente representativo, cuyo protagonista fue el mismo emperador. Al venir a España rodeado de consejeros flamencos, Carlos V desconocía por igual el carácter y el idioma de los súbditos a quienes había de gobernar. Pero si España le proporcionó sus mejores soldados y le prestó abnegado apoyo, el César supo agradecerlo, y acabó por identificarse con el espíritu hispano: habló español, vistió con austeridad española y eligió un rincón de Extremadura para retirarse a bien morir. Su aprecio por la lengua española le inspiró un juicio encomiástico, del que nos han llegado distintas versiones; según una de ellas, para dirigirse a las damas prefería el italiano; para tratar con hombres, el francés; pero para hablar con Dios, el español.[6]

Otros dicen que consideraba el francés como instrumento adecuado para los negocios políticos. Pero sabemos que en momentos trascendentales se sentía halagado si le hablaban en español. Y cuando, en presencia del Papa, cardenales y diplomáticos, desafió solemnemente a Francisco I (17 de abril de 1536), la lengua escogida fue el español, no el francés ni el latín.[7] Brantôme cuenta que el obispo de Mâcon, embajador de Francia, se quejó de no comprender el discurso de Carlos V y que éste le replicó: «Señor obispo, entiéndame si quiere, y no espere de mí otras palabras que de mi lengua española, la cual es tan noble que merece ser sabida y entendida de toda la gente cristiana». De este modo el español quedaba proclamado lengua internacional; y probablemente se habría consolidado como tal si con la abdicación de Carlos V no se hubieran separado las coronas y cancillerías de España y de Alemania.

---

flejos onomásticos de las relaciones hispanogermanas, «Atti e Memorie del VII Congr. Internaz. di Scienze Onomastiche», Florencia-Pisa, 1961, 396-397.

6. Véanse E. Buceta, *El juicio de Carlos V acerca del español*, Revista de Filología Española, XXIV, 1937, 11-23, y A. Roldán Pérez, art. cit. en nuestra n. 3 bis, 221-222. Para la caracterización contrastiva del italiano y el español por Herrera, véase Lore Terracini, *art. cit.* en la n. 36 del presente capítulo.

7. Véanse R. Menéndez Pidal, *El lenguaje del siglo XVI*; A. Morel-Fatio, *Études sur l'Espagne*, 4.ª serie, 189-219; Manuel García Blanco, *La lengua española en la época de Carlos V*, Santander, 1958, y Madrid, 1967, 41-43; y F. Marcos Marín, *Reforma y modernización del español*, Madrid, 1979, 91-93. Véase también la n. 17 de este capítulo.

Pero si el campo de la diplomacia quedó cerrado, el imperialismo lingüístico, unido, como en Nebrija, al político, halló otros horizontes de universalidad. En 1580, reciente la exaltación triunfal de Lepanto, escribía Francisco de Medina: «veremos estenderse la magestad del lenguage Español, adornada de nueva i admirable pompa, hasta las últimas provincias donde vitoriosamente penetraron las vanderas de nuestros exércitos». Y, en efecto, consumada la conquista de Indias, Felipe II, como dice su historiador Cabrera de Córdoba, logró ver nuestra lengua «general y conocida en todo lo que alumbra el sol, llevada por las banderas españolas vencedoras con envidia de la griega y latina, que no se extendieron tanto».[8]

§ 76.   EL CASTELLANO, LENGUA ESPAÑOLA

En el siglo XVI se completa la unificación de la lengua literaria. Con el auge del castellano coincide el descenso vertical de la literatura catalana, tan rica en las centurias precedentes. La unidad política nacional, la necesidad de comunicación con las demás regiones y el extranjero, donde sólo tenía curso el castellano, y el uso de éste en la corte, que atraía a la nobleza de toda España, acabaron por recluir al catalán en los límites del habla familiar. No quedó apenas otra literatura que la escrita en lengua castellana; y a su florecimiento contribuyeron catalanes como Boscán, compañero de Garcilaso en la renovación de nuestra poesía; aragoneses como Zurita, los Argensola y Gracián; valencianos como Timoneda, Gil Polo, Guillén de Castro, Moncada y multitud de autores secundarios. En Portugal, cuyos vínculos con España se mantenían firmes, no era extranjero el castellano: el desarrollo de la literatura vernácula no impidió que, siguiendo a los poetas del *Cancionero de Resende* y a Gil Vicente (§ 72₄), los más relevantes clásicos lusitanos, Sá de Miranda, Camões, Rodrigues Lobo y Melo, practicaran el bilingüismo; otros, Montemayor, por ejemplo, pertenecen casi íntegramente a la literatura castellana; y algunos elogian el castellano

8. Prólogo a las *Obras de Garci Lasso de la Vega con anotaciones de Fernando de Herrera*, Sevilla, 1580.

como lengua más universal que el portugués.[9] En Cerdeña, perteneciente a la Corona de Aragón desde el siglo XIV, hubo en el XVI y XVII cultivadores de las letras castellanas.[10]

La comunidad hispánica tenía su idioma. «La lengua castellana —decía Juan de Valdés en 1535— se habla no solamente por toda Castilla, pero en el reino de Aragón, en el de Murcia con toda el Andaluzía y en Galizia, Asturias y Navarra; y esto aun hasta entre gente vulgar, porque entre la gente noble tanto bien se habla en todo el resto de Spaña». Esta afirmación de Valdés respondía a un hecho innegable: el castellano se había convertido en idioma nacional. Y el nombre de *lengua española*, empleado alguna vez en la Edad Media con antonomasia demasiado exclusivista entonces, tiene desde el siglo XVI absoluta justificación y se sobrepone al de *lengua castellana*. En esta preferencia confluyeron dos factores: fuera de España la designación adecuada para representar el idioma de la nación recién unificada era *lengua española*; dentro de España aragoneses y andaluces no se sentían partícipes del adjetivo *castellano* y sí de *español*.[11]

§ 77. CONTIENDA CON EL LATÍN E ILUSTRACIÓN DEL ROMANCE

1. La mayoría de las lenguas modernas coincidía con la plenitud del Renacimiento, que incrementaba el uso del latín entre los doctos. De una parte la tradición medieval mantenía el empleo del latín en las obras doctrinales, como lengua común del mundo civilizado; por otra, los humanistas aspiraban a resucitar el latín elegante de Cicerón. El mismo Nebrija, que inició el estudio de nuestro idioma; Luis Vives, García Matamoros, exaltador del saber hispánico; Fox Morcillo, Arias Montano, Luis de León y otros muchos, compusieron en latín algunas de sus obras o todas ellas.

9. Así Pedro Nunes en su *Libro de Álgebra* (1567, antes de la anexión) y Manuel das Povoas en su *Vita Christi* (1614); véase Eugenio Asensio, *España en la épica filipina*, Rev. de Filol. Esp., XXXIII, 1949, 79-80.

10. Véase Joaquín Arce, *España en Cerdeña*, Madrid, 1960, 141-191.

11. Véanse Amado Alonso, *Castellano, español, idioma nacional*, Buenos Aires, 1938 (2.ª ed., 1942, 19-58); A. Roldán, art. cit. en la n. 3 bis de este capítulo, 220; y F. Marcos Marín, *Curso de Gramática española*, Madrid, 1980, 51-58.

Sólo se concedía sin disputa a la lengua nativa el campo de la literatura novelística y de amores, desdeñada por los espíritus graves.

De todos modos, la exaltación nacionalista que acompañó a la creación de los Estados modernos no podía menos de reflejarse en un mayor aprecio de las lenguas nacionales. La mayor conciencia lingüística hizo preguntarse por el origen de las nuevas lenguas, que se explicó generalmente como «corrupción» del latín a causa de las mezclas de pueblos.[12] Un aspecto curioso de esta nueva actitud consistió en subrayar la semejanza entre el romance materno y el latín: aquél sería tanto más ilustre cuanto más cercano a la lengua de Cicerón. Ya en 1498, Garcilaso de la Vega, padre del insigne poeta, había pronunciado en Roma, siendo embajador de los Reyes Católicos, un discurso que pretendía ser a la vez latino y castellano. Igual intento emprendió Fernán Pérez de Oliva en un diálogo que precede al *Tratado de Aritmética* del Cardenal Silíceo, y todavía en el siglo XVII surgen composiciones hispano-latinas.[13] Juan de Valdés estimaba que el castellano era la lengua más rica en vocablos latinos, siquiera estuviesen «corrompidos».

2. Pero el Renacimiento no se limitaba al retorno hacia la antigüedad. Una de sus más profundas corrientes era la exaltación de la naturaleza en sus productos más inmediatos y espontáneos; por eso rehabilitó el cultivo de las lenguas vulgares. El problema caía tan de lleno dentro de las preocupaciones renacentistas, que en los distintos países surgieron apologías de las lenguas respectivas: en Italia, las *Prose della volgar lingua*, de Pietro Bembo (1525); en Francia, la *Défence et illustration de la langue françoise*, de Du Bellay (1549); en España, el *Diálogo de la Lengua*, de Juan de Valdés (1535), seguido de numerosos alegatos que señalan las excelencias de nues-

---

12. Véanse W. Bahner, *Beitrag zum Sprachbewusstsein in der Spanischen Literatur des 16. und 17. Jahrhunderts*, Berlín, 1956 (trad. con el título de *La lingüística española del siglo de oro*, Madrid, 1966), y Lore Terracini, *Appunti sulla «coscienza linguistica» nella Spagna del Rinascimento e del Secolo d'Oro*, Boll dell'Istit. di Filol. Rom. della Univ. di Roma, XIX, 1959, y *Lingua come problema nella letteratura spagnola del Cinquecento (con una frangia cervantina)*, Turín, 1979.

13. Véase E. Buceta, *La tendencia a identificar el español con el latín*, «Homenaje a Menéndez Pidal», 1925, I, 85-108, y *Composiciones hispano-latinas en el siglo XVII*, Rev. de Filol. Española, XIX, 1932; A. Roldán Pérez, art. cit. en la n. 3 bis, 222-229, etc.

tro idioma[14] y recaban para él materias reservadas de ordinario al latín: «Pues la lengua castellana no tiene, si bien se considera, por qué reconozca ventaja a otra ninguna, no sé por qué no osaremos en ella tomar las invenciones que en las otras, y tractar materias grandes, como los ytalianos y otras naciones lo hacen en las suyas» (Pero Mexía, *Silva de varia lección*). Los defensores del español en el siglo xvi suelen dolerse del poco cuidado que se concedía a la elaboración de los escritos. Cristóbal de Villalón proclama que «la lengua que Dios y naturaleza nos ha dado no nos deve ser menos apazible ni menos estimada que la latina, griega y hebrea, a las cuales creo no fuesse nuestra lengua algo inferior, si nosotros la ensalçássemos y guardássemos y puliéssemos con aquella elegancia y ornamento que los griegos y los otros hazen en la suya. Harto enemigo es de sí quien estima más la lengua del otro que la suya propia». Bernabé Busto, maestro de pajes del emperador, publicó en 1532 un *Arte para aprender a leer y escrevir perfectamente en romance y latín*, primera cartilla conocida donde, por motivos pedagógicos, se recomienda que la enseñanza en romance preceda a la del latín.[15] Años después Pedro Simón Abril propuso a Felipe II la conveniencia de que las enseñanzas se dieran en lengua vulgar y de que los niños aprendieran la gramática española antes que la latina.

3. Había que «enriquecer e ilustrar» la lengua, empleándola en asuntos dignos y cuidando el estilo. No otra cosa habían hecho los antiguos con el latín y el griego. La emulación de la literatura italiana acuciaba al mejo-

14. Reunidos en *Las apologías de la lengua castellana en el Siglo de Oro* (Selección y estudio de José F. Pastor, volumen VIII de la colección «Clásicos olvidados», Madrid, 1929) y en la *Antología de elogios de la lengua española*, selección de Germán Bleiberg, Madrid, 1951; estudiados por M. Romera Navarro, *La defensa de la lengua española en el siglo XVI*, Bull. Hisp., XXXI, 1929, 204-255; Amado Alonso, *Castellano, español, idioma nacional*, véase antes n. 11; Lore Terracini, *Tradizione illustre e lingua letteraria nella Spagna del Rinascimento*, «Studi di Letteratura Spagnola», Roma, 1964, 61-98, y 1965, 9-94, y V. Scorpioni, *Il Discorso sobre la lengua castellana de Ambrosio de Morales: un problema di coerenza*, Studi Ispanici, Pisa, 1977, 177-194. Para la «cuestión de la lengua» en la Italia renacentista son fundamentales los libros de B. Weinberg, *A History of Literary Criticism in the Italian Renaissance*, Chicago, 1941, 2 vols., y Maurizio Vitale, *La questione della lingua*, Palermo, 1978.

15. Véanse Rita Hamilton, *Villalón et Castiglione*, Bull. Hisp., LIV, 1952, y J. Alonso Montero, *La pugna latín-romance en la enseñanza de la lectura en el siglo XVI*, «Actas del III Congr. Esp. de Est. Clásicos», Madrid, 1968, 173-175.

ramiento del español. Mientras aquélla contaba con Petrarca y Boccaccio por modelos, Valdés observaba que «la lengua castellana nunca ha tenido quien escriva en ella con tanto cuidado y miramiento quanto sería menester para que hombre, quiriendo, o dar cuenta de lo que scrive diferente de los otros, o reformar los abusos que ay oy en ella, se pudiesse aprovechar de su autoridad». El español, recién salido entonces de su evolución medieval, más trabajosa que la del italiano, carecía de textos que satisficiesen las apetencias de perfección formal. Garcilaso hacía tabla rasa de la literatura anterior: «No sé qué desventura ha sido siempre la nuestra que apenas ha nadie escripto en nuestra lengua sino lo que se pudiera muy bien escusar».

Con Garcilaso y Valdés empezaba a forjarse nuestra lengua clásica. Las vicisitudes de su desarrollo obedecen a las distintas interpretaciones dadas según las épocas a la ilustración del idioma. En casi todo el siglo XVI domina el criterio de *naturalidad* y *selección*; la literatura barroca del XVII se basa en el de *ornato* y *artificio*.[16]

§ 78. EL ESTILO LITERARIO EN LA ÉPOCA DE CARLOS V[17]

1. Culminaba la tendencia a eliminar el amaneramiento latinizante, iniciada ya en tiempos de los Reyes Católicos. La norma general del lenguaje era la expresión llana, libre de afectación, pero depurada según los gustos del habla cortesana. Uno de los libros que mejor ejemplo dieron del nuevo gusto literario fue precisamente la traducción de *Il Cortegiano* de Castiglione por Juan Boscán (1534). Aunque el influjo del original italiano deje alguna huella en la prosa de Boscán, ésta se mantiene con independencia suficiente para reflejar, dentro del marco de la cortesanía, un estilo de vida distinto.[18] Garcilaso la elogia porque Boscán «guardó una cosa en la lengua

16. Véase R. Menéndez Pidal, art. cit. en nuestra nota 4, y Elias L. Rivers, *L'humanisme linguistique et poétique dans les lettres espagnoles du XVIe siècle*, en «L'humanisme dans les lettres espagnoles. Études réunies et presentées par Augustin Redondo», París, 1979, 169-176.

17. Véase Manuel García Blanco, estudio cit. en nuestra n. 7.

18. Así se pone de relieve en la comparación léxico-semántica hecha por Margherita Morreale en *Castiglione y Boscán: el ideal cortesano en el Renacimiento español*, 2 vols., Madrid, 1959. De la misma autora véase también *«Cortegiano faceto» y «burlas cortesanas»: ex-*

castellana que muy pocos la han alcanzado, que fue huir del afetación sin dar consigo en ninguna sequedad, y con gran limpieza de estilo usó de términos muy cortesanos y muy admitidos de los buenos oídos, y no nuevos ni al parecer desusados de la gente. Fue, demás desto, muy fiel tradutor, porque no se ató al rigor de la letra, como hacen algunos, sino a la verdad de las sentencias». Este prólogo de Garcilaso no sólo puntualiza los requisitos de la buena traducción, oponiéndola a los romanzamientos hechos a la ligera,[19] sino que es un verdadero manifiesto de la nueva corriente.

Boscán y Garcilaso introducen la versificación italiana, y con ella un nuevo sentido de la poesía. La serena lentitud del endecasílabo se impone al vivaz ritmo octosilábico y sus abundantes rimas; a la improvisación ingeniosa y conceptista de los cancioneros sucede un arte más reflexivo y selecto, pero de suma simplicidad. Los versos de Garcilaso no deslumbran con alardes cultos ni imágenes atrevidas: se deslizan suaves, utilizando palabras corrientes, comparaciones fáciles y metáforas consagradas por la tradición literaria; pero funden estos elementos en armonía perfecta, diluyéndolos en suaves sensaciones musicales. El arte inimitable de Garcilaso consiste en transformar las palabras en «manso ruido», en «susurro de abejas». El secreto de su perennidad se encierra en la más tersa y elegante sencillez. Pero sin faltar a ella, el poeta elabora cuidadosamente sus versos aplicando muy sabios procedimientos del arte humanístico: vocablos familiares, ya de herencia oral, ya cultismos asentados previamente, aparecen con significación distinta de la habitual, reproduciendo la registrada en clásicos latinos: «*animoso* viento» 'impetuoso', *avena* 'flauta pastoril', «*conducido* mercenario» 'contratado, alquilado', *despreciar* 'mirar desde arriba'

---

presiones italianas y españolas para el análisis y descripción de la risa, Bol. R. Acad. Esp., XXXV, 1955, 57-83. Más orientado hacia aspectos sintácticos es el cotejo que hace J. Arce del *Aminta* de Tasso con la traducción de Jáuregui (*Italiano y español en una traducción clásica: confrontación lingüística*, «Actas del XI Congr. Intern. de Ling. y Filol. Román.», Madrid, 1968, 801-816).

19. Para la contraposición entre *romanzar* y *traducir*, *cf.* Gianfranco Folena, «*Volgarizzare*» e «*tradurre*». *Idea e terminologia della traduzione dal Medio Evo italiano all'Umanesimo europeo*, en «La traduzione, saggi e studi», Trieste, 1973, 59-120, y Eugenio Coseriu, *Das Problem des Übersetzens bei Juan Luis Vives*, en «Interlinguistica. Festschrift Mario Wandruszka», Tubinga, 1971, 571-582.

(lat. d e s p i c e r e), *enajenar* 'apartar' (lat. a l i e n a r e), «*fatigar* el monte» 'recorrerlo insistentemente', «*importuno* dolor» 'grave, penoso', «verso *numeroso*» 'rítmico, armónico', etc. Introduce el llamado acusativo griego de relación o parte («los alemanes / *el fiero cuello* atados») y practica tipos de hipérbaton raros o desusados antes («que *este velo* / rompa *del cuerpo*», «por *manos* de Vulcano *artificiosas*», «una *extraña y no vista* al mundo *idea*», «que ni a tu juventud, don Bernaldino, / ni *ha sido* a nuestra pérdida *piadosa*»). Todos estos recursos se emplean sin alarde, envueltos en la gracia de un fluir inimitable, y no sorprenden al lector normal, que apenas se da cuenta de ellos; pero en el siglo XVI los catadores de letras latinas y toscanas hubieron de saborearlos como exquisita especia. El lenguaje poético de Garcilaso fue modelo para toda la poesía española del Siglo de Oro: imágenes, epítetos, esquemas distributivos de la materia poética en el verso, se repiten profusamente en la lírica posterior, cuyos más altos representantes, incluso los más innovadores, acuden siempre al hontanar garcilasiano.[20]

20.   Del texto, estilo y lenguaje de Garcilaso tratan, entre otros, Margot Arce, *G. de la V. Contribución al estudio de la lírica española del siglo XVI*, Madrid, 1930; *La Égloga Segunda de G.*, Asomante, V, 1949; *La Égloga Primera de G.*, La Torre, I, 1953, abril-junio, 31-68, y *Cerca el Danubio una isla*, «Homenaje a D. Alonso», I, Madrid, 1960, 91-100; R. Lapesa, *La trayectoria poética de Garcilaso*, Madrid, 1948, y *El cultismo semántico en la poesía de G.*, «Homen. a Margot Arce de Vázquez», Rev. de Est. Hisp., II, 1972, 33-46 (después incluido en *Poetas y prosistas de ayer y de hoy*, Madrid, 1977, 92-109; en este vol., 128-145, referencias al hipérbaton garcilasiano; 146-177, *G. y Fr. Luis de León*); Dámaso Alonso, *Garcilaso y los límites de la estilística*, en *Poesía española*, Madrid, 1950 (2.ª ed., 1952, 49-108); Leo Spitzer, *G., Third Eclogue, lines 265-271*, Hisp. Rev., XX, 1952, 243-248; Elias L. Rivers, *The Pastoral Paradox of Natural Art*, Modern Lang. Notes, LXXVII, 1962, 130-144; *Las églogas de G.: ensayo de una trayectoria espiritual*, Revista Atenea, sep. 401, 54-64; ed. de las *Obras completas de G. de la V.*, Madrid, 1964; *La poesía de G.*, Barcelona, 1970 (Colección de estudios de diversos autores), y *On the Text of Garcilaso: A Review Article*, Hisp. Rev., XLII, 1974, 43-49; Herman Iventosh, *Garcilaso's sonnet «Oh dulces prendas»: a composite of classical and medieval models*, Annali dell'Istit. Univ. Orientale, Sez. Romanza, IV, 1965, 203-227; Oreste Macrí, *Un testo inedito del son. XXXIII di G.*, Quaderni Ibero-americani, 31, 1965, 245-252, y *Recensión textual de la obra de G.*, «Homenaje», Univ. Utrecht, La Haya, 1966, 305-330; Alberto Blecua, *En el texto de Garcilaso*, Madrid, 1970; Alberto Porqueras Mayo, *La ninfa degollada de G.*, «Actas del III Congr. Intern. de Hisp.», México, 1970, 715-724 (después en *Temas y formas de la liter. esp.*, Madrid, 1972, 128-140); E. Sarmiento, *Concordancias de las Obras Poét. en cast.*

2. La visión platónica de una naturaleza perfecta invitaba a destacar por medio de epítetos aquellas cualidades con las que seres y cosas respondían mejor a sus arquetipos: «agua *corriente y clara*», «*robusta y verde* encina», «*el blanco* lirio *y colorada* rosa». El influjo conjunto de la poesía garcilasiana y de la prosa de Sannazaro había de reflejarse en la novela pastoril de la segunda mitad del siglo. En la *Diana* de Montemayor, por ejemplo, abundan pasajes como el siguiente: «la *hermosa* pastora Selvagia, por la cuesta que de la aldea baxava al *espesso* bosque, venía trayendo delante de sí sus *mansas* ovejuelas, y después de avellas metido entre los árboles *baxos* y *espesos*..., se fue derecha a la fuente de los alisos».[21]

3. Continuaba la moda de los libros de caballerías, pero el estilo enrevesado de Feliciano de Silva no contagió a los demás géneros de la prosa. La mayoría de los prosistas se atiene a la arquitectura ciceroniana de la frase, repartiéndola en miembros contrapesados. La marcha pausada del período los lleva, como antes a Santillana o Nebrija, a remansar el pensamiento, desdoblándolo en frecuentes parejas de vocablos: «Empero, unos tienen este deseo de saber mayor que otros, a causa de haber juntado *industria* y *arte* a la inclinación natural; y estos tales alcanzan muy mejor los *secretos* y *causas* de las cosas que naturaleza obra; aunque la verdad, por *agudos* y *curiosos* que son, no pueden llegar con su *ingenio* y *proprio entendimiento* a las obras maravillosas que la sabiduría divina misteriosamente hizo» (López de Gómara, *Historia General de las Indias*). Semejante es la prosa de Pérez de Oliva, Zárate, Pero Mexía o Cabeza de Vaca, los didácticos e historiadores más característicos de entonces.[22]

4. El prosista más artificioso de la época de Carlos V, fray Antonio de Guevara, hereda procedimientos muy en boga a fines del siglo xv: frases si-

de G. de la V., Madrid, 1970; Guillermo Araya, *La fuente y los ríos en G.*, Est. Filol., Valdivia, n.º 6, 1970, 113-135; Antonio Gallego Morell, *G. de la V. y sus comentaristas*, Madrid, 1972; Sharon Ghertman, *Petrarch and G.: A Linguistic Approach to Style*, Londres, Tamesis, 1975; Alan K. Paterson, *Ecphrasis in G.'s «Égloga Tercera»*, The Mod. Lang. Rev., LXXII, 1977, 73-92; Joaquín Arce, *Sannazaro y la lengua poética castellana (De Garcilaso al siglo XVIII)*, «Est. ofr. a E. Alarcos Llorach», III, Oviedo, 1978, 367-385, etc.

21. Véase Juan Bautista Avalle-Arce, *La novela pastoril española*, Madrid, 1959, 61-69.

22. Menéndez Pidal, art. cit. en nuestra nota 4; Dámaso Alonso, *Seis calas en la expresión literaria española*, Madrid, 1951, 30-35.

métricas y contrapuestas, como las del *Arnalte y Lucenda* o la *Cárcel de Amor*; enumeraciones abundosas y finales en consonancia, como los de la *Celestina* o el *Grimalte y Gradissa*, continuadores a su vez de los del *Corbacho*: «Era muy grande el exercicio que en su palacio auía, assí *de los philósofos en enseñar* como *de los médicos en disputar*»; «*en su ausencia* estauan muy bien proveýdas *las cosas de la guerra* y *en su presencia* no se platicaba sino *cosa de sciencia*»; «los tristes hados *lo permitiendo* y nuestros sañudos dioses *nos desamparando*, fue tal nuestra *desdicha* y mostróse a vosotros tan favorable la *ventura* que los superbos capitanes *de Roma* tomaron por fuerza de armas a nuestra tierra *de Germania*». El entronque con Diego de San Pedro es indudable, pues cartas amatorias insertas en el *Marco Aurelio* calcan literalmente pasajes del *Arnalte*. Pero Guevara no se limita a reproducir usos del pasado: a lo largo de su obra intensifica los recursos retóricos: los paralelismos y antítesis, relativamente libres en el *Marco Aurelio*, se establecen preferentemente en el *Relox de príncipes* entre miembros de igual longitud; los desarrollos amplificatorios se hacen más extensos, las enumeraciones más frecuentes y largas. El proceso llega a su cumbre en el *Menosprecio de corte* y en las *Epístolas familiares*: «En el aldea *no ay* ventanas *que* sojuzguen tu casa, *no ay* gente *que* te dé codaços, *no ay* cavallos *que* te atropellen, *no ay* pajes *que* te griten, *no ay* hachas *que* te enceren, *no ay* justicias *que* te atemoricen, *no ay* señores *que* te precedan...». Siempre afanoso por dar relieve a su persona y atraer la atención de los demás, Guevara logra crearse un estilo propio, que si por la continuidad con el siglo xv podría parangonarse con el del arte plateresco, es decididamente manierista como anticipo de la preocupación barroca por la exuberancia formal.[23] Su reper-

---

23. Véanse Américo Castro, *A. de G. Un hombre y un estilo del siglo XVI*, Bol. Inst. Caro y Cuervo, I, 1945, 46 y ss. (con una «Adición sobre G. en 1960» en *Hacia Cervantes*, 3.ª ed., Madrid, 1967, 86-117); María Rosa Lida, *Fray A. de G. Edad Media y siglo de oro español*, Rev. de Filol. Hisp., VII, 1945, 346-388; Leo Spitzer, *Sobre las ideas de Américo Castro a propósito de «El villano del Danubio»*, Bol. Inst. Caro y Cuervo, VI, 1950, 1-14; Juan Marichal, *La originalidad renacentista en el estilo de Guevara*, Nueva Rev. de Filol. Hisp., IX, 1955, 113-128 (después en *La voluntad de estilo*, Barcelona, 1957, 79-101); Francisco Márquez Villanueva, *Fray A. de G. o la ascética novelada*, en *Espiritualidad y literatura en el siglo XVI*, Madrid-Barcelona, 1968, 15-66; Michel Camprubi, *Le style de Fray A. de G. à travers les «Epístolas familiares»*, Caravelle, 11, 1968, 131-150; Frida Weber de Kurlat, *El arte*

cusión fue grande en España y fuera de España. Sin similicadencias, sin amplificación tan excesiva ni enumeraciones tan prolijas, pero sí con paralelismos antitéticos y frases contrapesadas, su huella es indudable en los pasajes más atildados de la prosa cervantina, moldea la de los moralistas del siglo XVII y a través de ellos perdura todavía en la de Feijoo.[24]

5. La doctrina estilística de la época se encierra en la conocida frase de Juan de Valdés: «el estilo que tengo me es natural y *sin afetación ninguna escrivo como hablo*; solamente tengo cuidado de usar de vocablos que sinifiquen bien lo que quiero dezir, y *dígolo quanto más llanamente me es possible*, porque a mi parecer, en *ninguna lengua stá bien el afetación*». Como antaño don Juan Manuel, pensaba Valdés que «todo el bien hablar castellano consiste en que digáis lo que queréis con las menos palabras que pudiéredes». La naturalidad de Valdés no estaba reñida con la selección a que dedica su *Diálogo de la Lengua*: criterios definidos en cuanto a oscilaciones de la pronunciación y el régimen, preferencia o rechazo de unas u otras palabras y distinción de matices significativos. Así, el *Diálogo* ofrece un tipo de prosa cuidada, dueña de sí, a la que el sosiego y la ponderación no quitan fluidez y gracia; sin afeites artificiosos, pero con sencillez compuesta, que descubre la distinción natural, responde al criterio estético formulado en *El Cortesano* de Castiglione.

Para Valdés nuestra lengua es tan digna y gentil como la toscana, pero «más vulgar», menos elaborada, y carente de clásicos. En 1492 Nebrija había podido apoyarse en la autoridad de Juan de Mena; pero en 1535, fecha

---

de Fr. A. de G. en el «Menosprecio de corte y alabanza de aldea», «Studia Iberica. Festschrift für Hans Flasche», Berna y Múnich, 1973, 669-687; Luisa López Grigera, *Algunas precisiones sobre el estilo de A. de G.*, «Studia Hispanica in hon. R. L.», III, Madrid, 1975, 299-315; Augustín Redondo, *A. de G. y D. de San Pedro: Las «cartas de amores» del «Marco Aurelio»*, Bull. Hisp., LXXVIII, 1976, 226-239, y *Antonio de G. et l'Espagne de son temps*, Ginebra, 1976.

24. R. Lapesa, *Sobre el estilo de Feijoo*, «Mélanges à la mémoire de Jean Sarrailh», II, París, 1966, 21-28 (después en *De la Edad Media a nuestros días*, Madrid, 1967, 290-299). Para el influjo estilístico de Guevara en Europa, véase A. Farinelli, *John Lyly, Guevara y el eufuismo en Inglaterra*, en *Divagaciones hispánicas*, II, Barcelona, 1936, 87 y ss., así como la bibliografía que reúne J. L. Alborg en su *Historia de la Literatura Española*, I, 2.ª ed., 1969, 728 n. 31.

probable del *Diálogo de la Lengua*, la rápida evolución del idioma y el cambio de gusto impedían tomar por modelo de buen uso la literatura del xv. Valdés juzga con discreta severidad las *Trescientas*, el *Amadís*, otros libros de caballerías y la misma *Celestina*. A falta, pues, de autores con que respaldar sus consejos para el buen uso, lo hace acudiendo a los refranes, que, acogidos sin reparos por los escritores medievales, atraían el interés de los renacentistas; para éstos eran manifestación de la sabiduría natural, y en tal plano correspondían a lo que en el nivel culto representaban las sentencias de filósofos reunidas por Erasmo en sus *Adagia* (otro erasmista, Juan de Mal Lara, les daría en 1568 la calificación encomiosa de *Philosophía vulgar*). No por eso hay popularismo en Valdés, quien para dictaminar en materias de lenguaje alega los títulos de ser «hombre criado en el reino de Toledo y en la corte de España», y consecuentemente rechaza rusticismos como *engeño, hucia, pescudar*, prodigados en las farsas pastoriles de Encina y sus seguidores, prefiriendo *ingenio, confianza* y *preguntar*. No le agrada el habla de Andalucía, «donde la lengua no stá muy pura», y niega insistentemente la autoridad de «Librixa andaluz», a veces sin justicia. A pesar de que en las preferencias de Valdés no faltan arbitrariedades, y aunque no pocas de sus reglas son caprichosas, su elección coincide por lo general con las tendencias que habían de prevalecer: así recomienda *vanidad, invernar, abundar, cubrir, começar, tropeçar, avergonçar, de ponerlos, por traerlos, ponedlo, dezirlo, hazerlo*, que se han sobrepuesto a sus oponentes *vanedad, envernar, abondar, cobrir, escomençar, estropeçar, envergonçar, de los poner, por los traer, poneldo, dezillo, hazello*. Rehúye el latinismo excesivo, tanto en la pronunciación de los grupos cultos de consonantes (§ 94) como en la introducción de cultismos léxicos: después de examinar la conveniencia y valor significativo de vocablos como *paradoxa, tiranizar, idiota, ortografía, ambición, dócil, insolencia, persuadir, ecepción*, ya entonces «medio usados», aboga por su adopción definitiva, que el tiempo ha corroborado. En el caso de *ecepción* un interlocutor objeta que no lo entiende, y Valdés se justifica con no haber encontrado sustituto castellano: «pues me hazéis hablar en esta materia en que no he visto cómo otros castellanos han hablado, es menester que sufráis me aproveche de los vocablos que más a propósito me parecerán, obligándome yo a declararos los que no entendiéredes». Otros escritores practicaban la misma solución, que venía a coincidir con la de Alfonso el Sabio. Así, Agustín de Zárate pone junto al neologismo *amnistía* su equivalente vulgar: «entendió que sus hechos eran más dignos de la *ley de olvido*, que los atenienses llamaban *amnistía*, que no de memoria ni perpetuidad».

Valdés no pretendió formular una doctrina sistemática sobre las cuestiones de lenguaje candentes en su tiempo, sino mostrar sus puntos de vista acerca de ellas; tampoco ofreció soluciones definitivas para los casos de duda, sino simplemente sus gustos personales. Incurre en frecuentes contradicciones y las reglas que da no están siempre de acuerdo con lo que él mismo practica en sus cartas al Cardenal Gonzaga. Pero el *Diálogo* es un testimonio excepcional de la preocupación lingüística experimentada por un espíritu eminente y alerta. Como obra de arte es un cuadro lleno de vida, en que el autor, hombre temperamental y en polémica consigo mismo, se retrata de cuerpo entero en animada conversación con amigos finamente caracterizados.[25]

6.   La crisis religiosa y social da lugar a que surja una literatura polémica que gusta de la expresión llana, aunque selecta y cargada de intención satírica. Es el tipo de prosa más característica del erasmismo. Los diálogos de Alfonso de Valdés sólo hacen concesiones a la amplificación en pasajes especialmente combativos; el paralelismo antitético, no raro en ellos, obe-

---

25.   Véanse los prólogos a las ediciones del *Diálogo de la Lengua* por José F. Montesinos (Clás. Castell., 86, Madrid, 1928); Rafael Lapesa (Clás. Ebro, 18, 2.ª ed., 1946); Lore Terracini (Istit. di Filol. Romanza dell'Univ. di Roma, Testi e Manuali, 44, Módena, 1957; la introducción, más *«Cuidado» vs. «Descuido». I due livelli della opposizione tra Valdés e Boscán*, en *Lingua come problema*, véase § 77 n. 12). Juan M. Lope Blanch (México, 1966), y Cristina Barbolani de García (Florencia, 1967), así como el *Índice de materias citadas en el D. de la l. de J. de V.* de G. Zucker (Univ. of Iowa Studies, Sp. Lang. and Lit., 13, 1962) y los estudios de Menéndez Pidal, Bahner y L. Terracini citados en las anteriores notas 4 y 12, y los de L. J. Piccardo, *Acotaciones al D. de la l.*, Montevideo, 1941; Eugenio Asensio, *J. de V. contra Delicado. Fondo de una polémica*, «Homen. a Dámaso Alonso», I, Madrid, 1960, 101-113 [sobre la polémica Valdés-Nebrija]; Guillermo L. Guitarte, *Alcance y sentido de las opiniones de Valdés sobre Nebrija*, «Est. Filol. y Ling. Homen. a A. Rosenblat», Caracas, 1974, 247-288; *«Dexemplar» en el «Diálogo de la Lengua» (sobre un fondo de Erasmo y Nebrija)*, Filología, XVII, 1976-1977, 161-206, y *¿Valdés contra Delicado?*, «Homenaje a Fernando Antonio Martínez», Bogotá, Inst. Caro y Cuervo, 1979, 147-167; C. Gómez Fayren, *Acerca del «D. de la l.»*, «Homen. a Muñoz Cortés», I, Murcia, 1976-1977, 215-220, etc.

dece al propósito de subrayar el contraste entre la doctrina evangélica y la práctica real. A poco de mediar el siglo, el despojo de retórica y la vivacidad de narración y coloquio animan la crítica en el *Viaje de Turquía* atribuido a Cristóbal de Villalón y a Andrés Laguna. La actitud de protesta logra su representación más genial en el *Lazarillo de Tormes*: por primera vez en la literatura europea el protagonista es un ser humano que ha crecido en la miseria y se ha librado de ella, a costa de su propia degradación, bregando en un mundo hostil donde «ya la charidad se subió al cielo». La supuesta autobiografía relata el paso gradual del niño inocente al adulto cínico haciendo uso constante de la ironía más afilada. El narrador deja escaso margen a los artificios formales: algún verbo al final de frase («la simpleza en que, como niño, dormido estaua»); algún paralelismo («allí lloré *mi trabajosa vida passada y mi cercana muerte venidera*»); acusativos internos y otras formas de figura etimológica («las *malas burlas* que el ciego *burlaua* de mí»; «no tenía tanta *lástima* de mí como del *lastimado* de mi amo»); alguna rima («quisieron mis *hados*, o por mejor dezir, mis *pecados*, que vna noche...»); alguna paronimia («su *passo* y *compás* en orden», «le *cozía* y *comía* los ojos»), etc. Son recursos no prodigados que no dañan al tono general, sumamente sobrio: narración, descripciones y diálogo son escuetos, ceñidos a lo esencial; sólo registran lo significativo, con exacto cálculo de los efectos. Su pintura de situaciones y actitudes se hace con trazos plásticos y certeros: entre las piernas del ciego el niño Lázaro bebe el vino del jarro «mi cara puesta hazia el cielo, vn poco cerrados los ojos por mejor gustar el sabroso licor»; el escudero sale de casa «con vn passo sossegado y el cuerpo derecho, haziendo con él y con la cabeça muy gentiles meneos, echando el cabo de la capa sobre el hombro y a vezes so el braço, y poniendo la mano derecha en el costado». Con frecuencia aparece el eufemismo humorístico: «yo le satisfize de mi persona lo mejor que mentir supe, diziendo mis bienes y callando lo demás, porque *me parecía no ser para en cámara*»; «rauiaua de hambre, la qual con el sueño *no tenía amistad*». Frases de los libros sagrados o con resonancias litúrgicas se aplican a lo profano, a veces con doble sentido sarcástico: el padre de Lázaro, preso por ladrón, «confessó y no negó, y padesció persecución por justicia. Espero en Dios que está en la gloria, pues el Euangelio los llama bienauenturados»; la actitud de Lázaro ante los bodigos es la de los fieles ante el Pan eucarístico: «como vi el pan, comencélo de adorar, no osando recebillo»; y después de contar cómo cayó sobre su cabeza el golpe destinado a la «culebra o culebro», añade: «de lo que sucedió en aquellos tres días siguientes ninguna fe daré, porque los tuue en el vientre de la vallena», como Jonás.[26] Se forjan derivados ocasionales: el arcaz de los bodigos no es paraíso terrenal, sino «paraýso *panal*» para Lázaro, con doble referencia al pan y a la dulzura del hallazgo. La adjetivación inusitada proyecta sobre las cosas la sensación personal o refleja el punto de vista, contradictorio en ocasiones: el hambre de mozo y amo se transfiere al «*hambriento* colchón» del hidalgo; «*angélico* calderero» es el que proporciona a Lázaro la llave para abrir el arca, y «*dulce y amargo* jarro» el que el ciego deja caer sobre la boca del muchacho. La bondad natural, la comprensión humana y hasta la ternura alivian el amargor de un relato que, a fuerza de ingenio, resulta deliciosamente divertido. La novela moderna, que nacía en las breves páginas del *Lazarillo*, encontraba el lenguaje adecuado a la narración realista.[27]

26. Juan, 1, 20; Mateo, 5, 10 y 12, 40; Jonás, I, 2, 1. Véanse los artículos de Gilman y Sicroff mencionados en la nota siguiente.

27. Véanse ed. facsimilar de las de Alcalá, Burgos y Amberes de 1554, con noticia bibliográfica de E. Moreno Báez, Cieza, 1959; ed. crítica, pról. y notas de J. Caso González, Madrid, R. Ac. Esp., 1967; ed. con introd. y notas de F. Rico, Clás. Universales Planeta, 6, Barcelona, 1980, etc. Tocan directa o indirectamente al lenguaje y estilo del *Lazarillo* los estudios de Américo Castro, *Perspectiva de la novela picaresca*, Rev. del Arch., Bibl. y Mus. del Ayunt. de Madrid, XII, 1935, 123-138, y *El L. de T.*, en *Semblanzas y est. esp.*, Princeton, N. J., 1956, 93-98 (los dos artículos, con importantes adiciones, en *Hacia Cervantes*, 3.ª ed., 1967, 118-166); G. Siebenmann, *Über Sprache und Stil im L. de T.*, Berna, 1953; Marcel Bataillon, *El sentido del L. de T.*, París, 1954, e introd. a *La vie de L. de T.*, trad. de A. Morel-Fatio, París, 1958; Dámaso Alonso, *El realismo psicológico en el «Lazarillo»*, en *De los siglos oscuros al de Oro*, Madrid, 1958, 226-230; F. Márquez Villanueva, *Sebastián de Horozco y el L. de T.*, Rev. de Filol. Esp., XLI, 1957, 253-339, y *La actitud espiritual del L. de T.*, en *Espiritualidad y Literatura en el siglo XVI*, Madrid-Barcelona, 1968, 67-137; Albert A. Sicroff, *Sobre el estilo del L. de T.*, Nueva Rev. de Filol. Hisp., XI, 1957, 157-170; Claudio Guillén, *La disposición temporal del L. de T.*, Hisp. Rev., XXV, 1957, 264-279; Emilio Carilla, *El L. de T.*, en *Estudios de lit. española*, Rosario, 1958, y *Cuatro notas sobre el L.*, Rev. de Filol. Esp., XLIII, 1960, 97-116; B. W. Wardropper, *El trastorno de la moral en el L.*, Nueva Rev. de Filol. Hisp., XV, 1961, 441-447; A. Zamora Vicente, *Qué es la novela picaresca*, Buenos Aires, 1962; Salvador Aguado-Andreut, *Algunas observaciones sobre el L. de T.*, Guatemala, 1965;

7. Por los mismos años Lope de Rueda ponía en boca de los lacayos, bobos y aldeanos de su teatro el caudal sabroso del habla popular.[28]

§ 79. ÉPOCA DE FELIPE II. LOS MÍSTICOS

La poesía de Garcilaso, los didácticos humanistas y el *Lazarillo* encarnan las diversas corrientes del pleno Renacimiento. En cambio los cuarenta últimos años del siglo, impregnados del espíritu de la Contrarreforma, se caracterizan por el esplendor que alcanza la literatura religiosa.

1. Sobresale, en primer lugar, la fulgurante explosión del fervor místico. Los escritores místicos nos hablan del proceso del alma que, despojada de todo apego a lo terrenal y concreto, se encierra en sí para lanzarse en busca de Dios, alentada por el amor y sin más guía que la fe. Refieren, directamente o en forma doctrinal, la experiencia penosa y deslumbradora del amor divino, el lento ascender del espíritu desnudo hasta fundirse en íntima unión con el Amado. Al abismarse en lo más recóndito de la conciencia, a caza de la presencia de Dios, el alma atraviesa páramos ilimitados de soledad, entre padecer incomportable y goce sobrenatural. La meta suprema de la vida mística, el «subido sentir de la divinal esencia», excede a todo conocimiento y es, en sí misma, inefable. En la pugna por expresar lo inexpresable, los místicos se valen de símbolos, alegorías, metáforas y

---

Stephen Gilman, *The Death of L. de T.*, PMLA, LXXXI, 1966, 149-166, y *Matthew V: 10 in Castilian Jest and Earnest*, «Studia Hisp. in hon. R. L.», I, Madrid, 1972, 257-265; Fernando Lázaro Carreter, *La ficción autobiográfica en el L. de T.*, «Litterae Hispanae et Lusitanae», Múnich, 1966, 195-213, y *Construcción y sentido del L. de T.*, Ábaco, 1, 1969, 45-134; Francisco Rico, *Problemas del «Lazarillo»*, Bol. R. Acad. Esp., XLVI, 1966, 277-296; *En torno al texto crítico del L. de T.*, Hisp. Rev., XXXVIII, 1970, 405-419, y *L. de T. o la polisemia*, en *La novela picaresca y el punto de vista*, Barcelona, 2.ª ed., 1973, 15-55; F. González Ollé, *Interpretación y posible origen agustiniano de una frase del «Lazarillo» (III): «dejáronle para el que era»*, Rev. de Filol. Esp., LIX, 1977, 289-295, etc.

28. Véase E. Veres D'Ocón, *Juegos idiomáticos en las obras de L. de Rueda*, Rev. de Filol. Esp., XXXIV, 1950, 195-237; L. Sáez Godoy, *El léxico de L. de Rueda. Clasificaciones conceptual y estadística*, Bonn, 1968.

comparaciones, aplican al amor de Dios el lenguaje más ardiente del amor humano, y acuden a sublimes contrasentidos: «entender no entendiendo», «glorioso desatino», «divinal locura», «rayo de tiniebla». Adentrados en el alma para la apercepción de sus experiencias, forjan el instrumental léxico del análisis psicológico; y las palabras amplían sus dimensiones conceptuales para abarcar la infinitud vivida. Tal es el horizonte cimero que nos descubren santa Teresa y san Juan de la Cruz.

2. Santa Teresa no es, en modo alguno, una monja inculta: en sus años juveniles leía libros de caballerías y seguramente poesía de cancionero; después, en el convento, fue asidua lectora de libros ascéticos y místicos, que subrayaba cuidadosamente, hasta que los prohibió el índice inquisitorial de 1559; aunque privada de ellos, los recuerda al redactar sus propias obras años más tarde.[29] Pero no escribe con propósito literario ni por iniciativa suya, sino por mandato de sus confesores o a requerimiento de sus monjas, «casi hurtando el tiempo y con pena, porque me estorbo de hilar». Cuando promete «escribirlo he todo lo mijor que pueda», es para «no ser conocida» y evitar descubrirse como agraciada por las mercedes divinas. Le importa declarar bien las cosas del espíritu; pero el cuidado de la forma le parece tentación de vanidad, y emplea el lenguaje corriente en el habla hidalga de Castilla la Vieja, sin atenerse al gusto cortesano ni buscar galas cultas; antes al contrario, busca deliberadamente la expresión menos estimada o rústica, lo que llamaba «estilo de ermitaños y gente retirada».[30] Esta humildad teresiana está ajena a la fijación del idioma por la literatura; conserva formas anticuadas o en trance de arrinconarse: *entramos* 'ambos', *sabién* 'sabían', *mijor*, *siguir*, *dispusición*, *enclinar*, *mormurar*; vulgarismos *an* 'aun', *anque*, *relisión*, *ilesia*, *naide*, *cuantimás*, *train* 'traen'; y deformaciones

29. Véase Gaston Etchegoyen, *L'Amour divin. Essai sur les sources de Sainte Thérèse*, Burdeos, 1923.

30. Quien había leído con atención tantos libros espirituales doctos, sabía versificar y era capaz de elocuencia en las *Exclamaciones* no podía ignorar que las formas normales de la lengua escrita eran *mejor*, *aun*, *aunque*, *religión*, etc.; su empleo habitual de *mijor*, *an*, *anque*, *relisión*, no se explica sino como preferencia voluntaria, por afán de no parecer «letrada». Véanse, con distintos matices, los estudios de R. Menéndez Pidal, *El estilo de Santa Teresa*, en *La lengua de Cristóbal Colón*, Madrid, 1942, y Víctor G[arcía] de la Concha, *El arte literario de Santa Teresa*, Barcelona-Caracas-México, 1978.

iliterarias de voces latinas, *teulogía*, *iproquesía*, *primitir*, *intrevalo*. La firme consecuencia de las ideas no obliga al desarrollo lógico de la frase, que, como en el habla descuidada, se pierde en cambios repentinos de construcción, alusiones a términos no enunciados, concordancias mentales y abandono de lo que se ha comenzado a decir. El estilo no fluye canalizado en las normas usuales del discurso literario, sino como manantial que surte en la intimidad del alma.

Pero, sin pretenderlo, este lenguaje es eminentemente artístico; todas las grandes construcciones teóricas de santa Teresa están basadas en imágenes constitutivas de magistrales alegorías, como el vergel místico en el *Libro de su Vida* o el castillo interior y la mariposa en *Las Moradas*. Gracias a las imágenes se resuelven arduas dificultades de exposición y se expresan con acierto finas diferencias conceptuales. «Ni sé entender qué es mente ni qué diferencia tenga del alma u espíritu tampoco. Todo me parece una cosa, bien que el alma alguna vez sale de sí mesma a manera de un fuego que está ardiendo y echo llama, y algunas veces crece este fuego con ýmpetu; esta llama sube muy arriba del fuego, mas no por eso es cosa diferente, sino la mesma llama que está en el fuego». La unión del alma con Dios se define «como si dos velas de cera se juntasen tan en extremo que toda la luz fuese una, u que el pabilo y la luz y la cera es todo uno; mas después bien se puede apartar la una vela de la otra, y quedan en dos velas, u el pabilo de la cera». La expresión sobrecoge unas veces por su fuerza impresionante: «una *pena tan delgada y penetrativa*»; «*un recio martirio sabroso*»; «*es como uno que está con la candela en la mano*, que le falta poco para morir muerte que la desea». Otras veces, la feminidad afectiva de la autora se explaya en deliciosos diminutivos: «esta *encarceladita* de esta pobre alma»; «como *avecita* que tiene pelo malo, cansa y queda»; «esta *motita* de poca umildad». Y constantemente surgen rasgos certeros y plásticos: «an de mirar que sea tal el maestro que no... se contente con que se muestre el alma *a sólo caçar lagartijas*»; «no se negocia bien con Dios *a fuerça de braços*». No todo es «llaneza» en las obras de la santa: la huella de sus lecturas subsiste en sus escritos. Sabe construir frases de gran complejidad, con incorporación de varias subordinadas, sin perder el hilo conductor; en sus poesías más inflamadas se sublima el conceptismo de los cancioneros; y el arrebato de sus *Exclamaciones* se desborda en series de apóstrofes, interrogaciones, miembros semejantes, anáforas, antítesis y uso de la figura etimológica:

> ¡Oh deleite mío, Señor de todo lo criado y Dios mío! ¿Hasta cuándo esperaré ver vuestra presencia? ¿Qué remedio dais a quien tan poco tiene en la tierra para tener algún descanso fuera de Vos? ¡Oh vida larga! ¡oh vida penosa! ¡oh vida que no se vive! ¡oh, qué sola soledad, qué sin remedio!... ¿Qué haré, Bien mío, qué haré? ¿Por ventura desearé no desearos? ¡Oh, mi Dios y mi Criador! que llagáis y no ponéis la medicina, herís y no se ve la llaga, matáis dejando con más vida...

Los escritos teresianos, inspirados por el amor y rebosantes de emoción, obtenían por añadidura la suprema belleza literaria.[31]

3. Los tratados de san Juan de la Cruz aspiran también a transformar en teoría objetiva la experiencia personal. El hombre de letras se revela en el rigor de la exposición y en la busca de la palabra justa, acudiendo frecuentemente al cultismo técnico. Pero como no opera sobre conceptos abstractos, sino sobre un drama vivido con intensidad inigualable, a cada paso

---

31. Aparte de las obras mencionadas en las notas 29 y 30, interesan para el estudio del lenguaje y estilo de santa Teresa las notas y apéndices de T. Navarro Tomás a su ed. de *Las Moradas* (Clás. Castell., t. 1, Madrid, 1910); A. Sánchez Moguel, *El lenguaje de Sta. T. de J.*, Madrid, 1915; R. Hoornaert, *Sainte Thérèse écrivain*, París y Brujas, 1925; Américo Castro, *Santa Teresa y otros ensayos*, Madrid, 1929 (reimpreso con adiciones, *Teresa la Santa y otros ensayos*, Madrid-Barcelona, 1972); L. de San José, O. C. D., *Concordancias de las obras y escritos de Sta. T. de J.*, Burgos, 1945; R. L. Oechslin, *L'intuition mystique de Ste. T. Recherches sur le vocabulaire affectif de Ste. T.*, París, 1946; H. Hatzfeld, *Estudios literarios sobre mística española*, Madrid, 1955; G. Mancini, *Espressioni letterarie dell'insegnamento di Sta. T. de Avila*, Módena, 1955; J. Marichal, *Sta. T. en el ensayismo hispánico*, en *La voluntad de estilo*, Barcelona, 1957, 103-115; H. Flasche, *Syntaktische Untersuchungen zu S. T. de J.*, Gesammelte Aufsätze zur Kulturgeschichte Spaniens, XV, 1960, 151-174; *Considerações sobre a estrutura da frase espanhola analisada na autobiografia de Sta. T.*, Actas do IX Congr. Intern. de Ling. Rom., Lisboa, 1961, 177-186, y *Relaciones entre la intención significativa y el signo significativo con respecto a la terminología de Sta. T. y de Pascal*, Rom. Jahrbuch, XXVI, 1975, 270-287; Marina López Blanquet, *El imperfecto en el lenguaje de Sta. T.*, Vox Romanica, XXI, 1963, 284-299; ed. facsímil del *Camino de Perfección*, Roma, 1965, 2 vols. (con *Léxico*, bajo la dirección de Fr. G. Maioli); Robert Ricard et Nicole Pélisson, *Études sur Ste. T.*, París, 1968; F. Márquez Villanueva, *Sta. T. y el linaje*, en *Espiritualidad y Literatura en el siglo XVI*, Madrid-Barcelona, 1968, 139-205. Sobre el vocabulario de la *Vida* y del *Camino de Perfección* (códice de El Escorial) hay una tesis doctoral de Jeannine Poitrey (Lille, 1977).

emplea giros o comparaciones fuertemente expresivos; en ellos se dignifican el afectivismo, la nota popular y hasta la que en otros casos sería trivial: «así se gozan en el cielo *de que ya saque Dios a esta alma de pañales*»; la purificación actúa sobre el alma *«como el jabón y la fuerte lejía»*. Si hay «suma ciencia», saber trascendente, es porque ha habido «subido sentir» de la Esencia divina; los tratados de san Juan consisten en comentarios de poemas previamente escritos, nacidos en la inmediatez del estado místico, que constituyen el más sublime intento de expresar con el lenguaje humano las experiencias de la vida sobrenatural. Unas veces son afirmaciones de fe, como único asidero del alma sobre el abismo abierto por las renuncias a todo lo que no sea pensar en el Ser divino («Que bien sé yo la fonte que mana y corre, aunque es de noche»); otras veces, el grito de victoria lanzado tras venturoso vuelo de espiritual altanería («Subí tan alto, tan alto / que le di a la caza alcance»); o el dulce abandono de la unión lograda («Cesó todo y dejéme...»). Siempre en primera persona, como desahogo espontáneo de la sacudida emocional. Exentos de dependencia o correlación respecto a los conceptos, los términos metafóricos son símbolos ricos en resonancias emotivas y vagos de contornos: imágenes de la noche y el cauterio, que hablan de la dolorosa purificación del alma hasta que la iluminan las lámparas de fuego encendidas por el Amado. Después, en el alborear de la vida deificada, las imágenes no aluden ya a las cavernas del espíritu, sino a la belleza de las criaturas, descubierta ahora, más pura y delicada, en la contemplación de Dios. Entonces «los valles solitarios nemorosos», «la soledad sonora», «el soto y su donaire» o «el canto de la dulce Filomena», dádivas del Señor, superan la gracia de los boscajes terrenales y las melodías del ruiseñor virgiliano. San Juan de la Cruz conoce y aprovecha el legado poético de Garcilaso y el de los villancicos y glosas a la manera tradicional castellana; pero transfigura el sentimiento de la naturaleza y del amor al elevarlo a las regiones donde sopla el divino «aire de la almena» y donde, entre azucenas celestiales, se olvidan los cuidados. En las poesías de san Juan, como en los mejores momentos de santa Teresa, se convertía en realidad la frase de Carlos V: el español era la lengua para hablar con Dios.[32]

---

32. Véanse Jean Baruzi, *Saint Jean de la Croix et le problème de l'expérience mystique*, París, 1924; Dámaso Alonso, *La poesía de S. J. de la C.*, Madrid, 1942, y *El misterio técnico en*

§ 80. LOS DOS LUISES

1. La Contrarreforma reconocía el valor de muchas conquistas del Renacimiento que quiso aprovechar con fines religiosos. No rechazó el amor a las letras antiguas: intentaba hermanarlo con el cristianismo. El arte de la palabra era por sí mismo deseable. Y, además, servía para contrarrestar la influencia de los libros profanos. No bastaba el estilo genial y desaliñado de santa Teresa, pues había que emplear las mismas armas literarias del enemigo. Ésta es la dirección que inicia fray Luis de Granada, quien descubre en las doctrinas platónicas «la principal parte de la filosofía cristiana»; la sigue y perfecciona fray Luis de León, el excelso poeta que escuchaba, como los pitagóricos, la armonía estelar, y cuyos anhelos de conocimiento

---

la poesía de S. J. de la C., en *Poesía española*, Madrid, 1952, 217-305; M. García Blanco, *S. J. de la C. y el lenguaje del siglo XVI*, Castilla, II, 1941-1943, 139-160; Gerardo Diego, *Música y ritmo en la poesía de S. J. de la C.*, Escorial, n.° 25, noviembre de 1942, 163-186; J. M. de Cossío, *Rasgos renacentistas y populares en el «Cántico espiritual» de S. J. de la C.*, *ibid.*, 205-228; E. Orozco Díaz, *La palabra, espíritu y materia en la poesía de S. J. de la C.*, *ibid.*, 315-335; Agustín del Campo, *Poesía y estilo de la «Noche Oscura»*, Rev. de Ideas Estéticas, I, 1943, 33-58; Jesús Manuel Alda Tesán, *Poesía y lenguaje místicos de S. J. de la C.*, Universidad, XX, Zaragoza, 1943, 577-600; Jean Krynen, *Un aspect nouveau des annotations marginales au borrador du «Cantique spirituel» de S. J. de la C.*, Bull. Hisp., XLIX, 1947, 400-421; *S. J. de la C., Antolínez et Thomas de Jésus*, *ibid.*, LIII, 1951, 303-412, y *Le «Cantique spirituel» de S. J. de la C. commenté et refondu au XVIIe siècle*, Salamanca, 1948; Marcel Bataillon, *Sur la genèse poétique du «Cantique spirituel» de S. J. de la C.*, Bol. Inst. Caro y Cuervo, V, 1949; H. Chandelois, *Lexique, grammaire et style chez S. J. de la C.*, Ephemerides Carmeliticae, III, 1949, 543-547, y IV, 1950, 361-368; H. Hatzfeld, *Ensayo sobre la prosa de S. J. de la Cruz en la «Llama de amor viva»*; Clavileño, 18, 1952, 1-10; *Estudios literarios sobre mística española*, Madrid, 1955, y *Los elementos constitutivos de la poesía mística (S. J. de la C)*, Nueva Rev. de Filol. Hisp., XVII, 1963-1964, 40-59; Sister Rosa María Icaza, *The stylistic relationship between poetry and prose in the «Cántico espiritual» of S. J. de la C.*, Catholic Univ. of Am., Studies in Rom. Lang. and Lit., LIV, Washington, 1957; Jorge Guillén, *Lenguaje insuficiente: S. J. de la C. o lo inefable místico*, en *Lenguaje y poesía*, Madrid, 1961, 95-142; Víctor G[arcía] de la Concha, *Conciencia estética y voluntad de estilo en S. J. de la C.*, Bol. Bibl. M. Pelayo, XLVI, 1970, 371-408; Roger Duvivier, *La genèse du «Cantique spirituel» de S. J. de la C.*, París, 1971; Francisco García Lorca, *De Fray Luis a San Juan. La escondida senda*, Madrid, 1972; Cristóbal Cuevas García, edición, con estudio y notas, del *Cántico espiritual y Poesías*, Madrid, 1979, etc.

se fundían con el ansia de la vida celeste; y la practican otros estilistas como Ribadeneyra, Malón de Chaide y el padre Sigüenza.

2. Fray Luis de Granada se esfuerza por lograr solemnidad y grandilocuencia, alargando el período y aplicando a temas sagrados las elegancias retóricas de Cicerón. Es, ante todo, orador, y sus tratados más parecen compuestos con vista a la predicación que para la lectura, atentos principalmente a la magnificencia de la forma y al amplio desarrollo de los pensamientos. Pero hay calor emotivo, patetismo sincero. Y al buscar las huellas del Creador, observa minuciosamente, con cariño, la belleza de las criaturas; famosas son sus descripciones del mar, plantas y animales; en ellas el tono oratorio se dulcifica, suavizado por encantadora sencillez espiritual.[33]

3. Luis de León es el artista exquisito que somete el lenguaje a minuciosa selección: «Piensan que hablar romance es hablar como se habla en el vulgo, y no conoscen que el bien hablar no es común, sino negocio de particular juyzio...; y negocio que de las palabras que todos hablan elige las que convienen, y mira el sonido dellas y aun cuenta a vezes las letras, y las pesa, y las mide, y las compone para que no solamente digan con claridad lo que se pretende dezir, sino también con armonía y dulçura». Su innovación, por él mismo advertida, consiste en «poner número» en la prosa, esto es, dotarla de musicalidad mediante la hábil disposición de ritmos y melodías tonales: la configuración armónica del período está acompañada por el dominio de los recursos retóricos, empleados con moderación. Pero la prosa de *Los Nombres de Cristo* o *La Perfecta Casada* no es sólo supremo ejemplo de perfección formal: su retórica deja de ser artificio vivificada por torrentes apasionados, de igual modo que la lógica del razonamiento está caldeada por el ansia de acercarse a Dios. Es prosa hondamente poética; a cada paso surge en ella la contemplación entusiasta de la naturaleza, el más exaltado sentimiento de la hermosura: «Algunos hay a quien la vista del campo los enmudece, y deve

33.   Véanse R. Menéndez Pidal, *Antología de prosistas españoles*, 6.ª ed., 1932, 125-142; Azorín, *Los dos Luises*, 1920, y *De Granada a Castelar*, 1922; Rebecca Switzer, *The Ciceronian Style in Fr. L. de G.*, Nueva York, 1927; M. B. Brentano, *Nature in the Works of Fr. L. de G.*, Washington, 1936; Pedro Laín Entralgo, *El mundo visible en la obra de Fr. L. de G.*, Rev. de Ideas Estéticas, IV, 1946, 149-180; M. Bataillon, *Genèse et métamorphoses des œuvres de Fr. L. de G.*, Annuaire du Collège de France, XLVIII, 1948, 194-201; Dámaso Alonso, *Sobre Erasmo y Fr. L. de G.*, en *De los siglos oscuros al de Oro*, Madrid, 1958, 218-225, etc.

ser condición propia de espíritus de entendimiento profundo; mas yo, como los páxaros, en viendo lo verde, desseo cantar o hablar». «Nasce la fuente de la cuesta que tiene la casa a las espaldas, y entrava en la huerta por aquella parte, y corriendo y estropezando parecía reýrse...».[34]

La poesía de fray Luis continúa el rumbo iniciado por Garcilaso, cuyos versos recuerda con frecuencia, pero revela una personalidad muy distinta, fogosa y contradictoria. Como Garcilaso, es refractario a introducir vocablos cuyo significante denuncie latinismo o helenismo llamativo: casi todas las voces cultas que emplea contaban con precedentes en la literatura española; pero, también como Garcilaso, infunde a palabras españolas significados que sus ascendientes o sinónimos tuvieron en los clásicos latinos: *leño* 'nave', *aplicar* 'dirigir', *luces* 'días', *perdonar* 'ahorrar, abstenerse de emplear alguna cosa', *decir* 'cantar, celebrar', *ceñir* 'acompañar', *pacer* 'apacentar, alimentar', acepciones atestiguadas en los latinos t r a b s , a p p l i c a r e (n a v e m) , l u c e s , p a r c e r e , d i c e r e , c i n g e r e , p a s c e r e ; en «el puerto *desespero*, el hondo *pido*» los dos verbos calcan respectivamente los sentidos de 'perder la esperanza de conseguir algo' del latín d e s p e - r a r e , y 'dirigirse a un lugar', de p e t e r e . Antepone artículo a los antropónimos mitológicos («*el* Éolo», «*el* Júpiter», «*el* Íbico», «*la* Meguera»), según el uso griego y el más restringido de i l l e 'aquel famoso' en latín. Emplea alguna vez el superlativo *-ísimo* como relativo, no como absoluto («el *pesadísimo* elemento» 'el más pesado de los cuatro elementos', esto es, 'la tierra', conforme al latín «Cicero, e l o q u e n t i s s i m u s orato- rum»). Introduce el uso del predicativo elíptico que sobrentiende compa-

---

34. Ediciones: *De los Nombres de Cristo*, por F. de Onís, Clás. Castell., t. 28, 33 y 41, Madrid, 1914-1917; por Cristóbal Cuevas, Ed. Cátedra, Madrid, 1977; *Cantar de Cantares*, por Jorge Guillén, Madrid, Col. Primavera y Flor, 1936; *Obras Completas castellanas de Fr. L. de L.*, por el P. Félix García, O. S. A., Bibl. Aut. Crist., Madrid, 1944. De interés para el lenguaje y estilo: R. Menéndez Pidal, *Antología de prosistas españoles*, 6.ª ed., 1932, 158-177; Azorín, «*La perfecta casada*», en *Los dos Luises*, Madrid, 1921, 113-119; Aubrey F. G. Bell, *Luis de León. Un estudio del Renacimiento español*, Barcelona [1927], 290-293; Karl Vossler, *L. de L.,* Múnich, 1943, 37-46 (trad. esp. de C. Clavería, Col. Austral, 565, Madrid, 1946, 49-60); Helen Dill Goode, *La prosa retórica de Fr. L. de L. en «Los Nombres de Cristo»*, Madrid, 1969; Robert Ricard, *Hacia una nueva traducción francesa de «Los Nombres de Cristo»*, Madrid, Fund. Univ. Esp., 1974 (la trad. que anuncia se ha publicado en París, Études Augustiniennes, 1978).

ración o cambio: quien se deja seducir por Circe «o arde *oso* en ira / o hecho jabalí gime y suspira». El hipérbaton es mucho más abundante y atrevido que en Garcilaso, con transposiciones como «No te engañe el dorado / vaso, ni *de la puesta al bebedero / sabrosa miel* cebado» 'ni [el vaso] cebado con la sabrosa miel puesta al bebedero'; «los d i e n t e s de la *muerte* a g u - d o s fiera»; «... por quien son las Españas / *del yugo* d e s a t a d a s / *del bárbaro furor*, y l i b e r t a d a s» 'desatadas y libertadas del yugo impuesto por el bárbaro furor'. Por otra parte fray Luis no desdeña los términos concretos y vulgares, de vigorosa plasticidad: el «techo *pajizo* adonde / jamás hizo morada el enemigo / cuidado», el cielo otoñal que «*aoja* / con luz triste el sereno / verdor»; con ellos obtiene muy expresivas onomatopeyas:

> Bien como la *ñu*dosa
> ca*rr*asca en alto *r*isco desmo*ch*ada
> con ha*ch*a poderosa,
> del ser despedazada
> del hie*rr*o torna *r*ica y esforzada...

No hay desaliño en la poesía de fray Luis, sino meditada aplicación de procedimientos sabios. Aunque su autor las calificara de «obrecillas que se le cayeron como de entre las manos» en años juveniles, casi todas corresponden a su edad madura, y el gran número de manuscritos y variantes prueba que fueron objeto de atención constante, con doble redacción en unos casos, con retoques y pulimento en otros. Vale para ellas lo que el mismo fray Luis dijo en la *Exposición del Libro de Job*: «Las escrituras que por siglos duran nunca las dicta la boca; del alma salen, adonde por muchos años las compone y examina la verdad y el cuidado». A pesar de su larga y cuidadosa elaboración, los poemas luisianos conservan el ímpetu con que salieron del alma: frecuentes exclamaciones interrumpen su curso, que otras veces se desborda encabalgando versos y estrofas. No son manso fluir de aguas cristalinas, sino arrebato que proyecta a las alturas recuerdos clásicos, naturaleza, realidad ambiente, meditación filosófica y ansias de paz, en tensión anhelosa hacia el supremo Bien y la Belleza primera.[35]

35. Ediciones del P. José Llobera, S. J., Cuenca, 1931-1932; Oreste Macrí, Florencia, 1950 (2.ª ed., Florencia, 1964, ambas con trad. italiana de las poesías; 3.ª ed., con trad. esp.

§ 81. FERNANDO DE HERRERA

1. Mientras en Castilla florecía la lírica de fray Luis de León y san Juan de la Cruz, apuntaban entre los literatos sevillanos nuevas tendencias poéticas. El manifiesto de la escuela sevillana fueron las *Anotaciones* de Fernando de Herrera, el cantor de Lepanto y del desastre de Alcazarquivir, a las

---

de la Introducción y notas, Salamanca, 1970); P. Ángel Custodio Vega, Madrid, 1955. Para el texto, estilo y lenguaje de los poemas luisianos, véanse Federico de Onís, *Sobre la transmisión de la obra literaria de F. L. de L.*, Rev. de Filol. Esp., 11, 1915, 217-257; A. Coster, *Notes pour une édition des poésies de L. de L.* y *À propos d'un manuscript des poésies de L. de L.*, Rev. Hisp., XLVI, 1919, 193-249 y 573-582; *Fr. L. de L., ibid.*, LIII y LIV, 1921-1922; y *Dos palabras más sobre las poesías de Fr. L. de L.*, «Homenaje a M. Pidal», I, Madrid, 1925, 287-297; Azorín, *Los dos Luises*, Madrid, 1921, 103-109; Aubrey F. G. Bell, *Notes on L. de León's Lyrics*, Mod. Lang. Rev., XXI, 1926; *L. de L. Un estudio del Renacimiento español*, Barcelona, 1927, 251-272; *The Chronology of Fr. L. de León's Lyrics*, Mod. Lang. Rev., XXIII, 1928, 56-60; W. J. Entwistle, *L. de León's Life in his Lyrics: A new Interpretation*, Rev. Hisp., LXXI, 1927, 176-224, y *Additional Notes on L. de León's Lyrics*, Mod. Lang. Rev., XXII, 1927, 44-60 y 173-188; Dámaso Alonso, *Fr. L. de L. y la poesía renacentista*, Univ. de La Habana, V, 1937, n.° 15, 87-106 (parcialmente incluido en *De los siglos oscuros al de Oro*, Madrid, 1958, 230-253); *Tres poetas en desamparo*, en *Ensayos sobre poesía española*, Madrid, 1944, 119-123; *Ante la selva (con Fray Luis)* y *Forma exterior y forma interior en Fray Luis*, en *Poesía española*, Madrid, 1950 (2.ª ed., 1952, 109-198); *Vida y poesía de F. L. de L.*, Discurso de apertura del curso acad., Univ. de Madrid, 1955; *Fr. L. en la «Dedicatoria» de sus poesías (Desdoblamiento y ocultación de personalidad)*, «Studia Philol. et Litteraria in hon. L. Spitzer», Berna, 1958, 15-30; K. Vossler, *L. de León*, Múnich, 1943, 63-126; L. Spitzer, *Fr. L. de León's «Profecía del Tajo»*, Romanische Forsch., XLIV, 1952, 225-240; L. J. Woodward, *«La Vida retirada» of Fr. L. de L.*, Bull. of Hisp. St., XXXI, 1954, 17-26, y *Fr. L. de León's Oda a Francisco Salinas, ibid.*, XXXIX, 1962, 69-77; L. Rubio García, *Un nuevo códice con poesías de Fr. L. de L.*, Publ. de la Fac. de F. y Letras, Serie I, n.° 28, Zaragoza, 1957; Oreste Macrí, *Sobre el texto crít. de las poesías de Fr. L. de L.*, Thesaurus, Bol. del Inst. Caro y Cuervo, XII, 1957; K. Maurer, *Himmlischer Aufenthalt. Fr. L. de León's Ode «Alma región luciente»*, Sitzungsber. der Heidelberger Akad. der Wiss., Philos.-hist. Klasse, 1958; R. Lapesa, *Las odas de Fr. L. de L. a Felipe Ruiz*, «Studia Philol. Homen. a Dámaso Alonso», II, 1961, 301-318 (incluido en *De la Edad Media a nuestros días*, Madrid, 1967, 172-192); *El cultismo en la poesía de Fr. L. de L.*, en «Premarinismo e pregongorismo», Accad. Naz. dei Lincei, Roma, 1973, 219-240, y *Garcilaso y Fr. L. de L.: coincidencias temáticas y contraste de actitudes*, «Homenaje a la memoria de Carlos Clavería», Archivum, XXVI, 1976, 1-17 (los dos últimos artículos, el segundo en versión completa, en *Poetas y*

obras de Garcilaso (1580). En el prólogo a estas *Anotaciones*, Francisco de
Medina se duele, como otros apologistas del español, «de ver la hermosura
de nuestra plática tan descompuesta y mal parada, como si ella fuese tan
fea que no mereciese *más precioso ornamento*, o nosotros tan bárbaros que
no supiésemos *vestilla del que merece*». Los escritores «derraman palabras
vertidas con *ímpetu natural* antes que asentadas con el *artificio* que piden
las leyes de su profesión». Medina, como Herrera, sobrepone el artificio a
la espontaneidad; pretendían ambos ennoblecer el lenguaje por caminos
muy distintos a los seguidos por Garcilaso y fray Luis de León.

2. Mientras éstos crearon belleza con palabras de uso común, Herrera
se esforzaba por dar a la poesía una lengua autónoma, diferente del habla
general. La postura herreriana consiste en el sistemático apartamiento del
vulgo. «Ninguno —dice— puede merezer la estimación de noble poeta,
que fuesse fácil a todos i no tuviesse encubierta mucha erudición». Y la
erudición, placer de los doctos, es inasequible a la masa; la obra poética no
será ya para todos, sino sólo para los escogidos. Herrera prodiga recuerdos mitológicos difíciles, en los que muestra su familiaridad con los poetas grecolatinos, y atiende con nimio cuidado a la pompa y majestad de la
forma. Como la oscuridad o la afectación no le parecían defecto si eran hijas del refinamiento culto, el neologismo sólo le presentaba su tentadora
faceta de enriquecimiento idiomático. «¿Y temeremos nosotros traer al
uso i ministerio de la lengua otras voces extrañas i nuevas...? Apártese este
rústico miedo de nuestro ánimo». Así justifica la creación de derivados
como *languideza, ondoso, lassamiento*, de *lánguido, onda* y *lasso* 'cansado,
triste', y la adopción de palabras latinas y extranjeras. Herrera emplea
gran número de cultismos: *sublimar, consilio, hórrido, cura, cerúleo, horrísono, flamígero, argentar, rutilar, infando, hercúleo*; legitima *ignoración, to-
roso* 'membrudo', *luxuriante, venustidad*; y utiliza formas latinas como *plu-*

prosistas de ayer y de hoy, Madrid, 1977, 110-177); Robert Ricard, *Le Bon Pasteur et la Vierge
dans les poésies de L. de L. Notes et commentaires*, Les Lettres Rom., XXII, 1968, 311-
331; Francisco García Lorca, *De Fr. L. a San Juan*, Madrid, 1972; Audrey Lumsden-Kou-
vel, *Fr. L. de León's Haven: a Study in Structural Analysis*, Mod. Lang. Notes, LXXXIX,
1974, 146-158; Ricardo Senabre, *Tres estudios sobre Fr. L. de L.*, Univ. de Salamanca; 1978,
etcétera.

via, *prora*, *ímpio*. Junto a esta desbordada ampliación léxica hay la restricción impuesta por la preferencia de voces «graves». El vocabulario de Herrera, pese a sus neologismos, no es variado: *ardor*, *crespo*, *esplendor*, *esparcir*, *yerto* 'erguido', *ledo* 'alegre', *ufano*, *ufanía* se repiten con insistencia abrumadora. La sintaxis reclama también libertades propias; no se contenta Herrera con desplazamientos normales en la poesía («las *alas* de su cuerpo *temerosas*»), sino que reproduce con atrevimiento otras variedades del hipérbaton latino: «De la *prisión* huir no pienso *mía*»; «Mas tú con puro acento i armonía / *tu afrenta i* gimes *bárbaros despojos*» ('gimes tu afrenta y bárbaros despojos'). La poesía de Herrera, sonora y magnífica, pero demasiado estudiada y artificiosa, implica la ruptura del equilibrio clásico en beneficio de la forma.[36]

36. Ediciones: *Algunas obras de F. de H.*, Sevilla, 1582 (ed. crít. de A. Coster, París, 1908, y de V. García de Diego, Clás. Castell., t. 26, Madrid, 1914); *Versos de F. de H. Emendados y divididos por él en tres libros*, Sevilla, 1619 (ed. póstuma de Francisco Pacheco; la reedita A. Coster, Bibliotheca Romanica, Estrasburgo, 1914); *Rimas inéditas*, por José Manuel Blecua, Madrid, 1948, y en ed. crít. del mismo, *F. de H. Obra poética*, 2 vols., Madrid, R. Acad. Esp., 1975. Blecua (*Los textos poéticos de F. de H.*, Archivum, IV, 1954, 247-263, *De nuevo sobre los textos poéticos de H.*, Bol. R. Acad. Esp., XXXVIII, 1958, 377-408, e introd. a su cit. ed. de 1975) insiste en que Pacheco modificó por su cuenta el texto de Herrera, mientras Oreste Macrí sostiene que la versión de Pacheco responde al último estado de los poemas tras correcciones hechas por el mismo Herrera (*Fernando de Herrera*, Madrid, 1959; 2.ª ed., corr. y aumentada, 1972; este libro incorpora varios artículos anteriores). Véanse también Salvatore Battaglia, *Per il testo di F. de H.*, Filologia Romanza, I, 1954, 51-88; Antonio Gallego Morell, *Una lanza por Pacheco, editor de F. de H.*, Rev. de Filol. Esp., XXXV, 1951, 133-138; Gonzalo Sobejano, *El epíteto en la lírica española*, Madrid, 1956, 254-294; A. David Kossoff, *Algunas variantes de versos de H.*, Nueva Rev. de Filol. Hisp., XI, 1957, 57-63; *Algo más sobre «largo-luengo» en H.*, Rev. de Filol. Esp., XLI, 1958, 401-410, y su valioso *Vocabulario de la obra poética de H.*, Madrid, 1966. Sobre las *Anotaciones* a las obras de Garcilaso y la controversia con el «Prete Jacopín», véanse Inez Macdonald, *H.'s commentary on Garcilaso*, Modern Lang. Rev., 1948; J. M. Blecua, *Las O. de G. con Anotaciones de F. de H.*, «Homen. a Archer M. Huntington», Wellesley College, 1952, 55-58; Antonio Alatorre, *Garcilaso, Herrera, Prete Jacopín y Don Tomás Tamayo de Vargas*, Modern Lang. Notes, LXXVIII, 1963, 126-151; Lore Terracini, *Analisi di un confronto di lingue (F. de Herrera, «Anotaciones», pp. 74-75)*, Archivio Glottologico Italiano, LIII, 1968, 148-200 (después, con el título de *Lingua grave, lingua lasciva (Herrera)*, en *Lingua come problema nella letteratura spagnola del Cinquecento*, Turín, 1979), etc.

XII

EL ESPAÑOL DEL SIGLO DE ORO.
LA LITERATURA BARROCA

§ 82. CERVANTES Y SUS COMPAÑEROS DE GENERACIÓN

1. A fines del siglo XVI el Imperio hispánico había logrado su máxima extensión. Sin embargo, con las campañas de Flandes y la Invencible sonaron los primeros aldabonazos de la decadencia. La unidad espiritual de España se había hecho más sólida que nunca, afirmada en una ortodoxia religiosa sin reservas y en el más exaltado orgullo nacional. Pero la vida española estaba llena de contrastes: mientras los tercios de nuestra infantería sostenían en toda Europa una lucha desigual y agotadora, la corte de Felipe III y de Felipe IV, ostentosa y frívola, se ocupaba sólo de fiestas e intrigas. Las letras llegan a su apogeo y florecen nuestros más grandes pintores; en cambio, las inquietudes científicas declinan gravemente. Pugnan apariencia y realidad, grandeza y desengaño, y surge lentamente el pesimismo. Reflejando esta distensión del vivir hispano, la literatura se reparte en direcciones que, si bien se entrecruzan armónicamente en la complicada ironía cervantina, aparecen por lo general como actitudes unilaterales o contradictorias: exaltación heroica (*Historia* de Mariana, teatro de Lope de Vega), escape hacia la belleza irreal (poesía culta de Góngora), cínica negación de valores (literatura satírica, novela picaresca) y ascetismo.

2. Cervantes, heredero de la ideología renacentista y de la fe en la naturaleza, propugnaba como técnica estilística la misma de Valdés: habla llana regida por el juicio prudente. Camino de las bodas de Camacho, dice el Licenciado: «El lenguaje puro, el propio, el elegante y claro está en los discretos cortesanos, aunque hayan nacido en Majalahonda; dije discretos porque hay muchos que no lo son, y la discreción es la gramática del buen lenguaje, que se acompaña con el uso. Yo, señores..., he estudiado Cánones

en Salamanca y pícome algún tanto de decir mi razón con palabras claras, llanas y significantes». Es Cervantes uno de los escritores más interesados en las cuestiones de lenguaje: aborda repetidamente los problemas que preocupaban a los espíritus cultos de entonces (ilustración del romance, discreción como norma del buen hablar, valor de los refranes); percibe y recrea con aguda intuición la variedad lingüística correspondiente a la diversidad de esferas sociales o a las distintas actitudes frente a la vida; y posee un finísimo sentido de la palabra en sí, a causa del cual se complace en juegos que operan unas veces con el concepto, otras veces con el cuerpo fónico de los vocablos. Son inevitables y gustosas concesiones a una tendencia que venía de lejos (cancioneros, Guevara, etc.) y que había de recrudecerse en el siglo XVII. Pero ni éstos ni otros géneros de artificio constituyen lo más característico del estilo cervantino. Si su prosa más retocada, la de *La Galatea* y parte del *Persiles*, la del discurso sobre la Edad de Oro y otros pasajes idealizados del *Quijote*, ofrece notable abundancia de epítetos y los usuales primores de disposición simétrica; si con fines caricaturescos brota a menudo en el *Quijote* la retórica ampulosa o la altisonante imitación de los libros de caballerías, el estilo típico de Cervantes es el de la narración realista y el diálogo familiar. La frase corre suelta, holgada en su sintaxis, con la fluidez que conviene a la pintura cálida de la vida, en vez de la fría corrección atildada. Esa facilidad inimitable, compañera de un humorismo optimista y sano, superior a todas las amarguras, es la eterna lección del lenguaje cervantino.[1]

3. Otros escritores, nacidos como Cervantes a mediados del siglo XVI, revelan el mismo gusto lingüístico. Mateo Alemán y Vicente Espinel conservan el estilo llano en la novela. Y la *Historia* del padre Mariana —cuya versión castellana no se imprimió hasta 1601— reviste austera dignidad dentro de un tono sobrio, al que prestan noble sabor algunos dejos arcaizantes tomados de las fuentes medievales.

1. Véanse Américo Castro, *El pensamiento de Cervantes*, Madrid, 1925, 190-204; H. Hatzfeld, *Don Quijote als Wortkunstwerk*, Leipzig, 1927 (trad. esp. con el título de *El Quijote como obra de arte del lenguaje*, Madrid, 1949); Leo Spitzer, *Linguistic Perspectivism in the Don Quijote*, en *Linguistics and Literary History*, Princeton, 1948 (trad. esp., *Lingüística e Historia Literaria*, Madrid, 1955, 161-225); Amado Alonso, *Las prevaricaciones idiomáticas de Sancho*, Nueva Rev. de Filol. Hisp., II, 1948, 1-20; Francisco López Estrada, *Estu-*

§ 83. AMBIENTE SOCIAL Y LENGUAJE BARROCO[2]

1. La generación siguiente, la de Lope y Góngora, conoció en toda su violencia la sacudida innovadora. La vida literaria se hacía cada vez más intensa; se multiplicaban círculos como la *Academia de los Nocturnos* de Valencia, la de los *Anhelantes* de Zaragoza, la *Academia poética imitatoria* y la

---

dio crítico de La Galatea, Univ. de La Laguna, 1948, 121-151; Ángel Rosenblat, *La lengua de Cervantes*, en el vol. «Cervantes», Univ. Central de Venezuela, Caracas, 1949, refundido y ampliado en *La lengua del «Quijote»*, Madrid, 1971; Manuel Durán, *La ambigüedad en el Quijote*, Xalapa, Veracruz, 1960, 108-126; Fernando González Ollé, *Observaciones filológicas al texto del «Viaje del Parnaso»*, Miscellanea di Studi Ispanici, Pisa, 1963, n.° 6, 99-109; Ramón de Garciasol, *Claves de España: Cervantes y El Quijote*, Madrid, 1965, 281-284; Nina Snetkova, *Quelques particularités du style du roman de Cervantès Don Quichotte*, Beitraege zur rom. Philol., «Cervantes Sonderheft», Berlín, 1967, 84-91; Carlos Romero, *Lingua e stile del «Persiles»*, en *Introduzione al «Persiles»*, Venecia, 1968, CII-CIV; Enrique Moreno Báez, *Reflexiones sobre el «Quijote»*, Madrid, 1968; Emilio Carilla, *La lengua del «Persiles»*, Rev. de Filol. Esp., LIII, 1970, 1-25; Francisco Márquez Villanueva, *Fuentes literarias cervantinas*, Madrid, 1973; Elias L. Rivers, *C. and the Question of Language*, en «Cervantes and the Renaissance. Papers of the Pomona College Cervantes Symposium», ed. by M. D. McGaha, 1978, 23-33, etc. Para la gramática y vocabulario de Cervantes: Julio Cejador y Frauca, *La lengua de C.: Gramática y diccionario de la lengua castellana en «El Ing. H. don Quijote de la Mancha»*, Madrid, 1905-1906, 2 vols.; L. Weigert, *Untersuchungen zur sp. Syntax auf Grund der Werke des C.*, Berlín, 1907; George G. Brownell, *The attributive adjective in the Don Quixote*, Rev. Hisp., XIX, 1908, 20-50; A. Saint-Clair Sloan, *The pronouns of address in «D. Q.»*, Rom. Rev., XIII, 1922, 65-76; P. Patrick, *Pronouns of address in the «Novelas Ejemplares»*, ibid., XV, 1924, 105-120; R. A. Haynes, *Negation in «D. Q.»*, Austin, 1933; Harri Meier, *Personenhandlung und Geschehen in Cervantes' «Gitanilla»*, Rom. Forsch., LI, 1937, 125-183; Margaret Bates, *«Discreción» in the Works of C.*, Washington, 1945; Emilio Náñez, *El diminutivo en «La Galatea»*, Anales Cervantinos, II, 1952, y *El diminutivo en C.*, ibid., IV, 1954; Harald Weinrich, *Das Ingenium Don Quijotes. Ein Beitrag zur literarischen Charakterkunde*, Münster, Westfalia, 1956; Alfredo Carballo, *Cervantes, Avellaneda y los «artículos»*, «Studia Philol. Homen. a Dámaso Alonso», I, Madrid, 1960, 281-294; Carlos Fernández Gómez, *Vocabulario de C.*, Madrid, 1962; D. Roessler, *«Voluntad» bei Cervantes*, Bonn, 1967; F. Ynduráin, *Un aspecto en la lengua del «Quijote»: la derivación verbal*, «Estudios sobre liter. y arte ded. al Prof. Emilio Orozco Díaz», III, Granada, 1979, 563-570, etc. Ediciones anotadas: *Obras completas de M. de C. S.*, por Rodolfo Schevill y Adolfo Bonilla, 18 vols., Madrid, 1914-1941; *Quijote*, por Diego Clemencín, 1833-1839, 6 vols.; C. Cortejón, 1905-1913, 6 vols.; F. Rodríguez Marín, 1927-1928, 7 vols.

Selvaje de Madrid; en ellas se reunían escritores y aficionados para leer y criticar sus obras, y sometían su inventiva a difíciles pruebas.[3] El ambiente favorecía el juego del ingenio y exigía la busca de novedad; el refinamiento expresivo se extendía a la conversación de los discretos. Era necesario halagar el oído con la expresión brillante, demostrar erudición y sorprender con agudezas. Así se desarrollan ciertos rasgos de estilo que acusan vivacidad mental, rápida asociación de ideas, y que requieren también despierta comprensión en el lector u oyente. Uno es la alusión, por medio del pronombre, a una noción no puntualizada antes, sino encerrada en otra palabra; este tipo de zeugma es muy antiguo: aparece en la sintaxis vivaz del Mio Cid (véanse §§ 56$_3$ y 58$_3$) y surge en el *Lazarillo* y en santa Teresa; pero desde fines del siglo XVI su empleo intencionado es manifiesto y abundante; véanse algunos casos de los muchos que pueden recogerse en el teatro o en la prosa más cuidada: «¡Tantos *desvelos* por vos! —Yo *lo* estoy de tal manera...» = 'estoy desvelado'; «¿Vas, Leonardo, a *casarte* / o por ventura *lo* estás?» = 'estás casado' (Lope); «Ysbella, dama tan recatada en *favore-*

***

(ed. póstuma, 1947-1948, 10 vols.); Martín de Riquer, Barcelona, 1962; Celina S. de Cortázar e Isaías Lerner, Buenos Aires, 1969, 2 vols.; Guillermo Araya, Santiago de Chile, 1975, 2 vols., etc.; *Novelas Ejemplares*, por F. Rodríguez Marín, Clás. Castell., 27, 1914, y 36, 1917 (sólo incluyen 6 de las 12 novelas); *El Casamiento engañoso* y *El Coloquio de los perros*, por A. González de Amezúa, Madrid, 1912; *Rinconete y Cortadillo* y *La Señora Cornelia*, por Franco Meregalli, Milán-Messina, 1960; *Entremeses*, por Miguel Herrero García, Clás. Castell., 125, 1945; *La Galatea*, por Juan B. Avalle-Arce, *ibid.*, 154 y 155, 1961, etc.

2. R. Menéndez Pidal, *Oscuridad, dificultad entre culteranos y conceptistas*, en *Castilla, la tradición, el idioma*, Col. Austral, 501, Buenos Aires, 1945, 219-232; *Culteranos y conceptistas*, en *España y su historia*, II, Madrid, 1957, 501-547; Fernando Lázaro Carreter, *Sobre la dificultad conceptista*, «Est. dedic. a M. Pidal», VI, 1956, 355-386 (incluido después en *Estilo barroco y personalidad creadora*, Madrid, 1974, 13-43); Edward Sarmiento, *Sobre la idea de una escuela de escritores conceptistas en España*, «Homenaje a Gracián», Zaragoza, 1958, 145-153; Helmut Hatzfeld, *Estudios sobre el Barroco*, Madrid, 1964; Juan Luis Alborg, *Historia de la Lit. Esp.*, II, Época Barroca, Madrid, 1967, 11-24 (reseña de Alan S. Trueblood, *The Baroque: Premises and Problems, a Review Article*, Hispanic Review, XXXV, 1967, 355-363); Antonio García Berrio, *España e Italia ante el Conceptismo*, Madrid, 1968; Emilio Carilla, *El Barroco literario hispánico*, Buenos Aires, 1969; José Antonio Maravall, *La cultura del Barroco*, Madrid, 1975, etc.

3. Véanse José Sánchez, *Academias literarias del Siglo de Oro español*, Madrid, 1961, y Willard F. King, *Prosa novelística y Academias literarias en el siglo XVII*, Madrid, 1963.

cerme, que *los que* me haze son tan problemáticos que me traen confuso» = 'los favores' (Tirso, *Cigarrales*). A estos ejemplos hay que añadir los que combinan las diversas acepciones de un vocablo: «Os ruego que escuchéis el *cuento*, que no *le* tiene, de mis desventuras» (Cervantes); «Señora Dorotea, ¿tomáis *azero* ['agua ferruginosa'] o venís a florecer el campo?»; «Parece que *los* sacáis las dos en desafío» = 'sacáis los aceros, las espadas' (Lope, *Dorotea*). Otro giro muy significativo consiste en el empleo de aposiciones equivalentes a símiles o metáforas concentrados: «truxeron *toros leones* / para *Hércules cavalleros*» (Lope); «¡Como si no supieran un manto y un medio ojo desatinar *conocimientos linces* y transformar mugeriles Proteos!» (Tirso);[3 bis] «Oídos, desde hoy cerrad / puertas a *vozes sirenas*» (Íd.). Conocidos son los «galanes moscateles» del teatro y los «poetas chirles y hebenes» de Quevedo. Por último, es muy activa la invención de palabras ocasionales y grande la afición a equívocos.[4]

2. Literatura y arte refluían sobre la vida; para comprender hasta qué punto, basta leer *La Dorotea* de Lope.[5] No sólo porque los personajes ajustan sus actitudes a modelos librescos o porque el diálogo, escrito en prosa por ser «cierta imitación de la verdad», está lleno de ingeniosidades, metáforas y citas. Hay algo más: los recuerdos cultos tamizan la visión de la realidad. Al desmayarse Dorotea, exclama Fernando: «¡O mármol de Lucrecia, escultura de Michael Angel!... ¡O Andrómeda del famoso Ticiano!». Un personaje de *El acero de Madrid* cree oír «tonos de Juan Blas», el músico

---

3 bis. '¡Como si el manto de las mujeres tapadas y el medio ojo que dejan al descubierto no supieran desconcertar a quienes, con miradas de lince, intentaran reconocerlas a través del manto, y no supieran transformarlas tan fácilmente como Proteo cambiaba su propia figura!'

4. Véanse R. Menéndez Pidal, estudio cit. en la nota 2; Karl Vossler, *Introducción a la literatura española del Siglo de Oro*, Madrid, 1934, 37-39, y André Nougué, *L'œuvre en prose de Tirso de Molina*, París, 1962, 410-432.

5. Véanse Leo Spitzer, *Die Literarisierung des Lebens in Lope's Dorotea*, Kölner Rom. Arbeiten, 1932; los prólogos de José Manuel Blecua (1955) y E. S. Morby (1958) a sus respectivas ediciones de *La Dorotea*; E. S. Morby, *Proverbs in La Dorotea*, Rom. Philol., VIII, 1954-1955, 243-259; Félix Monge, *La Dorotea de L. de V.*, Vox Romanica, XVI, 1958, 60-145; y *Celestina* [y Gerarda]: *la seducción y el lenguaje*, «Orbis Mediaevalis. Mélanges R. R. Bezzola», Berna, 1978, 269-280; Alan S. Trueblood, *«Al son de los arroyuelos»: Texture and Context in a Lyric of «La Dorotea»*, «Homen. al Prof. Rodríguez-Moñino», Madrid, 1966, 11, 277-287, etc.

predilecto de Lope, en el canto matinal de los pajarillos. La alquimia imaginativa entreteje finas correspondencias de sensación: «Marino, gran *pintor de los oídos,* / y Rubens, gran *poeta de los ojos*» (Lope); «Compiten con dulce efeto / campo azul y golfo verde, / siendo, ya con rizas plumas, / ya con mezclados olores, / *el jardín un mar de flores* / *y el mar un jardín de espumas*» (Calderón). Los tecnicismos artísticos se emplean con sentido metafórico: en los *Cigarrales* de Tirso, un caballero inocente es acusado de haber herido a otro; éste jura «no tener culpa en todo el *contrapunto* que había echado el engaño sobre aquel *canto llano*». No es de extrañar que la idea de la perfección natural, hija del Renacimiento, sucumbiera ante la de la superioridad del arte; si don Fernando quiere romper un retrato de Dorotea pintado por Liaño, Julio le detiene con estas razones: «No es justo que prives al arte deste milagro suyo, ni des gusto a la embidia de la naturaleza, zelosa de que pudiesse, no sólo ser imitada en sus perfecciones, sino corregida en sus defectos».[6]

3. La cargazón de lecturas, el constante manejo de polianteas y arsenales de erudición, habían familiarizado a los escritores con la mitología, con ejemplos consagrados de virtud o vicio y con seres fabulosos a los que se atribuía significación simbólica. Toda una copiosa literatura de emblemas pudo alzarse sobre este gastado fundamento. Pero en obras ajenas a esa especialidad, ¡cuántas veces se repiten los temas del ave fénix, del basilisco o del unicornio! ¡Cuántas se alude a Lucrecias, Porcias, Tarquinos y Nerones! La filosofía de Platón y más todavía la escolástica suministraban también infinidad de lugares comunes. El caudal de cultura renacentista se vaciaba de contenido, desangrado por continuo e insistente aprovechamiento; tendía a convertirse en motivo ornamental o rodaba por la sima de la visión escéptica. Mitos ovidianos, historia clásica, asuntos del Romancero, sirvieron de pretexto al virtuosismo artístico o a la caricatura. Quedaba otra dirección, el moralismo, gracias al cual nuestro siglo XVII encontró sus más profundos acentos; y con sentencias y moralidades cundió el gusto por la abstracción, la prosopopeya y la alegoría.[7]

6. Véase Elias L. Rivers, *Nature, Art and Science in Spanish Poetry of the Renaissance*, Bull. of Hisp. Studies, XLIV, 1967, 255-266.

7. Véase José M.ª de Cossío, *Notas y estudios de crítica literaria. Siglo XVII*, Madrid, 1939, 255 y ss.

4. La pérdida de la serenidad clásica se manifiesta en actitudes extremosas. Dinamismo exasperado que remonta alturas estelares o se hunde en el cieno; preferencia por lo extraordinario e inaudito; claroscuro de ilusión y burla, apetencias vitales y ascetismo. En el arte, extraños celajes del Greco, pugna de luz y sombras en Ribera, santos extáticos y mendigos harapientos; formas en contorsión, edificios de líneas quebradas y columnas salomónicas. En el lenguaje literario, lujo de fantasía o de ingenio, dislocación, malabarismo o concentración; en suma, desequilibrio, con variantes —más teóricas que reales— en culteranos y conceptistas.

§ 84. LOPE DE VEGA Y LA COMEDIA[8]

1. Al apuntar las tendencias barrocas, el teatro nacional recibió su pauta definitiva con la genial producción de Lope de Vega. El espectador español acudía a las representaciones deseoso de verse reflejado en la escena; quería encontrar plasmados en fábula dramática sus sentimientos e ideas,

8. Vossler, *Lope de Vega y su tiempo*, Madrid, 1933; José F. Montesinos, *Lope y su tiempo* (1935), en *Estudios sobre Lope de V.*, Salamanca-Madrid-Barcelona-Caracas, 1967, 299-308; Dámaso Alonso, *L. de V., símbolo del Barroco*, en *Poesía española*, 1950 (2.ª ed., 1952, 417-478); R. Menéndez Pidal, *El lenguaje de L. de V.*, en *España y su historia*, II, Madrid, 1957, 336-353, y en *El P. Las Casas y Vitoria, con otros temas de los siglos XVI y XVII*, Col. Austral, 1.286, Madrid, 1958, 99-121; M. A. Peyton, *L. de V. and his Style*, Rom. Rev. Q., XLVIII, 1957, 161-184; Alonso Zamora Vicente, *L. de V. Su vida y su obra*, Madrid, 1961; Celina Sabor de Cortázar, *Lope o la multiplicidad de estilos*, en el vol. «Lope de Vega», Univ. de La Plata, 1963, 54-71; Fernando Lázaro, *L. de V. Introducción a su vida y obra*, Salamanca-Madrid-Barcelona, 1966; Carlos Fernández Gómez, *Vocabulario completo de L. de V.*, Madrid, 1971, 3 vols.; André Nougué, *Notes sur la liberté linguistique de L. de V.*, Caravelle, n.º 27, 1976, 223-229. Estudios sobre temas lingüísticos o estilísticos concretos: H. M. Martín, *Termination of qualifying words before feminine nouns and adjectives in the plays of L. de V.*, Mod. Lang. Notes, XXXVII, 1922, 398-407; E. Cotarelo, *Un pasaje de L. de V. sobre la formación de algunos femeninos castellanos*, Bol. R. Acad. Esp., XV, 1928, 567-568; T. Navarro Tomás, *Notas fonológicas sobre L. de V.*, Archivum, IV, 1954, 45-52; A. Carreño, *Perspectivas y dualidades pronominales (Yo-Tú) en el Romancero espiritual de L. de V.*, Rev. de Filol. Esp., LVIII, 1976, 47-63; Guillermo L. Guitarte, *La sensibilidad de L. de V. a la voz humana*, Anuario de Letras, XV, 1977, 165-195, etc.

su visión del mundo y de la vida; ansiaba además soñar, calmar su sed de acción intensa. Y Lope de Vega cumplió a la perfección las apetencias de su público. Consagró y consolidó los ideales hispánicos: en sus comedias lo sobrenatural se hizo tan sensible como lo terreno; desfilaron la historia y la epopeya patrias con sus héroes, acompañados en ocasiones por los tradicionales versos del Romancero viejo; el amor, unas veces violento, otras quintaesenciado con toda la gama de teorías platónicas y petrarquistas; el honor, origen de patéticos conflictos, ya fuera espontánea manifestación de la dignidad humana, ya apareciera aguzado por sutiles metafísicas: todo un mundo apasionante, hiperbólico e idealizado.[8 bis]

2. A esta concepción del drama correspondía una métrica variada y rica; expresión ingeniosa, engalanada y lozana, llena de lirismo; estilo fácilmente plegable, que, con ser personalísimo en Lope, resulta difícil de definir por su adaptación a las más diversas situaciones y personajes: tan pronto se amolda al tono brillante y conceptuoso de los galanes como a la ingenuidad del labriego o al desplante socarrón del criado. Hay, además, tipos convencionales de lenguaje, favorecidos por la tradición o la moda literaria: uno es la «fabla» antigua, remedo del español medieval, aparecida en romances artísticos y usada por Lope en alguna comedia de su primera época; otro, el lenguaje villanesco, que perpetúa el leonés empleado por los pastores de Juan del Encina y sus imitadores, mezclado con arcaísmos, giros vulgares e invenciones humorísticas de los poetas.[9] No menos estilizada aparece el habla española de vizcaínos, moriscos y

---

8 bis. Véanse Charles V. Aubrun, *La comedia española 1600-1680*, Madrid, 1968; Emilio Orozco Díaz, *El teatro y la teatralidad del Barroco*, Barcelona, 1969; F. Sánchez Escribano y A. Porqueras Mayo, *Preceptiva dramática española del Renacimiento y el Barroco*, 2.ª ed., Madrid, 1972; José Antonio Maravall, *Teatro y literatura en la sociedad barroca*, Madrid [1972]; Bruce W. Wardropper, *La comedia española del Siglo de Oro*, publ. con la *Teoría de la comedia* de E. Olson, Barcelona, 1978, etc.

9. A los estudios citados en el § 72, nota 29, añádanse los de Frida Weber de Kurlat, *Formas del sayagués en los «Coloquios espirituales y sacramentales» de Hernán González de Eslava (México, 1610)*, Filología, V, 1959, 248-262, y *Occidentalismos y portuguesismos en el idiolecto de Diego Sánchez de Badajoz*, «Estudios Filol. y Ling. Homen. a A. Rosenblat», Caracas, 1974, 521-542, así como el de Manuel García Blanco, *Algunos elementos populares en el teatro de Tirso de Molina*, Bol. R. Acad. Esp., XXIX, 1949, 414-424.

negros.[10] Convencionales también son los lusismos puestos en boca de personajes portugueses.[11]

3. Lope de Vega, compenetrado con el alma del pueblo, asido fuertemente a la tradición nacional y a la poesía popular, no podía comprender, al menos en teoría, el desvío hermético de los cultos. «A mí me parece que al nombre *culto* no puede aver etimología que mejor le venga que la limpieza y el despejo de la sentencia libre de escuridad; que no es ornamento de la oración la confusión de los términos mal colocados y la bárbara frasi traída de los cabellos con metáfora sobre metáfora». Tal es la razón de sus burlas respecto al gongorismo.[12] Pero como aceptaba el acrecentamiento e ilustración del lenguaje con «nuevas frases y figuras retóricas» y con «hermosos y no vulgares términos», su postura carecía de base firme, y no pocas veces, deslumbrado por el deseo de mostrarse poeta sabio, se dejó llevar a los mismos extremos que satirizaba.[13] En general, los polemistas anticulteranos se

---

10. Véanse J. de Urquijo, *Concordancias vizcaínas*, «Homenaje a Menéndez Pidal», II, 1926, 93-98; F. Ynduráin, *El tema de vizcaíno en Cervantes*, Anales Cervantinos, I, 1951, 337-343; J. F. Montesinos, *La lengua morisca*, en su edición de *El cordobés valeroso Pedro Carbonero* de Lope de Vega (Teatro Antiguo Español, VII, 1929, 218-226); Albert E. Sloman, *The phonology of Moorish jargon in the works of early Spanish dramatists and Lope de Vega*, Mod. Lang. Rev., 1949, 207-217; E. de Chasca, *The Phonology of the speech of the negroes in early Spanish Drama*, Hispanic Review, XLV, 1946, 322-339; E. Veres D'Ocón, *Juegos idiomáticos en las obras de Lope de Rueda*, Rev. de Filología Española, XXXIV, 1950, 195-237; Frida Weber de Kurlat, *El tipo cómico del negro en el teatro prelopesco. Fonética*, Filología, VIII, 1962, 139-168; *Sobre el negro como tipo cómico en el teatro español del siglo XVI*, Rom. Philol., XVII, 1963, 380-392; *El tipo del negro en el teatro de L. de V.: tradición y creación*, «Actas del II Congr. Intern. de Hisp.», Nimega, 1967, 695-704 (versión ampliada, Nuev. Rev. de Filol. Hisp., XIX, 1970, 337-359); y Germán de Granda, *Posibles vías indirectas de introducción de africanismos en el 'habla de negro' literaria castellana*, Thesaurus. Bol. Inst. Caro y Cuervo, XXIV, 1969, y *Est. ling. hispánicos, afrohispánicos y criollos*, Madrid, 1978, 210-233.

11. Frida Weber de Kurlat, *Sobre el portuguesismo de Diego Sánchez de Badajoz. El portugués hablado en farsas españolas del siglo XVI*, Filología, XII, 1968-1969, 349-359.

12. Véanse M. Romera Navarro, *Lope y su defensa de la pureza de la lengua y estilo poético*, Revue Hisp., LXXVIII, 1929, 287-381, y Emilio Orozco Díaz, *Lope y Góngora frente a frente*, Madrid, 1973.

13. Véanse Dámaso Alonso, *Un tercer Lope: imitador de Góngora*, en *Poesía española*, 2.ª ed., 1952, 440-455; Diego Marín, *Culteranismo en «La Filomena»*, Rev. de Filol. Esp.,

limitan a criticar simples diferencias de grado entre la afectación normalmente admitida para la poesía y la extraordinaria de Góngora y sus seguidores.

§ 85. GÓNGORA. LA EVASIÓN AL MUNDO DE LAS ESENCIAS

1. La dirección aristocrática iniciada por Herrera llega a su cima en la poesía de Góngora, resumen condensado de cuantos elementos imaginativos, mitológicos y expresivos había aportado el Renacimiento.[14] Toda la creación secular de los poetas grecolatinos, italianos y españoles se acumula al

XXXIX, 1955, 314-323, y James A. Castañeda, *El impacto de Góngora en la vida y en la obra de L. de V.*, Romance Notes, V, 1964, 174-182. Ya en la *Jerusalén conquistada*, impresa en 1609, hay muchos pasajes tan «culteranos» como éstos: «El que primero vio el laurel tres vezes / Resplandeció en el frigio vellocino, / Y en las frías escamas de los pezes / Hizo su ardiente vniversal camino» ('Apolo [= el Sol] brilló tres veces en Aries y siguió su recorrido a través de Piscis', esto es 'pasaron tres años'; recuérdese que Apolo vio a Dafne transformarse en el primer laurel; Lope explica «frigio vellocino» anotando «el Aries, en que passaua Frixo» y remitiendo al libro V de la *Tebaida* de Estacio); «Mirando en su hermosura las dos bellas / luzes, hijas del cisne, agora estrellas» ('Cástor y Pólux, nacidos de Leda, a quien Júpiter fecundó tomando forma de cisne'); véase ed. de Joaquín de Entrambasaguas, II, Madrid, 1951, 53, 333 y 444; III, Madrid, 1954, 321 y ss.

14. Ediciones: *Obras poéticas de D. L. de G.*, por R. Foulché-Delbosc (según el ms. de Chacón), Nueva York, 1921, 3 vols.; *Obras en verso del Homero español*, que recogió Juan López de Vicuña, Madrid, 1627 (ed. facsimilar, con pról. e índices de Dámaso Alonso, Madrid, 1963); *Polifemo*, por Alfonso Reyes, Madrid, 1923; por Dámaso Alonso, *Góngora y el Polifemo*, Madrid, 1961 (5.ª ed., muy aumentada, en 3 vols., 1967); por Alexander A. Parker, *L. de G. Polyphemus and Galatea, a Study in the Interpretation of a Baroque Poem*, con trad. inglesa de Gilbert F. Cunningham, Edinburgo, 1977; *Soledades*, por Dámaso Alonso, Madrid, 1927 (2.ª ed., 1936; 3.ª, 1956); *Romance de Angélica y Medoro*, por Dámaso Alonso, Madrid, 1962. Estudios: Alfonso Reyes, *Cuestiones gongorinas*, Madrid, 1927; Dámaso Alonso, estudios preliminares, versiones modernas y comentarios de las ediciones mencionadas, y además *La lengua poética de G.*, Madrid, 1935 (2.ª ed., 1950; 3.ª, 1961); *Poesía española*, Madrid, 1950 (2.ª ed., 1952, 307-392), y *Estudios gongorinos*, Madrid, 1955; Evelyn Esther Urhan, *Linguistic Analysis of Góngora's Baroque Style*, en «Descriptive Studies in Spanish Grammar», edited by H. Kahane and A. Pietrangeli, Illinois St. in Lang. and Lit., vol. 38, 1952; Antonio Vilanova, *Las fuentes y los temas del «Polifemo» de Góngora*, Madrid, 1957, 2 vols.; C. C. Smith, *On a Couplet of the «Polifemo»*, Mod. Lang. Rev., LIII, 1958,

servicio de un arte que aspira a depurar el mundo real, transformándolo en lúcida y estilizada belleza. Como material más inmediato Góngora aprovecha metáforas que el uso había convertido en lugares comunes (*oro* 'cabello', *perlas* 'dientes' o 'rocío', *marfil y rosa* 'blancura y rubor de la tez', etc.), capaces, a pesar de su desgaste, de constituir la base de un lenguaje poético que alejara las cosas de su vulgar realidad, reflejando sólo sus aspectos nobles. Así, «tantas *flores* pisó como él *espumas*» equivale a 'tanto trayecto recorrió por tierra como él por mar'; pero *tierra* y *mar* aparecen depurados en *flores* y *espumas*. Cada uno de estos términos podía multiplicar sus sentidos traslaticios, y Góngora se complace en combinar las distintas acepciones: cuando Acis llega sediento a la fuente donde yace dormida Galatea, «su boca dio y sus ojos cuanto pudo / al *sonoro cristal*, al *cristal mudo*»;[15] «arrimar *a un fresno el fresno*» será 'apoyar el venablo en el tronco de un fresno'. A veces se nos da a escoger entre dos metáforas de análogo valor evocativo: «duda el amor cuál más su color sea, / o *púrpura nevada* o *nieve roja*»; «rosas traslada y lilios al cabello, / o por lo matizado o por lo bello, / *si aurora no con rayos, sol con flores*». Tan fecundo manejo de las imágenes tradicionales va acompañado de otras nuevas y felices; el pájaro cantor se convierte en «inquieta lira», «violín que vuela» o «esquila dulce de sonora pluma»; el tuero de encina arde en el hogar como «mariposa en cenizas desatada»; y el punzante y rumoroso enjambre de abejas es «escua-

---

409-416; *La musicalidad del «Polifemo»*, Rev. de Filol. Esp., XLIV, 1961, 140-166; *An Approach to Góngora's «Polifemo»*, Bull. of Hisp. Studies, XLII, 1965, 217-238, y *Serranas de Cuenca*, «Studies in Sp. Lit. of the Golden Age presented to E. M. Wilson», Londres, 1973; F. González Ollé, *«Tantos jazmines cuanta yerba esconde / La nieve de sus miembros da a una fuente». Interpretación de los versos 179-180 del «Polifemo»*, Rev. de Literatura, fasc. 31-32, 1959, 134 y ss.; Oreste Frattoni, *La forma en Góngora y otros ensayos*, Univ. Nac. del Litoral, Rosario, 1961; Bodo Müller, *Góngoras Metaphorik. Versuch einer Typologie*, Wiesbaden, 1963; Vittorio Bodini, *Studi sul barocco di Góngora*, Roma, 1964; W. Pabst, *La creación gongorina en los poemas «Polifemo» y «Soledades»*, Madrid, 1966; Robert Jammes, *Études sur l'œuvre poétique de Don L. de G. y Argote*, Univ. de Burdeos, 1967; Giovanni Sinicropi, *Saggio sulle «Soledades» di G.*, Bolonia, 1976; Mauricio Molho, *Semántica y Poética (Góngora, Quevedo)*, Barcelona, 1798, etc.

15. 'Aplicó con avidez su boca al agua sonora y dirigió sus miradas al cuerpo desnudo de Galatea'.

drón volante, / ronco sí de clarines, / mas de puntas armado de diamante».

Junto a la metáfora emplea Góngora la perífrasis, que sustituye a la mención directa de las ideas para facilitar el establecimiento de relaciones con otras y procurar el goce de la busca difícil y el hallazgo: en lugar de 'un hermoso joven' se dice «el que ministrar podía la copa / de Júpiter mejor que el garzón de Ida», esto es, mejor que Ganimedes; y en vez de 'las perlas del mar', «las blancas hijas de sus conchas bellas». La expresión se retuerce en elegantes giros ajenos al lenguaje común: como, según frecuente hipérbole, los árboles centenarios compiten en edad con las rocas vecinas, el poeta los llama «émulos vividores de las peñas»; si el caminante se detiene para oír una música lejana, dice Góngora que «rémora de sus pasos fue su oído». Desaparecen los nexos de relación para dejar escuetas las identidades poéticas: «morir *maravilla* quiero / i no vivir *alhelí*»; «al bello imán, al ídolo dormido / *acero* sigue»; «*yerno* lo saludó, lo aclamó *río*».[16] Y el período alcanza una amplitud extraordinaria, con laberíntica floración de incisos, a través de los cuales se mantiene firme, en arriesgado virtuosismo, la congruencia gramatical.

2. A esta poesía exquisita corresponde cumplida libertad en el latinismo, tanto de sintaxis como de vocabulario. Góngora emplea mucho el acusativo de relación o parte a la manera griega: «desnuda *el brazo, el pecho* descubierta», «lasciva *el movimiento*, / mas *los ojos* honesta».[17] Omite con gran frecuencia el artículo, sobre todo el indefinido, dando al sustantivo español la plurivalente indeterminación que tenía el latino, con lo que aquél apunta a realidades y esencias a un tiempo: «Pasos de un peregrino son errante / cuantos me dictó versos *dulce musa*»; «Rebelde *ninfa*, humilde ahora *caña*, / los márgenes oculta / de una laguna breve / a quien *doral* consulta / aun el copo más leve / de su volante nieve».[18] Disloca las palabras según el hipérbaton latino: «*Estas* que me dictó *rimas sonoras*»; «Pasos de

16. 'Quiero morir *como* la flor de la maravilla, no vivir *como* el alhelí'; 'lo sigue *como* acero' o '*convertido* en acero'; 'lo saludó *como* yerno, lo aclamó *como* río'.

17. El acusativo griego había sido empleado por los poetas latinos e italianos, alguna vez por Garcilaso (véase § 78₁) y fray Luis, y más por Herrera. De una posible base espontánea en que se apoyara el cultismo trata L. Spitzer, *El acusativo griego en español*, Rev. de Filol. Hisp., 11, 1940, 35-45.

18. Dámaso Alonso vierte así este pasaje de las *Soledades* (II, vv. 831 y ss.; subrayado mío): «*La* en otro tiempo ninfa Siringa, rebelde a Pan, convertida hoy en caña, cerca y en-

un *peregrino* son *errante / cuantos* me dictó *versos* dulce musa». El léxico gongorino está lleno de cultismos, en su mayoría admitidos ya entonces, como *áspid, cóncavo, inculcar, canoro, frustrar, indeciso, palestra, sublime*; pero bastantes no atestiguados, que sepamos, antes: *adolescente, intonso, métrico, náutico, progenie,* etc. Góngora no se servía de ellos por desatentado impulso innovador, sino por su sonoridad y valor expresivo; casi todos los que empleó, aunque muchos fueron censurados por sus contemporáneos, han quedado consolidados en el idioma.

3. Ninguno de los rasgos apuntados —lujo de imágenes, depuración de expresiones, extensión del período, latinismo en la frase y en las palabras—, ni tampoco la constante alusión a episodios de la mitología, eran, aislados, novedad estridente a principios del siglo xvii. Para casi todos se podía hallar la autoridad de Herrera y los poetas italianos; para algunos, la de Garcilaso o fray Luis de León. Pero Góngora los congrega e intensifica hasta constituir con ellos un sistema orgánico, la lengua poética selecta e inaccesible al vulgo, erudita, armoniosa y espléndida, halago frío, pero sorprendente, de los sentidos y de la inteligencia. Cuando de los tanteos iniciales en poemas cortos pasó Góngora a obras más ambiciosas, donde desarrollaba su técnica hasta los límites extremos, el *Polifemo* y las *Soledades* (1613) fueron piedra de escándalo, suscitadora de acerbas protestas y entusiastas elogios. La discusión sobre la licitud del cultismo gongorino fue tema de actualidad literaria durante más de veinte años, y aun se prolongó hasta fines del siglo xvii; pero no logró detener la boga de la nueva tendencia.

§ 86. CARICATURA Y CONCEPTOS

1. Si la estilizacion embellecedora era la meta de la poesía elevada, la literatura burlesca se complacía en la deformación de la realidad hasta presentar-

---

cubre las márgenes de una laguna, en cuya tranquila superficie, como en un espejo, está examinando un doral hasta el más leve copo de la nieve de su pluma». De la omisión de artículo trato en *El sustantivo sin actualizador en las «Soledades» gongorinas,* Cuad. Hispanoam., n.⁰ˢ 280-282, octubre-diciembre de 1973 (después en *Poetas y prosistas de ayer y de hoy,* Madrid, 1977, 186-209).

la sólo en su aspecto ridículo, deleznable o grosero, o trataba grotescamente mitos e historias ennoblecidos por la tradición literaria, ya fuesen la huida de Gaiferos y Melisendra, la muerte de Leandro y Hero o la fábula de Píramo y Tisbe.[19] La orientación es opuesta a la de la poesía idealizadora de signo positivo, pero los procedimientos de lenguaje y estilo seguidos en una y otra guardan entre sí fundamental semejanza. Góngora emplea en sus composiciones *festivas* —tan agrias casi siempre— muchos recursos usuales en su poesía culta: teñirse las canas es «desmentirse en un Jordán / que ondas de tinta lleva»; la receta de un médico, si «no es taco de su escopeta, / póliza es homicida / que el banco de la otra vida / al seteno vista aceta».[20] Las diferencias estriban en que la literatura burlesca prefiere aludir a la actualidad en vez de hacerlo a la mitología, a no ser que ésta aparezca en caricatura; en el léxico acude, más que al latinismo, a la invención caprichosa de términos nuevos; y aunque la imaginación tiene un papel importantísimo y la creación de metáforas es abundante, no lo son menos la agudeza, el juego de palabras o el chiste.

2. De esta suerte la literatura burlesca entroncaba con la vieja tendencia española a sutilizar conceptos, visible ya en los cancioneros de fines del siglo xv y en los libros de caballerías, conservada en las frecuentes paradojas de los místicos, mezclada con el cultismo en la poesía y generalizada en el teatro y en el lenguaje de damas y galanes. Hasta en obras piadosas aparecían ingeniosidades que hoy tomaríamos por irreverencia, pero que en-

19. Así en los romances de Góngora «Desde Sansueña a París», «Arrojóse el mancebito / al charco de los atunes» y «La ciudad de Babilonia». Sobre los romances gongorinos de tema carolingio, véase R. Lapesa, *Góngora y Cervantes*, «Homenaje a Ángel del Río», Rev. Hisp. Moderna, XXXI, 1965, 247-263 (después en *De la Edad Media a nuestros días*, Madrid, 1967, 219-241). Sobre la *Fábula de Píramo y Tisbe*, véase F. Lázaro Carreter, *Situación de la F. de P. y T.*, Nueva Rev. de Filol. Hisp., XV, 1961, 462-482, y *Dificultades en la «F. de P. y T.»* de Góngora, «Romanica et Occidentalia. Études déd. à la mém. de Hiram Peri (Pflaum)», Jerusalén, 1963, 121-127 (ambos artículos, incluidos en *Estilo barroco y personalidad creadora*, Madrid, 1974, 45-76). Más bibliografía en la *Historia de la Lit. Esp.* de Juan Luis Alborg, 11, 1967, 544.

20. 'Si no sirve para matar al instante, como el taco de una escopeta, es como una letra de cambio que comprometiera al paciente a entregar su propia vida a siete días vista, letra aceptada por el banco de la otra vida'.

tonces se proponían sólo hacer agradables las lecturas devotas. La afectación conceptuosa era una faceta barroca hermana del culteranismo y muchas veces inseparable de éste, aunque el primer gran conceptista, Quevedo, fuera el mayor enemigo de Góngora y su escuela.

§ 87. QUEVEDO

1. Los ojos de Quevedo,[21] provistos de las lentes crueles del desengaño, sorprenden en cuanto miran la imagen de la muerte; la vanidad de los afa-

21. Ediciones: *Obras* [en prosa], por A. Fernández Guerra, Bib. Aut. Esp., Madrid, XXIII, 1852 y XLVIII, 1859; *Obras: poesías*, por F. Janer, *ibid.*, LXIX, 1877; *Obras completas*, por A. Fernández Guerra, con notas y adiciones de M. Menéndez Pelayo, 3 vols., Sevilla, 1897-1907; por L. Astrana Marín, Madrid, 1932 y 1943 (verso), 1932 y 1945 (prosa); *Buscón*, por Américo Castro, Clás. Castell., 5, Madrid, 1911 y 1927 (nueva ed., según el ms. de la Biblioteca de Menéndez Pelayo); R. Selden Rose, Madrid, 1927; Juan M. Lope Blanch, México, 1963, y Fernando Lázaro Carreter, Salamanca, 1965; *Sueños*, por J. Cejador, Clás. Castell., 31 y 34, Madrid, 1916-1917; *Las zahúrdas de Plutón*, por Amédée Mas, Poitiers [1956]; *Hora de todos*, por Luisa López Grigera, Clás. Castalia, 67, Madrid, 1975; *Memorial a una Academia*, por la misma investigadora, «Homen. Rodríguez-Moñino», Madrid, 1975, 389-404; *Obras satíricas y festivas*, por J. M. Salaverría, Clás. Castell., 46, Madrid, 1924; *España defendida*, por R. S. Rose, Bol. R. Acad. Historia, Madrid, LXVIII y LXIX, 1916; *Lágrimas de Hieremías castellanas*, por E. M. Wilson y José Manuel Blecua, Madrid, 1953; *Política de Dios*, por James O. Crosby, Madrid, 1966; *La cuna y la sepultura*, por Luisa López Grigera, Madrid, 1969; *Obras completas. I. Poesía original*, por J. M. Blecua, Barcelona, 1963; *Obra poética*, por el mismo, Madrid, 3 vols., 1969-1971; *Necedades y locuras de Orlando*, por María M. Malfatti, Barcelona, 1964; *Memorial «Católica, Sacra, Real Magestad»* (de atribución dudosa): J. M. Blecua, *Un ejemplo de dificultades. El Mem. «C., S., R. M.»*, Nueva Rev. de Filol. Hisp., VIII, 1954, 156-173; J. O. Crosby, *The Text Tradition of the Mem. «C., S., R. M.»*, Univ. of Kansas Press, 1958; *Entremeses: Cinco entremeses inéditos de Q.*, por Eugenio Asensio en su *Itinerario del entremés*, Madrid, 1965, 253-364. Estudios que atañen al lenguaje y estilo de Quevedo (aparte de los prólogos y notas a las eds. citadas): R. Menéndez Pidal, *Antología de prosistas esp.*, 6.ª ed., Madrid, 1932, 278-280; Leo Spitzer, *Zur Kunst Quevedos in seinem «Buscón»*, Archivum Romanicum, XI, 1927, 511-580; *Un passage de Q.*, Rev. de Filol. Esp., XXIV, 1937, 223-225; *La enumeración caótica en la poesía moderna*, trad. de R. Lida, Buenos Aires, 1945; Raimundo Lida, *Estilística: un estudio sobre Q.*, Sur, I, 1931, 163-172 (a propósito de Spitzer, *Zur Kunst*); *Letras hispánicas. Es-*

nes humanos le sugiere hondas reflexiones morales o le presenta hombres y cosas como grotescas siluetas. De aquí las geniales caricaturas quevedescas, cuyos trazos rápidos extreman hasta el absurdo la ridiculez, la estulticia o la mezquindad. El célebre soneto «Érase un hombre a una nariz pegado» está constituido todo él por comparaciones hiperbólicas sobre la

---

tudios, esquemas, México, 1958; *Para la «Hora de todos»*, «Homen. a Rodríguez-Moñino», Madrid, 1966, I, 311-323; *Dos «Sueños» de Q. y un prólogo*, «Actas II Congr. Intern. de Hisp.», Nimega, 1967, 93-107; *Hacia la «Política de Dios»*, Filología, XIII, 1968-1969, 191-203; *Sobre el arte verbal del «Buscón»*, Philol. Quarterly, LI, 255-269; *Pablos de Segovia y su agudeza: notas sobre la lengua del «Buscón»*, «Homen. a Casalduero», Madrid, 1972, 285-298; *Otras notas al «Buscón»*, «Homen. a Ángel Rosenblat», Caracas, 1973, 305-321, y *Tres notas al «Buscón»*, «Est. lit. dedic. a H. Hatzfeld», Madrid, 1974, 457-469; Pedro Penzol, *Comentario al estilo de D. F. de Q.*, Bull. of Hisp. Stud., VIII, 1931, 76-88; José María de Cossío, *Poesía española: notas de asedio*, Madrid, 1936, y *Lección sobre un soneto de Q.*, Bol. Bibl. M. Pelayo, XXI, 1945, 409-428 (también en *Letras españolas*, Madrid, 1970, 183-219); Amado Alonso, *Sentimiento e intuición en la lírica*, La Nación, Buenos Aires, 3 de marzo de 1940 (después en *Materia y forma en poesía*, Madrid, 1955, 11-20); Emilio Alarcos García, *El dinero en las obras de Q.*, Valladolid, 1942; *El «Poema heroico de las necedades y locuras de Orlando el Enamorado»*, Mediterráneo, IV, 1946, 25-63, y *Q. y la parodia idiomática*, Archivum, V, 1955, 3-38 (los tres estudios y otros sobre Q. en «Homenaje al Prof. Alarcos García», I, Valladolid, 1965); Juan Antonio Tamayo, *El texto de los «Sueños» de Q.*, Bol. Bibl. M. Pelayo, XXI, 1945, 456-493, y *Cinco notas a «Los sueños»*, Mediterráneo, IV, 1946, 143-160; E. Juliá Martínez, *Una nota sobre cuestiones estilísticas en las obras de Q.*, ibid., 100-107; Manuel Muñoz Cortés, *Sobre el estilo de Q.: análisis del romance «Visita de Alejandro a Diógenes Cínico»*, ibid., 108-142, y *El juego de palabras en Q.*, tesis doctoral, Univ. de Madrid, 1947; Emilio Carilla, *Q. (entre dos centenarios)*, Tucumán, 1949, y *El barroco literario hispánico*, Buenos Aires, 1969; E. Veres d'Ocón, *La anáfora en la lírica de Q.*, Bol. Soc. Castellonense de Cultura, XXV, 1949, 289-303, y *Notas sobre la enumeración descriptiva en Q.*, Saitabi, IX, 1949, 27-50; Z. Milner, *Le cultisme et le conceptisme dans l'œuvre de Q.*, Les Langues Néo-Latines, XLIV, 1950, 1-10, y LIV, 1960, 19-35; Dámaso Alonso, *Poesía española*, Madrid, 1950, 531-618 y 661-669; A. A. Parker, *La 'agudeza' en algunos sonetos de Q.*, «Est. ded. a M. Pidal», III, 1952, 345-360; Antonio Rodríguez-Moñino, *Los manuscritos del «Buscón» de Q.*, Nueva Rev. de Filol. Hisp., VII, 1953, 657-672; Francisco Ynduráin, *Refranes y frases hechas en la estimativa literaria del siglo XVII*, Arch. de Filol. Aragonesa, VII, 1955, 103-122 y 127-130; Manuel Durán, *Algunos neologismos en Q.*, Modern Lang. Notes, LXX, 1955, 117-119, y *Manierismo en Q.*, «Actas II Congr. Intern. de Hisp.», Nimega, 1967, 301-308; F. Lázaro Carreter, *Sobre la dificultad conceptista*, «Est. ded. a M. Pidal», VI, 1956, 355-386, y *La originalidad del «Buscón»*, «Studia Philol. Homen. a Dámaso Alonso», II,

longitud de una nariz; en el retrato del dómine Cabra todo aparece revuelto y exagerado en violenta tensión expresiva: «las barbas, *descoloridas de miedo de la boca vecina*, que de pura hambre parece que *amenaza a comérselas*...; una nuez tan salida, que parece que, forzada de la necesidad, *se le iba a buscar de comer*». Un rasgo cualquiera sirve para engastar alusiones satí-

Madrid, 1961, 319-338 (los dos estudios en *Estilo barroco y personalidad creadora*, Madrid, 1974); Juan Marichal, *Q., el escritor como espejo de su tiempo*, en *La voluntad de estilo*, Barcelona, 1957; Amédée Mas, *La caricature de la femme; du mariage et de l'amour dans l'œuvre de Q.*, París, 1957; Carlos Fernández Gómez, *Vocabulario de las obras completas de D. F. de Q. Villegas*, Madrid, 1957, 3 vols. (original mecanografiado, en la Sección de Manuscritos de la Bibl. Nac. de Madrid); Francisco Ayala, *Experiencia e invención*, Madrid, 1960, 159-170 y 186-193; *Realidad y ensueño*, Madrid, 1963, 7-19 y 57-60, y *Hacia una semblanza de Q.*, Santander, 1969; H. A. Harter, *Language and Mask: The Problem of Reality in Q.'s Buscón*, Kentucky For. Lang. Quart., IX, 1962, 205-209; Margarita Levisi, *Hieronymus Bosch y los «Sueños» de F. de Q.*, Filología, IX, 1963, 163-200; *Las figuras compuestas en Arcimboldo y Q.*, Compar. Liter., XX, 1968, 217-235, y *La expresión de la interioridad en la poesía de Q.*, Mod. Lang. Notes, LXXXVIII, 1973, 355-365; R. M. Price, *Q.'s Satire on the Use of Words in the «Sueños»*, Mod. Lang. Notes, LXXIX, 1964, 169-187; *The Lamp and the Clock: Q.'s Reaction to a Commonplace*, ibid., LXXXII, 1967, 198-209, y *On Religious Parody in the «Buscón»*, ibid., LXXXVI, 1971, 273-279; Luisa López Grigera, *Un problema bibliográfico en Q.: la primera ed. de «La cuna y la sepultura»*, Filología, X, 1964, 207-215; *El estilo de Q. en sus tratados ascéticos*, tesis doct., Univ. de Madrid, 1965; *Unos textos literarios y los «Sabios» de Ribera*, Arch. Esp. de Arte, «Homen. a D. Manuel Gómez Moreno», 1969, 299-302; *Relección de «La Hora de todos» de Q.*, Univ. de Deusto, 1971, y *La silva «El pincel» de Q.*, «Homen. al Inst. de Filol. y Lit. Hisp.», Buenos Aires, 1975, 221-242; Héctor E. Ciocchini, *Q. y la construcción de imágenes emblemáticas*, Rev. de Filol. Esp., XLVIII, 1965, 393-405; Germán Colón, *Una nota al «Buscón» de Q.*, Zeitsch. f. r. Phil., LXXXII, 1966, 451-457; Celina Sabor de Cortázar, *Lo cómico y lo grotesco en el «Poema de Orlando» de Q.*, Filología, XII, 1966-1967, 95-135; F. W. Müller, *Allegorie und Realismus in den «Sueños» von Q.*, Arch. für das St. der neu. Spr. und Lit., CCII, 1966, 321-366; A. Martinengo, *La mitologia classica come repertorio stilistico dei concettisti ispanoamericani*, Studi di Lett. Isp.-Amer., I, Milán, 1967, 77-109; *Q. e il símbolo alchimistico: tre studi*, Padua, 1967; James O. Crosby, *En torno a la poesía de Q.*, Madrid, 1967; *Has Q.'s Poetry Been Edited?*, Hisp. Rev., XLI, 1973, 627-638, y *Guía bibliográfica para el estudio crítico de Q.*, Londres, 1976; Ilse Nolting-Hauff, *Vision, Satire und Pointe in Quevedos «Sueños»*, Múnich, 1968 (trad. esp., Madrid, 1974); Loretta Rovatti, *Struttura e stile nei «Sueños» di Q.*, Studi Mediolatini e Volgari, XV-XVI, Bolonia, 1968, 141-161; H. Sieber, *Apostrophes in the «Buscón»: An Approach to Quevedo's Narrative Technique*, Mod. Lang. Notes, LXXXII, 1968, 178-281; Dinko Cvitanovic

ricas secundarias o para establecer desaforadas consecuencias y comparaciones: «los ojos... tan hundidos y escuros que *era buen sitio el suyo para tienda de mercader*».[22] El juego con los distintos significados de las palabras es constante; cada vocablo afila sus acepciones para que surja el doble sentido: «Estaba un poeta en un corrillo leyendo una canción cultísima, tan atestada de latines y tapida de jerigonzas... que el auditorio *pudiera comulgar de puro en ayunas que estaba*... y a la *oscuridad* de la obra acudieron *lechuzas y murciélagos*». El buscón Pablos cuenta cómo su padre fue paseado a la vergüenza pública y azotado por ladrón: «salió de la cárcel con tanta honra que le acompañaron *doscientos cardenales*, sino que *a ninguno llamaban eminencia*. Las damas diz que salían a verle a las ventanas, que siempre pareció mi padre muy bien *a pie y a caballo*».[23] Como las referencias y connotaciones son más que las palabras, éstas sobrecargan su sentido y valor intencional: «Entró Venus... *empalagando de faldas* a las cinco zonas»;

---

y otros, *El sueño y su representación en el Barroco español*, Cuadernos del Sur, Bahía Blanca, 1969 (contiene estudios de Cvitanovic, Carlota Canal Feijoo, Susana Frentzel Beyme y Jorgelina Corbatta sobre diversos aspectos estilísticos de Q.); E. W. Hesse, *The Protean Changes in Q.'s «Buscón»*, Kentucky Rom. Quart., XVI, 1969, 243-259; Alan Soons, *Los entremeses de Q.: ingeniosidad lingüística y fuerza cómica*, Filol. e Letter., XVI, Nápoles, 1970, 424-456; Gonzalo Sobejano, *En los claustros del alma: apuntaciones sobre la lengua poética de Q.*, «Sprache und Geschichte. Festschrift Harri Meier», Múnich, 1971, 459-492, y ed. de *Francisco de Q. El escritor y la crítica*, Madrid, 1978 (con 23 estudios de diversos autores y un poema de Jorge Guillén sobre Q.); Emilia Navarro de Kelly, *La poesía metafísica de Q.*, Madrid, 1973; Elias L. Rivers, *Religious Conceits in a Q. Poem*, «Studies in Sp. Lit. presented to Edward M. Wilson», Londres, 1973, 217-223; Lia Schwartz Lerner, *El juego de palabras en la prosa satírica de Q.*, Anuario de Letras, XI, 1973, 149-175, y *Notas sobre el retrato literario en la obra satírica de Q.*, Rev. del Instituto, I, Buenos Aires, 1974, 87-104; Jesús Neira, *El sentido de la lectura en Q.*, Archivum, XXVII-XXVIII, 1977-1978, 37-50; José María Pozuelo Yvancos, *El epíteto conceptista*, Rev. de Literatura, n.ºs 77-78, 1978, 7-25; *El lenguaje poético de la lírica amorosa de Q.*, Univ. de Murcia, 1979, y *Sobre la unión de teoría y praxis literaria en el conceptismo: un tópico de Q. a la luz de la teoría literaria de Gracián*, Cuad. Hispanoam., CXXI, n.ºs 361-362, 1980, 40-54; Antonio García Berrio, *Q. y la conciencia léxica del «concepto»*, ibid., 5-20; G. Güntert, *Q. y la regeneración del lenguaje*, ibid., 21-39; Luis Rosales, *Un pecado mortal de nuestras letras*, ibid., 55-70, etc.

22. Porque la penumbra favorecía las trapacerías de los comerciantes.

23. Los reos eran paseados sobre una mula o asno.

«Iban diferentes mujeres por la calle, las unas a pie; y aunque algunas dellas se tomaban ya de los años, iban *gorjeándose la andadura y desviviéndose de ponleví y enaguas*». Tanta condensación significativa no cabe en las normas de la sintaxis usual y se ayuda con acrobáticas construcciones: el rey de Inglaterra, convertido en jefe de la Iglesia anglicana, dice en *La Hora de todos*: «ingerí en rey *lo sumo pontífice*». De estos atrevimientos sintácticos el más frecuente en Quevedo es la aposición calificativa: en un soneto satiriza «a un juez *mercadería*»; el dómine Cabra, flaco y miserable, «era un clérigo *cerbatana*»; los mulatos, «hombres *crepúsculos* entre anochece y no anochece». Iguales libertades se toma en el vocabulario, ya atribuyendo a las palabras significados caprichosos («hambre *imperial*»), ya fraguando innumerables neologismos como *diablazgo* 'condición o cargo de diablo', *disparatario* 'colección de disparates', *archipobre*, *protomiseria*, *desantañarse* 'rejuvenecerse'. Y aficionado a los temas de matones, galeotes y rufianes, da entrada en la literatura al léxico del hampa, no sólo en jácaras y composiciones análogas, sino también en otras ocasiones como recurso caricaturesco. En *La Hora de todos*, la descripción de la asamblea olímpica está llena de voces plebeyas o de germanía, puestas a veces en boca de los mismos dioses: *panarra*, *geta*, *garlar* 'hablar', *coime* (véase más adelante, § 98₇).

2. Otro aspecto del conceptismo quevedesco es el estilo concentrado y nervioso de sus obras graves. Lector y traductor de Séneca, Quevedo emplea la frase cortada, de extrema concisión y abundante en contraposiciones de ideas. Esta sobriedad da relieve a la profundidad del pensamiento, sentencioso y agudo: «Es, pues, *la vida* un dolor en que se empieza el de *la muerte*, que *dura* mientras *dura* ella. Considéralo como el plaço que ponen al jornalero, que no tiene descanso *desde que empieça*, si no es *cuando acaba*. A la par empieças *a nacer* y a *morir*, y no es en tu mano detener las horas; y si *fueras cuerdo*, no lo avías de *desear*; y *si fueras bueno*, no lo auías de *temer*» (*La cuna y la sepultura*, cap. I). Parece como si cada pausa fuera un margen concedido a la meditación. La imaginación, que en el *Buscón* o los *Sueños* se vale de comparaciones y metáforas para desrealizar cosas y actitudes, llevándolas al terreno de lo absurdo, tiene aquí misión inversa, haciendo sensible y plástico el mundo de las abstracciones: «La invidia está flaca porque muerde y no come. Sucédela lo que al perro que rabia. No hay cosa buena en que no hinque sus dientes, y ninguna cosa buena le

entra de los dientes adentro» (*Virtud militante contra las cuatro pestes del mundo*).

El arte de Quevedo extremó el dominio de los recursos del idioma. Su labor de infatigable, complicada y desbordante creación, prestó a la lengua ductilidad no superada, plegándola a los más ágiles saltos del ingenio y a la mayor hondura conceptual. Pero las audacias quevedescas no despertaron revuelo; sin duda la ausencia de ornamentos latinos facilitó su infiltración, haciendo que parecieran menos forzadas que las de Góngora.

§ 88. TRIUNFO DE LAS TENDENCIAS BARROCAS

Góngora y Quevedo dieron a las tendencias barrocas los módulos estilísticos que necesitaban y que, una vez creados, se impusieron, venciendo resistencias o sin encontrarlas. Villamediana y Soto de Rojas siguen las huellas del poeta cordobés. Paravicino coincide con él en sus poesías e introduce galas culteranas y sutilezas conceptistas en la oratoria sagrada.[24] Se contagia el teatro de Vélez de Guevara y Montalbán; abundan rasgos culteranos y agudezas conceptuales en el de Ruiz de Alarcón[25] y Tirso de Molina; más aún en la prosa florida de los *Cigarrales de Toledo* (véase § 83$_{1 y 2}$). El *Polifemo* y las *Soledades* son objeto de comentarios y panegíricos; hasta sus mismos impugnadores, como Lope, Jáuregui o Tirso, acaban por obedecer, pasajera o definitivamente, al influjo gongorino. Por otra parte, el ejemplo de Quevedo es también decisivo: en *El Diablo Cojuelo*, Vélez de Guevara imita el estilo de los *Sueños*,[26] y la severa densidad de Saavedra Fajardo procede de la *Política de Dios* o del *Marco Bruto*.

24. Véase Emilio Alarcos García, *Paravicino y Góngora*, Rev. de Filol. Esp., XXIV, 1937, 83-88, y *Los sermones de Paravicino*, *ibid.*, 162-197 y 249-319.

25. Véanse S. Denis, *La langue de J. R. de A.* y *Lexique du théâtre de J. R. de A.*, París, 1943; Lore Terracini, *Un motivo stilistico: L'uso dell'iperbole galante in Alarcón*, Studi di Lett. Spag., Facoltà di Magistero dell'Univ. di Roma, I, 1953; B. B. Ashcom, *Verbal and Conceptual Parallels in the Plays of Alarcón*, Hisp. Rev., XXV, 1957, 26-49.

26. Véanse G. Cirot, *Le style de V. de G.*, Bull. Hisp., XLIV, 1942, 175-180, y Manuel Muñoz Cortés, *Aspectos estilísticos de V. de G. en su «Diablo Cojuelo»*, Rev. de Filol. Esp., XXVII, 1943, 48-76.

El barroquismo había triunfado y resultaba grato al gran público. Fray Jerónimo de San José habla de que los autores tenían que plegarse a las exigencias del gusto general, acostumbrado ya a la expresión inusitada o aguda: «Han levantado nuestros españoles tanto su estilo, que casi han igualado con el valor la elocuencia... Y esto de tal suerte, que ya nuestra España, tenida un tiempo por grosera y bárbara en el lenguaje, viene hoy a exceder a toda la más florida cultura de los griegos y latinos. Y aún anda tan por los extremos, que casi excede ahora por sobra lo que antes se notaba por falta... Ha subido su hablar tan de punto en el artificio, que no le alcanzan ya las comunes leyes del bien decir, y cada día se las inventa nuevas el arte...». «Y es cosa bien considerable que la extrañeza o extravagancia del estilo, que antes era achaque de los raros y estudiosos, hoy lo sea, no ya tanto dellos, cuanto de la multitud casi popular y vulgo ignorante...». «La elegancia de Garcilaso, que ayer se tuvo por osadía poética, hoy es prosa vulgar». Fray Jerónimo cree lícita la innovación: bien está que no cambien los términos consagrados por la religión y los de carácter jurídico; «pero en lo demás del estilo y lenguaje corriente no hay que atar los ingenios y elocuencia a la grosería del hablar antiguo».[27] Culteranos, conceptistas, o ambas cosas a la vez, son Trillo y Figueroa, Polo de Medina, Gracián, Melo, Solís y Calderón, los escritores más característicos de mediados y segunda mitad del siglo XVII.[28]

§ 89. GRACIÁN

1. En Gracián el barroquismo está en estrecha dependencia respecto a sus doctrinas morales.[29] El mundo es un continuo engaño; la naturaleza, cau-

27. *Genio de la Historia*, 1651 (ed. Vitoria, 1957, 299, 300, 304-305 y 310).

28. Véanse José María de Cossío, *Notas y estudios de crítica literaria. Siglo XVII*, Madrid, 1939, y Giulia Bontempelli, *Polo de Medina, poeta gongorino*, en «Venezia nella lett. spagnola e altri studi barocchi», Padua, 1973, 85-135.

29. Ediciones: *Obras completas*, por Evaristo Correa Calderón, Madrid, 1944; por Arturo del Hoyo, Madrid, 1960; *El Héroe*, por A. Coster, Chartres, 1911; *El político D. Fernando el Cathólico*, ed. facsímil de la de Huesca, 1646, con pról. de F. Ynduráin, Zaragoza, 1953; *Oráculo manual*, por Miguel Romera Navarro, Madrid, 1954; *El Criticón*, por el mismo, Oxford Univ. Press, 3 vols., 1938-1940; *Agudeza y arte de ingenio*, por E. Correa Calde-

telosa, lleva al hombre al despeñadero de la vida, donde sólo la razón puede redimirle de la perversidad. Con ojos de zahorí, el varón sagaz ha de
descubrir la verdad entre las falacias que la ocultan, y en su perpetua «milicia contra la malicia» de los demás tiene que usar tretas y ardides: «Cuando no puede uno vestirse la piel del león, vístase la de la vulpeja». No basta

---

rón, Clás. Castalia, 14 y 15, Madrid, 1969. Estudios que se ocupan del lenguaje y estilo de
Gracián o de cuestiones relacionadas con ellos: A. Coster, *Baltasar Gracián*, Rev. Hisp.,
XXIX, 1913; R. Menéndez Pidal, *Antología de prosistas esp.*, 6.ª ed., 1932, 311-312; Leo Spitzer, *Betlengabor, une erreur de G.? (Note sur les noms propres chez G.)*, Rev. de Filol. Esp.,
XVII, 1930, 173-180; J. F. Montesinos, *Gracián o la picaresca pura*, Cruz y Raya, Madrid,
1933; M. Romera Navarro, *Las alegorías del «Criticón»*, Hisp. Rev., IX, 1941, 151-175; *Un
aspecto del estilo en «El Héroe»*, ibid., 1943, 125-130; *Ortografía graciana*, ibid., XIII, 1945,
121-144, y *Estudio del autógrafo de «El Héroe» graciano*, Madrid, 1946; E. Correa Calderón,
introd. a las *Obras completas de B. G.*, 1944, CXII-CXXIII, y *G. y la oratoria barroca*, «Strenae.
Homen. a M. García Blanco», Salamanca, 1962, 131-138; José Manuel Blecua, *El estilo del
«Criticón»*, Arch. de Filol. Arag., I, 1945, 7-32; Werner Krauss, *Graciáns Lebenslehre*,
Fráncfort del Meno, 1947; Edward Sarmiento, *Introducción y notas para una edición del
«Político» de G.*, Arch. de Filol. Arag., IV, 1952; Norberto Cuesta Dutari, *Para un texto
más correcto de «El Criticón»*, Bol. Bibl. M. Pelayo, XXX, 1955, 19-50; F. Ynduráin, *Refranes y «frases hechas» en la estimativa literaria del siglo XVII*, Arch. de Filol. Arag., VII, 1955,
122-126, y *Gracián, un estilo*, «Homen. a Gracián», Zaragoza, 1958, 163-188; Mariano Baquero Goyanes, *Perspectivismo y sátira en «El Criticón»*, ibid., 27-56; S. Gili Gaya, *Agudeza,
modismos y lugares comunes*, ibid., 89-97; Otis H. Green, *Sobre el significado de «crisi(s)»* antes de «El Criticón». Una nota para la historia del conceptismo, ibid., 99-102; H. Hatzfeld, *The
Baroquism of Gracian's «El Oráculo manual»*, ibid., 103-117; José Luis L. Aranguren, *La
moral de G.*, «B. G. en su tercer centenario, 1658-1958», Rev. de la Univ. de Madrid, VII,
1958, 331-354; José Antonio Maravall, *Las bases antropológicas del pensamiento de G.*, ibid.,
403-445; Klaus Heger, *Genio e ingenio / «Herz und Kopf». Reflexiones sobre unos cotejos entre el «Oráculo manual»* y la traducción alemana de Schopenhauer, ibid., 379-401, y *Gracián.
Estilo lingüístico y doctrina de valores*, Zaragoza, 1960; Miguel Batllori, S. J., *Alegoría y símbolo en B. G.*, «Umanesimo e Simbolismo. Atti del IV Convegno Intern. di Studi Umanis-
tici», Venecia, 1958, 247-250; D. L. Garasa, *Apostillas sobre el estilo de G.*, Rev. Universidad
del Litoral, n.º 39, 1959, 57-88; E. Moreno Báez, *Filosofía del «Criticón»*, Santiago de Compostela, 1959; Benito Sánchez Alonso, *Sobre B. G. (notas lingüístico-estilísticas)*, Rev. de Filol. Esp., XLV, 1962, 161-225; Félix Monge, *Culteranismo y conceptismo a la luz de Gracián*,
«Homenaje», Univ. de Utrecht, La Haya, 1966, 355-381; Juan Luis Alborg, *El estilo de G.
y G., teorizador de la agudeza*, en su *Hist. de la Liter. Esp.*, II, 1967, 847-852 y 869-871 (en esta
última p., n. 120, abundante bibliografía sobre la *Agudeza y arte de ingenio*); Antonio Gar-

poseer cualidades relevantes: hay que conocerlas y hacerlas valer con prudencia tal que cada muestra de ellas prometa éxitos ulteriores. Gracián encierra en tres sentencias del *Oráculo manual* los fundamentos morales de su propio estilo: «En nada vulgar. No en el gusto. ¡Oh gran sabio el que se descontentaba de que sus cosas agradasen a los muchos!». El apartamiento del vulgo no es sólo resultado de la tendencia aristocrática de los humanistas,[29 bis] sino estratagema para despertar la admiración: «No allanarse sobrado en el concepto; los más no estiman lo que entienden, y lo que no perciben lo veneran. Las cosas, para que se estimen, han de costar; será celebrado cuando no fuere entendido». La tercera máxima es «dejar con hambre: hase de dejar en los labios, aun con el néctar. Es el deseo medida de la estimación...; lo bueno, si poco, dos veces bueno». El lenguaje deberá, por tanto, atraer con su novedad e ingenio, esconderse en la oscuridad y ceñirse a la más extrema concisión. Gracián es culterano y conceptista. Basta abrir *El Criticón* para encontrar en su prosa el sello gongorino: llama «perla del mar o esmeralda de la tierra» a la isla de Santa Helena, y «portátil Europa» a los navíos que atravesaban el Atlántico; Critilo, pugnando en un naufragio por llegar a tierra, es «equivoco entre la muerte y la vida»; maduro ya y canoso, al prorrumpir en lamentaciones se asemeja al cisne, que canta cuando está próximo a morir, «cisne ya en lo cano y más en lo canoro»; Andrenio, al perder el sentido, sufre un «eclipse del alma, paréntesis de su vida». Más intenso es el conceptismo, que tiene en Gracián toda clase de manifestaciones. Muy frecuentes son las contraposiciones y paralelismos: «En saltando a tierra selló sus *labios* en el *suelo, logrando* seguridades, y fijó los ojos en el *cielo, rindiendo* agradecimiento». El juego de palabras es constante; unas veces se basa en duplicidad de significados: «como

cía Berrio, *España e Italia ante el conceptismo*, Madrid, 1968, 45-135; Ricardo Senabre, *Análisis de la coherencia en un texto de G.*, Studia Philologica Salmanticensia, n.° 2, 1978, 247-263; Gonzalo Sobejano, *Prosa poética en «El Criticón»: variaciones sobre el tiempo mortal*, «Romanica Europaea et Americana. Festschrift für Harri Meier», Bonn, 1980, 602-614, etcétera.

29 bis. Véase Werner Bahner, *Die Bezeichnung «vulgo» und der Ehrbegriff des spanischen Theaters im Siglo de Oro. (Ein Beitrag zur Bedeutungsgeschichte von «vulgo» in der spanischen Literatur des 16. und 17. Jahrhunderts)*, «Omagiu lui Iorgu Iordan», Bucarest, 1958, 59-68.

[los cisnes] son tan *cándidos*, si cantan han de decir la verdad» (*cándido* 'blanco' e 'inocente'); otras, en coincidencia de forma entre palabras distintas: «[el que primero se atrevió a navegar] vestido dicen que tuvo el pecho de aceros; mas yo digo que revestido de *yerros*» (*yerro* 'error', igual en la pronunciación a *hierro*); o también, y es rasgo muy repetido, Gracián juega con palabras que tienen entre sí sonidos comunes (*cano* y *canoro*, líneas más arriba): «Los que antes eran estimados por *reyes*, ahora fueron *reídos*... Las sedas y *damascos* fueron *ascos*; las piedras *finas* se trocaron en losas *frías*...; los cabellos tan *rizados*, ya *erizados*; los *olores, hedores*; los *perfumes, humos*. Todo aquel *encanto* paró en *canto* y en responso, y los *ecos* de la vida en *huecos* de la muerte». Emplea mucho las frases hechas, pero como un pretexto más para la ingeniosidad: cuando Critilo y Andrenio preguntan dónde encontrarán a los hombres, el centauro Quirón les contesta que en el aire, pues «allí se han fabricado *castillos en el aire*, torres de viento donde están muy *encastillados*». Junto al follaje del *Criticón* destaca el escueto conceptismo del *Oráculo*; la frase cortada, lacónica, suprime todo nexo innecesario: «Varón desengañado. Cristiano sabio, cortesano filósofo, mas no parecerlo, menos afectarlo»; «Hombre de ostentación. Es el lucimiento de las prendas. Hay vez para cada una; lógrese, que no será cada día el de su triunfo». En el léxico se compaginan los cultismos latinos, usados sin escrúpulo, y las voces nuevas formadas sobre otras ya existentes: junto a *copia* 'abundancia', *conferir* 'comunicar, platicar', *horrísono*, *innoble*, aparecen *semihombre*, *reagudo*, *cautelar*.

2. Gracián, llevado por la idea de que «no hay belleza sin ayuda, ni perfección que no dé en bárbara sin el realce del artificio», marca los límites extremos del amaneramiento en el lenguaje literario. En sus obras se deja sentir el influjo de la lectura y conversación en ambientes cultos o «discretos», donde eran más gustados los efectismos de la invención. Su *Agudeza y arte de ingenio* (1642 y 1648) fue la preceptiva y antología del barroquismo. Él y Calderón son los últimos grandes artistas del idioma en el siglo XVII.

§ 90. CALDERÓN

1. En el drama calderoniano la creación poética está al servicio de grandiosas construcciones del pensamiento, y los conflictos que se desarrollan en la escena son de ordinario símbolos de tesis filosóficas o religiosas. La pompa y la hipérbole corresponden a una cosmovisión en que «es todo el cielo un presagio / y es todo el mundo un prodigio».[30] En el estilo de Calde-

---

30. Véanse M. A. Buchanan, *«Culteranismo» in Calderon's «La Vida es sueño»*, «Homen. a M. Pidal», I, Madrid, 1925, 545-555; Wilhelm Michels, *Barockstil bei Shakespeare und Calderón*, Rev. Hisp., LXXV, 1929, 370-458; José María de Cossío, *Racionalismo del arte dramático de C.*, Cruz y Raya, 1934, 37-76; E. M. Wilson, *The Four Elements in the Imagery of C.*, Mod. Lang. Rev., XXXI, 1936, 34-47; Eunice J. Gates, *Góngora and C.*, Hisp. Rev., V, 1937, 241-258; Mother Francis de Sales Mc Garry, *The Allegorical and Metaphorical Language in the Autos Sacramentales of C.*, Washington, 1937; Ángel Valbuena Prat, *Calderón. Su personalidad, su arte dramático, su estilo y sus obras*, Barcelona, 1941, 32-46; Alexander A. Parker, *The Allegorical Drama of Calderón*, Oxford, 1943; *Reflections on a new definition of 'Baroque' drama*, Bull. of Hisp. St., XXX, 1953, 142-151, y *Metáfora y símbolo en la interpretación de C.*, «Actas del I Congr. Intern. de Hisp.», Oxford, 1964, 141-160; Max Kommerell, *Beiträge zu einem deutschen Calderón. I. Etwas über die Kunst Calderóns*, Fráncfort, 1946 (2.ª ed. revisada, *Die Kunst Calderóns*, Fráncfort, 1974); Ernst Robert Curtius, *Europäische Literatur und lateinisches Mittelalter*, Berna, 1948 (trad. esp. de Margit Frenk Alatorre y A. Alatorre; *Liter. europea y Edad Media latina*, México, 1955); W. J. Entwistle, *C. et le théâtre symbolique*, Bull. Hisp., LII, 1950, 41-54; Max Oppenheimer, *The Baroque Impasse in the Calderonian Drama*, PMLA, LXV, 1950, 1146-1165; Dámaso Alonso, *La correlación en la estructura del teatro calderoniano*, en *Seis calas en la expresión literaria española*, Madrid, 1951, 113-186; J. W. Sage, *Calderón y la música teatral*, Bull. Hisp., LVIII, 1956, 275-300; H. W. Hilborn, *Comparative 'Culto' Vocabulary in C. and Lope*, Hisp. Rev., XXVI, 1958, 223-233; Charles V. Aubrun, *La langue poétique de C., notamment dans «La V. es S.»*, en «Réalisme et Poésie au théâtre. Entretiens d'Arras, juin 1958» (París, 1960, 61-76); Hans Flasche, *Stand und Aufgaben der Calderónforschung (Ergebnisse der Jahre 1940-1958)*, Deutsche Vierteljahrsschrift für Literaturwiss. und Geistesgesch., XXXII, 1958, 613-643; *Problemas de la sintaxis calderoniana (la transposición del adjetivo)*, «I Congr. Intern. de Hisp.», Oxford, 1962 (publ. en Archivum Ling., XVI, 1964, 54-68); *Probleme der Syntax Calderóns im Lichte der Textkritik*, «Actes du X Congr. Intern. de Ling. et Philol. Rom., Estrasburgo, 1962», París, 1965, 706-726; *Das aus «-mente» Adverb und Adjektiv bestehende Syntagma (zur Sprache Calderóns)*, «Saggi e ricerche in memoria di Ettore Li Gotti», II, Palermo, 1962, 18-37; *Beitrag zu einer kritischen und kommentierten Ausgabe des Auto Sacramental «La V. es S.» von C.*, «Festschrift für J. Vincke», Madrid, 1962-1963, 579-605;

rón hay, de una parte, el sello del entendimiento dirigente. Si en los autos sacramentales los personajes son encarnaciones alegóricas de ideas, en el verso sorprende la amplitud de los conceptos abstractos: el pez, apenas nace, «cuando a todas partes gira, / midiendo la *inmensidad* / de tanta *capacidad* / *como* le da el *centro frío*». Destaca también la arquitectura lógica del

---

C. als Paraphrast mittelalterlicher Hymnen, «Medium Aevum Romanicum. Festschrift f. H. Rheinfelder», Múnich, 1963, 87-119; *Baustein zu einer kritischen und kommentierten Ausgabe Calderóns* [I-III], Spanische Forsch. der Görresgesellschaft, Gesamm. Aufsätze zur Kulturgesch. Spaniens, XXI, 1963, 309-326 (*Baustein IV, ibid.*, XXV, 1970, 133-175; *Baustein V, ibid.*, XXVIII, 1975, 365-421); *Studie zur Negation mit «no» im Sprachgebrauch Calderons*, «Ling. and Liter. Studies in honor of H. A. Hatzfeld», Washington, 1964, 129-148; *Zu Semantik und Syntax des Wortes «Acción» im Corpus Calderonianum*, «Verba et Vocabula. Ernst Gamillscheg zum 80. Geburtstag», Múnich, 1968, 221-239; *Consideraciones sobre la sintaxis condicional en el lenguaje poético de C. («a» + infinitivo)*, «Hacia Calderón. Coloquio Anglogermano, Exeter 1969», Berlín-Nueva York, 1970, 93-103; *La sintaxis pronominal y la forma dramática en las obras de C.*, «Hacia Calderón. II Col. Anglogerm., Hamburgo 1970», Berlín-Nueva York, 1973, 201-215; *El problema del tiempo en el auto «El Día Mayor de los Días»*, «Hacia Calderón. III Col. Anglogerm., Londres 1973», Berlín-Nueva York, 1976, 216-232; *Bemerkungen zum Gebrauch des Wortes «Centro» im Corpus Calderonianum*, Romanica, VII, 1974, 95-113; *Key-Words in Calderon's Tragedy*, Roman. Jahrbuch, XXV, 1974, 294-306; *Uso lingüístico del adv. negativo «no» en la poesía de C.: Forma negativa de un sintagma nominal*, «Est. Filol. y Ling. Homenaje a Ángel Rosenblat», Caracas, 1974, 183-193; *La lengua de Calderón*, «Actas del V Congr. Intern. de Hispanistas, Burdeos 1974», I, Burdeos, 1977, 19-48, y *Über Calderón. Studien aus den Jahren 1958-1980*, Wiesbaden, 1980 (donde Flasche reúne casi todos sus artículos recién mencionados aquí y algunos más); a Flasche se debe, además, la publicación del volumen colectivo «Calderón de la Barca» (Darmstadt, 1971), de los tres «Hacia Calderón», ya mencionados, y de la colección «Calderoniana»; K. G. Gottschalk, *Untersuchungen zur Frage der Passiversatzformen im Romanischen. Eine Studie am Werk von Pedro C. de la B. unter Beachtung der franz., ital. und sp. Grammatik*, Marburgo, 1962; H. Ochse, *Studien zur Metaphorik Calderóns*, Múnich, 1967; K. H. Körner, *Die «Aktionsgemeinschaft finites Verb + Infinitiv» im span. Formensystem. Vorstudie zu einer Untersuchung der Sprache Pedro C. de la Barcas*, Hamburgo, 1968; *Los tiempos verbales en el auto «La V. es S.» de C. de la B.*, «Hacia Calderón, 1969», 1970, 105-112; *El comienzo de los textos en el teatro de C. Contribución al estudio del imperativo en la lengua literaria*, «Hacia Calderón. II, 1970», 1973, 181-190, y *El futuro «performativo» y el teatro. Contribución al estudio de la lengua calderoniana*, «Hacia Calderón. III, 1973», 1976, 233-239; R. D. Pring-Mill, *Los calderonistas de habla inglesa y «La V. es S.»: métodos del análisis temático-estructural*, «Litterae Hispanae et Lusitanae», Múnich, 1968,

razonamiento; muchos pasajes se reducen a reflexiones o discusiones que abundan en partículas como *si*, *porque*, *pues*, *luego*, firme enlace de las premisas con la conclusión.[31] De otra parte, resalta la expresión brillante, recamada de imágenes, que hace del ave «flor de pluma / o ramillete con alas», del pez «bajel de escamas» y del arroyo «sierpe de plata». Los tecnicismos de las artes ayudan a la descripción de la naturaleza:

369-413, y *Estructuras lógico-retóricas y sus resonancias: un discurso de «El príncipe constante»*, «Hacia Calderón. II, 1970», 1973, 109-154; Helga Bauer, *Der Index Pictorius Calderóns. Untersuchungen zu seiner Malermetaphorik*, Hamburgo, 1969; Manfred Engelbert, *Zur Sprache Calderóns: Das Diminutiv*, Roman. Jahrbuch, XX, 1969, 290-303; ed. crít. y comentario de *El pleito matrimonial del cuerpo y el alma*, Hamburgo, 1969; *Etimologías calderonianas*, «Hacia Calderón, 1969», 1970, 113-122, y *Las formas de tratamiento en el teatro de C.*, «*ibid.* II, 1970», 1973, 191-200; T. Berchem, *Algunos aspectos de la expresión literaria de C.*, «Mélanges Fouché», París, 1970, 183-194; D. W. Cruickshank, *Calderón's Handwriting*, Mod. Lang. Rev., LXV, 1970, 65-77; T. R. A. Mason, *Los recursos cómicos de C.*, «Hacia Calderón. III, 1973», 1976, 99-109, etc.

31.   Sirvan de ejemplo los argumentos de Cipriano sobre la falsedad de los dioses paganos (*El Mágico prodigioso*, acto I):

> Esa respuesta no basta,
> *pues* el decoro de Dios
> debiera ser tal, que osadas
> no llegaran a su nombre
> las culpas, aun siendo falsas.
> Y apurando más el caso,
> *si* suma bondad se llaman
> los dioses, siempre es forzoso
> que a querer lo mejor vayan;
> ¿*pues cómo* unos quieren uno
> y otros otro?...
> ... ¿No es cosa clara
> la consecuencia de que
> dos voluntades contrarias
> no pueden a un mismo fin
> ir? *Luego* yendo encontradas,
> es fuerza, si la una es buena,
> que la otra ha de ser mala.

> Pues no me puede alegrar
> formando sombras y *lejos*,[32]
> la emulación que en reflejos
> tienen la tierra y el mar...

2. La distribución de la materia poética en el verso se ajusta a una serie de fórmulas típicamente calderonianas. Una es la recapitulación final, que recoge todas las imágenes o conceptos enunciados en el discurso:

> Y así os saludan, señora...,
> los pájaros como a Aurora,
> las trompetas como a *Palas*
> y las flores como a *Flora*;
> porque sois, burlando el día
> que ya la noche destierra,
> *Flora* en paz, *Palas* en guerra
> y reina del alma mía.

Otro rasgo es la repetición simétrica de ideas semejantes o contrapuestas:

> Con asombro de mirarte,
> con admiración de oírte,
> ni sé qué pueda decirte
> ni qué pueda preguntarte.

Y también la intervención simultánea de distintos personajes, repartida en versos alternos o en partes iguales de verso, como en la combinación de los diversos cantos de una polifonía. En *La Hija del Aire*, Arsidas y Menón explican a Nino el encuentro de Semíramis:

> ARSIDAS   Esta divina hermosura...
> MENÓN   Esta divina belleza...
> ARS.   Hallé yo en esta aspereza.

32. *Lejos* en el lenguaje de los pintores significaba la representación más desvaída de los objetos que en el cuadro aparecían como lejanos o en segundo término, o la apariencia de las cosas vistas a distancia.

MEN. Vi al pie de esta peña dura.

ARS. Para lograr mi ventura...

MEN. Para estorbar tu apetito...

ARS. Llevártela solicito
      donde mi lealtad me mueve.

MEN. Y yo que no te la lleve
      ni consiento, ni permito.

La insistencia en este procedimiento está en relación con la gran cabida que se concede a la música. Para las fiestas de la corte compuso Calderón fantasías mitológicas que son verdaderos libretos de ópera o zarzuela. Los autos sacramentales compensan su cargazón ideológica con gran aparato escénico y musical, y en ellos es donde con más frecuencia alternan los discursos entrecortados.

3. El teatro de Calderón representa el término de una época literaria, prisionera de las trabas que ella misma se había forjado. Pensamiento profundo, sujeto a la concepción escolástica del universo, pero también a las convenciones sociales; poesía y lenguaje estilizados según el gusto gongorino y recortados en una disposición lírica de sumo refinamiento. El módulo era demasiado estrecho y, una vez fijado, no permitía liberaciones parciales. Los últimos dramaturgos del siglo XVII y sus ramplones imitadores del XVIII siguen al pie de la letra los métodos de Calderón; pero sus obras están exangües de savia poética. La decadencia es completa. Imitaciones serviles y hueras de Quevedo, culteranismo sin inspiración y una invasión creciente de chabacanería y vulgarismo afean el estilo en la época de Carlos II y primeros años del siglo XVIII.

XIII

EL ESPAÑOL DEL SIGLO DE ORO.
CAMBIOS LINGÜÍSTICOS GENERALES

§ 91. FLUCTUACIÓN Y NORMA.
ARCAÍSMOS FONÉTICOS ELIMINADOS

1. El español áureo, mucho más seguro que el de la Edad Media, era, sin embargo, un idioma en evolución muy activa. El concepto de corrección lingüística era más amplio que en los períodos posteriores, y entre el vulgarismo y las expresiones admitidas no mediaban límites tajantes. Con todo, hubo en los siglos XVI y XVII una labor de selección entre sonidos, formas y giros coincidentes, que condujo a considerable fijación de usos en la lengua literaria, y, en menor grado, en la lengua hablada también. Mucho influyó en esta regulación el desarrollo de la imprenta, capaz de reproducir un mismo texto en multitud de ejemplares sin las anárquicas variantes de la transmisión manuscrita. La imprenta, aunque con mayor flexibilidad que desde el siglo XVIII, imponía normas gráficas, corrigiendo el individualismo de los originales, de ordinario libre y caprichoso. Basta comparar autógrafos de Lope de Vega con los correspondientes textos impresos para comprender el alcance de esta mayor disciplina. Aunque en general los manuscritos obedezcan sólo a la espontaneidad del autor o amanuense, no faltan los que revelan ya sujeción a un sistema.

2. En el transcurso del siglo XVI van disminuyendo las vacilaciones de timbre en las vocales no acentuadas. Valdés prefiere las formas modernas *vanidad, invernar, aliviar, abundar, cubrir, ruido*, a las vulgares *vanedad, envernar, aleviar, abondar, cobrir, roído*; pero en los manuscritos del *Diálogo de la Lengua* aparece *intelegible*; el Lazarillo usa *recebir*; santa Teresa *heçistes, mormorar, sepoltura*, y Ribadeneyra, *escrebir*. El extremo contrario, el cierre de la vocal en *i, u*, no sólo dura todo el siglo XVI (*quiriendo, sujuzgar, punien-*

do en Valdés; *sigún*, *siguro*, *cerimonia*, *risidir* en santa Teresa), sino que algunos casos penetran en el siglo XVII: en *La Gitanilla* Cervantes usa *tiniente* junto a *teniente*; abundaban *lición*, *perfición*, y *afición* llegó a perpetuarse.

3. En la primera mitad del siglo XVI se toleraba todavía la *f* arcaizante de *fijo*, *fincar*, *fecho*, etc.; entre notarios y leguleyos se atestigua todavía a lo largo del siglo XVII.[1] A este uso cancilleresco debemos la conservación de *fallar* como término jurídico, al lado del corriente *hallar*. Otras huellas quedaron de la secular vacilación, como las duplicidades *falda* y *halda*, *forma* y *horma*. Salvo cultismos —muy numerosos— y casos especiales, la *f* desapareció, sustituida por *h*, que en Castilla la Vieja no se aspiraba ya desde mucho antes.[2] Por otra parte era propia de la lengua rústica la aspiración [h] en lugar de /f/ ante los diptongos /ue/, /ie/ (*huerte*, *hue*, *hiebre*) y en *he* 'fe', *perheto* 'perfecto'.

4. Perduró también en la primera mitad del siglo XVI la conservación, muy decadente, de algunos grupos de consonantes que en el habla llana se habían simplificado o transformado. Valdés prefiere aún *cobdiciar*, *cobdo*, *dubda* a *codiciar*, *codo*, *duda*. Por la misma época se vacilaba entre *cien* y *cient*, *san* y *sant*. Una cédula regia de 1572 empleaba todavía *mayoradgo*; pero la pronunciación general era ya *mayorazgo*.[2 bis] En la primera mitad del siglo XVI alternaban en la escritura *mill* y *mil*.

Mientras los fonemas /ž/ (transcrito *g*, *j*) y /š/ (representado con *x*) mantuvieron su carácter prepalatal, era frecuente confundirlos respectivamen-

---

1. En documentos publicados por F. Rodríguez Marín (*Nuevos datos para las biografías de algunos escritores españoles de los siglos XVI y XVII*, Bol. R. Acad. Esp., V-X, 1918-1923) encuentro *fecho* (1589, Sevilla, VI, 616; 1600, Guadix, V, 321), *fecha* (1606, Antequera, VII, 399; 1607, Lerma, doc. real, IX, 109; 1631, Madrid, doc. real, IX, 113; 1646, Antequera, VII, 419), *fize* (1622, Aranjuez, doc. real, V, 329). Todavía en 1681 una declaración referente a un cuadro de Murillo y cuyo conocimiento debo al Prof. Diego Angulo, ofrece «*fizímonos* buenos amigos», «*fízile* merced», «firmo la presente, que es *ffha*. [abreviatura de *fecha*] en la villa de la Puente de Don G[onzal]o». Nótese que de estas fórmulas de datación procede el sustantivo *fecha*, con su *f* conservada.

2. Véanse los §§ 4$_2$, 46$_{1,5 y 6}$, 53$_5$, 63$_3$, 67$_2$, 70$_7$ y 72$_1$.

2 bis. La cédula fue publicada por C. F. A. Van Dam, Bol. R. Acad. de la Hist., CXLI, 1967, 29-35. Mientras que Nebrija prefería *maioradgo* en su *Vocabulario español-latino* (h. 1495), en 1570 el *Vocabulario de las dos lenguas toscana y castellana* de Cristóbal de las Casas imprime ya *mayorazgo*.

te con la /ž/ sonora (-s- en la grafía) y /š/ sorda (escrita s, entre vocales -ss-).
Existían trueques como *quijo, vigitar, relisión, colesio*, no admitidos de ordinario por la literatura (aunque una cédula de Felipe II ofrezca «crimen
lege magestatis» por l e s a e); sólo *cosecha* ha prevalecido sobre el antiguo
cogecha (< c o l l e c t a + *coger*) y *tijera* sobre *tisera*; la confusión entre unas
y otras sibilantes debió de contribuir también a que el pronombre de dativo
no reflexivo *ge* fuera sustituido por *se*.[3] Más corrientes eran *moxca, cáxcara,
cuexco, caxcar*; los moriscos sustituían por /š/ (*x*) toda /š/ final de sílaba.[4]

§ 92. TRANSFORMACIÓN DE LAS CONSONANTES

Un cambio radical del consonantismo, iniciado ya en la Edad Media, pero
generalizado entre la segunda mitad del siglo xvi y la primera del xvii, de-
terminó el paso del sistema fonológico medieval al moderno.[5]

1. Durante algún tiempo debió de continuar la vieja distinción entre los
fonemas /b/ oclusivo (escrito *b*) y /v/ fricativo (con grafía *u* o *v*),[6] al menos en
algunas regiones: en 1531 el toledano Alejo Vanegas describe como labiodental la articulación de la *v*, y lo mismo hacen en 1609 el sevillano Mateo Ale-

3. Véase antes, § 54₆, y después, § 96₆.
4. Véase Amado Alonso, *Trueques de sibilantes en antiguo español*, Nueva Rev. de Filol. Hisp., I, 1947, 2-12.
5. Véase la bibliografía citada en los §§ 53, n. 13, y 91, n. 4, así como D. L. Canfield,
*Spanish Literature in Mexican Languages as a Source for the Study of Spanish Pronuncia-
tion*, Nueva York, 1934; *Spanish «C» and «S» in the Sixteenth Century*, Hispania, XXXIII,
1950, 233-236, y *Spanish American Data for the Chronology of Sibilant Changes, ibid.*,
XXXV, 1952, 25-30; A. Martinet, *The Unvoicing of Old Spanish Sibilants*, Romance Philology, V, 1951, 133-156; G. Contini, *Sobre la desaparición de la correlación de sonoridad en
castellano*, Nueva Rev. de Filol. Hisp., V, 1951, 173-182; E. Alarcos Llorach, *Fonología española*, 2.ª ed., 1954, 220 y ss.; Amado Alonso, *De la pronunciación medieval a la moderna en
español*, I, Madrid, 1955 (2.ª ed., 1967), y II, 1969; R. Menéndez Pidal, *Sevilla frente a Madrid*, «Estructuralismo e Historia. Miscel. Homen. a A. Martinet», III, Univ. de La Laguna, 1958, 99-165; Dámaso Alonso, *La fragmentación fonética peninsular*, «Encicl. Ling. Hispán.», I, Supl., Madrid, 1962, 85-104 y 155-209; y L. B. Kiddle, *Sibilant Turmoil in Middle
Spanish (1450-1550)*, Hisp. Rev., XLV, 1977, 327-336.
6. Véanse §§ 4₃, 53₄ y 72₃.

mán, y en 1626 el cacereño Gonzalo Correas. No es de extrañar, pues, que cuando la conquista y colonización de Chile introdujeron palabras españolas en la lengua de los indios araucanos, los resultados de los dos sonidos fuesen diferentes: *nabos* dio en mapuche *napur* y *cavallo* dio *cahuallu*. Pero en Aragón, Castilla la Vieja y otras regiones norteñas, hasta Cataluña de un lado y Galicia y norte de Portugal por otro, se confundían la *b* y la *v*; Cristóbal de Villalón (1558) dice que «ningún puro castellano sabe hazer diferencia».

2. También irradiado desde Aragón y Castilla la Vieja (véase § 72₃), se extendió el ensordecimiento de los fonemas /ẑ/ (grafía *z*), /ż/ (*-s-*) y /ž/ (*g, j*), que se confundieron con los sordos correspondientes /ŝ/ (escrito *c, ç*), /ŝ/ (*-ss-* entre vocales) y /š/ (*x*): santa Teresa escribe *tuviese, matasen, açer, reçar, deçir, dijera, ejerçiçio, teoloxía*, en vez de *tuviesse, matassen, hazer, rezar, dezir, dixera, exerçiçio, teología*.

3. Las diferencias fonológicas entre Castilla la Vieja y Toledo eran bien claras. El toledano Garcilaso distinguía escrupulosamente en sus rimas las sibilantes sordas y las sonoras.[7] Fray Juan de Córdoba, que había salido de España hacia 1540, afirma en su *Arte en lengua zapoteca* (México, 1578): «Los de Castilla la Vieja dizen *hacer*, y en Toledo *hazer*; y dizen *xugar*, y en Toledo *jugar*; y dizen *yerro*, y en Toledo *hierro*; y dizen *alagar*, y en Toledo *halagar*».[8] A tales divergencias parece referirse el colofón de un *Flos Sanctorum* impreso en Alcalá, 1558: «Libro... corregido y emendado... por el Reuerendo padre fray Martín de Lilio, ... de la prouincia de Castilla, y reduzido al lenguaje Toledano todo lo que ha sido possible». No obstante el prestigio que el habla de Toledo tenía como dechado del buen decir, el ensordecimiento norteño venía dejando muestras de propagación al sur del Guadarrama desde tiempo atrás: en el *Cancionero de Baena*, copiado en Andalucía, hay *abajado* por *abaxado*, y en el testamento de Fernando de Rojas, otorgado en Talavera (1541), *maxuelo* por *majuelo*.[9] El consonantismo castellano viejo se contagiaba fácilmente por representar una simplifi-

---

7. M. de Montoliu, *La lengua española en el siglo XVI. Notas sobre algunos de sus cambios fonéticos*, Rev. de Filol. Esp., XXIX, 1945, 153-160.

8. Amado Alonso, *De la pronunciación*, I (2.ª ed., 1967), 340.

9. *Cancionero de Baena*, ed. facsímil, Nueva York, 1926, fol. 186v., columna *a*, 1. 4; testamento de Rojas, Rev. de Filol. Esp., XVI, 1929, 273.

cación cómoda del sistema, unida a un reajuste clarificador, según veremos; pero circunstancias extralingüísticas facilitaron su triunfo. Como príncipe regente en ausencia del emperador, Felipe II había tenido su corte en Valladolid, con dignatarios y séquito de castellanos, montañeses y vascos principalmente.[10] Establecida la corte en Madrid a los pocos años de su reinado, la villa, pequeña todavía en 1560, creció rápidamente hasta igualarse en población a Toledo medio siglo después y superarla en adelante. A este crecimiento contribuyeron sobre todo gentes de la mitad septentrional de España, pues Toledo no perdió habitantes hasta ya entrado el siglo xvii, y Sevilla absorbía la emigración del sur. En tierras toledanas, Madrid fue un enclave de la pronunciación norteña, asociada a la nueva cortesanía, y su ejemplaridad innovadora sobrepujó a la tradicional de Toledo: en Madrid se generalizó la omisión de la [h] aspirada, y desde allí se fue propagando al resto de Castilla la Nueva,[11] al reino de Jaén, a la parte oriental del de Granada y al de Murcia. La confusión de /b/ y /v/ ya extendida por todo el norte en 1560, se extendió al castellano hablado en cualquier región de España —salvo zonas de Levante y las Baleares— y a toda la América española. Y el ensordecimiento de /ẑ/, /ż/ y /ž/, previamente compartido con el castellano por el aragonés, leonés y gallego, se expandió por Toledo, Extremadura, Murcia, Andalucía y América, sin dejar más que algunos reductos dialectales,[12] penetró en el ribagorzano y configuró el valenciano «apitxat» de la capital levantina y sus inmediaciones.

10. R. Menéndez Pidal, *Sevilla frente a Madrid* (cit. en nuestra n. 5), 101-104. Documentos expedidos en la corte del príncipe o ya rey Felipe en Valladolid y en Londres reflejan dicción norteña: *acave, cuvierto, agáis, allado, olgado, vien savemos* (años 1553 y 1557, L. Calandre, *El palacio del Pardo*, Madrid, 1953, 149-150). El mismo Felipe II, vallisoletano, escribía en 1581-1583 *savido, tubo* 'tuvo', *baya, varcas, boy, remaban, llebavan, estubiésedes, misa, pasada, atravesamos, supiesen, once, dicen, Descalzas, Cabezón, açul, adereze, cazas, quizá, pareziere*, etc. (*Lettres de Philippe II à ses filles...*, publiées par M. Gachard, París, 1884, *passim*).

11. No sin resistencia. El toledano Sebastián de Covarrubias tacha de «pusilánimes, descuydados y de pecho flaco» a quienes «suelen no pronunciar la *h* en las dicciones aspiradas, como *eno* por *heno* y *umo* por *humo*» (*Tesoro de la lengua castellana o española*, Madrid, 1611, fol. 459).

12. Para la supervivencia de las sibilantes sonoras en Sanabria, Extremadura y Énguera, véanse §§ 120₅ y 123₁.

4. En las sibilantes dentales hubo además cambios en la forma y punto de articulación. El aflojamiento de las africadas /ŝ/ y /ẑ/ en fricativas, atestiguado en la Andalucía occidental desde principios del siglo xv (§ 72₃), se produjo también en el norte y meseta septentrional con independencia respecto al fenómeno andaluz y probablemente con posterioridad a él. Las fricativas resultantes, al ensordecerse la sonora, se igualaron allí en un solo fonema interdental. Descripciones hechas por tratadistas en la segunda mitad del siglo xvi hacen pensar que se articulaba ya como la /θ/ castellana actual (*c* o *z* de nuestra ortografía) o de manera muy parecida.[13] Otro tanto sucedió en el habla de Toledo, Extremadura, Murcia, Jaén, parte de Almería y parte de Granada, si bien con cierto retraso: al menos en Toledo y otras zonas, el aflojamiento de la /ŝ/ fue posterior al de la /ẑ/, por lo que durante algún tiempo se mantuvo un resto de oposición entre la /ŝ/ africada (escrita *c* o *ç*) y la fricativa, sorda ya también, procedente de /ẑ/ y transcrita con *z*; pero esta diferencia no sobrevivió al primer tercio del siglo xvii, y la igualación en /θ/ fue completa. Los gramáticos ingleses no equiparan el fonema interdental español con la *th* (/θ/) de *thank*, *thief* hasta fines del siglo xviii; pero esto no quiere decir que antes no existiera la /θ/ en la pronunciación española, sino que la fe concedida por aquellos gramáticos a descripciones viejas les había impedido identificar debidamente la nueva articulación.[14]

5. En los reinos de Sevilla y Córdoba, así como en todo el occidente y sur del de Granada, se consolidó la confusión de las fricativas ápico-alveolares /ŝ/ (*s-*, *-ss-* o *-s* en la escritura) y /ẑ/ (*-s-* simple entre vocales) con las fricativas predorso-dentales, predorso-interdentales o ápico-predorso-interdentales procedentes de las antiguas africadas /ŝ/ (*c* o *ç* gráficas) y /ẑ/

---

13. Antonio de Corro, h. 1560: «De la letra *C*. Esta letra se deve pronunciar poniendo la lengua junto a las dos órdenes de dientes, haziendo con violentia salir el viento, como munchos de los griegos pronuncian la letra θ»; Juan López de Velasco, 1578: «El sonido y voz que la *ç* con cedilla haze [...] se forma con la estremidad anterior de la lengua casi mordida de los dientes, no apretados, sino de manera que pueda salir algún aliento y espíritu» (*apud* Amado Alonso, *De la pronunciación medieval a la moderna*, I, 1967, 232 y 238).

14. Véanse Amado Alonso, *op. cit.*, 246-248, 269-278 y 308-322; *Cronología de la igualación c-z en español*, Hisp. Rev., XIX, 1951, 37-58 y 143-164, y *Formación del timbre ciceante en la c-z española*, Nueva Rev. de Filol. Hisp., V, 1951, 121-172 y 263-312; y Diego Catalán, *The end of the phoneme /z/ in Spanish*, Word, XIII, 1957, 282-322.

(escrita *z*). Lo mismo ocurrió en Canarias y América.[15] Las articulaciones ápico-alveolares fueron eliminadas en beneficio de las dentales o interdentales, lo que recibió en los siglos XVI y XVII el nombre de *çeçeo* o *zezeo*; denominación exacta, puesto que los fonemas triunfantes a costa de los otros eran los representados con *ç* y *z*.[16] Con el ensordecimiento de las sibilantes sonoras los cuatro fonemas originarios se redujeron en la mayor parte de Andalucía y en los dominios atlánticos a un solo fonema, cuyas variedades articulatorias pueden reducirse a dos tipos fundamentales, dental e interdental; a ellos corresponden las designaciones modernas de *seseo* y *ceceo*.[17] El seseo, menos vulgar, preferido en la ciudad de Sevilla y núcleos urbanos importantes, se impuso en el reino de Córdoba y en Antequera, Canarias y América, aunque en el español atlántico no falten restos de ceceo.

Arias Montano, nacido en 1527, dice que, siendo él mozo, los andaluces, incluso los sevillanos, distinguían *s*, *z* y *c* como los toledanos y los castellanos viejos; pero que veinte años después las confundían, si bien cuando él escribe (1588) la pronunciación antigua se mantenía «entre buena parte de los ancianos más graves y entre los jóvenes mejor educados».[18] El recuerdo juvenil de Arias Montano debe de referirse a un ambiente minoritario y esmeradamente conservador, pues en 1549 había en Sevilla notarios o amanuenses capaces de escribir *resebí*, *parese*, *pes*, *neseçidad*, *espesificadamente*, *ofrese*, *resela*, *acaeser*, etc., todo en la copia de una sola carta. El fenómeno era arrollador, y hacia 1560-1570 había triunfado plenamente; el testimonio de Arias Montano coincide con el de los manuscritos de entonces:

15. Véase § 72₃ y la bibliografía citada en su nota 35.
16. El nombre de *seseo* se aplicaba entonces a la confusión valenciana, de signo contrario a la andaluza y consistente en pronunciar con /š/ apico-alveolar la *ç* y la *z* (/plaša/, /pobreša/). En el siglo XVIII la significación de *seseo* se había ampliado, y abarcaba, como hoy, cualquier pronunciación de *c* y *z* con una fricativa de timbre siseante, ya ápico-alveolar como la valenciana, ya predorso-dental, como en la dicción andaluza más fina, en la canaria y en la hispanoamericana general. En cambio se ha restringido el área semántica de *ceceo*, reducida modernamente a la pronunciación de *s* con una fricativa de timbre ciceante, ápico-interdental [θ] o ápico-predorso-interdental, esto es, intermedia entre [ş] y [θ]. Trato de ello en *Sobre el ceceo y el seseo andaluces* (véase § 72, nota 35), 77-82.
17. Véase la nota anterior.
18. Amado Alonso, *De la pronunc. mediev. a la mod.*, II, 1969, 48-51.

en Santiponce, 1566, se escribe repetidamente *Eselencia*, Medina *Cidonia* y *Zayavedra*; un cancionero rico en obras de poetas sevillanos contiene *Gusmán, soçiego, jusgaua, compraz, sercando, siruelo, coser* ('cocer', ant. *cozer*), y uno de sus sonetos habla de una dama *cazada*. Años después Mateo Alemán, tratando en su *Ortografía* (1609) de la confusión andaluza de ç y z con s, encuentra difícil dar a conocer «por arte o método» el debido uso de tales fonemas; y en el mismo pasaje, bien sean erratas suyas, bien del impresor mexicano, se deslizan *braza* y *loza* por *brasa* y *losa*. Los gitanos tenían como rasgo peculiar el ceceo: ya lo registra Gil Vicente y, en 1540, el historiador y gramático portugués João de Barros se refiere una vez a «o çeçear çigano de Sevilla»; más tarde, en la comedia cervantina *Pedro de Urdemalas*, la gitana Inés dice *cer del tuzón, zuelo, gitanezco, blazón, honezta*. Los moriscos granadinos, que no acertaban a reproducir exactamente la /š/ ápico-alveolar castellana y la sustituían con /š/ prepalatal, cuando querían evitar este defecto adoptaban el ceceo de la población cristiana: Núñez Muley, en 1567, usa *çuzedió, neçeçidad, zuzio, vaçallos*. A mediados del siglo XVII, cuando ya no había moriscos en Granada, Francisco de Trillo y Figueroa se refiere al «traidor ceceo» con que las «sirenas del Dauro» —esto es, del Darro— dulcificaban sus asechanzas.[19]

La innovación andaluza, documentada en Canarias desde comienzos del siglo XVI y en Puerto Rico en 1521 (§ 72₃), lo está en Cuba desde 1539 (*çurto* 'surto', *oçequias* 'obsequias', 'exequias'), y pasó a Tierra Firme con la conquista y primera colonización. En 1523, a los dos años de haberse rendido Cuauhtémoc, se escribía en México *conçejo* por 'consejo', *hasiendas, haser, Cáçerez*; en 1525, *rrazo, calsas, çecución* 'ejecución' (ant. *secución*), *piesas, ortalisa, calsada, sinquenta, desisorios*; y en los años inmediatos, *Baltazar, tosinos, çerón* 'serón', *cazamiento* y muchos más.[19 bis] En el capítulo XVII ve-

19.   Amado Alonso, *Trueques de sibilantes*, Nueva Rev. de Filol. Hisp., I, 1947, 12, y «*O çeçear cigano de Sevilla*», *1540*, Rev. de Filol. Esp., XXXV, 1952, 1-5; R. J. Cuervo, *Disquisiciones*, Rev. Hisp., II, 1895, 39; Núñez Muley, *Memoria*, *ibid.*, VI, 1899; A. Gallego Morell, *Francisco y Juan Trillo de Figueroa*, Granada, 1950, 83 (el pasaje de Trillo es ambiguo, pues *ceceo* puede significar en él la llamada mediante la interjección *ce, ce*); R. Lapesa, *Sobre el ceceo y el seseo andaluces*, cit., 74-76.

19 bis.   R. Lapesa, *Sobre el ceceo y el seseo en Hispanoamérica*, «Est. ofrecidos a la memoria de Pedro Henríquez Ureña», Rev. Iberoamericana, XXI, 1956, 412-413, y *El anda-*

remos cómo se llegó a generalizar en América el seseo y cómo lo adoptaron allí conquistadores y emigrantes que procedían de regiones españolas distinguidoras.

6. En cuanto a las sibilantes prepalatales, la sonora (escrita *g, j*) se articulaba normalmente como fricativa rehilante /ž/ (igual a la del port. *janela*, *gente* o a la del ingl. *pleasure*, semejante a la del fr. *jour*), aunque, sobre todo en posición inicial o posconsonántica, subsistiera como alófono alguna vez la originaria pronunciación africada [ǧ] (igual a la del ingl. *just, gentle* o la del it. *ragione, vergine, raggio*). Desaparecidos por aflojamiento los restos de africación y ensordecida la /ž/, vino a confundirse con su correspondiente fricativa sorda /š/ (*x* en la escritura), idéntica a la del ingl. *shame*, it. *sciolto*. La igualación de ambas sibilantes no se produjo sólo en castellano, sino también en asturiano y reductos occidentales leoneses (*xudíu, xineru, xente, dixo, baxu, páxaru*), así como en gallego (*xudeu, xaneiro, xente, dixo, baixo, páxaro*).²⁰ Pero en castellano los cambios no se detuvieron ahí: la necesidad de evitar la confusión con las sibilantes alveolares (*quijo, vigitar, relisión*, § 91₄) hizo que las prepalatales retrajeran su articulación hacia la parte posterior de la boca:²¹ el grado inicial de este proceso está reflejado en grafías *mexior, dexiara, moxiere* 'mujeres', *vexiés* 'vejez', *oxios* 'ojos', registradas en Lima en una carta de 1559²² y que parecen corresponder a una pronun-

luz y el español de América, «Presente y Futuro de la Lengua Esp.», II, 1964, 176; Claudia Parodi de Teresa, *Para el conocimiento de la fonética castellana en la Nueva España: 1523. Las sibilantes*, «Actas del III Congr. de la A L F A L», Univ. de Puerto Rico, 1976, 115-125.

20. En alto aragonés la articulación del fonema representado por *g, j* era /ǧ/, africada, y al ensordecerse dio /č/ (*chenero /chinero, chen* 'gente').

21. Explicación dada por E. Alarcos Llorach en su *Fonología española*, Madrid, 1950, 154 y eds. sucesivas; recogida en la presente *Hist. de la Lengua Esp.* desde su 4.ª ed., 1959, 247. Vuelve a ella Erica G. García, *La jota española: una explicación acústica*, «Actas del III Congreso de la A.L.F.A.L.», Univ. de Puerto Rico, San Juan, 1976, 103-113, aunque opone los sistemas castellano e hispanoamericano sin tener en cuenta el andaluz ni la existencia de la aspiración /h/ en América. De gran interés por la riqueza de datos es el artículo de Lawrence B. Kiddle, *The Chronology of the Spanish Sound Change: Š > X*, «Studies in Honor of Lloyd A. Kasten», Madison, 1975, 73-100.

22. Peter Boyd-Bowman; *A Sample of Sixteenth Century 'Caribbean' Spanish Phonology*, «1974 Colloquium on Sp. and Port. Linguistics», Georgetown Univ. Press, Washington, 1975, 8.

ciación mediopalatal sorda, como la de la *ch* alemana en *ich*, *gleichen*; ese grado se conserva en extensas zonas americanas ante vocales /e/, /i/, y es característico de la dicción chilena [ŷjéfe] 'jefe', [ŷjénte] 'gente'). En España la velarización llegó a ser completa y el resultado fue la fricativa sorda /χ/: ya Nebrija y Juan de Vergara equiparan el sonido de la *x* castellana con el de la χ griega.[23] Antonio de Torquemada, natural de Astorga y al servicio del Conde de Benavente, describe todavía como sonora la *g*, *j* y como sorda la *x* en su *Manual de escribientes* (1552), si bien reconoce que «muchas vezes se pone la vna por la otra»; en cuanto a punto de articulación para «estas letras», señala «lo vltimo del paladar, çerca de la garganta».[24] La pronunciación velar hubo de contender con la palatal durante mucho tiempo: así lo demuestran el fr. *Quichotte* y el it. *Chisciotto*, tomados del *Quixote* cervantino en 1605. Al acabar el primer tercio del siglo xvii la /χ/ se había impuesto por completo; el antiguo sonido palatal quedó relegado a dialectos no castellanos.

7. En las regiones donde se conservaba la [h] aspirada procedente de /f-/ latina y de aspiradas árabes, la fricativa velar /χ/ resultante de /ž/ y /š/ se hizo también aspirada, confundiéndose con aquélla. Los primeros testimonios de *h* por *g* o *j* parecen denunciar baja extracción social: en el *Cancionero de obras de burlas* (1519) se describe a una ramera como «de pequeña edad y *hentil* dispusición»;[25] y en la *Tragedia Policiana* de Sebastián Fernández (1547) un criado rufián advierte a otro: «Es menester que... hagas, hermano, del feroz, e hables de la *hermanía*, el espada en la mano».[26]

---

23. M.ª Josefa C[anellada] de Zamora y A. Zamora Vicente, estudio preliminar a su ed. del *Manual de escribientes* de Antonio de Torquemada, Madrid, 1970, 19, n. 14.

24. *Ibid*, p. 20.

25. Edición de Pablo Jauralde Pou y Juan A. Bellón Cazabán, Madrid, 1974, 192; comprobado con la edición facsimilar de A. Pérez Gómez, Valencia, 1951, Fij, vº.

26. Ed. Menéndez Pelayo, N. Bibl. de Aut. Esp., XIV, Madrid, 1910, 25a. En el *Teatro popular. Novelas morales*, de Francisco de Lugo y Dávila (Madrid, 1622), la «novela cuarta» se titula *De la hermanía*, y en ella se escribe: «Sevilla, centro común donde se terminan las líneas de la rufianería (a quien ellos llaman *hermanía*)»; y a renglón seguido, por si cupiera duda respecto a la pronunciación de la antigua /ž/ de *germanía* con /h/ aspirada: «donde se derrama la *huncia*», por 'juncia' (John M. Hill, *Voces germanescas*, Bloomington, Indiana, 1949).

A principios del siglo xvii el Buscón de Quevedo recibe el siguiente consejo sobre el habla del hampa sevillana: «Haga vucé cuando hablare de las *g*, *h*, y de las *h*, *g*; diga conmigo *gerida* ['herida'], *mogino* ['mohíno'], *jumo*, *pahería*, *mohar*, *habalí* y *harro* de vino». En *La hora de todos*, remedando el lenguaje de los jaques, escribe Quevedo *bahuno*, por *baxuno* (= /baχuno/) de *baxo* 'bajo'.[27] Esta connotación ambiental no fue obstáculo para que la solución /h/ triunfase en zonas de la Montaña, en Extremadura y en la mayor parte de Andalucía. En un documento de Mojácar (Almería) otorgado en 1563 unos cristianos cautivos de los turcos recomiendan a otro diciendo que *«gazía* ['hacía'] todo bien a xristianos»;[28] en Sevilla, entre 1584 y 1600, Francisco de Medrano hace un juego de palabras con *joyas* y *hoya*;[29] hacia 1600 Góngora, cordobés, usa *paharito* imitando el habla infantil;[30] y a mediados del siglo xvii el padre Juan del Villar registra el fenómeno como general en la pronunciación andaluza, aunque la dialectología actual obligue a exceptuar zonas del norte y del este.

Desde Andalucía la aspiración /h/ por /χ/ pasó muy pronto a Canarias y América. Cartas de sevillanos incultos la atestiguan en Lima (*golgara* 'holgara', 1558; *muher*, 1604), Panamá (*dé* 'deje', a través de *[déhe], 1592); México (*gerera* 'Herrera', *gecho* 'hecho', *gasta* 'hasta', *gaser*, *gagays*, *giso*, *garán* 'hacer, hagáis, hizo, harán', *garta* 'harta', 1568) y norte de Nueva España (*rrehistro*, *mahestad*, *San Hosed*, 1635).[31] Sin embargo, no prendió en todos estos territorios, sino sólo en el Caribe y otras regiones costeras, según veremos en el capítulo XVII.

8. A consecuencia de los cambios reseñados el sistema consonántico de nuestra lengua se escindió desde el siglo xvi en dos variedades bien definidas. Una es la de la mitad septentrional del dominio castellano peninsular, ampliada con el reino de Toledo, Murcia y zonas de la Andalucía oriental:

27. *Buscón*, ed. F. Lázaro Carreter, 275 (variante: «Haga bucé de las i. h., y de las h. J. diga conmigo *jerida*, *mojino*...»); *Hora de todos*, ed. Luisa López Grigera, 64, *baunos*; ed. Fdz. Guerra, Bib. Aut. Esp., XXIII, 384, *bahunos*.

28. Juan Martínez Ruiz, *Cautivos precervantinos. Cara y cruz del cautiverio*, Rev. de Filol. Esp., L, 1967, 239.

29. Dámaso Alonso y Stephen Reckert, *Vida y obra de Medrano*, II, Madrid, 1958, 352.

30. *Obras poéticas*, ed. Foulché-Delbosc, I, 214-215.

31. P. Boyd-Bowman, estudio cit. en nuestra n. 22, pp. 2 y 8.

sus tres fricativas sordas /θ/, /ś/ y /χ/ continúan los tres órdenes de sibilantes antiguas, pero simplificados por la desaparición de los fonemas sonoros, y menos confundibles entre sí porque, con el paso de las dentales a la interdental /θ/ y de las prepalatales a la velar /χ/, aumentó la distancia entre los respectivos puntos de articulación y el de la ápico-alveolar /ś/, a la vez que se diferenciaba más el timbre de unas y otras. La segunda variedad es la de la mayor parte de Andalucía, con extensión a Cartagena,[32] las islas Canarias y América: reduce los tres órdenes de sibilantes a sólo dos fonemas consonánticos, la /ş/ dental (o sus alófonos dentointerdentales o interdentales) y la postpalatal, velar o faríngea /ẙ/, /χ/ o /h/. El mantenimiento de la /h/ aspirada procedente de /f-/ y la absorción de la /χ/ por la /h/ marcan otra divisoria que separa del castellano general el habla de Extremadura, reinos de Sevilla y Córdoba, suroeste de Granada, las Canarias y el Caribe. Extremadura y la meseta de los Pedroches, que en su mayor parte distinguen entre /θ/ y /ś/, pero que tienen /h/ aspirada en vez de /χ/, son zonas de transición; lo son también, por no articular apical la /s/, Jaén, el nordeste de Granada y casi toda Almería.[33]

§ 93. MERIDIONALISMOS QUE SALEN DEL ESTADO LATENTE
EN EL SIGLO XVI

El incremento de fenómenos largamente incubados vino a complicar la distribución de rasgos fonológicos en la mitad sur de España.

1. El que cuenta con vestigios más remotos es el yeísmo, que despojando a la /ḽ/ de su característica fricación lateral, la convierte en /y/ o /ž/.[34] Ya aparece entre los mozárabes: el cordobés Ben Ǧolǧol llama en 982 *yengua*

32. El seseo cartagenero, atestiguado en 1631 por Nicolás Dávila en su *Compendio de la ortografía castellana*, es de tipo andaluz, no valenciano como apuntó Dávila (Amado Alonso, *De la pron. medieval a la moderna*), II, 72.

33. Su /s/ es coronal, intermedia entre apical y predorsal, según se indicará en el § 122.

34. Aunque en rigor se trate de yeísmo también, no nos referiremos con este nombre al paso de la /ḽ/ procedente de /-c'l-/, /-g'l-/ y /l + yod/ a /ǧ/ > /ž/ en castellano primitivo y a veces en mozárabe, o a /y/ en astur-leonés, catalán oriental y balear (§§ 41₇, n. 10, 44₂, n. 8,

buba a la hierba conocida como 'lengua de buey', y el nombre de *Lucena* se transcribe como *Yussena* en textos andalusíes: en ambos casos se trata de /y/ en vez de la /ļ/ resultante de /l-/ inicial reforzada (§§ 22$_3$ y 44$_3$). Lo mismo ocurre con *yegua* por 'legua', usado hacia 1550 por los rústicos de Hortaleza, según el poeta madrileño don Juan Hurtado de Mendoza.[35] El yeísmo en interior de palabra se documenta aisladamente en el reino de Toledo desde fines del siglo XIV con un *ayo* por 'hallo' de fray Pedro Fernández Pecha (fundador de la Orden Jerónima, de familia afincada en Guadalajara y muy ligado al monasterio alcarreño de Lupiana) y con las ultracorrecciones *sullo, sullos* de un texto del XV escrito por un morisco de Ocaña, y «Antonio *Ballo*» en las actas del Ayuntamiento de Alcalá la Real (Jaén) correspondientes a 1492.[36] En 1581 Sebastián de Pliego, avecindado antes en

---

y 46$_3$). Llamaremos yeísmo a la deslateralización de la /ļ/ procedente de /l-/, /cl-/, /pl-/ y /fl-/ iniciales, /-ll-/ interior, etc. Sobre este yeísmo, véanse Rufino José Cuervo, *El español en Costa Rica*, Bibl. de Dialectol. Hispanoam., IV, 1938, 248; R. K. Spaulding, *How Spanish grew*, Univ. of Calif. Press, 1948, 233; Amado Alonso, *La ll y sus alteraciones en España y América*, Estudios dedicados a Menéndez Pidal, II, 1951, 41-89 (reedit. en *Estudios lingüísticos. Temas hispanoamericanos*, 1953); Juan Corominas, *Para la fecha del yeísmo y del lleísmo*, Nueva Rev. de Filol. Hisp., VII, 1953, 81-87; Álvaro Galmés de Fuentes, *Lle-yeísmo y otras cuestiones lingüísticas en un relato morisco del siglo XVII*, «Est. ded. a M. Pidal», VII, 1956, 273-307; R. Menéndez Pidal. «Encicl. Ling. Hisp.», I, 1960, XCII; R. Lapesa, *El andaluz y el esp. de América*, «Presente y Futuro de la Leng. Esp.», II, Madrid, 1963, 178-179; Guillermo L. Guitarte, *Notas para la historia del yeísmo*, «Sprache und Geschichte. Festschrift Harri Meier», Múnich, 1971, 179-198; y Claudia Parodi, *El yeísmo en América durante el siglo XVI*, Anuario de Letras, XV, 1977, 241-248. La confusión de *ll* e *y* ofrece ejemplos antiguos en regiones que después no han sido yeístas: *lluguero* por *yuguero*, en Juan Ruiz, 1.092 *b*, manuscrito de Salamanca; en los *Glosarios latino-españoles de la Edad Media*, publicados por Américo Castro y abundantes en aragonesismos, hay *veyocino, papagallo, callado, llema, llelo* (p. LXXV); en unas estrofas del *Alexandre* (84 *b*), copiadas en un manuscrito del *Victorial* de Díez de Games, aparece *fulleren* por *fuyeren* (*Alexandre*, ed. Willis, p. 22). Más tarde, hacia 1588, el *Recontamiento del Rey Ališandre*, texto aljamiado aragonés, da *akeyo* por *aquello* (A. R. Nykl, Rev. Hispanique, LXXVII, 1929, p. 448).

35. Dámaso Alonso, *Dos españoles del Siglo de Oro*, Madrid, 1960, 19-21.

36. Fray Pedro Fernández Pecha, *Soliloquios*, ed. A. Custodio Vega, La Ciudad de Dios, CLXXV, 1962, 746, 1. 324, «non *ayo* con qué faga la emienda»; Juan Martínez Ruiz, *Versión morisca de la súplica inicial del «Libro de Buen Amor» en un manuscrito inédito de Ocaña*, Rev. de Dial. y Trad. Pop., XXXII, 1976, «Homen. a V. García de Diego», I, 340 y 344.

Brihuega y entonces residente en Puebla de Los Ángeles (México), dirige desde allí a sus parientes de España cartas donde escribe *vallan*, *hayarés*, *salla* 'saya', *alla* 'haya', *yamáis*; téngase en cuenta que en el primer tercio del siglo xx Brihuega se distinguía de los pueblos circundantes por ser yeísta, lo que ganaba para sus naturales el dictado de «andaluces de la Alcarria».[37] Según Covarrubias, toledano que pasó casi toda su vida en su ciudad natal o en Cuenca, era fórmula de ritual cortesía entre aldeanos que el novio, al recibir un regalo de boda, dijese: «Aquí estoy *papagayo*», «que quiere decir —añade el buen lexicógrafo— para pagarlo».[38] La existencia de yeísmo entre rústicos, moriscos y menestrales del reino de Toledo en los siglos xiv a xvii queda, pues, bien probada, y también su ocasional contagio a gentes de rango superior, como los frailes jerónimos. No sabemos de dónde procedía Pedro del Pozo, en cuyo cancionero (1547) hay las cacografías *humiyos* y *caldiyo*;[39] pero como también confunde eses, cedilla y zeta y omite la -*r* final del infinitivo *llorá*, parece tratarse de un andaluz. Diego Sánchez de Badajoz, Lope de Rueda y Góngora ponen en boca de negros *yama*, *cabayo*, *aià* 'allá', *eia* 'ella';[40] pero no parecen negros el escribano de Archidona que al inventariar los libros de Barahona de Soto anota uno de «Merlino *Cocallo*», ni el Doctor Carlino de Góngora que, según el códice de Chacón, dice *poia* por 'polla'.[41] Finalmente, en la *Historia de la doncella Arcayona*, escrita en caracteres latinos por un morisco andaluz de los expulsados en 1609, pululan *yorando*, *yegándose*, *yamando*, *alludalla*, *lla* por 'ya' y muchos casos más.[42] El yeísmo andaluz queda, como el toledano, asegurado para los si-

---

Debo a D.ª Carmen Juan Lovera, archivera-bibliotecaria de Alcalá la Real, noticia y fotocopia del folio en que constan las actas de 1492.

37. Guitarte, art. cit. en nuestra n. 34, 181-183.

38. *Tesoro de la lengua castellana,* s.v. *redoma.*

39. Guitarte, art. cit., 180-181.

40. E. de Chasca, *The Phonology of the Speech of the Negroes in Early Spanish Drama,* Hisp. Rev., XIV, 1946, 322-339. En cambio es errata de la edición moderna el *yegué* por 'llegué' que aparece en Lope de Rueda, *Teatro*, Clás. Castell., 59, Madrid, 1958, 168, según me advierte F. González Ollé.

41. F. Rodríguez Marín, *Luis Barahona de Soto*, Madrid, 1903, 546; Góngora, *Obras poét.*, ed. Foulché-Delbosc, II, 141, v. 447.

42. Álvaro Galmés de Fuentes, art. cit. en nuestra n. 34.

glos XVI y XVII. No se han explorado documentos extremeños de la época; es de suponer que también ofrezcan testimonios. En América los hay desde muy pronto: *contrayen* por *contrallen* 'se opongan', *papagallos*, «*hoyando* la tierra», «*allan* de llevar», 1527, 1532, 1537 y 1574, México; *ayá*, 1528, Honduras; *cogoio*, 1549, El Cuzco; *aiamos* 'hallamos', 1565, Nueva Granada, etc., etc.[43]

2. Muy antiguas son las primeras muestras de confusión entre /-r/ y /-l/ finales de sílaba o palabra, que en el habla actual del mediodía peninsular, Canarias, el Caribe y otras regiones costeras de América se intercambian, se neutralizan en una articulación relajada que se representa en la grafía con una u otra letra, se vocalizan en [i̯] semivocal, se nasalizan, se aspiran, o simplemente se omiten.[44] Los primeros ejemplos pertenecen al mozárabe toledano: «Petro *Árbarez*», 1161, Toledo; *Balnegrar* 'Valnegral', *menestrare* 'menestral' y alternancias *corral / corare, carrascal / carrascar, senar / senal* 'señal' en el *Fuero de Madrid*, anterior a 1202; *arcalde*, junto a *alcalde*, 1246, Ocaña.[45] Más tarde, también en el área toledana, el Arcipreste de Talavera en 1438 (o el copista Alfonso de Contreras en 1466) escribe en el Corbacho *Berçebú*.[46] Ejemplo de excepcional valor para el castellano de Toledo en su momento de máximo prestigio es el de Garcilaso, que en su testamento autógrafo (1529) dispone que lo entierren «en San Pedro *Mártil*».[47] En Andalucía, un documento sevillano de 1384-1392 da «*abril* los cimientos»; en el *Cancionero de Baena* se encuentran *arguarysmo* 'alguarismo, cálculo' y *Guardarfaxara* 'Guadalfajara, Guadalajara'; en un poema del cordobés Antón de Montoro (1448) se lee «*solviendo* los vientos», y *comel* por 'comer'

43. C. Parodi y P. Boyd-Bowman, arts. cits., en nuestras n. 22 y 34.

44. Amado Alonso y Raimundo Lida, *Geografía fonética: -l y -r implosivas en español*, Rev. de Filol. Hisp., VII, 1945, 313-345; R. Lapesa, *El andaluz y el español de América*, 181-182. Hacia 1155 el Fuero de Avilés da extrañísimos ejemplos de intercambio: «a*r* tercio dia», *aiuraménter* 'juraméntele', «que*r* feria» 'que le hiera', quise*l* 'quisier(e)', pode*l* 'pudier(e)', torna*l* 'tornar(e)'; creo haberlos explicado como dialectalismo lemosín del copista (*Asturiano y provenzal en el Fuero de Avilés*, Salamanca, 1948, 39-49).

45. Menéndez Pidal, *Orígenes*, § 91₄, y *Doc. Ling.*, 322.°, 1. 38 y 40; *Fuero de Madrid*, ed. 1963, 161 y § 97.

46. Fol. 85 v.; ed. L. B. Simpson, Berkeley, 1939, 285.

47. *Obras completas*, ed. Elias L. Rivers, Madrid, 1974, 503, 1. 189.

en otro de Juan del Encina copiado en 1521 por el Marqués de Tarifa, Adelantado Mayor del Andalucía, o por alguien de su séquito. En un documento sevillano de 1485 figura «Juan Dias de *Arcoçel*», que en otro de 1483 es «de Alcocer». Pedro del Pozo (1547) escribe *llorá* por 'llorar'. El morisco granadino Núñez Muley, en el memorial que dirige a Felipe II (1567), emplea *alçobispo, silben* 'sirven', *leartad, particural*, etc. Un documento granadino de 1576 ofrece *Belmúdez*; en su *Recopilación de algunos nombres arábigos* (1593) Diego de Guadix afirma que «*arcallería* llaman en algunas partes d'España a lo que por nombre castellano ollería o cantarería»; el esmerado códice gongorino de Chacón da una vez *Bercebú*; una mujer ceceante que aparece en *El Pasajero* de Suárez de Figueroa (1617) usa *engoldar*; y en el *Marcos de Obregón* del rondeño Vicente Espinel (1618) se mencionan «las ventas de *Arcolea*».[48] En Tenerife se documenta en 1498 «lo vengan a *hazé* saber»;[49] en México, 1525, *Aznal* y *Haznal* 'Aznar', y en 1568-1569 «me *gorgaría*» 'me holgaría', *quexame* 'quejarme'; en Lima, 1558, *mercadel, mercadeles*; en Arequipa, 1560, *servidó*; en Quito, 1560, *repatimento*; 1582, *mujé*, y 1586, *Guayaquí*; en Panamá, 1560, «sin *onden*», 1582, *Panamar*; en Tunja, 1587, *Túnjar*, «no puedo *olvidad*»; y así, infinitos más.[50] Como puede verse, todas o casi todas las variedades actuales del fenómeno se registran ya en el siglo XVI. Los ejemplos americanos son, en gran parte, de regiones donde la confusión de /-r/ y /-l/, llevada por emigrantes del mediodía español en los primeros tiempos de la colonización, no arraigó después. Se repite aquí lo ocurrido con los testimonios de /h/ por /χ/ (§ 92₇). En la lengua convencional atribuida en el teatro a los escla-

48. *Cancionero de Baena*, composiciones 97.ª y 522.ª, fols. 33 v. y 172 v. (comprobado en la ed. facsimilar, Nueva York, 1926); Francisco Márquez Villanueva, *Investigaciones sobre J. Álvarez Gato*, Madrid, 1960, 353 y 363; Guitarte, art. cit. en nota 34, 181; Guadix, ms. de la Bibl. Colombina de Sevilla [179]; Suárez de Figueroa, *El Pasajero*, Bibl. Esp., 1914, 333; los demás ejemplos andaluces, en mi cit. est. *El andaluz y el esp. de América*, 180-181. No figura en las ediciones del siglo XVI el *tay* por 'tal' atribuido a Lope de Rueda, *Teatro*, Clás., Cast. 59, Madrid, 1958, 171: así me lo hace saber F. González Ollé.

49. *Acuerdos del Cabildo de Tenerife (1497-1507)*, ed. y estud. de E. Serra Ráfols, La Laguna de Ten., 1949, 7, § 41.

50. R. Lapesa, *El andaluz y el esp. de Amér.*, cit., 181; P. Boyd-Bowman, art. cit. en nuestra n. 22, 9.

vos negros desaparecen frecuentemente una y otra consonantes implosivas (*vueve, fatriquera, sotar* 'soltar', *Guiomá, Potugal*).[51]

3. La /-s/ final de sílaba o de palabra, nunca muy tensa en la pronunciación normal española,[52] se aflojó en el mediodía hasta convertirse en una aspiración. La [h] resultante nunca se escribía como tal, sin duda porque en la conciencia lingüística de los hablantes se sentía como simple variedad articulatoria de la /-s/; pruebas de su existencia surgen sólo cuando había actuado sobre una consonante sonora siguiente, ensordeciéndola y fundiéndose con ella, o cuando se había relajado hasta desaparecer, provocando en la escritura la omisión de la *-s* olvidada. En tal caso están las muestras más antiguas conocidas hasta ahora, «*escriuano* públicos» y «Juan *Vasque*» (1492, Alcalá la Real).[52 bis] En una nota autógrafa de Fernando Colón († 1539), hijo del descubridor, el nombre de la heroína númida S o p h o - n i s b a aparece como *Sofonifa*, con la /b/ ensordecida por la aspiración de la /-s/, de igual modo que en el mediodía español y en amplias zonas de América *resbalar* pasa a *refalar* y *las botas* a *la fota*. La caída total de la /-s/ consta de nuevo hacia 1575 en el cartapacio manuscrito de un músico toledano que en la letra de un romance ofrece «*muétrale* justador, / tan bien le *muetra* a jugar», junto a dos *muestra*. Veinte años más tarde Francisco de Pisa, autor de una *Relación* manuscrita «de las iglesias... que ay en esta ciudad de Toledo» (1595-1600), dice que el monasterio de Santo Domingo el Antiguo puede llamarse real «por... estar en él *sepultado* cuerpos reales», y escribe en otros pasajes «*la* puer*tas*», «to*das* sustenta*da* en pilares», «a *las* entra*da* de la iglesia», «tiene *los* maestrazg*o* en administración», «de *sus* súbdit*o*», «en *la* mesm*a* veg*as* o no lexos de ell*a*», «hanse labrado *la* cas*as*», y ultracorrecciones como «dentro de la ciudad y fuera de ell*as*», etc., aparte de «*lo* Rey*es*», «que avem*o* referido», donde la asimilación de la /-s/ a la /r̄/ era corriente desde siglos atrás en la lengua general, aunque no en la escritura.[53] La escasez

---

51. E. de Chasca, *The Phonology of... the Negroes*, cit. en n. 40, 332, 337.

52. Valdés reprueba la «superstición» con que los italianos, hablando castellano, pronunciaban la *s* (Amado Alonso, *De la pron. medieval a la moderna*, II, 246 y 152, n. 12).

52 bis. En las actas mencionadas en el apartado 1 de este mismo párrafo.

53. Sobre la *Sofonifa* de Fernando Colón, véase R. Menéndez Pidal, *La lengua de Cristóbal Colón*, Colección Austral, 1942, 34, y *Sevilla frente a Madrid*, cit., 136; para el cartapa-

de ejemplos españoles de /-s/ aspirada se debe seguramente a que no se han explorado para su busca textos manuscritos de índole privada. En América las cartas de sevillanos incultos suministran «los *quale*», 1556, Tehuantepec; *soy* y «os *partiría*», por 'sois' y 'os partiríais', ant. 'partiríades', 1560, Arequipa; «vos *enbiaste*», por 'enviasteis', ant. 'enviastes', 1560, Panamá; *démole, decanso, decisey, quedávadi* 'quedabais', ant. 'quedávades', «*grande* mercedes», «*má* que», *que tará* 'que estará', *mimo* 'mismo', 1568-1569, México, etc.[54] Vemos, pues, otro meridionalismo peninsular atestiguado a lo largo del siglo XVI no sólo en regiones americanas donde ha prevalecido, como Panamá, sino en los altiplanos del Perú y México, en los cuales la /-s/ final se articula hoy con gran tensión. El habla de los negros, según la remedan Lope de Rueda y Góngora, pronunciaba *falcone, barremo, ponemo, pue, vimo, se pante* 'se espante', etc.[55]

4. La relajación de la /-d-/ intervocálica, manifiesta desde fines del siglo XIV en las desinencias verbales *-ades* > *-áis, -ás, -edes* > *-és, -éis, -ides* > *-ís* (§§ 67₃, 70₇ y 72₁), se propaga a otros casos en textos descuidados o muy vulgares: *quedao* en el cancionero de Pedro del Pozo (1547);[56] en cartas de Indias, principalmente de sevillanos, *perdío*, 1569, México o Vera Cruz; *to* 'todo', 1573, Zacatecas; *calsaos*, 1583, Lima; *prozé* 'procede', 1584, Venezuela; *deseá* 'deseada', 1592, Panamá.[57] No se ha hecho rebusca en textos peninsulares del mismo nivel social; pero en 1701 el gramático francés Maunory da la noticia de que en Madrid era corriente la supresión de la /-d-/ en la terminación *-ado* de participios trisílabos o tetrasílabos (*matao, desterrao*), pero no en los bisílabos ni en los sustantivos (*dado, soldado, cuidado*).[58] En cuanto a la /-d/ final, Lucas Fernández y Gil Vicente escriben *mocedá, edá, maldá, navidá, beldá*;[59] son cu-

---

cio toledano de h. 1575, Antonio Rodríguez-Moñino, *Tres romances de la «Ensalada» de Praga*, Hisp. Rev., XXXI, 1963, 5. La *Relación* de Francisco de Pisa se conserva en la Biblioteca Nacional de Madrid; debo a la profesora Pura Pujol, de la Universidad de Toulouse, los datos sobre su omisión de *-s* final.

54. Boyd-Bowman, art. cit., 2, 8 y 9.

55. E. de Chasca, art. cit., 332, n.

56. Guitarte, art. cit. en n. nota 34, 181.

57. Boyd-Bowman, art. cit. en nuestra nota 22, 2 y 10-11.

58. Amado Alonso, *De la pronunciación medieval a la moderna*, I, 2.ª ed., 1967, 77.

59. *Ibid*, 66. Ya aparece *uiltá* en el ms. O del *Alexandre*, 1060d; en el *Auto da Visitaçam*

riosas las ultracorrecciones *olvidad* por *olvida(r)*, 1587, y *San Hosed* 'San José', 1635, registradas en Tunja y Nueva Vizcaya.[60]

§ 94. GRUPOS CULTOS DE CONSONANTES

Los vocablos tradicionales se habían deshecho, al pasar del latín al español, de los grupos de consonantes /ct/, /gn/, /ks/, /mn/, /pt/ y otros análogos (p e c t u s > *pecho*; p r a e g n a r e > *preñar*; l a x u s > *lexos* (/lešos/); s c a m n u m > *escaño*; s e p t e m > *siete*), obedeciendo a leyes fonéticas cuya actividad había caducado una vez constituido el idioma. El problema de la pronunciación de esos grupos en las palabras latinas importadas después era muy antiguo (véanse §§ 68$_1$, 70$_4$, 72$_1$), sin que se hubiera llegado a una solución general. Todo el período áureo es época de lucha entre el respeto a la forma latina de los cultismos y la propensión a adaptarlos a los hábitos de la pronunciación romance. Valdés decía: «quando escrivo para castellanos y entre castellanos siempre quito la *g* y digo *sinificar*, y no *significar*, *manífico* y no *magnífico*, *dino* y no *digno*; y digo que la quito porque no la pronuncio». Lo mismo acontecía con *efeto, seta, conceto, acetar, perfeción, solenidad, coluna*, etc.; pero muchos escritores preferían *efecto, secta, concepto, aceptar, perfección, solemnidad, columna*, e igualmente *significar, digno, prompto, exempto*. Ni siquiera a fines del siglo XVII existía criterio fijo; el gusto del hablante y la mayor o menor frecuencia del uso eran los factores decisivos.

La deformación de los cultismos, aparte de los referidos grupos de consonantes, era muy general en la literatura. Ya se han citado *afición, lición*, con la vocal alterada. Corrientes eran, además, *celebro, paraxismo, plática, rétulo*, en vez de *cerebro, paroxismo, práctica, rótulo*, etc.

---

de Gil Vicente riman *verdá* y *acá*. Aparte quedan los imperativos *amade* > *amá, ponede* > *poné, venide* > *vení*, cuya /d/ pudo perderse siendo aún intervocálica o ya final.

60. Véanse §§ 92$_7$ y 93$_2$.

§ 95. LA FONÉTICA EN LA FRASE

1. En los siglos XVI y XVII la conciencia lingüística de los hablantes era muy superior a la que manifiestan los textos medievales. Hasta entonces el encuentro de determinadas palabras en la frase daba lugar a transformaciones fonéticas que el español clásico aminora o destierra. Así el artículo *la*, considerado ya como característico del género femenino, sustituye lentamente a *el* en casos como *el espada, el otra*; sólo queda *el* como femenino delante de palabras que empiezan por vocal *a* (*el altura, el arena*), sobre todo acentuada (*el agua, el águila*).

2. Se tiende a separar las distintas palabras fundidas en conglomerados: Juan de Valdés, refiriéndose a los imperativos *poneldo, embialdo*, dice: «no sé qué sea la causa por que lo mezclan desta manera...; tengo por mejor que el verbo vaya por sí y el pronombre por sí»; sin embargo, la lucha entre *dalde* y *dadle, teneldo* y *tenedlo* se prolongó hasta la época de Calderón. Las asimilaciones *tomallo, hacello, sufrillo*, estuvieron de moda en el siglo XVI, principalmente entre andaluces, murcianos, toledanos y gentes de la corte, que en tiempo de Carlos V adoptaban el gusto lingüístico de Toledo; después decayeron, aunque la facilidad con que procuraban rimas a los poetas las sostuviera al final de verso durante todo el siglo XVII. Al mediar éste ya era excepcional en la prosa la preferencia con que las usan el andaluz Vélez de Guevara (*leello, repetillo, servillas*, etc., en *El Diablo Cojuelo*) o el murciano Saavedra Fajardo, obedeciendo, sin duda, a sus hábitos regionales.[61] En adelante la asimilación con /l/ subsistió sólo en el Mediodía, y eso como vulgarismo (véase § 121).

3. En el futuro y condicional, como se advertía que su primer elemento era el infinitivo, se restableció éste íntegro en *debería*, en vez del medieval *debría* y otros semejantes que subsistían hacia 1540. En cambio, Valdés usa aún *valerá* por *valdrá* y prefiere *salliré* a *saldré*. También las formas *porné, verné, terné* sucumbieron, tras un período de alternancia que duró hasta fines del siglo XVI, ante *pondré, vendré, tendré*, más fieles a la raíz de *poner, ve-*

---

61. R. J. Cuervo, *Los casos enclíticos y procliticos del pronombre de tercera persona en castellano*, Romania, XXIV, 1895 (reed. en *Disquisiciones sobre Filología castellana*, Bogotá, 1950, 230-239).

nir, tener. Por otra parte, como el infinitivo y la terminación constituían una sola unidad significativa, fue desapareciendo la escisión *besar te he, engañar me ha*, en beneficio de *besaréte* o *te besaré, engañaráme* o *me engañará*. Sin embargo aún emplea Gracián *excusarse ía* en el *Criticón*.

4. Solamente hay nuevos desarrollos fonéticos entre palabras distintas en casos especiales de desgaste, como el de los tratamientos. La puntillosidad de nuestros antepasados relegó el *tú* a la intimidad familiar o al trato con inferiores y desvalorizó tanto el *vos* que, de no haber gran confianza, era descortés emplearlo con quien no fuese inferior. En otro caso, había que tratar de *vuestra merced* o *vuestra señoría*; la repetición originó el paso de *vuestra merced* a *vuesa merced, vuesarced, vuesançed*, etc., y finalmente a *voacé, vucé, vuced, vusted, usted*; en el siglo XVII estas últimas formas eran propias de criados y bravucones; sólo después hubo de generalizarse *usted*.[62] De igual manera *usía* y *vuecencia* nacieron de *vuestra señoría, vuestra excelencia*, con formas intermedias como *vuecelencia, vusiría*; y *señor*, colocado como título delante de un nombre o adjetivo, degeneró en *seor, seó* y *so* (*so gandul, so pícaro* del actual lenguaje vulgar).[63]

62. A. Saint Clair Sloan, *Pronouns of address in Don Quijote*, The Rom. Rev., XIII, 1922, 65-76; Paul Patrick Rogers, *Pronouns of address in the Novelas Ejemplares of Cervantes*, ibid, XV, 1924, 105-120; J. Pla Cárceles, *La evolución del tratamiento «vuestra merced»*, y *«Vuestra merced > usted»*, Rev. de Filol. Esp., X, 1923, 245-280 y 402-403; Ch. E. Kany, *Early history of «vos»*, en *American-Spanish Syntax*, Univ. of Chicago Press, 1945, 2.ª ed., 1951, 58-62 (trad. esp. de M. Blanco, Madrid, 1969); William E. Wilson, *Some Forms of Derogatory, Address during the Golden Age*, Hispania, XXXI, 1949, 297-299; Takamasa Hata, *Los tratamientos de «tú», «vos», «vuestra merced», etc., en «El Quijote» I»* (trabajo de diciembre de 1964, distribuido en fotocopia del texto mecanografiado); R. Lapesa, *Personas gramaticales y tratamientos en español*, «Homenaje a M. Pidal», IV, Rev. de la Univ. de Madrid, XIX, 1970, 141-167; Manfred Engelbert, *Las formas de tratamiento en el teatro de Calderón*, «Hacia Calderón. II, 1970», Berlín-Nueva York, 1973, 191-200.

63. Desviación semántica semejante había tenido el tratamiento *don*, que acompaña a adjetivos insultantes en ejemplos que van del *Poema de Fernán González* hasta el *Lazarillo*: «*doña* alevosa sabida», «*donos* traydores», «*don* descortés», «*don* viejo falso e malo», «*doña* hechizera», «*don* perdido», etc.

§ 96. FORMAS GRAMATICALES[64]

1. En la primera mitad del siglo XVI la conjugación ofrecía muchas inseguridades. Coexistían *amáis, tenéis, sois*, con *amás, tenés, sos*, que pronto quedaron relegados por vulgares y desaparecieron, tanto en España como en las zonas de América más influidas por las cortes virreinales, hacia 1560-1570. El imperativo *cantad, tened, salid* alternaba con *cantá, tené, salí*, y con algún arcaísmo *erguide, amade*. Se dudaba aún entre *só, vo, estó, dó* y *soy, voy, estoy, doy*. Más duró la vacilación entre *cayo, trayo* y *caigo, traigo*. A principios del siglo XVII la lengua había elegido ya las formas que habían de prevalecer en casi todos estos casos.

2. Otros arcaísmos subsistieron hasta la época de Calderón. Así los esdrújulos *amávades, sentíades, dixéredes*,[65] *quisiérades*, en lucha con sus reducciones *amavais, sentíais, dixereis, quisierais*, atestiguadas desde principios del siglo XVI y que al fin triunfaron. La larga resistencia de la /d/ en estas desinencias átonas, mientras en las tónicas *amades, tenedes, sentides* había caído en los siglos XIV y XV, tiene su explicación en la necesidad de distinguir las formas correspondientes a la persona *vos* de las correspondientes a la persona: *tú*. En las tónicas, las alternancias *amáis / amás, tenéis / tenés* podían darse sin que *amás, tenés* se confundieran con *amas, tienes*; pero en las átonas la síncopa de la /d/ hubiera acarreado duplicidades *amavais / amavas*, *sentíais / sentías, dixereis / dixeres, érades > erais / eras, ívades > ívais / ivas*, cuyos segundos términos eran idénticos a las formas de la persona *tú*. Desaparecidas en el uso peninsular las desinencias tónicas de *amás, tenés* y subsistentes sólo *amáis, tenéis*, no hubo ya riesgo de que *amávades* pasara a *amavas, sintiéssedes* a *sintiesses, dixéredes* a *dixeres*, ni *érades, ívades* a *eras, ivas*. La /d/ preventiva pudo caer sin daño, ya que *amavais, sintiesseis, erais, ivais*; *dixereis* eran inconfundibles con la persona *tú*. En extensas zonas americanas donde prevalecieron *cantás, tenés*, se impusieron también *vos cantabas*,

---

64. R. J. Cuervo, *Las segundas personas del plural*, Romania, XXII, 1893, y G. Cirot, *Quelques remarques sur les archaïsmes de Mariana et la langue des prosateurs de son temps*, Romanische Forschungen, XXIII, 1907.

65. En el siglo XVI todavía se usaban las formas contractas *fuerdes, vierdes* por *fuéredes, viéredes*; las emplea san Juan de la Cruz.

vos tuvieras, vos ibas, vos eras, facilitando la mezcla de las personas *tú* y *vos* en el voseo.[66] Las personas *vos* del pretérito *fuistes, matastes,* que respondían a la desinencia latina - s t i s , duraron hasta muy avanzado el siglo XVII; después se convirtieron por contagio en *fuisteis, matasteis,* sin que falte algún ejemplo de *dístedes.*

3. El verbo *aver* conservaba la duplicidad de formas *hemos* y *avemos, heis* y *avéis,* y el subjuntivo del verbo *ir* podía ser *vayamos, vayáis,* o *vamos, vais* (< v a (d) a m u s , v a (d) a t i s ; «os suplico que os *vais* y me dejéis» en Cervantes); nótese que todavía usamos en el mandato o la exhortación la forma *vamos.* Se empleaban indistintamente *traxo* y *truxo, conozgo, conosco* y *conozco, luzga* y *luzca.* Y el lenguaje literario admitía sin reparo formas como *haiga, huiga* 'huya', *quies* 'quieres', tenidas más tarde como vulgarismos incultos.

4. En el nombre cabe señalar que los gentilicios en *-és* y algunos otros se resistían a admitir terminación femenina; así en escritores del siglo XVII se encuentran «provincia *cartaginés*», «la *leonés* potencia»; Calderón escribe todavía «las *andaluces* riberas», aunque más de un siglo antes se había publicado *La loçana andaluza* de Francisco Delicado (1528).

El sufijo diminutivo preferido era *-illo; -uelo* tenía mayor vitalidad que ahora, sobre todo en poesía, pero *-ico* e *-ito* le disputaban la popularidad. Autores de las dos Castillas usan *-ico* (*pasico, polvico, menudico*) hasta la época de Calderón, sin la limitación geográfica que después ha hecho a *-ico,* en la península, exclusivo de Aragón, reino de Murcia y Andalucía oriental. La pujanza de *-ito* se revela en una escritora esencialmente afectiva y espontánea como santa Teresa y en un autor tardío como Calderón: en ambos ocupa *-ito* el segundo lugar de frecuencia entre los diminutivos, siguiendo a *-illo,* al que no había de sobrepujar hasta el siglo XIX.[67]

66. Trato de todo ello con más extensión en *Las formas verbales de segunda persona y los orígenes del «voseo»,* «Actas del III Congr. Intern. de Hisp.», México, 1970, 519-531.

67. Véanse Emilio Náñez Fernández, *El diminutivo en «La Galatea»,* Anales Cervantinos, II, 1952; *El diminutivo en Cervantes, ibid,* IV, 1954, y *El diminutivo. Historia y funciones en el español clásico y moderno,* Madrid, 1973; Federico Latorre, *Diminutivos, despectivos y aumentativos en el siglo XVII,* Arch. de Filol. Arag., VIII-IX, 1956-1957, 105-120; M. Engelbert, *Zur Sprache Calderóns: Das Diminutiv,* Roman. Jahrbuch, XX, 1969, 290-303; José Luis Alonso Hernández, *Lexemas dependientes (diminutivos) y su función sociológica en el*

5. Al siglo XVI corresponde la naturalización del superlativo en *-ísimo*. Aunque hay ejemplos sueltos en la Edad Media, y a pesar del latinismo dominante en el siglo XV, Nebrija había podido declarar: «Superlativos no tiene el castellano sino estos dos: *primero* τ *postrimero*; todos los otros dize por rodeo de algún positivo τ este adverbio *mui*». Pero el doble ejemplo del latín y del italiano[68] influyó sobre la literatura, y ésta a su vez sobre la lengua hablada. Valdés emplea *perfettissima*; Garcilaso celebra al *«clarísimo* Marqués» de Villafranca y a su esposa la «ilustre y *hermosísima* María», o describe cómo, al atardecer, la sombra desciende por la falda «del *altísimo* monte». El uso se incrementa en la segunda mitad del siglo: abundan las muestras en fray Luis de León y en las *Anotaciones* de Herrera; y en tiempo de Cervantes ya estaba plenamente arraigado, siquiera fuese posible sacar partido cómico de su profusión: recuérdense el discurso de la *dolorosísima dueñísima* Trifaldi y la respuesta del *escuderísimo* Sancho Panza. Todavía Correas, en 1626, calificaba de «latina i no española, i en pocos usada» esta forma de superlativo,[69] pero ya entonces se había consolidado.

6. La contienda entre *nos, vos* y *nosotros, vosotros* en la referencia a varios individuos se resuelve a favor de las formas compuestas, que no eran equívocas, pues nunca designaban individuo singular, mientras que *nos* y *vos* lo hacían en usos reverenciales o corteses. Sin embargo la eliminación de *nos* y *vos* fue paulatina: Garcilaso escribe «Ninfas, a *vos* invoco», junto a «alce una de *vosotras*, blancas deas, / del agua su cabeça rubia un poco»; en la segunda mitad del siglo hay ejemplos de *vos* en Fernando de Herrera, Ercilla y hasta en *Los Nombres de Cristo* de fray Luis de León: «*Vos*, Sabino y Juliano, la tenéys».

La forma *ge* de las combinaciones *«ge lo* di», *«ge la* quitare» es sustituida por *se* bajo la acción conjunta de la confusión con el dativo reflexivo y de

---

«Teatro Universal de Proverbios» de Sebastián de Horozco, «Actas del V Congr. Intern. de Hisp.», I, Burdeos, 1977, 131-144.

68. Caso significativo es el de Boscán, que en sus poemas emplea con parquedad superlativos en *-ísimo*, pero a lo largo de su traducción del *Cortesano* se acostumbra al gran uso que de ellos hace Castiglione, aunque dista mucho de igualarlo (Margherita Morreale, *El superl. en «-íssimo» y la versión castellana del «Cortesano»*, Rev. de Filol. Esp., XXXIX, 1955, 46-60).

69. *Arte de la lengua española castellana*, ed. E. Alarcos García, Madrid, 1954, 200.

los trueques fonéticos entre /š/ y /ž/, /š/ (véase § 91₄). Ya en 1517 había dicho Nebrija: «Otras vezes escrevimos *s* y pronunciamos *g*; y por el contrario escrevimos *g* y pronunciamos *s*, como *io gelo dixe* por *se lo dixe*».[70] A partir de 1530 casi no aparece *ge* más que en el lenguaje rústico.

Los demostrativos seguían contando con las formas dúplices *aqueste / este*, *aquesse / esse*, aparte de *estotro*, *essotro*, que conservaban pleno vigor. El relativo *quien*, etimológicamente invariable por proceder del singular q u ĕ m , empezó a tomar forma distintiva para el plural, *quienes*, lo que parecía aún poco elegante a Ambrosio de Salazar en 1622.[71]

7. La lengua clásica conocía adverbios y preposiciones que después han caído en desuso o han cambiado de significación. *Cabe* y *so* se usaban corrientemente en el siglo XVI, y hoy sólo quedan como resabio de eruditos; *estonces* y *ansí* fueron absorbidos por sus concurrentes *entonces*, *assí*; *agora*, preferido por Garcilaso y Valdés, subsiste en Cervantes, pero es ya minoritario respecto de *ahora*. Tenían plena vigencia *passo* 'en voz baja', *presto* y *harto*, abundantísimo en superlativos perifrásticos. La forma habitual de la conjunción copulativa descendiente de et es *y*, escrita *i* por Herrera, el manuscrito gongorino de Chacón, Gonzalo Correas, etc., según uso de Nebrija. Durante la época de Carlos V hubo escritores que siguieron empleando la forma antigua *e*, sola o en alternancia con *y*, *i*, y todavía lo hace, pasada la mitad del siglo, Bernal Díaz del Castillo. En el lenguaje notarial los restos de *e* perduraron largamente, con ejemplos que llegan hasta 1681 por lo menos.[72]

---

70. *Ortogr.*, cap. VII, ed. González Llubera, 253. Para otros posibles motivos de que *se* reemplazara a *ge*, véase Jack Schmidely, *De «ge lo» a «se lo»*, Cahiers de Ling. Hisp. Médiévale, 4, 1978, 63-70.

71. R. Menéndez Pidal, *Manual de Gram. Hist. Esp.*, 6.ª ed., 1941, § 101.

72. En los documentos publicados por Rodríguez Marín (*Nuevos datos para las biografías de algunos escritores españoles de los siglos XVI y XVII*, Bol. R. Acad. Esp., V-X, 1918-1923) encuentro *e* en 1589 y 1610, Sevilla, 1620, Estepa, y en el caso de «*e yo*», 1606 y 1646, Antequera; también «*e yo*» en el documento de Puente de Don Gonzalo citado en la n. 1 del presente capítulo.

§ 97. SINTAXIS[73]

1. Al período clásico pertenece la delimitación de usos entre los verbos *aver* y *tener*.[74] Ambos se venían empleando como transitivos, con sentido de posesión o propiedad. En un principio los habían separado distinciones de matiz; entre otras, *aver* era incoativo, sinónimo por tanto de 'obtener', 'conseguir', mientras *tener* indicaba la posesión durativa, como se ve en el romance de Rosa Fresca: «Quando yo's *tuve* en mis braços / no vos supe servir, no, / y agora que os serviría / no vos puedo *aver*, no». Las diferencias se habían hecho cada vez más borrosas, pues *tener* invadió acepciones reservadas antes a *aver*, que se mantenía apoyado por una reacción literaria. Al comenzar el Siglo de Oro, los dos verbos eran casi sinónimos y se repartían el uso. Luis Zapata cuenta que, habiendo reclamado el doctor Villalobos los honorarios que Garcilaso, cliente suyo, le adeudaba, el poeta abrió un arca vacía, y sacando de ella una bolsa en igual estado, la envió al famoso médico, junta con una copla redactada así: «La bolsa dice: Yo vengo / como el arca do moré, / que es el arca de *Noé* (= 'no he'), / que quiere decir: *no tengo*». Sin embargo, la decadencia de *aver* transitivo era notoria. Juan de Valdés juzgaba que «*aya* y *ayas* por *tenga* y *tengas* se dezía antiguamente, y aun lo dizen algunos, pero en muy pocas partes quadra»; y en 1619 Juan de Luna afirmaba que *aver* «no sirve por sí solo..., y así no diremos *yo he un sombrero*; pero en lugar de esto ponemos el verbo *tener*... como *yo tengo un sombrero*».[75] En efecto, *aver* quedó reducido al papel de auxiliar, sin más restos de su antiguo valor transitivo que los arcaísmos «dar buen consejo al que lo *ha* menester», «los que *han* hambre y sed de justicia» y otros similares.

2. Al tiempo que *aver* perdía su valor posesivo, se consolidaban y ampliaban sus funciones como auxiliar. En los tiempos compuestos con *aver* la

---

73. Utilizo bastantes ejemplos de los recogidos y clasificados por H. Keniston, *The Syntax of Castilian Prose: The Sixteenth Century*, I, Chicago, 1938.

74. Véase Eva Seifert, *«Haber» y «tener» como expresiones de la posesión en español*, Rev. de Filol. Esp., XVII, 1930, 233-276 y 345-389.

75. En realidad nunca parece haberse dicho en castellano «yo *he* un sombrero», pues *tener* fue siempre preferido cuando se expresaba posesión de objetos materiales. Ya en el *Cantar de Mio Cid* se lee «con un sombrero que *tiene* Félez Muñoz» (v. 2799). En cambio *aver* se usaba especialmente con objeto directo abstracto (*aver duelo, pavor, gozo, esperança, lugar, hambre, sed*, etc.).

concordancia entre el participio y el objeto directo ofrece algún ejemplo en la primera mitad del siglo xvi: «los *había* aducido a su amistad, y *hechos* enemigos de estotros» (Hernán Cortés); pero ya domina entonces y es después exclusivo el participio invariable. Por otra parte, *haber* se generalizó como auxiliar en los tiempos compuestos de verbos intransitivos y reflexivos, donde contendía antes con *ser* (§ 56₂). Valdés respeta aún el uso antiguo: «pues los moços *son idos* a comer y nos *han dexado* solos...»; pero escribe también *han ido*. Fray Luis de León emplea casi exclusivamente *ha venido*, que domina desde la segunda mitad del siglo xvi. A mediados del siglo siguiente apenas hay ejemplos de *soy muerto, eres llegado*.

3. La repartición de usos entre *ser* y *estar* se hallaba ya configurada en sus líneas esenciales, como puede verse en estas palabras de Luis Zapata: «Del loco dicen que está loco porque otro día no lo estará más; del necio no dicen que está necio, sino que es necio de juro y de heredad, que toda la vida lo será»;[76] pero la distinción era mucho menos fija que en la lengua moderna. De una parte había mayor posibilidad de emplear *ser* para indicar la situación local: «No se impidió un punto el caminar de la gente, hasta *ser* en Deventer a los 10 de julio» (B. de Velasco); «Darazután, que *es* en Sierra Morena» (Vélez de Guevara); los ejemplos son cada vez más raros desde fines del siglo xvi, pero llegan hasta muy avanzado el xvii; después se impone *estar*. Por otra parte, en la voz pasiva, para las situaciones o estados resultantes de una acción anterior, alternaba aún el viejo perfecto *es escripto, es dicho*, con *está escripto*, que había empezado a usarse en el siglo xiv; un soneto célebre atribuido a Mendoza en las *Flores* de Espinosa (1605) comienza: «Pedís, Reina, un soneto: ya lo hago; / ya el primer verso y el segundo *es* hecho». A la pervivencia de *ser* contribuía su ya citada función auxiliar en los perfectos de verbos intransitivos y reflexivos: *«somos obligados»*, *«ya es cumplido* el tiempo de tu destierro», que valían por 'nos hemos obligado', 'ya se ha cumplido', constituían un obstáculo más para *«estamos obligados»*, *«ya está cumplido»*; éstos progresan, a pesar de todo: «los turcos *estaban* casi todos *muertos»* (Cervantes, *El Amante Liberal*).[77]

76. *Miscelánea, apud* Keniston, *The Syntax*, 479.

77. Véanse las obras citadas en el § 57, n. 22 bis, y además G. Cirot, *«Ser» et «estar» avec participes*, «Mélanges Brunot», París, 1904, 57-69; *Quelques remarques sur les archaïs-*

4. La pasiva con *se*, atestiguada desde las Glosas Emilianenses, sigue ofreciéndose con su construcción primigenia: «los vinos que en esta ciudad *se venden*» (Lazarillo); «*Cautiváronse* quasi dos mil personas» (Hurtado de Mendoza). Pero se extiende cuando el sujeto es un infinitivo, oración o conjunto ideal equivalente: «*permítese* avisarlos, mas no *se sufre* reprehenderlos» (Guevara); «*hágase* así» (Valdés); «no *se le puede decir* que ama» (Alemán). La construcción adquiere cada vez mayor carácter impersonal, manifiesto en su propagación a verbos intransitivos: «sin amor ciego, / con quien acá *se muere* y *se sospira*» (Garcilaso); «*vívese* con trabajo» (Diego de Hermosilla); «con libertad *se ha de andar* en este camino» (santa Teresa). En ciertas perífrasis en que el verbo auxiliar era intransitivo y el transitivo auxiliado iba en infinitivo, el auxiliar no concordaba a veces con el que sería sujeto paciente, acentuando la impersonalidad: «*se ha comenzado* a traer *materiales*» (Cortés). Con verbo transitivo y sujeto paciente personal la construcción se prestaba a ambigüedades: podía interpretarse como reflexiva, si cabía entender propósito o consentimiento en la acción: «el rico *se entierra* en la iglesia» (Alfonso de Valdés, [¿'es enterrado' o 'se hace enterrar'?]); «esta nación *se vence*... de la vanidad de la astrología» (Hurtado de Mendoza, ['se deja vencer']); si el sujeto era una pluralidad de personas, la acción podía entenderse pasiva o recíproca: «*se pueden ymitar los santos*» (santa Teresa); «de tal manera consentía que *se tratassen los caualleros andantes*» (Quijote). Para evitar semejantes anfibologías y de acuerdo con el creciente sentimiento de impersonalidad, *se* fue convertido en índice de ella, y el sujeto paciente pasó a ser objeto directo, con la *a* propia del acusativo personal: «más gravemente *se castiga*... *a la moça*» (Diego de Hermosilla); «si *a la reina se prende*, todo es perdido» (Pérez de Hita). Transformada la construcción en impersonal activa, el verbo va en singular aunque el

---

mes de Mariana et la langue des prosateurs de son temps, Rom. Forsch., XXIII, 1907; *Nouvelles observations sur «ser» et «estar»*, Todd Memorial Vol., I, Nueva York, 1930, 91-122, y *«Ser» and «estar» again*, Hispania, XIV, 1931, 279-288; Américo Castro, *La realidad histórica de España*, México, 1954, 645-646; Ricardo Navas Ruiz, *Ser y estar. Estudio sobre el sistema atributivo del español*, Acta Salmanticensia, XVII, 3, 1963, y bibliografía reseñada en los capítulos XX y XXI de esta última obra; Lucía Tobón de Castro, *El uso de los verbos copulativos en español*, Thesaurus, XXXIV, 1979, 51-72, etc.

objeto directo esté en plural: «se robava *a amigos* como a enemigos» (Hurtado de Mendoza); la invariabilidad del verbo empieza a darse alguna vez con objeto directo de cosa: «de los oficios se ha de sacar *dineros*» (Cervantes, *Gitanilla*). No faltan, sin embargo, ejemplos de concordancia conservada, no obstante llevar *a*: «si *se diesen* por inhábiles *a los que* se juzgan capaces de tan alto ministerio» (Fernández de Navarrete).[78]

La extensión del *se* impersonal y la de *uno* destierran el empleo de *hombre* como indefinido; Alfonso de Valdés escribe todavía «andando a oscuras, presto tropieza *hombre*», y don Diego Hurtado de Mendoza traduce el n i h i l   m i r a r i horaciano por «el no maravillarse *hombre* de nada»; pero *hombre* se ve gradualmente desplazado más tarde, caracteriza el habla plebeya o rústica, y desaparece a lo largo del siglo xvii.

5. Salvo en el romancero y en la canción tradicionales el tiempo verbal *cantara* había perdido casi por completo su originario valor de pluscuamperfecto de indicativo. Criticando el *Amadís*, Juan de Valdés no se satisface con *viniera* por *había venido*, *passara* por *había passado*, y un interlocutor suyo reconoce que se trata de un arcaísmo no imitable ya; sólo el padre Mariana repetirá después el antiguo uso. Consecuentemente hay un cambio de gran importancia en las oraciones condicionales. En un principio la hipótesis futura se construía con el presente de indicativo («si yo *bivo*, doblar vos he la soldada», Mio Cid) o con el futuro de subjuntivo si se acentuaba la idea de contingencia («si yo *visquier*, ser vos han dobladas»). La hipótesis más dudosa o irreal, referida al futuro, al presente o a un momento posterior al de los hechos relatados, llevaba *cantase* en la condición, *cantase* o *cantaría* en la consecuencia («que si non la *quebrantás*, que non ge la *abriessen*»; «si vos *viesse* el Cid sanas e sin mal / todo *serié* alegre»). Y la hipótesis irreal referida a un pasado tenía los paradigmas «si ellos le *viessen*, non *escapara*» ('si ellos le hubiesen visto, no hubiera escapado', Mio Cid) o, algo más tardío, «bien andante *fuera* Poro, sy todos *fueran* atales» ('dichoso habría sido Poro si todos se hubieran portado igual', Alexandre). Entre los siglos xiii y xvi este estado de cosas se había visto perturbado por la formación y crecimiento de los pluscuamperfectos compuestos *hubiese cantado*,

78. Véase Cuervo, nota 106 a la *Gramática* de Bello, así como la bibliografía citada en el § 57, n. 22 ter.

hubiera cantado, por borrarse frecuentemente los límites entre *cantare* y *cantase*, y por la tendencia a emplear *cantara* en usos reservados antes a *cantase*. De todos modos, en la mayor parte del siglo XVI todavía predominaba en *cantara* el valor de pluscuamperfecto de subjuntivo («si me *dixérades* esto antes de comer, *pusiérades*me en dubda» 'si me hubierais dicho..., me hubierais puesto', Valdés); pero a fines del siglo y principios del siguiente se invierte la proporción, prevaleciendo desde entonces la función de imperfecto, en la que *cantara* llega a superar la frecuencia de *cantase*: «Él dará a sus criados y aun a los nuestros, si los *tuviéramos*, como nos ha dado a nosotros» (Quevedo). A su vez las construcciones «si *tuviere*, daré» y «si *tuviere*, daría» decaen notablemente, combatidas en cada caso por «si *tengo*, daré» y «si *tuviese* o *tuviera*, daría o diera». El futuro de indicativo «si alguno *querrá*» por 'si quiere' o 'si quisiere', bastante usado desde el siglo XV, apenas rebasa la primera mitad del XVI.[79]

6. Se extiende la inserción de *a* ante el acusativo de persona y cosa personificada. Valdés reprueba la omisión de *a* en «el varón prudente ama la justicia», «la qual manera de hablar, como veis, puede tener dos entendi-

---

79. E. Gessner, *Die hypothesische Periode im Spanischen in ihrer Entwicklung*, Zeitsch. f. r. Philol., XIV, 1890-1891, 21-65; R. Menéndez Pidal, *Cantar de Mio Cid*, I, Madrid, 1908, §§ 165-166; Leavitt O. Wright, *The -ra Verb Form in Spanish*, Berkeley, Calif., 1932, y *The Spanish Verb Form with the greatest Variety of Functions*, Hispania, XXX, 1947, 488-495; V. García de Diego, *La uniformación rítmica en las oraciones condicionales*, «Est. dedic. a M. Pidal», III, Madrid, 1952, 95-107; M. Criado de Val, *Lenguaje y cortesanía en el Siglo de Oro español: el futuro hipotético de subjuntivo y la decadencia del lenguaje cortesano*, Arbor, XXIII, 1952, 244-252; E. Náñez, *Sobre oraciones condicionales*, Anales Cervantinos, III, 1953, 353-360; H. Mendeloff, *The evolution of the conditional sentence contrary to fact in Old Spanish*, Washington, 1960; José Mondéjar, *La expresión de la condicionalidad en español*, Rev. de Filol. Esp., XLIX, 1966, 229-254; Hans Flasche, *Consideraciones sobre la sintaxis condicional en el lenguaje poético de Calderón*, «Hacia Calderón. Exeter 1969», Berlín-NuevaYork, 1970, 93-103; M. Harris, *The History of the Conditional Complex from Latin to Spanish: some Structural Considerations*, Arch. Ling., 2, 1971, 25-33; Juan M. Lope Blanch, *La expresión condicional en Diego de Ordaz (sobre el español americano en el siglo XVI)*, «Studia Hispanica in hon. R. L.», I; Madrid, 1972, 379-400; Frede Jensen and Thomas A. Lathrop, *The Syntax of Old Spanish Subjunctive*, La Haya, 1973; F. Marcos Marín, *Observaciones sobre las construcciones condicionales en la historia de la lengua española*, Nueva Rev. de Filol. Hisp., XXVIII, 1979, 86-105.

mientos: o que el varón prudente ame a la justicia, o que la justicia ame al varón prudente, porque sin la *a* parece que están todos los nombres en el mesmo caso». No obstante, Lope de Vega usa aún «no disgustemos mi abuela», «quiere doña Beatriz su primo», y Quevedo, «acusaron los escribas y fariseos la mujer adúltera».

7. Durante la Edad Media el empleo de los pronombres átonos de tercera persona había respondido en general a su valor etimológico: el dativo de cualquier género se indicaba con *le* y *les* (< i l l ī , i l l ī s); el acusativo se servía de *lo* (< i l l ŭ m e i l l ŭ d) para el singular masculino y para el neutro, de *la* (< i l l a m) para el femenino, y de *los* (< i l l ō s) y *las* (< i l l ā s) para los plurales masculino y femenino. Este sistema, satisfactorio para la distinción de los casos, no lo era tanto para la de géneros, indiferenciados en el dativo y con un *lo* válido para masculino y neutro. No es de extrañar que desde el Mio Cid haya ejemplos reveladores de un nuevo criterio, que menoscaba la distinción casual para reforzar la genérica. La muestra más frecuente es el uso de *le* para el acusativo masculino, sobre todo referente a personas: en la primera mitad del siglo XVI este acusativo *le* domina en los escritores de Castilla la Vieja y León, a los que se suman después alcalaínos y madrileños, como Cervantes, Lope, Tirso, Quevedo, Calderón y Solís. No faltan, desde los textos más viejos, quienes se valen de *le* para el acusativo de persona y de *lo* para el de cosa, introduciendo así en el régimen pronominal una clasificación como la que establecía la presencia de *a* ante el acusativo nominal de persona.[80] El leísmo tuvo menos éxito en el plural, donde *los* conserva siempre aplastante mayoría sobre *les*. Aún más restringido está el uso contrario, el de *lo* y *los* para el dativo, aunque se encuentre

80. El punto de partida del leísmo parece haber sido el régimen de ciertos verbos que en latín eran intransitivos y se construían con dativo (s e r v i r e , m i n a r i , o b o e d i r e , p a r c e r e , n o c e r e , o b v i a r e , entre otros); sus descendientes o derivados españoles (*servir, (a)menazar, obedecer,* ants. *parçir, nozir, uviar,* etc.) funcionaron desde antiguo como transitivos, pero siguieron rigiendo *le* (< ĭ l l ī), solo o en alternancia con *lo, la.* Como este *le* se refería generalmente a seres humanos, se formó así una «esfera personal» para él, que invadió el acusativo de persona. Con esta tendencia se cruzó la que propendía a distinguir el género y no el caso. Trato de ello en el artículo *Sobre los orígenes y evolución del leísmo, laísmo y loísmo,* «Festschrift W. von Wartburg», Tubinga, 1968, 523-551. Véase también F. Marcos Marín, *Estudios sobre el pronombre,* Madrid, 1978.

atestiguado desde antiguo en escritores castellanos y leoneses, y más tarde en madrileños también. En unos y otros principalmente se da asimismo el uso de *la, las* para el dativo femenino, en proporción variable respecto a *le, les*. El norte y centro peninsulares, albergue de todas estas innovaciones, divergen de Aragón y Andalucía, que se mantienen fieles al criterio etimológico basado en la distinción de casos. No obstante, el influjo de la corte hace que, aun con predominio del gusto conservador, aragoneses como los Argensola y andaluces como Jáuregui ofrezcan bastantes ejemplos de *le* acusativo masculino.[81]

8. El significado de algunos adverbios y modos adverbiales difería del actual: *luego* conservaba el sentido de 'al momento, en seguida, pronto' («véante mis ojos, / muérame yo *luego*» en santa Teresa); *a la hora* tenía igual valor, y *a deshora* el medieval de 'súbitamente, de improviso'. Lo mismo ocurría con el empleo de las preposiciones: se decía «viaje *del* Parnaso» por 'viaje *al* Parnaso', «vivir *a* tal calle», «hablar *en* tal asunto» y, como actualmente entre el pueblo, «ir *en* casa de Fulano». La locución conjuntiva *puesto que* era concesiva, sinónima de 'aunque'; y tras negación *pero* se usaba donde hoy es necesario *sino*: «no una manzana, *pero* todo un cesto».

9. Las mayores diferencias entre el orden de palabras usual en la época clásica y el de la sintaxis moderna consisten en la colocación del verbo y la de los pronombres inacentuados. Los autores de gusto más latinizante, sobre todo en el siglo XVI, tendían a situar el verbo al final de la frase, aunque siempre con menos violencia que en tiempo de Juan II o de los Reyes Católicos. En cuanto a los pronombres inacentuados seguía en vigor la regla de que en principio de frase o después de pausa habían de ir tras el verbo, pero en los demás casos se le anteponían; así escribe Cervantes: «Rindió*se* Camila, Camila *se* rindió»; y antes Valdés: «¿Avéi*sos* concertado todos tres contra el mohíno?». Pero ya aparecen frecuentes ejemplos de proclisis, en especial tras oración subordinada o inciso: «trabando de las correas, *las* arrojó»; «y abrazando a su huésped, *le* dijo»; «y sin pedirle la costa de la posada, *le* dejó ir» (*Quijote*, 1.ª parte, III). Mientras entre nosotros el impe-

81. R. J. Cuervo, *Los casos enclíticos y proclíticos del pronombre de tercera persona*, Romania, XXIV, 1895, 95-113 y 219-263 (también en *Disquisiciones*, Bogotá, 1950, 175 y ss.); Keniston, 7.131 y ss.

rativo, infinitivo y gerundio exigen el pronombre pospuesto, en los siglos XVI y XVII se admitía el orden contrario si otra palabra les precedía en la frase: «la espada *me da*» 'dame la espada', como hoy en el habla aldeana o regional; «para *nos despertar*», «no tenéis que *me cansar*», «no *te prometiendo* esperança de remedio».[81 bis] Por último, estos pronombres se apoyaban en el participio de los tiempos compuestos cuando el verbo auxiliar estaba distante o suplido: «no han querido, antes atádome mucho» (santa Teresa); «Yo os he sustentado a vos y sacádoos de las cárceles» (Quevedo).

10. Nuestros escritores del Siglo de Oro no sentían por el rigor gramatical una preocupación tan escrupulosa como la que ahora se exige; las incongruencias del habla pasaban con más frecuencia a la lengua escrita.[82] Una palabra referida a varios términos podía concertar sólo con uno de ellos: «a todo esto se *opone* mi honestidad y los consejos que mis padres me daban» (Cervantes). La conjunción *que* solía repetirse, como en la conversación, después de cada inciso: «me pidió las armas; yo le respondí *que*, si no eran ofensivas contra las narices, *que* yo no tenía otras» (Quevedo). Y el verbo se sobrentendía en ciertos casos, como en las fórmulas de juramento: «Que por la fe que el noble estima y ama, / [juro] de guardarte secreto eternamente» (Lope de Vega).

§ 98. VOCABULARIO

1. El español áureo experimentó un notabilísimo acrecimiento de palabras. Al tratar de los estilos literarios se han señalado ya las vicisitudes del cultismo, cuya introducción fue incesante.[83] Debe añadirse que la abundancia de neologismos latinos y griegos no llegó a producir envenenamiento intelectual en el léxico literario, pues nuestros autores contrapesa-

---

81 bis. Véase Elizabeth Luna Traill y Claudia Parodi, *Sintaxis de los pronombres átonos en construcciones de infinitivo durante el siglo XVI*, Anuario de Letras, XII, 1974, 197-204.

82. Véase Weigert, *Untersuchungen zur spanischen Syntax auf Grund der Werke des Cervantes*, Berlín, 1907.

83. Véase además C. C. Smith, *Los cultismos literarios del Renacimiento. Pequeña adición al Dicc. crít. etim. de Corominas*, Bull. Hisp., LXI, 1959, 236-272.

ban las abstracciones propias del cultismo con el uso de palabras populares de significación concreta.

2. Muchas voces extranjeras penetraron entonces en el habla española. Las relaciones culturales y políticas con Italia dieron entrada a palabras referentes a muy varias actividades.[84] A la guerra pertenecen *escopeta*, *parapeto*, *centinela*, *escolta*, *bisoño*;[85] la navegación y el comercio, que enriquecían a venecianos y genoveses, dejaron, entre otras, *fragata*, *galeaza*, *mesana*, *piloto*, *banca*; hay muchos términos de artes y literatura, como *esbozo*, *esbelto* < *svelto* («la *esbelteza* de Italia, español brío», Lope de Vega), *escorzo*, *diseño*, *modelo*, *balcón*, *cornisa*, *fachada*, *cuarteto*, *terceto*, *estanza* o *estancia*, *madrigal*, *novela*; a la vida de sociedad se refieren *cortejar*, *festejar*, *martelo*. Italianismos son también *manejar*, *pedante*, *bagatela* («niñerías / que en Italia se llaman *bagatelas*», Lope), *capricho*, *poltrón*. De modo pasajero se usaron *ya* con el significado de 'en otro tiempo', *gastar* 'estropear', *aquistar* 'conseguir', *pobreto*, *yo tanto* 'en cuanto a mí' y otras expresiones extrañas a nuestra lengua. Hacia 1547, la famosa *Carta del Bachiller de Arcadia al Capitán Salazar* censuraba así el exceso de italianismos: «¿Para qué decís *hostería*, si os entenderán mejor por *mesón*? ¿Por qué *estrada*, si es mejor y más claro *camino*?... ¿Para qué *foso* si se puede mejor decir *cava*?... ¿*Emboscadas* y no *celadas*?... ¿*Designio* y no *consideración*? ¿*Marcha* y no *camina*? ¿*Esguazo* y no *vado*?... Hable Vm. la lengua de su tierra». Hay otras protestas análogas.[86] A veces los italianismos tomaron en español sentido irónico, según aconteció a *parola* o *joveneto*.

84. Véanse los estudios de Terlingen y Gillet citados en el § 70, n. 15; el prólogo de F. Rodríguez Marín a su ed. del *Viaje del Parnaso* cervantino (Madrid, 1935); Manlio Castello, *Gli italianismi della lingua spagnuola*, Boll. dell'Istituto di Lingue Estere, Génova, 1952-1953, 26-46; Pietro Ventriglia, *Italianismos y españolismos y el influjo español en Italia*, Madrid, Escuela C. de Idiomas, 1954: Joaquín Arce, *Italianismi in spagnolo e spagnolismi in italiano*, Boll. dell'Ist. di Lingue Estere, Génova, 1976; F. González Ollé, *Contribución al estudio de los italianismos del español en el siglo XVI*, Filología Moderna, n.ᵒˢ 56-58, noviembre 1975-junio 1976, 195-206.

85. Los soldados noveles de nuestros tercios, al comenzar su vida militar y alojarse en casas de italianos, acudían a sus jefes, camaradas o huéspedes con incesantes peticiones, en las que repetían la palabra *bisogno* 'necesito'.

86. Véase L. de Torre, Rev. de Archivos, Bibl. y Museos, XXVIII, 304-319 *Estrada*, indígena en el occidente peninsular, se reavivó en el castellano áureo por influjo del it. *strada*.

3. De origen francés son nombres de prendas de vestir y modas como *chapeo, manteo, ponleví*, y de usos domésticos, *servieta*, después *servilleta*. En la vida palaciega, los cargos de *sumiller, panetier, furrier-furriel, ujier*, revelan el influjo borgoñón traído por los Austrias. Cuando, en el siglo XVII, la corte francesa fue modelo del trato social distinguido, se introdujeron *madama* (ya usado alguna vez en el siglo XV), *damisela, rendibú* y otras. Muy generales en la poesía son los galicismos *rosicler* y *frenesí*, introducidos antes. El galicismo militar de los siglos XVI y XVII incluye *trinchea* (más tarde *trinchera*), *batallón, batería, bayoneta, coronel, piquete, xefe*, etc. Hacia 1645 el Príncipe de Esquilache decía así en un soneto sobre la campaña de Lérida, previendo su final:

> Ni en tiempo de Mauricio ni del Draque
> Llamó Castilla al pelear *disputa*,
> Ni se supo en Madrid qué era *recluta*,
> Ni *marcha*, ni *retén*, *brecha* ni *ataque*.
> [...]
> No aurá quien diga más *calientes choques*,
> Y dexando el Francés las *carauinas*,
> Boluerán as ballestas de bodoques.[87]

4. El portugués dejó, entre otros, *payo, mermelada* («os pedí una *mermelada* portuguesa», escribe Guevara), *brinquiño* 'dije'. Durante la época de los Austrias lo portugués fue de buen tono en España; damas y galanes se preciaban de tener a punto una cita de Camões con que adornar la conversación, y el portugués era considerado prototipo del enamorado platónico. A la vida de corte pertenecen los lusismos *sarao* y *menino*, y a la sentimental

---

En cuanto a *marchar*, es de origen francés; pero entró en el español a través del it. *marciare*, según declara el P. Sigüenza: «este término..., con otros muchos de la milicia, nos ha venido de Italia» (véase Terlingen, *op. cit.*).

87. S. Gili Gaya, *Poesías del Príncipe de Esquilache referentes a Lérida*, 1947, 8. En el sentir de Esquilache, estos galicismos eran moda reciente, posterior a los tiempos de Mauricio de Nassau (1567-1625). No obstante, *marchar* figura ya censurado como italianismo en 1547 (véanse apartado 2 de este mismo párrafo y n. 86), aunque se consolidara más tarde por influjo directo francés.

el significado de 'melancolía' o 'añoranza' que el castellano *soledad* tomó frecuentemente por influjo del portugués *saudade*.[88] La nostalgia subyace también en *achar menos* 'notar la falta de alguien o de algo', transformado por los españoles en *echar menos* y más tarde en *echar de menos*.[89]

5. Las lenguas germánicas prestaron escasas palabras. En tiempo de los Reyes Católicos participaron en la guerra de Granada soldados suizos, de largos mostachos, que prodigaban el juramento b î G o t ! 'por Dios'; los dos rasgos se asociaron en el español *bigote*, desviado del sentido original y registrado ya por Nebrija en 1492.[90] Germanismos posteriores son *lansquenete* (< al. L a n d s k n e c h t), *trincar* 'beber' (< al. t r i n k e n) y *brindis* (< al. i c h b r i n g d i r ' s). El general francés, de origen alemán, S c h o m b e r g y las tropas que con él vinieron a la guerra de Cataluña en 1650, vestían casacas que recibieron el nombre de *chambergas*, lo mismo que el sombrero *chambergo*. Del flamenco proceden *escaparate* (< s c h a - p a r a d e), que sustituyó en el español peninsular a *vidriera*[91] en una de sus acepciones, y *caramesia* 'fiesta popular, especie de verbena' (< c a r a - m e s s e , k e r m e s s e) usado en el ambiente de los tercios del siglo XVII y olvidado luego; la introducción moderna de *kermesse* se ha hecho a través del francés. En Flandes y con referencia a instituciones flamencas empezó a tener curso en español *finanzas*, tomado del francés valón *finances*.[92]

---

88. Véanse Gregorio Salvador, *Lusismos*, «Encicl. Ling. Hisp.», II, 1966, 239-261, y José Pérez Vidal, *Del codonate a la mermelada*, Rev. de Dial. y Trad. Pop., XXIX, 1973.

89. La forma originaria castellana había sido *fallar menos*, atestiguada en Mio Cid. Véanse R. J. Cuervo, *Apuntaciones crít. sobre el lenguaje bogotano*, 7.ª ed., Bogotá, 1939, § 418, y, contra la idea de lusismo, L. Spitzer, Rev. de Filol. Esp., XXIV, 1937, 27-30. Para otras palabras de origen portugués más o menos seguro, R. de Sá Nogueira, *Crítica etimológica*, Lisboa, 1949.

90. Los auxiliares suizos habían llegado a España en 1483 (R. Lapesa, *Notas lexicológicas*, «Litterae Hispanae et Lusitanae», Múnich, 1968, 189-190).

91. «Más vestida me tiene que vn palmito, y con más joyas que la *vedriera* de vn platero rico» (Cervantes, *El viejo celoso*, ed. Schevill-Bonilla, 148). *Vidriera* 'escaparate' sigue usándose en América.

92. Véanse B. E. Vidos, *Relaciones antiguas entre España y los Países Bajos, y problemas de préstamos holandeses (flamencos) en castellano*, Rev. de Filol. Esp., LV, 1972, 233-242, y R. Verdonk, *Contribución al estudio de la lexicografía española en Flandes en el siglo XVII (1599-1705)*, Bol. R. Acad. Esp., LIX, 1979, 289-369, y *La lengua española en Flandes en el*

6. La conquista y colonización del Nuevo Mundo trajo multitud de nombres referentes a su geografía física y meteorología, plantas y animales antes desconocidos, pueblos y tribus, usos, vestido, cultura material e instituciones indígenas, etc. Sirvan de ejemplo, por haber alcanzado más rápida difusión, *canoa*, *huracán*, *cacique*, *nagua* 'enagua', *tabaco*, *patata*, *chocolate*, *tomate*, *vicuña*, etc. Más de quinientos figuran en la *General y natural Historia de las Indias* de Gonzalo Fernández de Oviedo, lo que hace suponer que en el uso de los españoles instalados en América el número de indigenismos sería muy elevado. Lope de Vega emplea 80, de los cuales sólo 30 aparecen exclusivamente en comedias de asunto americano. Véase después § 127.[93]

7. Aparte de la adopción de voces grecolatinas y extranjeras, el léxico literario español aumentó su caudal aprovechando los propios recursos del idioma. Se ha indicado ya la abundante formación de derivados, sobre todo en el siglo XVII. Otro medio fue la admisión de palabras técnicas en el lenguaje corriente:[94] así términos militares (*batería* 'brecha', *estratagema*), jurídicos (*privilegio*, *exención*), de la administración (*arbitrio*, *tasa*), musica-

---

siglo XVII, Madrid, 1980. Antes habían entrado en español términos náuticos como *boya* y *amarrar*, procedentes de los neerlandeses b o (e) y e y a a n m a r r e n, el primero directamente y en el siglo XIV; el segundo, a través del fr. *amarrer* antes de 1492, pues ya figura en Nebrija.

93. Marcos A. Morínigo, *América en el teatro de Lope de Vega*, Buenos Aires, 1946, y *La penetración de los indigenismos americanos en el español*, «Presente y Futuro de la Leng. Esp.», II, 1964, 217-226; Manuel García Blanco, *Voces americanas en el teatro de Tirso de Molina*, Bol. Inst. Caro y Cuervo, V, 1949, 264-283; Manuel Alvar, *Americanismos en la «Historia» de Bernal Díaz del Castillo*, Madrid, 1970; Juan Clemente Zamora Munné, *Indigenismos en la lengua de los conquistadores*, Univ. de Puerto Rico, 1976.

94. Para los tecnicismos del Siglo de Oro pueden verse los vocabularios de la época sobre terminología náutica, médica, de historia natural y arte incluidos en el *Tesoro Lexicográfico (1492-1726)* de Samuel Gili Gaya, I, Madrid, 1947 [-1957] y mencionados en las pp. XII y XVII-XXVII de su prólogo; además el *Glosario médico castellano del siglo XVI* de César E. Dubler, Barcelona, 1954; el de Manuel Gómez-Moreno en la ed. facsímil (Madrid, 1966) de la *Primera y segunda parte de las reglas de la Carpintería* de Diego López de Arenas (1619); el *Léxico de alarifes de los Siglos de Oro* de Fernando García Salinero, Madrid, R. Acad. Esp., 1968, y su artículo *El léxico de un ingeniero español del siglo XVI*, Hispania, LI, 1968, 457-465, etc.

les y artísticos (*prima* de guitarra, *lejos*), de la filosofía (*argumento*, *implicar*, *animar*), de la física, alquimia y medicina (*elemento*, *alquermes*, *humor*), usados ya desde antes o nuevos en la literatura, vivieron en ella durante los siglos xvi y xvii, favorecidos por el desarrollo del lenguaje figurado. Hasta la jerga del hampa halló acogida: *cepos quedos* '¡quieto!', *la ene de palo* 'la horca', *gurapas* 'galeras', aparecen en nuestros escritores, independientemente de otras expresiones de germanía que sólo se ponen en boca de pícaros o jaques.[95]

Tan amplia libertad de criterio contrasta con la restricción que por el mismo tiempo se operaba en otras literaturas donde la consolidación del espíritu clásico condujo a un riguroso cernimiento del vocabulario. En Italia fueron repudiados los tecnicismos; en Francia, desde Malherbe y Vaugelas, la selección léxica llevó al uso casi exclusivo de las llamadas «palabras nobles», desechándose términos vulgares, extranjerismos, cultismos crudos y tecnicismos. La literatura barroca del siglo xvii español prefirió la abundancia a la depuración, y, extremosa en sus opuestas direcciones, aprovechó desde los vocablos más insólitos y deslumbrantes hasta los más plebeyos.

§ 99. ESTUDIOS SOBRE EL IDIOMA EN LOS SIGLOS XVI Y XVII[96]

La labor iniciada por Nebrija tuvo muchos proseguidores. Abundan, como ya se ha dicho, las obras destinadas a extranjeros para el aprendizaje

95. En 1609 se publicó en Barcelona el *Vocabulario de germanía* de Cristóbal de Chaves, impreso a nombre de Juan Hidalgo y principal fuente durante siglos para conocer el lenguaje del hampa. Véanse además John M. Hill, *Voces germanescas*, Bloomington, Indiana, 1949, y José Luis Alonso Hernández, *Léxico del marginalismo del Siglo de Oro*, Salamanca, 1977.

96. Véanse Cipriano Muñoz y Manzano, Conde de la Viñaza, *Biblioteca histórica de la filología castellana*, Madrid, 1893; Emilio Alarcos García, *La doctrina gramatical de Gonzalo Correas*, Castilla, I, 1940; Amado Alonso, *Identificación de gramáticos clásicos*, Rev. de Filol. Esp., XXXV, 1951, 221-236, y *De la pronunciación medieval a la moderna en español*, ya citado; W. Bahner, *Beitrag zur Sprachbewusstsein in der spanischen Literatur des 16. und 17. Jahrhunderts*, Berlín, 1956 (trad. esp. *La lingüística esp. del Siglo de Oro*, Madrid, 1966); Juan

del español, y también los diccionarios bilingües. Pero más interés ofrecen los intentos de algunos autores que pretenden alcanzar, mediante la observación libre de prejuicios gramaticales latinos, las verdaderas leyes que regían el funcionamiento del idioma. Ninguno de nuestros tratadistas de entonces ponía en juego un método científico riguroso; pero a veces poseían penetración suficiente para descubrir realidades gramaticales indudables. Juan de Valdés, impulsado por el afán de reglamentar usos, formula muchas normas arbitrarias; pero la mayoría de las que da son exactas, y tiene un sentido muy certero de los usos preferibles en los casos de duda. Más técnico es Cristóbal de Villalón, cuya *Gramática* (1558) está llena de observaciones agudas. Bernardo Aldrete, en su *Origen y principio de la lengua castellana* (1606), atisba muchas de las leyes fonéticas relativas a la transformación de los sonidos latinos al pasar al romance, confirmadas después por la lingüística moderna. El maestro Gonzalo Correas, además de reunir un copiosísimo *Vocabulario de refranes*, propuso (1625 y 1630) atrevidas modificaciones ortográficas, encaminadas a armonizar la escritura con la pro-

---

M. Lope Blanch, *La «Gramática española» de Jerónimo de Texeda* (1619), Nueva Rev. de Filol. Hisp., XIII, 1959, 1-16, y prólogo a la ed. facsimilar de esta Gramática, citada líneas más abajo; J. A. de Molina, *Las ideas lingüísticas de Aldrete*, Rev. de Filol. Esp., LI, 1968, 183-207; Abraham Esteve Serrano, *El «Libro subtilissimo intitulado Honra de escrivanos» de Pedro de Madariaga*, «Homen. a Muñoz Cortés», I, Murcia, 1976-1977, 151-163; Pilar Ramírez Rodrigo, *Jiménez Patón y su época*, Cuadernos de Est. Manchegos, 1977. Ediciones: Antonio de Torquemada, *Manual de escribientes* (1552), por M.ª Josefa C[anellada] de Zamora y A[lonso] Zamora Vicente, Madrid, 1970; Cristóbal de Villalón, *Gramática castellana* (1558), por Constantino García (facsimilar), Madrid, 1971; *Gramática de la lengua vulgar de España, Lovaina, 1559* (anónima), por Rafael de Balbín y Antonio Roldán (facsimilar), Madrid, 1966; Bernardo Aldrete, *Del origen y principio de la lengua castellana o romance* (1606), por Lidio Nieto Jiménez (facsimilar), Madrid, 1972; Mateo Alemán, *Ortografía castellana* (1609), ed. de José Rojas Garcidueñas y estudio de Tomás Navarro, México, 1950; Bartolomé Jiménez Patón, *Epítome de la Ortografía Latina y Castellana* (1614) e *Instituciones de la Gramática Española*, por Antonio Quilis y Juan Manuel Rozas, Madrid, 1965; Jerónimo de Texeda, *Gramática de la Lengua Española* (1619) por J. M. Lope Blanch (facsimilar), México, 1979; Gonzalo Correas, *Arte de la lengua española castellana* (1625), por E. Alarcos García, Madrid, 1954; *Vocabulario de refranes y frases proverbiales* (1627) por Louis Combet, Burdeos, 1967 (muy superior a las de la R. Acad. Esp., 1906 y 1924), y *Ortografía Kastellana* (1630), reprod. facsimilar, Madrid, España-Calpe, 1971.

nunciación.[97] Entre los Diccionarios, el más notable es el *Tesoro de la lengua castellana o española*, de Sebastián de Covarrubias (1611), curioso arsenal de noticias sobre ideas, costumbres y otros aspectos de la vida española de antaño, expuestas ingenuamente al definir las palabras.[98]

La postura de los gramáticos y ortógrafos de los siglos XVI y XVII fue, ordinariamente, más de preceptistas que de científicos; pero el dinamismo creador de sus contemporáneos era más poderoso que el sentido de disciplina en el uso del idioma. No entra en los fines del presente libro historiar las ideas sobre el lenguaje y las lenguas en general, aunque sean de gran interés las de Luis Vives y las de Francisco Sánchez de las Brozas, cuya *Minerva* (1587) tuvo gran resonancia en los siglos inmediatos y hoy se revela como de sorprendente actualidad por anunciar aspectos fundamentales de la lingüística generativa.[99]

97. Para la historia de la ortografía española es fundamental el extenso prólogo de Ángel Rosenblat sobre *Las ideas ortográficas de Bello* (*Obras completas de Andrés Bello*, t. V, *Estudios gramaticales*, Caracas, 1951). Las pp. XXX a LXII de ese prólogo están dedicadas a la ortografía castellana en los siglos XVI y XVII.

98. V. Juan M. Lope Blanch, *El juicio de Ménage sobre las etimologías de Covarrubias*, «Festschrift Kurt Baldinger», Tubinga, 1979, 78-83. Samuel Gili Gaya (1892-1976) reunió y elaboró los materiales para un vasto corpus de los diccionarios de español, desde el de Nebrija hasta comienzos del siglo XVIII. De esta valiosísima compilación, *Tesoro Lexicográfico (1492-1726)*, cuyos fascículos empezaron a aparecer en 1947, sólo se han publicado las letras A-E.

99. Véanse Eugenio Coseriu, *Zur Sprachtheorie von Juan Luis Vives*, «Festschrift Walter Mönch», Heidelberg, 1971, 234-255, y *Das Problem des übersetzens bei Juan Luis Vives*, «Interlinguistica. Festschrift M.Wandruszka», Tubinga, 1971, 571-582 (trad. esp., *Dos estudios sobre Juan Luis Vives*, México, 1978); Francisco Sánchez de las Brozas, *Minerva* (1562), introd. y ed. de Eduardo del Estal Fuentes, Universidad de Salamanca, 1975; Constantino García, *Contribución a la historia de los conceptos gramaticales. La aportación del Brocense*, Madrid, 1960; Esteban Torre, *Ideas lingüísticas y literarias del Doctor Huarte de San Juan*, Univ. de Sevilla, 1977; A. García Berrio, *Las «Novae in Grammaticam Observationes» de Francisco Cascales*, Murcia, Acad. Alfonso X el Sabio, 1968, e *Ideas lingüísticas en las paráfrasis renacentistas de Horacio. Estructura del significante y significado literarios*, «Homen. a Muñoz Cortés», I, Murcia, 1976-1977, 181-201, etc.

XIV

EL ESPAÑOL MODERNO

§ 100. EL SIGLO XVIII[1]

Al terminar la guerra de Sucesión, España se encontraba exhausta y deprimida. Tras la serie de adversidades que habían jalonado los reinados de Felipe IV y Carlos II, quedaba sacrificada en la paz de Utrecht. Todas las actividades parecían muertas. Se imponía una tarea de reconstrucción vivificadora, y a ella tendieron los esfuerzos de las minorías dirigentes; sus tentativas de reforma, obedientes al racionalismo de la época o ajustadas al modelo de otros países, contradijeron muchas veces al espíritu de la herencia tradicional. Del pasado, sometido a crítica, sacaron unos lecciones confortadoras, mientras otros, más atraídos por las nuevas corrientes, llegaban a conclusiones negativas. En consecuencia, el siglo XVIII marca una quiebra de la tradición hispánica y un auge de la influencia extranjera.

Al impulso creador de nuestra literatura clásica sucede un período de extrema postración. En el último tercio del siglo se inicia un resurgimiento que no alcanza a todos los géneros y se encierra en estrechos módulos, contrastando con la libertad artística de las centurias precedentes. En cambio, es intensa la labor de erudición y crítica, hay saludable renovación de ideas y se intenta aminorar el retraso científico y técnico producido en España

---

1. Véanse Américo Castro, *Algunos aspectos del siglo XVIII*, en *Lengua, enseñanza y literatura*, Madrid, 1924; Fernando Lázaro Carreter, *Las ideas lingüísticas en España durante el siglo XVIII*, Madrid, 1949; Jean Sarrailh, *L'Espagne éclairée de la seconde moitié du XVIIIe siècle*, París, 1954 (trad. esp. de Antonio Alatorre, *La España ilustrada de la 2.ª mitad del siglo XVIII*, México, 1957); Julián Marías, *Los españoles*, Madrid, 1962, y *La España posible en tiempo de Carlos III*, Madrid, 1963.

por su aislamiento intelectual respecto de Europa desde fines del siglo xvi. Con verdad se dijo entonces que el reino de la fantasía había cedido el puesto al de la reflexión.

§ 101. PREOCUPACIÓN POR LA FIJEZA LINGÜÍSTICA. LA ACADEMIA. TRABAJOS DE ERUDICIÓN

Durante el período áureo la fijación del idioma había progresado mucho, pero los preceptos gramaticales habían tenido escasa influencia reguladora. Desde el siglo xviii la elección es menos libre; se siente el peso de la literatura anterior. La actitud razonadora de los hombres cultos reclama la eliminación de casos dudosos. Sobre la estética gravita la idea de corrección gramatical y se acelera el proceso de estabilización emprendido por la lengua literaria desde Alfonso el Sabio. No es que se detuviera —cosa imposible— la evolución del idioma: el mismo lenguaje escrito, con ser tan conservador, revela constante renovación, más intensa aún en el hablado, a juzgar por lo que de él refleja a veces la literatura. Pero novedades y vulgarismos tropiezan desde el siglo xviii con la barrera de normas establecidas que son muy lentas en sus concesiones.

Símbolo de esta postura es la fundación de la Real Academia Española (1713) y la protección oficial de que fue objeto. En sus primeros tiempos, la Academia realizó una eficacísima labor, que le ganó merecido crédito. Publicó entonces el excelente *Diccionario de Autoridades* (1726-39), llamado así porque cada acepción va respaldada con citas de pasajes en que la utilizan buenos escritores.[2] Dio también a luz la *Orthographía* (1741) y la *Gramática* (1771), editó el *Quijote*, con magnífica impresión de Ibarra (1780), y

2. Samuel Gili Gaya, *La lexicografía académica del siglo XVIII*, Cuad. de la Cátedra Feijoo, 14, Oviedo, 1963; Fernando Lázaro Carreter, *Crónica del Diccionario de Autoridades (1713-1740)*, discurso de recepción en la R. Acad. Esp., Madrid, 1972; J. Domínguez Caparrós, *La Gramática de la Academia del siglo XVIII*, Rev. de Filol. Esp., LVIII, 1976, 81-108; Ramón Sarmiento, *La Gramática de la Academia. Historia de una metodología*, Bol. R. Acad. Esp., LVIII, 1978, 435-446, y *Filosofía de la «Gramática» de la R. Ac. Esp.*, Anuario de Letras, XVII, 1979, 97-112; F. Marcos Marín, *Reforma y modernización del español*, Madrid, 1979, etc.

el *Fuero Juzgo* (1815). Su lema «limpia, fija y da esplendor» quedó cumplido en cuanto a criba, regulación y estímulo.

La atención por el estudio y purificación del idioma se revela asimismo en la obra de otros eruditos. Mayans y Siscar publicó en sus *Orígenes de la lengua castellana* (1737) el *Diálogo de la lengua*, de Juan de Valdés; en su *Retórica* estudió cuidadosamente la prosa española y reunió una útil antología. Fray Martín Sarmiento, el compañero y discípulo de Feijoo, no sólo acopió ingentes materiales lingüísticos, sino que formuló interesantes teorías y se anticipó a los comparatistas y neogramáticos del siglo XIX en su concepto del latín vulgar y de la regularidad de las leyes fonéticas, que formulaba como «teoremas» de unos *Elementos etimológicos según el método de Euclides*.[2 bis] Capmany seleccionó modelos de buen estilo en su *Teatro historicocrítico de la elocuencia* (1786-94) y abordó la historia lingüística en el tratado *Del origen y formación de la lengua castellana* (1786).[3] En la *Colección de poesías anteriores al siglo XV*, de Tomás Antonio Sánchez (1779), aparecieron impresos por vez primera el *Cantar de Mio Cid*, los poemas de Berceo, el *Alexandre* y el *Libro de Buen Amor*. Y en 1807, en vísperas de la invasión francesa, la Real Academia de la Historia publicaba las *Partidas* alfonsíes en edición ejemplar para entonces.

§ 102. LOS GRUPOS CULTOS Y LAS REFORMAS ORTOGRÁFICAS

1. La preocupación por la regularidad idiomática permitió resolver en el siglo XVIII dos de los problemas en que más habían durado las inseguridades. Quedaba por decidir si los grupos de consonantes que presentaban las palabras cultas habían de pronunciarse con fidelidad a su articulación latina, o si, por el contrario, se admitía definitivamente su simplificación, según los hábitos de la fonética española. La Academia impuso las formas latinas *concepto*, *efecto*, *digno*, *solemne*, *excelente*, etc., rechazando las reduc-

2 bis. José Luis Pensado, *Fray Martín Sarmiento: sus ideas lingüísticas*, Cuadernos de la Cátedra Feijoo, 8, Oviedo, 1960.

3. Mariano Baquero Goyanes, *Prerromanticismo y retórica: Antonio de Capmany*, «Homen. a Dámaso Alonso», I, Madrid, 1960, 171-189.

ciones *conceto, efeto, dino, solene, ecelente*. Por concesión al uso prevalecieron multitud de excepciones, como *luto, fruto, respeto, afición, cetro, sino*, que contrastan con los derivados latinizantes de igual origen *luctuoso, fructífero, respecto, afección, signo*. Nótese que en los casos de *plática* y *práctica*, *respeto* y *respecto*, *afición* y *afección*, *sino* y *signo*, la duplicidad de formas ha servido a la lengua para establecer diversidad de empleos o acepciones. Cuando en los cultismos había grupos de tres consonantes duros para la articulación nuestra, como en *prompto, sumptuoso*, fueron también preferidas las formas sencillas, *pronto, suntuoso*. Después *oscuro, sustancia*, generales en la pronunciación, van desterrando de la escritura a *obscuro, substancia*.

2. El segundo y muy grave problema era el de la ortografía. El sistema gráfico que había venido empleándose durante los siglos XVI y XVII era esencialmente el mismo de Alfonso X, y por lo tanto mantenía oposiciones gráficas que no se correspondían con la pronunciación real de 1700: así distinguía *b* y *v*, *c* o *ç* y *z*, *-ss-* y *-s-*, *x* y *g, j*, cuando las respectivas parejas de fonemas se habían reducido cada una a un solo fonema como consecuencia de la transformación culminada entre 1450 y 1620. Aparte de tal desajuste, conservaba duplicidades que pedían mejor distribución de usos: la *u* y la *v* representaban unas veces fonema vocal (*duro, vno*) y otras consonante (*cauallo* o *cavallo, amaua* o *amava, viento*); igual ocurría con la *i* y la *y* (*imagen* o *ymagen, aire* o *ayre, sois* o *soys*, y *maior* o *mayor, ia* o *ya*). Las tendencias eruditas habían hecho que se extendiera la costumbre de restaurar en la escritura la *h* latina (*honor, hombre, húmedo*), muda desde los tiempos de Tiberio, sin llegar a imponerla (abundaban *ay, oy, onesto*, etc.); mientras tanto, al dejar de pronunciarse la [h] procedente de /f-/ latina o de aspiradas árabes, se habían producido inseguridades (*hazera / azera* o *acera, alhelí / alelí*). Por último, el cultismo latinizante fomentaba transcripciones como *philosophía, theatro, christiano, monarchía, lyra, quanto, quando, qual, eloquente, frequente*. La Academia, con un apoyo oficial que no habían tenido los ortógrafos anteriores, emprendió la reforma, jalonándola en una serie de etapas. La primera, formulada en el prólogo al *Diccionario de Autoridades* (1726), tuvo dos decisiones felices: *a*) destinó exclusivamente el signo *u* a la vocal /u/ y el signo *v* a representar consonante, desterrando *vno, último, lauar, saluado*, etc.; *b*) suprimió la cedilla y distribuyó el uso de *c* y *z*, reservando la *c* para preceder a *e, i*, y la *z* para anteponerse a *u, o, a*, o ir en final

de sílaba (*ceder, cielo, lucir, hacer, vecino, zahúrda, corazón, zumo, luz, torrezno*), con lo que eliminó *luzir, hazer, vezino, çahurda, coraçón, çumo*, etc. En cuanto a la *b* y la *v*, reconociendo que «los Españoles no hacemos distinción en la pronunciación de estas dos letras», optó por atenerse a la etimología: *b* cuando en latín hay *b* o *p*; *v* cuando el latín tiene *v*; y en palabras de origen dudoso, preferencia por *b*; de este modo proscribió *cavallo, bever, cantava, boz, bivir*, en beneficio de *caballo, beber, cantaba, voz, vivir*. El respeto a la etimología hizo que la Academia se inclinara en 1726 por las grafías *ph, th, ch, y* (*sýmbolo, mártyr*) en las voces de origen griego, repusiera la *h* latina y preceptuase doble consonante en *accelerar, accento, annotar, annual* y otros. Más tolerante con el uso efectivo se mostró en la *Orthographía* de 1741 y sobre todo en la *Ortografía* de 1763, que suprime la distinción entre *-ss-* y *-s-* generalizando la *-s-*: *esse, grandíssimo, tuviesse* simplificaron definitivamente su grafía (*ese, grandísimo, tuviese*). A lo largo del siglo se van restringiendo los latinismos *ph, th, ch* en pro de *f, t, c* o *qu* (*quimera* y no *chimera*), así como la *y* de *sýmbolo, lyra* en favor de *símbolo, lira*, la *z* helenizante de *zelo*, la *s* líquida de *stoico, sciencia*, y otros resabios cultos. Y en la octava edición de la *Ortografía* (1815) se consuma la modernización: la Academia preceptúa entonces *c* y no *q* en *cuatro, cuanto, cual, elocuente, frecuente, cuestor*; fija el uso de *i* o *y* para la semivocal de *aire, peine, ley, rey, muy*; y reserva la *x*, como en latín, para el grupo culto /ks/ o [gs] (*examen, exención*), pero no como grafía del fonema /χ/, función en que es sustituida por la *j* (*caja, queja, lejos, dejar*, en vez de *caxa, quexa, lexos, dexar*). Así desaparece el último resto gráfico de la distinción entre sibilantes sordas y sonoras, extinguida en el habla dos siglos antes: en lo sucesivo el fonema /χ/ se representará con *j* ante cualquier vocal, pero respetando la *g* ante *e, i* cuando lo requiere la etimología (*gente, género, tragedia*, etc.).[3 bis] La perduración

3 bis. Véase Ángel Rosenblat, *Las ideas ortográficas de Bello* (cit. en § 99, n. 97), LXII-LXXXI. La *Orthographía* académica de 1741 dispuso que se marcara con circunflejo la vocal vecina a *ch* (*châridad, mechânico*) y a *x* (*exâmen, exôrbitante*) para indicar que estas consonantes habían de pronunciarse como /k/ y /ks/ o [gs] respectivamente, no como la /ĉ/ de *muchacho* ni la /χ/ de *xabón, caxa*. También preceptuó la diéresis tanto en *agüero, argüir*, donde hoy subsiste, como en *qüestión, eloqüencia*, donde cesó en 1815 al imponerse *c* en lugar de *q*. No podemos detenernos aquí para tratar de los cambios en el empleo de acentos gráficos, puntuación, etc.

de *México*, *Oaxaca*, *Xalapa*, etc. (pronunciados con /χ/) en América frente a *Méjico*, *Oajaca*, *Jalapa*, usuales en España, se debe a razones históricas tan respetables como complejas.[4]

En 1815 quedó fijada la ortografía hoy vigente. Las reformas posteriores han sido mínimas, limitadas a la acentuación y a casos particulares. No llegaron a prevalecer las modificaciones propuestas y practicadas por Andrés Bello ni los usos personales de Gallardo y otros.

§ 103. LUCHA CONTRA EL MAL GUSTO

Nunca, en verdad, estuvo más justificada que en el siglo xviii la preocupación por el idioma. En los dos primeros tercios del setecientos se prolongaban, envilecidos, los gustos barrocos de la extrema decadencia. Rara vez están compensados por cualidades de algún valor, como en Torres Villarroel. Una caterva de escritorzuelos bárbaros y predicadores ignaros emplebeyecía la herencia de nuestros grandes autores del siglo xvii. El abuso de metáforas e ingeniosidades llegaba al grado de chabacanería que revelan obras como el *Sol refulgente, Marte invencible, Mercurio veloz, San Pablo Apóstol*, sermón de fray Félix Valles (1713), la *Trompeta evangélica, alfange apostólico y martillo de pecadores*, de Juan Blázquez del Barco (1724), o el *Caxón de sastre literato, o percha de maulero erudito, con muchos retales buenos, mejores y medianos, útiles, graciosos y honestos, para evitar las funestas conseqüencias del ocio*, de Francisco Mariano Nipho (1760); el estilo correspondía a la grotesca hinchazón de los títulos. Tales aberraciones despertaban la protesta de quienes conservaban sin estragar el gusto o reaccionaban en virtud de nuevos móviles ideológicos. El padre Isla, con su *Fray Gerundio* (1757), asestó un golpe decisivo al degenerado barroquismo que dominaba en el púlpito. Mayans, Cadalso, Forner y Moratín, entre otros, combatieron también el amaneramiento avulgarado. Su último reducto fue el teatro, donde hasta principios del siglo xix se representaron las disparatadas obras de Comella.

4. Véase Alfonso Junco, *La jota de Méjico y otras danzas*, México, 1967.

§ 104. LA LITERATURA NEOCLÁSICA

1. La *Poética* de Luzán (1737)[5] prepara el camino a la tendencia neoclásica, según la cual la literatura había de atenerse a una rígida imitación de los modelos griegos y latinos, y debía guardar los preceptos de Aristóteles y Horacio, como habían hecho los autores franceses del siglo XVII. Muchos espíritus, cegados por estos prejuicios, condenaban la bizarría de nuestra literatura anterior; pero como el neoclasicismo estaba demasiado cohibido por las reglas para originar un poderoso movimiento literario, tuvo que apoyarse frecuentemente en nuestros escritores del siglo XVI, y aun en los del XVII, cuyo mérito, en último término, se reconocía.

2. En la poesía, la ruptura con los procedimientos estilísticos del siglo anterior no fue tan completa como harían creer las críticas contra el gongorismo. Eran ya de uso general muchas palabras que cien años atrás chocaban por su novedad, y se habían consolidado en el verso algunas transposiciones en el orden de las palabras. Además, los poetas neoclásicos no buscaban la expresión llana, sino solemne, y educados en el estudio de las humanidades, no sentían repugnancia por la introducción o mantenimiento de latinismos. Así, aunque la Academia se había mostrado partidaria de «desterrar las voces nuevas, inventadas sin prudente elección», Meléndez, Jovellanos o Quintana emplean *candente, estro, exhalar, flébil, fúlgido, inerte, letal, linfa, ominoso, opimo, pinífero, proceloso, refulgente, umbrífero,* etc. La poesía neoclásica admitió en calidad de licencias poéticas los arcaísmos *vía* 'veía', *felice, un hora* y otros semejantes. De esta manera prosiguió la diferencia, agudizada desde Herrera, entre el lenguaje de la poesía y el normal.[6]

3. Más radical fue la transformación de la prosa. Como la novela y la historia artística tuvieron en el siglo XVIII escasísimo desarrollo, la prosa se

---

5. Sobre las divergencias entre Luzán y los neoclásicos posteriores, véase F. Lázaro Carreter, *Ignacio Luzán y el neoclasicismo*, Publ. de la Fac. de Filosofía y Letras, Serie I, n.º 39, Zaragoza, 1960.

6. Nigel Glendinning, *La fortuna de Góngora en el siglo XVIII*, Rev. de Filol. Esp., XLIV, 1961, 323-349; Luis López Molina, *Torres Villarroel, poeta gongorino, ibid.*, LIV, 1971, 123-143. Excelente es el libro de Joaquín Arce, *La poesía del siglo ilustrado*, Madrid, 1980.

limitó casi exclusivamente a obras didácticas que exigían un estilo severo y preciso. En un esfuerzo de adaptación, la prosa española del siglo xviii sacrificó la pompa a la claridad; ya que no posee grandes cualidades estéticas, adquirió una sencillez de tono moderno que constituye su mayor atractivo. Por reacción contra culteranos y conceptistas, las miradas se sentían atraídas hacia los escritores de nuestro siglo xvi, en los que veía Cadalso «las semillas que tan felizmente han cultivado los franceses en la última mitad del siglo pasado [el xvii], de que tanto fruto han sacado los del actual». Observaba Feijoo que los escritos del país vecino «son como jardines, donde las flores espontáneamente nacen, no como lienzos donde estudiosamente se pintan. En los españoles, picados de cultura, dio en reinar de algún tiempo a esta parte una afectación pueril». Sin embargo, Feijoo fue continuador de la prosa conceptista del xvii por la frecuente acuñación de frases simétricas, llenas de paralelismos y contraposiciones, y sintió la atracción de las imágenes atrevidas, propias del barroco. No en balde sostenía que el «enthusiasmo», «el furor» eran el alma de la poesía, anunciando el entonces futuro Prerromanticismo.[7]

4. Esta admiración por la prosa francesa explica la indulgencia con que se admitía el galicismo. Cuando las orientaciones ideales venían de más allá de las fronteras, la introducción de voces o construcciones extrañas resultaba más cómoda que el aprovechamiento de los recursos propios del idioma, y a veces inevitable. Acusado de usar expresiones afrancesadas para conceptos nuevos, Feijoo respondía: «¿Pureza de la lengua castellana? ¿Pureza? Antes se debería llamar pobreza, desnudez, sequedad». Las traducciones, tan apresuradas entonces como ahora, agravaban el mal.

7. Véanse Juan Marichal, *Feijoo y su papel de desengañador de las Españas y Cadalso: el estilo de un «hombre de bien»*, en *La voluntad de estilo*, Barcelona, 1957, 165-197; Elso Di Bernardo, *Acerca de recursos dialécticos, fuentes y procedimientos estilísticos del Padre Feijoo*, en el vol. colectivo «Fray B. J. Feijoo y Montenegro», Univ. Nac. de La Plata, 1965; Ángel Raimundo Fernández González, *Personalidad y estilo en Feijoo*, Cuad. de la Cátedra Feijoo, 17, Oviedo, 1966; y R. Lapesa, *Sobre el estilo de Feijoo*, «Mélanges à la mémoire de Jean Sarrailh», II, París, 1966, 21-28 (después en *De la Edad Media a nuestros días*, Madrid, 1967, 290-299).

§ 105. REACCIÓN PURISTA[8]

El alud de galicismos suscitó una actitud defensiva que trató de acabar con la corrupción del idioma, tan lleno de excelentes cualidades. «Poseéis —decía Forner— una lengua de exquisita docilidad y aptitud para que, en sus modos de retratar los seres, no los desconozca la misma naturaleza que los produjo; y esta propiedad admirable, hija del estudio de vuestros mayores, perecerá del todo si, ingratos al docto afán de tantos y tan grandes varones, preferís la impura barbaridad de vuestros hambrientos traductores y centonistas.»

A fuerza de repetir imágenes y conceptos, la literatura se había apartado del habla, y el léxico estaba empobrecido. Los escritores más notables del siglo XVIII pugnaron por recobrar el dominio de la lengua y aumentar el vocabulario disponible. Prejuicios aristocráticos y librescos —tanto más explicables cuanto profundo había sido el mal del avulgaramiento— impidieron muchas veces que el arte dignificara las aguas vivas de la expresión cotidiana. Los buenos modelos —se creía— estaban en la producción de los autores clásicos; de ellos había que sacar el tesoro de palabras empleadas con espontánea facilidad en otros tiempos y olvidadas después. El ambiente era propicio a esta restauración laboriosa, y el resultado fue un tipo de lenguaje pulcro, demasiado atento a los usos del Siglo de Oro. Discreto en Jovellanos, Moratín o Quintana, el purismo se convirtió en obsesión arcaizante en otros autores.

§ 106. VOCABULARIO DE LA ILUSTRACIÓN, DEL PRERROMANTICISMO Y DE LOS PRIMEROS LIBERALES[9]

1. Las nuevas orientaciones ideológicas, el interés por las ciencias físicas y naturales, las transformaciones que se iban abriendo paso en la política y la

8. Véanse Miguel Artigas, discurso de recepción en la Acad. Esp., 1935, y A. Rubio, *La crítica del galicismo en España (1726-1832)*, México, 1937, además de los estudios de A. Castro y F. Lázaro citados en nuestra n. 1.

9. Resumo a continuación mi artículo *Ideas y palabras: del vocabulario de la Ilustración al de los primeros liberales*, «Homen. a Pedro Laín Entralgo», Asclepio, XVIII-XIX, Ma-

economía, pusieron en curso multitud de neologismos, prestaron a voces ya existentes acepciones que antes no tenían, o infundieron valor de actualidad a términos que carecían de él. En la mayoría de los casos, como consecuencia del inmovilismo filosófico y científico de nuestro siglo XVII, y a causa también del vigor expansivo de la Ilustración europea, la renovación del vocabulario cultural español se hizo por trasplante del que había surgido o iba surgiendo más allá del Pirineo, aprovechando el común vivero grecolatino.

2. El cultivo de las ciencias que ya entonces se llamaban *positivas* introdujo *mechánica*, *mechanismo*, *hidrostática*, *hidrometría*, *termómetro*, *barómetro*, movimiento *undulatorio*, máquina *pneumática* y *aerostática*, *electrizar*, *electricidad*, *vitrificación*, *microscopio*, *telescopio*, etc., así como *ramificarse*, *mucosa*, *nérveo*, *papila*, *retina*, *inoculación*, *vacuna*,[10] y otros muchos. El intelectual modernizarte recibe el nombre de *filósofo*; lleno de fe en el *adelanto* o *progreso*, se afana por combatir *preocupaciones* (esto es, 'prejuicios'), *instruir* y *educar* para difundir las *luces* del conocimiento racional desterrando las *tinieblas* de la ignorancia y el *obscurantismo*: *ilustrar* e *iluminar*, *civilización*[11] y *cultura*, son palabras clave. Es significativa de la nueva actitud men-

---

drid, 1966-1967, 189-218. Aportaciones de gran interés son las de Gregorio Salvador, *Incorporaciones léxicas en el español del siglo XVIII*, Cuad. de la Cátedra Feijoo, 24, Oviedo, 1977, y Pedro Álvarez de Miranda, *Aproximación al estudio del vocabulario ideológico de Feijoo*, Cuad. Hispanoam., n.º 347, mayo de 1979, así como los estudios sobre determinadas palabras y cuestiones que se citan en nuestras notas siguientes. Paralelos de otras lenguas: Gianfranco Folena, *Le origini e il significato del rinovamento linguistico nel settecento italiano*, «Problemi di lingua e lett. italiana del Settecento. Atti del IV congr. dell'Assoc. Intern. per gli Studi di lingua e lett. ital., Magonza e Colonia 1962», Wiesbaden, 1965; Werner Krauss, *La Néologie dans la littérature du XVIIIᵉ siècle*, Studies on Voltaire and the eighteenth century, LVI, 1967, 777-782, aparte de la clásica *Histoire de la langue française* de Brunot.

10. Joaquín Arce, *De Feijoo a Quintana. Testimonios lingüístico-literarios sobre inoculación y vacuna*, Cátedra Feijoo, Univ. de Oviedo, 1978.

11. Carlos Rincón, *Sobre la noción de Ilustración en el siglo XVIII español*, Rom. Forsch., LXXXIII, 1971, 528-584, y *Sobre la Ilustración española*, Cuad. Hispanoam., n.º 261, 1972, 553-576 (art. dedicado a las palabras *filosofía* y *filósofo*); Werner Krauss, *Sobre el destino español de la palabra francesa «civilisation» en el siglo XVIII*, Bull. Hisp., LXIX, 1967, 436-440; José Antonio Maravall, *La palabra «civilización» y su sentido en el siglo XVIII*, «Actas del V Congr. de Hispanistas (1974)», Burdeos, 1977, I, 79-104, etc.

tal la entrada o vivificación de *systema*, *phenómeno*, *criterio*, *crítica*, *scéptico*, *scepticismo*, *ecléctico*, al tiempo que la crisis religiosa se manifiesta en la presencia de *deísmo* y *deísta*, *indiferentismo*, *materialismo* y *materialista*, *naturalismo* y *naturalista*, *fanático*, *fanatismo*, *tolerancia*, *tolerante* y sus antónimos *intolerancia* e *intolerante*; junto a *Dios* es frecuente *el Ser Supremo* en la segunda mitad del siglo. La quiebra de creencias no implica relajación ética —al menos en teoría—, y la importancia que se concede a la moralidad origina la adopción de *inmoral*, *inmoralidad*, *desmoralizar*. El homocentrismo se patentiza en abundante mención de la *Humanidad* o del *género humano*, y en la difusión de *filántropo*, *filantropía*. Sus contrarios *misántropo*, *misantropía* representan, como *insociable*, actitudes vituperadas por oponerse al interés de la *sociedad*, concepto que adquiere máxima importancia, junto con el de *bien común*, *bien público* y el de *el público* como colectividad.[12] En cambio los *egoístas* no siempre se consideran dañinos, pues su *egoísmo* puede contribuir a la creación de riqueza. Aunque el racionalismo haga levantar la mirada por encima de las fronteras e imaginar hombres *cosmopolitas*, el sentimiento de la *patria*[13] es muy fuerte, como se demuestra en el brote de los derivados *patriota*, *patriótico* y *patriotismo*; también crece el uso de *nación* y *nacional*. La *utilidad* y el *provecho* son estímulo de todas las actividades, que deben encaminarse a conseguir la *felicidad* (esto es, el bienestar y *prosperidad*) de los pueblos; procedimiento eficaz para ello será el *fomento* de la producción *agraria* y de la *industria* —de la *metalurgia*, por ejemplo—; así se obtendrán *primeras materias* y *manufacturas* o *fábricas* (entonces sinónimos)[14] con que sostener el *tráfico* y mejorar la balanza *comercial*. La economía se eleva a disciplina científica.[15] El

12. Monroe Z. Hafter, *La ambigüedad de la palabra «público» en el siglo XVIII*, Nueva Rev. de Filol. Hisp., XXIV, 1975, 46-63.

13. Otilia López Fanego, *Feijoo y su concepto de «patria»*, «El Ingenioso Hidalgo», XVI, n.ᵒˢ 48-49, Instituto Nac. de Bachill. Cervantes, Madrid, 1977, 33-37.

14. José Antonio Maravall, *La idea de felicidad en el programa de la Ilustración*, «Mélanges offerts à Charles V. Aubrun», I, París, 1975, 425-462; *Dos términos de la vida económica: la evolución de los vocablos «industria» y «fábrica»*, Cuad. Hispanoam. n.ᵒˢ 280-282, 1973, 632-661, y *Espíritu burgués y principio de interés personal en la Ilustración española*, Hisp. Rev., XLVII, 1979, 291-325.

15. Osvaldo Chiareno, *Jovellanos economista e la lingua del suo «Informe sobre la Ley*

lujo[16] será beneficioso como promotor del intercambio de la riqueza; y los necesitados podrán librarse de la usura gracias a la institución del *Monte de Piedad* u otros *montes píos*.

3. Esta visión *optimista* de un mundo obediente a los dictados de la razón se ve perturbada por dos rebeldías: la de la afectividad y la político-social. En el último tercio del siglo las gentes se entregan al desbordamiento emotivo y gozan con la efusión de lágrimas, sean éstas de alegría, ternura, compasión o dolor. En Cadalso, Jovellanos, Meléndez y Cienfuegos hay emoción no reprimida, inquietud anímica, desesperación o melancolía, exclamaciones, frases entrecortadas y abundante presencia de términos como *sentimiento, sensible, sensibilidad,*[17] *insensible, pasión, delirio, devaneo, fantasía, espanto, espantoso, pavor, pavoroso, lúgubre, melancolía, tedio, tedioso;* hasta hacen su aparición *monstruos, fantasmas* y *bultos* misteriosos. Empieza a atraer el mundo medieval: Jovellanos lo evoca al describir el castillo de Bellver, y la crítica sobre la poesía de la Edad Media se hace cada vez más positiva. Se anuncia así el próximo Romanticismo.[18]

4. Por otra parte la diferencia entre las *clases privilegiadas* y las *gentes laboriosas* o *industriosas* —también llamadas *clases productoras*— se sentía

---

Agraria», Boll. dell'Istit. di Lingue Estere, 1952-53, Génova, 1954, 46-60, se ocupa del estilo más que del vocabulario.

16. Albert Dérozier, *La cuestión del lujo en las «Cartas marruecas» de Cadalso*, Studi Ispanici, Pisa, 1977, 95-112.

17. José Antonio Maravall, *La estimación de la sensibilidad en la cultura de la Ilustración*, Madrid, Instituto de España, 1979.

18. J. F. Montesinos, *Cadalso o la noche cerrada*, Cruz y Raya, 1934, 43-67; Edith F. Helman, introd. a las *Noches lúgubres* de Cadalso, Santander, 1951; H. Bihler, *Spanische Versdichtung des Mittelalters im Lichte der spanische Kritik der Aufklärung und Vorromantik*, Münster, 1957; Joaquín Arce, *Rococó, neoclasicismo y prerromanticismo en la poesía española del siglo XVIII*, Simposio «El P. Feijoo y su siglo», Oviedo, 1966; *Diversidad temática y lingüística en la lírica dieciochesca*, Cuad. de la Cátedra Feijoo, 22, Oviedo, 1970, 31-51, y *La poesía del siglo ilustrado*, Madrid, 1980; José Caso González, *Rococó, prerromanticismo y neoclasicismo en el teatro español del siglo XVIII, ibid.*, 7-29, y *El castillo de Bellver y el prerromanticismo de Jovellanos*, «Homen. a la mem. de D. A. Rodríguez-Moñino», Madrid, 1975, 147-156; José Luis Cano, *Heterodoxos y prerrománticos*, Madrid, 1974, 53-101 (sobre Cienfuegos); Isabel Vázquez de Castro, *Estudios lexicológicos en torno a Cadalso*, tesis doctoral inédita, Univ. Complutense, Madrid, 1977.

cada vez más injustificada. Frente a *vasallo* y *súbdito* cunde el uso de *ciudadano*. Se piensa en la licitud de regímenes *aristocráticos* y *democráticos* al lado del *monárquico*, en la existencia de *leyes fundamentales* y *constitución*, donde se distingan las *potestades legislativa, executriz* o *executiva* y *judicial*. Llegan los vientos de la Revolución francesa, y mientras unos condenan su *anarquía* y sus turbulencias *anárquicas*, otros pueblan odas y tragedias políticas con invectivas contra el *despotismo*, la *tiranía, yugos, cadenas* y *servidumbre*. Se canta a la *libertad*, la *igualdad* y la *fraternidad*, se exalta la *concordia*, y cuando, al sobrevenir la invasión francesa, el poder queda en manos del pueblo, se discute si la *soberanía* radica en él o en el monarca. Se habla sin ambages de los *derechos del hombre* y del *convenio* o *pacto social*. *Reforma, reformar, regenerar* y *regeneración* adquieren marcado sentido político. Y en las Cortes de Cádiz los partidarios de las nuevas ideas toman el nombre de *liberales*,[19] mientras que los defensores de la *monarquía absoluta* o *absolutistas* reciben el de *serviles*. El vocabulario político de 1808 a 1823 es fundamentalmente el mismo en España y en América;[19 bis] si aquí se llamó «guerra de la *Independencia*» la sostenida contra Napoleón, en América significó la emprendida por Miranda, Bolívar y San Martín para emancipar las antiguas colonias.

19. El adjetivo *liberal*, originariamente 'generoso', 'desprendido', había tomado en el siglo XVIII francés las acepciones de 'filantrópico' y 'progresivo'. Por otra parte las «artes *liberales*» se venían contraponiendo secularmente a los oficios *serviles*, oposición que los liberales aprovecharon para aludir al servilismo de los absolutistas. Véanse Pedro Grases, *«Liberal», voz hispánica*, «El Nacional», Caracas, 1950 (artículo reimpreso en *Gremio de discretos*, Caracas, 1958), y *Algo más sobre «liberal»*, Nueva Rev. de Filol. Hisp., XV, 1961, 539-541; Juan Marichal, *The French Revolution Background in the Spanish Semantic Change of «liberal»*, Year Book of the Amer. Philosoph. Soc., 1953, 291-293, y *España y las raíces semánticas del liberalismo*, Cuad. del Congr. por la Libertad de la Cultura, II, 1955, 53-60; Vicente Llorens, *Sobre la aparición de «liberal»*, Nueva Rev. de Filol. Hisp., XII, 1958, 53-58, etc.

19 bis. Véanse, para España, María Cruz Seoane, *El primer lenguaje constitucional español (las Cortes de Cádiz)*, Madrid, 1968, y María Dolores Ortiz González, *El primer exilio liberal y el léxico español*, Tesis doct. (publicado resumen, Universidad de Salamanca, 1969); para América, Martha Hildebrandt, *La lengua de Bolívar, I. Léxico*, Caracas, 1961; Francisco Belda, *Algunos aspectos del léxico de Francisco de Miranda*, Nueva Rev. de Filol. Hisp., XVIII, 1965-1966, 65-86, y Graciela G. M. de Gardella, *Contribución al estudio del lenguaje de los hombres de mayo*, Thesaurus, Bol. Inst. Caro y Cuervo, XXIV, 1969.

§ 107. LA ORATORIA DEL SIGLO XIX. LA PROSA ROMÁNTICA Y COSTUMBRISTA. LARRA

1. La violenta conmoción política del siglo XIX trajo consigo el florecimiento de la oratoria. Nace ésta en las Cortes de Cádiz bajo el fuego de los cañones napoleónicos y en el primer choque ostensible de tradicionalistas y liberales. En labios de Argüelles, Muñoz Torrero, Toreno y Martínez de la Rosa el discurso es arma para la contienda de ideas, como lo eran también por entonces la poesía de Quintana y la tragedia alfieresca. Después, en el ambiente de luchas enconadas y turbulencias que llenan la vida política española hasta la Restauración, el verbo elocuente fue instrumento imprescindible para la actividad parlamentaria o la captación de prosélitos. Los tribunos no buscaron estilo sobrio y objetivo, sino períodos largos, sonoros, patéticos, abundantes en evocaciones históricas e imágenes deslumbradoras. Así brotaron los discursos de Joaquín María López, Ríos Rosas, Olózaga, Nocedal y Aparisi, el tono profético de Donoso Cortés y la pompa ornamental de Castelar. Con tesis contradictorias, más encaminados unos a la convicción y otros a la sacudida emocional, con distinta proporción entre argumentos y atención al ornato, sus procedimientos oratorios, hijos de una misma formación retórica, varían poco. El influjo de la oratoria es patente en la prosa doctrinal de buena parte del siglo. El *Ensayo* de Donoso o los escritos de Castelar reclaman la audición mejor que la lectura.

2. En la prosa, nuevas apetencias expresivas pugnaban por romper el caparazón neoclásico. El ritmo de la vida, cada vez más rápido, la agitación ideológica, el auge del periodismo y la ampliación del campo literario con géneros desconocidos antes pedían lenguaje variado y flexible; pero la educación estética de los escritores mantenía resabios puristas. El conde de Toreno inspira su estilo en el de Mariana, modernizándolo en lo más indispensable. La novela histórica, a que tan aficionados fueron los románticos, requería el empleo de arcaísmos para evocar ambientes del pasado: apenas abrimos *El señor de Bembibre*, de Enrique Gil, encontramos *a tiro de ballesta* como indicación de distancia, *harto* por 'mucho', *acá* y *acullá*, *a la sazón*, verbo al final de la frase («si por vuestro reposo mismo *miráis*», «la fe y la confianza que en vos *pongo*»), etc. La artificiosa imitación del español áureo, acompañada por el uso de voces antiguas o regionales, dio lugar a la

tendencia casticista, que si en ocasiones procuró notable caudal de palabras jugosas y coloridas, como en Gallardo,[19 ter] resultó disfraz incómodo llevada al extremo, como en las *Escenas andaluzas* de Estébanez Calderón. Frente a esta restauración trabajosa decía Larra que «las lenguas siguen la marcha de los progresos y las ideas; pensar fijarlas en un punto dado a fuer de escribir castizo, es intentar imposibles». Y, sin embargo, en su alegato renovador se deslizaba el arcaísmo *a fuer de*; es que, en mayor o menor grado, el purismo dejó sus huellas en casi todos los autores de la pasada centuria. En el estilo de Larra la formación recibida contiende con el deseo de modernidad; el conflicto se supera gracias a lo penetrante e intencionado de la idea, a un sentido de la caricatura como no había existido en España desde los días de Quevedo, y a una agilidad expresiva, comparable también a la de los *Sueños* y el *Buscón*, que pone en juego los más atrevidos recursos de la creación verbal.[20] Sin la amarga profundidad ni la fuerza sarcástica de Larra, Mesonero Romanos y otros costumbristas se contentan con el gracejo bonachón o se complacen en el pintoresquismo: representativas de ello son publicaciones como el *Semanario pintoresco*, *La España pintoresca*, *Los españoles pintados por sí mismos*. Por superficiales que sean sus descripciones de tipos, ambientes y escenas, hacen que la literatura tome contacto con la vida cotidiana y preparan el camino para que la novela realista encuentre nivel y lenguaje.[21]

19 ter.　Ricardo Senabre, *Notas sobre el estilo de Bartolomé José Gallardo*, Rev. de Est. Extremeños, XXXI, 1975.

20.　Véase José Luis Varela, *Sobre el estilo de Larra*, Arbor, XLVII, 1960, 376-397, y *La palabra y la llama*, Madrid, 1967, 101-119; Helen F. Grant y Robert Johnson, prólogo a su selección de *Artículos de crítica literaria de Larra*, Bibl. Anaya, Textos españoles, 30, Salamanca, 1964; Pierre L. Ullman, *Mariano de Larra and Spanish Political Rhetoric*, The Univ. of Wisconsin Press, 1971; Antonio Risco, *Las ideas lingüísticas de Larra*, Bol. R. Acad. Esp., LII, 1972, 467-501; José Luis L. Aranguren, *Larra*, en *Estudios literarios*, Madrid, 1976, 151-176; Doris Ruiz Otín, *Ideología y visión del mundo en el vocabulario de Larra*, tesis doctoral inédita, Univ. Complutense, Madrid, 1976; L. Lorenzo-Rivero, *Larra: lengua y estilo*, Madrid, 1977, etc.

21.　W. S. Hendrix, *Notes on Collection of Types, a Form of Costumbrismo*, Hisp. Rev., I, 1933, 208-221; Evaristo Correa Calderón, *Costumbristas españoles*, Estudio prelim. y selección, Madrid, 1950; Margarita Ucelay da Cal, *Los españoles pintados por sí mismos*, México, 1951; José F. Montesinos, *Costumbrismo y novela. Ensayo sobre el redescubrimiento de la rea-*

§ 108. LA POESÍA ROMÁNTICA: ESPRONCEDA. LA LÍRICA INTIMISTA:
BÉCQUER Y ROSALÍA DE CASTRO

1. El Romanticismo llevó a la poesía espíritu y forma nuevos, pero no sin conservar muchos hábitos del siglo XVIII. Las burlas contra el pastor Clasiquino harían esperar una mudanza más radical. Es cierto que en los románticos hay alardes de crudeza realista, desenfreno imaginativo y sentimental, cambios bruscos de la altisonancia a la vulgaridad, libertades expresivas inusitadas. Sin embargo, mantuvieron, por lo general, el empaque solemne, y usaron elegancias tan manidas como el hipérbaton («*las* de mayo *serenas alboradas*») o la reiteración de copulaciones («*y* gloria, *y* paz, *y* amor *y* venturanza»). Hasta la interrupción del verso por exclamaciones y reticencias había aparecido ya en Meléndez y Cienfuegos. Los románticos no desdeñan las licencias poéticas, que les sirven de comodín para salvar dificultades de metro o rima; así Espronceda acude a los arcaísmos *rompido*, *desparecer*, *alredor*. Continuaron en boga palabras y giros gratos a la poesía neoclásica, como *el profundo* por 'el abismo, el infierno', los cultismos *fúlgido*, *vívido*, *flébil*, los anticuados *siquier*, *cuán*, *de contino*, etc. La novedad es que las voces más prestigiosas no lo son ya por su carácter latino o antiguo, sino por el valor emocional: *agonía*, *devaneo*, *delirio*, *histérico*, *frenesí*, *ilusorio*, *mágico*, *lánguido*, *quimera* son términos predilectos por representar el desequilibrio y la insatisfacción; y a la relamida expresión neoclásica sucede otra directa y enérgica: «*fétido* fango», «corazón *hecho pavesa*», «*roída* de recuerdos», «ojos *escaldados* de llanto», «helar *hasta los tuétanos*». No obstante, la eficacia se pierde muchas veces, pues el afán de musicalidad conduce a los poetas a abusar de adjetivos vacuos y hojarasca palabrera.[22]

---

lidad española, Valencia, 1961; José Luis Varela, *Prólogo al costumbrismo romántico*, en *La palabra y la llama*, Madrid, 1967, 81-99, etc.

22. Véanse G. B. Roberts, *The Epithet in Spanish Poetry of the Romantic Period*, Univ. of Iowa Studies in Spanish Language and Literature, n.º 5, 1936; M. García Blanco, *Espronceda o el énfasis*, Escorial, 1943; Joaquín Casalduero, *Forma y visión de «El Diablo Mundo»*, Madrid, 1951; A. J. Cullen, *El lenguaje romántico de los periódicos madrileños... (1820-23)*, Hispania, XLI, 1958, 303-7; Domingo Ynduráin, *Análisis formal de la poesía de Espronceda*, Madrid, 1971; Olga Tudorică Impey, *Apuntes sobre el estilo romancístico del*

2. Al lado de la evasión hacia ideales inasibles y épocas lejanas había en románticos como Espronceda giros humorísticos hacia lo prosaico, vena protestataria y afán de testimonio que se orientan hacia el más crudo realismo; para que *El Diablo Mundo* pueda ser emblema de la sociedad contemporánea, el poeta da cabida en él a gentes plebeyas y carcelarias, que emplean su lenguaje habitual: el padre de la Salada alecciona al rejuvenecido e inocente Adán con términos jergales como *berrearse* 'hablar de más', *chivato* 'joven, novel', *mojar* 'apuñalar', *viuda* 'la horca', mezclados con gitanismos que habían prendido ya o prenderían más tarde en el habla popular: *chaval, chungarse, endiñar, gaché, jamar, parné, terne*, etc.

3. Bécquer sintió como los románticos la sed de lo infinito, la batalla entre el corazón y la cabeza, las tentaciones de una fantasía desbordante. Pero descubrió el secreto de la lírica íntima y evocadora. Poemas breves, sin aparato, sin lastre; el mago poder de un rasgo desnudo y certero basta para dejar hondas resonancias en el alma. En tensión emocionada, las palabras son «a un tiempo suspiros y risas, colores y notas». La música del verso se llena de eléctricas vibraciones: «los invisibles átomos del aire / en derredor palpitan y se inflaman», «oigo flotando en olas de armonía / rumor de besos y batir de alas». Y el espíritu, «huésped de las nieblas», se escapa al mundo de visiones «donde cambian de forma los objetos». Contención suprema, vaguedad cargada de esencia poética, atalaya de misterio: tal es la lección de las *Rimas*, intuida y sentida por los poetas desde muy pronto, pero no comprendida en toda su hondura hasta los de la generación de 1927. En las *Leyendas* y en las cartas *Desde mi celda* Bécquer poda las blanduras de la prosa romántica y la enriquece con imaginación fecunda y original, sentido pictórico y adjetivación precisa.[23]

Duque de Rivas, «Act. XIII.º Congr. Intern. de Ling. et Philol. Rom.», II, Quebec, 1971; Esteban Pujals, *Espronceda y Lord Byron*, Madrid, 1972; Robert Marrast, *José de Espronceda et son temps*, París, 1974, etc.

23. Véanse Dámaso Alonso, *Aquella arpa de Bécquer*, Cruz y Raya, 1935; *Originalidad de Bécquer*, en *Ensayos sobre poesía española*, Madrid, 1944, y en *Poetas españoles contemporáneos*, Madrid, 1952; Jorge Guillén, *La poética de Bécquer*, Hisp. Institute, Nueva York, 1943, y *The ineffable language of dreams, Bécquer*, en *Language and Poetry*, Cambridge, Mass., 1961 (texto orig. esp., *Lenguaje insuficiente. Bécquer o lo inefable soñado*, en *Lenguaje y poe-*

Hermano del lirismo de Bécquer es el de Rosalía de Castro, que, tanto en el gallego de *Follas novas* como en el castellano de *En las orillas del Sar*, expresa la comunión afectiva con la naturaleza, las sombras de su angustia personal y la inquietud ante los problemas fundamentales de la existencia, con un lenguaje poético precursor del simbolista, mientras en otros casos su actitud de protesta se anticipa claramente a la poesía social de nuestros días.[24]

§ 109. EL REALISMO

1. Pasada la moda de la novela histórica, débil trasplante del romanticismo extranjero, la novela realista encontró en España afortunados cultivadores. Su tarea no fue sencilla: la brillante tradición que el género había tenido en nuestra literatura se había interrumpido en el siglo XVIII, y hubo que crear el lenguaje adecuado, como si se tratara de una forma narrativa sin prece-

---

sía, Madrid, 1961); Arturo Berenguer Carisomo, *La prosa de Bécquer*, Buenos Aires, 1947; Edmund L. King, *G. A. Bécquer. From Painter to Poet. Together with a Concordance of the Rimas*, México, 1953; J. Pedro Díaz, *G. A. Bécquer. Vida y Poesía*, Montevideo, 1953, 3.ª ed., Madrid, 1971; F. López Estrada, *Poética para un poeta*, Madrid, 1972; Rubén Benítez, *Ensayo de bibliografía razonada de G. A. Bécquer*, Buenos Aires, 1961, y *Bécquer, tradicionalista*, Madrid, 1970; Rica Brown, *Bécquer*, Barcelona, 1963; R. de Balbín Lucas, *Poética becqueriana*, Madrid, 1969; Juan Antonio Tamayo, *Contribución al estudio de la estilística de G. A. B.*, Rev. de Filol. Esp., LII, 1969 (impreso en 1971), 15-51; José Luis Varela, *Mundo onírico y transfiguración en la prosa de Bécquer*, ibid., 305-334; Juan María Díez Taboada, *Bibliografía sobre G. A. B. y su obra*, ibid., 651-695 (el volumen, totalmente dedicado a B., contiene otros artículos que pueden interesar para el estudio del estilo y lenguaje); R. Pageard, *Sentiment et forme dans les «Rimas»*, Bull. Hisp., LXXIII, 1971, 350-362; A. Roldán, *Problemas textuales de las Rimas de G. A. B.*, Anales Univ. Murcia, XX, n.º 3-4, 47-90, y *Las doctrinas gramaticales y los textos becquerianos*, «Homen. al Prof. Muñoz Cortés», II, Murcia, 1976-77, 605-646.

24. E. Díez-Canedo, *Una precursora*, La Lectura, II, Madrid, 1909; Azorín, *Clásicos y modernos*, Madrid, 1913; R. Lapesa, *Bécquer, Rosalía y Machado*, Ínsula, abril de 1954 (después en *De la Edad Media a nuestros días*, Madrid, 1967, 300-306); José María de Cossío, *Cincuenta años de poesía española (1850-1900)*, II, Madrid, 1960, 1051-1065; R. Carballo Calero, *Machado desde Rosalía*, Ínsula, julio-agosto de 1964; Marina Mayoral, *La poesía de Rosalía de Castro*, Madrid, 1972, etc.

dentes españoles. Si se quería hacer de la novela auténtico reflejo de la vida, era necesario aguzar las posibilidades descriptivas de la lengua, acostumbrarla al análisis psicológico, y caldear el diálogo con la expresión palpitante del habla diaria. Para esto no valían ni el tono oratorio ni la trivialidad de la gacetilla periodística. Decía Galdós:

> Una de las dificultades con que tropieza la novela en España consiste en lo poco hecho y trabajado que está el lenguaje literario para reproducir los matices de la conversación corriente. Oradores y poetas lo sostienen en sus antiguos moldes académicos, defendiéndolo de los esfuerzos que hace la conversación para apoderarse de él; el terco régimen aduanero de los cultos le priva de flexibilidad. Por otra parte, la Prensa, con raras excepciones, no se esmera en dar al lenguaje corriente la acentuación literaria, y de estas rancias antipatías entre la retórica y la conversación, entre la Academia y el periódico, resultan infranqueables diferencias entre la *manera de escribir* y la *manera de hablar*, diferencias que son desesperación y escollo del novelista.[25]

En un esfuerzo admirable, los novelistas del siglo XIX consiguieron vencer las principales dificultades: lograron exactitud y fuerza pictórica en las descripciones, sondearon con profundidad el corazón humano y a veces dieron sencilla viveza al coloquio entre sus personajes. Es cierto que, a excepción de Valera,[25 bis] prosista esmerado y fino, atendieron al fondo más que al arte de la palabra; pero si, como reacción contra el atildamiento hinchado, se abandonaron con frecuencia al desaliño y a la frase hecha, dieron a la novela el tono medio que necesitaba. Limadas ya por ellos las más duras asperezas, ha podido surgir el cuidado estilístico de los prosistas posteriores.[26]

---

25. Prólogo de Galdós a *El sabor de la tierruca*, de Pereda. Compárese esta confesión de Clarín: «La mucha costumbre de haber sido gacetillero dificulta en mí, cuando no imposibilita, el empleo del estilo completamente noble; y las frases familiares, muy españolas y gráficas, pero al fin familiares, y ciertas formas alegres, de confianza, antiacadémicas, por decirlo más claro, acuden a mi pluma sin que pueda yo evitarlo». (*Mis plagios, Folletos*, IV, 1888, 59.)

25 bis. Véase R. E. Lott, *Language and Psychology in «Pepita Jiménez»*, Univ. of Illinois Press, 1970.

26. Melchor Fernández Almagro, *La prosa de los antepenúltimos*, Rev. de Occidente, XVIII, 1927, pone de relieve el descuido estilístico de los novelistas del Realismo. Sobre el

2. Las palabras de vieja solera conservadas en el habla popular habían empezado a ser miradas con cariño por los escritores casticistas. El gusto por el color local, tan característico de la novela realista, dio entrada en la literatura a muchas voces y giros regionales. Hay andalucismos en Fernán Caballero y Valera, galleguismos en la Pardo Bazán, rasgos asturianos en

---

lenguaje y estilo de Galdós, véanse R. Olbrich, *Syntaktisch-stilistische Studien über B. P. G.*, Hamburgo, 1937; José de Onís, *La lengua popular madrileña en la obra de P. G.*, Rev. Hisp. Moderna, XV, 1949, 353-363; R. Gullón, G., *novelista moderno*, est. prelim. a su ed. de *Miau*, Madrid, 1957 (después, como libro independiente, Madrid, 1960 y 1973); A. Sánchez Barbudo, *Vulgaridad y genio de G.*, Archivum, VII, 1958, 48-75 (refundido con el título de *El estilo y la técnica de G.*, en *Estudios sobre G., Unamuno y Machado*, Madrid, 1968); Denah Lida, *De Almudena y su lenguaje*, Nueva Rev. de Filol. Hisp., XV, 1961, 297-308; Stephen Gilman, *La palabra hablada y «Fortunata y Jacinta»*, *ibid.*, 542-560; V. A. Chamberlin, *«The Muletilla»: An important facet of Galdós' characterization*, Hisp. Rev., XXIX, 1961, 296-309; Robert Ricard, *Trois mots du vocabulaire de Galdós: «cebolla», «araña» et «barbero»*, Annali dell'Istit. Univ. Orientale, Nápoles, 1973, 173-175; Graciela Andrade Alfieri y J. J. Alfieri, *El lenguaje familiar de P. G.*, Hispanófila, 22, 1964, 27-73, y *El lenguaje familiar de G. y de sus contemporáneos*, *ibid.*, 28, 1966, 17-25; Gonzalo Sobejano, *Galdós y el vocab. de los amantes*, Anales Galdosianos, Univ. of Pittsburg, I, 1966, 85-100; E. Roggers, *Lenguaje y personaje en G.*, Cuad. Hispan., LXIX, 1967, 243-273; José Schraibman, *Los estilos de G.*, «Actas II Congr. Intern. de Hisp.», Nimega, 1967, 573-584; Federico Sopeña Ibáñez, *Arte y sociedad en Galdós*, Madrid, 1970, y *La religión «mundana» según G.*, Cabildo Insular de G. Canaria, 1978; Manuel C. Lassaletta, *Aportaciones al estudio del lenguaje coloquial galdosiano*, Madrid, 1974; T. Navarro Tomás, *La entonación en «Fortunata y Jacinta»*, «Estudios filol. y ling. Homen. a Á. Rosenblat», Caracas, 1974, 365-376; Isaías Lerner, *A propósito del lenguaje coloquial galdosiano*, Anuario de Letras, XV, 1977, 259-282; José Pérez Vidal, *«Miau», negación burlesca, en una caricatura de G.*, Rev. de Dial. y Trad. Pop., XXXIV, 1978, 67-78, y *Canarias en Galdós*, Cabildo Ins. de Gran Canaria, 1979, etc. Véanse también las bibliografías galdosianas de Theodore A. Sacket, Albuquerque, The New Mex. Univ. Press, 1968; H. C. Wodbridge, Hispania, LIII, 1970, 899-971; L. E. García Lorenzo, Cuad. Hispanoam., n.° 84, 1972, 758-797; y M. Hernández Suárez, Las Palmas, 1972. Sobre Pereda, K. Siebert, *Die Naturschielderung in Peredas Romanen*, Hamburg, 1932; G. Outzen, *El dinamismo en la obra de Pereda*, Santander, 1936, y A. H. Clarke, *Manual de bibliografía perediana*, Santander, 1974. Sobre «Clarín»: Eduard J. Gramberg, *Fondo y forma del humorismo de Leopoldo Alas, «Clarín»*, Oviedo, 1958; Evan G. Bacas, *Estudio del estilo y lenguaje en las narraciones de L. A. «Clarín»*, tesis doct. inédita, Univ. de Madrid, 1961. Sobre Emilia Pardo Bazán: Mariano Baquero Goyanes, *La novela naturalista española. Emilia P. B.*, An. Univ. Murcia, 1955; M. E. Giles, *Pardo Bazán's two styles*, Hispania, XLVIII, 1965, 456-462.

Clarín y Palacio Valdés, y en Galdós peculiaridades canarias y notable atención a ellas. Pereda recoge particularidades léxicas de la Montaña tan amorosamente como retrata la aldea o el puerto santanderinos.

3. En la novela realista adquiere gran desarrollo el discurso llamado vivencial o indirecto libre. Este procedimiento estilístico vivifica el discurso indirecto introduciendo en él, sin verbo declarativo ni conjunción subordinante, la fluida expresión de un personaje, con las exclamaciones, preguntas o frases inacabadas propias del discurso directo, pero en tercera persona y con las consiguientes sustituciones de pronombres, adverbios y formas verbales (*él, ella, su, aquel, allí, entonces, era, había hecho, haría* en vez de *yo* o *tú, mi, tu, nuestro* o *vuestro, este* o *ese, aquí, ahora, es, he hecho, haré* o *hará*, etc.). No se trata de una novedad absoluta, pues hay ejemplos desde el *Cantar de Mio Cid* y aún más desde Cervantes; pero la novela realista francesa hizo del discurso indirecto libre uno de sus recursos técnicos favoritos, adoptado rápidamente en todas las literaturas europeas. En la española cunde a partir de Galdós y Clarín, sobre todo para reproducir secuencias de pensamientos no exteriorizados; véase un pasaje de *Fortunata y Jacinta*:

> Quiso la dama hablarle, y no pudo decir una palabra, pues con todo su talento y práctica del mundo no acertaba con la clave de las ideas que ante aquel hombre, dada la situación de él, debía desarrollar. *¿Qué le diría? ¡Este sí que era problema! ¿Qué tono tomaría? ¿Era cuerdo el tal o no?... ¿Le hablaría del niño?... Jesús, qué disparate. ¿Le diría que su mujer era una joya? ¡Qué barbaridad! ¿Acometería el estado real de las cosas? Ni pensarlo...*[26 bis]

4. La exposición didáctica, por lo general, venía adoleciendo de ampulosidad grandilocuente; poco a poco se impuso un gusto más severo. Así se llegó a la prosa magistral de Menéndez y Pelayo, que acierta a reunir la so-

26 bis. Véanse F. Todemann, *Die erlebte Rede im Spanischen*, Rom. Forschungen, XLIV, 1930, 103-184; Alicia Bleiberg Muñiz, *El estilo indirecto libre en Pérez Galdós*, memoria de Licenciatura inédita, Univ. de Madrid, 1959-1960; Evan G. Bacas, véase n. 26; Marina López Blanquet, *El estilo indirecto libre en español*, Montevideo, 1968; Guillermo Verdín Díaz, *Introducción al estilo indirecto libre en español*, Madrid, 1970; Petrona Domínguez de Rodríguez-Pasqués, *El discurso indirecto libre en la novela argentina*, Pontificia Univ. Católica do Río Grande do Sul, 1975; H. Hatzfeld, *La imitación estilística de «Madame Bovary» (1857) en «La Regenta» (1884)*, Inst. Caro y Cuervo, Bogotá, 1977, etc.

lidez del razonamiento, el detalle erudito, el tono apasionado y el sentido de la belleza. Clasicismo y vigor se encierran en períodos amplios sin garrulería, armoniosos sin afectación.

§ 110. EL MODERNISMO Y LA GENERACIÓN DE 1898

1. Las tendencias literarias que aparecen en los albores del siglo xx coinciden en afán renovador y preocupación por la forma. El modernismo engalana la poesía hispánica con ritmos y estrofas nuevos u olvidados, e introduce en ella motivos poéticos y procedimientos estilísticos nacidos poco antes en otras literaturas, sobre todo en la francesa. La potente vitalidad lírica de Rubén Darío, sensual y refinada, gusta de la imagen sorprendente y el adjetivo insólito; ama la antigüedad pagana, con afición que se traduce en abundantes helenismos (*peplo, liróforo, propileo, evohé, canéfora, nefelibata*, etc.); busca el atractivo de lo exótico, echando mano de voces extranjeras (*staccati, baccarat, sportwoman*); pero también percibe el sabor venerable y ritual de los giros arcaicos («a *me* defender y a *me* alimentar», «por *nós* intercede, suplica por *nós*»); o fragua neologismos, como *piruetear, canallocracia, perlar*. Se goza en correspondencias de sensaciones, sobre todo visuales y auditivas («arpegios *áureos*», «sol *sonoro*») y toma de los simbolistas la vaguedad evocadora, las metáforas de sentido impreciso. Ansioso de perfección formal, cincela primorosamente los versos; no contento con el metro y la rima, acude a similicadencias internas y aliteraciones: «ruega gener*oso*, piad*oso*, orgull*oso*», «mágico pá*j*aro regio», «*b*ajo e*l* a*l*a a*l*eve de*l l*eve a*b*anico»; y las mayúsculas ayudan a personificar abstracciones como el *S*ueño, la *M*uerte, la *E*speranza. Todos los recursos de la palabra —grafía, significación, imagen, fonética y música— son apurados en esta poesía exuberante y fascinada por la novedad. Pero Darío es también el poeta atormentado que encuentra para su angustia expresiones de insólito poder («Los que *auscultasteis el corazón de la noche*»; «versos que *abolida* dirán mi juventud»; «¡Hermano, tú que *tienes la luz, dime la mía!*») y se replantea los enigmas del destino humano. La espléndida exterioridad no riñe en él con la hondura.[27]

27. De la inmensa bibliografía sobre Rubén Darío conciernen de algún modo a su

2. El ejemplo de Rubén Darío atrajo a casi todos sus contemporáneos americanos y a muchos españoles.[28] En España, sin embargo, aun en el momento de mayor boga modernista, la poesía se orientó hacia otros derroteros, prefiriendo menor lujo de atavíos y más raigambre nacional. Los versos de Unamuno, duros a veces, palpitan de vida emocionada e inquietud religiosa; Antonio Machado sueña sus dolores con lirismo despojado y hondo, encuadrado en los caserones de las viejas ciudades y en los austeros

---

lenguaje y estilo los estudios de Tomás Navarro Tomás, *La cantidad silábica en unos versos de R. D.*, Rev. de Filol. Esp., IX, 1922, 1-29, y *La pronunciación de R. D.*, Rev. Hisp. Moderna, X, 1944, 1-8; E. K. Mapes, *L'influence française dans l'œuvre de R. D.*, París, 1925; A. Torres Rioseco, *R. D. Casticismo y americanismo*, Cambridge, Mass., 1931; Pedro Salinas, *La poesía de R. D.*, Buenos Aires, 1948; Raimundo Lida, est. prelim. a los *Cuentos completos de R. D.*, México-Buenos Aires, 1950; Salvador Aguado-Andreut, *Por el mundo poético de R. D.*, Guatemala, 1966; Avelino Herrero Mayor, *R. D. Gramática y misterio en su poesía*, Buenos Aires, 1967; Carmelo M. Bonet, *R. D. y el estilo generacional de su época*, Bol. Acad. Argent. de Letras, XXXII, 1967, 39-78; Francisco López Estrada, *R. D. y la Edad Media*, Barcelona, 1971; Julio Ycaza Tigerino, *Lo hispánico y lo nicaragüense en el lenguaje de Darío*, Managua, 1972; Francisco Sánchez Castañer, *Estudios sobre R. D.*, Madrid, 1976; Ramón de Garciasol, *R. D. en sus versos*, Madrid, 1978, etc.

28. R. D. Silva Uzcátegui, *Historia crítica del modernismo en la lit. castellana*, Barcelona, 1926; Emmy Neddermann, *Die symbolistischen Stilelemente im Werke von J. R. Jiménez*, Hamburgo, 1935; G. Lepiorz, *Themen und Ausdrucksformen des spanischen Symbolismus*, Düsseldorf, 1938; Guillermo Díaz-Plaja, *Modernismo frente a noventa y ocho*, Madrid, 1951 (2.ª ed. 1966); Dámaso Alonso, *Poetas españoles contemporáneos*, Madrid, 1952, 7, 52-67, 90, 283; Ricardo Gullón, *Direcciones del modernismo*, Madrid, 1963; Rafael Ferreres, *Los límites del modernismo y del 98*, Madrid, 1964, y *Verlaine y los modernistas españoles*, Madrid, 1975; F. Ynduráin, *De la sinestesia en la poesía de Juan Ramón*, en *Clásicos modernos*, 1969, 185-191; Emilia de Zuleta, Hilda Gladys Fretes, Esther Barbara y Hebe Pauiello de Chocholous, *Bibliografía anotada del modernismo*, Univ. Nac. de Cuyo, Mendoza, 1970; Francisco López Estrada, *El modernismo: una propuesta polémica sobre los límites y aplicación de este concepto en una hist. de la lit. española*, Bol. de la As. Europea de Prof. de Español, XI, n.º 19, octubre 1978, 81-97. Sobre la prosa modernista, véanse Amado Alonso, *El modernismo en «La gloria de don Ramiro»* (publicado con el *Ensayo sobre la novela histórica*, Buenos Aires, 1942); los estudios suyos, de Alonso Zamora y de otros en torno a las *Sonatas* de Valle-Inclán citados en nuestra n. 33, y el de Raimundo Lida sobre los *Cuentos* de Rubén Darío (v. n. 27), etc.

campos de Castilla; y Enrique de Mesa remoza la tradición medieval de inspiración pastoril y serrana.[29]

3. Los prosistas de la generación del 98, dentro de una gran disparidad, ofrecen entre sí coincidencias fundamentales que los separan de la literatura anterior.[30] Cada escritor pone en su lenguaje huellas personales inconfundibles, mucho más señaladas que las apreciables en los novelistas del realismo. Al estilo general de época o tendencia se sobreponen los rasgos privativos del autor. Por caminos muy diversos se crea un arte nuevo de la

---

29. Sobre la poesía de Unamuno, véase n. 32. Sobre la de Antonio Machado, las bibliografías reunidas por Oreste Macrí en su ed. de las *Poesie di A. M.* (con estudios preliminares, texto crítico revisado, trad. italiana, notas y comentario, 2.ª ed., Milano, 1962), y por Aurora de Albornoz en *A. M., Obras. Poesía y Prosa*, Buenos Aires, 1964. Se refieren en algún aspecto al estilo y lenguaje de Machado: Dámaso Alonso, *Poesías olvidadas de A. M.*, en *Poetas españoles contemporáneos*, Madrid, 1952; *Fanales de A. M.*, en *Cuatro poetas españoles*, Madrid, 1962, y *Muerte y trasmuerte en la poesía de A. M.*, Rev. de Occid., marzo-abril 1976, 11-24; Ramón de Zubiría, *La poesía de A. M.*, Madrid, 1955; F. González Ollé, *A. M.: versión en prosa de la elegía a Giner*, Nuestro Tiempo, XVII, 1962, 696-714; Ricardo Gullón, *Las «Soledades» de A. M., Simbolismo y modernismo en A. M., Mágicos lagos de A. M.* y *M. comentado por Mairena*, en *Direcciones del modernismo*, Madrid, 1963, y *Una poética para A. M.*, Madrid, 1970; T. Navarro Tomás, *La versificación de A. M.*, La Torre, 1964, 425-442 (luego en *Los poetas en sus versos: desde J. Manrique a G. Lorca*, Barcelona, 1973); Adela Rdgz. Forteza, *La naturaleza y A. M.*, S. Juan de P. Rico, 1965; Antonio Sánchez Barbudo, *Los poemas de A. M. Los temas. El sentimiento y la expresión*, Barcelona, 1967; Geoffrey Ribbans, *Niebla y soledad. Aspectos de Unamuno y Machado*, Madrid, 1971; J. M. Aguirre, *A. M., poeta simbolista*, Madrid, 1973; José María Valverde, *A. M.*, México-Madrid, 1975; Domingo Ynduráin, *Ideas recurrentes en A. M.*, Madrid, 1975; V. Lamíquiz y otros, *La experiencia del tiempo en la poesía de A. M. Interpretación lingüística*, Univ. de Sevilla, 1975; Francisco López Estrada y otros, *A. M., verso a verso (Comentarios a la poesía de A. M.)*, Univ. de Sevilla, 1975; P. de Carvalho-Neto, *La influencia del folklore en A. M.*, Cuad. Hispanoam., n.ᵒˢ 304-307, oct.-dic. 1975-enero 1976, 302-357; Agnes Gullón, *Símbolos de luz y sombra*, ibid., 450-461; R. Lapesa, *Sobre algunos símbolos en la poes. de A. M.*, ibid., 386-431, y *Las «Últimas lamentaciones» y la «Muerte de Abel Martín» de A. M.*, «Hom. al Prof. Muñoz Cortés», Murcia, 1976-77, I, 313-332 (los dos estudios, en *Poetas y prosistas de ayer y de hoy*, Madrid, 1977); véase también antes, n. 24. Sobre Enrique de Mesa, *Ensayo* preliminar de Ramón Pérez de Ayala al *Cancionero Castellano* (2.ª ed., Madrid, 1917).

30. Véase Melchor Fernández Almagro, art. cit. en nuestra n. 26; Pedro Laín Entralgo, *La generación del 98*, Madrid, 1945; L. S[ánchez] Granjel, *Panorama de la generación del 98*, Madrid, 1959; y *La generación literaria del Noventa y Ocho*, 3.ª ed., Salamanca, 1973.

prosa. Baroja, el menos cuidadoso, imprime nervio y rapidez a su desaliño;[31] Maeztu, rigor y densidad. Unamuno concentra su pensamiento atormentado y contradictorio en el retorcimiento conceptuoso de la frase.[32]
Valle-Inclán, más ligado al modernismo, aprovecha el adjetivo y la imagen
para fundir notas de sensualidad, nobleza legendaria y religiosidad ornamental en el barroquismo de las *Sonatas*; nadie como él ha conseguido do-
tar de valor musical a la prosa, mediante inimitable juego de pausas y melodías tonales. Más tarde, en las geniales caricaturas de los esperpentos,

31. J. Ortega y Gasset, *Ideas sobre Pío B.*, en *El espectador*, I, Madrid, 1916; J. Alberich,
Algunas observaciones sobre el estilo de P. B., Bull. of Hisp. St., XLI, 1964, 169-185; J. Uribe
Echeverría, *P. B.: técnica, estilo, personajes*, Santiago de Chile, 1969; Biruté Ciplijauskaité,
B., Un estilo, Madrid, 1972; Robert E. Lott, *El arte descriptivo de P. B.*, Cuad. Hispanoam.,
LXXXIX, n.ºs 265-267, julio-septiembre. de 1972, 26-54; Louis Urrutia, *La elaboración del
estilo del primer B.*, *ibid.*, 92-117; Rafael Soto Vergés, *B.: una estilística de la información*,
ibid., 135-142; María Z. Embeita, *Tema y forma de expresión en B.*, *ibid.*, 143-151; Emilio
Alarcos Llorach, *Anatomía de «La lucha por la vida»*, discurso de recepción en la R. Acad.
Esp., Madrid, 1973, etc.

32. B. W. Wardropper, *U.'s struggle with words*, Hisp. Rev., XII, 1944; Carlos Clavería,
U. y Carlyle, Cuad. Hispanoam., 1949, n.° 10 (después en *Temas de Unamuno*, Madrid,
1953); E. Veres d'Ocón, *El estilo enumerativo en la poesía de U.*, Cuad. de Liter., V, 1949, 115-
143; Manuel García Blanco, *Don Miguel de U. y la lengua española*, Salamanca, 1952; *Don M.
de U. y sus poesías*, Salamanca, 1954, e introd., bibliografía y notas a los 9 tomos de las *Obras
completas* de U., Madrid, 1966-1971; Carlos Blanco Aguinaga, *U., teórico del lenguaje*, México, 1954; Fernando Huarte Morton, *El ideario lingüístico de U.*, Cuad. de la Cátedra M. de
U., V, Salamanca, 1954; R. L. Predmore, *Flesh and Spirit in the Works of U.*, PMLA, LXX,
1955; Juan Marichal, *La voluntad de estilo de U. y su interpretación de España* y *La originalidad
de U. en la literatura de confesión*, en *La voluntad de estilo*, Barcelona, 1957; Milagro Laín, *Aspectos estilísticos y semánticos del vocabulario poético de U.*, Cuad. de la Cát. M. de U., IX,
1959, 77-115, y *La palabra en Unamuno*, Caracas, 1964; C. Romero Muñoz, *Un cuento de
U.*, Annali di Ca' Foscari, Venezia, 1962; Pilar Lago de Lapesa, *Una narración rítmica de U.*,
Cuad. de la Cát. M. de U., XII, 1962, 5-14; M. Alvar, *Acercamientos a la poesía de U.*, Santa
Cruz de Tenerife, 1964; Gerardo Diego, *U., poeta*, Bol. R. Acad. Esp., XLV, 1965, 7-17; Jos-
se De Kock, *Introducción al «Cancionero» de U. Análisis de sus procedimientos métricos, lingüísticos y estilísticos*, Madrid, 1968; Roberto Paoli, estudio crít., texto, trad. italiana, comentario y reseña bibliográfica de las *Poesie* de M. de U., Firenze, 1968; F. Ynduráin, *U. en su
poética y como poeta*, en *Clásicos modernos*, 1969, 126-184; Roger Wright, *La estructura semántica de la «razón» en «El sentimiento trágico de la vida»*, Cuad. de la Cát. M. de U., XXIV,

Tirano Banderas y *El ruedo ibérico*, prodiga el trazo gráfico y definitivo, re-surrección del sarcástico humorismo quevedesco.[33] Azorín sostiene: «lo que debemos desear al escribir es ser claros, precisos y concisos»; fiel a esta consigna emplea la frase breve y limpia, labrada con meticulosidad.[34] El período extenso y retórico del siglo xix desaparece; con él abandonan la literatura los calificativos hueros y la frase hecha.

1976, 69-103; Ileana Bucurenciu Birsan, *Apuntes sobre el estilo de U. en «Vida de don Quijote y Sancho»*, «Actas del V Congr. Intern. de Hisp.», I, Burdeos, 1977, 235-243, etc.

33. Julio Casares, *Crítica profana*, 1916; Amado Alonso, *Estructura de las «Sonatas» de V.-I.*, Verbum, XXI, 1928, 7-42 (después en *Materia y forma en poesía*, Madrid, 1955, junta-mente con *El ritmo de la prosa* y *La musicalidad de la prosa en V.-I.*); J. L. Varela Iglesias, *Melodía gallega a través de la prosa rítmica de V.-I.*, Cuad. de Lit. Contemp., 18, 1946, 485-501, y *El mundo de lo grotesco en V. I.*, Cuad. de Est. Gallegos, XXII, 1967, 36-65; Alonso Zamora Vicente, *El modernismo en la «Sonata de Primavera»*, Bol. R. Acad. Esp., XXVI, 1947, 27-62; *Las «Sonatas» de R. del V.-I.*, Buenos Aires, 1951; *Asedio a «Luces de Bohemia», primer esperpento de R. del V.-I.*, discurso de recep. en la R. Acad. Esp., Madrid, 1967; *La realidad esperpéntica. (Aproximación a «Luces de Bohemia»)*, Madrid, 1969, y ed., pról. y no-tas a *Luces de Bohemia*, Clás. Castell. 180, Madrid, 1973; Emma Susana Speratti Piñero, *La elaboración artística de «Tirano Banderas»*, México, 1957; *Génesis y evolución de «Sonata de Otoño»*, Rev. Hisp. Mod., XXXV, 1959, 57-80, y *De «Sonata de Otoño» al esperpento*, Lon-dres, 1968; M. Ramírez, *La musicalidad y la estructura rítmica en la prosa de V.-I.*, Kentucky Foreign Lang. Quart., IX, 1962, 130-142; J. Ruiz de Galarreta, *Ensayo sobre el humorismo en las «Sonatas» de V.-I.*, La Plata, 1962; J. Alberich, *Ambigüedad y humorismo en las «Sona-tas» de V.-I.*, Hisp. Rev., XXXIII, 1965, 360-382, y *«Cara de Plata», fuera de serie*, Bull. of Hisp. Stud., XLV, 1968, 299-308; Ricardo Gullón, *Técnicas de V.-I.*, Papeles de Son Arma-dans, XLIII, 1966, 21-86; Julián Marías, *V.-I. en «El ruedo ibérico»*, Buenos Aires, 1967; Gonzalo Sobejano, *«Luces de Bohemia», elegía y sátira*, en *Forma literaria y sensibilidad so-cial*, Madrid, 1967; M. E. March, *Forma e idea de los «Esperpentos» de V.-I.*, Chapel Hill, 1969; A. Risco, *La estética de V.-I. en los esperpentos y en «El ruedo ibérico»*, Madrid, 1969, y *El demiurgo y su mundo*, Madrid, 1977; F. Ynduráin, *V.-I. Tres estudios*, Santander, 1969 (también en *Clásicos modernos*, Madrid, 1969); G. Díaz-Plaja, *Las estéticas de V.-I.*, Madrid, 1972; R. Lima, *An annotated bibliography of R. del V.-I.*, The Pennsylvania State University Libraries, 1972; José M. García de la Torre, *«Lo gitano» y los «gitanismos» en la obra de V.-I.*, «Actas del V Congr. Intern. de Hisp.», Burdeos, I, 1977, 407-414.

34. Julio Casares, *Crítica profana*, 1916; J. Ortega y Gasset, *Azorín. Primores de lo vul-gar*, en *El espectador*, II, 1917; Werner Mulertt, *Azorín*, Halle, 1926 (trad. esp. por J. Caran-dell, 1929); H. Denner, *Das Stilproblem bei A.*, Zürich, 1931; A. Cruz Rueda, *A., prosista*, Cuad. de Liter. Contemp., 17, 1945, 331-356; M. Granell, *Estética de A.*, Madrid, 1949;

4. Al buscar las esencias hispánicas en el alma del pueblo, el uso de palabras tradicionales se convierte en necesidad ideológica y estilística. Acusado de emplear algunas que no figuraban en el Diccionario de la Academia, Unamuno responde: «¡Ya las pondrán! Y las pondrán cuando los escritores llevemos a la literatura las voces españolas —españolas, ¿eh?— que andan, y desde siglos, en boca del pueblo». Consecuentemente, dignifica en sus obras *hondón, redaños, sobrehaz, meollo, entresijo*; acoge leonesismos como *remejer, brizar, cogüelmo* 'colmo', *perinchir* 'llenar', oídos en sus andanzas por tierras salmantinas; y según el patrón de los derivados populares, forma *adulciguar, sotorreírse, pedernoso, hombredad*. La poesía de Enrique de Mesa está cuajada de términos rurales, sabrosos y plásticos: *herbal, canchos, pegujal, atrochar, chozo, pastizal, invernizo, trashoguero*. Azorín no sólo se aficiona a las palabras populares del habla, sino que vivifica las que yacen olvidadas en la literatura antigua; de unas y otras se vale en descripciones y enumeraciones: «Entre las *tenerías* se ve una casita medio caída, medio arruinada; vive en ese chamizo una buena vieja —llamada Celestina—... que luego va de casa en casa, en la ciudad, llevando agujas, *gorgueras, garvines*, ceñidores y otras *bujerías* para las mozas. En el pueblo, los oficiales de mano se agrupan en distintas callejuelas; aquí están los *tundidores, perchadores, cardadores, arcadores, perailes*...». «Donde había un tupido boscaje, aquí en la llana vega, hay ahora trigales de regadío, huertos, *herreñales*, cuadros y emparrados de hortalizas; en las *caceras, azarbes* y *landronas* que cruzan la llanada, brilla el agua, que se reparte por toda la vega desde las *represas* del río...» De este modo, la carga de abstracciones cultas, que amenazaba abrumar el léxico literario, se ve compensada con la enjundia de vocablos populares y concretos.

M. Baquero Goyanes, *Elementos rítmicos en la prosa de A.*, Clavileño, 15, 1952, 25-32; J. A. Balseiro, *Introducción al arte de A.*, en *El vigía*, S. Juan de P. Rico, 1956; Rafael Soto, *A.: una estilística de la visión*, Cuad. Hispanoam., LXXVI, n.ᵒˢ 226-227, octubre-novbre. de 1968, 78-84; R. E. Lott, *Sobre el método narrativo y el estilo en las novelas de A.*, ibid., 192-219; L. Livingstone, *Tema y forma en las novelas de A.*, Madrid, 1970; José María Valverde, *Azorín*, Barcelona, 1971; María Josefa Canellada, *Sobre el ritmo en la prosa enunciativa de A.*, Bol. R. Acad. Esp., LII, 1972, 45-77; Fernando Díaz de Bujanda, *Clausura de un centenario. Guía bibliográfica de A.*, Madrid, 1974; Alfonso Sancho Sáez, *La poesía de A.*, en el vol. colect. «Estudios sobre Azorín», Bol. del Inst. de Est. Giennenses, 1975, 95-118, etc.

§ 111. EL VOCABULARIO CULTO A PARTIR DEL ROMANTICISMO

1. Los cambios radicales experimentados por las formas de vida y pensamiento a lo largo del siglo XIX y durante el XX han influido en el vocabulario español igual que en el de todos los idiomas europeos. Ciencias, filosofía, progresos técnicos, cuestiones políticas y sociales exigen constante ampliación de nomenclatura. Balmes decía, a propósito de *el yo* y *el no yo*: «Estas expresiones, aunque algo extrañas, son ahora de uso bastante general; cada época tiene su gusto, y la filosofía de nuestro siglo vuelve a la costumbre de emplear términos técnicos. Esto da precisión, pero expone a la oscuridad». Del dominio filosófico pasaron al lenguaje culto abstractos y derivados como *espontaneidad, multiplicidad, receptividad, sensualista, dualista, inmanencia, intelectualismo, racionalismo*, no registrados en diccionarios de principios del siglo XIX; otros, como *causalidad*, que la Academia consideraba anticuado en 1817, revivieron después. Las locuciones *en sí, en absoluto*, de que tanto abusamos hoy, proceden de la filosofía. Al léxico literario trascendieron también palabras oriundas del lenguaje científico. Leyendo *El castellano viejo* de Larra encontramos, en usos metafóricos o generalizadas, expresiones técnicas como *posición perpendicular, sustituyendo cantidades iguales, cuerpos elásticos, seres gloriosos e impasibles*: son vestigios de la herencia cultural del siglo XVIII, durante el cual se había despertado el interés por las ciencias exactas y físico-naturales sin que desapareciera de la enseñanza la filosofía escolástica. Conforme se va renovando la medicina y se ponen de actualidad la biología, mineralogía y demás ciencias de la naturaleza, pasan del dominio especializado al uso general *fisiología* y *fisiológico, virus, inmunizar, higiene, amorfo, cristalizar, ósmosis*, etc., y se extienden *esporádico* y *esquema*, ya introducidos antes. Los progresos de la técnica se reflejan en la entrada de *estereotipia, litografía, fotografía, locomotora, telégrafo, fonógrafo, teléfono* e infinitos más que van jalonándose en el correr del siglo pasado. La vida intelectual no se contenta con las tertulias de café —aunque las haya tan célebres como la del Parnasillo— sino que promueve la fundación de *ateneos* y *liceos*; se abren *museos* y *exposiciones* de pintura; y la *filarmonía* o afición a la música introduce *melómano* y difunde *acorde, unísono, sinfonía, corista*. En el léxico de la política entran en uso *ministerial, gubernamental, progresista, centralizar, interpelación, indemnidad, demago-*

gia, terrorismo, etc.; adquieren acepción política o social nueva *oposición, clerical, retrógrado, masa* (también la toman, sin ser cultismos, *derecha, izquierda, conservador*); *policía,* antes sinónimo de 'cortesía', 'aseo' o 'buen orden', pasa a designar el cuerpo oficial destinado a mantener el orden público y la vigilancia.[35] El signo *positivo* de los tiempos explica la extensión de *proletario, capitalista, socialismo, comunista.*

2. Como puede verse, en muchos de los ejemplos citados el incremento léxico se ha hecho mediante la formación de derivados, ya sean éstos verbos, adjetivos o nombres abstractos. El periódico y la oratoria política fabrican a cada momento derivados como *posesionar, confusionismo, intervencionismo, capacitación, juridicidad, partidista, obstruccionista.* El léxico literario se resiente de la sequedad que traen estas voces de acarreo, cómodas en un momento, pero artificiales y de estructura complicada. Sin embargo, el prurito de crear palabras es tan fuerte, que forjamos muchas de empleo ocasional (*lopesco, calderoniano, ibseniano*) o acumulamos sufijo tras sufijo (*sentimentalismo, racionalizador*). La lengua se encuentra en una encrucijada: la exactitud de la expresión incita a pecar contra la eufonía.

3. La introducción de palabras tomadas del latín y del griego hace que el vocabulario moderno carezca de íntima coherencia. Las relaciones semánticas suelen no estar acompañadas por la semejanza fonética (*hijo-filial; hermano-fraterno; igual-equidad; ojo-oculista-oftalmólogo; caballo-equino-hípico; plomo-plúmbeo*), y el léxico se hace cada vez más abstracto e intelectual.

---

35. Sobre el vocabulario político español posterior a 1823 véanse Emilio Carilla, *Nota sobre la lengua de los románticos,* Revista de Filol. Esp., LXIII, 1960, 211-217; Pedro Peira Soberón, *Léxico romántico. Aprox. al vocab. polít. y social... de la Regencia de M.ª Cristina (1833-40),* tesis doct. inéd., Madrid, Univ. Complutense, 1975, y *Estudio lexicológico de un campo nocional: «libertad», «igualdad» y «felicidad» en la España de la Regencia de María Cristina,* Bol. R. Acad. Esp., LVII, 1977, 259-280; Doris Ruiz Otín (sobre Larra, véase n. 20); María Paz Battaner Arias, *Vocab. político-social en España (1868-1873),* Madrid, 1977; y Marina Fernández Lagunilla, *Aportación al estudio semántico del léxico político. El vocabulario de los republicanos (1868-1931),* tesis doctoral inédita, Univ. Autónoma de Madrid, 1977.

§ 112. EL GALICISMO A PARTIR DEL SIGLO XVIII

1. Desde que la vida española empezó a transformarse a remolque de la extranjera, han sido muchas las palabras ultrapirenaicas que se han introducido en nuestra lengua. Cuando toda Europa tenía a gala seguir las modas de la corte de Versalles, era imposible frenar el auge del galicismo, considerado como rasgo de buen tono; y otro tanto siguió ocurriendo luego, como consecuencia del influjo francés en los más diversos órdenes de la vida.

La infiltración de voces francesas aumenta ya en tiempo de Carlos II; pero desde el siglo XVIII se intensifica extraordinariamente. Feijoo emplea galicismos tan crudos como *arribar* 'llegar', *comandar* 'mandar', *turbillones* 'torbellinos'; Iriarte y Cadalso censuran *detalle, favorito, galante, interesante, intriga, modista, rango, resorte* y otras muchas que se han consolidado al fin. Son numerosas las que han penetrado en el habla corriente, ya con vida efímera, ya más arraigada. La influencia francesa en la vida social se manifiesta en *petimetre, gran mundo, hombre de mundo, ambigú, coqueta*; la moda, irradiada desde París, trajo *miriñaque, polisón, chaqueta, pantalón, satén, tisú, corsé*, etc. Al alojamiento y vivienda se refieren *hotel* y *chalet*, y al mobiliario y enseres, *buró, secreter, sofá, neceser*; al arte culinario, *croqueta, merengue* y muchas otras; a ingeniería y mecánica, *engranaje, útiles* 'herramientas'; a actividades militares, *brigadier, retreta, batirse, pillaje, zigzag*, etc. En el habla viven además *avalancha, revancha, control, hacerse ilusiones, hacer el amor* 'galantear',[36] *hacer las delicias* y tantas más.

2. En la sociedad española de los siglos XVIII y XIX empiezan a intervenir factores que venían actuando desde antes en otros países. Al incrementarse las actividades comerciales y bancarias y desarrollarse el sistema capitalista, su terminología se nutrió de galicismos o voces venidas a través de Francia: *explotar, financiero, bolsa* (calcado de *bourse*), *cotizar, efectos públicos, letra de cambio, garantía, endosar, aval*. La vida política introdujo *parlamento, departamento ministerial, comité, debate* y otras muchas. Y como el aparato administrativo se complicó aquí según el modelo francés, se co-

---

36. El sentido meramente fisiológico con que hoy suele emplearse *hacer el amor* es calco muy reciente del inglés *to make love*.

piaron las expresiones *burocracia*, *personal*, *tomar acta*, *consultar los prece-dentes*, etc.

3. En cuanto a la forma, los galicismos modernos se distinguen de los antiguos por ciertos rasgos fonéticos. Hasta el siglo XVI las palatales espa-ñolas /š/ y /ž/ (*x* y *g, j* en la escritura) reproducían con bastante exactitud respectivamente las francesas transcritas con *ch* y *g, j*: *chef* dio *xefe*, y *jardin*, *jardín*. Pero desde que ocurrió el paso de /š/ y /ž/ a la /χ/ velar española, las dos palatales francesas carecen de equivalente en nuestro idioma, que las representa deformándolas en /ĉ/ o /s/: *jupe* > *chupa*; *bijouterie* > *bisute-ría*; *pigeon* > *pichón*; *bechamel* > *besamela*, *cliché* ([klišé]) > *cliché* ([kliĉé]) o *clisé*. Otras veces la fuerza de la grafía ha hecho que *ch* y *g* adopten la pro-nunciación española: *chauffeur* > *chófer*, *garage* > *garaje*.

4. Aparte quedan las numerosas palabras francesas usadas con plena conciencia de su carácter extranjero, como *toilette*, *trousseau*, *soirée*, *buffet*, *bibelot*, *renard*, *petit-gris*, color *beige*. Igualmente los caprichos intenciona-dos y los descuidos que aparecen en traducciones hechas a vuela pluma. En el siglo XVIII se llegó a decir *golpe de ojo* 'mirada', *pitoyable* 'lastimoso', *chi-mia* 'química', *veritable* 'verdadero', *remarcable* 'notable'. En los periódicos actuales se registran dislates análogos: el mismo *remarcable*, *colisión* de automóviles, etc.; y el *golpe de teléfono* de nuestros días no es más tolerable que el *golpe de ojo* dieciochesco. Caso reciente de error debido a transmi-sión escrita es el de *élite*, que los semicultos —y algunos cultísimos— espa-ñoles acentúan esdrújulo, dando valor de tonicidad a la tilde que en fran-cés marca el timbre de la /ę/ cerrada.

5. Más perniciosos son los galicismos sintácticos. La incuria con que se redactan noticiarios y documentos oficiales acoge sin reparos el uso del ge-rundio como adjetivo, al modo del participio de presente francés: «orden *disponiendo* la concesión de un crédito», «ha entrado en este puerto un bar-co *conduciendo* a numerosos pasajeros»; «se ha recibido una caja *conteniendo* libros». Las construcciones «táctica *a seguir*», «motores *a* aceite pesado», «timbre *a* metálico», hijas de la ignorancia gramatical, habrían desapareci-do si la enseñanza de nuestra lengua fuera más eficaz. Ya está desechado el empleo de artículo con nombres de países no concretados por un adjetivo o determinación («inundan *la* España», «ha recorrido *la* Italia», tan fre-cuentes en los siglos últimos). Es de esperar que suceda lo mismo con «un

pequeño libro», «una *pequeña* casa», en beneficio de los diminutivos, tan naturales y llenos de expresión, *librito, casita*.[37]

§ 113. EXTRANJERISMOS DE OTRAS PROCEDENCIAS. EL ANGLICISMO

1. El número de neologismos tomados de otras lenguas romances es mucho más limitado. En relación con el Siglo de Oro, decae la importación del italiano, reducida casi a términos de arte y música, como *terracota, esfumar, lontananza, dilettante, aria, partitura, romanza, libreto, batuta*, etc., aunque también hay italianismos de otra índole: la introducción de *chichisbeo* y las acepciones de 'galanteo' y 'galán' que tomó *cortejo* obedecen a formas de relación amorosa que privaron en la España dieciochesca;[37 bis] en la sociedad de entonces era figura importante el *abate*, ya descollase por sus escritos o sus virtudes, ya fuese representación del clérigo mundano. Posteriores son *ferroviario, analfabetismo, casino, fiasco*. Del portugués proceden *cachimba, testaferro*, probablemente *vitola* (< port. *bitola*). Los modernistas introdujeron *otrora* 'antaño', hispanizando el vocalismo del port. *outrora*.[38]

2. La lengua inglesa, que había permanecido ignorada en el continente durante los siglos XVI y XVII, empezó después a ejercer influencia, primero con su literatura y pensadores, más tarde por prestigio social. Los románticos querían deslumbrar con elegancias de *dandy*, paseaban en *tílbury*, conspiraban en el *club*, y como Larra, gustaban del *rosbif* y el *biftec* (luego *bistec* o *bisté*). Directamente o a través del francés han llegado *vagón, tranvía, túnel, yate, bote, confort, mitin, líder, repórter* o *reportero, revólver, turista, fútbol, tenis, golf* y los muchos otros que se emplean en el tecnicismo deportivo. La misma voz *deporte*, arrinconada desde la Edad Media, ha resurgido

37. Véanse A. Castro, *Los galicismos*, en *Lengua, Enseñanza y Literatura*, Madrid, 1924, Baralt, *Diccionario de galicismos*, 1855, y E. Carilla, art. citado en nota 35.

37 bis. Véase Carmen Martín Gaite, *Usos amorosos del dieciocho en España*, Madrid, 1972.

38. Acaso influyera en los modernistas españoles el ejemplo de los hispanoamericanos, en especial de los rioplatenses. Corominas, *Dicc. crít. etim.*, s. v. «otro», cree que el punto de partida está en el port. brasileño.

por influjo del inglés *sport*. En el siglo xx el anglicismo ha ido acreciendo en intensidad, primero en los países hispanoamericanos más estrechamente afectados por la expansión política y económica de los Estados Unidos (Antillas, México, América Central) y después en todo el mundo hispánico, sin exceptuar España. Anglicismos referentes a la casa y vivienda son *bloque, jol* (< h a l l), *living*; al vestido, *suéter, jersey, overol, esmoquin*; al transporte automovilístico, *claxon, cárter, jeep, stop*; a la aviación, *jet*, vuelo *chárter*; al cine, *filme, tráiler*, hablar en *off*; a la vida social, *coctel, esnobismo, snob, party, lunch*; a bailes y música de baile, *fox-trot, blue, rock, jazz, banjo*; a la economía y comercio, *dumping, marketing, trust, stock*; maquinaria bélica o pacífica, *tanque, bazuca, turmix*; actividades antisociales, *gangster*, etc. El grado de acomodación fonética varía según el arraigo de cada préstamo, el nivel social de los hablantes y su mayor o menor conciencia del extranjerismo. Muchos anglicismos son voces pasajeras que desaparecen en cuanto surge sustituto adecuado: el *locutor* de la radio, el *árbitro* del fútbol, el *aparcamiento* o *estacionamiento* de automóviles, la *entrevista* periodística y el *contenedor* del transporte han desterrado o están en vías de arrinconar el uso respectivo de *speaker, referee, parking, interview* o *interviú, container*. De todos modos los anglicismos y galicismos, enraizados ya o flotantes, bastan para nutrir tipos fonéticos de palabras distintos a los habituales en español, y para originar la formación de plurales con solo *-s* añadida a singulares que terminan en consonante (*tics, jets, records*). Es de notar que en algunos casos la palabra trasplantada como unidad léxica independiente es originariamente parte de un compuesto inglés, lo que acarrea distanciamiento semántico: el paso de *smoking* 'fumar', *living* 'vivir' y *water* 'agua' al *esmoquin* que se viste, al *living* 'cuarto de estar' y al *váter* o *guáter* (ya en trance de ser reemplazado por *aseo* o *servicio*) es resultado de haberse omitido el otro componente de *smoking jacket* o *coat, living room, water closet*. Hay además el anglicismo semántico, que infunde significados nuevos en vocablos españoles preexistentes (*asumir* 'suponer', *estimar* y *estimaciones* 'calcular' y 'cálculos', *escalada* 'aumento, intensificación', *agresivo* 'activo, emprendedor, ambicioso'). El latinismo anglicado vivifica términos de origen latino que el español poseyó y había olvidado (*discriminar, emergencia, contemplar* 'considerar, examinar'), o introduce otros nuevos (*reluctancia, enfatizar*). Finalmente abundan traducciones o calcos como *aire acondicionado*, discos de *alta fidelidad*, conferencia de *alto nivel* o *en la cumbre*, *desempleo*, *perros calientes*, *autoservicio*, *supermercado*, *tercer programa*, *indeseable*, *telón de acero*, *guerra fría*, etc.[39]

3. La influencia principal del alemán consiste en haber estimulado calcos semánticos como *voluntad de poder* (< *Wille zur Macht*), *visión del mundo* o *cosmovisión* (< *Weltanschauung*), *unidad de destino* (< *Schicksalsgemeinschaft*), *espacio vital* (< *Lebensraum*), *vivencia* (< *Erlebnis*), *talante* (< *Stimmung*), y otros muchos propios de la terminología filosófica o científica. Germanismos en cuanto a significante y significado son, de adopción directa, *blocao*, *sable*, *búnker*, *feldespato*, *blenda*, *cuarzo*, *bismuto*, *potasa*, *zinc*, *níquel*; por intermedio del francés han entrado *vals*, *obús*, *blindar*, etc.

§ 114. VOCES ESPAÑOLAS EN OTROS IDIOMAS

1. Durante el Siglo de Oro los extranjerismos adoptados habían tenido por contrapartida la abundante exportación de voces españolas, representativas de nuestra profunda influencia en la vida espiritual y material de Europa. No sucede lo mismo en los siglos xviii y xix, cuando la cultura hispánica recibe más que da; aunque no escasean los préstamos a otras len-

---

39. Véase Ricardo J. Alfaro, *El anglicismo en el español contemporáneo*, Bol. del Instituto Caro y Cuervo, IV, 1948, y *Diccionario de anglicismos*, Panamá, 1950 (2.ª ed. aumentada, Madrid, 1969); Emilio Lorenzo, *El anglicismo en la España de hoy*, Arbor, 1955, n.° 119 (después en *El español de hoy, lengua en ebullición*, 2.ª ed., Madrid, 1971); H. Stone, *Los anglicismos en España y su papel en la lengua oral*, Rev. de Filol. Esp., XLI, 1957, 141-160; R. Lapesa, *La lengua desde hace cuarenta años*, Rev. de Occidente, noviembre-diciembre de 1963, 196-198, y *Tendencias y problemas actuales de la lengua española*, en «Comunicación y Lenguaje», Madrid, 1977, 216-220; Ernesto Juan Fonfrías, *Anglicismos en el idioma español de Madrid*, San Juan B. de Puerto Rico, 1968; Emilio Bernal Labrada, *Influencias anglicanizantes en el español contemporáneo*, Bol. Acad. Colombiana, n.° 106, marzo y abril de 1975; José Rubio Sáez, *Presencia del inglés en la lengua española (hacia una sociosemántica)*, Valencia, 1977; John England y J. L. Caramés Lage, *El uso y abuso de anglicismos en la prensa española de hoy*, Arbor, n.° 390, junio 1978, 77-89; F. Marcos Marín, *Reforma y modernización del español*, Madrid, 1979; Juan José Alzugaray, *Voces extranjeras en el lenguaje tecnológico*, Madrid, 1979, etc.

guas, no pueden compararse, en número ni en calidad, con los de la época anterior.[40]

2. Durante el siglo xviii Europa siguió tomando del español nombres de la naturaleza y antropología indianas: entonces se divulgó la existencia de un nuevo metal precioso, la *platina*, hoy *platino* (fr. *platine*, ingl. *platina*, *platinum*, it. *platino*) y la etnografía adoptó el término *albino* (it., ingl. y al. *albino*, fr. *albin*). El francés recibió *pigne*, *maté*, *tomate*, *alpaca*, *lama* (estos últimos habían penetrado antes en inglés).

3. La navegación ha propagado *demarcación* (fr. *démarcation*, ingl. *demarcation*, al. *Demarkation*), *cabotaje* (fr., ingl. *cabotage*), *embarcadero* (fr. *embarcadere*, ingl. *embarcadere*, *embarcadero*), *sobrestadía* (fr. *surestarie*), *arrecife* (fr. *récif*); y el comercio, *alcarraza* (fr., ingl., it. *alcarraza*), *silo*, *ensilar*, *saladero* (fr. *silo*, *ensiler*, *saladéro*; ingl. *silo*). La fama del ganado *merino*, introducido en distintos países europeos, se patentiza en el fr. *mérinos*, ingl., it. y al. *merino*. Varia difusión han logrado *brasero* (fr. *braséro*), *cigarro* (fr. *cigare*, it. *sigaro*, ingl. *cigar*), *estampillar* (fr. *estampiller*), *carambola* (fr., ingl. *carambole*, it. *carambolo*), *rastracueros* (fr. *rastacouère*).

4. Las vicisitudes históricas de nuestro siglo xix hallaron eco en otros países. La guerra de la Independencia dio celebridad a las *guerrillas* y *guerrilleros* españoles (ingl. *guerrilla*, *guerrillero*, fr. *guérrilla*, *guérrillero*). Ya se ha tratado (§ 106₄) de la aplicación de *liberal* con sentido político que hizo fortuna en toda Europa. Las intrigas y revueltas de los reinados de Fernando VII e Isabel II dieron a conocer *camarilla* y *pronunciamiento* (fr. *camarille*, *pronunciamiento*, ingl. *camarilla*, *pronunciamiento*). Aplicada a las extremas izquierdas, y en 1873 a los republicanos, nació la calificación de *intransigente*, que pasó al fr. *intransigeant*, ingl. *intransigent*. Acuñada du-

---

40. Véase § 74 y bibliografía citada en sus notas 4 y 5. Además, para el francés, Albert Doppagne, *L'apport de l'espagnol au français littéraire, de Barrès à nos jours*, Communication au «Xᵉ Congrés Intern. de Ling. et Philol. Romanes», Estrasburgo, 1962; Günther Haensch, *Spanische Elemente im französischen Argot und in der französischen Voilksprache*, «Rodolfo Grossmann Festschrift», Fráncfort, 1977; para el inglés, Harold E. Bentley, *A Dictionary of Spanish Terms in English, with Special Reference to the American Southwest*, Nueva York, Columbia Univ. Press, 1932; Mario Pei, *Aportaciones del español al inglés*, «Hablemos», Suplem. de «El Mundo», San Juan de Puerto Rico, 5, 12 y 19 de junio, 1960, etc.

rante nuestra guerra civil, *quinta columna* logró rápida difusión (fr. *cinquième colonne*, ingl. *fifth column*, al. *die fünfte Kolonne*, it. *quinta colonna*).

5. La España pintoresca ha sido tema de gran atractivo para los escritores extranjeros. Ya Beaumarchais emplea voces tan características como *séguédille* y *maja*, y Bourgoing, *picador*. Con el Romanticismo arreció la sugestión ejercida por las «cosas de España». Victor Hugo, Mérimée, Gautier, Washington Irving y tantos otros se ayudan con hispanismos en su afán de buscar el color local: *toréador*, *picador*, *banderille*, *gitane*, *patio*, *boléro*, *cachucha*, *rondalla*, *trabuco*, *saynète*, están atestiguados en la literatura francesa moderna, muchos de ellos en la inglesa y algunos en la italiana.

XV

EXTENSIÓN Y VARIEDADES
DEL ESPAÑOL ACTUAL

§ 115. LA LENGUA ESPAÑOLA EN EL MUNDO Y EN ESPAÑA

La crisis espiritual y política atravesada por el mundo hispánico a partir del siglo XVIII no ha restado vitalidad a nuestro idioma, que, lejos de manifestar síntomas de decadencia, ha quintuplicado su número de hablantes en los últimos ciento cincuenta años. Hoy es lengua oficial y de cultura de más de 250 millones de seres humanos, de los cuales unos 220 millones lo tienen por lengua materna. Estas cifras lo sitúan a la cabeza de la familia románica, seguido a gran distancia por el portugués, con unos 100 millones, el francés, con unos 75, y el italiano, que cuenta alrededor de los 55. La extensión geográfica del español es también extraordinaria: fuera de nuestro suelo, comprende parte del suroeste de Estados Unidos, todo México, América Central y Meridional, a excepción del Brasil y Guayanas; Cuba, Santo Domingo y Puerto Rico; hay además una minoría hispanohablante en Filipinas. El español es, por tanto, el instrumento expresivo de una comunidad que abraza dos mundos y en la que entran hombres de todas las razas.

En la Península su influencia ha actuado sin interrupción sobre las zonas de otros idiomas. Portugal logró conservar sin menoscabo el suyo merced al florecimiento de su literatura clásica en los decenios que precedieron a la anexión de 1580, y más tarde, gracias a la separación política. Pero en España no hubo región donde no ganara terreno el castellano, que había obtenido superior consideración social, era vehículo de amplia y brillante cultura y estaba apoyado por los usos oficiales. Felipe V lo hizo obligatorio en la enseñanza pública y en la vida jurídica y administrativa.

Durante el siglo XVIII y buena parte del XIX continuó, agravada, la decadencia del catalán; fuera de la conversación familiar y la predicación, con-

388

taba por únicas manifestaciones libros piadosos y coplas callejeras; aún más completa era la postración del gallego, convertido en dialecto vulgar. En contraste con la escasa o nula importancia de las creaciones vernáculas, las regiones bilingües dieron valiosas figuras a la literatura nacional: el gallego Feijoo, el valenciano Mayans, el barcelonés Capmany; más tarde, el grupo romántico catalán, Balmes y Pastor Díaz. Pero con el Romanticismo despertaron de su letargo las literaturas regionales, y su resurgimiento se vio pronto reforzado por factores económicos y políticos. Sin embargo, la elaboración literaria del catalán, la menos sostenida y menos extensa del gallego, y los intentos de capacitar al vascuence como lengua de cultura, no impidieron que continuara la aportación de las respectivas regiones a la literatura nacional en castellano. A ella contribuyeron figuras tan destacadas de la Renaixença catalana como Víctor Balaguer i Milà; artículos y ensayos del gran poeta barcelonés Joan Maragall, y la extensa producción del valenciano Blasco Ibáñez, así como la de los alicantinos Azorín y Gabriel Miró. De los gallegos, Rosalía de Castro escribió en castellano la mayor parte de sus obras, entre ellas los poemas *En las orillas del Sar*; la Pardo Bazán y Valle-Inclán pertenecen por completo a la literatura castellana, sin dejar de ser por eso máximos intérpretes del alma gallega. Y otro tanto ocurre con los vascos Unamuno, Baroja, Maeztu y Basterra. Tampoco se ha detenido la progresiva castellanización del habla, especialmente en Galicia, Valencia y el País Vasco. Actualmente alrededor de seis millones de españoles hablan catalán o sus variedades valenciana y balear; dos millones y medio, el gallego, y unos 500.000 el vasco. Pero en su mayoría son bilingües: en Cataluña y Baleares el castellano sólo puede ser desconocido en ambientes muy cerrados, muy populares o rústicos;[1] en Vasconia, Galicia[2] y Valencia es la lengua habitual de las gentes cultas y medias, muchas de

---

1. Sobre el bilingüismo en el dominio catalán véase A. M. Badia, *Llengua i cultura als països catalans*, Barcelona, 1964, y *La llengua dels barcelonins. Resultats d'una enquesta sociològico-lingüística*, Barcelona, 1969. Véanse también las *Reflexiones sobre la lengua catalana* de Luis Rubio García, Univ. de Murcia, 1977.

2. Véanse Constantino García, *Galego onte, galego oxe*, Univ. de Santiago de Compostela, 1977, y Guillermo Rojo, *Aproximación a las actitudes lingüísticas del profesorado de E. G. B. en Galicia*, Univ. de Santiago de Compostela, 1979.

las cuales ignoran el idioma regional. No es de extrañar, por tanto, que el área del vascuence sufra constante reducción y que en los últimos cien años haya perdido gran número de hablantes.[3]

La vitalidad de la lengua española se revela no sólo en su creciente difusión, sino también en la fundamental unidad que ofrece, a pesar de usarse en tierras y ámbitos sociales tan diversos. Esta cohesión se debe principalmente a la robustez de la tradición literaria, que mantiene vivo el sentido de la expresión correcta. El uso culto elimina o reduce las particularidades locales para ajustarse a un modelo común, que dentro de España se ha venido identificando con el lenguaje normal de Castilla. Las diferencias aumentan conforme es más bajo el nivel cultural y menores las exigencias estéticas; entonces asoma el vulgarismo y se incrementan las notas regionales. Pero es hondamente significativo que los rasgos vulgares sean, en gran parte, análogos en todos los países de habla española.

Expuesta la evolución de la lengua literaria en la época moderna, nos ocuparemos ahora del vulgarismo, como variedad social de gran interés lingüístico. Después, de las variedades geográficas, que forman grupos perfectamente definidos: regionalismos; supervivencias de romances absorbidos por la expansión castellana (restos del leonés y el aragonés); dialectalismos que han surgido dentro del castellano mismo, en las zonas que lo recibieron después de su constitución (meridionalismos, andaluz, extremeño, murciano y canario); el español arcaizante de los judíos sefardíes, y finalmente el español de América, que encierra problemas de la mayor trascendencia para la historia y el porvenir de nuestra lengua.

3. Véanse *Geografía histórica de la lengua vasca*, de varios autores, I, Colec. Auñamendi, 13, Zarauz, 1960; Ana M.ª Echaide, *Regresión del vascuence en el valle de Esteribar (Navarra)*, «Problemas de la Prehist. y de la Etnol. Vascas», Pamplona, 1966, 257-259; Tomás Buesa Oliver, *Léxico vasco relativo al tiempo en la Navarra nordoriental (Partido de Aóiz)*, «Homen. a F. Ynduráin», Zaragoza, 1972, 65-105; José María Sánchez Carrión, *El estado actual del vascuence en la provincia de Navarra (1970)*, Pamplona, 1972, y los estudios de M. Alvar, A. M. Echaide y M. Zárate citados después, n. 14. Hoy Álava es casi totalmente castellanohablante, lo mismo que el oeste de Vizcaya, con Bilbao, la orilla izquierda del Nervión y las Encartaciones. En Navarra el vasco sólo subsiste al norte de la sierra de Aralar (con algunos focos entre ésta y la de Andía) y al norte de Pamplona, de Aóiz y del Roncal, con diversos grados de conservación o predominio.

§ 116. EL HABLA VULGAR Y RÚSTICA

1. Aparte de las modalidades más llanas del lenguaje correcto, existen usos cuyo radio de acción está hoy limitado a gentes iletradas de las aldeas y a las capas más populares de las ciudades. Muchos de estos vulgarismos se extienden con intensidad varia por todas o casi todas las regiones de lengua española. Algunos gozaron de mayor aceptación en épocas pasadas, e incluso penetraron en la literatura; otros, que nunca lo lograron, son desarrollo de tendencias espontáneas del idioma refrenadas por la cultura en el uso normal.[4]

2. En la fonética vulgar perviven las antiguas indecisiones respecto al timbre de las vocales inacentuadas (*sigún, tiniente, ceviles, sepoltura, josticia, menumento*), al margen de la fijación operada desde fines del período clásico; asimilación y disimilación actúan con plena libertad. Según las regiones, el matiz abierto de la [ę] en el diptongo /ei/ se exagera diferenciando en /ai/ los sonidos contiguos (*sais, paine, veráis*); o, por el contrario, se acercan los del diptongo /ai/ (*beile, eire* 'baile', 'aire'). Las vocales en hiato pasan a formar diptongo con más regularidad que en la pronunciación correcta, originándose cambios como *acordeón > acordión, real > rial, cae > cai, toalla > tualla*, y desplazamientos acentuales *máestro, ráiz, bául*, corrientes en el norte y centro, sobre todo en Aragón, Navarra, Vascongadas y Castilla. Hay un hecho sintomático de las diferentes exigencias del gusto lingüístico según las épocas: en el siglo xv se registran ya, aunque minoritarios, algunos ejemplos de sinéresis en la literatura: así Fernando de la Torre cuenta como octosílabos «porque más *sea* publicada», «por Egistos p*eo*r que can», «¡O adu*e*rsidat tempest*uo*sa!»; en el xvii abundan: «No siempre lo p*eo*r es cierto» (Calderón); «No importa que *sea*n muy feos» (Rojas); «Pues ¿no me *ói*stes? —No, señora» (Moreto); «¿Mas siendo cr*ia*da te engríes?»,

---

4. Para el vulgarismo, véanse Rufino José Cuervo, *Apuntaciones críticas sobre el lenguaje bogotano*, Bogotá, 1867 (7.ª ed., 1939); T. Navarro Tomás, *Compendio de Ortología española*, Madrid, 1927; Amado Alonso y Ángel Rosenblat, estudios publicados en los tomos I y II de la Biblioteca de Dialectología Hispanoamericana, como complemento a los de A. M. Espinosa sobre el español de Nuevo México, Buenos Aires, 1930 y 1946. Una buena exposición de conjunto es la de Manuel Muñoz Cortés, *El español vulgar*, Madrid, 1958.

«Como el otro tor*ea*dor» (sor Juana Inés de la Cruz), etc. Más tarde, poetas como Meléndez, Lista o Espronceda, midieron en sus versos *cáido, extráido, léido, páis, réir, tray*; pero una reacción conservadora relegó estas formas a la dicción vulgar.

3. Los grupos de consonantes prosiguen simplificándose en los latinismos (*lección, istancia, asfisia, solenidá, dotor*); a menudo se vocaliza la primera consonante (*seición, conceuto*), se incurre en ultracorrecciones como *aspezto* (véase § 118₂), *discrección, acsurdo, ojebto*, que por incuria llegan hasta la dicción de algunos universitarios; y ya en terreno totalmente inculto, se producen deformaciones del tipo *alvertir, arministrador, arcenso*.

4. La relajación de las consonantes /d/, /g/ y /r/ afecta, en mayor o menor grado, al lenguaje corriente, pero está muy incrementada en el vulgar. La pérdida de la /-d-/ intervocálica, ya registrada en los siglos XVI y XVII (§ 93₄), ocurre, ante todo, en la terminación *-ado*, donde el habla familiar de gentes españolas medias y aun cultas admite *-ao*, frente a la reacción que en algunos países americanos favorece el restablecimiento de *-ado*. Como hacía ya en el siglo XVI, la dicción vulgar suprime hoy la /-d-/ en otros muchos casos, con desaparición tan completa que da lugar a la fusión de vocales iguales (*colorada > colora, nada > ná, todo > tó, puede > pué*) y a la formación de diptongos (*pedazo > peazo > piazo, todavía > toavía > tuavía*); en los sainetes de don Ramón de la Cruz menudean *marío, moa* 'moda', *naíta*, etc.[5] El prefijo *des-* se convierte en *es-* (*esperdiciar, esperezar*), continuando así una antiquísima confusión con *ex-*; y en final de palabra la elisión *Madrí, paré, salú, verdá* es común a casi todas las regiones hispánicas. Más restringida está la omisión de la /g/ (*aúja, aujero*); y la de /r/ alcanza solamente a palabras de fácil desgaste, como el tratamiento *señora > señá*, la preposición *para > pa* y las formas verbales *hubiera > hubiá, fuera > fuá, mira > mía > miá, quieres > quiés, quiere > quié, parece > paece > paice*. La especial frecuencia origina también la reducción *tienes, tiene > tiés, tié*.

5. El habla vulgar tiende a retraer la base de articulación hacia la parte posterior de la boca. El fenómeno empieza a notarse desde la Edad Media, y su manifestación ulterior más importante fue la transformación de las palatales /ž/ y /š/ en nuestra /χ/ moderna (§ 92₆). Pero además se revela en

5. Véase R. J. Cuervo, Bib. Dial. Hispanoamer., IV, 248.

otros cambios: mientras el Arcipreste de Talavera escribe *Menciyuela*, deshaciendo con la /y/ palatal el hiato que existía ante el diptongo /ue/, Lope de Rueda emplea *Mencigüela*, con /g/ velar. Ya entonces hacía tiempo que el [w] de *huevo*, *hueso* se reforzaba con una /g/ previa,[6] y hay testimonios de *agüela* en vez de *abuela*. Hoy son corrientes *güevo*, *güeso*, *güerto*, y vulgarismos generales *güeno*, *güey*, *güelta*, *gufanda*, mucho más frecuentes que el refuerzo del carácter labial del [w] mediante adición de /b/ (*bueso*, *buevo*) y que el paso de /g/ a /b/ (*abuja*); en Murcia, Extremadura y América se oyen *cirgüela*, *virgüela*. La misma propensión velarizadora hace que la /χ/ o la /h/ sustituyan a la /f/ ante el diptongo /ue/ (*huerte* o *juerte*, *jueron*); estas formas aparecen como rusticismo en Juan del Encina y el lenguaje villanesco del teatro clásico. Igual sustitución se produce ante /u/, /o/ (*dijunto*, *fogón*) con más frecuencia que ante otras vocales (*Jelipe*, *Jilomena*). La /a/ suele pronunciarse con un sonido hueco, velar, y la /n/ final se articula frecuentemente elevando el postdorso de la lengua hacia el fondo de la cavidad bucal.

6. La escasa conciencia de la separación de palabras permite el desarrollo de la aglutinación. Entre vocales desaparece la /d/ de la preposición *de* (en *ca'e mi madre*, *la Casa'e Campo*), o se suprime la preposición entera (*la calle Goya*, *la Casa Campo*);[7] se agrupan preposiciones y artículo (*pal corral*,

6. Hay ejemplos manuscritos desde fines del siglo xiv o comienzos del xv: *guerfano*, *guerta*, *guerto*, *guespet*, *guesped*, *gueste*, en el *Fuero Viejo de Castilla* (ed. 1771, 11, 29, 36, 41, 82, 95, 97, 106, 134, etc.); *guerto*, *gueso*, *guesos*, en los ms. de don Sem Tob (ed. Gonz. Llubera, estr. 201, 307, 335); *guerta* en el *Tamorlán*, ed. 1943, 25; *gueste* en el ms. P del *Alexandre*, 2.522; *guero*, *guera* en los Glosarios latino-españoles publicados por Américo Castro, etc. Valdés registra la pronunciación *güevo*, *güerto*, *güesso*, aunque le «ofende... por el feo sonido que tiene». Un siglo después Gonzalo Correas no sentía tal reparo, y escribía sistemáticamente la g protética.

7. En el habla popular española e hispanoamericana es indudable que la preposición *de* llega a desaparecer por desgaste fonético vulgar; así lo prueba la forma intermedia *'e*, que se da tanto en complementos de nombre o adjetivo como en perífrasis verbales («se ha *e* meter», González del Castillo, 1, 69). Hay ejemplos viejos con de totalmente omitida: «En *casa una* pastelera / voy». (Sor Juana Inés de la Cruz, Bib. Aut. Esp., t. 49, 298 b.) Pero aparte de todo vulgarismo fonético, la aposición se ha incrementado en denominaciones de entidades y productos (*Instituto Cajal*, *Hotel París*, *fusil Máuser*). En el lenguaje comercial y en las placas indicadoras de algunas ciudades son cada vez más frecuentes *Paseo Colón*, *Calle San José*. Contribuyen a este desarrollo, según los casos, el deseo de diferenciar las indicaciones de título y las de posesión o pertenencia, la repugnancia por repetir la prepo-

pol camino, contral muro) y ante vocal se apocopa la /-e/ de *me, te, se, le, que, de* (*m'ha dicho, t'aseguro, s'arrepiente, vengo d'allí*), con elisión desterrada del habla culta desde el siglo XVII.

7. En la morfología vulgar hay arcaísmos como los pretéritos *truje, vide* y el presente *semos* (descendiente de s ĭ m u s , que, según Suetonio, era usado por Augusto, o acaso del medieval *seemos* < s e d e m u s). Abundan las formaciones analógicas que en otras épocas tuvieron acceso al habla normal, como los subjuntivos *haiga, valga* y los pretéritos «ayer *merendemos*», «anoche *caminemos* mucho». La acentuación *háyamos, háyais, váyamos, váyais, téngamos, téngais, séamos, séais*, sugerida por *cantábamos, fuéramos, viniérais*, etc., fue muy general en el siglo XIX; la emplearon Espronceda, Hartzenbusch, Castelar, y hasta llegó a figurar en alguna gramática; en la actualidad subsiste como vulgarismo en varias regiones españolas y, con gran difusión, en América. Como la /-s/ es la desinencia característica de la persona tú (*haces, hacías, harás, hicieras*), se contagia al perfecto (*hicistes, dijistes*).[8] Espronceda, en el Canto a Teresa, escribe: «Y tú feliz que *hallastes* en la muerte / sombra a que descansar en tu camino»; no faltan otros ejemplos en la literatura moderna, pero el uso los condena. El vulgo de todas las regiones tiende a restringir irregularidades verbales, diciendo *andé* por *anduve* o unificando el vocalismo, ora en contra del diptongo (*apreto, frego*), ora extendiéndolo (*juegar, juegamos*). La terminación *-ba* del imperfecto *amaba, estaba, iba*, se propaga a verbos *-er, -ir* (*traíba, veniba*); en Aragón se trata de un rasgo dialectal que acaso obedezca a la conservación de la /b/ latina de - e b a m , - i (e) b a m .

---

sición *de*, la elipsis propia de telegramas y anuncios, y, en ocasiones, el extranjerismo. J. Casares, *Introducción a la lexicografía moderna*, 1950, 173, advierte el paralelismo entre el crecimiento de estos sintagmas y el de los compuestos del tipo *cartón piedra, papel moneda*, etc. En la lengua culta aumentan también las aposiciones *psicología siglo XIX, hombre-masa, traje sastre*; véase Salvador Fernández, *Gramática española*, I, Madrid, 1951, 119.

8. Pueden haber influido los plurales antiguos «vos *tuvistes*» «vos *salistes*», dada la facilidad con que antes se pasaba del tratamiento *tú* al *vos*; pero esta explicación, satisfactoria para América, no lo es para España, donde el *vos* ha desaparecido. Los judíos sefardíes emplean «tú *cožites*» y una jarcha mozárabe recogida por Yehudá Haleví hacia 1100 usa, al parecer, *bebites* por 'bebiste' (F. Cantera, Sefarad, IX, 1949, 216-7). En Andalucía y América hay también *comites, matates*.

8. En el pronombre, los villanos del teatro del siglo XVII dicen *mueso*, *mos*, por *nuestro*, *nos*, bajo la influencia de *me*: hoy sigue usándose *mos*. En vez de *os* se oye en diversas regiones el *vos* arcaizante («ya *vos* pagaré», «de-cir*vos*») desaparecido del uso culto a fines del siglo XV, o su variante *vus*; más extendidos están *sos*, cruce de *se* y *os*, y sobre todo *sus*, cuya /u/, como la de *vus*, se debe a la atonicidad. En cuanto a *le*, *la*, *lo* y sus plurales, el norte y centro, leístas y laístas, continúan enfrentándose con Aragón y Andalucía, mejores guardianes de la distinción etimológica entre *le*, dativo, y *lo*, *la*, acusativos. En el siglo XVIII la pujanza del leísmo fue tal que en 1796 la Academia lo declaró único uso correcto para el acusativo masculino; después rectificó haciendo sucesivas concesiones a la legitimidad de *lo*, hasta recomendarlo como preferible. Sin embargo, en zonas castellanas, leonesas y norteñas se siguen empleando frecuentemente *le* y *les* para el acusativo masculino de persona («a Juan *le* quieren mucho», «ayer *les* conocí») y hasta el de cosa («el paraguas, *le* perdí», «los libros, me *les* dejé en casa»). En las mismas regiones y en Castilla la Nueva la tendencia popular favorece a *la* para el complemento femenino, sea directo o indirecto, igualando «*la* encuentro cansada» con «*la* tengo cariño» o «*la* escribí una carta». También hubo oleada laísta hasta el siglo XVIII, pero la reacción fue más rápida que en el caso de *le*; condenado por la Academia en 1796, el dativo *la* ha decaído en el lenguaje literario. *Lo* como dativo («*lo* pegué una bofetada») es francamente plebeyo. En su conjunto la situación viene a ser la misma que en el Siglo de Oro (§ 97₇). Las discusiones entre leístas, laístas y loístas son episodios representativos de la inseguridad general castellana.[9]

9. En la Edad Media y durante el Siglo de Oro suele aparecer *le* para el dativo de plural; hoy es corriente en el habla («da*le* un abrazo a tus padres»), pero sólo como descuido trasciende a la escritura, fuera de algunos textos literarios que quieren reflejar la viveza de la expresión espontánea. Totalmente inculta es la anteposición de *me* y *te* a *se* («*me se* cayó», «*te se* olvida»), aunque *te se* cuenta con cierta indulgencia en algunas regiones. En el lenguaje aldeano dura la colocación del pronombre delante del impera-

9. Véanse los estudios citados en las notas 80 y 81 al § 97, la *Gramática española* de Salvador Fernández, Madrid, 1951, §§ 105-109, el art. de Francisco García González, *El «leísmo» en Santander*, «Hom. a Emilio Alarcos Llorach», III, 1978, 87-101, etc.

tivo («*me dé*» 'déme'). Por último, es muy general entre el vulgo la trasposición o duplicación de la *n* verbal después del pronombre enclítico (*siéntesen, dígamen, cállensen*).

10. En las partículas quedan formas y empleos arcaicos: *dempués, dende, enantes, manque* (< *más que*, usado como concesivo, + *anque* 'aunque'), *cuantimás*, «ir *en* casa de». Como en el latín vulgar, tienden a acumularse las preposiciones (*endenantes*, «ir *a por* agua»).[10] *Aquí* hace papel de pronombre para designar a una tercera persona cuando se habla en presencia de ella: «... como el mes pasado perdió *aquí* (este *aquí* era don José) un billete de cuatrocientos reales...» (Galdós, *Fortunata y Jacinta*, I, IX, II, dicho por una mujer del pueblo).[11] *Igual* y *lo mismo* valen frecuentemente como 'a lo mejor': «vete a casa de Juana; *igual* no ha salido aún»; «jugaré a la lotería; *lo mismo* me toca el gordo». *Donde* se convierte en preposición con el sentido de 'a casa de', 'en casa de': «voy *donde* mi primo», «compré el pan *donde* Antonio». *Sin embargo* se emplea como equivalente de 'por el contrario', 'en cambio': «Juan acertó; *sin embargo* yo me equivoqué». *En lo que* o *lo que* se hacen sinónimos de 'mientras': «*en lo que* tú te arreglas, yo tomo el café». Y *de que* sustituye a 'en cuanto', 'tan pronto como': «*de que* vi que llovía, me metí en el portal»; también se usa en lugar del simple *que* como conjunción subordinativa («pienso *de que* las cosas no marchan como deben»), en tanto se omite *de* cuando la subordinada es complemento de nombre («tiene miedo *que* la vean»). Se conservan giros como «*al llegar que llegué* fui a verte», «*en saliendo que salgan*, irán a tu casa», usados a veces por los clásicos.

11. El vocabulario campesino es particularmente rico en términos referentes a la naturaleza, labranza, ganadería, tracción e industrias rústicas; pero abunda también en palabras menos concretas que, a pesar de su abo-

10. El origen popular de *a por* es indudable; en *Fortunata y Jacinta*, Papitos, criada de doña Lupe «la de los Pavos», dice: «Vengo *a por* la lámpara para aviarla» (II, I, IV); años antes, en 1874, la *Gramática* de la Academia decía: «*A por*, aunque tan repetido entre el vulgo, es solecismo». Sin embargo ha sido empleado por escritores como Unamuno y Azorín, y defendido por Julio Casares, pues evita anfibologías posibles con *por* solo («ir *por* la escalera»). Véase el *Dicc. Hist. de la Lengua Esp.* de la Academia, I, 1960-1972, 2, col. a).

11. Véanse L. Spitzer, *Lokaladverb statt Personalpronomen*, Rom. Forsch., LXII, 1950, 158-162, y H. Meier, *ibid.*, LXIII, 1951, 169-173.

lengo, han sido olvidadas por el habla ciudadana: *galán* 'hermoso', «la sá-
bana *cimera*», «el *remormor* del trueno entre las peñas», *nidio* 'brillante',
rehilar 'tiritar', *calecer* 'calentarse', *escaecer* 'desmejorarse, enflaquecer'. Ya
se ha indicado cómo estas voces atraen la atención de la literatura moderna, que las recoge amorosamente. La fraseología aldeana guarda también
nutrido caudal de expresiones pintorescas y vivas.

12. El léxico vulgar de las ciudades es de inferior alcurnia: los grandes
núcleos de población son centros de incesante creación pasajera, cuyo éxito se debe principalmente a la novedad y requiere constante sustitución.
Procedimiento esencial es la metáfora, que multiplica las designaciones caprichosas (*pelota, chimenea, cafetera, pera* 'cabeza'; *pasta, mosca, guita* 'dinero', etc.). En esta producción de lenguaje figurado el habla del pueblo coincide con la jerga de maleantes, rica en tropos intencionados como *nube* o
pañosa 'capa', *aliviar* o *limpiar* 'hurtar', *chivato* 'soplón', *chivarse* 'delatar'. Muchos términos de la moderna germanía han pasado a ser simplemente po-
pulares y hasta a generalizarse en el uso coloquial, lo mismo que no pocos
gitanismos (*andóval, chaval, gachó, acharar, diquelar, parné, pinreles*). De todos modos el acceso del argot a la conversación media no tiene la importancia y proporciones que en francés, y los préstamos del *caló* o lengua de
los gitanos, muy numerosos en el siglo XIX y comienzos del XX, han dismi-
nuido después. Propia del habla popular es la coloración humorística de
palabras mediante sufijos nocionalmente vacíos, como en *frescales, vivales,*
finolis, locatis, así como la supresión, también humorística unas veces, afectiva o imaginativa otras, de la sílaba o sílabas finales (*cole, propi, poli, bici,*
por *colegio, propina, policía, bicicleta*). Bastantes reducciones de este tipo
han pasado al uso general de todas las clases sociales, desplazando por
completo o parcialmente a las formas plenas (*cine, foto, metro*).[12] Los sainetes de Ricardo de la Vega, López Silva y Arniches han recogido el lenguaje
popular madrileño, y a su vez han influido en él. Se caracteriza por el empleo —medio presuntuoso, medio irónico— de términos cultos no siempre aplicados con exactitud; por la alteración de locuciones y frases hechas
sustituyendo uno de sus componentes por un sinónimo («caí de mi *jumen-*

---

12. Véanse Zelmira Biaggi y F. Sánchez Escribano, *Manifestación moderna y nueva de*
la apócope en algunas voces, Hisp. Rev., V, 1937, 52-59.

to» en vez de «caí de mi *burro*»); por abundantes eufemismos, alusiones a circunstancias del momento y otras manifestaciones de suficiencia que no son pedantería, pues van acompañadas casi siempre por la actitud zumbona del hablante respecto a su propia expresión rebuscada.[13]

§ 117. EL CASTELLANO DE REGIONES BILINGÜES

En el habla castellana de regiones bilingües o dialectales, y aun fuera de ellas, en pleno solar del idioma, hay rasgos específicos que no responden al tipo de dicción o frase generalmente admitido. Estos fenómenos locales di-

---

13. Los artículos de Carlos Clavería *Sobre el estudio del «argot» y del lenguaje popular* (Rev. Nac. de Educ., I, 1941, n.° 12) y *Argot* («Encicl. Ling. Hisp.», II, 1966, 349-363) proporcionan excelente orientación sobre todas estas cuestiones. Fundamentales son los libros de Werner Beinhauer *Spanische Umgangssprache*, 2.ª ed., Bonn, 1958 (trad. esp. de F. Huarte Morton, *El español coloquial*, Madrid, 1968, 3.ª ed., 1978) y *El humorismo en el español hablado (improvisadas creaciones espontáneas)*, Madrid, 1973, así como sus *Beiträge zu einer spanischen Metaphorik*, Rom. Forsch., LV, 1941, 1-56 y 280-333. Para el argot, jerga de maleantes y gitanismos, véanse principalmente R. Salillas, *El delincuente español, El lenguaje*, Madrid, 1896; L. Besses, *Diccionario del argot español*, 1906; M. L. Wagner, *Notes linguistiques sur l'argot barcelonnais*, Barcelona, 1924, y *Sobre algunas palabras gitano-españolas y otras jergales*, Rev. de Filol. Esp., XXV, 1941; Víctor León, *Diccionario de «argot» español*, Madrid, 1980, etc. Específicamente sobre gitanismos, H. Schuchardt, *Die Cantes flamencos*, Zeitsch. f. rom. Philol., V, 1881; C. Clavería, *Estudios sobre los gitanismos del español*, Madrid, 1951, y *Nuevas notas sobre los gitanismos del español*, Bol. R. Acad. Esp., XXXIII, 1953, 73-89; Miguel Ropero Núñez, *El léxico caló en el lenguaje del cante flamenco*, Univ. de Sevilla, 1978, etc. Hay además los diccionarios gitano-españoles de A. Giménez (1846), F. Quindalé (1870), F. M. Pabanó (1915) y otros. Sobre el habla de Madrid, R. Pastor y Molina, *Vocabulario de madrileñismos*, Rev. Hisp., XVIII, 1908; F. Ruiz Morcuende, *Algunas notas de lenguaje popular madrileño*, «Homenaje a Menéndez Pidal», II, 1925, 205-212; F. López Estrada, *Notas al habla de Madrid. El lenguaje en una obra de Carlos Arniches*, Cuad. de Liter. Contemp., 1943, 261-272; Luis Flórez, *Apuntes sobre el español de Madrid, año 1965*, Thesaurus. Bol. Inst. Caro y Cuervo, XXI, 1966, 156-171; T. Navarro Tomás, *Vulgarismos en el habla madrileña*, Hispania, L, 1967, 543-545; R. Senabre, *Creación y deformación en la lengua de Arniches*, Segismundo, n.° 4, 1967, 247-278; F. Ynduráin, *Sobre «madrileñismos»*, en *Clásicos modernos*, Madrid, 1969, 202-214; el excelente libro de Manuel Seco *Arniches y el habla de Madrid*, Madrid, 1970, etc.

fieren del vulgarismo común en la mayor extensión geográfica de éste y en que algunos se encuentran frecuentemente en boca de personas cultas.

El castellano de las zonas bilingües revela la persistencia de hábitos regionales, sobre todo en la entonación y en la fonética. Los gallegos tienden a cerrar o abrir con exceso, según los casos, las vocales /e/, /o/ ([pwę́dę], [pǫ́kǫ]); ocurre así también, con distribución distinta, a catalanes, mallorquines y valencianos, que, además, pronuncian sonora la /-s/ final de palabra ante vocal ([loż otroś]), velarizan fuertemente la /l/ y la /a/ contigua, sobre todo en sílaba trabada ([mą́ł]), y articulan la /-d/ final con tensión y ensordecimiento que la aproximan a /-t/ (*verdat, paret*). Catalanes y mallorquines dan a la /-a/ final de palabra matiz impreciso de /ə/ neutra o cercano al de la /ę/ abierta. Entre el pueblo es corriente el seseo con /ś/ ápico-alveolar, tanto en Cataluña, Baleares y Levante como en Vasconia; en la dicción popular vasca del castellano hay también seseo con /ş/ predorsal, muy extendido en la costa occidental gallega. También hay particularidades de tipo gramatical, como el arraigo de *vine, viniera* en gallegos y asturianos, refractarios a los tiempos compuestos 'he venido', 'había venido'; el auxiliar *tener* por 'haber' («*tengo ido* a Santiago muchas veces») y la confusión entre *sacar* y *quitar* en el habla gallega; el empleo anormal del futuro en «cuando *podrás*», de los verbos *ir* y *venir, traer* y *llevar*, y de las preposiciones entre los catalanes; o las confusiones de género, el peculiar orden de palabras y otros contagios sintácticos del eusquera en los aldeanos vascos. El castellano usual en las comarcas bilingües asturleonesas ofrece ordinariamente vocales /ę/, /ǫ/ más cerradas que lo normal y colocación arcaica de los pronombres personales átonos (*olvidélo, para te lo decir*). En el léxico es considerable la aportación de las lenguas y dialectos regionales.[14]

14. Véanse, para Galicia, A. Cotarelo Valledor, *El castellano de Galicia*, Bol. R. Acad. Esp., XIV, 1927, 82-136; M. Rabanal, *Hablas hispánicas. Temas gallegos y leoneses*, Madrid, 1967, 13-69; y M. Abuín Soto, *El cast. hablado en las Rías Bajas gallegas*, Archivum, XXI, 1971, 171-206. Para Cataluña, A. Badia, *Notes sobre el castellà parlat per catalans*, en *Llengua i cultura als països catalans*, Barcelona, 1964. Para Vascongadas y zonas bilingües navarras, Emiliano de Arriaga, *Lexicón bilbaíno*, 1896 (2.ª ed., 1960); M. Alvar, *El habla de Oroz-Betelu*, Rev. de Dial. y Trad. Pop., III, 1947, 447-499, y *Palabras y cosas de la Aézcoa*, Pirineos, V y VI, 1947, 5-8 y 263-315; Ana María Echaide, *Castellano y vasco en contacto. Tendencias fonét. vascas en el cast. de los vascohablantes bilingües*, Bol. R. Acad. Esp., XLVI, 1966,

§ 118. VARIEDADES REGIONALES EN EL DOMINIO CASTELLANO SEPTENTRIONAL

1. La extensión del castellano desde Cantabria y norte de Burgos por toda la meseta septentrional y el valle del Ebro no supuso uniformación total de usos lingüísticos. La normalización de la lengua escrita no desterró del habla campesina peculiaridades comarcales que había en el castellano primitivo (§ 47), ni eliminó rasgos dialectalmente poco llamativos del este y centro leoneses, la Rioja, la Navarra castellanizada ni las tierras de Soria. Por otra parte el castellano hablado al norte de la Cordillera Central conserva arcaísmos desaparecidos en Toledo y el sur, y ha desarrollado innovaciones propias, ya sean generales, ya limitadas a una región o comarca.[14 bis]

2. Rasgos generales del castellano septentrional son la asibilación de la /-d/ implosiva en [θ] (*Valladoliz, saluz, bondaz, azvertir*), sobre todo en dicción cuidadosa que rehúye *Valladolí, salú, bondá*; la pronunciación semiculta [θ] en vez de /-k/ en el grupo /kt/ (*aspezto, carázter*), y la menos extendida [-χ] por /-g/ en el grupo /gn/ (*dijno, majno*); los tres fenómenos se dan también en el uso madrileño. No así la tonicidad del posesivo antepuesto al nombre (*mí casa, tú madre*), conservada desde el Cantábrico hasta Cáceres y desde León a Burgos y Soria, frente a la inacentuación usual en el resto del mundo hispánico.

3. El oeste y centro de la actual provincia de Santander, integrados por las antiguas Asturias de Santillana, el valle del Pas y la costa hasta el río Miera, pertenecen al dominio lingüístico asturleonés. La aspirada [h-] o la fricativa [χ-] como resultado de /f-/ latina ([hilár] o [χilár] < f i l a r e) se

---

513-523, y *Castellano y vasco en el habla de Orio*, Pamplona, 1968; Mikel Zárate, *Influencias del vascuence en la lengua castell. a través de un estudio del elemento vasco en el habla coloquial del Chorierri-Gran Bilbao*, Bilbao, 1976; y Ricardo Ciérvide, *Léxico vasco en la Navarra romance*, «Fontes Linguae Vasconum», n.° 33, 1979, 515-528. Para Asturias, R. Grossi Fernández, *Sobre el cast. pop. de Asturias*, Archivum, XIII, 1963, 311-336, y Josefina Martínez Álvarez, *Bable y castellano en el concejo de Oviedo*, Univ. de Oviedo, 1968.

14 bis. Véase V. García de Diego, *Dialectalismos*, Rev. de Filol. Esp., III, 1916, 301-318; *El castellano como complejo dialectal y sus dialectos internos*, ibid., XXXIV, 1950, 107-124, y *Manual de Dialectología Española*, 2.ª ed., Madrid, 1959, 343-350.

dan en esta zona como en astur-leonés oriental; pero la sustitución de la /χ/ castellana por [h] ocurre en la Montaña ([déha], [nabáha], [páha]) y no en Asturias ni León. Ni uno ni otro rasgo se extienden al este del río Miera ni por Campó al sur; tampoco el yeísmo, probablemente irradiado desde la ciudad de Santander, que, con pérdida de la /y/ procedente de /ʎ/, *martíu*, *cuchíu*, *rudía* por *martillo*, *cuchillo*, *rodilla*, como en los topónimos *Piquío*, *Portía*, *La Sía*: tanto la Trasmiera como Campó distinguen habitualmente /ʎ/ y /y/. No obstante, en el habla campurriana penetran rasgos astur-leoneses como el cierre de las vocales finales /-e/, /-o/ en [-i], [-u][15] (*hielu*, *untu*, *ellu*, *arti*, *mesmamenti*), el mantenimiento de /mb/ (*lamber*), la apócope de /-e/ en las terceras personas (*tien*, *vien*, *haz*), etc. Característicos del habla montañesa son el diminutivo *-uco* (*frentuca*, *tarduca*, *labiucus*, *despaciucu*) y el uso de artículo ante posesivo (*el mi muchachu*, *los mis amores*).[16]

4. La Bureba, Álava, la Rioja y la parte meridional de Navarra coinciden en una serie de rasgos:[17] sinéresis en *nausia*, *pial*, *almuada*, *cuete*, *pasiar*,

15. F. González Ollé registra la /-u/ final (*carru*, *guapu*, *otru*, *jugandu*) como una de las *Características fonéticas del Valle de Mena (Burgos)*, Bol. R. Acad. Esp., XL; 1960, 67-85.

16. Véanse Lorenzo Rodríguez Castellano, *Estado actual de la «h» aspirada en la provincia de Santander*, Archivum, IV, 1954, 435-457, y Manuel Alvar, *El Atlas lingüístico y etnográfico de la provincia de Santander (España)*, Rev. de Filol. Esp., LIX, 1977, 81-118.

17. F. Baráibar y Zumárraga, *Vocabulario de palabras usadas en Álava*, Madrid, 1903; J. Magaña, *Contrib. al estudio del vocabulario de la Rioja*, Rev. de Dial. y Trad. Pop., IV, 1948, 266-303; F. González Ollé, *El habla de Quintanillabón*, *ibid.*, IX, 1953, 3-65; *El habla de la Bureba*, Madrid, 1964, y *El habla de Burgos como modelo idiomático en la hist. de la lengua esp., y su situación actual*, «Presente y Fut. de la Len. Esp.», I, Madrid, 1964, 227-237; G. López de Guereñu, *Voces alavesas*, Euskera, III, Bilbao, 1958, 173-367; C. Goicoechea, *Vocabulario riojano*, Madrid, 1961; A. Llorente Maldonado de Guevara, *Algunas características lingüísticas de la Rioja en el marco de las hablas del valle del Ebro y de las comarcas vecinas de Castilla y Vasconia*, Rev. de Filol. Esp., XLVIII, 1965, 321-350; Ana María Echaide, *Léxico de la viticultura en Olite (Navarra)*, Pamplona, 1969; la misma y Carmen Saralegui, *El habla de Anguiano*, Logroño, 1972; José J. Bta. Merino Urrutia, *Vocabulario de la cuenca del río Oja*, Berceo, n.º 85, Logroño, 1973; Alfonso Reta Janariz, *El habla de la zona de Eslava (Navarra)*, Pamplona, 1976; Juan A. Frago Gracia, *Notas sobre las relaciones entre el léxico riojano y el navarroaragonés*, Berceo, n.º 91, Logroño, 1976, y Tomás Buesa Oliver, *Unas calas en las hablas de Navarra*, Diput. Foral de Navarra, 1980. Véanse también J. M. Iribarren, *Vocabulario navarro*, Pamplona, 1952, y *Adiciones al Vocab. navarro*, Pamplona, 1958, así como V. García de Diego, *El habla de Soria*, Celtiberia, 1, 1951, 31-50.

máestro o *máistro*, *máiz*, *cáido*; conservación de la /-l/ implosiva en *salce*, *calce*, *Falces; mucho* 'muy', en los superlativos («*mucho* alto», «*mucho* bueno»); *partemos*, *partéis*, *salemos*, *saléis*, *estuvemos*, *subemos* en presentes y perfectos; yo *hay* 'yo he', *hamos* 'hemos', etc. De especial importancia es la ampliación de usos del condicional -*ría* a costa del imperfecto de subjuntivo -*ra* en el período hipotético («si *tendría*, daría»), en la subordinación temporal y final («dijo que, cuando *vendrías*, se lo avisara»; «me dio una carta para que la *entregaría* a Pedro») y en oraciones optativas («¡ojalá *llovería*!», «¡quién *podría* ir ahora a Pamplona!»); estos usos se extienden por Vascongadas, Santander, otras zonas de Burgos y hasta Palencia y este de León. La Bureba y otras comarcas burgalesas conservan /ie/ sin reducir a /i/ en *aviespa*, *miéspero* o *niéspero*, *viespra* 'víspera'. La acentuación etimológica en las personas nosotros y vosotros del imperfecto, atestiguada en Berceo («en Egipto *andabámos* como grandes sennores», Duelo, 126d), pervive en la Bureba, la Rioja y Eslava (Navarra) (*arabámos*, *ibámos*, *veniámos*, *sacabáis*, *conociáis*); también se da allí en el condicional (*ganariámos*, *ganariáis*). Uso popular de la Bureba son «aquel día le *conociera*» por 'le había conocido', «ella se *hiciera* el ama» por 'se hizo', «entonces *tuviera* diez años» por 'tendría'. En Álava, la Rioja, zonas de la Ribera navarra y parte de Aragón la /r̄/ se pronuncia fricativa, asibilada y menos sonora [r̃] ([kar̃o], [r̃omper]); la /r/ de los grupos /pr/, /tr/, /t/ se asibila también, se debilita y ensordece, llegando a fundirse con la /t/ precedente en un sonido africado casi palatal, cercano a /ĉ/ (*otro* con [t] alveolar y [r̝] intermedia entre [ɹ] y [š]); y en el grupo /ndr/ la /d/ puede desaparecer ([ponr̃é], [tenr̃á]);[18] se conserva sin reducir el grupo /mb/ (*camba*, *támbara*), y las formas verbales de primera persona singular toman —como en el altoaragonés de Ansó y Hecho (§ 120₂)— una /i/ final que las distingue de las de tercera persona (yo *comíai*, *comeríai*, *cómai*, *comierai*). Por último el substrato romance precastellano y la influencia aragonesa dejan en el romanzado navarro dialectalismos como *fartarse*, *fastiarse*, *fito*, *forcallo* 'horquilla' (compárese el cast. *horcajo*), *ginebro* 'enebro' (< lat. vulg. j i n i p e r u s), *ginebral* 'enebral',

---

18. Véase Amado Alonso, *El grupo «tr» en España y América*, «Homenaje a Menéndez Pidal», II, 1925, 167-191 (después en *Estudios lingüísticos. Temas españoles*, Madrid, 1953, 151-195).

ajada 'azada', *rujiar* 'rociar' (< lat. r o s c i d a r e), y en la Rioja *luejo* 'ciza-
ña' (< l ŏ l ĭ u m , cast. *joyo*), *plantaina* 'llantén', *plegar, replegar* 'allegar,
reunir, amontonar', etc.

5. También el castellano hablado hoy como lengua de todos en tierras
que antaño fueron de dialecto leonés ofrece algunos restos del substrato romance regional. Así en Villacidayo, al este de León, subsisten casos de /-i-/
epentética (*aperios* 'aperos', *grancias* 'granzas'), alguno caduco de /f-/ conservada (*facendera, afijado* 'ahijado' —también en Benavente—), /ḷ-/ en
llapazo 'lampazo', *lamber*, etc. Muy extendidos están el diminutivo *-ín, -ino*
(*viejín, pajarino, piedrina*); el artículo ante posesivo (*las tus gallinas, la nuestra casa*); el perfecto simple en lugar del compuesto (*fuiste* 'has ido'); el uso
transitivo de *caer* 'tirar al suelo, derribar', y de *quedar* 'dejar' («*quedé* el libro sobre la mesa»). Juan de Valdés rehúsa *traxon, dixon, hizon* «porque los
que se precian de escrivir bien tienen esta manera de hablar por mala y re-
provada». En el *Auto del repelón* y teatro pastoril antiguo aparecen en boca
de rústicos, y como rusticismo viven hoy, *anduvon, dijon, estuvon, hizon, hu-
bon, puson, quison, supon, trujon, tuvon, vinon*, muy frecuentes en el castellano del reino de León, en Extremadura, en las comarcas limítrofes de Palencia, Valladolid y Ávila y hasta en zonas de Burgos y Segovia.[19]

6. Para el castellano hablado hoy en tierras aragonesas, v. § 120$_{1 y 5}$.

§ 119. EL DIALECTO ASTUR-LEONÉS

Castellanizada la literatura desde fines de la Edad Media, el empuje de la
lengua culta ha estrechado cada vez más el área de los viejos dialectos. Las
ciudades se convirtieron en centros de difusión del castellano. Después, el

19. Véanse García de Diego, Rev. de Filol. Esp., III, 1916, 317; Pedro Sánchez Sevilla,
El habla de Cespedosa de Tormes, ibid., XV, 1928, 131-172 y 244-282; A. Gutiérrez Cuñado,
Léxico de Tierra de Campos, Bol. R. Acad. Esp., XXIV, 1945, 179-185, XXV, 1946, 367-378
y XXX, 1950, 257-262; Alfonsa de la Torre, *El habla de Cuéllar (Segovia), ibid.*, XXI, 1951,
133-164 y 501-513; José Millán Urdiales, *El habla de Villacidayo (León)*, Madrid, 1966;
I. Sánchez López, *Vocabulario de la comarca de Medina del Campo*, Rev. de Dial. y Trad.
Pop., XXII, 1966, 239-303; F. Ynduráin, *Notas sobre el habla de Benavente*, «Homen. a V. García de Diego», Rev. de Dial. y Trad. Pop., XXXII, 1976, 567-577, etc.

incremento de las comunicaciones, el servicio militar y la escuela han ido ahogando la vida precaria del leonés y del aragonés.

1. El territorio de habla leonesa comprende Asturias, el centro y oeste de Santander, norte y oeste de León, oeste de Zamora y Salamanca, y parte de Cáceres.[20] Sus límites con el gallego-portugués son muy imprecisos

---

20. Para el leonés moderno, véanse los estudios de E. Gessner, *Das Leonesische*, Berlín, 1876; Ake W. Son Munthe, *Anteckningar om folkmålet i en trakt af vestra Asturien*, Uppsala, 1887; J. Leite de Vasconcellos, *Estudos de Philologia Mirandesa*, Lisboa, 1900-1901; R. Menéndez Pidal, *El dialecto leonés*, Rev. Arch., Bibl. y Mus., 1906 (2.ª ed., Oviedo, 1962, con prólogo, notas y apéndices de Carmen Bobes); *Pasiegos y vaqueiros*, Archivum, IV, 1954; F. Krüger, *Studien zur Lautgeschichte Westspanischer Mundarten*, Hamburgo, 1914; *El dialecto de San Ciprián de Sanabria*, Madrid, 1923; *Die Gegenstandskultur Sanabrias und seiner Nachbargebiete*, Hamburgo, 1925; *Mezcla de dialectos*, «Homenaje a Menéndez Pidal», II, 1925, 121-166; *El léxico rural del Noroeste ibérico* (trad. de E. Lorenzo), Madrid, 1947; *El perfecto de los verbos -ar en los dialectos de Sanabria y de sus zonas colindantes*, Rev. de Filol. Esp., XXXVIII, 1954, 45-82; *Notas de dialectología asturiana comparada*, Bol. del Inst. de Estudios Asturianos, XI, 1957; *Contribuciones a la Geografía léxica del N.O. de la Península*, Rev. de Dial. y Trad. Popul., XIII, 1957; *Aportes a la fonética dialectal de Sanabria y de sus zonas colindantes*, Rev. de Filol. Esp., XLVIII, 1965, 251-252, y *Los adverbios «lejos» y «luego» en perspectiva dialectal*, «Lengua, Literatura, Folklore. Estudios dedicados a R. Oroz», Santiago de Chile, 1967, 251-283; María Josefa Caneliada, *El bable de Cabranes*, Madrid, 1944; Lorenzo Rodríguez Castellano, *La aspiración de la «h» en el Oriente de Asturias*, Oviedo, 1946; *Palatalización de la «l» inicial en zona de habla gallega*, Bol. del Inst. de Est. Asturianos, II, 1948; *La variedad dialectal del Alto Aller*, Oviedo, 1951 (reseña de Y. Malkiel, Language, XXX, 1954, 129-153); *El sonido ʒ̂ (< l-, -ll-) del asturiano*, «Estudios dedic. a M. Pidal», IV, 1953; *Aspectos del bable occidental*, Oviedo, 1954; *Estado actual de la «h» aspirada en la provincia de Santander*, Archivum, IV, 1954, 435-457; *Más datos sobre la inflexión vocálica en la zona Centro-Sur de Asturias*, Bol. del Inst. de Est. Asturianos, IX, 1955; *El posesivo en el dialecto asturiano, ibid.*, XI, 1957, 171-188; *Contribución al vocabulario del bable occidental*, Oviedo, 1957; *Algunas precisiones sobre la metafonía de Santander y Asturias*, Archivum, IX, 1959, 236-248, y *La frontera oriental de la terminación -es (< -as) del dialecto asturiano*, Bol. del Inst. de Est. Ast., XIV, abril de 1960, 106-118; A. Galmés de Fuentes y D. Catalán Menéndez Pidal, *Un límite lingüístico*, Rev. de Dial. y Trad. Popul., II, 1946; *La diptongación en leonés*, Archivum, IV, 1954; V. García de Diego, *Manual de Dialectología Española*, Madrid, 1946, 134-194; A. Llorente Maldonado de Guevara, *Estudios sobre el habla de la Ribera*, Salamanca, 1947; *Importancia para la historia del español de la aspiración y otros rasgos fonéticos del salmantino occidental*, Rev. de Filol. Esp., XLII, 1958-59, 151-165, y *Don Luis Maldonado y su salmantinismo lingüístico*, «Homen. a don L. M.», Salamanca, 1962, 43-53; María Concepción Casado Lobato, *El habla de la Cabrera*

al norte del Duero: el gallego penetra en Asturias, León y Zamora, y hay una zona fronteriza donde se mezclan caracteres de ambos dialectos. La divisoria, muy borrosa, corre entre el río Navia y la sierra de Rañadoiro, reparte el Bierzo y deja para el gallego algunas aldeas del suroeste de León y otras de Sanabria. Hay pueblos zamoranos que hablan portugués, mien-

---

Alta, Madrid, 1948; Guzmán Álvarez, *El habla de Babia y Laciana*, Madrid, 1949; Emilio Lorenzo, *Notas al vocabulario de Lamano*, Rev. de Dial. y Trad. Pop., V, 1949, 97-109; Alfredo García Suárez, *Contribución al léxico del asturiano occidental, ibid.*, VI, 1950, 264-300; Luis L. Cortés y Vázquez, *Dos textos dialectales de Rihonor y dos romances portugueses de Hermisende*, «Miscelânea... á memória de F. A. Coelho», Lisboa, 1950, 388-403; M. Menéndez García, *Cruce de dialectos en el habla de Sistema (Asturias)*, Rev. de Dial. y Trad. Pop., VI, 1950, 355-402; *Algunos límites dialectales en el Occidente de Asturias*, Bol. Inst. de Est. Astur., n.° 14, 1951; *Notas folklóricas del Cuarto de los Valles, ibid.*, n.° 25, 1954; *El maíz y su terminología en Asturias*, «Homen. a F. Krüger», II, Mendoza, 1954, 369-402; *Léxico del columpio y su distribución geográfica en Asturias*, Bol. Inst. de Est. Astur., n.° 25, 1955; *El Cuarto de los Valles* [el habla de Navelgas], 2 vols., Oviedo, 1963-65; Alonso Zamora Vicente, *Léxico rural asturiano. Palabras y cosas de Libardón (Colunga)*, Granada, 1953; *Dialectología española*, Madrid, 1960 (2.ª ed., 1967), y *Más sobre Asturias. (Léxico de la cestería popular)*, «Homen. a V. García de Diego», Rev. de Dial. y Trad. Pop., XXXII, 1976, 579-589; Diego Catalán, *Inflexión de las vocales tónicas junto al Cabo Peñas*, Rev. de Dial. y Trad. Pop., IX, 1953, 405-415; *Resultados ápico-palatales y dorso-palatales de -ll-, -nn-, y de ll- (< l-), nn- (< n)*, Rev. de Filol. Esp., XXXVIII, 1954, 1-44; *El asturiano occidental. Examen sincrónico y explicación diacrónica de sus fronteras fonológicas*, Rom. Philol., X, 1956, 7192, y XI, 1957, 120-158, y *Dialectología y estructuralismo diacrónico*, «Estructuralismo e Historia. Miscel. Homen. a A. Martinet», III, La Laguna, 1962, 69-80; Jesús Neira Martínez, *El habla de Lena*, Oviedo, 1955; *La metafonía en las formas verbales del imperativo y del perfecto. (Adiciones al «Habla de Lena»)*, Archivum, XII, 1963, 383-393; *Los prefijos dis-, ex- en las hablas leonesas*, «Actas del XI Congr. Intern. de Ling. y Filol. Rom., Madrid, 1965», IV, Madrid, 1968, 2023-2032; *El hablante ante la lengua y sus variedades*, Oviedo, 1969; *El bable. Estructura e historia*, Salinas (Asturias), 1976; *Esquemas acentuales e interferencias entre los verbos en -ear y los en -iar*, Archivum, XXVI, 1976, 169-192; *La oposición 'continuo' / 'discontinuo' en las hablas asturianas*, «Est. ofrecidos a E. Alarcos Llorach», III, Oviedo, 1978, 255-279, y *Dos sistemas nominales en los bables de Asturias*, «Estudios y trabayos del Seminariu de Llingua Asturiana», I, abril 1978; Jorge Dias y J. Herculano de Carvalho, *O falar de Rio de Onor*, Coimbra, 1955; *«Trabajos sobre el dominio románico leonés»*, dirigidos por Álvaro Galmés de Fuentes y Diego Catalán Mz. Pidal, I y II, Madrid, 1957 y 1960; Oliva Armayor, *Algunas aportaciones al estudio del bable central*, Bol. del Inst. de Est. Astur., XII, n.° 33, 1958, 79 y ss.; Dámaso Alonso, *Metafonía y neutro de materia en España (sobre un fondo italiano)*, Zeitsch. f. rom. Philol., LXXIV, 1958, 1-24, y *La fragmentación fo-*

tras que dentro de Portugal la comarca de Miranda do Douro y Sendim pertenece lingüísticamente al leonés (véase § 24₂). Al sur del Duero la coincidencia de las fronteras dialectales y las políticas es más exacta, aunque hay núcleos de lengua portuguesa en Alamedilla (Salamanca), Cedillo, Valverde del Fresno, Eljas y San Martín (Cáceres), y en Olivenza (Badajoz), que perteneció a Portugal hasta 1801.

nética peninsular, «Encicl. Ling. Hisp.», I, Supl., 1962, 105-154; Emilio Alarcos Llorach, *Remarques sur la métaphonie asturienne*, «Mélanges Ling. offerts à E. Petrovici», *Cercetări de Linguistica*, III, 1958, Supl., 19-30; *Miscelánea lexical asturiana*, Bol. Inst. de Est. Astur., n.° 35, 1958; *Miscelánea bable, ibid.*, n.° 39; *Cartas a Gallardo en dialecto babiano*, Archivum, VII, 1958, 260-269, y *Papeletas asturianas, ibid.*, XII, 1963, 331-341; José Manuel González, *Toponimia de una parroquia asturiana (Santa Eulalia de Valduno)*, Oviedo, 1959; Luis López Santos, *El perfecto y sus tiempos afines en el dial. leonés*, León, 1959; *La diptongación en leonés*, Archivum, X, 1960, 271318, y *Los diptongos decrecientes en el dial. leonés*, Arch. Leon., XXIV, 1970, 273-298; Ángel Raimundo Fernández González, *El habla y la cultura popular de Oseja de Sajambre*, Oviedo, 1959, y *Los Argüellos. Léxico rural y toponimia*, Santander, 1966; F. Garvens, *Metafonía en Cabrales (Oriente de Asturias)*, Bol. Inst. de Est. Astur., XIV, 1960, 241-244; José L. Pensado, *Estudios de lexicografía asturiana*, Archivum, X, 1960, 53-120; II.ª serie, *ibid.*, XI, 1961, 17-64; *Notas lingüísticas a las Ordenanzas de Bello, ibid.*, XII, 1962, 342-376; *Anotaciones al léxico asturiano, ibid.*, XIII, 1963, 67-78; *Huellas de «nemus» en el asturiano*, Bol. Inst. de Est. Ast., n.° 51, 1964, y *Contribución al estudio del léxico asturiano dieciochesco*, «Est. ofrecidos a Emilio Alarcos Llorach», II, 1978, 167-194; Joseph A. Fernández, *El habla de Sistema*, Madrid, 1960; R. Grossi, *Aportación al estudio del dialecto de Campo de Caso*, Archivum, XI, 1961, 79-102; Jesús Álvarez-Fernández Canedo, *El habla y la cultura popular de Cabrales*, Madrid, 1963; Germán de Granda, *Observaciones sobre el sistema morfológico del nombre en asturiano*, Rev. de Filol. Esp., XLVI, 1963, 97-120; Dr. Carlos Rico-Avello, *El bable y la medicina*, Oviedo, 1964; Gregorio Salvador, *Encuesta en Andiñuela*, Archivum, XV, 1965, 190-255; M. del Carmen Díaz Castañón, *El bable del Cabo de Peñas*, Oviedo, 1966; *El bable literario*, «Trabajos sobre el dom. rom. leonés», IV, Madrid, 1976, y *Literatura asturiana en bable*, Salinas (Asturias), 1976; Leif Sletsjøe, *La position du mirandais*, Studia Neophilologica, XXXIX, 1967, 150-173; Maria José de Moura Santos, *Os falares fronteiriços de Tras-os-Montes*, Coimbra, 1967; José María Baz, *El habla de la tierra de Aliste*, Madrid, 1967; Josefina Martínez Álvarez, *Bable y castellano en el concejo de Oviedo*, Archivum, XVII, Oviedo, 1968; *Miscelánea léxica*, Archivum, XXI, 1971, 379-388; *Las formas compuestas en el verbo del bable central, ibid.*, XXIII, 1973, 299-308, y *Los «futuros» en el bable central, ibid.*, XXVI, 1976, 19-32; Luciano Castañón, *Datos y detalles de Sobrefoz (Ponga), ibid.*, XVIII, 1968, 261-290; Yakov Malkiel, *The Five Sources of Epenthetic /j/ in Western Hispano-Romance: A Study in Multipe Causation*, Hisp. Rev., XXXVII, 1969, 239-275, y *Patterns of Derivational Affixadon in the Ca-*

2. Los leonesismos más generales, extendidos con mayor o menor intensidad por toda la zona dialectal, son los siguientes: vocales finales /-i/, /-u/, o bien [ę], [ǫ] muy cerradas (*mediu, otrus, esti, montis*); inserción o conservación de /i/ ante la vocal final (*muriu, matancia, metía* 'meta', subjuntivo de *meter, corria* 'corra'); conservación de /mb/ (*palombu, lamber* o *llamber* 'lamer'); paso a /-l/ de /-b/ y /-d/ finales de sílaba interior (*mayoradgo >*

---

braniego Dialect of East Central Asturian, Univ. of California Publications, Linguistics, 64, Berkeley-Los Ángeles-Londres, 1970; Ralph J. Penny, *Vowel-Harmony in the Speech of the Montes de Pas (Santander)*, Orbis, XVIII, 1969, 148-166, y *El habla pasiega*, Londres, 1970; Ana María Cano González, *Algunos aspectos lingüísticos del habla de Somiedo*, «Atti XIV Congr. Intern. Ling. e Filol. Rom., Nápoles, 1974», II, 1976, 235-252; la misma y M. V. Conde Sáiz, J. L. García Arias y F. García González, *Gramática bable*, Madrid, 1976; José Luis García Arias, *El habla de Teverga: sincronía y diacronía*, Oviedo, 1975; Thomas A. Seward, *The Peculiar Leonese Dialectal Forms «dulda», «portalgo», «selmana», etc.: A Problem in Diachronic Phonology*, Hisp. Rev., XLIV, 1976, 163-169; Clarinda de Azevedo Maia, *Os falares fronteiriços do concelho do Sabugal e da vizinha região de Xalma e Alamedilla*, Coimbra, 1977; María Victoria Conde Sáiz, *El habla de Sobrescobio*, Inst. «Bernaldo de Quirós», Mieres del Camino, 1978, y *El prefijo «per» en los bables centrales*, Est. ofrecidos a E. Alarcos Llorach, III, 1978, 13-34; Celsa Carmen García Valdés, *El habla de Santianes de Pravia, ibid.*, 1979; el vol. colectivo *Estudios y Trabayos del Seminariu de llingua asturiana*, II, Univ. de Oviedo, 1980, etc. También son de interés los diccionarios de A. Rato y Hevia, *Vocabulario de las palabras y frases bables*, Madrid, 1891; B. Vigón, *Vocab. dialectológico del Concejo de Colunga (1896)*, Madrid, 1955; S. Alonso Garrote, *El dialecto vulgar leonés hablado en Maragatería y tierra de Astorga*, Astorga, 1909 (2.ª ed., Madrid, 1947); J. de Lamano y Beneite, *El dialecto vulgar salmantino*, Salamanca, 1915; G. A. García Lomas, *Estudio del dialecto popular montañés*, 1922 (2.ª ed., Santander, 1949; ampliado, con el título de *El lenguaje popular de la Cantabria montañesa*, Santander, 1966); B. Acevedo y Huelves y M. Fernández y Fernández, *Vocabulario del bable de Occidente*, Madrid, 1932; Verardo García Rey, *Vocabulario del Bierzo*, Madrid, 1934; F. Rubio Álvarez, *Vocab. dial. del Valle Gordón (León)*, Rev. Dial. y Trad. Pop., XVII, 1961, 264-320; S. Moreno Pérez, *Voces del bable, ibid.*, 384-400; F. González Largo, *Escenas costumbristas de la montaña leonesa* y *Vocabulario de uso frecuente en la mont. leon., ibid.*, XXV, 1969, 325-361; Gloria Avello Casielles, *Estudio comparativo del vocab. del Concejo de Pravia*, Archivum, XIX, 1969, 349-433; S. Blanco Piñán, *Vocabulario de Meré (Llanes)* y *Vocabulario toponímico de la parroquia de Meré*, Bol. Inst. de Est. Astur., n.ᵒˢ 70, 1970, y 74, 1971; David Pérez Sierra, *Vocabulario candasín*, Candás, 1973; Fidel Villarroel, *Ensayo de un Vocab. Tejerinense: el léxico típico del pueblo de Tejerina, en la Montaña Leonesa*, Rev. de Dial. y Trad. Pop., XXXI, 1975, 3-62, etc. Bibliografía complementaria en José Álvarez Calleja, *2000 fichas de bibliografía asturiana*, Salinas (Asturias), 1976, 51-56.

mayoralgu, recabdar > recaldar, cobdicia > coldicia); pérdida de la /-r/ final del infinitivo seguido de cualquier pronombre (*matálu, matáte, matáme*); uso de artículo con posesivo tónico (*la mí casa, la tú madre*); diminutivo en *-ín, -ino* (*hombrín, paredina, piquino*), que en Santander contiende con *-uco* (*tierruca, pañueluco*, § 118₃); en la conjugación cae la /-e/ final de las terceras personas (*tien, pon, quier, parez*); los presentes de verbos en *-ecer, -ocer* omiten el elemento velar del subjuntivo y de la persona yo del indicativo (*conoza* 'conozca', *merezo*); y son corrientes los imperativos *guardai* 'guardad', *ponei, salí*.

3. La parte septentrional del dominio leonés conserva rasgos desconocidos hoy en la meridional, aunque en otro tiempo fueron también propios de ella. Así, La Montaña, Asturias, norte y oeste de León, Sanabria, Miranda y la comarca zamorana de Aliste mantienen la palatalización de la /l-/ inicial (*llares, llobu, lluna*); más raramente y en focos reducidos se palataliza también la /-l-/ medial (*allargar, allegriya, baillar, burila*). Repartida por el norte, y con islotes en León (La Cabrera) y en Zamora, está la /ɳ-/ por /n-/ inicial (*ñalga, ñariz*). Se usan *nos, vos* en vez de *nosotros, vosotros*; los tiempos simples *vine, viniera* valen por 'he venido', 'había venido'; y el pronombre átono conserva la colocación arcaizante *dióme, de lo pagar, para me lo decir*.

4. Dentro de la parte norteña, La Montaña, el oriente de Asturias hasta Colunga y el nordeste de León son menos dialectales que el resto: por ejemplo, la /f-/ inicial ha pasado allí, desde muy pronto, a [h] aspirada o [χ] ([haθér] o [χaθér], [harína] o [χarína]), mientras en el Centro de Asturias, Norte de León y en toda la franja occidental se dice *farina, facer, fornu*. Extensión mayor que la /f-/ inicial en el este de Asturias y noreste de León, parecida en el resto, tienen la diptongación de /ĕ/, /ŏ/ ante yod (*vienga, tiengo, nuechi* 'noche', *fueya* 'hoja', *güe* 'hoy'), y las formas *yes, ye, yera* de ĕ s, ĕ s t, ĕ r a m; menos corriente es la diptongación de la copulativa ĕ t, aunque hay *ye* en Colunga y *ya* en el occidente de Asturias, Laciana y Babia. Frente a los castellanos *amarillo, avispa*, subsiste sin reducirse /ie/ en *amariello, portiello, aviespa* o *aviéspora*. La /ǵ/ inicial perdida en castellano queda con sonido velar [χ] en Curueña (León) y algunos puntos de Salamanca (*gelar* 'helar'); y pronunciada como fricativa prepalatal sorda [š], en Asturias, Babia y Laciana, el Bierzo, la Cabrera y Sanabria (*xelar, xenru* 'yerno',

xinesta 'hiniesta'). En estas últimas regiones, /š/ es el resultado de las antiguas /ž/ y /š/, escritas *g, j* y *x* (*Xuan, xudío, baxu, rexidor, xugo*). En lugar de la /χ/ castellana procedente de /l + yod/, /c'l/, /g'l/ y /t'l/, hay /y/ en Asturias, Curueña, el Bierzo, la Cabrera y Astorga (*muyer* 'mujer', *fiyu, ureya* 'oreja', *estropayu*); en contacto con /i/ o /e/ es frecuente en Asturias la elisión de la /y/ (*fíu* 'hijo', *sortíes* ' sortijas', *uvea* 'oveja'). Como pronombre átono de tercera persona se emplea *lle, ye, i* (*dióyelo, dióilo* 'se lo dio', *dióyes* 'les dio', *tomémoslle*). Y la preposición se funde con el artículo (*cola piedra, nas casas, pola tierra*).

5. Asturias, la región más aislada por las montañas y la más rica en tradición folclórica, posee también rasgos dialectales que antaño tuvieron mayor extensión, aparte de otros privativos suyos. En vez del grupo /-mbr-/ el asturiano central y occidental usa /-m-/ (*llume, home, fame*). El posesivo *mío, mió, tó, só*, que en su origen era masculino, se aplica hoy también al femenino (*mió madre, tó casa*). En el centro de Asturias (Mieres, Pola de Lena, Aller, cabo de Peñas) y en el valle santanderino del Pas, la vocal tónica se cierra ante /-u/ final absoluta, oponiéndose *pirru* a *perra* y *perros, sentu* a *santa* y *santos, puistu* a *puesta* y *puestos*; en Aller la inflexión se produce también ante /-i/ final, *ebri* 'abre', *cumi* 'come'; y en la cuenca del Nalón la /a/ no se cierra en /e/, sino en /o/ (*xatu > xotu, Pachu > Pochu*). Con mayor continuidad que la inflexión vocálica, se extiende desde el centro de Asturias hasta Cabezón de la Sal y el valle del Pas el neutro de materia (*la sidre nuebu da gustu bebelo, taba negro l'agua, mantega fresco*), sobre el cual no actúa la inflexión.[21] Propio del centro de Asturias es que la /a/ final de los plurales se convierta en /e/ (*les cases, guapes, tú cantes* 'cantas', *cantaben* 'cantaban'). Este último fenómeno se da también en San Ciprián de Sanabria y en El Payo, al sur de Ciudad Rodrigo, como resto de una extensión mayor en el astur-leonés primitivo.[22]

6. Un tratamiento especial de ciertas consonantes palatales y laterales, originariamente peculiar del habla de los *vaqueiros*, caracteriza a la faja

---

21. Véase § 22₅. A la bibliografía allí citada añádanse los estudios de J. Neira *El habla de Lena, La oposición 'continuo' / 'discontinuo'* y *Dos sistemas nominales*, así como el de María Josefa Canellada *El bable de Cabranes*, mencionados en la nota que antecede a la presente.

22. Véase § 44₄.

más occidental del dialecto asturiano (brañas de Luarca, Tineo, Allande, Cangas de Narcea, Villaoril, Somiedo), el sur de Asturias central (Teverga, Quirós, Lena, Mieres y Aller) y la parte colindante de la provincia de León (Valle del Sil en el Bierzo; Laciana, Babia, norte del Valle de Omaña; Luna y Los Argüellos). En estas comarcas, la /ļ/ procedente de /l + yod/, /c'l/ y /g'l/ ha pasado a articularse como africada palatal; los estudios dialectales la transcriben a veces como *ch* o *tš* (*urecha* 'oreja', *viechu* 'viejo', *fichu* 'hijo', *fuetša* 'hoja', *titšao* 'tejado'); pero, al menos en algunos sitios, no es igual que la /č/ castellana, sino como /k̂ŷ/ con [k̂] mediopalatal y [ŷ] fundidas en una articulación africada generalmente sorda, aunque hay restos de sonora.[23] En la misma zona, y por Trevías y Luarca hasta el mar, la /l-/ inicial y la /-ll-/ intervocálica latinas se han transformado en un sonido cacuminal que se articula tocando el paladar, detrás de los alvéolos superiores, con la cara inferior de la lengua. Las variantes de este sonido, todas cacuminales, son /ḍ/ o /ḍḍ/ (La Sisterna, suroeste de Asturias), /ḍṣ/ (Felechosa, en el concejo de Aller) y /ṭṣ/, general en la zona: *ṭṣobu* 'lobo', *ṭṣingua* 'lengua', *baṭṣe* 'valle', *ṭṣubieṭṣu* 'ovillo' < (g) l o b ĕ l l u ; «el que nun diga *ṭṣeite* ['leche'], *ṭṣinu* ['lino'], *ṭṣume* ['lumbre'], *tsana* ['lana'], que nun diga que yía de *ṭṣaciana* ['Lacianal']». La distinción fonológica entre la /ṭṣ/ cacuminal y la /č/ procedente de /pl-/, /cl-/, /fl-/ iniciales se borra frecuentemente en el oeste y sur de Asturias, donde se oyen *cheite* 'leche', *chuna* 'luna', *purtiechu* 'portillo', e inversamente *ṭṣorar* 'llorar', *ṭṣegar* 'llegar', *ṭṣabi* 'llave', con predominio de /č/ o de /ṭṣ/, según localidades y generaciones. Por otra parte, en Teverga, Quirós, tierras altas de Lena, etc., la /č/ de *ocho*, *pecho*, *puchero*, invasora desde Asturias central, se hace /tš/ ápico-alveolar no retroversa para no confundirse con las otras africadas locales (*otso*, *petso*, *putsero*).[24]

---

23. Véase Rodríguez Castellano, *Aspectos del hable occidental*, §§ 19 y 79. G. Álvarez, *op. cit.*, 223 y 229, identifica las africadas palatales de *chanu* < p l a n u y *agucha* < *a c u c ŭ l a con las castellanas de *chato* y *pecho*. Pero el palatograma que da como de *ch* en la p. 218 no es de /č/ castellana, sino igual al de la /ŷ/ africada (comp. Navarro Tomás, *Manual de pronunciación*, §§ 118 y 119). Según esto, el sonido africado de *chanu* y *agucha* en Babia y Laciana es como una [ŷ] africada, pero sorda.

24. Para la compleja fonología de estas comarcas, véanse los estudios de Rodríguez Castellano, *Aspectos*, y Catalán, *El asturiano occidental*, citados antes, n. 20. Sobre el origen suditálico de la palatalización o cacuminalización de /l-/ y /-ll-/, véase § 22₃.

7. La zona más arcaizante está constituida por el occidente de Asturias y León, Astorga, Sanabria y Miranda. Coinciden el leonés occidental y el gallego-portugués vecino en guardar los diptongos /ei/, /ou/ (*cantei, cantou, caldeiro, roubar*), el sufijo *-oiro* (*paradoira, abintadoiru* 'aventadero') y la /-e/ final de *necesidade, rede, sede, tenere, partire, zagale*; convienen asimismo en la /ĉ/ resultante de /pl-/, /cl-/, /fl-/ (*chorar, chave, chama*; en zonas del suroeste asturiano, /t͡ʂ/ por /ĉ/, *t͡ʂorar, t͡ʂabi*, v. apartado 6); en la solución /it/, /uit/ de /-kt-/, /-ult-/ latinos (*feito, muito*); y en la /ḽ/ de /l + yod/, /c'l/, etc., que es general en Miranda (/fiḽu/, /abeiḽa/) y contiende con /y/ en el resto (/fiḽu/ o /fiyu/, /abeḽa/ o /abeya/). Dialectalismos crudos no gallegos son los diptongos /uo/, /ua/, /uö/, /ia/ (*fuorza, puarta, pia* 'pie'); tanto estos diptongos como sus variantes /ue/, /ie/, comunes con el castellano, se escinden en casos de especial expresividad; convirtiéndose en /u-ó/, /u-é/, /i-é/, /i-á/, etcétera, disilábicos (*piscu-ózu, šu-ébes* 'jueves'); entonces son frecuentes dislocaciones acentuales como *lúego, búono, díaz* 'diez', *yía* 'es'. Características son las formas *you* 'yo', *dous* y femenino *duas* 'dos'; posesivos *mieu, tou, sou* para el masculino y *mie, tue, sue* para el femenino; pretéritos *rompeu, rumpieu* 'rompió', *salíu* 'salió', *cantoron, cantonun, dijoron, dijonon* o [dišóron], [dišónon], *dijoren* o [dišóren], *dijonen* o [dišónen]; y segundas personas *tomades, podedes, salides, tomábades, teníades, saliérades*.

8. En el este y sur del antiguo reino leonés la influencia castellana ha barrido los fenómenos más típicos del dialecto: la /f-/ inicial, por ejemplo, ha desaparecido, igual que la [h] aspirada, en el oriente de León y Zamora y en la mayor parte de Salamanca; en esta provincia, sólo el rincón de La Ribera, en el noroeste, y la zona meridional ya en contacto con Extremadura, conservan, decadente, la aspiración ([hedér] o [χedér], [húso] o [χúso]). En cambio, de León al sur es corriente la alternancia de /r/ y /l/ tras consonante de la misma sílaba (*praza* 'plaza', *branco, templano*).

§ 120. EL ARAGONÉS[25]

1. El dominio lingüístico del aragonés ha sufrido reducciones aún mayores que el del leonés. El habla baturra del sur de Huesca, la de Zaragoza, Teruel y Segorbe es mera variedad del castellano rústico, aunque en ella se manifiestan algunos fenómenos muy antiguos, comunes con la parte propiamente dialectal. Uno es la persistencia de algunas oclusivas sordas in-

25. Para el aragonés moderno, véanse T. Navarro Tomás, *El perfecto de los verbos -ar en arag. antiguo* [con datos sobre las hablas actuales], Rev. de Dialect. Rom., I, 1909, 110-121 (reimpreso en Arch. de Filol. Arag., X-XI, 1958-1959, 315-324); J. Saroïhandy, *Vestiges de phonétique ibérienne en territoire roman*, Rev. Intern. de Est. Vascos, VII, 1913 (trad. por A. Llorente, *Huellas de fonética ibérica en territorio románico*, Arch. de Filol. Arag., VIII-IX, 1956-1957, 181-199); G. W. Umphrey, *The Aragonese Dialect*, Rev. Hisp., XXIV, y Washington 1913; Vicente García de Diego, *Caracteres fundamentales del dialecto aragonés*, «Miscelánea Filológica», III, Zaragoza, 1918; A. Kuhn, *Der hocharagonesische Dialekt*, Rev. de Ling. Rom., XI, 1935, 1-312, y *Estudios sobre el léxico del Alto Aragón*, Arch. de Filol. Arag., XVII, 1966, 7-56; F. Krüger, *Die Hochpyrenäen: I. Landschaften, Haus und Hof* Hamburgo, 1936; *II. Hirtenkultur,* Volkstum und Kultur der Romanen, VIII, 1935, 1-103; *III Ländliche Arbeit,* Butlletí de Dialect. Catalana, XXIII, 1936, 39-240; *IV. Hausindustrie-Tracht-Gewerbe,* Volkstum u. K. d. Rom., VIII, 1935, 210-328, y IX, 1936, 1-103; W. D. Elcock, *De quelques affinités phonétiques entre l'aragonais et le béarnais*, París, 1938, y *La evol. de -ll- en el dial. arag.*, Arch. de Filol. Arag., XII-XIII, 1961-62, 289-297; F. Lázaro Carreter, *El habla de Magallón*, Zaragoza, 1945; Manuel Alvar, *El habla del Campo de Jaca*, Salamanca, 1948; *Toponimia del alto valle del río Aragón*, Zaragoza, 1949; *Materiales para una dialectología bajo-aragonesa*, Arch. de Filol. Arag., III, 1950, 184-224; *El dialecto aragonés*, Madrid, 1953 (excelente exposición de conjunto); *Notas lingüísticas sobre Salvatierra y Sigüés*, Arch. de Filol. Arag., VIII-IX, 1956-7, y *Estudios sobre el dialecto aragonés*, I, Zaragoza, 1973; Antonio Badia Margarit, *Sobre morfología dialectal aragonesa*, Bol. R. Acad. de Buenas Letras de Barcelona, XX, 1947, y *El habla del valle de Bielsa*, 1950; Félix Monge, *El habla de la Puebla de Híjar*, Rev. de Dial. y Trad. Pop., VII, 1951; Pascual González Guzmán, *El habla viva del valle de Aragüés*, Zaragoza, 1953; Tomás Buesa Oliver, *Seis casos de sinonimia expresiva en altoaragonés*, Thesaurus. Bol. Inst. Caro y Cuervo, X, 1954; *Terminología del olivo y del aceite en el alto aragonés de Ayerbe*. «Misc. Filol. dedic. a Mons. A. Griera», I, Barcelona, 1955, 57-109; *La raíz preindoeuropea «kal-» en algunos topónimos altoaragoneses*, «Actas et Mém. du Vᵉ Cong. Intern. de Sciences Onomastiques», II, Salamanca, 1958; *Soluciones antihiáticas en el altoaragonés de Ayerbe*, Arch. de Filol. Arag., X-XI, 1959, 23-55; *Sufijación afectiva en ayerbense*, «Actas III Congr. Intern. de Est. Pirenaicos, Gerona

tervocálicas (*suco* 'jugo', *melico* 'ombligo', *rete* 'red', *foratar* 'horadar'), resto de un fenómeno que tiene su mayor vitalidad en el norte de Huesca, donde se dice *napo* 'nabo', *marito* 'marido', *artica* 'ortiga'. También se dan en el castellano-aragonés igual que en el Pirineo los pronombres *yo, tú* con preposición (*pa yo, a tú*); así como la confusión de los distintos temas verbales (*daron, yo tuvía, supiendo, pusiendo*); la acentuación grave en los imperfectos y condicionales (*dabámos, plegabámos, rompiámos, seriámos, fuesénos* 'fuésemos'); las partículas *y* 'allí', 'en ello', 'a ello', 'a él', 'a ella', *en, ne* 'de allí', 'de ello', empleadas en Caspe y Alcañiz, por lo menos, lo mismo que en los pueblos pirenaicos;[26] y las metátesis *crabra, probre, pedricar* por *cabra, pobre, predicar*. El diminutivo *-ico* (*ratico, gallico*), aunque en otras épocas fue corriente en toda España, muestra hoy peculiar arraigo en Navarra y Aragón, desde donde extiende su dominio hasta La Mancha oriental, Murcia y el Oriente andaluz. Característica es la tendencia aragonesa a convertir en graves las palabras esdrújulas (*arbóles, pajáros, catolíco*), aunque no falten muestras en el castellano no dialectal (*dominica*, «crema *Nivea*», etc.).

2. El verdadero dialecto aragonés está recluido en los valles de Ansó, Hecho, Aragüés, Lanuza, Biescas, Sobrarbe y Ribagorza, y más al sur, hacia la sierra de Guara. Tiene rasgos comunes con las zonas peninsulares no

---

1958», Zaragoza, 1963, 9-32; *Noticia sobre el Atlas Ling. y Etnogr. de Aragón*, Anuario de Letras, IV, 1964, 54-69; *La persona verbal «yo» en la frontera navarroaragonesa pirenaica*, Cuadernos de Investigación (Filología), mayo 1976, 35-50, y *Estado actual de los estudios sobre el dialecto aragonés*, «II Jornadas sobre el estado actual de los Estudios sobre Aragón», Zaragoza, 1980; R. W. Thompson, *El artículo en el Sobrarbe*, Rev. de Dial. y Trad. Pop., XI, 1955, 473-477; F. González Ollé, *Callaguari. Un gasconismo en aragonés*, «Homen. a V. García de Diego», I, *ibid.*, XXXII, 1976, 201-205; María Ángeles Maestro García, *Aspectos del habla popular aragonesa en Gregorio García Arista*, Zaragoza, Instit. F. el Católico, 1980, etc. Vocabularios de J. Borao, *Diccionario de voces aragonesas*, Zaragoza, 1884; L. V. López Puyoles y J. Valenzuela, *Colección de voces de uso en Aragón*, Zaragoza, 1901; J. Pardo Asso, *Nuevo diccionario etimológico aragonés*, Zaragoza, 1938; P. Arnal Cavero, *Vocabulario del alto aragonés (de Alquézar y pueblos próximos)*, Madrid, 1944; A. Badia Margarit, *Contribución al vocabulario aragonés moderno*, Zaragoza, 1948.

26. Para el uso y variantes de estas partículas en la lengua antigua y en el alto aragonés y catalán actuales, véase A. Badia Margarit, *Los complementos pronomino-adverbiales derivados de «ibi» e «inde» en la Península Ibérica*, Madrid, 1947.

castellanas: mantiene la /f-/ latina, *faba, farina*; /ǵ/, /ǰ/ iniciales latinas se conservan con valor palatal (*chinebro* o *šinebro* 'enebro'), y en zonas como el campo de Jaca dan también /ŝ/ (*tsugar* 'jugar', *tsugo* 'yugo'). En vez de la /ĉ/ castellana, hay /it/ o /t/ de /-ct-/, /-(u)lt-/ (*dito, feito, feto, muito*); /ly/ y no /χ/ de /l + yod/, /c'l/ y /g'l/ (*mullé* 'mujer', *abella* 'abeja', *rella* 'reja'); /š/, no /χ/, de /ks/ (*tešer* 'tejer', *madaša* 'madeja'); /š/, no /θ/, de /sĉ/ (*crešé* 'crecer', *ašada* o *ajada* 'azada'); restos de artículo *lo* (*o fuego, lo fuego, do pallar*). Como en leonés, el /ié/ de *castiello, ariesta* no se reduce a *i*; diptongan las vocales /ĕ/, /ŏ/ ante yod (*tiengo, fuella, güerdio* 'ordio, cebada'), así como el presente e imperfecto del verbo *ser* (*ya* 'es', *yara* 'era'). Los diptongos /ué/, /ié/ luchan con /uó/, /uá/, /iá/ (*fuogo, ruaca* 'rueca', *puarta, pia, tian*, 'tiene'); las formas con /uá/, /iá/ se usan mucho en el Alto Aragón.[27] En Ansó, Hecho y Berdún las formas verbales de la persona yo toman —como en la Bureba, Eslava y la Rioja (§ 118₄)— una /i/ final que las distingue de las de la persona él (*clamábay, yéray, dígay, aflóšey, cómprey*).

3. Igual que en catalán, se conservan en alto aragonés los grupos iniciales de *clamá* 'llamar', *plan* 'llano', *flamarada* 'llamarada'; caen frecuentemente /e/ y /o/ finales (*deván* 'delante', *fuen* 'fuente', *tiens* 'tienes', *serez* 'seredes', 'seréis', *dinés* 'dineros', *fornaz* 'hornazo'); se pierde la /-r/ final (*mullé* 'mujer', *chirá* 'girar', 'dar la vuelta'); y el relativo *qui* tiene aún gran vigencia. Otros fenómenos se extienden a ambos lados del Pirineo, como influencia mutua de las dos vertientes o paralelo desarrollo fonético; así en los valles pirenaicos aragoneses se sonorizan /p/, /t/, /k/ tras /m/, /n/, /r/, /l/ (*fuande* 'fuente', *chungo* 'junco', *chordiga* 'ortiga', *cambo* 'campo'); lo mismo ocurre en zonas bearnesas limítrofes.[28] En gascón y en Sobrarbe se encuentra el artículo *ro* (*de ro cambo, ras güellas* 'las ovejas'). En gascón y en diversas áreas altoaragonesas —restos de un dominio que parece haber comprendido hasta la Sierra de Guara y los límites con Ribagorza— se da

27. En el catalán de Aguaviva (nordeste de Teruel) se da también, en ciertas condiciones, el diptongo *ia* (*siat* 'siete', *mial* 'miel', *pial* 'pelo') como desarrollo peculiar de una /e/ procedente de /ĕ/ o de /ē/, /ĭ/, sin conexión, por tanto, con la diptongación aragonesa. Véase M. Sanchis Guarner, *Noticia del habla de Aguaviva de Aragón*, Rev. de Filol. Esp., XXXIII, 1949, 16-65.

28. Véase § 4₅.

el paso de /-ll-/ latina a /t/, /tŝ/ alvéolo-prepalatal apical sorda o a /ĉ/ (*saltieto* 'sotillo', *castietso* o *castiecho* 'castillo'). En el vocabulario y toponimia de toda la zona quedan restos de /n/ en vez de /ɲ/ como resultado de /-nn-/ (*nino*, *canete*, *anollo*; compárense los castellanos *niño*, *caña*, *añojo*).[29] Además, el belsetán o habla local de Bielsa conserva las dobles consonantes latinas /-l·l-/, /-nn-/ en su estado de geminadas sin palatalizar: la /l·l/, en algún caso (/payel·la/, /bel·lota/); la /nn/, abundantemente (*penna*, *ninno*). En la morfología son aragonesismos privativos los imperfectos *eba* 'había', *podeba*, *deciba*; y los perfectos él *tomé*, él *vendié*, ellos *tomeron*, junto a yo *compró*, tú *comprós*, nosotros *compromos*, vosotros *comproz*, ellos *comproron* (las formas -*oron* se dan también en León). *Haber* equivale aún a *tener*, «he fambre»; y *ser* tiene empleos que en castellano han pasado a *estar* («*son* lueñes de lucar») o a *haber* («*yes* veníu» 'has venido').

4. Al este del Cinca se extiende la frontera lingüística del aragonés con el catalán,[30] muy imprecisa desde el Pirineo hasta Binéfar y Tamarite, como lo es la que separa el asturleonés del gallego y portugués entre el Cantábrico y el Duero. El límite de cada fenómeno distintivo no coincide con los demás, formándose un abanico de isoglosas: la que separa *levantau* de *llevantau* corre más a occidente que la de *fuera* / *fora* y la de *sierra* / *serra*,

29. Para la analogía de esta evolución de /-ll-/ y /-nn-/ con la que se da en leonés y suditálico, véase Diego Catalán, *Resultados ápico-palatales y dorso-palatales de -ll- y -nn-*, Rev. de Filol. Esp., XXXVIII, 1954, 1-44. Véase también nuestro § 22₃.

30. Estudiada por A. Griera, *La frontera catalano-aragonesa*, 1914; R. Menéndez Pidal, Rev. de Filol. Esp., III, 1916, 73-88, y M. Alvar, *Catalán y aragonés en las regiones fronterizas*, «VII Congr. Intern. de Ling. Románica», II, Actas y Memorias, 1955, 737-778; *Léxico aragonés del A[tlas] L[ing.] [de] C[atal]*, Archivo de Filol. Arag., VIII-IX, 1956-57, 211-238; *Léxico de Benasque, según el ALC*, *ibid.*, X-XI, 1959, 367-76, y *Léxico catalán en tierras aragonesas*, *ibid.*, XII-XIII, 1962-1963, 333-385. Véanse además Günther Haensch, *Las hablas de la alta Ribagorza*, Zaragoza, 1960; *Algunos caracteres de las hablas fronterizas catal.-arag. del Pirineo*, Orbis, XI, 1962, 75-110, y *Las hablas del Valle de Isábena (Pirineo aragonés)*, Rev. de Dial. y Trad. Pop., XXX, 1974, 295-314; A. Ballarín Cornel, *Vocabulario de Benasque*, Arch. de Filol. Arag., XVII, 1966, 127-212; Antonio Viudas Camarasa, *El habla y la cultura populares en La Litera* [extracto de tesis doctoral], Madrid, 1976, y *Léxico dialectal de la Llitére*, Anuario de Est. Filol., Univ. de Extremadura, I, 1978; también interesa la *Colección de voces usadas en La Litera* de B. Coll y Altabás, en «El Diccionario Aragonés», Zaragoza, 1902.

al oriente de las cuales se sitúan la de /-ş-/ intervocálica sorda frente a la sonora /-ż-/ y la de *chen*, *chinebre* frente a *gen*(*t*), *ginebre*. Difieren también la de *feto*, *dito*, *cuito* / *fet*, *dit*, *cuit* y la de *capellán*, *pimentón* / *capellá*, *pimentó*. Tomando como carácter decisivo la diptongación de /ĕ/ y /ŏ/, el oeste de Ribagorza, hasta el Isábena aproximadamente, es de dialecto aragonés; pero tiene catalanismos como /ļ-/ inicial en vez de /l-/ (*lladrá* 'ladrar', *lluen* 'lejos') y plurales femeninos *les cases*, *cardellines* (en Benasque). La Ribagorza oriental habla catalán, aunque algún rasgo aragonés —la /ĉ/ en vez de /ǧ/— penetra hasta más allá del Noguera Ribagorzana, por el noroeste de la provincia de Lérida. Peculiar de Ribagorza es la palatalización de la /-l-/ en los grupos consonánticos iniciales ([kļáu] 'llave', [pļóure] 'llover', [fļáma] 'llama').

5. Al sur de la línea Binéfar-Tamarite desaparece el abanico de isoglosas. La divisoria es común para los principales rasgos característicos y deja para el dominio catalán Fraga y su comarca en la provincia de Huesca; Mequinenza, Fayón, Nonaspe y Fabara en la de Zaragoza; y en la de Teruel, el extremo nordeste a partir de Calaceite, Valjunquera y Aguaviva, con Valderrobres y Peñarroya. Por el contrario, en la de Castellón hay dos entrantes de habla aragonesa, uno en Olocau, y otro más extenso que comprende los valles del Villahermosa, Mijares y Palancia, con la sierra de Espadán, Viver y Segorbe, hasta cerca de la costa mediterránea. También son originariamente aragonesas, en la provincia de Valencia, las hablas del Rincón de Ademuz, de los partidos judiciales de Chelva, Chiva, Alberique y Énguera, y la parte oriental del de Liria, con Villar del Arzobispo. El aragonés de estas tierras está muy castellanizado, aunque tenga los rasgos generales del bajo aragonés moderno (véase apartado 1) y alguna supervivencia del primitivo dialecto (/χ/ < /š/ en *jada* 'azada', *juela* 'azuela', *aje* 'haz'; *dijendo*, *hicendo*, *quisiendo*, *supido*, *tuvido*; *en*, *ne* < ĭ n d e). Notable es que en el alto Mijares y en Fanzara (Castellón) haya /χ-/ por /f-/ inicial en *jondo*, *jundir*, *jacé* 'hacer', *jumar* 'fumar', *Jelipe*, este último usual también en Villar del Arzobispo. El sufijo diminutivo *-ico*, *-ica*, ofrece en algunos puntos la variante *-iquio*, *-iquia* (*casiquia*, *mociquio*), que después encontraremos en el murciano. Muy extendido está el seseo de tipo valenciano, esto es, con /ş/ ápico-alveolar (*ensender*, *cabesa*, *aser* 'hacer'); en Fanzara se conserva la distinción entre sibilante sorda y sonora, de modo que /šinko/, /ka-

beša/, /kruš/, /pašá/, /maša/ tienen sorda, heredera común de /š/ y /ŝ/ antiguas, mientras /ž/ sonora de /kaža/, /kežo/, /laž ermanaš/, /kožína/, /ažeite/ proviene de /ž/ y /ẑ/ medievales. Al suroeste de Valencia, el habla de Énguera, Navarrés y Anna, castellano-aragonesa, distingue también la /š/ sorda de *pasar* (ant. *passar*) de la /ž/ sonora de *casa, rabosa*; pero la de Énguera no sesea, pues mantiene como resultado de las antiguas /ŝ/ y /ẑ/ dos fricativas predorso-dentales, sorda una (/danŝá/, ant. *dançada* 'baile', /aŝúkar/, ant. *açúcar*) y sonora /ẕ/ la otra (/onẕe/, ant. *onze*, /koẕina/, ant. *cozina*). En toda la zona pervive además la antigua oposición entre /b/ oclusiva y /v/ fricativa (/bever/, /aver/, /kavaḷo/, /vida/, /biga/ < lat. b i g a). Esta supervivencia del sistema consonántico medieval, más vigorosa en Anna, alcanza, en cambio, a más parejas de fonemas en Énguera. La influencia del valenciano es muy intensa: aparte del seseo, la /ḷ-/ inicial por /l-/ está muy extendida en Villar del Arzobispo y otros puntos (*lladrar, llatido, llatir, llatonero* 'lidonero'); la abundancia de préstamos léxicos origina en ocasiones la introducción de fonemas valencianos, aparte de sufijos, formas gramaticales y giros sintácticos.[31]

31. Véanse C. Torres Fornes, *Sobre voces aragonesas usadas en Segorbe*, Valencia, 1903; J. Hadwiger, *Sprachgrenzen und Grenzmundarten des Valencianischen*, Zeitsch. f. rom. Philol., XIX, 1905, 172-178; R. Menéndez Pidal, *Manual de gram. hist. esp.*, 6.ª ed., 1941, § 35 bis₆ nota; B. Martínez, *Breve estudio del dialecto enguerino*, Anales del Centro de Cult. Valenc., VIII, 1947, 83-87; A. Monzó Nogués, *El Mijares, ibid.*, XII, 1951, 60 y ss., 187 y ss.; M. Alvar, *El dialecto aragonés*, Madrid, 1953, 141-144; V. Llatas, *El habla de Villar del Arzobispo*, 2 vols., Valencia, 1959; M. Sanchis Guarner, *Noticia del dialecto de Énguera y la Canal de Navarrés (Prov. de Valencia)*, Rev. Valenciana de Filol., Anejo del t. VII, 1963-1966, y *Las hablas del Alto Mijares y de Fanzara*, Bol. R. Acad. Esp., XLVII, 1967, 201-212; J. Gulsoy, *L'origen dels parlars d'Enguera i de la Canal de Navarrés*, «Estudis... dedicats a la memòria de Pompeu Fabra», I, Estudis Romànics, XII, 1966-68 [1971], 317-338, y *The Background of the Xurro Speech of Upper Mijares*, Rom. Philol., XXIV, 1970, 96-101; J. Rafel Fontanals, *Áreas léxicas en una encrucijada lingüística* [la frontera catal.-arag. de Teruel y Castellón], Rev. de Filol. Esp., LVII, 1974-75, 231-275, etc.

§ 121. RASGOS GENERALES DEL ESPAÑOL MERIDIONAL

1. Ya vimos en el capítulo XIII (§§ 92 y 93) cómo en el siglo XVI estaban en pleno desarrollo los principales rasgos fonológicos que hoy caracterizan el habla de la mitad meridional de España. Ahora nos toca estudiar la extensión geográfica y la estimación social que cada uno de ellos tiene en la actualidad, las condiciones en que se da y las variedades articulatorias que ofrece, así como su repercusión en el sistema general de la lengua.

No todo el territorio situado al sur de la Cordillera Central es área ocupada por estos fenómenos. La mayor parte de la provincia de Guadalajara,[32] igual que la Serranía de Cuenca, son ajenas a ellos. Pero algunos llegan hasta Madrid y se extienden por Toledo y La Mancha sin constituir dialecto especial. Conforme se avanza hacia el mediodía aumenta el número e intensidad de particularidades, que en Andalucía se han unido a los caracteres privativos que tomó allí la revolución consonántica de los siglos XV y XVI, originando un sistema fonológico distinto del castellano. Semejante al habla andaluza en notas esenciales es la de las islas Canarias, incorporadas a Castilla durante el siglo XV. En Extremadura los rasgos meridionales se combinan con leonesismos y arcaísmos. En Murcia es notable la influencia aragonesa y levantina.

2. El yeísmo, atestiguado en Toledo, Andalucía y América en el siglo XVI, con antecedentes peninsulares más remotos (§ 93,), era considerado en el XVIII como rasgo característico andaluz (*gayinaz, poyaz,* remedos de la pronunciación andaluza en un romance de Iriarte, entre 1773 y 1791; la ultracorrección *bollante* por *boyante* en el gaditano González del Castillo, etc.).[32bis] En la actualidad el uso general de casi toda Andalucía[33] y la mayor parte

32. T. Navarro Tomás, *Datos de pronunciación alcarreña,* Modern Philology, XXVII, 1930, 435-439, registra inalterada la /ʎ/ ([kastíʎo]), así como la /-s/ ([krésta], [eskopéta], [espéχo], [deznúðo], etc.) y la /-r/ ([θjérbo], [flór]) o /-l/ ([soldáðo]) en posición implosiva.

32 bis. También don Ramón de la Cruz da el yeísmo como rasgo andaluz en *Las provincias españolas unidas por el placer* (1789), según R. K. Spaulding, *How Spanish grew,* 1948, 233.

33. Antonio Llorente Maldonado de Guevara, *Fonética y Fonología andaluzas* (Rev. de Filol. Esp., XLV, 1962, 233-235), señala distinción entre /ʎ/ y /y/ en 25 de los 230 pueblos encuestados para el *Atlas Lingüístico y Etnológico de Andalucía.* Se agrupan en la provincia de Huelva, junto a la frontera de Portugal y en una franja que va de oeste a este de la pro-

de Extremadura,[34] así como el habla popular y media de Ciudad Real, Toledo (no toda la provincia),[34 bis] Madrid y sur de Ávila, reducen la /ļ/ a /y/, diciendo *caye, yorar, gayina, aqueyo*. Tanto esta /y/ como la primitiva de *ayer, mayo, saya* ofrecen variantes de diversa aceptación, según las regiones y ambiente social. Plebeya en Madrid, pero muy pujante en otras zonas yeístas, es la tendencia a articular una /y/ tensa, con zumbido rehilante y con la lengua adelantada hacia los alvéolos, cercana o igual a los sonidos africado [ǧ] o fricativo [ž] de nuestra *j* antigua o de la *j* (/ž/) portuguesa. El yeísmo se propaga en las generaciones nuevas; hay pueblos donde los viejos pronuncian [hoļín] u [oļín] y los jóvenes [hoyín], [oyín] o [hožín], [ožín]. En regiones apegadas a la /ļ/ los centros urbanos practican el yeísmo. Así las ciudades de Cartagena, Murcia y Albacete son yeístas, mientras el resto de las dos provincias conserva la distinción entre /ļ/ y /y/. Igual ocurre con los focos yeístas de la meseta septentrional o de la costa norteña, radicados por lo general en ciudades importantes en medio de zonas donde se mantiene la distinción.[35]

3. Área parecida a la del yeísmo, aunque no bien determinada aún, ocupa la aspiración de la /-s/ implosiva (*mascar* > [mahkár], *los hombres* >

---

vincia, en las serranías de Huelva, Sevilla y Córdoba, en la margen derecha sevillana del Guadalquivir y campiña próxima, y en islotes repartidos por las sierras de Grazalema (Cádiz), Ronda (Málaga), Alpujarra oriental (Granada), Segura y Cazorla (Jaén). En el momento de corregir pruebas de imprenta llega a mis manos el artículo de Manuel Hidalgo Caballero, *Pervivencia de la «ll» en el Suroeste de España* (Rev. de Filol. Esp., LIX, 1977, 118-143), con interesantes datos que amplían las áreas conocidas de /ļ/ en la Andalucía occidental, suroeste y noreste de Badajoz, Los Pedroches y serranía cordobesa. Puedo añadir la noticia, comunicada en 1959 por D. Ángel Cerro Sánchez, de que en Posadilla, pueblo situado también en la serranía de Córdoba y no encuestado en el *Atlas Ling. de la Peníns. Ibérica* ni en el *ALEA*, «existe una marcadísima distinción» entre /ļ/ y /y/.

34. Véase después, § 123,₁.

34 bis. Máximo Torreblanca, *Estado actual del lleísmo y de la h aspirada en el Noroeste de la provincia de Toledo*, Rev. de Dial. y Trad. Pop., XXX, 1974, 77-89.

35. Los *Nuevos datos sobre el yeísmo en España*, de T. Navarro Tomás, según las noticias del *Atlas Ling. de la Pen. Ibér.* (Thesaurus. Bol. Inst. Caro y Cuervo, XIX, 1964; después en *Capítulos de geogr. ling. de la Pen. Ibér.*, Bogotá, 1975, 138-160) representan con fidelidad el estado en que se hallaba el fenómeno en ambientes rústicos hacia 1930-1936. Desde entonces el yeísmo ha progresado notoriamente, sobre todo en las generaciones jóvenes.

[loh ómbreh]), cuyas primeras huellas en la escritura se remontan a fines del siglo xv y a la *Sofonifa* de Fernando Colón (§ 93₃). Ante vocal o pausa la [h] desaparece con frecuencia (*las olas* > [lah ólah] > [la óla]; *dos* > [dóh] > [dó]). Ante consonante, la [h] se acomoda a ella, tomando su punto de articulación (*obispo* > [oɓíhpo] > casi [oɓíppo]; *cáscara* > [káhkara] > casi [kákkara]; *mismo* > [mihmo] > [miȟmo] o [mimmo]); puede mantenerse sorda, aunque preceda a consonante sonora, y ensordecerla (*las gallinas* > [lah ɡayínah] > [laχ χayínah] o [lah hayínah] > [la χayínah] o [la hayínah]; *desbaratar* > murc. [effaratár]; *las bolas* > [laφ φólah] o [laf fólah] > [la φólah] o [la fólah]; *las dos* > [lah đóh] > [laθ θóh] > [la θóh]). La /-θ/ final de sílaba corre igual suerte: *haz* > [áh] o [á]; *tiznar* > [tihnár] > [tiȟnár] o [tinnár]; *noviazgo* > [noɓjáhɡo] > [noɓjáχo] o [noɓjáho], *noviajo*; *mayorazgo* > [mayoráhɡo] > [mayoráχo] o [mayoráho], *mayorajo*, formas usuales en Murcia y Andalucía. Actualmente la aspiración o asimilación de /-s/ y /-z/ finales de sílaba es habitual ante cualquier consonante en Toledo, La Mancha, Extremadura, Andalucía, Murcia y Canarias. En Madrid está iniciada entre las capas sociales más populares, sobre todo ante consonante velar ([mǫhka] o casi [mǫkka] 'mosca'); a la Fortunata galdosiana «las eses finales se le convertían en jotas sin que ella misma lo notase ni evitarlo pudiese». Se trata de un fenómeno que está invadiendo con fuerza arrolladora los rincones meridionales donde la pronunciación espontánea había conservado hasta ahora la /-s/.[36]

4. La vocal que precede a la aspiración suele pronunciarse abierta; y cuando la aspiración desaparece por completo, su función significativa es desempeñada por la abertura de la vocal, que además se alarga de ordinario. De este modo se ha creado, en el murciano y en el andaluz oriental por lo menos, una distinción fonológica a base del diverso timbre y duración de las vocales. Se diferencian, pues, con efectos en la significación, /i/, /e/, /a/,

---

36. Véase un episodio de esta propagación en Gregorio Salvador, *Fonética masculina y fonética femenina en el habla de Vertientes y Tarifa (Cádiz)*, Orbis, I, 1952, 19-24, y Manuel Alvar, *Diferencias en el habla de Puebla de Don Fadrique*, Rev. de Filol. Esp., XL, 1956, 1-32. Sobre el proceso mismo de la aspiración son de interés las observaciones de J. Chlumský, *La -s andaluza y la suerte de la -s indoeuropea en eslavo*, Publ. del Atlas L. de Andalucía, III, n.° 2, Granada, 1956 (antes, en francés, Slavia, VIII, Praga, 1928-29).

/o/, /u/, normales o cerradas, de /i̧ː/, /ę/, /ạː/, /ǫː/, /u̧ː/, abiertas y prolonga-
das; la /ạː/ abierta y larga adquiere fuerte matiz palatal [äː] y llega a dipton-
garse en [äęː]. De este modo la oposición de las vocales permite distinguir
/dio/ (pretérito de *dar*) y /diǫ/ 'Dios'; /hue/ 'fue' y /huę/ 'juez'; /ba/ '[él] va'
y /bäː/ '[tú] vas'. La oposición cobra especial relieve entre los singulares
(/to/, /uhte/) y los plurales /tǫ/ 'todos', /uhtę/ 'ustedes'). En el habla de Cabra, Granada y Almería la abertura afecta no sólo a la vocal final, sino a todas las de la palabra: sing. /lobo/, /melón/, pl. /lǫbǫ/, /męlǫnę/. En una zona
que comprende Puente Genil y Lucena (Córdoba), Estepa (Sevilla) y Ala-
meda (Málaga), entre otras localidades, pasa a /ę/ toda /a/ alargada por la
aspiración de /-s/, y en el habla femenina, la palatalizada por la evolución
de otras consonantes: /pęsętę/, /bę/, /olibę́/, /ohpitę́/ 'pesetas', 'vas', 'olivar',
'hospital'.[37]

5. La aspiración de la /-s/ implosiva tiene una capacidad revolucionaria
superior a la de cualquier otro fenómeno fonético actuante en la diacronía
de nuestra lengua desde la época de sus orígenes. Sus consecuencias afec-
tan radicalmente al sistema fonológico, que de tener cinco vocales, pasa a
ocho o diez en el andaluz oriental y murciano, con las nuevas oposiciones
de timbre y duración; origina oposiciones —desconocidas en la fonología
castellana anterior— entre consonantes simples y geminadas (/pato/ 'pato'
y /paˈto/ 'pasto'; /mimo/ 'mimo' y /mimmo/ 'mismo'; /peka/ 'peca' y /peᵏka/
'pesca', etc.). También acarrea importantes cambios morfológicos: el signo
de plural puede limitarse al timbre y cantidad de las vocales (/ehta/ 'esta',
/ęhtä/ 'estas') o puede consistir en una consonante inicial diferente de la del
singular (/la χayina/ 'las gallinas', frente a /la gayina/; /la φota/ 'las botas',
frente a /la bota/). En la conjugación el timbre abierto y mayor duración de
las vocales puede funcionar como morfema de la persona tú en contraste

---

37. T. Navarro Tomás, *Desdoblamiento de fonemas vocálicos*, Rev. de Filol. Hisp., I,
1939, 165-167; L. Rodríguez Castellano y A. Palacio, *El habla de Cabra*, Rev. de Dial. y
Trad. Pop., IV, 1948; Dámaso Alonso, A. Zamora Vicente y M. J. Canellada, *Vocales andaluzas*, Nueva Rev. de Filol. Hisp., IV, 1950; Dámaso Alonso, *En la Andalucía de la e. Dialectología pintoresca*, Madrid, 1956; Manuel Alvar, *El cambio -al, -ar > -e en andaluz*, Rev.
de Filol. Esp., XLII, 1958-59, 279-282; *La suerte de la -s en el Mediodía de España*, en *Teoría
lingüística de las regiones*, Madrid, 1975, 63-93, y estudios suyos citados en la nota 41.

con las formas de primera o tercera persona (/kiẹrä:/ 'quieras', frente a /kiera/; /tiẹnẹ:/ 'tienes', frente a /tiene/). Hasta puede repercutir en la sintaxis, como ocurre en la Andalucía central y occidental, donde no hay esta oposición vocálica en las desinencias y para distinguir las personas verbales se acude a emplear el pronombre sujeto; o como ha ocurrido con la crisis de la concordancia de número en el español dominicano, según veremos (§ 133₁).

6. La neutralización de /-r/ y /-l/ implosivas, atestiguada entre los mozárabes toledanos desde el siglo XII (§ 93₂), tiene hoy gran extensión: sigue viva en la Sagra y otras comarcas toledanas; desde el suroeste de Salamanca, por toda Extremadura y Andalucía se oyen [hinkál], [hurgál], [muhél] por *hincar, hurgar, mujer*; en Murcia, *cuelpo, cuelda, sordao, er chaleco*, y en el Sur *gorpe, sordao, mardito, er tiempo, barcón* 'balcón', *comel, balba* 'barba', *alma* 'arma'. Es frecuente la omisión ([muhé] o [muχé], [la hjé] 'la hiel', [meχó] o [mehó] 'mejor') o la sustitución de /-r/ por una nasal ([mehón]). Menos corriente es la vocalización de /-l/, aunque en Nerja (Málaga) y Monachil (Granada) se registren *aito, aigo* por 'alto', 'algo'.[38] Ante nasal o líquida la /-r/ suele asimilarse a ellas: *burla* > [búl·la]; *carne* > [kánne]. En los infinitivos seguidos de pronombre afijo, [kerél·lo], [traél·la], [pagál·le], muy abundantes, pueden resolverse como en el Siglo de Oro en [kerẹ̣lo], [traẹ̣la], [pagáḷe], y pasar, donde hay yeísmo, a [keréyo], [traéya], [pagáye]; estas soluciones se dan en el sur de Ciudad Real, en zonas de Andalucía y en Murcia. Como en distintas regiones del norte y en Aragón hay también pérdida de la /-r/ del infinitivo ante cualquier enclítico (*matálo, ponése*). En zonas de Extremadura y Andalucía la /l/ de los grupos /bl-/, /kl-/, /fl-/, /gl-/ y /pl-/ pasa frecuentemente a /r/, como en leonés: *branco, crave(l), diabro, groria, frauta, prato* 'plato'; e inversamente: *plao* 'prado' (Hurdes), *plo-riho* 'empachoso' (Trujillo, < *prolijo*), *ablazar, reflan, vinagle, plado, plingue* (Churriana y Alpujarra), etc.[38 bis]

---

38. M. Alvar, *El cambio -al, -ar > -e* (v. nuestra n. anterior), 281; Manuel Ariza, *El cambio -r > -l en la provincia de Málaga*, Jábega. Rey. de la Diput. Prov. de Málaga, n.° 5, marzo de 1974.

38 bis. Véanse Alonso Zamora Vicente, *Dialectología española*, Madrid, 1967, 333; Francisco Salvador Salvador, *La neutralización l/r explosivas agrupadas y su área andaluza*, Univ. de Granada, 1978; Antonio Viudas Camarasa, *Diccionario extremeño*, Univ. de Extremadura, Cáceres, 1980.

7. En el mediodía de España la relajación de las sonoras interiores es más radical que en el norte y centro. La /d/ se elide ordinariamente entre vocales (*vestío, quear, deo, rabúo, naíta*); ante /r/ desaparece (*pare, mare*) o se vocaliza (*ladrón > lairón, padre > paere, paire*, corrientes en Andalucía y Murcia). Más consistentes se muestran la /g/ y la /b/, aunque abundan en andaluz *mijita* 'migajita', *pujar* 'pegujal', y en murciano *collo* 'cogollo', *juar* 'jugar', *caeza* 'cabeza'. Entre vocales también se suprime la /r/ con mayor frecuencia que en otras regiones (and. *mataon, pusieon*, murc. *agoa* 'agora'); y en andaluz la /n/ se suele reducir a mera nasalización o desaparecer por completo (*viene* > [bjẽ́] > *vié*, *Maoliyo* 'Manolillo'); igual ocurre con la /-n/ final de sílaba (*mal ángel* > [maláhe] o [maláhe]; *virgen* > [bíhhẽ] o [bíñẽ]). No se han precisado aún los límites de estos fenómenos; parece, sin embargo, que no alcanzan al habla de Castilla la Nueva, al menos con la misma intensidad, ni a la de Albacete y su provincia.[39]

La relajación articulatoria origina también frecuente sonorización de consonantes sordas, no sólo fricativas, sino incluso oclusivas: /p/, /t/, /k/ se pronuncian a menudo como [b], [d], [g] o [ƀ], [đ], [g] y hasta llegan a omitirse en ciertas ocasiones: [la bláẓa] 'la plaza', [ódra] 'otra', [seđénda] 'setenta', [míl beźéta] 'mil pesetas', [gláro ge] 'claro que', [la goθína] 'la cocina', [poƀretígo] 'pobretico'. La oclusiva más afectada es la /k/, sobre todo la del nexo *que*. Hasta ahora el fenómeno ha sido estudiado en el noroeste de Toledo, en Villena (Alicante), en Jaén y en otras partes de Andalucía, pero parece tener extensión más amplia por el mediodía de España y zonas de América.[39 bis]

8. La [h] procedente de /f-/ latina, que dejó de pronunciarse en Castilla la Vieja durante los siglos xv y xvi (*faba* > [háƀa] > [áƀa], *fijo* > [hiẓo] > [iẓo] > [íχo]) y más tarde en Castilla la Nueva, no subsiste apenas en Mur-

---

39. No los registran Alonso Zamora Vicente ni A. Quilis en sus artículos sobre el habla de Albacete, v. nota 55.

39 bis. Véanse Gregorio Salvador, *Neutralización de G/K en español*, «Actas del XI Congr. Intern. de Ling. y Filol. Rom.», IV, Madrid, 1968, 1739-1752; Máximo Torreblanca, *La sonorización de las oclusivas sordas en el habla toledana*, Boletín de la Real Academia Española, LVI, 1976, 117-146, y *El fonema /s/ en la lengua española*, Hispania, LXI, 1978, 498-503; Juan Antonio Moya Corral, *La pronunciación del español en Jaén*, Universidad de Granada, 1979, 53-60.

cia, Jaén, el nordeste de Granada y la mayor parte de Almería. Quedan focos o restos de aspiración ([húmo] o [χúmo], [heléĉo] o [χeléĉo], etc.) en la provincia de Ávila, en Lagartera y otros pueblos occidentales de Toledo y Ciudad Real, y aspiración intensa en Fuencaliente, al sur de esta provincia. En casi toda Extremadura y en el resto de Andalucía es general la conservación plena de la [h] en el habla popular, con distintos matices que van desde la fricativa velar o uvular [χ] a la aspirada faríngea sorda [h] y a su variedad sonora [ɦ], que se da sobre todo entre vocales ([χurgonéro] o [hurgonéro], [ahoɡár] o [aɦoɡár]); con frecuencia las aspiradas se nasalizan. En aquellas zonas que conservan la aspiración sorda, sonora o nasal de la [h], la /χ/ procedente de las antiguas /š/ y /ž/ toma la misma pronunciación aspirada ([óho], [óɦo] 'ojo', [dího] o [díɦo] 'dijo', [déha] o [déɦa] 'deja', [naɓáha] o [naɓáɦa] 'navaja', con nasalidad más o menos fuerte).[40] La fusión de [h] y /χ/ en un solo fonema ocurría ya a principios del siglo XVI (v. § 92₇).

§ 122. EL ANDALUZ[41]

1. El habla andaluza reúne todos los meridionalismos enumerados; pero, además, se opone a la castellana en una serie de caracteres que compren-

40. Véanse A. M. Espinosa (hijo) y L. Rodríguez Castellano, *La aspiración de la «h» en el Sur y Oeste de España*, Revista de Filología Española, XXIII, 1936, 233-254 y 337-378, y Máximo Torreblanca, artículo citado en nuestra nota 34 bis.

41. T. Navarro Tomás, *El acento castellano*, 1935, 30. Sobre el andaluz, véanse H. Schuchardt, *Die Cantes Flamencos*, Zeitsch. f. rom. Philol., V, 1881, 249-322; F. Wulff, *Un chapitre de phonétique andalouse*, «Recueil offert à G. Paris», Lund, 1889, 211-260; A. Castro, *El habla andaluza*, en *Lengua, Enseñanza y Literatura*, 1924, 52-81; T. Navarro Tomás, A. M. Espinosa (hijo) y L. Rodríguez Castellano, *La frontera del andaluz*, Rev. de Filol. Esp., XX, 1933, 225-277; A. Alther, *Beitrüge zur Lautlehre südspanischen Mundarten*, Aarau, 1935; L. Rodríguez Castellano y Adela Palacio, *Contribución al estudio del dialecto andaluz: el habla de Cabra*, Rev. de Dial. y Trad. Pop., IV, 1948, 387-428 y 570-599; del mismo, *El habla de Cabra (notas de morfología)*, Archivum, II, 1952, 384-407, y *El habla de Cabra. Vocabulario, ibid.*, V, 1955, 351-381; Manuel Alvar, *Las encuestas del «Atlas lingüístico de Andalucía»*, Granada, 1955; *Las hablas meridionales de España y su interés para la lingüística comparada*, Rev. de Filol. Esp., XXXIX, 1955, 284-313; *Cien encuestas del «At. Ling. de And.» (Diciembre 1953-Mayo 1956)*, Orbis, V, 1956, 387-390; *El Atlas Lingüístico-Etnográfi-*

den la entonación, más variada y ágil; el ritmo, más rápido y vivaz; la fuerza espiratoria, menor; la articulación, más relajada, y la posición fundamental de los órganos, más elevada hacia la parte delantera de la boca. La impresión palatal y aguda del andaluz contrasta con la gravedad del acento castellano.

2. En los §§ 72$_3$ y 92$_5$ quedó expuesto lo que hoy se sabe respecto al nacimiento y extensión del ceceo y seseo andaluces. La distinción entre *s* (/s/) y *z* (/θ/) se mantiene hoy en el norte de la provincia de Huelva, Almadén de la Plata en la de Sevilla, la meseta de los Pedroches en la de Córdoba, casi todo el este de la de Granada y la mayor parte de las de Jaén y Almería. El seseo ocupa una zona intermedia occidental de Huelva, el norte y

co de Andalucía, Granada, 1959; del mismo, con la colaboración de A. Llorente y G. Salvador, *Atlas Lingüístico y Etnográfico de Andalucía*, 6 vols., Granada, 1961-1973 (obra fundamental, base de casi toda la investigación posterior); del mismo, *Estructura del léxico andaluz*, Bol. de Filol. de la Univ. de Chile, XVI, 1964, 5-12; *Terminología del maíz en Andalucía*, «Mélanges de Ling. et de Philol. Rom. offerts à Msgr. P. Gardette», Estrasburgo, 1966, 27-36; *Estructuralismo, geografía lingüística y dialectología actual*, Madrid, 1969, y estudios citados en nuestras notas 36 y 37; Wilhelm Giese, *Elementos de cultura popular en el Este de Granada*, Publ. del Atlas L. de A., III, n.º 1, Granada, 1956; Gregorio Salvador, *El habla de Cúllar-Báza*, Rev. de Filol. Esp., XLI, 1957, 161-252, XLII, 1958-59, 37-89, y Rev. de Dial. y Trad. Pop., XIV, 1958 (también en Publ. del Atlas L. de A., II, n.ºs 1-3), y *Estudio del campo semántico «arar» en Andalucía*, Archivum, XV, 1965, 73-111; Werner Beinhauer, *Algunos rasgos evolutivos del andaluz y el lenguaje vulgar*, «Homen. a Dámaso Alonso», I, 1960, 225-236; Antonio Llorente Maldonado de Guevara, *Fonética y fonología andaluzas*, Rev. de Filol. Esp., XLV, 1962, 227-240; Antonio Roldán, *La cultura de la viña en la región del Condado*, Madrid, 1966; José Mondéjar, *Áreas léxicas*, Rev. de Dial. y Trad. Pop., XXIII, 1967, 181-200; *El verbo andaluz. Formas y estructuras*, Madrid, 1970, y *Diacronía y sincronía en las hablas andaluzas*, Ling. Esp. Actual, I, 2, 1979, 375-402; M. Jesús García de Cabañas, *Vocabulario de la Alta Alpujarra*, Madrid, 1967; Isabel Paraíso de Leal, *Notas sobre el habla popular de Rociana*, Rev. de Dial. y Trad. Pop., XXVI, 1970, 245-252; José Pérez Vidal, *Cañas y trapiches de azúcar en Marbella*, ibid., XXVII, 1971, 189-281; J. A. de Molina Redondo, *«Cabeza» (+ sufijos) en andaluz. (Estudio de un campo semántico etimológico)*, Rev. de Filol. Esp., LV, 1972, 279-301; Julio Fernández Sevilla, *Formas y estructuras en el léxico agrícola andaluz*, Madrid, 1975; Rafael Cano Aguilar y Manuel Cubero Urbano, *Apuntes sobre el habla de Osuna* y *El léxico del olivo en Osuna*, Archivo Hispalense, n.º 189, 17-40 y 41-68; Juan Antonio Moya Corral, *La pronunciación del español en Jaén*, Univ. de Granada, 1979.

ciudad de Sevilla, la llanura de Córdoba con su capital, el sur de su provincia, el norte de la de Málaga, con Antequera y Archidona, y en Jaén la orilla derecha del Guadalquivir hasta Baeza. El área actual del ceceo comprende el sur de la provincia de Huelva, toda la de Cádiz, la mayor parte de las de Sevilla y Málaga, oeste y sur de Granada e islotes en Guadix, Zújar y Baza, sur de Almería y focos en Jaén. La consideración social del seseo es superior a la del ceceo: *pasiensia*, *sielo*, *siego* se tienen por menos vulgares que *iglecia*, *pazar*, *coza*.

En cuanto a articulación, la [ṡ] ápico-alveolar sólo subsiste en el extremo norte de Huelva, los Pedroches, este de Jaén y norte de Granada y Almería, en la vecindad de Extremadura, Castilla la Nueva y Murcia. En el resto de Andalucía la /s/ ofrece otras variedades, cuyos tipos principales son la [s̄] «coronal», que se articula entre los incisivos superiores y los alvéolos, con la lengua plana o levemente convexa y el ápice algo inclinado hacia abajo, y la [s̟] predorsal, con la lengua plenamente convexa y el ápice en los incisivos inferiores. El acercamiento del ápice, corona o predorso linguales a los dientes puede ser tanto que origine fricación interdental semejante, a veces igual, a la de la *c*, *z* (/θ/) castellana. La [s̟] predorsal es la variedad más característica de la dicción andaluza, y también la más pujante: hacia 1930 dominaba en el centro y sur de Sevilla y en las provincias íntegras de Cádiz y Málaga, con penetraciones en las de Córdoba y Granada; hoy se extiende por toda el área del ceceo y la rebasa, reduciendo las zonas antes ocupadas por la [s̄] coronal.[42]

3. Peculiarmente andaluza es la relajación de la /ĉ/, que llega a despojarse de su oclusión inicial y convertirse en /š/ fricativa ([nóše], [mušášo] por *noche*, *muchacho*), fenómeno muy extendido por Cádiz, sur de Sevilla, occidente de Málaga, vega y ciudad de Granada y costa almeriense.[43] Gracias a este cambio, al yeísmo y al frecuente rehilamiento de la /y/ en [ž], el

42. A. Llorente, *Fonética y fonología andaluzas*, 238, cree que los datos recogidos al respecto por T. Navarro Tomás y sus colaboradores del ALPI hacia 1930 quedan refutados por los allegados para el ALEA hacia 1955. Pero unos y otros son válidos para sus respectivas fechas: en el cuarto de siglo que media entre ellas ocurrió nada menos que la guerra civil y se acrecentó el éxodo campesino hacia las grandes ciudades, con los consiguientes cambios sociales capaces de favorecer la extensión de la [s̟] predorsal sevillana.

43. A. Llorente, art. cit., 236.

andaluz más avanzado llega a simplificar el heterogéneo trío de fonemas palatales castellanos /ĉ/, /ļ/, /y/, reduciéndolo a la pareja, perfectamente homogénea, de /š/ sorda (< /ĉ/) y /ž/ sonora (< /ļ/ y /y/).

4. Respecto a los demás rasgos fonéticos o fonológicos que, en su conjunto, caracterizan al andaluz, todos o casi todos los que pueden reflejarse en la escritura figuran documentados en los siglos xv al xvii, según hemos visto. En el xviii estaban ya consolidados. Entre 1725 y 1750 se imprimen en Málaga unas curiosas escenas de Navidad, *La infancia de Jesu-Christo*, obra de Gaspar Fernández y Ávila, donde abundan *jecho, jambre, paeces, aseá, acueldo, patrialca, pracer, osté* 'usted', *senseño, asusar, sujetallas, traello, los jojos* 'los ojos', *las jorejas, pobres jandrajos* 'pobres andrajos', etc. Es notable que falte el yeísmo, atestiguado en Andalucía desde el siglo xvi; pero el autor era, según dice, el «cura más antiguo de la villa del Colmenar», y esa villa está situada cerca de Gaucín, no lejos de Jubrique y Alpandeire, localidades todas donde hoy se conserva la distinción entre /ļ/ y /y/.[44] En ese rincón, encaramado entre montañas al sur de la serranía de Ronda, sobrevivía entonces la palatalización de la /l-/ inicial (*llocío* 'lucido', *llucero, llengua, llance*) y a veces de la interior (*cullebra, calletre, rellatar*), rasgo común con el sayagués usado en las farsas pastoriles del siglo xvi, pero desconocido en el andaluz actual.[45]

5. En la Andalucía occidental ha desaparecido la oposición entre el pronombre personal de confianza *vosotros, vosotras* y el de respeto *ustedes*, que es el único empleado para la segunda persona de plural. *Vosotros, vosotras* (o sus formas vulgares *vusotros, vusotras*) se mantienen con firmeza en las provincias de Almería, Jaén, Granada y parte de la de Córdoba (los Pedroches, Monturque y Lucena), así como en pequeñas zonas del norte de Sevilla y Huelva; hay franjas cordobesas y malagueñas donde contienden los dos usos. En la Andalucía occidental, Córdoba desde el Guadalquivir al sur, Alcaudete en Jaén y Algarinejo en Granada, *ustedes* lleva formas ver-

---

44. *Ibid.*, 235.

45. Las diez representaciones de *La infancia de Jesu-Christo* fueron publicadas y estudiadas por M. L. Wagner (Beihefte zur Zeitsch. f. rom. Philol., 72, 1922). Para la /ļ/ por /l-/ o /-l-/, véase R. Menéndez Pidal, «Encicl. Ling. Hisp.», I, 1960, xciii, y nuestros §§ 22$_3$, 44$_3$, 72$_2$ n. 29 y 84$_2$ n. 9.

bales de tercera persona sólo en el uso culto o distinguido (*ustedes van, ustedes se sientan*); en el habla popular se une a formas de segunda persona (*ustedes vais, ustedes os sentáis*), pero en el perfecto simple son generales *ustedes fueron, ustedes se vinieron*. La forma pronominal átona *os* es sustituida por *se* en el andaluz popular occidental, por *sus* en el oriental y por *sos* en los Pedroches y algunos puntos del oeste. El arcaísmo *vos* queda en el noroeste y suroeste de Huelva y en focos aislados del norte de Sevilla y Córdoba.[46]

6. En la conjugación destaca en el oeste el gran arraigo y extensión de los desplazamientos acentuales: *háyamos, háyais, véngamos, véngais, sálgamos, sálgais, ríamos, ríais*, etc. En cambio se dan más en la Andalucía oriental las desinencias *-éis* por *-ís* (*venéis, saléis*), con algún *-ís* por *-éis* (*querís, ponís*) en el campo de Jaén y Granada. También oriental, se extiende incluso por el de Córdoba la acentuación *escogiámos, escogiáis* en los imperfectos. En el perfecto dominan en toda Andalucía para la segunda persona de plural las desinencias *-ates, -atis, -ites, -itis* (*matates/matatis, comites/comitis*). No se registra apenas la /-s/ analógica de *tú cantastes, tú dijistes*, tan extendida en el habla vulgar de otras regiones españolas.[47]

7. En contraste con su fonología y morfosintaxis revolucionarias, el léxico andaluz guarda numerosos arcaísmos. No es extraño que en Granada perduren voces mozárabes, como *cauchil* 'arca de agua' (< c a l ĭ c e), *almatriche* 'reguera' (< m a t r i c e) y *paulilla* 'insecto dañino para los cultivos' (< p a p i l e l l a), que revelan su origen en la /ĉ/ por /θ/ y en el diptongo /au/ (v. §§ 33₁₂, 41₆, 48₃, 49, y compárense los cast. *cauce, madriz, polilla*). También es natural que haya arabismos especiales, como *aljofifa* 'bayeta de fregar, estropajo'. Pero es notable que sigan vigentes palabras antiguas que recuerdan el español medieval o el de santa Teresa, fray Luis de León y Cervantes: *afuciar* 'amparar, proteger', *cabero* 'último', *entenzón* 'discordia, contienda', *munir* 'avisar las fiestas con cantos matinales', *certenidad* 'certeza', *casapuerta* 'portal o zaguán', *disanto* 'día de fiesta', *escarpín* 'calce-

46. Véanse J. Mondéjar, *El verbo andaluz*, §§ 28-29; *ALEA*, VI, 1973, mapas 1822-1833, y nuestros §§ 116₇ n. 8 y 132 n. 68.

47. Mondéjar, §§ 10, 12-14.

tín', etc. Por otra parte el vocabulario andaluz es rico en formaciones nuevas, llenas de expresividad y gracia.[48]

8. La reconquista de Andalucía no fue —salvo en el reino de Jaén— empresa exclusivamente castellana, sino conjunta de Castilla y León. En los primeros tiempos hay documentos escritos en Andalucía con abundancia de rasgos leoneses. Así se explica que en andaluz se den occidentalismos como *prato*, *branco* por *plato*, *blanco*; la /d-/ protética de *dalguno*, *dir*, frecuente en regiones leonesas; o vocablos como *esmorecer* 'trasponerse', usual en gallego-portugués y leonés.[49] Por otra parte, a través de Murcia han penetrado en Andalucía catalanismos y aragonesismos como *jaquir* 'desamparar', *llampo* 'relámpago', *espernible* 'despreciable' y acaso *fiemo* 'estiércol' (cat. *jaquir*, *llamp*, aragonés *espernible*, *fiemo*).[50] A igual influjo se debe la presencia de diminutivos: *cabayete*, *perrete* en el extremo nordeste de Jaén, *caballico*, *cabayico*, *cabažico*, *perrico* en el norte y este de Almería, con enclaves en Paterna, al pie de Sierra Nevada, y en Lújar, ya en tierra granadina.[51]

9. La fortuna del andaluz se debe a un conjunto de causas. Por una parte encarna una mentalidad y una actitud vital que lo hacen popular y contagioso: es el molde adecuado para el ingenio y la exageración, la burla fina y ligera, la expresividad incontenida. Pero su propagación se debió en parte esencial a haber llevado al extremo las tendencias internas del castellano sin respetar barreras, con vitalidad joven, destructora y creadora a la vez, con brío que hizo posible su asombrosa expansión atlántica.

48. Véanse A. Toro y Gisbert, *Voces andaluzas (o usadas por escritores andaluces) que faltan en el Dicc. de la R. Acad. Esp.*, Rev. Hisp., XLIX, 1920, 313-647; A. Alcalá Venceslada, *Vocabulario andaluz*, Andújar, 1934 (2.ª ed., Madrid, 1951); Alonso Zamora, *Dialectología esp.*, 325-329; Juan Cepas, *Vocabulario popular malagueño*, Málaga, 1972; y obras de M. Alvar, G. Salvador, A. Roldán, J. Fernández Sevilla, R. Cano y M. Cubero citadas en la n. 41.

49. Véase M. Alvar, *Portuguesismos en andaluz*, «Weltoffene Romanistik. Festschr. A. Kuhn», Innsbruck, 1963, 309-324.

50. Otros más en Gregorio Salvador, *Aragonesismos en el andaluz oriental*, Arch. de Filol. Arag., V, 1953, 143-164, y *Catalanismos en el habla de Cúllar-Baza*, «Miscelánea Filol. dedicada a Mons. A. Griera», II, Sant Cugat del Vallès-Barcelona, 1960, 335-342.

51. Véanse los mapas 1756 y 1757 del *ALEA*, VI, 1973.

B A D A J O Z

Río Zújar

Santa Eufemia

Pozoblanco

Fuenteobejuna

Ovejo

Encinasola   Cumbres de S. Bartolomé

Guadalcanal
Álanis
Cazalla de la Sierra
Villaviciosa de Córdoba
Almadén
de la Plata
Las Navas de la
Concepción
CÓRDOBA
Vil
C

Santa Bárbara
de Casa
Hornachuelos

Cabezas Rubias   Zalamea
El Ronquillo
Peñaflor
Fuente-Palmera
Fern

Buitrón   la Real   El Álamo
Castilblanco de
los Arroyos
Sotiel
Lora del Río
Écija

Sanlúcar
de Guadiana
Beas
Carmona

Gibraleón   Trigueros
Sanlúcar la Mayor
SEVILLA
P

HUELVA
Marchena
Estepa
Gilena

Osuna
Campill

Utrera
Cañete la Real
Ardales
Alora

Sanlúcar de Barrameda
Ronda

Jerez de la Frontera

CÁDIZ
Marbella

Algeciras

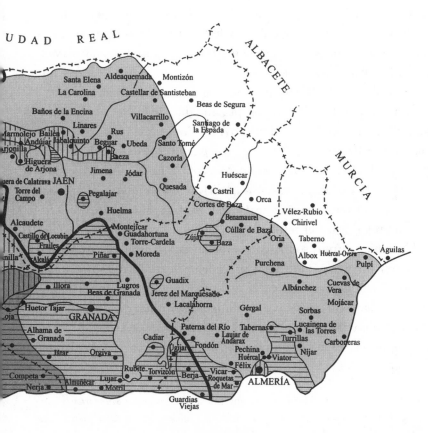

EL ANDALUZ HACIA 1930

▬▬▬	Límite de la /h/ aspirada.
�	Área de la [s̄] andaluza coronal.
▬	Área de la [s̺] andaluza predorsal.
▥	Seseo.
▤	Ceceo.

§ 123. EL EXTREMEÑO Y EL MURCIANO

1. Extremadura, reconquistada por leoneses y castellanos en los siglos XII y XIII, ofrece en su lenguaje mezcla de leonesismos y rasgos meridionales. Entre aquéllos se cuentan las vocales finales [-i], [-u], dominantes en Cáceres, por /-e/, /-o/; la conservación o epéntesis de /i/ semiconsonante (*matancia*, [kiθjáh] 'quizás'); la aspiración inicial como resto de /ǵ/, /j/ latinas ante /e/, /i/ átonas ([hjérno] o [hjélnu] 'yerno' < g ĕ n ĕ r u ; [henhíƀa] 'encía' < g ĭ n g ī v a); /r/ por /l/ en los grupos /pl/, /kl/, /bl/, /fl/ (*prato*, *cravo*, *ombrigo*, *frauta*); el mantenimiento del grupo /mb/ (*lamber*); el paso de /-d/ preconsonántica a /-l/ (*pielgo* < p ĕ d ĭ c u , cast. *piezgo; mayoralgo*); el sufijo diminutivo *-ino*; los presentes *agraeza*, *conozo*, etc.[51 bis] En las Hurdes perdura la /-e/ tras /r/, /d/ o /θ/ (*mare*, *rede*, *sede* 'sed', *peci*, *hoci*) mientras se apocopa en las terceras personas de presente *diz*, *tien*, *vien*; se palataliza en /š/ la /ṡ-/ inicial ([šángre], [šól]), y el resultado de /pl-/ es /l-/ en *luvia*, *luver* o *lover* 'llover'. Meridionalismos son la conservación de [h] aspirada, frecuentemente sonora ([ɦ]) y a menudo nasal, procedente de /f-/ ([ɦarína], [aɦumáo] 'ahumado'); la pronunciación de la /χ/ como [h] o [ɦ] ([húnju] 'junio', [déɦa] 'deja', [óɦo] 'ojo', [naƀáɦa], [botíɦo]); la aspiración de la /-s/ final de sílaba o de palabra ([lọh amíǥo] 'los amigos', [eɦtréƀeđe] 'estrébedes', [míɦmo]); la confusión de /-r/ y /-l/ implosivas, con tendencia a /-l/ ([peól], [mu-

51 bis. Véanse F. Krüger, *Studien zur Lautgeschichte westspanischer Mundarten*, Hamburgo, 1913; A. Cabrera, *Voces extremeñas recogidas del habla vulgar de Alburquerque y su comarca*, Bol. R. Acad. Esp., III, 1916, 653-666, y IV, 1917, 84-106; O. Fink, *Studien über die Mundarten der Sierra de Gata*, Hamburgo, 1929, y *Contribución al vocabulario de la Sierra de Gata*, Volkstum und Kultur det Romanen, II, 1929; W. Bierhenke, *Das Dreschen in der Sierra de Gata*, *ibid.*, II, 1929, y *Ländliche Gewerbe der Sierra de Gata*, Hamburgo, 1932; María Josefa Canellada, *Notas de entonación extremeña*, Rev. de Filol. Esp., XXV, 1941; F. Santos Coco, *Vocabulario extremeño*, Rev. del Centro de Est. Extremeños, 1941: A. Zamora Vicente, *Leonesismos en el extremeño de Mérida*, Rev. de Filol. Esp. XXIV, 1942, 89-90; *Sobre léxico dialectal*, *ibid.*, 315-319; *El habla de Mérida y sus cercanías*, Madrid, 1943, y *El dialectalismo de José M.ª Gabriel y Galán*, Filología, II, 1950, 113-175; E. Lorenzo, *El habla de Albalá*, Badajoz, 1948; Juar José Velo Nieto, *El habla de las Hurdes*, Rev. de Est. Extremeños, XII, 1956; J. G. Cummins, *El habla de Coria y sus cercanías*, Londres, 1974; Antonio Viudas Camarasa, *Diccionario extremeño*, Cáceres, 1980, etc.

fiél]), y la intensa caída de la /-d-/ intervocálica ([déo] 'dedo'). En general leonesismos y arcaísmos están más acentuados en Cáceres, mientras que en Badajoz es ostensible la influencia andaluza. Así el yeísmo y rehilamiento ([žéno], [akéžo], [fióžo]) ocupan la casi totalidad de la provincia de Badajoz, mientras en la de Cáceres sólo dominan el nordeste, algunas localidades del sureste y una zona occidental. La variedad dialectal de Cáceres ha tenido representación literaria en las *Extremeñas* de Gabriel y Galán (1902); la de Badajoz, en *El miajón de los castúos* de Luis Chamizo (1921).

Entre los arcaísmos cacereños es de notar la conservación de la /v/ labiodental en Serradilla (*vedinu* 'vecino', *verza, yervadina* 'hierbecita'), y con menos vitalidad en algún otro punto. Mayor extensión tiene el mantenimiento de las sibilantes sonoras /-ž-/ y /ẓ/, continuación de las que la lengua antigua transcribía con -s- y z: aparecen en una serie de áreas, hoy aisladas, desde las dos vertientes de la Sierra de Gata hasta Montehermoso y Malpartida de Plasencia. En otro tiempo el fenómeno debió de llegar al suroeste de Ávila, abarcando toda la región cacereña. La /ẓ/ sonora se ha convertido en /đ/ fricativa: [iđíl] 'decir', [hađél] 'hacer' (antiguos *dezir, hazer*). En el «chinato» o habla de Malpartida, la /-ž-/ sonora, a causa de zezeo, ha llegado a igual resultado: [róđa] 'rosa', [béđo] 'beso', [lođ íhoh] 'los hijos'. Muy decadentes, estos cambios son propios ya de ancianos y mujeres.[52]

2. El reino de Murcia fue incorporado a Castilla antes de mediar el siglo XIII; pero una sublevación de los moriscos obligó a que Jaime I de Aragón interviniera en auxilio de Alfonso X, con lo que se establecieron en la

---

52. A. M. Espinosa (hijo), *Arcaísmos dialectales. La conservación de «s» y «z» sonoras en Cáceres y Salamanca*, Madrid, 1935 (para la /v/, 35, 63, 65, 167, 177, 182, etc.); Diego Catalán, *Concepto lingüístico del dialecto «chinato» en una chinato-hablante*, Rev. de Dial. y Trad. Pop., X, 1954. El paso /ẓ/ > /đ/ fricativa ocurre también en asturiano occidental ([fađér] 'hacer', [fuđícu] 'hocico'). (L. Rodríguez Castellano, *Aspectos del bable occidental*, § 52); Sanabria ([fađédes] 'hacéis', [feđíste] 'hiciste'); y en Villarino de los Aires (Salamanca), donde se oyen [beđér̄o], [r̄eđentál], [ađéịti] 'aceite', y donde la /s/ es frecuentemente sonora, ya provenga de /ẓ/ sonora antigua (*casa, quesu*), ya de antigua sorda. (Llorente Maldonado, *El habla de la Ribera*, §§ 14, 50 y 51.) También en el catalán de Aguaviva (Teruel, v. § 120, n. 27) existen [trédđe], [dódđe], [sédđe] (con la primera /d/ oclusiva y la segunda fricativa), por *tredze, dotze, sedze*.

región muchos catalanes y aragoneses. Años después, Murcia fue ocupada casi en su totalidad por Jaime II, quien no la restituyó a Castilla hasta 1305. Estas circunstancias y la vecindad de Levante han determinado influencias lingüísticas bien perceptibles:[53] en murciano se da a veces /ḷ-/ por /l-/ inicial (*llampuga, llengua, lletra*), con la palatalización que es normal en catalán, y se conserva en algún caso el grupo inicial de /consonante + l/ (*flamarada* 'llamarada') según el hábito general del catalán y aragonés. De procedencia aragonesa es la consonante sorda intervocálica de *cayata, cocote, acachar*, así como el sufijo diminutivo *-ico, -iquio*, que ofrece en el reino de Murcia dos peculiaridades: una consiste en que su acento pasa a la vocal precedente en contracciones como *mejoráico, cansáica, temporáica*, originadas al caer la /-d-/ de *mejorado, cansada, temporada*; la otra peculiaridad murciana es que la /k/ y la yod de *-iquio* se funden en una articulación africada sorda postpalatal o mediopalatal, que en Tarazona de la Mancha se ha identificado con la /č/ prepalatal (*zapaticho, puchericho, burricho*). Como las hablas aragonesas de otras zonas de Valencia, la de Orihuela acentúa *ibámos, erámos*. En el vocabulario abundan aragonesismos y valencianismos, como son *divinalla* 'adivinanza', *rosigón* 'mendrugo', *espolsador* 'zorros de quitar el polvo', *bajoca* o *bachoca* 'judía verde', *melsa* 'cachaza, pachorra', *rojiar* 'rociar', *esclafarse* 'aplastarse o romperse la cáscara de un huevo', *robín* 'herrumbre', etc. Por lo demás el habla albaceteña y murciana responde a los caracteres generales del mediodía, salvo en no aspirar la [h] procedente de /f-/ ([ígo], [aθér]) y en conservar la /ļ/ en la pronunciación campesina. En la provincia de Murcia, en Villena y en la zona fronteriza meridional de Albacete la aspiración y pérdida de la /-ś/ implosiva dan lugar a la oposición entre vocales cerradas y abiertas de que se ha tratado en el § 121$_4$. En Murcia y Cartagena la /ǫ/ se articula con los labios sin abocinar, estirados lateralmente casi como en la /ę/; la impresión acústica de esta

53. Abundan aragonesismos y catalanismos en documentos notariales murcianos del siglo xiii, así como en el *Repartimiento de Murcia* (ed. por Juan Torres Fontes, Murcia-Madrid, 1960); todavía los hay en el manuscrito de *Lo libro de Verbo contra iudeos*, obra de Juan de Fuent Saúco, que predicó en Murcia y Cartagena entre 1453 y 1458 (artículo masculino *lo, senyor, supereminent, solament, altament*): véase Mario Schiff, *La bibliothèque du Marquis de Santillane*, París, 1905, 426-427.

/ọ/ deslabializada se asemeja a la del francés /ö/ en *peur*.[54] Las alteraciones consonánticas [laφ φóta] 'las botas', [laχ χa̱línah] se extienden al resto de Albacete. En general el dialectalismo es más intenso en el sur, sobre todo en el *panocho* o habla de la huerta murciana, con fuerte neutralización de /-r/ y /-l/ implosivas (*lleval, comel, venil, calne, farta* 'falta', *bardosa* 'baldosa') y una especial articulación de la *ch*, con amplia adherencia de la lengua al paladar y escasa fricación. En cambio el habla de Albacete no difiere de la manchega en rasgos fundamentales.[55]

En Cartagena y sus inmediaciones es antigua la confusión de eses y zetas a la manera andaluza: ya la registra en 1631 el ortógrafo Nicolás Dávila. Domina allí el seseo con [s̺] predorsal, aunque hay ceceo en alguna aldea. Las coincidencias del habla cartagenera con el andaluz comprenden también el yeísmo y algunos otros caracteres.[56] Hay seseo de tipo valenciano, con /s̺/ ápico-alveolar, en Orihuela y otras localidades alicantinas de habla murciana; pero Villena y Sax conservan la distinción entre /s̺/ y /θ/ (*casa/caza*), salvo en posición implosiva (*lus, has* por 'luz', 'haz', *gaspa-*

54. Véanse la descripción, radiografías y fotografías de esta /ọ/ deslabializada murciana en Emilia García Cotorruelo, *Estudio sobre el habla de Cartagena y su comarca*, Madrid, 1959, 38-39. Según A. Llorente «en una zona restringida de la Andalucía oriental» el sonido [ö] «aparece con cierta insistencia en los plurales correspondientes a singulares en *-o*, lo que ha hecho pensar a Manuel Alvar si no nos hallaríamos delante de la cristalización de la oposición fonológica singular-plural (o:ö) de los temas en *-o* correspondiente a la oposición *a:ä* de los temas en *-a*» (Rev. de Filol. Esp., XLV, 1962, 237).

55. Véanse A. Sevilla, *Vocabulario murciano*, Murcia, 1919; J. García Soriano, *Vocab. del dialecto murciano*, Madrid, 1932; P. Lemus y Rubio, *Aportaciones para la formación del vocabulario panocho*, Murcia, 1933; A. Zamora Vicente, *Notas para el estudio del habla albaceteña*, Rev. de Filol. Esp., XXVII, 1943, 233-255; A. Quilis, *El habla de Albacete. (Contribución a su estudio)*, Rev. de Dial. y Trad. Pop., XVI (1960), 413-442; José S. Serna, *Cómo habla La Mancha. Diccionario manchego*, Albacete, 1974; José Guillén García, *El habla de Orihuela*, Alicante, 1974; Máximo Torreblanca Espinosa, *Estudio del habla de Villena y su comarca*, Alicante, 1976; José Muñoz Garrigós, *Notas para la delimitación de fronteras del dialecto murciano*, «Murcia», 2.º trimestre 1977, y *El vocabulario de la seda en el dialecto murciano*, «Murgetana», n.º 55, 1979, etc.

56. Véanse el estudio de Emilia García Cotorruelo cit. en nota 54 y los de Ginés García Martínez, *El habla de Cartagena*, Murcia, 1961, y *Vitalidad del «seseo» en Cartagena y sus aledaños marineros*, «Homen. al Prof. Muñoz Cortés», I, Murcia, 1977, 211-214.

cho, etc.), como en el resto del dominio murciano y en otras hablas meridionales.

El murciano tuvo su mejor poeta en Vicente Medina (1866-1936) y cuenta con literatura costumbrista de diverso valor.

§ 124. EL CANARIO

1. La incorporación de las islas Canarias a Castilla, iniciada en tiempo de Enrique III, fue llevada a su término durante el reinado de los Reyes Católicos. Las expediciones partieron casi siempre de puertos andaluces, y entre los conquistadores y colonos debió de predominar el elemento andaluz. El habla canaria sesea con /s̬/ predorsal de tipo andaluz; pero en el campo de Tenerife hay restos de ceceo con una variedad postdental de [θ] (*camiza*, *de por cí*, *loz animaleh*). La confusión de *s*, *ss*, *z* y *ç*, atestiguada a principios del siglo XVI, era completa en el XVII, con reducción de los cuatro fonemas a uno dental sordo: una crónica copiada entonces ofrece *cosina*, *diçimulados*, *entonses*, *miçibas* 'misivas', *poçession* 'posesión', *seszasen* 'cesasen', *desendiendo*, *suseso*, etc.[57] Sin embargo, de las antiguas /ż/ y /ẑ/ sonoras (*-s-* y *z* en la escritura) queda una /z̬/ predorsal sonora que se oye en la Gomera, La Palma y acaso en Gran Canaria ([kéz̬u], [káz̬a], [díz̬i], [r̄az̬ímu]), en oposición a la /s̬/ sorda ([kaᵬés̬a], [amás̬a]). Esta /z̬/ se convierte a veces en /đ/ fricativa (*cađa* 'casa', *beintitređ añus*). En la pronunciación vulgar se aspira la [h-] procedente de /f-/ ([hotárse] 'confiarse' del antiguo *hoto* < f a u t u); la *j* se pronuncia como [h] aspirada; y la /-s/ implosiva se convierte en aspiración o se asimila a la consonante inmediata ([íhla], [íl·la]). Entre la gente de mar la /-l/ implosiva pasa a [-r] (*arquiler*). Ambas consonantes se vocalizan ocasionalmente en [i̯] (*ei cueipo* 'el cuerpo'), y la /-r/ se asimila a la consonante que sigue (*canne* 'carne') o extrema la relajación en final de palabra, conforme ocurre también en el mediodía peninsular. Existe el yeísmo, general en Gran Canaria, en Santa Cruz de Tenerife y otros puntos; pero en el resto se mantiene con vigor la /ʎ/; y la *ch*, a diferencia de la andaluza, ofrece muy fuerte elemento oclusivo.

---

57. Véase A. Millares Carlo, *Una crónica primitiva de la conquista de Gran Canaria*, El Museo Canario, II, 1935, n.º 5, 56-83.

2. Como el andaluz y el español de América, el habla canaria normal conserva la distinción etimológica entre *le* y *lo*. Sólo en las islas más alejadas (la Gomera, el Hierro y entre campesinos en La Palma) subsisten *vosotros vais* y el pronombre átono *vos* 'os'; lo general es emplear en lugar suyo *ustedes van* y *se*. Consecuentemente el sistema de los posesivos ha experimentado un reajuste: *su, suyo* valen 'de usted', *vuestro* 'de ustedes', y para terceras personas se emplean *de él, de ella, de ellos, de ellas*. Al igual que en América, se usa mucho el perfecto simple en vez del compuesto («*vine* hoy»; «*¿te caíste*, mi niño?»; «*¿dónde estuvieron?*»); y es frecuente personalizar el impersonal *haber*, no sólo en *hubieron desórdenes*, sino en «*habíamos* cuarenta hombres esperando».

3. El léxico canario conserva algunas voces guanches (*gofio, gánigo* 'vasija de barro', *baifo* 'cabrito', *chénique* 'piedra del hogar') y arcaísmos del castellano contemporáneo de la conquista (*asmado* 'atónito'; *besos* 'labios', esp. medieval *bezos*; *apopar* 'adular'). Situadas las islas Canarias en la ruta de las navegaciones portuguesas, se asentaron allí gentes del occidente peninsular: muy abundantes son los términos de origen gallego o portugués, como *fechar* 'cerrar', *ferruje* 'herrumbre', *magua* 'desconsuelo', *garuja* 'llovizna' (port. dialectal *caruja*), *cachimba* 'pipa', y otros más. Por último, la comunicación con América ha dado lugar a la introducción de *guagua* 'camión, autobús', *atorrarse* 'vagar, holgazanear', *buchinche* 'tenducho, taberna', *machango* 'bromista', *rascado* 'ofendido' y otros vocablos o acepciones nacidos al otro lado del Atlántico.[58]

---

58. Véanse Sebastián de Lugo, *Colezción de vozes i frases provinciales de Canarias*, 1846 (Bol. R. Ac. Esp., VII, 1920, 332-342; ed., pról. y notas de José Pérez Vidal, La Laguna de Tenerife, 1946); Luis y Agustín Millares, *Léxico de Gran Canaria*, Las Palmas, 1924 (nueva ed. refundida con el título de *Cómo hablan los canarios*, Las Palmas de Gran Canaria, 1932); J. Álvarez Delgado, *Puesto de Canarias en la investigación lingüística*, La Laguna, 1941; *Notas sobre el español de Canarias*, Rev. de Dial. y Trad. Pop., III, 1947, 205-235, y *Nuevos canarismos*, ibid., IV, 1948, 434-453; José Pérez Vidal, *Portuguesismos en el español de Canarias*, El Museo Canario, n.° 9, 1944, 30-42; *Aportación de Canarias a la población de América*, Anuario de Est. Atlánticos, I, 1955, 91-197; *Arabismos y guanchismos en el esp. de Canarias*, Rev. de Dial. y Trad. Pop., XXIII, 1967, 243-272; *Fenómenos de analogía en los portuguesismos de Canarias*, ibid., 55-82; *Comportamiento fonético de los portuguesismos en Canarias*, ibid., XXIV, 1968, 219-252; *Dos canarismos de origen portugués: «cambullón» y «ratiño»*, El Mus. Can., n.ᵒˢ 31-32, 1970-71, 67-82, y *Canarias en Galdós*, Anuario de Est. Atl., n.° 19, 1973, 1-109;

Juan Régulo Pérez, *Bibliografía crítica de los estudios lingüísticos relativos a Canarias*, Rev. Port. de Filol., II, Coimbra, 1949; *El habla de La Palma*, La Laguna, 1970; *Recetas canarias del siglo XVIII para teñir seda*, «Homen. a Vicente García de Diego», II, Rev. de Dial. y Trad. Pop., XXXIII, 1977, 349-372, y *Notas lexicográficas acerca de «beo», «esteo» y «redina», antiquismos hispánicos supérstites en Canarias*, «Est. ofrecidos a E. Alarcos Llorach», IV, Oviedo, 1979, 255-278; Gerhard Rohlfs, *Contribución al estudio de los guanchismos en las Islas Canarias*, Rev. de Filol. Esp., XXXVIII, 1954, 83-99; Diego Catalán, *Génesis del español atlántico. Ondas varias a través del Océano*, Rev. de Hist. Canaria, n.ºs 123-124, 1958, 233-242; *El español canario. Entre Europa y América*, «Actes IXe Congr. Intern. Ling. Romane», II, Lisboa, 1961, 317-337; *El español en Canarias*, «Presente y Futuro de la Len. Esp.», I, Madrid, 1964, 229-280, y *El español en Tenerife. Problemas metodológicos*, Zeitsch. f. rom. Philol., LXXXII, 1966, 467-506; Manuel Alvar, *El español hablado en Tenerife*, Madrid, 1959; *El español de las Islas Canarias*, Rev. de Filol. Esp., XLVI, 1963, 166-170; *Notas sobre el español hablado en la isla de La Graciosa, ibid.*, XLVIII, 1965, 293-319; *El español de Tenerife. Cuestión de principios*, Zeitschr. f. rom. Philol., LXXXII, 1966, 507-548; *Estudios canarios*, Las Palmas, 1968; *Dialectología y cultura popular en las Islas Canarias*, «Litterae Hispanae et Lusitanae», Múnich, 1968, 17-32; *La articulación de la «s» herreña (Canarias occidentales)*, «Mélanges off. à G. Straka», Lyon-Estrasburgo, 1970, 105-114; *Sociología en un microcosmos lingüístico (El Roque de las Bodegas, Tenerife)*, Prohemio, II, 1971, 5-24, y *Niveles socioculturales en el habla de Las Palmas de Gran Canaria*, Las Palmas de G. C., 1972; P. Cabrera Perera, *Voces de la provincia de Las Palmas*, Rev. de Dial. y Trad. Pop., XVII, 1961, 355-373; Álvaro Galmés de Fuentes, *Algunos dialectalismos canarios en el habla güimarera del siglo XVIII*, Archivum, XIV, 1964, 61-73; F. Navarro Artiles y F. Calero Carreño, *Vocabulario de Fuerteventura*, Rev. de Dial. y Trad. Pop., XXI, 1965, 103-142, 215-272, y XXII, 1966, 135-199; Francisco Guerra Navarro, *Contribución al léxico de Gran Canaria*, Madrid, 1965; Germán de Granda, *La evolución del sistema de posesivos en el español atlántico*, Bol. R. Acad. Esp., XLVI, 1966, 69-82, y *Algunas notas sobre la población negra en las Islas Canarias (siglos XVI-XVIII) y su interés antropológico y lingüístico*, Rev. de Dial. y Trad. Pop., XXVIII, 1972, 213-228; Ramón Trujillo Carreño, *Para una dialectología estructural, a propósito de un ejemplo canario*, «Homen. a E. Serra Ràfols», Univ. de La Laguna, 1973, 393-401; Antonio Lorenzo Ramos, *El habla de Los Silos*, Santa Cruz de Tenerife, 1976, etc. Sobre el guanche, véase la *Bibliografía* de J. Régulo Pérez, cit. líneas arriba, 3-11 y 19-20, así como W. Giese, *Acerca del carácter de la lengua guanche*, Univ. de La Laguna, 1949, etc.

XVI

EL JUDEO-ESPAÑOL

§ 125. HISTORIA, CARACTERES Y ESTADO ACTUAL

1. La mayoría de los judíos expulsados de España por los Reyes Católicos se estableció, tras complejas vicisitudes, en diversos puntos del imperio turco.[1] Allí fundaron núcleos que se enriquecieron pronto con el comercio. Otros emigrados se repartieron por el norte de África. Los judíos de Marruecos y Oriente han conservado con tenacidad sus tradiciones. En boca suya se encuentran romances y dichos antiguos que se han olvidado en la Península. El español se sigue empleando en las comunidades sefardíes, incluso en las que se han trasladado al Nuevo Mundo, y se ha extendido a judíos de otras procedencias. Aunque al principio los sefardíes se agruparon según las regiones españolas de origen, y aunque subsisten variedades de pronunciación y vocabulario, se ha llegado a una mezcla lingüística inteligible para todos; las diferencias son mayores en el habla familiar.

2. Ya en la Edad Media el lenguaje de los judíos españoles tenía peculiaridades atribuibles al carácter restringido de su comunidad, a motivos

1. Las comunidades judeo-españolas de los Países Bajos y del norte de Francia —en especial las de Ruán y Amsterdam, cuya producción literaria y doctrinal fue tan importante en el siglo XVII— no parecen haber usado en sus escritos un castellano diferente del peninsular: no hay particularidades dialectales en las obras de Enríquez Gómez, Miguel de Barrios o Isaac Orobio de Castro. Los restos iberorrománicos conservados hacia 1930 por los sefardíes de Amsterdam eran portugueses, no castellanos: véase A. van Praag, *Restos de los idiomas hispanolusitanos entre los sefardíes de Amsterdam*, Bol. R. Acad. Esp., XVIII, 1931, 177-201, y *Los sefarditas de A. y sus actividades*, Univ. de Madrid, 1967.

religiosos y a la tradición hebrea.[2] Documentos de la judería de Aguilar de Campó otorgados en 1219 y 1220 ofrecen la extraña locución conjuntiva *pienes que* 'a causa de que', 'porque' (< lat. p ĕ n e s), fórmulas inusitadas en escrituras notariales de cristianos (*prominco o lonninco* < lat. p r o p i n - q u u s   a u t   l o n g i n q u u s ; «*con ojo fermoso* uendiemos ad ellos la uéndida esta»), usan la figura etimológica intensiva de origen semítico («*enfuercen* enna uéndida esta *forzamiento* conplido a por consieglo»)[3] y mezclan en su castellano las voces hebreas *quinnan* 'compromiso bajo juramento' (< q u i n y á n), «mes de *Marfesuan*», «mes de *Adar*». En las traducciones bíblicas medievales y del siglo XVI hechas por judíos abundan verbos causativos en *-iguar* (< lat. - i f i c a r e), *amuchiguar* 'multiplicar', *abiviguar* 'vivificar', *aboniguar* 'beneficiar', *fruchiguar* 'dar fruto'; sustantivos como *ermollo* 'brote, pimpollo', etc. En el siglo XIV los textos aljamiados de don Sem Tob y las *Coplas de Yoçef* muestran apócope de *-e* ya entonces arcaizante (v. § 67₁); más notable es que en 1920 Américo Castro oyera a los sefardíes de Xauen decir *nief* 'nieve' como en tiempos del *Lapidario* alfonsí o del Arcipreste de Hita. Los judíos españoles decían el *Dio* en lugar de *Dios*, que les parecía un plural adecuado al trinitarismo cristiano. De uso especial suyo eran los vocablos *meldar* 'meditar', actualmente 'leer los libros sagrados' o 'leer' en general; *huesmo* 'olor', hoy *güesmo*; y hebraísmos como *oinar* 'endechar' y *mazal* 'destino'. A través de ellos pasaron al español las palabras de origen hebraico *malsín*, *máncer*; más problemático es *desmazalado*, que en su sentido habitual de 'indolente, irresoluto, descuidado' está en indudable conexión con el gallego *desmacelado*, port. *desmazelado* (< m a c ĕ l l a), pero en la acepción de 'desdichado', usual entre los sefardíes, revela claro influjo de *mazal*.[4] El hebraísmo sirvió en ocasiones para eludir exégesis o resonancias cristianas: así en el pasaje de Isaías (7, 14)

2. Véase S. Marcus, *A-t-il existé en Espagne un dialecte judéo-espagnol?*, Sefarad, XXII, 1962, 129-145.

3. 'Den a esta venta validez completa por todos los siglos'. *Consieglo* < lat. c ŭ n c t u m s a e c ŭ l u m («Litterae Hispanae et lusitanae», Múnich, 1968, 191); para la figura etimológica intensiva, v. § 36₅; *pienes, prominco, lonninco*, R. Menéndez Pidal, *Orígenes*, § 95₃. Ambas escrituras notariales, en los *Docs. Lingüísticos*, 23° y 24°.

4. Yakov Malkiel, *A Latin-Hebrew Blend: Hispanic «Desmazalado»*, Hispanic Review, XV, 1947, 272-301.

que en la Vulgata dice «ecce v i r g o concipiet, et pariet filium» la Biblia de Alba de Mosé Arragel, tras vacilaciones y tachaduras, reprodujo sin traducirlo el hebreo *alma* (= '*almah* 'virgo nubilis'), sin duda para evitar el término *virgen*, referido por antonomasia entre los cristianos a la Madre de Jesús.[5]

3. El judeo-español de las versiones bíblicas no corresponde al usado en el habla: es un lenguaje híbrido en que las palabras españolas se ajustan literalmente a las del texto hebreo calcando su semántica, su fraseología y su sintaxis hasta hacerse muchas veces ininteligible para el hispanohablante que no tenga en su memoria el original hebreo. No se trata de traducciones torpes, sino intencionadamente fieles a la lengua sagrada cuyo espíritu intentan reflejar y a cuyo aprendizaje tratan de contribuir. Tal es el caso de las Biblias de Constantinopla (1547), en caracteres hebreos, y de Ferrara (1553), en alfabeto latino. Para este tipo de lenguaje artificioso se quiere reservar la designación de *ladino*, llamando *judesmo* (/žudezmo/) al de uso general; pero *ladino*, más prestigioso, gana terreno para denominar el judeo-español literario y aun el coloquial, en oposición al hebreo.

4. Característico del judeo-español es su extraordinario arcaísmo. Se ha apuntado como una de sus posibles causas el hecho de que la diáspora de los judíos hispanos comenzó a raíz de las matanzas de 1391, un siglo antes de que los no conversos fueran expulsados. La cuestión es muy compleja; pues, si bien el judeo-español no participa de las principales transformaciones que hacia 1400 iban cundiendo en el norte peninsular, acoge otras meridionales —el seseo-çeçeo y el yeísmo— que entonces debían de estar menos desarrolladas todavía (véanse §§ 72$_3$ y 92-93). Su sistema fonológico ha eliminado, como el andaluz, el canario y el español de América, los fonemas ápico-alveolares /ś/ y /ź/ (*s-*, *-ss-* y *-s-* en la grafía del español antiguo), extendiendo en su lugar los dentales procedentes de /ŝ/ y /ẑ/ (*c*, *ç* y *z* en la escritura antigua); pero a diferencia del andaluz y su expansión atlántica, conserva la oposición entre sorda y sonora, de modo que /ŝ/ y /ś/ han confluido en una /ş/ predorso-dental sorda como la andaluza y la del francés *poisson* (/şinko/, /manşebu/), mientras que /ẑ/ y /ź/ se han fundido en la

5. Véase Margherita Morreale, *Vernacular Scriptures in Spain*, en *The Cambridge History of the Bible*, II, 1969, 477.

442 Historia de la lengua española § 125

correspondiente predorso-dental sonora /z̧/, igual a la portuguesa de *rosa* o a la francesa de *rose, poison* (/haz̧er/, /hermoz̧a/). La antigüedad de la eliminación de las alveolares está atestiguada en 1547 por grafías equivalentes a *deçeo* 'deseo', «no te *çierbas*» 'no te sirvas' de la Biblia de Constantinopla.[6] En los Balcanes y Asia Menor quedan restos de la /ẑ/ africada primitiva (/onẑe/, ant. *onze* 'once'; /dožena/, ant. *dozena*; /poẑu/, ant. y mod. *pozo*), en algunos lugares, palatalizada ([dóǧe], [póǧo]). También se palataliza en algunas partes la /s/ implosiva, como en el castellano de los siglos xv y xvi (/moška/, /piškadu/). Los fonemas /š/ y /ž/ (escritos *x* y *g, j* respectivamente en la lengua antigua) mantienen su originaria articulación palatal, que es sorda en /bruša/, /dišo/ y sonora en /hižo/, /žugar/; en principio de palabra o tras /n/ se da —en Bucarest por ejemplo— la articulación africada [ǧ] ([ǧwégu], [ǧentil], [ánǧel], [spónǧa]). En Marruecos los préstamos del castellano o andaluz modernos tienen /χ/ velar o [h] aspirada en vez de los fonemas palatales del caudal viejo. La antigua distinción entre /b/ oclusiva y /v/ fricativa ha desaparecido en Marruecos, donde al igual que en el español general moderno, sólo existe un fonema bilabial sonoro, articulado como [b] oclusiva o como [ƀ] fricativa, según la posición o sonidos inmediatos. En Oriente perdura la distinción, y la /v/ es labiodental en Sarajevo, Bucarest,[7] Salónica y otros puntos; también lo es en el sefardí de Nueva York, de origen esmirniano. La /f-/ inicial vacila entre el mantenimiento (/faz̧er/, /ferir/), la aspiración (/kehaz̧er/, /hermoz̧u/) y la pérdida (/ižo/, /ermoz̧u/); domina la /f/ en Bosnia, Macedonia y Salónica; en cambio, son raros los casos de conservación en Rumanía, Bulgaria y Turquía; en Marruecos se desconoce la aspiración. En los grupos romances subsiste la labial implosiva (*bivda* 'viuda', *sivdad* 'ciudad') como en el español del siglo xv.

5. También es notable el arcaísmo de las formas gramaticales. Persisten *só, estó, vó, dó*, y las terminaciones *topás, querés, sos, amá* 'amad'. Hay

---

6. *Deuteronomio*, ed. Sephiha (v. nuestra n. 8), 160, 182.

7. Ahora bien, en Bucarest, según Marius Sala (*Phonétique et phonologie du judéo-espagnol de Bucarest*, La Haya-París, 1971, 18.1.1.1), no sólo hay /v/ en *vaka, vena, vieža, rávanu, apruvar, ḳavaiu*, conforme al uso del español antiguo, que pronunciaba fricativo el resultado de /v/ y /-b-/ latinas, sino también en *risivir, ḳavesa, saver, pwevlu*, donde procede de /-p-/ latina y la lengua medieval tenía /b/ bilabial oclusiva; el sefardí de Bucarest ha extendido la articulación fricativa labiodental a toda labial sonora intervocálica o interior.

aglutinación del imperativo con el pronombre (*quitalde, traílde*). Se desconocen *vuestra merced* y *usted*: como tratamiento de respeto se usan *vos* en Marruecos y *él, eya*, en Oriente. Subsisten muchas palabras anticuadas en España, como *agora, avagaroẓo* 'lento', *amatar* 'apagar', *ambeẓar* 'enseñar' (esp. antiguo *abezar, avezar*), *güerco* 'diablo' (antiguo *huerco*), *ḳamareta* 'habitación', *adobar* 'preparar', *fadar* 'destinar, lograr', etc. Otras como *manẓebu, topar*, que en España son de empleo literario o restringido, corren con todo vigor en judeo-español.

6. Se han generalizado rasgos de dialectos españoles, como el grupo /mb/ (*palombica*) o las vocales finales /i/, /u/ (*árbolis, entonsis, piliscus* 'pellizcos'). Incorporados al habla común viven el gallego *ainda* 'aún', el aragonés *lonso* (*onso* 'oso'), el leonés o portugués *šamarada* 'llamarada' y otras voces de diverso origen. El elemento portugués es importante como consecuencia de haberse refugiado en Portugal durante algún tiempo buen número de judíos expulsos de España. Arrojados también de Portugal, judíos lusitanos y españoles convivieron en Amsterdam y en Oriente. Así emplea el judeo-español lusismos como *anožar* 'enojar', *embirrarse* 'enfurecerse', *froña* 'funda' y muchos más.

7. En judeo-español también hay innovaciones: ya hemos visto su tipo especial de seseo, probablemente incubado o iniciado en España. Igual debió de ocurrir con el yeísmo: la /ḽ/ ha pasado a /y/ (*eya, yevar*), como en el mediodía de España y en América; entre vocales es frecuente la pérdida de esta /y/ (*ḳastío, bolẓío, amaría, gaína, aí* por *castillo, bolsillo, amarilla, gallina, allí* en Marruecos; *ea* 'ella' en los Balcanes). En principio de palabra, la /s/ genera una /f/ o /h/ aspirada ante el diptongo *ué: suegra, zueco, sueño* se convierten en *esfuegra* o *isfuegra, esfueco* o *isfueco, esfueño* o *ishueño*. Las velares y labiales originan la inserción de un [w], *laguar, guato, puadre, alducuera* 'faldriquera o faldiquera', al lado de las formas *lagar, gato, padre*. Abundan las metátesis como *acodrarsi, bedri, guadrar*, por *acordarse, verde, guardar*. La diptongación ofrece irregularidades como *rogo, queres, preto, adientro, pueder*. La /n/ inicial tiende a cambiarse en /m/, no sólo en *mosotros, mos*, como en español vulgar, sino en otros casos, como *muebo* 'nuevo'. En Bucarest y en algún otro punto la /ɲ/ se descompone en /ni/ (*aniu* 'año', *niudu* 'ñudo, nudo', *puniu* 'puño'); y en Marruecos se dan casos de total despalatalización (*anil, menique, panuelo*), aunque la /ɲ/ se conserva en general (*caña, carcañal, compaña*).

8. Los sefardíes guardan con asombroso apego su herencia tradicional española: romances y canciones medievales han pasado de unas generaciones a otras por vía oral en cantidad tan extraordinaria como la fidelidad de su transmisión. Han enriquecido la fraseología que sacaron de España con innumerables creaciones nuevas. Con todo, la decadencia del judeo-español es progresiva y abrumadora: reducido al ámbito familiar, su léxico primitivo se ha empobrecido extraordinariamente, mientras se adoptaban infinidad de palabras y locuciones turcas, griegas, rumanas, eslavas o árabes. La expresión culta muestra gran abundancia de galicismos e italianismos. Nutridos contingentes sefardíes han emigrado a países lejanos como Estados Unidos, donde las generaciones jóvenes, al acomodarse al nuevo ambiente, van olvidando rasgos de su lengua originaria. En Marruecos pesa sobre ellos la influencia del español moderno. La segunda guerra mundial diezmó o aniquiló las comunidades judías de los Balcanes. La conservación del judeo-español entre los sefardíes que después se han establecido en Israel no dejará de colidir algún día con el legítimo afán de uniformación lingüística basada en el neo-hebreo. Todo haría temer la ruina de esta preciosa supervivencia si el conmovedor y tenaz cariño que por ella sienten los sefardíes no obligara a mantener esperanzas.[8]

8. De la abundante bibliografía relativa al judeo-español, véanse especialmente M. Grünbaum, *Judisch-spanische Chrestomathie*, Frankfurt am Main, 1896; A. Pulido Fernández, *Los israelitas españoles y el idioma castellano*, Madrid, 1904; J. Subak, *Zum Judenspanischen*, Zeitsch. f. rom. Philol., XXX, 1906, 129-181; R. Menéndez Pidal, *Catálogo del Romancero judío español*, Cultura Española, 1906 y 1907; L. Lamouche, *Quelques mots sur le dialecte espagnol parlé par les Israélites de Salonique*, Rom. Forsch., XXIII, 1907, 969-991; Max Leopold Wagner, *Die Sprache der spanischen Juden*, Rev. de Dialect. Rom., I, 1909, 487-502; *Los judíos españoles de Oriente y su lengua*, Bull. de Dialect. Rom., I, 1909, 53-63; *Beiträge zur Kentniss des Judenspanischen von Konstantinopel*, Viena, 1914; *Judenspanisch-Arabisches*, Zeitsch. f. rom. Philol., XL, 1920, 548-549; *Algunas observaciones generales sobre el judeo-español de Oriente*, Rev. de Filol. Esp., X, 1923, 225-244; *Los dialectos judeo-españoles de Karaferia, Kastoria y Brusa*, «Homen. a R. M. Pidal», II, Madrid, 1925, 193-203; *Caracteres generales del judeo-español de Oriente*, Madrid, 1930; *Zum Judenspanischen von Marokko*, Volkstum und Kultur der Rom., IV, 1931, 221-245; *Miscelânea. Apropósito do judeo-espanhol «ermoyo»*, Boletim de Filol., IX, 1949, 349-351; *Espigueo judeo-español*, Rev. de Filol. Esp., XXXIV, 1950, 9-106; *As influéncias recíprocas entre o português e o judeo-espanhol*, Revista de Portugal, n.º 86 (Língua Portuguesa, XV); *Calcos lingüísticos en el habla*

de los sefarditas de Levante, «Homen. a F. Krüger», II, Mendoza, 1954, 269-281; y *Einige sprachliche Bemerkungen zum Cancionero de Baruh Uziel*, Vox Rom., XX, 1961, 1-12; M. Gaspar y Remiro, *Sobre algunos vocablos y frases de los judeo-españoles*, Bol. R. Acad. Esp., I-V, 1914-1918; A. S. Yahuda, *Contribución al estudio del judeo-español*, Rev. de Filol. Esp., II, 1915, 339-370; W. Simon, *Charakteristik des judenspanischen Dialekts von Saloniki*, Zeitsch. f. rom. Philol., XL, 1920, 655-689; Américo Castro, *Entre los hebreos marroquíes*, Rev. Hispano-Africana, I, 1922; D. S. Blondheim, *Les parlers judéo-romans et la Vetus Latina*, París, 1925; S. Mézan, *Les Juifs espagnols en Bulgarie*, Sofia, 1925; J. Benoliel, *Dialecto judeo-hispano-marroquí o hakitía*, Bol. de la R. Acad. Esp., XIII, XIV y XV, 1926-1928; K. Baruch, *El judeo-español de Bosnia*, Rev. de Filol. Esp., XVII, 1930, 113-154; M. Luria, *A study of the Monastir dialect of Judeo Spanish*, Rev. Hisp., LXXIX, 1931, 323-583; Cynthia M. Crews, *Rech. sur le judéo-espagnol dans les pays balkaniques*, París, 1935; *Notes on Judeo-Spanish*, Proc. of the Leeds Philosoph. and Lit. Soc., VII, 1955, 192-199, 217-230, y VIII, 1956, 1-18; *Some Arabic and Hebrew Words in Oriental Judæo Spanish*, Vox Romanica, XIV, 1955, 296-309; *Miscellanea Hispano-Judaica*, ibid., XVI, 1957, 224-245; *Extracts from the* Meam Loez *(Genesis) with a Transl. and a Glosscay*, Proc. of the Leeds Philos. and Lit. Soc., IX, Part II, 13-106; G. W. Umphrey y Emma Adatto, *Linguistic Archaisms of the Seattle Sephardim*, Hispania, XIX, 1936, 255-264; Leo Spitzer, *El judeo-español de Turquía*, Judaica, XIII, Buenos Aires, 1939, 9-14; P. Bénichou, *Observaciones sobre el judeo-español de Marruecos*, Rev. de Filol. Hisp., VII, 1945, 209-258; *Nouvelles explorations du romancero judéo-espagnol marocain*, Bull. Hisp., LXIII, 1961, 217-248, y *Romancero judeo-español de Marruecos*, Madrid, 1968; F. B. Agard, *Present-day judeo-spanish in the United States*, Hispania, XXXIII, 1950, 203-210; K. Kraus, *Judeo-spanish in Israel*, ibid., XXXIV, 1951, 261-270; Mosco Galimir, *Proverbios (refranes). Pocos proverbios del rey Salamón, del Talmud, fábulas, consejas, reflexiones, dichas de españoles sefaraditas*, Nueva York, 1951 (reseña de Denah Lida, Nueva Rev. de Filol. Hisp., IX, 1955, 397-399); Denah Levy, *La pronunciación del sefardí esmirniano de Nueva York*, ibid., VI, 1952, 277-281, y *Refranes judeo-españoles de Esmirna*, ibid., XII, 1958, 1-34; H. V. Besso, *Bibliografía sobre el judeo-español*, Bull. Hisp., LIV, 1952, 412-422; *Bibliography of Judeo-Spanish Books in the Library of Congress (Washington)*, Miscelánea de Est. Árabes y Hebraicos, VIII, Granada, 1959, 55-133; *Literatura judeo-española*, Thesaurus. Bol. Inst. Caro y Cuervo, XVII, 1962; *Ladino Books in the Library of Congress. A Bibliography*, Washington, 1963; *Causas de la decadencia del judeo-español*, «Actas II Congr. Intern. de Hisp.», Nimega, 1967, 207-216; *Los sefardíes y el idioma castellano*, Rev. Hisp. Moderna, XXXIV, 1968, 176-194, y *Decadencia del judeo-español. Perspectivas para el futuro*, «Actas I Simposio de Est. Sefardíes», Madrid, 1970, 249-261; Henry R. Kahane y Sol Saporta, *The verbal categories of Judeo-Spanish*, Hisp. Rev., XXI, 1953, 193-214 y 322-336; Manuel Alvar, *Endechas judeo-españolas*, Granada, 1953 (ed. refundida, Madrid, 1969); *Poesía tradicional de los judíos españoles*, México, 1966; *Un «descubrimiento» del judeo-español y Sefardíes en una novela de Ivo Andric*, en *Variedad y unidad del español*, Madrid, 1969, 193-208, y *Cantos de boda judeo-españoles*, Madrid, 1971; I. S. Révah, *Formation* _et évolution des parlers judéo-espagnols des Balkans_, Ibérida, n.° 6, 1961, 173-196, e _Histoire des parlers judéo-espagnols_, Annuaire du Collège de France, LXVII-LXIX, 1967-1970; Margherita Morreale, _Libros de oración y traducciones bíblicas de los judíos españoles_, Bol. R. Acad. de Buenas Let., Barcelona, XXIX, 1961-1962, 239-250, y _El sidur ladinado de 1552_, Rom. Philol., XVII, 1963, 332-338; Marius Sala, _Recherches sur le judéo-espagnol de Bucarest (un problème de méthode)_, Revue de Linguistique, VII, 1962, 121-140; _Factores internos y externos en la fonética judeo-española_, Bol. de Filol. Univ. de Chile, XV, 1963, 349-353; _La manière dont une langue romane contribue à la disparition d'une autre (à propos du judéo-espagnol de Bucarest)_, «Actes du Xe Congr. Intern. de Ling. et Philol. Rom. (Estrasburgo 1962)», París, 1965, 1373-1375; _La organización de una 'norma' española en el judeo-español_, «Actas del II Congr. Intern. de Hispanistas», Nimega, 1967, 543-550; _Estudios sobre el judeo-español de Bucarest_, México, 1970; _Phonétique et phonologie du judéo-espagnol de Bucarest_, La Haya-París, 1971; _Un fenómeno dialectal español, ñ n_, Anuario de Letras, XII, 1974, 189-196, e _Innovaciones del fonetismo judeo-español_, «Homen. a V. García de Diego», Rev. de Dial. y Trad. Pop., XXXII, 1976, 537-549; S. G. Armistead y J. H. Silverman, _A New Sephardic 'Romancero' from Salonica_, Rom. Philol., XVI, 1962, 59-82, y _El cancionero judeo-español de Marruecos en el siglo XVIII («incipits» de los Ben-Çûr)_, Nueva Rev. de Filol. Hisp., XXII, 1973, 280-290; M. J. Benardete, _Hispanismo de los sefardíes levantinos_, Madrid, 1963; Evaristo Correa-Calderón, _Judeo-español «i» 'también'_, Rev. de Filol. Esp., XLVI, 1963, 149-161; J. Martínez Ruiz, _Poesía sefardí de carácter tradicional (Alcazarquivir)_, Archivum, XIII, 1963, 79-215; _Arabismos en el judeo-español de Alcazarquivir (Marruecos)_, 1948-1951, Rev. de Filol. Esp., XLIX, 1966, 39-71, y _Un cantar de boda paralelístico bilingüe en la tradición sefardí de Alcazarquivir, ibid._, LI, 1968, 161-181; J. Cantera Ortiz de Urbina, _Longevidad y agonía del judeo-español de Oriente_, Arbor, LVIII, 1964, 148-156; _Una lengua que desaparece: el judeo-español_, Las Ciencias, XXIX, 1964, 252-257; _Los sefardíes_ (traducción francesa _Les Sephardim_), Temas Españoles, n.° 352, Madrid, 1965; Moshé Attías, Arturo Capdevila y Carlos Ramos Gil, _Supervivencia del judeo-español_, Cuadernos Israelíes, IX, Jerusalén, 1964; Raymond Renard, _Sepharad. Le monde et la langue judéo-espagnole des Sepharadim_, Mons, 1966; Kenneth Adams, _Castellano, judeo-español y portugués: el vocabulario de Jacob Rodrigues Moreira y los sefardíes londinenses_, «Sefardismo», II (Sefarad, XXVI, 1966, 221-228, 435-447) y III (Sefarad, XXVII, 1967, 213-225); Iacob M. Hassán, _El estudio del periodismo sefardí, ibid._, II (Sefarad, XXVI, 1966, 229-235); _De los restos dejados por el judeo-español en el español de judíos del Norte de África_, «Actas IX Congr. Intern. de Ling. y Filol. Románica, 1965», Madrid, 1969, 2127-2140, etc.; «Actas del Primer Simposio de Estudios Sefardíes» [junio de 1964], Madrid, 1970 (con estudios de A. Quilis, I. S. Révah, C. M. Crews, H. V. Besso, C. Benarroch, E. Correa Calderón, etc.); H. V. Sephiha, _Le ladino, judéo-espagnol calque. Deutéronome: versions de Constantinople (1547) et de Ferrara (1553)_, París, 1973 (reseña de Margherita Morreale, Medioevo Romanzo, II, 1975, 460-478); _Diachronie du ladino (judéo-espagnol calque)_, «Atti XIV Congr. Intern. di Ling. e Filol. Rom.», Napoli, 1974, II (1976), 555-564, y _Théorie du Ladino: additifs_, «Mélanges offerts à Ch. V. Aubrun», II, París, 1975, 255-284; Moshe Lazar y colaboradores, *Diccionario Ladino-Hebreo, con Glosario Ladino-Español. Fascículo de muestra*, Jerusalén, 1976; Joseph Nehama, avec la collaboration de Jesús Cantera, *Dictionnaire du judéo-espagnol*, Madrid, 1977; *Romances judeo-españoles de Tánger*, recogidos por Zarita Nahón, ed. crít. y anotada por S. G. Armistead y J. H. Silverman, con la colabor. de Oro Anahory Librowicz, transcripciones musicales de I. J. Katz, Madrid, 1977; S. G. Armistead, con la colab. de Selma Margaretten, Paloma Montero y Ana Valenciano, *El Romancero judeo-español en el Archivo Menéndez Pidal*, 3 vols., Madrid, 1978, etc. Hay además estudios e información de interés en «Sefardismo», sección de la revista *Sefarad*, aparte de alguno ya mencionado.

XVII

EL ESPAÑOL DE AMÉRICA

§ 126. PROBLEMAS GENERALES

Cuando decimos «español de América», pensamos en una modalidad de lenguaje distinta a la del español peninsular, sobre todo del corriente en el norte y centro de España. Sin embargo, esa expresión global agrupa matices muy diversos: no es igual el habla cubana que la argentina, ni la de un mexicano o guatemalteco que la de un peruano o chileno. Pero, aunque no exista uniformidad lingüística en Hispanoamérica, la impresión de comunidad general no está injustificada: sus variedades son menos discordantes entre sí que los dialectalismos peninsulares, y poseen menor arraigo histórico. Mientras las diferencias lingüísticas de dentro de España han tenido en ella su cuna y ulterior desarrollo, el español de América es una lengua extendida por la colonización; y ésta se inició cuando el idioma había consolidado sus caracteres esenciales y se hallaba próximo a la madurez. Ahora bien, lo llevaron a Indias gentes de abigarrada procedencia y desigual cultura; en la constitución de la sociedad colonial tuvo cabida el elemento indígena, que, o bien aprendió la lengua española, modificándola en mayor o menor grado según los hábitos de la pronunciación nativa, o conservó sus idiomas originarios, con progresiva infiltración de hispanismos; durante más de cuatro centurias, la constante afluencia de emigrados ha introducido innovaciones; y si la convivencia ha hecho que regionalismos y vulgarismos se diluyan en un tipo de expresión hasta cierto punto común, las condiciones en que todos estos factores han intervenido en cada zona de Hispanoamérica han sido distintas y explican los particularismos. El estudio del español de América está, por tanto, erizado de problemas cuya aclaración total no será posible sin conocer detalladamente, además de la procedencia regional de los conquistadores y primeros colonos de cada país —hoy explorada en buena parte—, su definitivo asentamiento, sus relaciones con los indios, el desarrollo del mestizaje, las inmigraciones posteriores y la acción de la cultura y de la administración durante el período colonial y el siglo xix. Mientras tanto, ofrecemos al lector un resumen de los datos que hoy se poseen y de las cuestiones lingüísticas hasta ahora suscitadas.[1]

1. Por la gran extensión de la bibliografía sobre el español de América, la referente a problemas particulares figurará en nota al párrafo o pasaje respectivo; aquí sólo mencionaremos las que son instrumento necesario para cualquier tipo de estudio y las que tienen alcance general: A) BIBLIOGRAFÍAS Y PANORAMAS DE LA INVESTIGACIÓN: C. C. Marden, *A bibliography of American-Spanish (1911-1921)*, «Homen. a M. Pidal», I, Madrid, 1925, 589-605; M. W. Nichols, *A bibliographical guide to materials on Am. Sp.*, Harvard Univ. Press, 1942; H. A. Hatzfeld, *Hispanic Philology in Latin America*, «The Americas», III, Washington, 1947, 347-362; M. L. Wagner, *Crónica bibliográfica hispano-americana*, Rev. Port. de Filologia, III, 1949 (Supl. bibliogr., Coimbra, 1950); R. H. Valle, *Bibliografía hispanoam. del español*, Hispania, XXXVIII, 1954, 274-284; J. P. Rona, *Aspectos metodológicos de la dialectología hispanoam.*, Montevideo, 1958; Marcos A. Morínigo, *Programa de Filol. Hispánica*, Buenos Aires, 1959; M. Alvar, *Dialectología española*, Cuadernos Bibliogr., 7, Madrid, 1962, 67-74; H. Serís, *Bibliografía de la lingüística esp.*, Bogotá, 1964; M. R. Avellaneda, N. Buccianti, E. Lekker de Prats, J. Prats y J. V. Rodas, *Contribución a una Bibliografía de Dialectología española y especialmente hispanoam.*, Bol. R. Acad. Esp., XLVI-XLVII, 1966-1967; «Current Trends in Linguistics, IV: Ibero-American and Caribbean Linguisties», edited by T. A. Sebeok, La Haya, 1968 (contiene, entre otros estudios, los de E. Coseriu, *General perspectives*, 5-62; J. M. Lope Blanch, *Hispanic Dialectology*, 106-157; Y. Malkiel, Hispanic Philology, 158-228, y G. L. Guitarte y R. Torres Quintero, *Linguistic Correctness and the Role of the Academies*, 562-604); J. Lapointe, *Bibliographie de l'espagnol d'Amérique*, Dakar, 1968; C. A. Solé, *Bibliografía sobre el esp. en América*, 1920-1967, Washington, 1970, y *B. s. el esp. en Am.*, 1967-1971, Anuario de Letras, X, 1972, 253-288; Y. Malkiel, *Linguistics and Philology in Spanish America*, La Haya-París, 1972; G. Bialik Huberman, *Mil obras de ling. esp. e hispanoam.: un ensayo de síntesis crítica*, Madrid, 1973 (reseña de H. López Morales, Anuario de Letras, XIII, 1975, 299-307), etc. B) ACTAS DE REUNIONES CIENTÍFICAS: *Memoria del I Congreso de Academias de la Lengua Española*, México, 1951; del II, Madrid, 1956; del III, Bogotá, 1960; *Actas* del IV, Buenos Aires, 1964 (1966); *Memoria* del V, Quito, 1968 (1972), y del VI, Caracas, 1972 (1974); Oficina Internacional de Información y Observación del Español (OFINES), *Presente y Futuro de la Lengua Esp.*, Madrid, 1963 (2 vols., 1964); Programa Interamericano de Lingüística y Enseñanza de Idiomas (PILEI), *El Simposio de Cartagena, agosto de 1963*, Bogotá, 1965; *Actas, informes y comunicaciones del Simposio de Bloomington (Indiana)*, 1964, Bogotá, 1967; *Actas del Simposio de Montevideo*, 1966,

§ 127. LAS LENGUAS INDÍGENAS Y SU INFLUENCIA

1. Las relaciones históricas y lingüísticas entre el español y los idiomas aborígenes de América responden a las más diversas modalidades que pueden presentarse en el contacto de lenguas o, con terminología más vie-

---

I Congr. de la ALFAL, III Simposio del PILEI, México, 1975; *El Simposio de México del PILEI*, México, 1969; Asociación de Lingüística y Filol. Latinoamericana (ALFAL), *Actas de la Primera Reunión Latinoam. de Ling. y Filol.*, *Viña del Mar (Chile)*, 1964, Bogotá, 1973; *Actas del III Congr. de la ALFAL, San Juan, Puerto Rico, 1971*, 1976; *Lingüística y Educación. Actas del IV Congr. Intern. de la ALFAL, Lima, 1975*, 1978, etc. C) ESTUDIOS DE CONJUNTO O SOBRE CUESTIONES DE ÍNDOLE GENERAL: Rufino José Cuervo, *Apuntaciones críticas sobre el lenguaje bogotano*, Bogotá, 1867-1872 (7.ª ed., Bogotá, 1939); *El castellano en América*, Bogotá, 1935; *Castellano popular y castellano literario*, en *Obras inéditas*, Bogotá, 1944, 1-318, y *Disquisiciones sobre filología castellana*, Bogotá, 1950; M. L. Wagner, *Amerikanisch-Spanisch und Vulgärlatein*, Zeitschr. f. rom. Philol., XL, 1920, 286-312 (trad. esp., *El esp. de América y el latín vulgar*, Buenos Aires, 1924), y *Lingua e dialetti dell'America spagnola*, Firenze, 1949; P. Henríquez Ureña, *Observaciones sobre el esp. de Am.*, Rev. de Filol. Esp., VIII, 1921, 357-390, XVII, 1930, 277-284, y XVIII, 1931, 120-148 (publ. con otros estudios filológicos de P. H. U. por la Acad. Arg. de Letras, Buenos Aires, 1976); Ángel Rosenblat, *La lengua y la cultura de Hispanoamérica. Tendencias lingüísticas y culturales*, «Vom Leben und Wirken der Romanen», I, Spanische Reihe, Heft 3, Jena y Leipzig, 1933 (también en «Nosotros», Buenos Aires, LXXIX, 1933, 5-27, y en «Investigaciones Ling.», México, I, 1933, 30-44; incluido más tarde, con correcciones, en *La primera visión de América*, 1965); *El castellano de España y el castellano de América*, Caracas, 1962; *Base del español de América: nivel social y cultural de los conquistadores y pobladores*, Bol. de Filol. Univ. Chile., XVI, 1964, 171-230 (después en *Los conquistadores y su lengua*, 1977); *La primera visión de América y otros estudios*, Caracas, 1965 (2.ª ed., 1969); *El criterio de corrección lingüística. Unidad o pluralidad de normas en el esp. de España y de América*, en «El Simposio de Bloomington (Indiana)», Bogotá, 1967; *El futuro de la lengua*, Rev. Occidente, 2.ª ép., V, n.ᵒˢ 56 y 57, noviembre-diciembre 1967, 155-192; *Lengua literaria y lengua popular en América*, Caracas, 1969; *Nuestra lengua en ambos mundos*, Bibl. Gen. Salvat, 17, Estella (Navarra), 1971; *Los conquistadores y su lengua*, Caracas, 1977; Amado Alonso, *El problema de la lengua en América*, Madrid, 1935; *Castellano, español, idioma nacional. Historia espiritual de tres nombres*, Buenos Aires, 1938; *La Argentina y la nivelación del idioma*, Buenos Aires, 1943, y *Estudios lingüísticos. Temas hispanoamericanos*, Madrid, 1953; L. J. Piccardo, *En torno al esp. de Amér.*, Montevideo, 1942; T. Navarro, *Cuestionario lingüístico hispanoam.*, Buenos Aires, 1943; Bertil Malmberg, *L'Espagnol dans le Nouveau Monde. Problème de linguistique générale*, Studia Linguistica, I, 1947, 79-116, y II, 1948, 1-36 (reseña de M. A. Morínigo, Rom. Philol., IV, 1951, 318-

ja, pero más exacta, en los conflictos de lenguas y de cultura.[2] Existen fenómenos y problemas de superstrato, influjo de la lengua dominante sobre la dominada; en nuestro caso, penetración de hispanismos en el nahua, en el zapoteco, en el quechua, en el guaraní, etc.[3] Hay hechos y problemas de adstrato, mutua influencia entre lenguas coexistentes, ya por bilingüismo

2. Véanse los artículos de Amado Alonso y R. Menéndez Pidal citados en nota 23 al cap. I, § 4.

3. Marcos A. Morínigo, *Hispanismos en el guaraní*, Inst. de Filol., Buenos Aires, 1931; J. Rojas Garcidueñas, *Los hispanismos en el idioma zapoteco*, Acad. Mexicana, 1965; Domingo A. Bravo, *Estado actual del quichua santiagueño* [de Santiago del Estero, Argentina], Univ. N. de Tucumán, 1965, especialmente pp. 125-129; Jorge A. Suárez, *Indigenismos e hispanismos, vistos desde la Argentina*, Rom. Philol., XX, 1966, 68-90, y *La influencia del español en la estructura gramatical del náhuatl*, An. de Let., XV, 1977, 115-164; Manuel Alvar, *Hablar pura castía*, Cuad. Hispanoam., n.° 214, octubre 1967, etc.

---

326), y *La América hispanohablante. Unidad y diferenciación del castellano*, Madrid, 1970; Avelino Herrero Mayor, *Tradición y unidad del idioma*, Buenos Aires, 1949; *Contribución al estudio del esp. americano*, Buenos Aires, 1965, etc.; R. Menéndez Pidal, *Nuevo valor de la palabra hablada y la unidad del idioma*, «Mem. II Congr. Acad.», Madrid, 1956, 487-495; Dámaso Alonso, *Unidad y defensa del idioma, ibid.*, 3348, y *Para evitar la diversificación de nuestra lengua*, Arbor, LV, n.° 211-212, julio-agosto 1963, 7-19; M. Sanchis Guarner, *Sobre los problemas de la lengua castellana en América*, Papeles de Son Armadans, n.° LVI, noviembre 1960, 138-168; Alonso Zamora Vicente, *Dialectología española*, Madrid, 1960 (2.ª ed., 1967); D. L. Canfield, *La pronunciación del español en América*, Bogotá, 1962; R. Lapesa, *América y la unidad de la lengua española*, Rev. de Occid., 2.ª ép., IV, n.° 38, mayo de 1966, 300-310; Juan M. Lope Blanch, *El esp. de América*, Madrid, 1968, y *El supuesto arcaísmo del esp. americano*, Anuario de Letras, VII, 1968-69, 85-109; M. C. Resnick, *Dialect zones and automatic dialect identification in Latin American Spanish*, Hispania, LII, 1969, 553-568; Rubén del Rosario, *El esp. de América*, Sharon, Conn., 1970; Lubomir Bartos, *El presente y el porvenir del esp. en América*, Brno, 1971; Marcos A. Morínigo, *Discrepancies between Peninsular and American Colloquial Spanish*, «Issues in Linguistics. Papers in honor of H. and R. Kahane», Univ. of Illinois, 1973, 752-758; M. Beatriz Fontanella de Weinberg, *La lengua española fuera de España*, Buenos Aires, 1976; Emilio Lorenzo, *Dos lenguas trasplantadas: el inglés y el español en América*, «Actas del I Congr. de la As. Esp. de Est. Anglonorteamericanos», Granada, 1978, etc. D) ESTUDIOS SOBRE EL LENGUAJE DE LAS GRANDES CIUDADES: B. Pottier, *La langue des capitales latino-américaines*, Caravelle, Cahiers du Monde Hispanique et Luso-Brésilien, 1964, 90-98; J. Durand, *Castas y clases en el habla de Lima*, *ibid.*, 99-108; Comisión de Ling. y Dialectol. Iberoam. del PILEI y OFINES, *Cuestionario*

en determinado territorio, ya por vecindad de las áreas respectivas; entran aquí desde el simple trasvase de elementos fonéticos, morfosintácticos o léxicos de una lengua a otra, hasta la formación de lenguas híbridas. Se dan, por último, manifestaciones y problemas de substrato, influjo de una lengua eliminada sobre la lengua eliminadora mediante supervivencia de caracteres y hábitos que actúan de manera soterraña, a veces en estado latente durante siglos. Claro está que todo fenómeno atribuible a la acción de un substrato ha tenido que ser en su origen fenómeno de adstrato, por lo cual son muy borrosos los límites entre una y otra categoría. En todos los casos se trata de hechos de transculturación. Para mayor complejidad, la situación de unas lenguas indias respecto de otras no fue de paridad antes ni después de la conquista por los españoles: los dos grandes imperios prehispánicos, el azteca y el incaico, habían impuesto respectivamente el nahua y el quechua a pueblos sometidos que hablaban antes otras lenguas. Junto a las *lenguas generales*, como conquistadores y misioneros llamaron a las más extendidas, hubo y hay infinitas lenguas tribales que subsisten por debajo o al margen de aquéllas.

---

provisional para el estudio coordinado de la norma lingüística culta de las principales ciudades de Iberoamérica y de la Península Ibérica, México, 1968; Juan M. Lope Blanch, *Proyecto de estudio coord. de la norma ling. culta de las princip. de Iberoam.*, «El Simposio de México» del PILEI, México, 1969, 222-233; *Estudios sobre el esp. hablado en las principales ciudades de América*, editados por Juan M. Lope Blanch, México, 1977 (contiene 35 estudios de diversos autores, entre ellos Ana M.ª Barrenechea, Lidia Contreras, Humberto López Morales, E. Luna Traill, José G. Moreno de Alba, Ambrosio Rabanales y el mismo J. M. Lope Blanch), etc. E) ESTUDIOS DIALECTOLÓGICOS SOBRE PAÍSES O ÁREAS DETERMINADOS: No podemos citar aquí la inmensa bibliografía existente; sólo mencionaremos, por ser fundamental, la *Biblioteca de Dialectología Hispanoamericana*, publicada por el Instituto de Filología de Buenos Aires, cuyos siete volúmenes aparecidos comprenden: I y II (1930 y 1946), Aurelio M. Espinosa, *Estudios sobre el español de Nuevo Méjico*, trad., reelaboración, notas y estudios complementarios de Amado Alonso y Ángel Rosenblat; III (1930), E. F. Tiscornia, *La lengua de Martín Fierro*; IV (1938), *El español en Méjico, los Estados Unidos y la América Central*, trabajos de E. C. Hills, F. Semeleder, C. C. Marden, M. G. Revilla, A. R. Nykl, K. Lentzner, C. Gagini y R. J. Cuervo, con anotaciones y estudios de P. Henríquez Ureña; V (1940), P. Henríquez Ureña, *El español en Santo Domingo*; VI (1940), *El español en Chile*, trabajos de R. Lenz, Andrés Bello y R. Oroz, trad., notas y apéndices de A. Alonso y R. Lida, y VII (1949), Berta Elena Vidal de Battini, *El habla rural de San Luis, Parte I.*

2. Las principales zonas bilingües y las dominante o casi exclusivamente amerindias se extienden hoy sin continuidad por el sur de México, por Guatemala, Honduras y El Salvador, la costa del Pacífico desde Colombia al Perú, las sierras y altiplanos de los Andes, las selvas del Orinoco, Amazonas y sus afluentes, el Chaco, Paraguay, regiones colindantes argentinas y el área del araucano en Chile, con alguna penetración en Argentina; pero hay multitud de pequeñas zonas dispersas por toda Hispanoamérica. El número de lenguas y variedades lingüísticas amerindias es elevadísimo: sólo para América del Sur «alrededor de dos mil tribus y nombres de dialectos pueden ser inventariados en 23 secciones que comprenden 173 grupos».[4] No pocas de estas lenguas han desaparecido: así el taíno de Santo Domingo y Puerto Rico; así, más recientemente, las que se hablaron en las regiones centrales de la Argentina. En 1959 se pudieron comprobar las características del vilela —lengua del Chaco— oyéndolas a una viejecita india, «última hablante calificada» de aquel idioma.[5] Frente a las lenguas extinguidas ya o en vías de extinción resalta la pujanza de otras: en primer lugar el quechua, extendido por el sur de Colombia, Ecuador, Perú, parte de Bolivia y noroeste argentino, con más de cuatro millones de hablantes y declarado cooficial en el Perú desde hace pocos años; le sigue, con más de dos millones, el guaraní, que goza de carácter oficial, junto al español, en el Paraguay y que además se habla en parte del nordeste argentino; viene a continuación el náhuatl o nahua, la principal lengua india de México, con cerca de 800.000 usuarios; otros tantos cuenta el maya-quiché del Yucatán, Guatemala y comarcas vecinas; el aimara de Bolivia y Perú y el otomí de México tienen aproximadamente medio millón cada uno; el zapoteco, tarasco y mixteco, también mexicanos, y el araucano de Chile zonas limítrofes argentinas alcanzan de 200.000 a 300.000.

4. Antonio Tovar, *Bosquejo de un mapa tipológico de las lenguas de América del Sur*, sep. de Thesaurus. Bol. Inst. Caro y Cuervo, XVI, 1961; *Catálogo de las lenguas de América del Sur*, Buenos Aires, 1961; *Español, lenguas generales, lenguas tribales, en América del Sur*, «Studia Philol. Homen. a Dámaso Alonso», III, Madrid, 1963, 509-525, y *Genealogía, léxico-estadística y tipología en la comparación de lenguas americanas*, «XXXVI Congr. Intern. de Americanistas», II, Sevilla, 1966, 229-238, etc.

5. Clemente Hernando Balmori, *Doña Dominga Galarza y las postrimerías de un pueblo y una lengua*, Rev. de la Univ., IX, La Plata, 1959.

En total pueden calcularse en menos de 20 millones los hablantes de lenguas amerindias, pero muchos de ellos son bilingües: en 1950 estadísticas mexicanas referidas a toda la nación cifraban sólo en un 3,6 % de la población el número de quienes ignoraban el español, mientras que los bilingües llegaban al 7,6 % y los hablantes exclusivos de español sumaban el 88,8 %. Las proporciones son muy distintas atendiendo sólo al sur del país, en cuyo estado de Oaxaca hablaba lenguas indias el 48,4 % de los habitantes, el 43,7 en Quintana Roo y el 63,8 en Yucatán, y donde los monolingües vernáculos llegaban al 13,7 % en Chiapas, al 17,5 en Oaxaca.[6] En igual fecha el censo del Paraguay registraba un 40 % que sólo hablaba guaraní, un 55 % bilingüe y un 5 % sólo hispanohablante;[7] por entonces también en la región sur de los departamentos peruanos de Ayacucho, Apurimac y Cuzco el 98 % de la población hablaba quechua; el 80 % no hablaba español, los bilingües hacían el 18 % y los hispanófonos que desconocían el quechua no pasaban del 2 %.[8] Dentro del bilingüismo hay distintos grados, desde el conocimiento incipiente del español hasta su empleo con el mismo dominio que el de la lengua vernácula.[9]

3. Si la propagación del castellano obedeció en gran parte a la presión uniformadora ejercida por los órganos del poder estatal, la conservación

6. E. Dávalos Hurtado y A. Marino Flores, *Reflexiones acerca de la antropología mexicana*, Anales del INAH, VIII, 1954, 190-197.

7. Bernard Pottier, *La situation linguistique du Paraguay*, Cahiers du monde Hisp. et Luso-Brésil. (Caravelle), n.° 14, 1970, 43-50, y Germán de Granda, *Algunas precisiones sobre el bilingüismo en el Paraguay*, en *Lengua y sociedad. Notas sobre el español del Paraguay*, Estudios Paraguayos, VIII, 1980, 11-45.

8. Ángel Rosenblat, *La población indígena y el mestizaje en América*, 2.ª ed., I, Buenos Aires, 1954, 32.

9. Alberto Escobar, *Lenguaje y discriminación social en América*, Lima, 1972, 87. Véanse además Josefina Pla, *Español y guaraní en la intimidad de la cultura paraguaya*, Caravelle, n.° 14, 1970, 7-21, y Bol. Acad. Arg. de Letras, XL, 1975, 325-348; Rubén Bareiro Saguier, *Colonialismo mental en el bilingüismo paraguayo de nuestros días*, Caravelle, n°. 27, 1976, 43-52; Germán de Granda, *Materiales para el estudio socio-histórico de la problemática lingüística del Paraguay*, Thesaurus. Bol. I. Caro y Cuervo, XXXIII, 1978, y el est. cit. en nuestra n. 7; Beatriz A. Albores, *Trilingüismo y prestigio en un pueblo náhuatl del estado de México*, An. de Let., XIV, 1976, 239-254; Paul V. Cassano, *Theories of Language Borrowing Tested by American Spanish Phonoloy*, Rom. Philol., XXX, 1977, 331-342, etc.

de las lenguas indígenas se debe, en gran parte también, a la política lingüística seguida por la Iglesia para la evangelización de los indios. Ambas tendencias chocaron y se interfirieron largamente: en los primeros tiempos de la colonización prevaleció la imposición castellanista; pero en 1580 Felipe II dispuso que se estableciesen cátedras de las lenguas generales indias y que no se ordenasen sacerdotes que no supieran las de su provincia; en igual sentido se pronunció en 1583 el tercer Concilio Limense. Los misioneros, que ya antes habían compuesto «artes» de lenguas nativas para evangelizar en ellas, intensificaron tal actividad, especialmente los jesuitas. Los que regentaban las colonias del Paraná, al sureste del Paraguay, evitaron cuidadosamente el español para que los indios no contrajesen los vicios de la civilización europea; bien es verdad que el largo aislamiento previo y la falta de mujeres españolas habían dado lugar allí a la indianización de los mestizos. Frente al indianismo de la Iglesia, el Consejo de Indias alegaba en 1596 la abigarrada multiplicidad de las lenguas aborígenes y la dificultad de explicar bien en ellas los misterios de la fe cristiana, por lo que «se ha deseado y procurado introduzir la castellana como más común y capaz». A pesar de que el rey anota que «no parece conueniente apremiallos a que dexen su lengua natural», el virrey del Perú da en ese mismo año órdenes conminatorias para que misioneros y caciques se valgan sólo del castellano. La contienda prosiguió hasta que en 1770, expulsados ya los jesuitas, una Real Cédula de Carlos III impuso el empleo del español.[10] Pero mientras tanto los misioneros aleccionados en las cátedras de lenguas generales indígenas habían contribuido eficazmente a que éstas se mantuvieran y extendiesen su dominio geográfico: así difundieron el quechua en el sur de Colombia y el noroeste de Argentina. Después de 1770 se enseñaban conjuntamente el español y el quechua en tierras tucumanas, y el general Belgrano hubo de usar el guaraní en sus cartas a las gentes del nordeste argentino y Paraguay para que se sumaran a la causa

10. A. Tovar, *Español, leng. generales, leng. tribales*, véase n. nota 4; Ángel Rosenblat, *La hispanización de América*, «Presente y Futuro de la L. Esp.», II, Madrid, 1964, 188-216 (después, en *Los conquistadores y su lengua*, Caracas, 1977); Barbara Schuchard, *Des Glaubens neue Kleider-Zweisprachige Missionierung in Lateinamerika*, «Romanica Europaea et Americana. Festschrift f. H. Meier», Bonn, 1980, 542-552.

independentista.[11] Ahora bien, la extensión de las «lenguas generales» no fue solo obra de eclesiásticos, sino consecuencia de todo el proceso de la conquista y colonización. En el siglo XVI los españoles que desde México fueron a establecerse en Yucatán y América Central llevaron consigo multitud de palabras nahuas a las cuales estaban ya acostumbrados, y favorecieron la propagación del nahua a costa del maya y otras lenguas; dentro de este marco se sitúa el hecho de que «cantares a lo divino» en la lengua de los aztecas coadyuvasen a difundirla en Tabasco.[12]

4. Es muy discutido el posible influjo de las lenguas indígenas en la pronunciación del español de América. Su más destacado paladín fue Rodolfo Lenz, quien, estudiando el habla vulgar de Chile, llegó a afirmar que era «principalmente español con sonidos araucanos». Pero su tesis ha ido perdiendo terreno; en realidad, casi todos los hechos alegados como pervivencia o resultado de la fonética india corresponden a fenómenos similares atestiguados en España o en otras regiones de América; y, por tanto, es lógico suponer que haya habido desenvolvimientos paralelos dentro del español, sin necesidad de recurrir al substrato indio. Conforme ha mejorado el conocimiento de la pronunciación hispánica, normal y dialectal, ha sido rechazado el supuesto araucanismo de las fricativas [ƀ], [đ], [g], del paso de /-s/ final a [h], de la existencia de [φ] bilabial por /f/ labiodental y de otros rasgos que Lenz creía característicos de Chile. Más tarde se ha demostrado que la conversión de /r/ y /r̄/ en fricativas asibiladas o chicheantes, señalada también como araucanismo ([r̄óto], [ótr̝o], [pondr̝é], de la pronunciación chilena o gauchesca), es un proceso de relajación espontánea que se registra en casi toda América y en Navarra, Aragón, Álava y Rioja (§§ 118$_4$ y 131). Tampoco se deben a substrato indio ciertas particularidades que son desarrollo autóctono de posibilidades latentes en los fonemas españoles: en

---

11. M. A. Morínigo, *Difusión del esp. en el Noroeste argentino*, Hispania, XXXV, 1952, 86-95, y *Para la historia del español en la Argentina. Las cartas guaraníes del general Belgrano*, Bol. Acad. Argent. de Letras, XXXIV, 1969, 4972; María Beatriz Fontanella de Weinberg, *Acerca de una hipótesis sobre la lengua del Río de la Plata en el período colonial*, Thesaurus. Bol. Inst. Caro y Cuervo, XXVI, 1971.

12. Manuel Alvar, *Las «Relaciones» de Yucatán del siglo XVI*, Rev. de Filol. Esp., LV, 1972, 1-34.

Chile la articulación de *g, j* ortográficas ante /e/, /i/ no corresponde a la velar /χ/ castellana ni a la aspiración faríngea de la [h] meridional, pues se pronuncia como [ŷ] sorda mediopalatal y suele desarrollar a continuación una especie de /i/ semiconsonante ([ŷéfe] o [ŷjéfe] 'jefe', [muŷér] o [muŷjér] 'mujer'); paralelamente la articulación de la /g/ ante /e/, /i/ no es velar, sino fricativa mediopalatal sonora, más hacia el interior de la boca y más estrecha que la /y/ normal española, pero semejante a ella [yér̄a] 'guerra', [iyéra] 'higuera'). A primera vista el doble cambio recuerda el desplazamiento análogo de [ć] y [ǵ] en latín vulgar (§ 18₄) y parece atribuible a la simple atracción ejercida por la vocal palatal siguiente; sin embargo las grafías limeñas *mexior, dexiara, moxiere* de 1559 (§ 92₆) y la pronunciación mediopalatal o postpalatal de la *j* en gran parte de América hacen pensar que la [ŷ] chilena representa un grado intermedio en la evolución de la /š/ prepalatal del español antiguo hasta sus resultados modernos velares o faríngeos. Ese grado intermedio se conservó en Chile ante vocal palatal, mientras que ante otras vocales la [ŷ] continuó su proceso; haciéndose postpalatal ([χ̣]) ante /a/ y postpalatal o velar ante /o/, /u/ ([χ̣ár̄o] 'jarro', [déχ̣a] 'deja', [óχo]). Tal distribución de alófonos hubo de influir en la palatalización —no documentada hasta época reciente— de la /g/ seguida de /e/, /i/. Por último no cabe explicar como araucanismo la conversión del grupo /dr/ en /gr/ (*piegra, vigrio, pagre, lagrillo* en Chile, Argentina, Uruguay y Paraguay): se da en zonas tan alejadas de Arauco como son Nuevo México y México, donde se oyen *magre* 'madre', *lagrar* ladrar'; y esto aconseja considerarlo producto de simple equivalencia acústica, como los peninsulares *mégano, dragea, párpago* por *médano, gragea, párpado*.¹³

5. También han sido objeto de polémica presuntas manifestaciones de influencia indígena en el español hablado en otras áreas americanas, especialmente en las tierras altas. El fenómeno de mayor alcance es la caducidad de las vocales, sobre todo átonas y en vecindad de una [s] prolongada y tensa: caracteriza al español mexicano (*palabr's, viej'sit* 'viejecito', *pas-sté*

13. R. Lenz, *Chilenische Studien*, en los «Phonetische Studien» de W. Viëtor, Marburgo, 1892-1893, y *Beiträge zur Kentniss des Amerikanospanischen*, Zeitsch. f. rom. Philol., XVII, 1893, 188-214 (estudios trad. en la Bibl. de Dial. Hispanoam, VI); Amado Alonso, *Examen de la teoría indigenista de Rodolfo Lenz*, Rev. de Filol. Hisp., I, 1939, 313-350.

'pase usted', *es' carrit's* 'esos carritos', etc.), pero se registra con gran intensidad en el habla ecuatoriana (*est's*, *cuant's*, *crio c'sí* 'creo que sí'), en los altiplanos de Perú y Bolivia (*Pot'sí*) y, con menor pujanza, en Colombia (*s'señora* 'sí señora', *vis'ta* 'visita', *s'senta*); aunque tanto el nahua como el quechua abundan en consonantes implosivas tensas, no se ha llegado a probar que su estructura silábica haya originado la omisión de vocales en el español de las zonas correspondientes. Se ha afirmado que en el español de las tierras altas se han introducido fonemas de lenguas vernáculas: uno de ellos es la /š/ prepalatal, eliminada de nuestro idioma desde los siglos xvi y xvii, pero existente en México y regiones andinas; ahora bien, sólo aparece en vocablos de procedencia amerindia, y aun en ellos alterna con adaptaciones a la fonología hispánica (*mixiote* / *misiote* 'albumen de la penca del maguey', *Xochimilco*, pronunciado [šočimílko] o [şočimílko], en México; en Ecuador, *ošota* 'especie de abarca', que en Bolivia, Argentina y Chile ha pasado a *ojota* u *osota*). Lo mismo sucede con la africada /ŝ/ de topónimos como *Tepotzotlán*, *Cointzio*: aunque la grafía responda a la articulación nahua, la pronunciación mexicana usual es [tepoşotlán], [kwín̦ĉo], con igual acomodación que en los sustantivos comunes t z a p o t l > *zapote* [şapóte], t z i k l i > *chicle*. Un tercer fonema nahua, el representado con *tl*, no tiene en el español mexicano su original articulación unitaria africada lateral sorda, pues se pronuncia como sucesión de /t/ + /l/ sonora; la peculiaridad mexicana consiste en la abundancia con que esta secuencia aparece en los préstamos léxicos del nahua, en que puede figurar en posiciones que en español general serían insólitas (*tlapalería*, *cenzontle*, *náhuatl*), y en que, intervocálica, se apoya entera en la vocal siguiente (*Acati-tla*, *Oco-tlán*, en indigenismos; *a-tlántico*, *a-tleta*, en helenismos cultos), mientras que en otros países domina o existe, sin ser exclusiva, la partición disilábica *at-lántico*, *at-leta*. En ninguno de los tres casos se han introducido ni reintroducido fonemas en el sistema consonántico hispanoamericano por influjo indio, aunque el léxico y toponimia primitivos gocen de estatuto gráfico y fonético especial.[14] Se ha supuesto origen nahua para la sustitución de la [-r] implosiva

---

14. Véanse P. Henríquez Ureña, Bib. de Dial. Hispanoam., IV, xiv-xvi; M. L. Wagner, *Lingua e dialetti*, 68; J. H. Matluck, *La pronunc. en el esp. del Valle de México*, México, 1951, §§ 30, 35-37, 39 y 40; P. Boyd-Bowman, *La pérdida de las vocales en la altiplanicie me-*

por [-r̄], fenómeno minoritario en hablantes mexicanos, y para la asibilación de las dos vibrantes en [ř] y [ř̄], no infrecuentes en ellos; pero *arrte*, *cuerrpo*, *corrtar*, etc., abundan en la dicción de argentinos, gallegos, asturianos, leoneses y castellanos viejos; la asibilación de las vibrantes está muy extendida fuera de México; y el nahua carece de /r/ y de /r̄/.[15] En tierras altas de América y en el Yucatán la articulación de /b/, /d/, /g/ es oclusiva en posiciones donde el uso general hispánico las pronuncia fricativas (*liebre*, *neblina*, *hierbas*, *sirven*, *deuda*, *verdad*, *orgullo*, *galgo*, *nubes*, *caballos*, *desvelé*); aunque no hay /b/, /d/, /g/ en nahua, maya yucateco ni quechua, salvo en préstamos del español, podría pensarse que los hablantes hispanizados de estas lenguas hubieran dado a los tres fonemas adquiridos la articulación oclusiva propia de /p/, /t/, /k/, que les eran familiares; pero en la mayoría de los ejemplos alegados /b/, /d/, /g/ son postconsonánticas, proceden de /p/, /t/, /c/ latinas o se agrupan con /r/ o /l/ siguientes; en tales condiciones el español de hacia 1600 conservaba la oclusión de la /b/ (consta así para *árbol*, *desabrido*, *hablar*, *loable*), lo que hace suponer igual comportamiento para la /d/ y la /g/: parece tratarse, pues, de un arcaísmo, aunque en ciertos casos no deba excluirse la posible acción del substrato o adstrato.[16] Por último, en

---

xicana, Nueva Rev. de Filol. Hisp., VI, 1952, 138-140; María Josefa Canellada y Alonso Zamora Vicente, *Vocales caducas en el español mexicano*, *ibid.*, XIV, 1960, 221-241; Juan M. Lope Blanch, *En torno a las vocales caedizas del español mexicano*, *ibid.*, XVIII, 1963, 1-19, y *La influencia del sustrato en la fonética del español de México*, Rev. de Filología Española, L, 1967, 145-161; B. Malmberg, *Note sur la structure syllabique de l'espagnol mexicain*, Zeitsch. f. Phonetik, Sprachwiss. und Kommunikationsforsch., XVII, 1964, 251-255, y *Tradición hispánica e influencia indígena en la fonética hispanoam.*, «Presente y Fut. de la L. Esp.», II, Madrid, 1964, 227-245; A. Rosenblat, *Contactos interlingüísticos en el mundo hispánico: el español y las lenguas indígenas de América*, «Actas II Congr. Intern. de Hisp. (1965)», Nimega, 1967, 109-154; G. de Granda, *El español del Paraguay. Temas, problemas y métodos*, Estudios Paraguayos, VII, Asunción, 1979, 106-113, etc.

15. B. Malmberg, *Le r final en espagnol mexicain*, «Est. ded. a M. Pidal», III, 1952, 131-134, y M. Lope Blanch, *La -r final del esp. mexicano y el sustrato nahua*, Thesaurus. Bol. I. Caro y Cuervo, XXII, 1967.

16. D. L. Canfield, *La pronunciación del español en América*, Bogotá, 1962, 77-78; Manuel Alvar, *Algunas cuestiones fonéticas del español hablado en Oaxaca (México)*, Nueva Rev. de Filol. Hisp., XVIII, 1965-1966, 358-359; *Poliformismo y otros aspectos fonéticos en el habla de Santo Tomás Ajusco*, México, An. de Let., VI-VII, 1966-1967, 17-18, y *Nuevas notas sobre*

Puerto Rico domina hoy la pronunciación velar de la /r̄/, atestiguada asimismo en Trinidad y en zonas costeras de Venezuela y Colombia: unos la han atribuido a indigenismo taíno (indemostrable por la temprana desaparición de esta lengua), otros a afronegrismo de los esclavos; pero la velarización de la /r̄/ se explica suficientemente como proceso espontáneo dentro del sistema consonántico de las lenguas romances, con paralelos en francés y portugués, y parece deber su crecimiento en Puerto Rico a circunstancias históricas de la isla antes y después de 1898.[17]

6. No puede rechazarse de plano, sin embargo, la influencia de las hablas indígenas en otros casos. El padre Juan de Rivero, que escribe hacia 1729 una historia de las misiones en el interior venezolano, se excusa de sus incorrecciones diciendo: «No es pequeño estorbo el poco uso de la lengua

---

el esp. de Yucatán, Iberoromania, I, 1969, 164-165, 182 y 187; Á. Rosenblat, *Contactos interlingüísticos* (v. nuestra n. 14), 121-124, y Paul V. Cassano, *La influencia del maya en la fonología del español de Yucatán*, An. de Let., XV, 1977, 95-113. La articulación oclusiva de la /b/ en *loable, hablar, cabildo, desabrido* está asegurada por Alessandri d'Urbino en 1560, la de /br/ y /bl/ por Oudin y Doergangk en 1597 y 1614 (Amado Alonso, *De la pronunc. medieval a la moderna en español*, I, 2.ª ed., 1967, 35, 48 y 53); pero Alessandri d'Urbino da como [ƀ] bilabial fricativa la de *saber, recebir, obra, mancebo, acabar, cabello*, que tenían /-p-/ en latín, y Juan de Luna, en 1623, observa que los castellanos no distinguen *b* y *v* en su dicción, «y así pronuncian y escriven una por la otra, aunque delante *l, r*, se escrive *b*; después de *r* no se sigue *b* sino en *arbol* y en *arbitrio*, mas siempre *v*, como *yerva*» (*ibid.*, 57). La antigua oposición entre labial oclusiva y fricativa se había borrado o estaba borrándose, pero la distribución combinatoria de sus dos términos como alófonos de un mismo fonema no se había fijado todavía. En tal situación de inseguridad se darían probablemente en España pronunciaciones antietimológicas como las registradas hoy con oclusiva para *nube, cabayos, niebe, yabe* en Santo Tomé Ajusco y Oaxaca, que a veces alternan libremente con la [ƀ] fricativa, o como las siempre oclusivas del Yucatán. Ahora bien, sería imprudente negar la posibilidad de influjo indígena en la consolidación de la alternancia libre de /b/, /d/, /g/ oclusivas y fricativas o para la generalización de las oclusivas, tratándose de zonas bilingües cuya lengua nativa poseía sólo /p/, /t/, /k/ oclusivas.

17. T. Navarro [Tomás], *El español en Puerto Rico*, Río Piedras, 1948, 89-95; Rubén del Rosario, *La lengua de Puerto Rico*, San Juan, 1955, 8; Manuel Álvarez Nazario, *El elemento afronegroide en el español de Puerto Rico*, San Juan, 1961, 133-140 (2.ª ed., *ibid.*, 1974, 166, nota), y Germán de Granda, *La velarización de «rr» en el español de Puerto Rico*, Rev. de Filol. Esp., XLIX, 1966, 181-227 (después en *Estudios lingüísticos hispánicos, afrohispán. y criollos*, Madrid, 1978, 11-68).

castellana que por acá se encuentra, pues con la necesidad de tratar a estas gentes en sus idiomas bárbaros, se beben insensiblemente sus modos toscos de hablar y se olvidan los propios». Donde más se evidencia el influjo indígena es en la población bilingüe; pero sus hábitos se extienden a veces entre quienes ya no hablan lenguas primitivas. El maya posee unas «letras heridas», esto es, oclusivas o africadas sordas cuyo cierre es muy tenso y va seguido de aspiración (*p'*, *t'*, *ḵ'*, *ch'*, *tz'*); los yucatecos pronuncian así a veces las oclusivas sordas españolas; en 1930 decía un investigador que «al oír el español de los mayas, se recibe con frecuencia la impresión de estar oyendo hablar en c a s t e l l a n o a un comerciante alemán, especialmente en palabras como *ppaḵ'er* (= pagar), *ḵhiero* (= quiero), *tthanto* (= tanto)»; descripciones y espectrogramas posteriores confirman la subsistencia de *ḵ'asé*, *ḵ'al*, *saḵ'é*, *t'erreno*.[18] En la Sierra ecuatoriana y en el Perú y Bolivia andinos los indios y el pueblo iletrado confunden a cada paso /e/ con /i/ y /o/ con /u/ (*me veda* 'mi vida', *mantica* 'manteca', *mesa* 'misa', *pichu* 'pecho', *dolsora* 'dulzura', *tríbul* 'trébol', etc.) porque el quechua y el aimara sólo tienen tres vocales —una /a/, una palatal y otra velar— con alófonos de diferente abertura según los sonidos inmediatos.[19] Desde el Ecuador hasta el norte de la Argentina indios y mestizos aplican a formas agudas y esdrújulas españolas la acentuación paroxítona del quechua (*hácer*, *ánis*, *árroz*, *sabádo*, *pajáro*, *arbóles*).[20] Es probable que la conservación de la /ĺ/ en el español de

18. A. R. Nykl, *Notas sobre el esp. de Yucatán, Veracruz y Tlaxcala*, Bibl. de Dial. Hispanoam., IV, 1938, 215-217; Víctor M. Suárez, *El esp. que se habla en Yucatán. Apuntamientos filológicos*, Mérida de Yuc., 1945, 49-52 y 83 y ss.; M. L. Wagner, *Lingua e dialetti*, 69; Manuel Alvar, *Nuevas notas sobre el esp. de Yuc.* (véase nuestra n. 16), 177-178. No he podido ver el artículo de Paul V. Cassano, *The concept of latency in contact language borrowing*, Linguistics, LXXVIII, 1972, 5-15.

19. Pedro M. Benvenutto Murrieta, *El lenguaje peruano*, Lima, 1936, 123-124; P. Boyd-Bowman, *Sobre la pronunciación del español en el Ecuador*, Nueva Rev. de Filol. Hisp., VII, 1953, 231; Humberto Toscano Mateus, *El español en el Ecuador*, Madrid, 1953, 51, y Dora Justiniano de la Rocha, *Apuntes sobre la interferencia fonológica de las lenguas indígenas en el esp. de Bolivia*, «Actas III Congr. de la ALFAL», 1971 (San Juan de P. Rico, 1976, 160-161).

20. Benvenutto Murrieta, 123; Toscano, 47; Wagner, *Lingua*, 49; Rosenblat, *Contactos* (v. nuestra n. 14), 149.

regiones andinas haya tenido apoyo en los adstratos quechua y aimara, ya que ambas lenguas poseen el fonema palatal lateral sonoro; también lo tiene el araucano, circunstancia que debió de contribuir a que el español del norte y sur de Chile lo articulase todavía lateral en las primeras décadas de nuestro siglo: hoy sólo queda en rincones aislados del sur, barrido por el yeísmo en el resto del país.[21] En el español del Paraguay y del noroeste argentino la /y/ es siempre africada y sin rehilamiento ([máŷo], [áŷa], [úŷe]), de acuerdo con la fonología guaraní, que tiene un fonema /y/ sin el alófono fricativo del español peninsular. Asimismo parece responder a influjo guaraní la articulación alveolar que en el Paraguay se da a las dentales españolas /t/ y /d/.[22] No podemos aquí examinar otros casos de influencia indígena que se han defendido con diversa aceptabilidad.

7. Muy probable es que se mantengan caracteres prehispánicos en la entonación hispanoamericana, tan distinta de la castellana. La entonación del español de América, muy rica en variantes, prodiga subidas y descensos melódicos, mientras la castellana tiende a moderar las inflexiones, sosteniéndose alrededor de una nota equilibrada. Cabe admitir influjos de igual procedencia en el ritmo del habla: el mexicano abrevia nerviosamente las sílabas átonas, mientras el argentino se detiene con morosidad antes del acento y en la sílaba que lo lleva, y el cubano se mueve con lentitud. Ahora bien, estas impresiones carentes de validez doctrinal necesitan someterse a estudios comparativos rigurosos. Hasta hace poco no se han analizado científicamente las estructuras melódicas y rítmicas de las hablas hispanoamericanas; hoy se empieza a contar con investigaciones prometedoras.[23] Esperemos que no tarde en hacerse el cotejo entre los comportamientos de las lenguas indias y los del español de regiones bilingües.

21. Lenz, Bibl. de Dial. Hispanoam., VI, 1940, 92 n., 139, 285; Boyd-Bowman, art. cit. en nuestra n. 19, 225-226; Rosenblat, *Contactos* (v. nuestra n. 14), 125; R. Oroz, *La leng. cast. en Chile*, Santiago de Chile, 1966, 117-120.

22. B. Malmberg, *Notas sobre la fonética del esp. en el Paraguay*, Yearbook Soc. of Letters, Lund, 1947, y *Tradición hispánica* (v. nuestra n. 14), 241.

23. Joseph H. Matluck, *Entonación hispánica*, An. de Let., V, 1965, 6-32; María Beatriz Fontanella de Weinberg, *Comparación de dos entonaciones argentinas*, Thesaurus. Bol. Inst, Caro y Cuervo, XXI, 1966, y *La entonación del español de Córdoba (Argentina)*, *ibid.*, XXVI, 1971.

8. En la morfología, salvo en zonas bilingües, escasean en el español de América los restos indígenas. Indudablemente lo es el sufijo *-eca*, *-eco* de *azteca*, *tlascalteca*, *yucateco*, *guatemalteco*, que procede del nahua /- é c a t l / y cuya capacidad de formar gentilicios no rebasa los límites de México y el norte de América Central. Con él fue identificado por algún estudioso el morfema indicador de defectos que aparece en *cacareco* 'cacarañado, picado de viruelas', *chapaneco* 'achaparrado', *bireco* 'torcido, virado', 'bizco', *tontuneco*, *zonzoneco* 'tontaina, zonzo', y otros usuales en México y Centroamérica. Acaso por no estar probado que /- é c a t l / se emplee con este sentido, se ha apuntado más tarde que el *-eco* peyorativo de defectos puede venir de otro sufijo, /- i c / o /- t i c /, que en nahua sirve para formar adjetivos. Sin embargo, lejos del dominio nahua, en Argentina y Chile, existen *chulleco*, *chuyeco* 'torcido', *pateco* 'piernicorto', *patuleco* 'patizambo', *pateco* 'persona de poca estatura', en España *fulleco* 'gordo, hinchado' (en el Bierzo), 'vano, huero' (Salamanca), *llobeco* 'lobezno', *diableco* (Asturias occidental), y en portugués abundan los diminutivos y despectivos formados con este sufijo; por otra parte ningún adjetivo americano de defecto añade *-eco* a raíz nahua.[24] En Arequipa (Perú) y en el noroeste argentino el morfema posesivo quechua /-i/ se pospone a vocablos españoles en casos de fuerte valor expresivo, como los vocativos *viday*, *viditay* 'mi vida', 'mi vidita', *agüelay* 'mi abuela'. El sufijo diminutivo /-ḷa/, quechua también, es el origen del *-la*, *-l-* de *vidala*, *vidalita*, usadas en las mismas regiones de la sierra argentina; en la ecuatoriana, /-ḷa/ ha pasado a /-ža/ (*mi guaguaža* 'mi guagüita, mi niño').[25] En la lengua mixta que se habla en el Paraguay se aplican a elementos léxicos españoles morfemas guaraníes como el diminutivo /-í/ (*patron-í* 'patroncito'), el signo de plural /- k u e - r a / («vinieron sus *amigokuera*»), el de realidad pretérita /- k u é / («su *noviakué*» 'la que fue su novia', 'su ex novia'), /ĉe/ como posesivo de primera persona (*ch'amigo*, *che Dios* 'amigo mío', 'Dios mío'). Tanto en Paraguay

---

24. Max Leopold Wagner, *Lingua e dialetti dell'Am. spag.*, 76, y *El sufijo hispanoam. -eco para denotar defectos físicos y morales*, Nueva Rev. de Filol. Hisp., IV, 1950, 105-114; J. M. Lope Blanch, *Sobre el origen del sufijo -eco como designador de defectos*, «Sprache und Geschichte. Festsch. f. H. Meier», Múnich, 1971, 305-312.

25. R. J. Cuervo, *Disquisiciones*, 298; Amado Alonso, Rev. de Filol. Hisp., III, 1941, 216.

como en Corrientes y Misiones se usa la partícula interrogativa guaraní *pa* («esa Isabel ¿le conoce *pa?*» '¿conoce a esa Isabel?'). Hay calcos sintácticos como «voy a comprar *para mi vestido*» 'mi vestido futuro', «yo trabajé *todo* ya» 'he acabado de trabajar', «mi hermano es *alto como* el de Juan» (Paraguay);[26] «venga *dar viendo*» 'venga a ver' (sur de Colombia y Ecuador), «pobre *siendo también*, no roba» 'a pesar de ser pobre' (sierra ecuatoriana), «de mi tío *su* amigo» 'el amigo de mi tío' (Perú), etc. En Ecuador, Perú y Bolivia el verbo se coloca, por influencia quechua, al final de la frase: «¿Y tú lo recomiendas a Luis? —Sí, señor, hombre bueno *es*»; «El alma de taita amo grande creo que está penando... —Arrastrando cadenas *parece*». En los países andinos estas construcciones no alcanzan al uso general, limitadas a los ambientes bilingües. Como en quechua y aymara, el español hablado en Puno (sureste del Perú) y en La Paz distinguen la acción que el hablante ha presenciado o conocido directamente y la que sólo conoce por referencias; para la primera usan el perfecto compuesto (Puno) o el simple (La Paz) mientras que para la segunda se valen del pluscuamperfecto: así «se *ha muerto* esa gallina», «hoy día *llegó* su mamá de él» implican un 'yo lo he visto', a diferencia de «se *había caído* de su nido», «hoy día *había llegado* su mamá de él», que suponen un 'dicen que'.[27] Notable difusión han logrado interjecciones como *achachay* (Ecuador y Colombia), *achalay* (noroeste argentino), de valor ponderativo y origen quechua.

9. La contribución más importante y segura de las lenguas indígenas está en el léxico.[28] Los españoles se encontraron ante aspectos desconocidos

26. G. de Granda, *Falsos guaranismos morfosintácticos en el español de Paraguay*, Anuario de Letras, XVII, 1979, 185-203, y *Préstamos morfológicos guaraníes en el esp. de Paraguay*, Rev. de Ling. Rom., XLIV, 1980, 57-68 (ambos estudios figuran también en *El esp. del Paraguay*, 55-63 y 85-101).

27. Benvenutto Murrieta, *El leng. peruano*, 153-154; C. E. Kany, *Amer. Sp. Syntax*, 1945, 211-212; M. L. Wagner, *Lingua e dialetti*, 71; H. Toscano Mateus, *El esp. en el Ecuador*, 272-273, 303-304; Emilia E. Martín, *Un caso de interferencia en el español paceño*, Filología, XVII-XVIII, 1976-1977, 119-130; Gertrud Schumacher de Peña, *El pasado en el esp. andino de Puno/Perú*, «Romanica Europaea et Americana. Festschrift H. Meier», Bonn, 1980, 553-558.

28. Véanse ante todo los estudios de Tomás Buesa Oliver, *Indoamericanismos léxicos en español*, Madrid, 1965, y *Americanismos*, «Encicl. Ling. Hisp.», II, 1967, 325-348. Además R. Lenz, *Diccionario etimológico de voces chilenas derivadas de lenguas indígenas americanas*,

de la naturaleza, que les ofrecía plantas y animales extraños a Europa, y se pusieron en contacto con las costumbres indias, también nuevas para ellos. A veces aplicaron términos como *níspero*, *plátano*, *ciruela* a árboles y frutas que se asemejaban a los que en España tienen esos nombres, o llamaron *león* al puma y *tigre* al jaguar. Pero de ordinario se valieron de palabras tomadas a los nativos. El más antiguo y principal núcleo de americanismos procede del taíno, lengua del tronco arahuaco hablada en Santo Domingo y Puerto Rico: siendo las Antillas las primeras tierras que se descubrieron, fue allí donde los conquistadores conocieron la naturaleza y vida del Nuevo Mundo. Taínas son *canoa*, *cacique*, *bohío*, *maíz*, *batata*, *carey*, *naguas* o *enaguas*, *sabana* 'llanura', *nigua*, *guacamayo*, *tabaco*, *tiburón*, *yuca*; aprendidas en la Española (hoy Santo Domingo), algunas voces taínas se extendieron después a otras regiones americanas, como sucedió con *maíz*, *cacique*, *hamaca*, etc. Del Caribe provienen, entre otras, *caimán*, *caníbal*, *loro*, *piragua*, *butaca*. El nahua proporcionó *aguacate*, *cacahuete*, *cacao*, *chocolate*, *hule*, *petate*, *nopal*, *petaca*, *jícara*, *tiza*, *tomate* y otras; el quechua *alpaca*, *vicuña*, *guano*, *cóndor*, *mate*, *papa* 'patata', *pampa*, *carpa* 'toldo' y algunas más; de origen guaraní son *mandioca* y *ombú*.[29] Es crecidísimo el número de pa-

---

Santiago de Chile, 1904-1910; C. A. Robelo, *Diccionario de aztequismos*, Cuernavaca, 1904; A. Zayas, *Lexicografía antillana*, Habana, 1914; G. Friederici, *Hilfswörterbuch für den Amerikanisten*, Halle, 1926, y *Amerikanistisches Wörterbuch*, Hamburgo, 1947 (2.ª ed., 1960); Lisandro Alvarado, *Glosario de voces indígenas de Venezuela* [hacia 1929], Caracas, 1953; M. A. Morínigo, *Las voces guaraníes del Diccionario académico*, Bol. Acad. Arg. de Let., III, 1935, 5-76; E. Tejera, *Palabras indígenas de la isla de Santo Domingo*, Santo Domingo, 1935; P. Henríquez Ureña, *Palabras antillanas en el Dicc. de la Academia*, Rev. de Filol. Esp., XXII, 1935, 175-186, y *Para la historia de los indigenismos*, Buenos Aires, 1938; A. Barrera Vázquez, *Mayismos y voces mayas en el esp. de Yucatán*, Invest. Ling., IV, 1937, 9-35; J. Corominas, *Dicc. crít. etim. de la lengua cast.*, Madrid, 1954; Claudia Parodi, *Observaciones en torno a los quechuismos del Dicc. etim. de Corominas*, An. de Let., XI, 1973, 225-233; Antonio Tovar, *Notas etimológicas*, «Homen. a V. García de Diego», Rev. de Dial. y Trad. Pop., XXXII, 1976, 557-560; F. A. Martínez, *A propósito de algunas supervivencias chibchas del habla de Bogotá*, Thesaurus. Bol. Inst. Caro y Cuervo, XXXII, 1977, 24-25; Manuel Álvarez Nazario, *El influjo indígena en el esp. de Puerto Rico*, Río Piedras, 1977, etc. Véanse los diccionarios de americanismos de Malaret, Santamaría y Morínigo citados luego, n. 98.

29. Aunque sean de origen tupí-guaraní, *ipecacuana*, *petunia*, *tapioca* y *jaguar* han llegado al español a través del portugués o del francés. Es dudoso que *gaúcho* > *gaucho* venga

labras indígenas familiares en América y desconocidas en España: así los arahuacos *ají* 'pimiento' e *iguana* 'cierto reptil comestible'; los nahuas *guajolote* 'pavo' o *sinsote* 'cierto pájaro cantor'; los quechuas *china* 'mujer india', *chacra* 'granja', *choclo* 'maíz tierno', corrientes en toda América del Sur; los guaraníes *tucán, ñandú, yaguaré, tapera* 'casa en ruinas', 'ruinas de un pueblo'; el araucano *malón* 'irrupción o ataque de indios', etc.

La adopción de léxico aborigen empezó en los años mismos de los descubrimientos y primeras instalaciones de españoles: el *Diario* de Colón recoge voces taínas; como ya se dijo (§ 98₆), el historiador y naturalista Fernández de Oviedo (1535-1557) emplea o menciona más de 500 americanismos, cantidad explicable por la descripción de la flora, fauna y etnografía del Nuevo Mundo. No todo este caudal era conocido por los conquistadores y colonos: Bernal Díaz del Castillo usa ochenta y tantos, Juan de Castellanos 155, y el corpus de documentación municipal y judicial reunido para el *Léxico hispanoamericano del siglo XVI* de Peter Boyd-Bowman contiene 229, incluyendo derivados como *maizal, conuquero* 'cultivador de un *conuco* o huerta', *cacicazgo*, etc. En el español peninsular la incorporación fue menor: el *Diccionario de Autoridades* (1726-39) sólo da cabida a unos 150. En cambio Antonio de Alcedo, en su *Vocabulario de las voces provinciales de la América* (1789), con experiencia directa de la sociedad virreinal, reúne 400 aproximadamente.[30] Viendo las largas listas de palabras que nutren los

---

del guaraní: véanse las etimologías propuestas por M. A. Morínigo, Bol. Acad. Argent. de Let., XXVIII, 1963, 243-250, y por J. P. Rona, *Gaucho: cruce fonético de esp. y port.*, Rev. de Antropología, XII, São Paulo, 1965, 87-98. Morínigo (*Programa de filol. hisp.*, 101-106) rechazó el origen araucano que venía atribuyéndose a *poncho*, voz que Corominas relaciona con el adj. esp. *poncho* 'descolorido', por ser manta monocroma y sin dibujos. *Baqueano* o *baquiano* 'guía', que se suponía de procedencia arahuaca, parece también haber nacido en España: véase R. A. Laguarda, Bol. Acad. Argent. de Letras, XXVI, 1961, 65-104.

30. Marcos A. Morínigo, *América en el teatro de Lope de Vega*, Buenos Aires, 1946; *La penetración de los indigenismos americanos en el español*, «Pres. y Fut. de la L. Esp.», II, Madrid, 1964, 217-226, y *Gutiérrez de Santa Clara y los quichuismos de su «Historia»*, «Homen. a F. de Onís», Rev. Hisp. Mod., XXXIV, 1968, 742-751; Miguel A. Ugarte Chamorro, *Las Descripciones Geográficas de Indias y un Primer Diccionario de Americanismos*, Univ. Nac. Mayor de San Marcos, Lima, 24, [1967]; Ernesto Mejía Sánchez, *Un vocabulario de indigenismos americanos del siglo XVII*, An. de Let., VIII, 1970, 19-30; Manuel Alvar, *Americanis-*

diccionarios de indigenismos publicados en los últimos ciento cincuenta años, podría sacarse la impresión de que el contingente amerindio tiene en el léxico de Hispanoamérica importancia muy superior a la real; pero en gran parte se refiere a técnicas agrícolas o artesanas, vestido y costumbres que van desapareciendo o están limitados a la población india; muchos indigenismos sólo viven en una comarca o provincia, ignorados en el resto del país respectivo. Así como hasta época reciente los lexicógrafos hispanoamericanos pusieron su afán en dar relieve a la aportación aborigen, hoy día prefieren aquilatar su vigencia efectiva.[31]

§ 128. EL ELEMENTO NEGRO-AFRICANO. LAS HABLAS CRIOLLAS. AFRONEGRISMOS. EL PAPIAMENTO

1. La secular importación de esclavos negros procedentes de África es en la demografía hispanoamericana un factor cuyas consecuencias lingüísticas hay que tener muy en cuenta. La población negra constituye un contingente de alto porcentaje en las Antillas, litoral continental del Caribe y costa del Pacífico desde Panamá hasta el norte del Ecuador; pero durante la época virreinal hubo esclavos del mismo origen en otras partes. Como la

mos en la «*Historia*» de *Bernal Díaz del Castillo*, Madrid, 1970; *Colón en su aventura*, Prohemio, II, 1971,165-193; *Juan de Castellanos. Tradición española y realidad americana*, Bogotá, 1972, y ed. del *Diario del descubrimiento* de Cristóbal Colón, Cab. Insular de G. Canaria, I, 1976, 23-52; Peter Boyd-Bowman, *Léxico hispanoamericano del siglo XVI*, Londres, 1971; Juan Clemente Zamora Munné, *Indigenismos en la lengua de los conquistadores*, Univ. de Puerto Rico, 1976; Paciencia Ontañón de Lope, *Observaciones sobre la génesis de algunos indigenismos americanos*, Anuario de Letras, XVII, 1979, 273-284; José M.ª Enguita Utrilla, *Indoamericanismos léxicos en el «Sumario de la natural historia de las Indias»*, ibid., 285-304, etc.

31. Véanse Morínigo, *La penetración* (cit. en la nota precedente), 225-226; Juan M. Lope Blanch, *Influencia de las leng. indígenas en el esp. hablado en México*, An. de Let., V, 1965, 34-46 (también en las «Actas del II Congr. Intern. de Hisp.», Nimega, 1967, 395-402), y *El léxico indígena en el esp. de México*, «Jornadas 63», México, 1969; en la misma línea, Humberto López Morales, *Estudio sobre el español de Cuba*, Madrid, 1971, 50-61 y 72-87; Orlando Alba, *Indigenismos en Santiago* [Rep. Dominicana], An. de Let., XIV, 1976, 71-100; y Marius Sala, Dan Munteanu, Valeria Neagu y Tudora Şandru-Olteanu, *El léxico indígena del español americano. Apreciaciones sobre su vitalidad*, México-Bucarest, 1977.

trata de negros fue iniciada por los portugueses en el siglo xv y continuó en sus manos largo tiempo, el instrumento para entenderse con los esclavos hubo de ser en un principio un lenguaje mixto de elementos africanos y portugueses; estos últimos fueron sustituidos poco a poco por sus equivalentes españoles. Las postreras supervivencias del criollo español parecen ser el habla «bozal» que se usaba entre negros de Puerto Rico en el siglo xix y todavía entre los de Cuba a mediados del xx, y el islote criollo de San Basilio de Palenque, en el norte de Colombia, cerca de Cartagena de Indias, el gran mercado de esclavos en otro tiempo. Negros cimarrones evadidos en 1599 han conservado allí su lengua mixta, de estructura gramatical simplificadísima y esquema silábico de consonante + vocal, sin consonantes implosivas. Hay noticias de otros núcleos criollo-españoles en el Palenque de Panamá y, extinguidos, en el de Ecuador; en vías de extinción parece estar el de Uré (Colombia). En el Chocó, en las tierras bajas costeras del Pacífico colombiano, el criollo-español subsiste en el uso interno de comunidades negras que en el trato con otras gentes emplean sin dificultad el español. Fuera de estos residuos aislados la población negra hispanoamericana habla el español coloquial de cada país; a veces con notables arcaísmos, como en Loíza Aldea (Puerto Rico), donde pervive el futuro hipotético *cantare*, *pudiere*. Sin embargo allí mismo la indicación del género en sustantivos referentes a persona se refuerza en fórmulas como *hijo macho*, *hija mujer*, *nieta hembra*, *amigos hombres*, según hábito del criollo portugués que entronca con el bantú. En el castellano hablado por negros en el occidente de Colombia se usa sin carácter enfático una negación antes del verbo y otra al final de la frase negativa («ella *no* vive aquí *no*», «yo *no* sé *no*»), como en el criollo de San Basilio de Palenque y en lenguas del África negra.[32]

32. Véanse ante todo los libros de Manuel Álvarez Nazario, *El elemento afronegroide en el español de Puerto Rico*, San Juan de P. R., 1961 (2.ª ed., 1974), y Germán de Granda, *Estudios lingüísticos hispánicos, afrohispánicos y criollos*, Madrid, 1978. Además, Fernando Ortiz, *Glosario de afronegrismos*, La Habana, 1924; Ildefonso Pereda Valdés, *El negro rioplatense y otros ensayos*, Montevideo, 1937; Keith Whinnom, *The Origin of the European-based Creoles and Pidgins*, Orbis, XIV, 1965, 509-527; *Linguistic Hybridization and the 'Special Case' of Pidgins and Creoles*, «Pidginization & Creolization of Languages», Cambridge Univ. Press, 1971, 91-115; Germán de Granda, *Sobre el estudio de las hablas «criollas» en el*

2. El léxico de origen africano incorporado al español general, al de Hispanoamérica o al de las Antillas comprende nombres de plantas y frutos (*malanga*, *banana*), comidas y bebidas (*funche*, *guarapo*), instrumentos musicales y danzas (*bongó*, *conga*, *samba*, *mambo*), sustantivos diversos (*macuto*, *bembe* 'labio grueso', *burundanga* 'revoltijo'), algún adjetivo (*matungo* 'desmedrado', 'flaco'), algún verbo (*ñangotarse* 'ponerse en cuclillas'), etc. Tal vez sean de igual procedencia *mucamo* 'criado, camarero' y su femenino *mucama*, extendidos desde el Brasil al Río de la Plata y Perú. La inseguridad sobre la etimología de palabras que se tienen como afronegrismos es muy grande: Fernández de Oviedo creía que *ñame* era voz lle-

---

área hispánica; Materiales para el estudio sociohistórico de los elementos lingüísticos afroamericanos en el área hispánica, y La tipología «criolla» de dos hablas del área ling. hispán., Thesaurus. Bol. Inst. Caro y Cuervo, XXIII, 1968; *Léxico sociológico afrorrománico en «De instauranda Aethiopum salute» del P. Alonso de Sandoval, ibid.*, XXV, 1970; *Materiales complementarios para el estudio sociohistórico de los elem. ling. afroamer. en el área hisp. (I: América)* y *(II: África), ibid.*, XXVI, 1971; *Onomástica y procedencia africana de esclavos negros en las minas del Sur de la Gobernación de Popayán*, Rev. Esp. de Antropología Americ., VI, 1971, 381-422; *Datos antropológicos sobre negros esclavos musulmanes en Nueva Granada*, Thesaurus, XXVII, 1972; *Un ejemplo lingüístico del proceso de reinterpretación de rasgos culturales africanos en América (kikongo «nsimbu», «lengua congo» de Cuba «simbo»)*, Ann. dell'Istit. Univ. Orientale, Sez. Romanza, Napoli, 1972, 87-95; *Materiales léxicos para la determinación de la matriz africana de la «lengua congo» de Cuba*, Rev. Esp. de Ling., III, 1973, 55-79; *Un cas de «santu» en Nouvelle Grenade (Carthagène d'Indes, XVIIIᵉ siècle)*, Cahiers de l'Inst. de Linguistique de Louvain, II, 1973 (después, *Un caso de utilización de antropónimo bantú de tipo «santu» en Hispanoamérica (siglo XVIII)*, Bogotá, Inst. Caro y Cuervo, 1979); *Nuevos datos sobre el empleo de antropónimos twi en Hispanoamérica (siglo XVIII), ibid.*, 1973; *Portuguesismos léxicos en la «lengua congo» de Cuba*, Boletim de Filol., XXII, 1973, 235-250; *Elementos ling. afroamer. en el área hisp. Nuevos materiales para su estudio sociohistórico. (I: América)*, Thesaurus, XXXI, 1976; *Una ruta marítima de contrabando de esclavos negros entre Panamá y Barbacoas durante el asiento inglés*, Rev. de Indias, n.ᵒˢ 143-144, 1976, 123-142, y *Estudios sobre un área dialectal hispanoam. de población negra, las Tierras Bajas Occidentales de Colombia*, Bogotá, 1977; Peter Boyd-Bowman, *Negro Slaves in Early Colonial Mexico*, The Americas, XXVI, 1969, 134-151; Carmen Cecilia Mauleón Benítez, *El español de Loíza Aldea*, Madrid, 1974; José Joaquín Montes Giraldo, *El habla del Chocó. Notas breves*, Thesaurus, XXIX, 1974, 425-426; María Beatriz Fontanella de Weinberg, *Nuevas perspectivas sobre el origen y evolución de pidgins y criollos*, Vicus Cuadernos-Lingüística, 1, 1977, 169-189.

vada a América por los negros; pero como aparece repetidamente en el
Diario de Colón, es necesario suponer que el Almirante la había aprendido
en las Canarias, donde la planta abunda, aunque el origen remoto del vocablo pueda arrancar del África ecuatorial.[33] Se ha demostrado que _macan-
dá_ 'brujería', presunto afronegrismo, es sencillamente el mismo _macandad_
'artimaña' que se usa en Murcia, emparentado con amplia familia léxica
peninsular.[34] Sobre la importancia efectiva del vocabulario negroafricano
en el español de las Antillas ha habido opiniones ponderativas y restriccio-
nes críticas semejantes a las emitidas respecto a los indigenismos.[35]

3. Caso especial de lengua criolla es el _papiamento_ de Curazao e islas inmediatas, pertenecientes a Holanda a partir de 1634, aunque con breve dominio francés e inglés entre 1795 y 1802. A una base criolla africano-portu-
guesa se han añadido abundantes hispanismos como consecuencia de
haberse instalado en Curazao gentes numerosas procedentes de las Antillas españolas y de Venezuela. Finalmente el holandés, lengua oficial en los
tres siglos y medio últimos, ha dejado también su huella. El papiamento
(nombre que deriva de _papear_ 'parlotear, charlar', verbo corriente en portugués, pero usado ya por Berceo) se ha extendido a todas las clases sociales
curazoleñas, cuenta con prensa y tiene cultivo literario.[36]

33. _Diario del descubrimiento_, II, ed. M. Alvar, 1976, 97, 147, 162.

34. Ángel Rosenblat, _Un presunto africanismo: «macandá» 'brujeria'_, «Miscel. de Est.
dedic. al Dr. F. Ortiz», La Habana, 1956.

35. Véanse el citado libro de Manuel Álvarez Nazario, cap. III, y el de Humberto López Morales, _Estudio sobre el español de Cuba_, Madrid, 1971, 61-87.

36. La abundancia de elementos españoles hizo que R. Lenz no valorase debidamente
el fondo portugués (_El papiamento, la lengua criolla de Curazao_, Anales de la Univ. de Chile, 1926-27). Véanse Tomás Navarro [Tomás], _Observaciones sobre el papiamento_, Nueva
Rev. de Filol. Hisp., VII, 1953, 183-189, y H. L. A. Van Wijk, _Orígenes y evolución del pa-
piamento_, Neophilologus, XLII, 1958, 169-182. Resucita la tesis españolista J. P. Rona, _Ele-
mentos españoles, portugueses y africanos en el papiamento_, «Watapana», III, 3, Nimega,
1971. También son de interés los artículos de Germán de Granda, _Papiamento en Hispanoamérica (siglos XVII-XIX)_ [Venezuela, Cuba y Puerto Rico], Inst. Caro y Cuervo, Bogotá, 1973, y _El repertorio lingüístico de los sefarditas de Curaçao durante los siglos XVII y XVIII
y el problema del origen del papiamento_, Rom. Philol., XXVIII, 1974, 1-16.

§ 129. EL ANDALUCISMO DEL HABLA HISPANOAMERICANA.
EL SESEO (HISTÓRICAMENTE, CECEO)

1. El español que pasó a América, en los primeros tiempos de la colonización, no podía diferir mucho del que llevaron a Oriente los sefardíes. Pero mientras el judeo-español quedó inmovilizado por el aislamiento y bajo la presión de culturas extrañas, el español de América, que no perdió nunca su comunicación con la metrópoli, experimentó la mayoría de los cambios acaecidos en la Península. En primer lugar sufrió la transformación consonántica consumada en el siglo XVI. Las labiales /b/ y /v/, que todavía eran distintas en la pronunciación de algunos conquistadores y colonos de Chile,[37] se confundieron pronto. Las sibilantes sonoras /ẑ/, /-ż-/ y /ž/ (escritas respectivamente *z*, *-s-* y *g*, *j*) se ensordecieron y se confundieron con sus correspondientes sordas /ŝ/, /-ṡ-/ y /š/ (*c* o *ç*, *-ss-* y *x* gráficas); y la /ž/ y /š/ representadas con *g*, *j* y *x* dejaron su articulación prepalatal[38] y la retrajeron, como en España, más hacia dentro de la boca. Dentro de estas líneas generales, el español de América se separa del de Castilla en rasgos comunes con el del mediodía de España: el resultado de las cuatro sibilantes ápico-alveolares y dentales antiguas es un solo fonema, una /s/ de articulación muy varia, pero más cercana, en general, de la andaluza que de la /š/ castellana y norteña. En extensas zonas americanas la /-s/ implosiva se aspira y pasa por las mismas alteraciones ulteriores que en la mitad meridional de España. En la mayor parte de Hispanoamérica la /ḽ/ se ha deslateralizado y se ha fundido con la /y/. En el Caribe y costas del Pacífico se truecan, vocalizan o pierden la /-r/ y la /-l/ implosivas. Área parecida —no igual— tiene la pronunciación de la *j* como [h] aspirada. Por último, en el ambiente rústico de muchas regiones se aspira la [h] procedente de /f/ latina ([hárto] o [χárto], [hablár] o [χablár]).

37. Para los oídos araucanos sonaban de distinto modo la /b/ oclusiva de *nabo*, *cabra*, *beso*, *estribo* (> mapuche *napur*, *capra*, *pesitun* 'besar', *etipu/irtipu*) y la /v/ fricativa de *cavallo*, *llave* (> map. *cahuallu, llahuy*), véase R. Lenz, Bibl. de Dial. Hispanoam., VI, 246; pero las confusiones se dan desde los documentos más antiguos escritos en América.
38. Palatal era todavía cuando entraron en araucano préstamos como *ovicha* 'oveja', *achur* 'ajos', *acucha* 'aguja', *chalma* 'jalma', ant. *xalma* (R. Lenz, *ibid.*, 249), que representan con /ĉ/ la /ž/ o /š/ españolas inexistentes en araucano.

2. Esta serie de coincidencias ha hecho pensar desde antiguo en una fuerte influencia andaluza sobre el español de América. Sin embargo entre 1930 y 1952 hubo ilustres defensores de una tesis contraria, según la cual los fenómenos hispanoamericanos serían paralelos a los del mediodía español, pero no descendientes de ellos. Se creía entonces que las fechas del seseo y ceceo andaluces y las peninsulares del yeísmo, aspiración de la /-s/ y neutralización de /-r/ y /-l/ implosivas eran muy posteriores a las que hoy conocemos. Se argüía también que la conquista y colonización de Hispanoamérica no fueron obra exclusiva de andaluces, ni aun de andaluces y extremeños de manera predominante, sino que contribuyeron todas las regiones de España, en especial las dos Castillas y León, siendo asimismo considerable el número de vascos. Unas primeras estadísticas, las de Henríquez Ureña, parecían rotundamente favorables al antiandalucismo, pues arrojaban que en el siglo xvi los andaluces sobrepasaron en poco la tercera parte del total de emigrantes; reuniendo andaluces, extremeños y murcianos, la proporción llegaba al 49,1 %.[39] Un nuevo cómputo, que opera con una masa documental tres veces mayor que la de Henríquez Ureña y tiene en cuenta las variaciones de los porcentajes a lo largo del tiempo, ha cambiado por completo el aspecto de la cuestión: en los primeros años de la colonización, entre 1493 y 1508, el 60 % de los que pasaron a Indias eran andaluces; y en el decenio siguiente las mujeres del reino de Sevilla sumaron los dos tercios del elemento femenino emigrado.[40] Es decir, que durante el

---

39. P. Henríquez Ureña, *Sobre el problema del andalucismo dialectal de América*, Buenos Aires, 1932. Véase la bibliografía citada en nuestra n. 35 al § 72₃ y Guillermo L. Guitarte, *Cuervo, Henríquez Ureña y la polémica sobre el andalucismo de América*, Vox Romanica, XVII, 1958 (también en Thesaurus, XIV, 1959); *La constitución de una norma del español general: el seseo*, «El simposio de Indiana», Bogotá, 1967; *Seseo y distinción s/z en América durante el siglo XIX*, Románica, VI, 1973, 59-76; *Las supuestas tres etapas del seseo*, Aquila, III, 1976, 106-139; Á. Rosenblat, *El debatido andalucismo del español de América*, «El simposio de México», México, 1969, 149-190; M. Danesi, *The case for «andalucismo» re-examined*, Hispanic Review, XLV, 1977, 181-193; Maxim. P. A. M. Kerkhof, *Het 'andalucismo' van het Spaans in Amerika*, Nimega, Katholieke Univ., 1979, etc.

40. Peter Boyd-Bowman, *Índice geobiográfico de cuarenta mil pobladores españoles de América en el siglo XVI.* I (1493-1519), Bogotá, 1964; II (1520-1539), México, 1968; III (1540-1559) y IV (1560-1579), dispuestos para publicación; V (1580-1599), en preparación. Boyd-

período antillano se formó en las islas recién descubiertas un primer estrato de sociedad colonial andaluzada, que hubo de ser importantísimo para el ulterior desarrollo lingüístico de Hispanoamérica. Las sucesivas oleadas de pobladores no cambiaron la situación, pues entre 1520 y 1579 el porcentaje de andaluces superó el 33 % y las andaluzas mantuvieron holgada mayoría en la creciente emigración femenil. Entre las ciudades españolas Sevilla dio el máximo contingente, a gran distancia de las demás. Añádase que Sevilla y Cádiz monopolizaron durante los siglos XVI y XVII el comercio y relaciones con Indias. En un momento en que la pronunciación estaba cambiando rápidamente a ambos lados del Atlántico, Sevilla fue el paso obligado entre las colonias y la metrópoli, de modo que para muchos criollos la pronunciación metropolitana con que tuvieron contacto fue la andaluza.[40 bis] Finalmente hay que tener en cuenta el influjo canario, tanto en la contribución demográfica cuanto como enlace entre América y la Península.[41]

3. La revolución fonética del siglo XVI coincidió en América con la sedimentación de la lengua importada, que, generalizando o eliminando los diversos regionalismos, se encaminaba hacia un tipo común. Allí, los que procedieran de Toledo, Extremadura y Murcia distinguirían al principio las sibilantes ápico-alveolares /ś/ (*siete*, *passar*) y /ź/ (*casa*, *peso*) entre sí y en oposición a las dentales /ŝ/ (*cinco*, *caçar*) y /ẑ/ (*hazer*, *vezino*), también diferenciadas una de otra. Castellanos viejos, montañeses, asturianos, gallegos

---

Bowman ha ido anticipando resultados de su investigación: *Regional origins of the earliest Spanish colonias of America*, PMLA, LXXI, 1956, 1152-1172; *La emigración peninsular a América: 1520-1539*, Historia Mexicana, XIII, 1963, 165-192; *La procedencia de los españoles de América*, *ibid.*, 1967, 37-71; *La emigración española a América: 1560-1579*, «Studia Hispanica in hon. R. L.», II, 1974, 123-147, y *Patterns of Spanish Emigration to the New World (1493-1580)*, State Univ. of New York at Buffalo, 1973.

40 bis.   Sobre la presencia de Sevilla en la mente de los colonizadores de América en el siglo XVI, véase Manuel Alvar, *Sevilla, macrocosmos lingüístico*, «Est. filol. y ling. Homen. a A. Rosenblat», Caracas, 1974, 13-17 y 35-39.

41.   José Pérez Vidal, *Aportación de Canarias a la población de América*, Anuario de Est. Canarios, 1955, 91-197; Manuel Álvarez Nazario, *La herencia lingüística de Canarias en Puerto Rico*, S. Juan de P. R., 1972; Germán de Granda, *Un caso más de influencia canaria en Hispanoam. (Brujería «isleña» en Cuba)*, Rev. de Dial. y Trad. Pop., XXIX, 1973, 155-162, etc.

y leoneses habrían eliminado las sonoras, pero opondrían su /š/ ápico-alveolar sorda de *siete*, *passar*, *casa*, *peso* a la dental (o ya interdental /θ/) de *cinco*, *caçar*, *açer*, *vecino*. Los vascos sesearían con /š/ o cecearían con /ṣ/.[41 bis] Y los andaluces eliminarían las alveolares reemplazándolas por las dentales /ṣ/ y /ẓ/, distinguiendo primeramente, como en el judeo-español, la sorda /ṣ/ ([ṣjéte], [paṣár], [ṣínko], [kaṣár]) de la sonora /ẓ/ ([káẓa], [péẓo], [haẓér], [veẓíno]); después quedó sólo la articulación sorda. La variedad no suponía, como en la Península, repartición geográfica, sino mezcla y anarquía, ya que en cada punto se reunían gentes de distinto origen. La convivencia niveló los particularismos generalizando la reducción de las cuatro sibilantes históricas a un solo fonema, /s/ convexa ([ṣ]) o plana ([s̄]), no cóncava como la /š/ del norte y centro peninsulares.[42] Ya vimos (§ 92₅) cómo esta solución, extensión atlántica de la andaluza, se documenta profusamente en el Nuevo Mundo desde 1521 y 1523. Más tarde, la antología titulada *Flores de varia poesía* (México, 1577), ofrece en su manuscrito original *cerenos*, *ançias*, *auzente* junto a *sierva* 'cierva', *asertaste*, *alcansaste*; bien es verdad que en ella predominan los líricos sevillanos, lo que hace suponer fuera recogida por un andaluz. Pero no es forzosa tal hipótesis, ya que el poeta Fernán González de Eslava, nacido al parecer en Tierra de Campos, escribe de su puño y letra en México (1574) *mez* 'mes', *desiséis*, *profeçión*, *concejo* 'consejo', e iguala en sus rimas *s* y *z* finales, alguna vez intervocálicas.[42 bis] Eslava hubo de contagiarse del seseo-ceceo en el Nuevo Mundo; el contagio era inevitable cuando conquistadores y emigrantes no castellanos convivían en las travesías o en tierra firme con gentes como aquellos tres

---

41 bis. Véase María Teresa Echenique Elizondo, *Los vascos en el proceso de nivelación lingüística del español americano*, Rev. Esp. de Ling., X, 1980, 177-188.

42. Véase D. L. Canfield, *La pronunciación del esp. en Amér.*, 66-69, 78-81 y mapa II. La /š/ ápico-alveolar cóncava subsiste en el departamento colombiano de Antioquia y en una zona interior de Puerto Rico (T. Navarro, *El esp. en P. R.*, 68-70). No está confirmada la noticia (Rev. de Filol. Hisp., III, 1941, 164) de que sea ápico-alveolar la /s/ de la sierra peruana.

42 bis. Margit Frenk (Anuario de Letras, XXVII, 1989, 256-262) pone en duda que González de Eslava procediera de Tierra de Campos; hace notar que de ordinario conservó la distinción entre las sibilantes sordas y las sonoras, como en el habla toledana; y advierte también que habitualmente distingue *s* y *z*, aunque incurra en las confusiones arriba indicadas.

pilotos con quienes hizo Bernal Díaz del Castillo uno de sus viajes: «el más prencipal... se dezía Antón de Alaminos, natural de Palos, y el otro se dezía Camacho de Triana, y el otro... se llamava Joan Álvarez el manquillo, natural de Güelva», o como aquel capitán Luis Marín, natural de Sanlúcar, que «çeçeaba un poco como sebillano».[43] En Nueva Granada hay constancia de un capitán y un fraile castellanos viejos y de un predicador aragonés que a fines del siglo XVI o ya en el XVII contrajeron allí el ceceo, documentado en aquel reino desde 1558 y practicado en 1586 por indios que muy probablemente habían aprendido el castellano con tal pronunciación.[44] Hacia 1600 el cronista peruano mestizo Felipe Huaman Poma de Ayala escribe *comienso, ací* 'así', *corasones, seremonias, tezorero, fiezta, zueños, zoberbia*, etc.[45] Tras esta abundancia de testimonios no puede sorprender que en 1688 el historiador Lucas Fernández Piedrahita escriba *maís, maisal, siénaga* y diga de los habitantes de Cartagena de Indias que «mal disciplinados en la pureza del idioma español, lo pronuncian generalmente con aquellos resabios que siempre participan de la gente de las costas de Andalucía». Hacia la misma fecha, la escritora mexicana sor Juana Inés de la Cruz equiparaba eses y zetas en algunas de sus rimas.

4. Otro de los argumentos que con más insistencia se ha esgrimido contra el andalucismo en el tratamiento hispanoamericano de las sibilantes señalaba como propio de América el *seseo*, entendido como pronunciación de *c* y *z* con [s] convexa o plana, mientras consideraba ajeno a la dicción americana el *ceceo* o pronunciación de la *s* con una sibilante parecida a la [θ]. Hoy sabemos que tanto el llamado seseo andaluz —idéntico al hispanoamericano— como lo que modernamente se entiende por ceceo

---

43. En ediciones y reimpresiones anteriores de la presente *Historia de la l. e.* atribuí a Bernal Díaz del Castillo la absoluta confusión de eses con ces, cedillas y zetas en el manuscrito de Guatemala de su *Historia verdadera*, que creí totalmente autógrafo (*sertificaba, abonansó ençenada, vaçallo, apasible, pueblesuelo, payzes, quizo, zuelo*, etc.); pero José Antonio Barbón Rodríguez, cuya excelente edición de la obra está próxima a salir, me advierte que tales confusiones no se producen en la parte autógrafa del manuscrito.

44. Olga Cock Hincapié, *El seseo en el Nuevo Reino de Granada*, 1550-1650, Bogotá, 1969, 138-139.

45. D. L. Canfield, *Spanish American Data for the Chronology of Sibilant Changes*, Hispania, XXXV, 1952, 28, y *La pronunc. del esp. en América*, 67.

son meras variedades de lo que desde el punto de vista histórico no es sino ceceo, pronunciación de las antiguas *s* y *ss* alveolares con articulaciones propias de *ç* y *z* dentales.[46] Pero la objeción carece de fundamento aun dando a «ceceo» el mismo sentido que los objetantes, pues aunque menos extendida que en la Andalucía occidental, la sibilante ciceada se ha reconocido en diversos puntos de Puerto Rico y Colombia, así como en zonas rurales de la Argentina; es frecuente en El Salvador y Honduras, muy común entre las clases populares de Nicaragua y bastante en las costas de Venezuela.[47]

§ 130. OTROS MERIDIONALISMOS PENINSULARES EN EL ESPAÑOL DE AMÉRICA

1. El hallazgo de unas 600 cartas de españoles que, instalados en las Indias, querían llevar allá a sus mujeres u otros parientes ha anticipado de manera sensacional las primeras dataciones americanas de fenómenos que se creían mucho más tardíos. Están escritas en su mayor parte por andaluces de escasa cultura y proceden de las más diversas regiones de la América virreinal. Las que hasta ahora se han citado como de interés por sus andalucismos van del año 1549 al 1635.[48] La búsqueda en otras colecciones documentales ha contribuido también a anticipar testimonios.[49] Paralelamente la investigación española ha documentado, para todos estos fenómenos, precedentes en el mediodía peninsular, algunos de los cuales remontan a los siglos x y xii. Aunque en el capítulo XIII (§§ 92$_7$ y 93) dimos cuenta de

---

46. Véanse §§ 72$_2$, 92$_5$ y 122$_2$.

47. T. Navarro, *El esp. en Puerto Rico*, 69; L. Flórez, *La pron. del esp. en Bogotá*, Bogotá, 1951, § 87; D. L. Canfield, Hispania, XXXVI, 1953, 32-33, y *La pronunciación del esp. en América*, 78-81; B. E. Vidal de Battini, *El esp. de la Argentina*, 68; y Heberto Lacayo, *Apuntes sobre la pronunciación del esp. de Nicaragua*, Hispania, XXXVII, 1954, 268.

48. Peter Boyd-Bowman, *A Sample of sixteenth century 'Caribbean' Spanish Phonology*, «1974 Colloquium on Spanish and Portuguese Linguistics», Georgetown Univ. Press, 1975.

49. Así los artículos de Claudia Parodi de Teresa sobre las sibilantes y el yeísmo (§§ 92$_5$, nota 19 bis, y 93$_1$, nota 34).

los nuevos datos sobre su aparición escrita en América, hay que relacionarlos ahora con los registrados en el habla actual por la dialectología hispanoamericana y buscar solución para los contrastes que surjan.

2. El yeísmo es el rasgo meridional español que en América tiene extensión más cercana a la del seseo, aunque sin llegar a generalizarse como éste. Atestiguado en España desde la época mozárabe, en México desde 1527, en el Cuzco desde 1549, etc. (§ 93₁), motivó a fines del siglo XVII composiciones humorísticas del poeta Juan del Valle Caviedes, natural de Porcuna (Jaén), pero radicado en Lima. Durante algún tiempo se creyó ver en ellas el primer testimonio del yeísmo hispánico; hoy su interés lingüístico se limita a probar que *Inesiya, hayo, bosquejayo, maraviya* suscitaban ultracorrecciones *aller, ballo, desmallo*, seguramente no sólo gráficas entonces. En la actualidad la /ʎ/ es de uso normal y prestigioso en una franja interior de Colombia que comprende las ciudades de Bogotá y Popayán; persiste —apoyada por influjo de las lenguas indígenas, como ya se ha dicho (§ 127₆)— en la parte sur de la sierra ecuatoriana, en amplias zonas de las tierras altas y costa meridional del Perú, casi toda Bolivia, parte de las provincias argentinas de San Juan y la Rioja, y, además, en las limítrofes con el Paraguay y en todo este país donde connota independencia frente al yeísmo rehilado porteño;[49 bis] en el sur de Chile quedan focos aislados. En el norte y centro de la sierra ecuatoriana la /ʎ/ no se articula como fricativa lateral, sino central rehilada, [ẙ] o [ž] mediopalatal; el rehilamiento la distingue de la /y/, oponiendo *caže* 'calle', *estreža* 'estrella' a *mayo, saya*, con /y/ sin rehilar; en la pronunciación vulgar la [ž] llega a ensordecerse en [š]. La oposición entre /ž/ (< /ʎ/) y /y/ se da también en la provincia argentina de Santiago del Estero.

En las regiones yeístas el resultado común de /ʎ/ y /y/ ofrece variantes: aparte de la [y] fricativa normal, existe otra más abierta, cercana a la [i̯] semivocal y [j] semiconsonante, que en Nuevo México, norte y sur de México y gran parte de América Central llega a desaparecer entre vocales, sobre todo en contacto con /í/ acentuada (*gayina > gaína, siya > sía*), pero también

49 bis.   Germán de Granda, *Factores determinantes de la preservación del fonema /ʎ/ en el español del Paraguay*, Lingüística Esp. Actual, I, 2, 1979, 403-412 (también en *El español del Paraguay*, 13-23).

en *detae* 'detalle', *ceboa* 'cebolla', etc.; en San Luis (Argentina), *arroíto*, *medaíta*, *semía*, *cuchío*, *estrea*, *aqueo* y muchos más; la pérdida se registra aisladamente en otros puntos. El refuerzo con rehilamiento se da en Oaxaca (México) y es general y característico del Río de la Plata (Uruguay y provincias argentinas de Entre Ríos, Santa Fe, Buenos Aires, La Pampa y todas las meridionales); el prestigio de Buenos Aires lo irradia hacia el interior, extendiéndolo a ciudades como Tucumán, Salta y Jujuy. Ya existía a fines del siglo XVIII y durante el XIX hay repetidos testimonios de él, entre otros el del célebre arqueólogo francés Maspero (1872). Junto a la [ž] sonora de la dicción porteña consolidada, está cundiendo con pujanza creciente la sorda [š] (*caše* 'calle', *ašer* 'ayer').[50]

3. La /-s/ final de sílaba o palabra se mantiene con fuerte silbo y tensión en el norte y meseta mexicanos, en regiones altas de América Central, Colombia y Ecuador, casi todo el Perú, la mayor parte de Bolivia y, dentro de Argentina, en zonas de las provincias de Jujuy, Salta y Santiago del Estero; la influencia culta ha impuesto como norma en Buenos Aires y provincias

50. Véanse Amado Alonso y Ángel Rosenblat, Bibl. de Dial. Hispanoam., I, 192 n.; P. Henríquez Ureña, *ibid.*, IV, 352-353; A. Zamora Vicente, *Rehilamiento porteño*, Filología, I, 1949, 5-22; Berta Elena Vidal de Battini, *El habla rural de San Luis*, Buenos Aires, 1949, 47, y *El español de la Argentina*, Bs. As., 1954, 70-74 (2.ª ed., 1964, 126-131); Amado Alonso, *La ll y sus alteraciones en España y América*, «Est. ded. a M. Pidal», II, Madrid, 1951, 41-89 (después en *Estudios lingüísticos. Temas hispanoam.*, Madrid, 1953, 196-262); Luis Flórez, *La pronunc. del esp. en Bogotá*, Bogotá, 1951, §§ 115-121; P. Boyd-Bowman, *Sobre restos de lleísmo en México*, Nueva Rev. de Filol. Hisp., VI, 1952, 69-74, y *Sobre la pronunciación del esp. en el Ecuador*, *ibid.*, VII, 1953, 221-233; H. Toscano Mateus, *El esp. en el Ecuador*, Madrid, 1953, 99-105; G. L. Guitarte, *El ensordecimiento del teísmo porteño*, Rev. de Filol. Esp., XXXIX, 1955, 261-283, y *Notas para la historia del yeísmo*, «Sprache und Geschichte. Festsch. f. H. Meier», Múnich, 1971, 178-198; Á. Rosenblat, *Las generaciones argentinas del siglo XIX ante el problema de la lengua*, Rev. de la Univ. de Buenos Aires, 5.ª época, V, 1960; D. L. Canfield, *La pronunc. del esp. en América*, Bogotá, 1962, 85-87; Juan M. Lope Blanch, *Sobre el rehilamiento de ll/y en México*, An. de Let., VI-VII, 1966-67, 43-60; M.ª Beatriz Fontanella de Weinberg, *El rehilamiento bonaerense a fines del siglo XVIII*, Thesaurus, XXVIII, 1973, y *Dinámica social de un cambio lingüístico. La reestructuración de las palatales en el español bonaerense*, México, 1979; José A. Barbón Rodríguez, *El rehilamiento*, Phonetica, 31, 1975, 81-120, y *El rehilamiento: descripción*, Íd., 35, 1978, 185-215; Clara Wolf y Elena Jiménez, *El ensordecimiento del yeísmo porteño, un cambio fonológico en marcha*, «Estudios lingüísticos y dialectológicos. Temas hispánicos», París, 1979, 115-145, etc.

del sur una /-s/ menos tensa, aunque en ambientes populares abunden la aspiración o la pérdida, desestimadas en otros niveles sociales.[51] En Chile la /-s/ final de sílaba «es comúnmente semiaspirada en el habla culta», que la aspira muchas veces, «y del todo aspirada o muda en la lengua popular».[52] En el resto de Hispanoamérica es general la aspiración (*ehcuela, bohque, otroh*), que se asimila con frecuencia a la consonante siguiente (*mihmo* > [mím̥mo] o [mímmo]) y a veces le quita sonoridad (*rehbalar* > [r̄eφφalár] > [r̄eφalár], *máh barato* > *má farato, dihguhto* > *dihuhto* o [diχúhto], etc.).[53] Cuando la aspiración desaparece en final de palabra, la distinción entre singular y plural o entre la segunda y tercera personas verbales se hace en algunos países o regiones con igual procedimiento que en andaluz oriental y murciano, esto es, mediante diferencias de timbre y duración en las vocales finales; el hecho se ha registrado hasta ahora en Puerto Rico (sing. *campo* frente a *campọ* 'campos'; *dise* 'dice' frente a *disẹ* 'dices'), en los Llanos de Bolivia y en Uruguay (*libro, diente*, sing., *librọ, dientẹ*, pl.; o bien *todo, la casa*, sing., frente a *todo:, la: casa:*, pl.), pero seguramente se encontrará en otras áreas.[54] Como en el seseo y el yeísmo, la prioridad en documentar alteraciones de la /-s/ corresponde a España con el *Sofonifa* de Fernando Colón, que obliga a suponer larga evolución previa; en América están registradas desde 1556 (v. § 93₃).

En Nuevo México, Colombia y entre las capas sociales inferiores de Chile y de otros países, la sustitución de /-s/ por aspiración se propaga a la /-s-/ intervocálica (*pahar* 'pasar', *cahah* 'casas', *nohotroh* 'nosotros') y a la inicial (*hiempre* 'siempre'), como en las hablas rurales de la Sierra de Gata cacereña y ocasionalmente en Andalucía (*cahíno* 'casino', *eho* 'eso').

---

51. Berta Elena Vidal de Battini, *El esp. de la Argentina*, 2.ª ed., 1964, 108; M.ª Beatriz Fontanella de Weinberg, *Comportamiento ante -s de hablantes femeninos y masculinos del español bonaerense*, Rom. Philol., XXVII, 1973, 50-58, y *Un aspecto sociolingüístico del español bonaerense: la -s en Bahía Blanca*, Cuadernos de Lingüística, Bahía Blanca, 1974.

52. R. Oroz, *La lengua castellana en Chile*, 1966, 101.

53. T. Navarro, *El esp. en Puerto Rico*, 71-74; L. Flórez, *La pron. del esp. en Bogotá*, §§ 88-91; B. E. Vidal de Battini, *El habla rural de San Luis*, 41-44; Washington Vázquez, *El fonema /s/ en el esp. del Uruguay*, Montevideo, 1953; Oroz, *op. cit.*, 102-108.

54. T. Navarro, *op. cit.*, 44, 46, 48; W. Vázquez, *op. cit.*; Dora Justiniano de la Rocha, *Apuntes sobre la interferencia fonológica de las leng. indígenas en el esp. de Bolivia*, «Actas III Congr. ALFAL», 1976, 161.

4. La neutralización de /-r/ y /-l/ implosivas o su omisión se encuentran atestiguadas en España desde los siglos xII y xv y en América desde 1525 y 1560 respectivamente. Pese a la riqueza de ejemplos antiguos, estos fenómenos no constituyen hoy rasgo general del español americano: alcanzan principalmente a territorios insulares y costeños, dejando libre el interior de México, del Ecuador y del Perú, Bolivia y Argentina (salvo la región del Neuquén, de rasgos fonéticos chilenos, donde en el habla rural se oyen *argún*, *arguien*, *úrtimo*). Como en España, hay repartición geográfica de variedades, o al menos de preferencias por unas u otras: dentro de la inseguridad de las informaciones, parece que en la costa del Pacífico prevalece el paso de /-l/ a [-r] más o menos relajada (*argo*) y escasea el inverso (*calbón*), favorito en las Antillas. Sin embargo en Cuba ha habido juegos de palabras como «un hombre de malas *purgas*» y en la pronunciación vulgar chilena se dan *olol*, *mujel*, *querel*. La pérdida en final de palabra se prodiga en todas las regiones confundidoras (*comprá*, *confesá*, *coló*, *Migué*); en los infinitivos es muy frecuente en la guaranítica. La vocalización en [i̯], registrada en Cuba, Santo Domingo, Puerto Rico y Colombia (*cuai* 'cual', *vueivo* 'vuelvo', *taide* 'tarde', *poique* 'porque', *aiguien* 'alguien') figura ya en Lope de Rueda y se encuentra en Murcia, Andalucía y Canarias.[55]

5. La pronunciación de *x* y *g*, *j* antiguas como [h] aspirada consta en España desde 1519 y en América desde 1558, según ya vimos (§ 92₇). Hoy es norma en las Antillas, Nuevo México, extremo norte de México y parte septentrional de la península de California, costas mexicanas del este y sur, Yucatán, América Central, Panamá, Colombia, Venezuela, costa del Ecuador y litoral norteño del Perú.[56] El resto de Hispanoamérica pronuncia una [χ] menos velar que la castellana, postpalatal [χ̟] o mediopalatal [ɏ] ante /e/, /i/ (v. § 127₄). La [h] aspirada procedente de /f/ se conserva con mayor o menor intensidad y en variable número de casos en el español vulgar y rústico de toda América. Su pronunciación se atiene a la de la *j*: [huír], [hámbre], [heđér] donde son normales [huṇtár], [dehár], [héṇte], pero

55. Para los ejemplos antiguos españoles y americanos, v. § 93₂; para la situación actual, Amado Alonso y Raimundo Lida, *Geografía fonética: -l y -r implosivas en español*, Rev. de Filol. Hisp., VII, 1945, 313-345; Berta Elena Vidal de Battini, *El esp. de la Argentina* (1964), 111; R. Oroz, *La lengua cast. en Chile*, 110, 195, etc.

56. D. L. Canfield, *La pronunc. del esp. en América*, 81-82 y mapa III.

[χuír], [χámbre] o [χ́ámbre], [χ́eđér] o [y̆eđér] donde se dice [χuɳtár], [de-χár] o [deχ́ar], [χ́éɳte] o [y̆éɳte].⁵⁷

6. De lo expuesto se desprende que en las Antillas y región del Caribe es donde más se estrechan las semejanzas fonéticas con el habla de Andalucía, sin duda como consecuencia del predominio migratorio andaluz durante el siglo XVI⁵⁸ y de la continua relación con Canarias. Más difícil se presenta la cuestión en el continente: el habla de las altiplanicies se aproxima a la de Castilla mucho más que la de los llanos y costas, donde están más acentuadas las semejanzas con Andalucía; en las mesetas, como se ha indicado, subsiste la /-s/ implosiva, no se confunden ni pierden /-r/ y /-l/ finales de sílaba o palabra y, salvo en Colombia y América Central, la *j* se pronuncia fricativa oral, no aspirada faríngea. Para explicar esta repartición se ha supuesto que los castellanos se instalarían en las tierras altas, mientras que los andaluces y canarios preferirían las llanuras y el litoral, buscando unos y otros el clima más afín al de las regiones españolas de donde procedían. En tanto no se encuentre confirmación histórica para tal posibilidad,⁵⁹ hay que pensar en el efecto lingüístico de la doble visita anual de la flota que salía de puertos andaluces y a ellos regresaba; y sobre todo en el influjo cultural de las ciudades de México y Lima, importantes centros de la vida universitaria y administrativa durante la época colonial.⁶⁰

57. Tomás Navarro, *El esp. en Puerto Rico*, 62-67, y *The old aspirated «h» in Spain and in the Spanish of America*, Word, V, 1949, 166-169; L. Flórez, *La pronunciación del esp. en Bogotá*, §§ 84-85; R. Oroz, *La lengua casi. en Chile*, 126, etc.

58. Según las estadísticas de Boyd-Bowman (*Patterns*, 86-88) el porcentaje de andaluces que pasaron a Santo Domingo subió del 45,6 en 1520-1539 al 47,5 en 1540-1559 y al 55 en 1560-1579; el de los instalados en Cuba, del 41 en 1520-1539 al 46,7 en 1560-79; y el de los destinados a Panamá, del 33 en 1520-1539 al 48,2 en 1540-1559 y al 59,9 en 1560-1579. Téngase en cuenta, además, que la mayoría de los emigrantes canarios no figuran en la documentación sevillana sobre pasajeros a Indias, y que las Antillas y Venezuela fueron su asiento preferido.

59. Las estadísticas de Boyd-Bowman dan los porcentajes de emigrantes de cada región española a cada región americana durante cada veinte años desde 1519 hasta 1579; incluso especifican cuántos tuvieron como destino las grandes ciudades (México, Lima, El Cuzco, Santiago de Chile, La Asunción); pero no cuántos se establecieron duraderamente en unas y otras comarcas.

60. R. Menéndez Pidal, *Sevilla frente a Madrid* (v. nuestro § 72₃, n. 35), 140-165.

Ya en 1604, Bernardo de Balbuena alaba la dicción de México, «donde se habla el español lenguaje / más puro y con mayor cortesanía»; la comedia urbana de Ruiz de Alarcón es ejemplo de corrección y refinamiento. La influencia de Lima se extendió a todo el virreinato peruano, del que formaba parte Bolivia. Añádase que, como en estas comarcas abundaba la población india, la cual usaba sus lenguas nativas, el español debió de hacerse allí aristocrático y purista, mientras que en las llanuras la vida dispersa y ruda de los colonizadores favoreció su divorcio del lenguaje correcto.

§ 131. POSIBLES DIALECTALISMOS DEL ESPAÑOL NORTEÑO
EN AMÉRICA

Las coincidencias fonéticas del español americano con dialectos peninsulares norteños no alcanzan a un conjunto de fenómenos comunes, como sucede con los meridionalismos, ni cuentan con tan fuertes apoyos para establecer relación de dependencia. Sin embargo parece significativo el caso de las articulaciones asibiladas de *r* y *rr* ([ř] y [ř̄]), así como la del grupo /tr/, pronunciado como una africada con oclusión alveolar a la que sigue una [ř] fricativa y sorda: todo ello se da en la Rioja española, Navarra y Vascongadas (§ 118₄), y en diversas zonas americanas. La más extensa y continua comprende Chile, el interior y norte de la Argentina, oeste de Bolivia, con entrantes en el sur del Perú, y el dominio guaranítico, con su centro en el Paraguay.[61] Dentro de esta amplia zona está la provincia argentina de la Rioja, cuya capital fue fundada en 1591 por el gobernador de Tucumán Juan Ramírez de Velasco con el nombre de Todos los Santos de la Nueva Rioja; uno de sus ríos es el Rioja, y una de sus sierras, la de Velasco.[62] No debe olvidarse que en Chile fue alta la proporción de castellanos viejos; en-

61. D. L. Canfield, *La pronunciación del esp. en Amér.*, 87-89 y mapa VII; Antonio Quilis y Ramón B. Carril, *Análisis acústico de* [ř] *en algunas zonas de Hispanoamérica*, RFE, LIV, 1971, 271-316; G. Perisinotto, *Distribución demográfica de la asibilación de vibrantes en el habla de la ciudad de México*, Nueva Rev. de Filol. Hisp., XXI, 1972, 71-79, y José G. Moreno de Alba, *Frecuencias de la asibilación de /r/ y /rr/ en México*, ibid., 363-370.
62. Véanse el *Diccionario geográfico* de Alcedo y el *Dicc. de la República Argentina* de Juan Pinto, Buenos Aires, 1950.

tre 1540 y 1559, sumados a los vascos, superaron el número de los andalu-ces.[63] Por lo que respecta al Paraguay, los más destacados y prestigiosos de sus primeros colonizadores parecen haber sido castellanos viejos y vascos; su dicción puede muy bien haber sido el punto de partida de la /l̮/ a que tanto apego tiene el español paraguayo y que no existe en guaraní; y de su sintaxis puede también arrancar el leísmo normal en aquel país, excep-ción casi única en el uso pronominal hispanoamericano.[64] En Vasconga-das, Navarra, Castilla la Vieja, Rioja y Aragón tienen gran arraigo los vulgarismos *cáido*, *páis*, *máestro*, *pior*, *tiatro*, *cuete*, tan extendidos por toda la América continental y menos en las Antillas,[65] donde el andalucismo es más intenso.

§ 132. EL VOSEO. ELIMINACIÓN DE «VOSOTROS»

1. Como ya se ha dicho (§ 95₄), en la España del 1500 *tú* era el tratamiento que se daba a los inferiores, o entre iguales cuando había máxima intimidad; en otros casos, aun dentro de la mayor confianza, se hacía uso de *vos*. Al ge-neralizarse *vuestra merced* > *usted* como tratamiento de respeto, *tú* recobró terreno a costa de *vos* en el coloquio familiar, hasta eliminarlo durante el si-glo XVII y quizá parte del XVIII. Las cortes virreinales adoptaron y difundie-ron estos cambios en las formas de trato social, que hoy son las únicas vigen-tes en casi todo México, en la mayor parte del Perú y Bolivia y en las Antillas, donde influyó la acción cultural de la Universidad de Santo Domingo, así como la mayor duración de la dependencia política respecto a España.[66] Pero en Argentina, Uruguay, Paraguay, América Central y el estado mexicano de

---

63. Boyd-Bowman, *Patterns*, 56-57.

64. Germán de Granda, *El español del Paraguay*, Asunción, 1979, 14 y 35. Para el con-tingente vasco en la colonización de América, v. María Teresa Echenique, art. cit. en n. 41 bis. Los datos de Boyd-Bowman (*Patterns*, 35) son en este caso, según él mismo declara, incom-pletos, y no tienen en cuenta la calidad prestigiosa de los dirigentes.

65. Amado Alonso, *Problemas de dialectol. hispanoam.*, Bibl. de Dial. Hispanoam., I, 1930, 317-345.

66. En Cuba existió voseo en Camagüey y Bayamo, según atestigua Pichardo en 1836; pero en 1875 añade que estaba reduciéndose a «un corto número del vulgo». Exploracio-

Chiapas domina el *vos* en la conversación familiar con intensa y espontánea vitalidad; en Panamá, Colombia, Venezuela, Ecuador, Chile, zonas norteñas y sur del Perú, así como en el sur de Bolivia, alternan *tú* y *vos*.[67]

2. *Vos* concuerda ordinariamente con formas verbales que en su origen fueron de plural: imperativos sin *-d* final (*cantó, poné, vení*), usados en España hasta el siglo XVII, y presentes de indicativo sin diptongo en la desinencia (*andás, tenés*,[67bis] *salís, sos*), desechados aquí durante el XVI; pero con el verbo siempre en singular hay *vos tienes, vos sabes* en el norte del Perú y, alternando con el plural, en Bogotá, Ecuador y Chile. En el presente de subjuntivo se vacila entre *vos salgás, vos soltés* y *vos salgas, vos sueltes, vos puedas*, matizados en el uso bonaerense;[67ter] en el futuro contienden *vos sabrés* y *vos sabrás*, en el perfecto *vos matastes*[68] y *vos mataste*; y existen multitud de

---

nes recientes no han encontrado restos ya (Humberto López Morales, *Estudio sobre el esp. de Cuba*, 1971, 136-142).

67. Véanse Eleuterio F. Tiscornia, *La lengua de «Martín Fierro»*, Bibl. de Dial. Hispanoam., III, 1930, 120-136, 289 y mapa del voseo; Ch. E. Kany, *American Spanish Syntax*, Chicago, 1945, 55-91; Ángel Rosenblat, *Lengua y cultura de Venezuela. Tradición e innovación*, Univ. Central de Venezuela, [1955], 11, y *Buenas y malas palabras*, I, Caracas-Madrid, 1969, 20; José Pedro Rona, *El uso del futuro en el voseo americano*, Filología, VII, 1961, 121144, y *Geografía y morfología del «voseo»*, Pôrto Alegre, 1967; María Isabel de Gregorio de Mac, *El voseo en la literatura argentina*, Univ. Nac. del Litoral, Santa Fe, 1967; Alonso Zamora Vicente, *Dialectología española*, 2.ª ed., Madrid, 1967, 400-410; R. Lapesa, *Las formas verbales de segunda persona y los orígenes del «voseo»*, «Actas III Congr. Intern. de Hisp. (1968)», México, 1970, 519-533, y *Personas gramaticales y tratamientos en español*, «Homenaje a Menéndez Pidal», IV, Rev. Univ. de Madrid, XIX, n.º 74, 1970, 141-167; M. Beatriz Fontanella de Weinberg, *La evolución de los pronombres de tratamiento en el español bonaerense*, Thesaurus, XXV, 1970; *El voseo en Buenos Aires en las dos primeras décadas del siglo XIX*, Bogotá, 1971, y *Analogía y confluencia paradigmática en formas verbales de voseo, ibid.*, 1976; Germán de Granda, *Las formas verbales diptongadas en el voseo hispanoamericano. Una interpretación sociohistórica de datos dialectales*, Nueva Rev. de Filología Hispánica, XXVII, 1978, 80-92 (también en *Estudios lingüísticos hispánicos, afrohispánicos y criollos*, Madrid, 1978, 118-138); *Observaciones sobre el voseo en el español del Paraguay*, Anuario de Letras, XVI, 1978, 265-272 (también en *El español en el Paraguay*, 73-81).

67 bis. O *tenís, ponís*, por *tenés, ponés*.

67 ter. M.ª Beatriz Fontanella de Weinberg, *La oposición «cantes» / «cantés» en el español de Buenos Aires*, Thesaurus, XXXIV, 1979, 72-87.

68. Continuación del uso español clásico (§ 96₂); en el lenguaje familiar americano no entró el paso *-stes* > *-steis* en las desinencias del perfecto. Donde prevaleció el tratamiento

formas ambivalentes que en el español general moderno pertenecen exclusivamente al singular (*das, des; estás, estés; vas; ves; eras, cantabas, ibas, tenías, pudieras, querrías*, etc.), pero que en la América voseante son resultado conjunto del singular y de los antiguos plurales *da(d)es, de(d)es, esta(d)es, este(d)es, va(d)es, ve(d)es, éra(d)es, cantáva(d)es, íva(d)es, tenía(d)es, pudiéra(d)es, querría(d)es* (v. § 96₂). Quedan formas con diptongo desinencial (*tenéi(s), hablái(s), pondréi(s), comíai(s), vierai(s)*, etc.) en islotes de Colombia, en un área extensa al noroeste de Venezuela y en Chile (*vos tomái(s), comíai(s), comierai(s)*), reliquias hoy vulgares de un uso que antaño debió de ser el más distinguido. El mantenimiento de *vos* no va acompañado por el de *os* y *vuestro*, que han desaparecido en América: al *vos* nominativo y término de preposición corresponden *te* como pronombre afijo y *tuyo, tu* como posesivos (*vos te volvés, vos tomás tu dinero, guardáte lo que es tuyo, sentáte*).

3. La génesis del voseo americano es complicada. En el español medieval se da con frecuencia el paso del tratamiento de *vos* al de *tú*, o viceversa, en una misma frase o en frases inmediatas: en el *Cantar de Mio Cid* se encuentra ya «mientra que *visquiéredes* bien se fará lo *to*» 'mientras vivíereis, lo tuyo saldrá bien', con verbo en plural y posesivo de un poseedor, antecedente del primer ejemplo americano conocido, que es un «*façételo* vos» de Bernal Díaz del Castillo. Hasta el siglo XVIII abundan cambios como el del *Amadís* «*vos* digo que si *quieres* fazer como *dezís*...». También hay en España durante la Edad Media y siglo XVI casos en que *vos* concuerda con formas verbales equívocas («*dam* ['dadme'] *vos*», en Juan Ruiz; «*vos*, que *eras* tan bueno» en la *Demanda del Santo Grial*). Pero en España desaparecieron las ambigüedades con la generalización de *dad, erais, ibais, cantabais, teníais, pudierais, querríais*, mientras que en las regiones americanas alejadas de las cortes virreinales se impusieron *dame vos, vos eras, vos ibas*, etc., de igual modo que se formó un solo paradigma pronominal con *vos, te, tuyo*. En España, el puntilloso cuidado por distinguir matices de tratamiento impidió que las confusiones entre *tú* y *vos* llegaran a crear norma; en la joven sociedad colonial prevaleció un sentido más igualitario.[69]

---

de *tú*, la /s/ interior de *comiste, mataste* pasa a final, *comites, matates*, como en mozárabe, andaluz y judeo-español (§§ 116₇, n. 8 y 122₆).

69. Trato más extensamente de todo ello en el artículo *Las formas verbales*..., citado en la nota 67.

4. Como el andaluz occidental y el canario, el español de toda América ha eliminado la distinción entre *vosotros* y *ustedes*, empleando *ustedes* tanto para el tratamiento de respeto como para el de confianza. La diferencia con Andalucía estriba en que en América el verbo está siempre en tercera persona (*ustedes hacen*, *ustedes se sientan*), sin las mezcolanzas *ustedes hacéis*, *ustedes os sentáis*. *Vosotros*, *os* y *vuestro* sólo existen allí como expresión retórica y muy reverencial.

5. El desuso de *vuestro* ha acarreado un reajuste en el sistema de los posesivos. *Su*, *suyo*, cuya excesiva carga de valores da lugar a tantas anfibologías, tienden a evitarlas significando exclusivamente 'de usted', mientras cunden *de ustedes*, *de él*, *de ella*, *de ellos*, *de ellas*: «estuvo ayer en la casa *de ustedes*», «¿no ve, patrón, que les gusta dar qué hacer a las mujeres *de ellos*?», «le mataron en la propia casa *de él*». También *nuestro* se halla en decadencia, sustituido frecuentemente por *de nosotros*: «Las penas y las vaquitas / siguen una misma senda: / las penas son *de nosotros*, / las vaquitas son ajenas».[70]

§ 133. OTROS FENÓMENOS MORFOLÓGICOS Y SINTÁCTICOS

En la morfología y sintaxis el español de América mantiene arcaísmos, pero también lleva adelante innovaciones que en el peninsular están menos desarrolladas, o inicia por su cuenta otras independientes.

1. En los países o regiones donde la /-s/ final llega a perderse, su caída origina importantes cambios en los morfemas nominales de número: éste puede indicarse mediante diferencias de timbre o cantidad en las vocales finales, *campo/campǫ*, *casa/casa*: (véase § 130₃); ensordeciendo la consonante inicial, *la bota/la ɸota*, *la gayina/la hayina* o *la χayina*; oponiendo ausencia o presencia de /-e/ final (< /-es/), *mujer/mujere*, *árbol/árbole*, *papel/papele*, valiéndose del artículo u otros determinativos antepuestos a nombres masculinos, *el peje/lo peje*, *ese perro/eso perro*; o se expresa únicamente con el morfema verbal de número, *la cosa 'tá buena/la cosa 'tán buena*. Todo esto ocurre igual en el mediodía de España y en Canarias; pero en el español

70. Germán de Granda, *La evolución del sistema de posesivos en el español atlántico*, Bol. R. Acad. Esp., XLVI, 69-82 (después en *Est. ling. hisp., afrohisp. y criollos*, Madrid, 1978, 80-94).

dominicano el vulgarismo, extendido en los últimos decenios a niveles sociales antes libres de él, ha ido más lejos: por una parte ha creado nuevos alomorfos de plural, como el *se* pospuesto de *gallínase, mucháchase, cásase*, procedente de la oposición *cru* 'cruz'/*cruse*(*s*), *sofá/sofase*(*s*), *pie/piese*(*s*), *lapi/lápise*(*s*), o como la aspiración o /s-/ protéticas de *hamigo* 'amigos', *soho* 'ojos', cuyo origen es la /-s/ de artículos y determinativos en plural, pero antepuestas a sustantivos que no los llevan (*ocho hestudiante*); por otra parte la concordancia numérica sufre grave y frecuente quebranto: «*los rayos del sol se iban haciendo cada vez más débil*».[71]

En España se suele preferir el singular cuando varios sujetos realizan la acción verbal con el mismo miembro, instrumento, etc., respectivo, o cuando la acción afecta a varios objetos en la misma parte o pertenencia de cada uno («pidieron la palabra levantando *el brazo*», «doblaron *la rodilla*», «aquellas quejas nos partían *el alma*»). Pero en otro tiempo se usó más el plural: doña Sol exclama en el Poema del Cid «cortandos ['cortadnos'] *las cabeças*, mártires seremos nós». En el español de América abunda mucho el plural: «los peones movieron *las cabezas* y se miraron»; «los paisanos se quitaron *los sombreros*»; «y volvieron a beber hasta que se les hincharon *los vientres*». En Argentina, Chile y El Salvador —probablemente en otros países también— subsiste el plural *las casas* con el valor de 'la casa', como en español medieval y clásico. Hay algún ejemplo argentino de *los palacios* por 'el palacio'. Más extensión tienen *los campos* 'el campo', *los pagos* 'el pago'; la expresión *por estos pagos* es hoy corriente en España.[72]

En cuanto al género, si en España se forjan a menudo terminaciones femeninas para nombres que por su forma escapan a la distinción genérica (*huéspeda, comedianta, bachillera*), o masculinas para los terminados en /-a/ (*modisto*), en distintos países de América se dice *antiguallo, hipócrita pleitisto, feroza, serviciala, federala, sujeta, bromisto, pianisto*, etc. En los sustantivos postverbales es de notar la preferencia americana por *el vuelto, el llamado*, según uso español clásico, en vez de *la vuelta* (de una cantidad

---

71. Maximiliano A. Jiménez Sabater, *Cambios dentro de la categoría del número en el español dominicano*, Eme-Eme, Est. Dominicanos, n.° IV, 1973, 61-75 (después en *Más datos sobre el español en la Repúb. Dominicana*, Sto. Domingo, 1975, 145-160).

72. Ch. E. Kany, *American Spanish Syntax*, Chicago, 1945, 6-8 y 13-15.

superior al precio), *la llamada*, normales hoy en la Península. No obstante, los sufijos *-ada* e *-ida* son en América muy productivos en nombres de acción y efecto (*atropellada* 'atropello', *insultada* 'insulto', *conversada* 'conversación', *asustada* 'susto', *encogida* 'contracción', *conseguida* 'consecución, logro, obtención', etc.) desconocidos en España.[73] De los sufijos diminutivos españoles, *-illo, -ete* e *-ín* apenas se emplean como tales en América: abundan, sí, en derivados cuya noción no es la misma de los primitivos correspondientes (*tinterillo* 'abogado picapleitos', *frutilla* 'fresa', *conventillo* 'casa de vecindad', *gallineta* 'gallo de plumaje parecido al de la gallina', *volantín* 'cometa'); el que tiene verdadera vitalidad para formar diminutivos es *-ito*, usado con gran profusión (*patroncito, ranchito, platita, ahorita > aurita* y *orita, allicito, yaíta*) e incluso repetido para reforzar la expresividad (*ahoritita, toditito*). En este refuerzo el habla de las Antillas y Costa Rica, así como la de los indios del Ecuador, añade *-ico* al primer *-ito* (*chiquitico, hijitico, toditico > tuitico,*[73 bis] *ahoritica*), por lo que los costarricenses reciben de los demás centroamericanos el dictado de *hermaniticos* o *ticos*; también se agrega *-ico* a palabras en cuya última sílaba hay una /t/ (*zapatico, latica, potrico, ratico*), y sin ella, en los antropónimos antillanos *Juanico, Manuelico*; *toitico* se usa además en Venezuela y Chile, y *todico*, junto a *todito*, en Ecuador. La inserción de infijos no se da siempre en los mismos casos que en España (*viejito, cuentito, mamacita, indiecito, rubiecita, farolcito*).[74] El aumentativo *-azo* se prodiga con valor ponderativo y afectuoso (*amigazo, lindazo, paisanazo*) y desde México a Chile y el Río de la Plata se emplea para formar superlativos («venía *cansadazo*», «la mujer estaba *enfermaza*», «con la *pocaza* riqueza que tenía»).[75]

El adjetivo se usa como adverbio con más frecuencia que en España: «nos íbamos a ir *suavecito*», «¡qué *lindo* habla!», «*fácil* se va hoy de la capital a Flores», «caminaban *lento*».[76]

73. *Ibid.*, 5-6 y 15-19; Zamora Vicente, *Dialectología*, 431-432, etc.

73 bis. *Tuito*, muy extendido, es resultado de *todito*, con sinéresis de las vocales en hiato al perderse la /-d-/.

74. Bibl. Dial. Hispanoam., II, 387 y IV, 236; Berta Elena Vidal de Battini, *El habla rural de San Luis*, 350-362; H. Toscano Mateus, *El esp. en el Ecuador*, 422-434, etc.

75. Kany, 51-52; Zamora Vicente, 433, etc.

76. Kany, 32-34; Zamora Vicente, 433, etc.

2. Desde Centroamérica hasta el Perú el habla vulgar emplea el pronombre *yo* como término de preposición: «el mal será *para yo*», «se rieron *de yo*», «le gustaba bailar *con yo*», «lo que *a yo* me gusta».[77] En la lengua escrita, *él, ella* y sus plurales, referidos a cosas, aparecen sin preposición con más frecuencia que en España: «Las fumarolas de Cerro Quemado son numerosas y abundantes. *Ellas* emanan de grietas»; «Y el árbol poderoso fue comido / por la niebla, y cortado por la racha. / *Él* sostuvo una mano que cayó de repente».[78] El neutro *ello* se conserva en Santo Domingo y Puerto Rico como sujeto impersonal («*ello* es fácil llegar», «¿*ello* hay dulce de ajonjolí?»), como refuerzo de afirmaciones y negaciones («¿pero tú no estuviste? —*Ello sí*»; «parece que va como triste el amigo. —*Ello no*»), como expresión de vago asentimiento («¿quieres bailar? —*Ello*» 'bueno') o evasiva («¿qué remedios... han administrado ustedes al niño? —*Eyo*, dotol»).[79] En las Antillas, Panamá y Venezuela el pronombre sujeto se interpone a menudo entre el interrogativo y el verbo: «¿qué *tú* dices?», «¿por qué *usted* quiere que las cosas sucedan así?», «¿cómo *tú* te llamas?», «¿dónde *yo* estoy?»; en el Río de la Plata: «¿por qué *vos* querés que yo juegue?», «¿por qué *usted* dice que yo soy el culpable?»; tal estructura interrogativa existe también en el norte de León y Palencia, abunda en Canarias,[79 bis] se encuentra en nuestros clásicos («no quieras que se descubra quién *tú* eres», Celestina, acto XII) y cuenta con precedentes latinos («quid t u hominis es?», Plauto; «nam quid e g o de studiis dicam?», Cicerón).

Conforme al uso andaluz y en oposición al castellano, el español de América emplea normalmente los pronombres *le, lo, la* y sus plurales con su valor casual originario. No es que falten ejemplos de *le* acusativo masculino[79 ter] y de *la* dativo femenino referidos a persona, pero están en exigua minoría. Se exceptúan el habla ecuatoriana, que se vale de *le, les* para dati-

---

77. Kany, 99.

78. Ejemplos de Francis Gall, *Cerro Quemado*, Guatemala, 1966, 70, y de Pablo Neruda, *Canto general*.

79. Pedro Henríquez Ureña, *Ello*, Rev. de Filol. Hisp., I, 1939, 209-230; Kany, *op. cit.*, 131-132.

79 bis. M. Álvarez Nazario, *La herencia ling. de Canarias en Puerto Rico*, 94.

79 ter. Gustavo Cantero Sandoval, *Casos de leísmo en México*, Anuario de Letras, XVII, 1979, 305-308.

vo y acusativo masculino y femenino («*le* encontré acostada»), y la paraguaya, que usa *le* para los dos casos, sin distinguir singular de plural.[80] El dativo *le* por *les* está muy difundido por toda Hispanoamérica, igual que en España, sobre todo cuando anuncia o repite otra mención del objeto indirecto en la misma frase («*le* cambiaba el alpiste a los canarios», «¡a cuántas muchachas *le* habrá dicho usted eso!»). Por el contrario, cuando en la combinación *se lo*, *se la* va indicado por medio de *se* un objeto indirecto plural no reflexivo, es frecuente añadir una /-s/ al segundo pronombre para expresar la pluralidad a que se refiere el primero invariable: «con cariño *se los* digo, / recuerdenló con cuidado» (Hernández, *Vuelta de Martín Fierro*, 4747); «eso pasó como *se los* digo a ustedes», «la advertencia *se las* hizo a todos».[81] Abunda más que en España la mención redundante del objeto directo mediante pronombre («Santos *la* miró a Rosa», «ella *lo* amaba a Andrés»);[81 bis] pero se da también la omisión total del objeto directo, que se deja sobreentendido («¿le prendiste el cabo de vela a San Antonio? —No sé, yo *le* dije a Pepa» 'yo se *lo* dije'; «¿les quitamos la carga a las bestias? —*Les* quitamos» 'se *la* quitamos').[82] Por último los pronombres afijos terminados en vocal toman la /-n/ final de las terceras personas de plural verbales cuando se posponen a ellas, no sólo en *demen* 'denme', «*delen* dinero» 'denle', *siéntesen* o *siéntensen*, vulgarismos corrientes también en España, sino además en *hágalón* 'háganlo', *míremelán* 'mírenmela', etc., del Río de la Plata.[83]

El posesivo se antepone al nombre en vocativos donde el español peninsular suele posponerlo («escuche, *mi amigo*», «ven acá, mi *hijito*»). Muy co-

80. Kany, 103-104; G. de Granda (*El esp. del Paraguay*, 33-44) sostiene la muy plausible hipótesis de que el leísmo paraguayo sea herencia del que llevaran los primeros colonizadores vascos y castellanos viejos, simplificada luego por las condiciones culturales y políticas que el país atravesó.

81. Kany, 109-112.

81 bis. Ana M. Barrenechea y Teresa Orecchia, *La duplicación de los objetos directos e indirectos en el esp. hablado en Buenos Aires*, Rom. Philol., XXIV, 1970, 58-83 (después, en «Estudios Lingüísticos y Dialectológicos. Temas hispánicos», París, 1979, 73-101).

82. Kany, 114-116.

83. Rosenblat, Bibl. de Dial. Hispanoam., II, 229-232; Kany, 112-114; Zamora Vicente, 434.

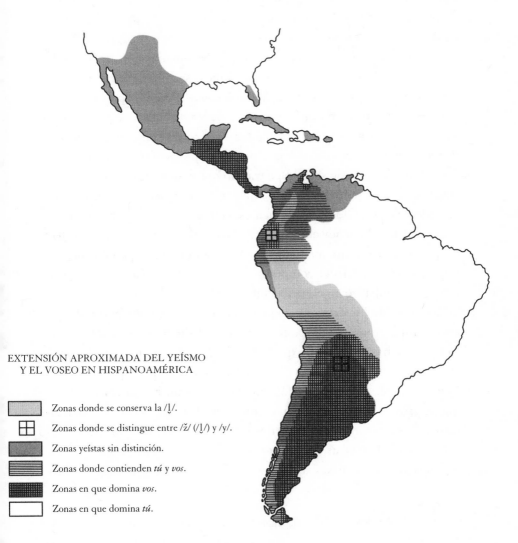

EXTENSIÓN APROXIMADA DEL YEÍSMO
Y EL VOSEO EN HISPANOAMÉRICA

Zonas donde se conserva la /l̦/.

Zonas donde se distingue entre /ž/ (/l̦/) y /y/.

Zonas yeístas sin distinción.

Zonas donde contienden *tú* y *vos*.

Zonas en que domina *vos*.

Zonas en que domina *tú*.

rriente es emplear el posesivo con adverbios, sustituyendo a *de mí, de ti, de él*, etc. (*delante suyo, encima nuestro, en su detrás* 'por detrás de él', «no debo decir nada de él *en su delante*»).[84] En zonas de Colombia, Ecuador, Bolivia y noroeste de Argentina se conserva, como en la isla canaria de La Palma, el interrogativo *cúyo*: «estas sillas *¿cúyas* son?», «*¿cúya* es esta casa?», «*¿cúyo* es este sombrero?».[85]

3. Muy extendida está en América la personalización de los verbos impersonales *haber* y *hacer*; su objeto directo se convierte en sujeto y el verbo concierta con él: «*hubieron* desgracias», «*habían* sorpresas», «*hicieron* seis semanas» y hasta «en la clase *habemos* cuarenta estudiantes», «*¿quiénes hayn* adentro?».[86] Se construyen como reflexivos *enfermarse, soñarse* 'soñar', *devolverse* 'volver a un lugar' y su sinónimo *regresarse*, los dos últimos a causa de su empleo transitivo con otro significado («me *regresaron* los diez pesos pagados de más»);[87] para *tardarse* 'demorarse' hay precedente en las Glosas Emilianenses, «*tardars'an* por inplire». Como en castellano antiguo y hoy en Galicia, Asturias, León y Canarias, el perfecto simple aparece dominantemente en los casos donde el español general de la Península prefiere el compuesto: «Buenos días. ¿Cómo *pasó* la noche?». Sin embargo en el habla culta de San Juan de Puerto Rico y en la de la ciudad de México aumenta con intensidad creciente el uso del perfecto compuesto. En el noroeste argentino y parte de Bolivia se emplea el compuesto hasta en casos que en toda España requieren el simple: «Cuando l'*e visto* antes de ayer, daba miedo, y m'*a dicho* que no saldría». *Vine, hice*, etc., presentan enfáticamente como un hecho consumado lo que se proyecta, ofrece, espera o teme para el futuro: «Para el miércoles próximo, ya lo *mandé*» (con menor expresividad se hubiera dicho 'ya lo habré mandado'); otras veces sustituye al presente, como en «nos *fuimos*» por 'nos vamos' o en la exclamación ¡ya *estuvo*! por '¡ya está!'.[88] Mayor

84. Kany, 44-46.

85. Rosenblat, Bibl. de Dial. Hispanoam., 11, 143-144; Kany, 133-134.

86. Kany, 212-219; J. P. Rona, *Sobre la sintaxis de los verbos impersonales en el español americano*, «Romania. Scritti offerti a F. Piccolo», Nápoles, 1962, 391-400; Zamora Vicente, 435.

87. Kany, 188-195; Zamora Vicente, 435.

88. Kany, 162-166; Juan M. Lope Blanch, *Sobre el uso del pretérito en el esp. de México*, «Homen. a Dámaso Alonso», II, Madrid, 1961, 373-385, y *La reducción del paradigma ver-*

arraigo que en España tiene, dentro del nivel literario, *viniera, hiciera* por 'había venido', 'había hecho' o por 'vino', 'hizo'. Como imperfecto de subjuntivo, la forma en *-ra* se ha impuesto sobre *hiciese, viniese, tuviese, cantase*, casi excepcionales en el coloquio; subsiste, junto al condicional, en la consecuencia del período hipotético («no le *guardara* rencor si viniera a pedirme perdón pronto»), según uso característico del español clásico; también arrancan de la Edad Media y siglos XVI-XVII expresiones desiderativas como «¡me *tragara* la tierra!», «¡me *condenara*!» («O matador de mi fijo cruel, / ¡*mataras* a mí, *dexaras* a él!», Juan de Mena, *Laberinto*, 205); con ellas se conectan las de ruego o mandato, sobre todo en mostraciones: «*vieras* cuánto me preocupo por tu hermano». La capacidad invasora de la forma *-ra* le permite sustituir al perfecto de subjuntivo («quien lo *viera* salir, que lo diga» 'quien lo haya visto') y, con sentido de contingencia o duda, al condicional o al presente de indicativo («¿qué *hiciera*?» '¿qué haría?' o '¿qué hago?'; «¿adónde *fuéramos* esta noche?» '¿adónde iríamos?', '¿adónde podemos ir?').[89] Como postpretérito, en gran parte de Suramérica tiene fuerte competidor en el presente de subjuntivo, con ruptura de la tradicional correspondencia de tiempos: en la conversación argentina y en escritores chilenos, bolivianos y ecuatorianos se registran «fui a verla para que me *preste* un libro», «el enfermo seguía hablando sin que ninguno le *escuche*», «era preciso que *sea* un hombre de porvenir», «le informaron de lo peligroso de seguir adelante sin un guía que *sortee* los hoyos»; igual discordancia se halla siglos antes en Bernal Díaz del Castillo.[90] Muy interesante es la conservación del futuro hipotético *cantare, viniere* en Puerto Rico, Santo Domingo, norte de Colombia, Venezuela y Sierra del

---

bal en el español de México, «Actas XI Congr. Intern. de Ling. y Filol. Rom.», Madrid, 1969, 1794; José G. Moreno de Alba, *Valores de las formas verbales en el español de México*, México, 1978, 43-68; Julia Cardona, *Pretérito simple y pretérito compuesto: presencia del tiempo aspecto en el habla culta de San Juan*, Bol. de la Acad. Puertorriqueña de la Lengua Esp., VII, 1979, 91-110.

89. Rosenblat, Bibl. Dial. Hispanoam., II, 215-216; Kany, 170-174 y 182-183; Zamora Vicente, 434-435; R. Oroz, *La lengua cast. en Chile*, 385; Lope Blanch, *La reducción* (véase nota 88), 1797-1799; Moreno de Alba, *Valores*, 147-159.

90. Kany, 181-182; R. Lapesa, *La ruptura de la «consecutio temporum» en Bernal Díaz del Castillo*, An. de Let., VII, 1968-69, 73-83.

Ecuador; pervive también en Canarias y corresponde a la más antigua expansión del español atlántico.[91]

4. Las perífrasis se extienden a costa del futuro: *he de contar*, *va a decir* restringen el uso de *contaré*, *dirá*, incluso para indicar la acción probable: «vamos pronto, hijita, que los bebés *han de estar* llorando». En Colombia y Centroamérica se produce la sustitución del futuro por *va y* + el presente: «no se levante, porque *va y se cae*».[92] Sin sentido de futuro, la perífrasis panhispánica «*va y le dice* todo», «*fui y abrí* la ventana» alterna con otras menos generales, como «*agarré y le dije*», «*llegó y me pegó*» (ésta, peculiar de Chile). De carácter inceptivo, sinónimas de 'echarse o ponerse a' + infinitivo, son *dice a gritar*, *agarró a caminar*, *se largó a llorar*, *cogió a insultarme*. *Saber* se usa con el valor de 'soler' y *mandarse* se vacía casi de sentido ante infinitivos que expresan movimiento (*mándese entrar* 'entre', *se manda cambiar* 'se larga, se marcha'). Las perífrasis con gerundio compiten con las formas simples, muchas veces sin diferencia apreciable en el significado: ¿*cómo le va yendo?* se da al lado de ¿*cómo le va?*, y *vengo viniendo* junto al normal *vengo*. También se vacía de sentido la perífrasis colombiana *acabar de* + infinitivo: ¿*cómo le acaba de ir?* equivale sin más a ¿*cómo le va?*[93] La antigua expresión impersonal *diz que*, indicadora de que el hablante repite noticias, rumores, tradiciones, etc., de origen impreciso, sobrevive en las formas *dizque*, *desque*, *isque*, *es que*, *y que*, no desconocidas, pero menos fre-

91. Rosenblat, Bibl. Dial. Hispanoam., II, 216; Kany, 185-186; Carmen C. Mauleón de Benítez, *El habla de la zona de Loíza*, tesis doct. inédita, Univ. de Madrid, 1963; Germán de Granda, *Formas en -re en el español atlántico y problemas conexos*, Thesaurus, 1968 (también en *Estudios ling. hispán., afrohispán. y criollos*, Madrid, 1978, 95-117); Manuel Álvarez Nazario, *La herencia lingüística de Canarias en Puerto Rico*, S. Juan de P. R., 1972, 93-94; Lucrecia Casiano Montañez, *Estudio lingüístico de Caguas*, Univ. de P. R. en Mayagüez, 1973, 173-174; Elercia Jorge Morel, *Estudio lingüístico de Santo Domingo*, Sto. Domingo, 1974, 130-131.

92. Kany, 152-158; J. J. Montes, *Sobre la categoría de futuro en el español de Colombia*, Thesaurus, XVII, 1962, 528 y ss.; José G. Moreno de Alba, *Vitalidad del futuro de indicativo en la norma culta del español hablado en México*, An. de Let., VIII, 1970, 81-102, y *Valores de las formas verbales en el esp. de Méx.*, 89-97.

93. Kany, 197-211, 236-239; Zamora Vicente, 435; María Rosa Lida de Malkiel, «*Saber*» 'soler' en las lenguas romances y sus antecedentes grecolatinos, Rom. Philol., II, 1948-1949, 269-283.

cuentes, en España («*dizque* por arriba todo lo arreglaban a látigo», «Ya *desque* están formando los comités», «Usté *isque* nesesita peones», «su ocupación *y que* es brujear caballos»).[94] La construcción *es entonces que llegó, es por usted que lo digo* no falta en textos clásicos castellanos y está viva en gallego; en América es frecuentísima y tiene un arraigo popular que en muchas ocasiones hace pensar en arcaísmo más que en imitación artificiosa del francés *c'est alors que* o del inglés *it's because of you that I am saying that*; pero en multitud de casos es evidente el galicismo o anglicismo.[95]

5. Algunas observaciones sobre adverbios, preposiciones y conjunciones: *siempre* tiene, además de sus significados comunes con el español peninsular, el de 'por fin', 'al cabo': «¿*siempre* fueron al cine anoche?», «¿*siempre* saldrá de la ciudad mañana?». La frase adverbial *no más* ha ampliado sus sentidos, tomando, aparte del restrictivo (*a usted no más* 'solamente a usted') otros intensivos o enfáticos como en *allí no más* 'allí mismo', *hable no más* 'hable de una vez', 'decídase a hablar'. En América, *recién* se emplea sin participio, con el significado temporal de 'ahora mismo', 'entonces mismo', 'apenas', 'en cuanto', 'luego que': *recién habíamos llegado* 'apenas habíamos llegado'; también se combina con otros adverbios: «*recién entonces* salía / la orden de hacer la reunión» (*Martín Fierro*). *Cómo no* es forma de afirmación muy generalizada.

Preposiciones: en 1580 escribe santa Teresa: «*Desdel* Jueves de la Cena me dio un acidente de los grandes que he tenido en mi vida, de perlesía y corazón»;[95 bis] así anticipa un uso actual americano: en México, América Central y Colombia *desde* y *hasta* se emplean en indicaciones de tiempo sin sus respectivas referencias originarias al momento inicial de una acción o al término de ella: «*desde* el lunes llegó» 'el lunes llegó'; «*hasta* las doce almorcé» 'a las doce'; «volveré *hasta* que pase el invierno» 'cuando pase'; este

94. Kany, 244-250; Zamora Vicente, 435-436.
95. R. J. Cuervo, *Apuntaciones sobre el leng. bogotano*, § 460; P. Henríquez Ureña, *Observaciones sobre el esp. de América*, Rev. de Filol. Esp., VIII, 1921, 358 n. 3, y *El esp. en Santo Domingo*, Bibl. Dial. Hispanoam., V, 135 n. 1; Kany, 250-252; J. Corominas, *Indianorománica*, Rev. de Filol. Hisp., VI, 1944, 239; H. Toscano Mateus, *El esp. en El Ecuador*, 288-289; Zamora Vicente, 436; M. A. Jiménez Sabater, *Más datos sobre el esp. de la Rep. Dominicana*, Sto. Domingo, 1975, 161-164, etc.
95 bis. Carta CCCXIV, *Obras*, VIII, Burgos, 1923, 419.

uso de *desde* se registra también en Cuba (*denge* o *dengue*) y Puerto Rico; el de *hasta* en Venezuela y Chiloé.[96]

La interjección apelativa *¡che!*, tan característica hoy del coloquio rioplatense como del valenciano, entronca indudablemente con el *¡ce!* tan repetido en la literatura peninsular desde el siglo xv al xvii.[97]

§ 134. VOCABULARIO[98]

1. El léxico general americano abunda en palabras y acepciones que en España pertenecen sólo al lenguaje literario o han desaparecido. Característico es el uso de *lindo*, como en el español peninsular del siglo xvii, en lugar de *bonito* o de *hermoso*. Propias del Siglo de Oro y olvidadas o decadentes en España son *bravo* 'irritado', *liviano* 'ligero', *pollera* 'falda', *recordar* 'despertar', *esculcar* 'registrar, escudriñar', *aguaitar* 'vigilar, acechar', *escobilla* 'cepillo', *barrial* 'barrizal', *vidriera* 'escaparate' (v. § 98$_5$ n. 91), *prolijo* 'minu-

96. Para la sintaxis de estos y otros adverbios, preposiciones y conjunciones, véanse Kany, 267-402; Leif Sletsjøe, *Acerca de deslizamientos sintáctico-semánticos*, «Mélanges d'études romanes off. à Leiv Flydal», Revue Romane, n.° 18, 1979, 89-99 y «*Carter reconhecerá Angola até ao fim do ano*», «Romanica Europaea et Americana. Festschrift H. Meier», Bonn, 1980, 593-601, etc.

97. Á. Rosenblat, *Origen e historia del «che» argentino*, Filología, VIII, 1962, 325-401, y *De nuevo sobre el «che» rioplatense*, «Studia Hisp. in hon. R. L.», II, Madrid, 1974, 549-554.

98. Véanse Augusto Malaret, *Diccionario de americanismos*, Mayagüez, Puerto Rico, 1925 3.ª ed., Buenos Aires, 1946), y *Lexicón de fauna y flora*, Madrid, 1970 (antes en el Bol. del Inst. Caro y Cuervo, I al XIV, 1945-1959); Francisco J. Santamaría, *Diccionario general de americanismos*, 3 vols., México, 1942; Marcos A. Morínigo, *Diccionario de americanismos*, Buenos Aires, 1966; Peter Boyd-Bowman, *Léxico hispanoamericano del siglo XVI*, Londres, 1972; Günther Haensch, *Zur Lexikographie des amerikanischen Spanisch. Heutiger Stand und Überblick über die Problematik*, «Referate der 1. wissenschaftlichen Tagung des deutschen Hispanistenverbands», Augsburg, 1977, 112-131, y Reinhold Werner, *Vorschläge für ein neues Amerikanismenworterbuch, ibid.*, 132-157; G. Haensch y R. Werner, *Consideraciones sobre la elaboración de diccionarios de regionalismos (especialmente del español de América)*, Bol. de Filol. de la Univ. de Chile, XXIX, 1978, 351-363, y *Un nuevo dicc. de americanismos. Proyecto de la Univ. de Augsburgo*, Thesaurus, XXXIII, 1978, 1-40; Juan M. Lope Blanch, director, y otros, *Léxico del habla culta de México*, México, 1978, etc.

cioso', 'esmerado', *retar* 'reprender, reñir', *afligir* 'preocupar, inquietar' y muchas más.[99] Como era de esperar, abundan los andalucismos: entre otros *amarrar* 'atar', *calderetero* 'calderero', *frangollón* 'el que hace las cosas deprisa y mal', *guiso* 'guisado', *juma* y *jumera* 'borrachera', *limosnero* 'pordiosero', *ñoña* 'excremento', *panteón* 'cementerio'.[100] También es importante la contribución canaria, sobre todo en los países del Caribe: *atacarse* 'sentirse afectado por un dolor o enfermedad', *ensopar* 'mojar, dejar hecho una sopa', *botarate* 'manirroto, despilfarrador', *cerrero* 'tosco, inculto, retraído', *parejero* 'el que se toma confianzas indebidas', *mordida* 'mordisco' y otros muchos.[101] Gran cantidad de voces americanas procede del oeste peninsular: leonesismos seguros son *andancio, carozo, fierro, furnia, lamber, peje, piquinino*; galleguismos o lusismos, *bosta, cardumen, laja*; muy probables occidentalismos, *botar* 'arrojar', *soturno* (ambos existentes en Canarias), *fundo, buraco, pararse* 'estar de pie', etc.[102] No debe sorprender la importancia de esta contribución léxica occidental: el contingente de los extremeños, leoneses y asturianos que pasaron a América hasta 1579 fue el segundo en número, casi dos tercios del de andaluces y muy superior al de castellanos viejos, vascos y navarros juntos;[103] téngase en cuenta además

99. Véase Isaías Lerner, *Arcaísmos léxicos del español de América*, Madrid, 1974.

100. Miguel de Toro y Gisbert, *Americanismos*, París, s. a. [1912], 145-165. Según el ALEA, *amarrar* domina en las provincias de Huelva, Sevilla, Cádiz, Málaga y Almería; penetra en Córdoba hasta la capital y Montoro, pero el resto de la provincia, como toda la de Jaén, usa *atar*; la provincia de Granada se reparte entre los dos verbos.

101. Manuel Álvarez Nazario, *La herencia lingüística de Canarias en Puerto Rico*, S. Juan de P. Rico, 1972, 99-262.

102. J. Corominas, *Indianorománica. Occidentalismos americanos*, Rev. de Filol. Hisp., VI, 1944, 139-175 y 209-274; Germán de Granda, *Acerca de los portuguesismos en el esp. de América*, Thesaurus, XXIII, 1968; José Pérez Vidal, *Contribución luso-española a la cultura y al léxico azucareros latino-americanos*, Publicações do XXIX Congr. Luso-Esp., Assoc. Port. para o Progresso das Ciências, Lisboa, 1970, y el libro de Álvarez Nazario citado en la nota anterior.

103. Sumando los datos que por provincias da Boyd-Bowman en sus *Patterns*, cuento 16.147 andaluces; 10.448 entre extremeños (8.086), leoneses y asturianos (2.362); 7.716 castellanos viejos, vascos y navarros; y 6.886 castellanos nuevos y murcianos. Estas cifras son provisionales, ya que Boyd-Bowman no siempre da las de las provincias que aportaron menor número de emigrantes.

que casi el 80 % de andaluces procedía de Sevilla, Huelva, Cádiz y sus provincias, adonde llegan, a través de Extremadura, muchos leonesismos, y que leonesismos y lusismos abundan en el léxico canario.[103 bis]

2. Desde fecha muy temprana se observan cambios semánticos que muestran la adaptación del vocabulario español a las condiciones de la vida colonial. Ya en la Española, primera instalación de los conquistadores, nacieron *estancia* 'granja', *quebrada* 'arroyo', aparte de la aplicación de nombres españoles a la fauna y flora de América. Muy importante es la huella de las navegaciones en el léxico hispanoamericano: del lenguaje marinero procede el empleo de *abra* 'puerto de mar' (< francés *havre*) para designar el paso entre montañas, así como el uso metafórico de *flete* por 'caballo'; *mazamorra* 'galleta' se aplicó a los puches de maíz que hacían los indios; los viajeros *se embarcan* en el tren, *ensenada* equivale a 'cercado, corral' y *playa* a 'espacio llano', por ejemplo, el destinado al aparcamiento de automóviles. Cambios especiales han tenido en diversos países *vereda* 'acera', *páramo* 'llovizna', *invierno* 'tiempo lluvioso', *verano* 'tiempo despejado', *volcán* 'corrimiento de tierras, derrumbamiento', en Centroamérica 'montón' («un *volcán* de maíz»). La adquisición de acepciones obscenas hace que en unas áreas sean palabras vitandas no pocas que en el resto del mundo hispánico mantienen su limpieza: *coger* es malsonante en Argentina, México, Venezuela y Cuba; *acabar*, en Argentina, Chile y Nicaragua, por lo menos; *concha* en Argentina, *pico* en Chile, *bicho* en Puerto Rico; por contrapartida, al oeste del Atlántico se emplean sin referencia sexual algunas que en España la tienen. El eufemismo suscita en toda América usos traslaticios para eludir la expresión directa de lo desagradable o temible: *ultimar*, *perjudicar*, *dejar indiferente* sustituyen a *matar*; *moreno* a *negro*, *trigueño* a *mulato*; en Argentina se recomienda *transpirar* por *sudar*; la frecuencia de frases ofensivas al padre o a la madre del interlocutor ha hecho que en muchas partes se empleen *papá* y *mamá* fuera del ámbito familiar.[104] La jerga hampona es

---

103 bis. Véanse §§ 122$_8$ y 124$_3$. En 1752 alternaban en un documento sevillano «la puerta de *hierro* chica» y «la dicha puerta chica de *fierro*» (Francisco Aguilar Piñal, *La Real Academia Sevillana de Buenas Letras en el siglo XVIII*, Madrid, 1966, 300).

104. J. Corominas, *Rasgos semánticos nacionales*, Anales del Inst. de Ling. de la Univ. de Cuyo, I, 1941, 5-13 y 25-29; G. de Granda, *Léxico de origen náutico en el esp. de Paraguay*,

distinta en cada país y recibe diferentes nombres: en México, hasta hace poco, *sirigonza*; en Perú, *replana*; en Chile, *coa*; el *lunfardo* rioplatense ha adquirido mayor influencia en el lenguaje popular y ha sido objeto de más estudios.[105]

3. La formación de nuevas palabras es muy activa y pone en juego todos los recursos de la derivación. Hay sufijos fecundísimos, como la terminación verbal *-ear > -iar* (*dijuntiar* 'matar', *cueriar* 'azotar', *uñatiar* 'hurtar', *carniar* 'matar reses') y como *-ada*, que aparte de nombres de acción (véase § 133₁), forma numerosos colectivos (*caballada, carnerada, potrada, muchachada, criollada, paisanada*). La afición por el neologismo se da en todas las esferas sociales, desde el habla gauchesca hasta la literatura; en los periódicos aparecen *sesionar* 'celebrar sesión', *vivar* 'dar vivas, vitorear', etc. Todas estas particularidades, juntas a la abundancia de voces indígenas, dan fisonomía especial al léxico americano.

4. El extranjerismo es muy abundante en el Río de la Plata, como consecuencia de la inmigración de gentes de todos los países, principalmente de italianos.[106] En las Antillas, Nuevo México, México, América Central y Panamá el influjo anglosajón ha introducido muchas voces inglesas (*overol* 'mono, traje de faena' < o v e r a l l , *chompa* 'cazadora' < j u m p e r , *cloche* 'pedal del embrague' < c l u t c h , *troque* 'camión' < t r u c k , *aplica-*

Rev. de Dial. y Trad. Pop., XXXIV, 1978, 233-253; Ch. E. Kany, *American Spanish Semantics* y *American Spanish Euphemisms*, Berkeley-Los Ángeles, 1960; Juan M. Lope Blanch, *Vocabulario mexicano relativo a la muerte*, México, 1963; Kurt Baldinger, *Designaciones de la 'cabeza' en la América española*, An. de Let., VI, 1964, 25-56, etc.

105. Véase Carlos Clavería, *Argot*, «Encicl. Ling. Hisp.», II, Madrid, 1967, 357, con abundante bibliografía. También José Gobello, *Vieja y nueva lunfardía*, Buenos Aires, 1963; Mario E. Teruggi, *Panorama del lunfardo*, Buenos Aires, 1974; Enrique Ricardo del Valle, *Demolingüística. El lunfardo: de lenguaje de delincuentes a idioma popular*, «Actas III Congr. de ALFAL», S. Juan de P. Rico, 1976, 235-249, etc.

106. El italianismo de la Argentina y el Uruguay ha sido estudiado por Giovanni Meo Zilio (*Sull'elemento italiano nello spagnolo rioplatense*, Lingua nostra, XXI, 1960, y otros artículos más aparecidos en la misma revista, 1955-1965; *Algunos septentrionalismos italianos en el esp. rioplat.*, Romanistisches Jahrbuch, XV, 1964; *Italianismos generales en el español rioplat.*, Bogotá, 1965; *El elemento italiano en el habla de Buenos Aires y Montevideo*, Florencia, 1970, etc.).

ción 'solicitud' < a p p l i c a t i o n , etc.).[107] Y la orientación francesa que
dominó en la cultura americana durante el siglo XIX ha dejado buen número de galicismos (*masacre*, *usina*, *rol*, etc.).

§ 135. VULGARISMO Y NORMA CULTA

1. Aparte de las peculiaridades antes enumeradas, el vulgarismo americano tiene manifestaciones de igual carácter que las del habla popular y rústica española: *prencipio*, *dispierto*, *sospirar*; *beile* 'baile', *paine* 'peine'; *enriedo*,
ruempa; *piaso* 'pedazo', *tuavía*, *una rastra e leña*, *maldá*, *mercé*; *auja* 'aguja',
me usta 'me gusta'; *juerza* 'fuerza'; *junsión*, 'función'; *güérfano*, *virgüela* 'vi-
ruela'; *güeno*, *trigunal*, *agüelo*; *dino*, *vitoria*, *Madalena*, *aspeito*, *defeuto*; *trai-
ba*, *oiba*, etc. Perduran arcaísmos como *agora*, *asperar*, *atambor*, *cuistión*,
emprestar, *niervo*, *melecina*, *muncho*, *cañuto*, *ñublar*, *ñudo*, *silguero*, *tiseras*,
anque.[108]

El hiato tiende a desaparecer, con las consiguientes alteraciones de
acento y timbre; así se confunden los sufijos *-ear-* y *-iar* (*pasiar*, *guerriar*), lo
que origina ultracorrecciones como *desprecear*, *malicear*. Mucho arraigo

107. Véanse las obras de Ricardo J. Alfaro y Emilio Bernal Labrada mencionadas en
nuestra n. 39 al § 114, y además R. Grossmann, *Das ausländische Sprachgut im Spanischen
des Río de la Plata*, Hamburgo, 1926; Gunther Haensch, *Der Einfluss des Englischen auf das
amerikanische Spanisch, eine weitere Ursache für dessen Differenzierung gegenüber dem euro-
päischen Spanisch*, Lebende Sprachen, VIII, 1963; Germán de Granda, *Transculturación e
interferencia lingüística en Puerto Rico*, Bogotá, 1968; Humberto López Morales, *Estudio
sobre el español de Cuba*, Madrid, 1971, 72-87, y *Anglicismos en Puerto Rico. En busca de los
índices de permeabilización del diasistema*, Románica, VI, 1973, 77-83 (después en *Dialectología y sociolingüística. Temas puertorriqueños*, Madrid, 1979, juntamente con un artículo-
reseña sobre el libro de Granda); Juan M. Lope Blanch, *Anglicismos en la norma lingüística
culta de México*, Románica, V, 1972, 191-200 (después en «Estudios sobre el esp. hablado en
las principales ciudades de América», México, 1977, 271-279); Luis Antonio Miranda, *El
español y el inglés en Puerto Rico*, y respuesta de Ernesto Juan Fonfrías, Acad. Puertorriqueña de la Lengua Esp., S. Juan de P. R., 1973.

108. C. Martínez Vigil, *Arcaísmos españoles usados en América*, Montevideo, 1939; Manuel
Álvarez Nazario, *El arcaísmo vulgar en el esp. de Puerto Rico*, Mayagüez, 1957; J. P. Rona,
«Vulgarización» o adaptación diastrática de neologismos o cultismos, Montevideo, 1962.

muestran desplazamientos acentuales como *páis, óido, áura* 'ahora', *tráido, contráido*. En 1720, cuando el limeño don Pedro de Peralta Barnuevo acentuaba así en los versos de su *Rodogunal*[109] tales dislocaciones no disonarían grandemente del lenguaje culto de la metrópoli, que también las admitía. En España hubo después una reacción apoyada por la fuerza de la tradición literaria y se detuvieron o rechazaron las pronunciaciones *bául, cái, máestro, réido*, mientras el español vulgar de América siguió usando las formas con desplazamiento acentual y dejó que éste afectara también a las del imperfecto (*créia* o *créiba* 'creía', *húia* 'huía', *cáia* 'caía', *tréiamos* 'traíamos'); aun entre americanos ilustrados de algunos países se oyen sinéresis *tea-tro, gol-pear*, que al peninsular le suenan *tiatro, golpiar*.[110] Por el contrario la norma culta americana rechaza vulgarismos que en España gozan de indulgencia o no se sienten como tales: la pronunciación *-ao* por *-ado* es demasiado plebeya en México y Argentina, donde el uso normal evita omitir la /-d-/ y aún la refuerza con especial tensión (*desgraciaddo*); en Argentina, para no suprimir descuidadamente la /-d/ final en *paré, bondá*, se llega a decir *paret, bondat*. La acentuación peninsular grave de *amoníaco, policíaco, cardíaco, austríaco* es inaceptable para oídos cultos argentinos, acostumbrados a los esdrújulos *amoníaco, policíaco, cardíaco, austríaco*. No es exacto hablar de mayor o menor vulgarismo a un lado u otro del océano, sino de determinadas divergencias de norma dentro de una norma general común. Tanto en América como en España los dialectalismos y vulgarismos tolerados en la conversación no pasan a la escritura de gentes medias, y menos todavía a la producción literaria, salvo en obras costumbristas o de ambiente popular. Frente al criterio de libertad y abandono se levanta poderosamente el afán de corrección. En cincuenta años las enseñanzas gramaticales de Bello lograron aminorar el voseo entre las clases cultivadas de Chile.

2. La extensión del español en América y sus ulteriores divergencias, tanto internas como respecto al de España, han hecho pensar repetidamente en un futuro semejante a la fragmentación del latín vulgar.[111] Pero las

---

109. J. de la Riva Agüero, *Las influencias francesas en las obras dramáticas de D. Pedro de Peralta*, «Hommage à E. Martinenche», París [1939], 193.

110. Amado Alonso, Bibl. de Dial. Hispanoam., I, 317-370.

111. Véase la bibliografía citada en la sección C) de la nota 1 al presente capítulo.

circunstancias de nuestro idioma y de nuestro tiempo no son como las de la Romania en el siglo v. No ha llegado a afectar a la unidad del sistema lingüístico ninguna de las diferencias existentes entre el habla americana y la española, ni entre la de unos y otros países hispánicos del Nuevo Mundo. En cuanto al porvenir, los medios de comunicación actuales aseguran la continuidad e intensificación de intercambio cultural, tanto dentro de América como con España. Se han disipado los mutuos recelos que acompañaron y siguieron a la emancipación: las que fueron colonias reconocen la excelsa labor civilizadora de nuestros antepasados, también suyos; en España crece la estima por la vigorosa personalidad de las naciones hermanas; y la conciencia del valor instrumental e histórico de la hermosa lengua común es la mejor garantía contra el resquebrajamiento de su unidad. No se deben desoír, sin embargo, las voces de alerta que han advertido peligros de fisura:[112] las divergencias fonéticas, gramaticales y, sobre todo, léxicas, serían una fuerte amenaza si no se tratase de contenerlas mediante un esfuerzo de cooperación y buena voluntad.

112. Véase Dámaso Alonso, *Unidad y defensa del idioma*, Memoria del Segundo Congreso de Academias de la Lengua Española, Madrid, 1956, 33-48.

ÍNDICE DE MATERIAS*

* Los números se refieren a los párrafos del texto.

acepta las innovaciones fonéticas del castellano viejo, $92_{3, 4\, y\, 6-8}$; meridionalismos en el habla toledana, 93, 121. V. Traductores de Toledo.

Toponimia española: coincidencias con la etrusca, 1_3; fenicia y cartaginesa, 1_4; de origen griego, 1_5; precéltica o ilirio-ligur, 1_7, 2_2; céltica, 1_8; ibérica, 2_3; de origen vasco, $33_{,4, 5\, y\, 7}$; sufijo toponímico *-eno*, *-én*, *-ena*, 36_6; híbridos latino-vascos y latino-celtas, 9_4; toponimia de la época de las invasiones germánicas, 28_1; toponimia visigoda, 28_2, 29_4; toponimia española de origen árabe, 34; toponimia mozárabe, 44_3, $45_{1\, y\, 2}$, 48_3; toponimia de repoblación y reconquista, 43_2, 46_1.

tou, posesivo astur-leonés occidental, 119_7.

/tr-/, su articulación asibilada o chicheante [ʧ̬] en regiones españolas y americanas, 118_4, 127_4, 131.

Tradicionales, palabras, v. Léxico.

Traductores de Toledo, 32, 62_1.

Transitividad directa o preposicional en esp. ant., 56_4.

Translación de tiempos verbales en la épica, 60_5.

Trovadores provenzales, 51_2; catalanes y gallego-portugueses, 50; castellanos que usan el gallego, 50, 63_7, 66_1, 70_8, 72_4; gallegos que usan el castellano, 70_8; poesía castellana trovadoresca, 70_8, 71_4.

/ʦ/, fonema cacuminal africado sordo, resultado de /l-/ inicial y /-ll-/ medial latinas en el suroeste de Asturias y noroeste de León, así como de /pl-/,

/cl-/, /fl-/ iniciales en algunas zonas, 22_3, 119_6.

/tš/, fonema alvéolo-prepalatal apical sordo, resultado de /ll-/ latina en Sobrarbe, 22_3, 120_3; de [j] latina en otras comarcas alto-aragonesas, 120_2.

tú, v. Pronombre.

tue, posesivo femenino astur-leonés occidental, 119_7.

Turdetanos, v. Tartesios.

/u/ vocal: sus variedades y evolución en latín vulgar, 18_1; adaptación latina de /υ/ griega en helenismos arcaicos y populares, 11_3; /-u/ final romance procedente de /-ŭ/ latina en zonas arcaizantes de la Castilla Vieja, 47_1; /-u/ final por /o/ en dialectos actuales, 118_3, 119_2, 123_1, 124_1, 125_6; provoca cierre metafónico de la vocal tónica en asturiano central y en el habla pasiega, 22_5, 119_5; /u/ semiconsonante ([w]) epentética tras labial o velar en judeo-español, 125_7.

u, grafía del fonema /u/; hasta el siglo XVIII, también grafía del fonema consonántico /v/, 53_4, 102_2.

/ua/, /ue/ procedentes de /ŏ/ acentuada, v. Diptongación; /ue/ reforzado con /g/ o /b/ protéticas en la pronunciación vulgar, 116_5, 135_1; tras /s/ se refuerza con inserción de [h] o /f/ en judeo-español, 125_7.

-uco, sufijo diminutivo, 119_2.

-ué, *-uy*, sufijo toponímico, 3_3 n. 17.

-ueco, *-ueca*, sufijo prerromano, 5_2.

/-u l t -/ > /-uit-/ > /-uĉ-/ en castella-

ye, pronombre átono leonés de dativo, 119$_4$.

ye < ĕ s t , 45$_1$, 119$_4$, v. *get*, /yet/, *ya*, *yía*.

ye < ĕ t , 119$_4$, v. *ya*, *y*.

Yeísmo: en montañés, 118$_3$; en el Mediodía de España, 93$_1$, 121$_1$; en Andalucía, 121$_1$ y 122$_4$; en Extremadura, 123$_1$; en Canarias, 124$_1$; en judeo-español, 125$_7$; en español de América, 129$_1$, 130$_2$; v. /y/, /ž/, y Rehilamiento.

yera < ĕ r a m , ĕ r a t , 45$_1$, 119$_4$.

yes < ĕ s , 45$_1$, 119$_4$.

/yet/ < ĕ s t , 41$_1$, 45$_1$, v. *get* y *ye*.

yía < ĕ s t , 119$_6$, v. *ye*.

yo, v. Pronombre.

Yod, 18$_{3-4}$ y n. 14, 45$_1$, 46$_2$, etc., etc.

you, v. Pronombre.

Yucateco, 127$_6$.

z, grafía latina de la /ζ/ griega; *z*, signo de la letra visigótica, origen del signo ç, 41$_1$; grafía de los fonemas /ŝ/ y /ẑ/ en español primitivo, 41$_6$; de /ẑ/ en español medieval, 53$_2$; de /θ/ ante /a/, /o/, /u/ en español moderno, 102$_2$; deja de usarse ante /e/, /i/, salvo excepciones, desde 1726, 102$_2$.

/z/ latina, equivalente del grupo /d + yod/ asibilado, 18$_3$.

/ż/, fonema ápico-alveolar cóncavo fricativo sonoro del español antiguo, opuesto entre vocales a su correspondiente sordo /ŝ/: para su procedencia, ensordecimiento y suerte ulterior, así como para su conservación en dialectos modernos, v. /ŝ/.

/ẑ/, fonema dental africado sonoro del español antiguo, transcrito normalmente con *z*: procedente de [-ć-] intervocálica, 53$_2$; de [ǵ] tras /r/ o /n/, 25$_2$; de *zay* árabe, 35$_1$; de /-d/ interior ante /g/, 91$_4$, etc.; ensordecimiento y consecuente confusión con /ŝ/ (transcrito ç, o *c* ante *e*, *i*), 72$_3$ y n. 33, 92$_{2 y 3}$; pasa a /θ/ en la mayor parte de España (92$_4$), a fricativa dental convexa o plana en Andalucía, Canarias y América, 72$_3$, 92$_5$, 122$_2$, 124$_1$, 129; en todo el español atlántico se confunde con /-ż-/ ápico-alveolar y la desplaza, ibíd.: v. Ceceo y Seseo; en el español vulgar de catalanes, valencianos, baleares y vascos se pronuncia como /ŝ/, 117, v. Seseo; en judeo-español se mantiene sonora y absorbe también a la /ż/, 125$_4$; restos de la sonora antigua en dialectos españoles actuales, 120$_5$, 123$_1$, 124$_1$; pasa a /đ/ fricativa, 123$_1$, 124$_1$.

/ž/, fonema prepalatal fricativo sonoro rehilante, transcrito de ordinario con *g* ante *e*, *i*, con *j* (o con *i* en la lengua antigua) ante cualquier vocal; originariamente, alófono debilitado del fonema /ǧ/, 53$_1$; véase /ǧ/; /ž/ conservada en judeo-español en oposición bilateral con /ŝ/ 125$_4$; [ž] procedente de /ļ/ opuesta a /y/ en parte de la Sierra ecuatoriana y en Santiago del Estero (Argentina), 130$_2$; /ž/, resultado común de /ļ/ y /y/ en zonas yeístas, 116$_2$, 121$_2$, 122$_3$, 123$_1$, 130$_2$; tendencia rioplatense a ensordecerlo en /ŝ/, 130$_2$.

-*ža*, sufijo diminutivo de origen quechua, 127$_8$.

ÍNDICE DE TOPÓNIMOS Y ALGUNOS ANTROPÓNIMOS RELEVANTES*

Abella, 22_1

Abdera, 1_4

Abohamor, 31

Abolmondar, 31, 46_1

Abu Qurra, 34

Adaegina, 4_6

Adefonsus, 29_3

Adolfo, 29_3

Adra, 1_4

Aebŭra, 1_8

Agés, 46_1

Alamedilla, 119_2

al-Andalus, 28_1 y n. 3

Alano, Puerto del, 28_1

Alborge, 34

Albuñol, 45_1

Alcalá, 34

Alcira, 34

Alcobendas, 1_8

Alcolea, 34

Alconchel, 33_{12}

Alcovindos, 1_8

Aldán, 29_4

Alfambra, 35_1

Alfaro, 9_4

Alfonso, 29_3

Alfonsus, 29_3

Alfornel, 45_1

Algar, 34

Algarbe, 34

Algares, 34

Algeciras, 28, n. 3, 34

Algerri, 3_4 n. 17

Alhambra, 35_1

Alicante, 1_5

Aljustrel, 34

Almadén, 33_3

Almazán, 34

Almedina, 34

Almonacid, 34

Almonaster, 34

Almonte, 34

Alŏstĭgi, 3_5

Alpandeire, 45_2

Alpŏbriga, 45_1

Alportel, 34, 45_1

Alpuébrega, 45_1

Alpuente, 34

Álvaro, 29_3

Allariz, 29_4

Amaya, 3_5

Ambadus, 4_6

Ambatus, 4_6

Ambroa, 1_7

Ambrona, 1_7

Ambrones, 1_7

Ampurias, 1_5

Amusco, 1_7

Andalucía, 28_1

Andalus, 28_1 y n. 3

Andobales, 2_4

Antonius, 9_4

Antoñana, 9_4

Apulus, 22_1

Aquilué, 3_4 n. 17

Ara, 44_4

Araduey, 3_5

Aragüés, 3_4 n. 17

Arahós, 3_4 n. 17

Arán, Valle de, 3_3

Arançuex, 3_5

Aranjuez, 3_5

Aránzazu, 3_5

Aranzueque, 3_5

Aratoi, 3_5, 36 n. 21

Arbós, 3_4 n. 17

Arbués, 3_4 n. 17

Arcailo, 4_6

* Los números indican el párrafo y el apartado.

ÍNDICE DE NOMBRES PROPIOS*

* Se incluyen en este índice los nombres de autores, personajes históricos y obras anónimas; no los nombres propios de lugar. Los números remiten a las páginas.

Alfaro, Ricardo J., 385 n. 39, 500 n. 107
Alfieri, J. J., 371 n. 26
Alfonso I de Aragón, el Batallador, 152
Alfonso II de Aragón, 167, 175
Alfonso V de Aragón, 232, 233, 238, 252
Alfonso I de Asturias, 112, 139, 151
Alfonso II de Asturias, 139
Alfonso III de León, 141
Alfonso V de León, 118
Alfonso VI, 148, 175
Alfonso VII, 175
Alfonso VIII de Castilla, 167, 175
Alfonso IX de León, 167
Alfonso X el Sabio, 132, 167, 171, 174, 205, 208, 209, 210-217, 355, 434
Alfonso XI, 220, 222
Alhákem II, 118
Almagro, M., 28 n. 5
Almanzor, 139, 140 n. 1, 147
Almerich, 204, 205 n. 40; v. *Fazienda de Ultramar, La*
Alonso, Amado, 44 n. 23, 99 n. 43, 114 n. 13, 124 n. 16, 127 n. 18, 129 n. 21, 130 n. 22, 145 n. 8, 147 n. 10, 154 n. 6, 180 n. 13, 203 n. 38 bis, 211 n. 6, 246 n. 33, 246 n. 35, 251 n. 46, 258 n. 11, 260 n. 14, 284 n. 1, 298 n. 21, 314 nn. 4 y 5, 315 n. 8, 317 nn. 13 y 14, 318 n. 18, 319 n. 19, 324 n. 34, 326 n. 44, 328 n. 52, 329 n. 58, 349 n. 96, 374 n. 28, 377 n. 33, 391 n. 4, 402 n. 18, 450 n. 1, 451 n. 2, 452 n. 1, 457 n. 13, 460 n. 16, 463 n. 25, 478 n. 50, 480 n. 55, 483 n. 65, 501 n. 110
Alonso, Dámaso, 46 n. 28, 76 n. 8, 76 n. 9, 81 n. 19, 86 n. 26, 90 n. 31, 94 n. 35, 94 n. 36, 115 n. 17, 147 n. 10, 172 n. 1,

181 n. 14, 193 n. 26, 197 n. 30 bis, 198 n. 32, 198 n. 33, 206 n. 42, 220 n. 21, 244 n. 29, 246 nn. 33 y 34, 247 n. 37, 254 n. 3, 263 n. 20, 264 n. 22, 275 n. 32, 277 n. 33, 280 n. 35, 289 n. 8, 291 n. 13, 292 n. 14, 294 n. 18, 298 n. 21, 307 n. 30, 314 n. 5, 322 n. 29, 334 n. 35, 368 n. 23, 374 n. 28, 375 n. 29, 405 n. 20, 421 n. 37, 450 n. 1, 502 n. 112
Alonso Garrote, S., 407 n. 20
Alonso Hernández, José Luis, 334 n. 67, 349 n. 95
Alonso Montero, J., 260 n. 15
Alther, A., 424 n. 41
Alvar, Manuel, 69 n. 1, 87 n. 24, 100 n. 43, 129 n. 19 bis, 141 n. 3, 153 n. 3, 165 n. 20, 174 n. 4, 177 n. 8, 179 n. 10, 199 n. 33, 216 n. 15, 245 nn. 30 y 32, 348 n. 93, 376 n. 32, 390 n. 3, 399 n. 14, 401 n. 16, 412 n. 25, 415 n. 30, 417 n. 31, 420 n. 36, 421 n. 37, 422 n. 38, 424 n. 41, 429 n. 49, 435 n. 54, 438 n. 58, 445 n. 8, 449 n. 1, 451 n. 3, 456 n. 12, 459 n. 16, 461 n. 18, 466 n. 30, 470 n. 33, 473 n. 40 bis
Alvarado, Lisandro, 465 n. 28
Álvarez, Guzmán, 405 n. 20, 410 n. 23
Álvarez, Joan, 475
Álvarez Calleja, José, 406 n. 20
Álvarez de Cienfuegos, Nicasio, v. Cienfuegos, Nicasio Álvarez de
Álvarez de Miranda, Pedro, 361 n. 9
Álvarez Delgado, J., 437 n. 58
Álvarez-Fernández Canedo, Jesús, 406 n. 20
Álvarez Nazario, Manuel, 460 n. 17, 465 n. 28, 468 n. 32, 470 n. 35, 473 n. 41, 489 n. 79 bis, 494 n. 91, 497 nn. 101 y 102, 500 n. 108

Marín, Diego, 291 n. 13
Marín, Luis, 475
Marineo Sículo, Lucio, 239
Mariner, S., 133 n. 31
Marino Flores, A., 454 n. 6
Marouzeau, J., 70 n. 2
Márquez Villanueva, Francisco, 220 n. 21, 265 n. 23, 270 n. 27, 274 n. 31, 285 n. 1, 327 n. 48
Marrast, Robert, 368 n. 22
Marrone, Giovanna, 218 n. 20
Martí, Ramón, 170 n. 26
Martín, E. E., 464 n. 27
Martin, H. M., 289 n. 8
Martin, John W., 241 n. 23
Martín de Lilio, Fray, 315
Martín Gaite, C., 383 n. 37 bis
Martín Zorraquino, M.ª A., 187 n. 21 bis, 189 n. 22 ter
Martinengo, A., 299 n. 21
Martinet, André, 35 n. 11, 44 n. 32, 49 n. 33, 314 n. 5, 405 n. 20
Martínez, B., 417 n. 31
Martínez, F. A., 465 n. 28
Martínez Álvarez, Josefina, 400 n. 14, 406 n. 20
Martínez de la Rosa, Francisco, 365
Martínez de Toledo, Alfonso (Arcipreste de Talavera), 233 nn. 7 y 7 bis, 234 n. 8, 234 nn. 10 y 12, 237, 241, 326, 393-395
Martínez Ruiz, José, v. Azorín
Martínez Ruiz, Juan, 220 n. 21, 229 n. 38, 322 n. 28, 324 n. 36, 446 n. 8
Martínez Vigil, C., 500 n. 108
Mas, Amédée, 297 n. 21, 299 n. 21
Mascagna, Rosalia, 235 n. 13
Mason, T. R. A., 309 n. 30
Maspero, Gaston, 478

Massoli, Marco, 226 n. 32
Matluck, Joseph H., 458 n. 14, 462 n. 23
Mauleón Benítez, Carmen Cecilia, 469 n. 32
Maunory, 329
Maurenbrecher, B., 27 n. 4
Maurer, K., 110 n. 7, 280 n. 35
Mayans y Siscar, Gregorio, 354
Mayoral, Marina, 369 n. 24
Mc Garry, Mother Francis de Sales, 307 n. 30
Medina, Francisco de, 257, 281
Medina, V., 436
Medrano, Francisco de, 322
Meier, Harri, 81 n. 19, 83 n. 21, 94 n. 36, 99 n. 42, 106 n. 2 bis, 110 n. 6, 158 n. 12, 172 n. 1, 178 n. 9
Mejía Sánchez, Ernesto, 466 n. 30
Meléndez Valdés, Juan, 358, 363, 367, 392
Melo, Francisco Manuel de, 257, 303
Mena, Juan de, 232, 233 y n. 6, 234, 235, 239, 242
Mendeloff, H., 241 n. 23, 341 n. 79
Mendoza, Frey Íñigo de, 226 n. 32
Menéndez García, M., 405 n. 20
Menéndez Pelayo, Marcelino, 241 n. 37, 321 n. 26
Menéndez Pidal, Gonzalo, 208 n. 2
Menéndez Pidal, Ramón, 28 n. 5, 29 n. 6, 31 n. 7, 37 n. 15, 39 n. 17, 40 n. 18, 32 n. 41, 42 n. 20, 44 n. 23, 45 nn. 25 y 26, 47 nn. 30 y 31, 48 n. 32, 50 nn. 36, 37, 38 y 39, 51 nn. 41 y 42, 55 n. 52, 76 n. 9, 79 n. 17, 82 n. 20, 89 n. 29, 90 n. 31, 92 nn. 33 bis y 33 ter, 92 n. 34, 94 n. 35, 94 n. 36, 97 n. 38, 98 n. 40, 99 n. 43, 105 n. 2, 108 n. 5, 112 n. 9, 113 n. 12, 116 n. 18, 119 n. 2 bis, 132, 140

Montgomery, Thomas, 209 n. 24, 210
n. 26, 224 n. 42
Montgomery Watt, W., 119 n. 2 bis
Montoliu, M. de, 355 n. 7
Montoro, Antón de, 369
Monzó Nogués, A., 477 n. 31
Moralejo Lasso, A., 20 n. 7, 115 n. 8
Morales Oliver, Luis, 281 n. 2
Moratín, Leandro Fz. de, 406, 409
Morby, E. S., 322 n. 5
Morel, E. Jorge, 565 n. 21
Morel-Fatio, A., 193 n. 11, 284 n. 7, 301
n. 27
Moreno Báez, Enrique, 301 n. 27, 319
n. 1, 342 n. 29
Moreno de Alba, José G., 515 n. 1, 552
n. 61, 563 n. 88, 564 n. 89, 565 n. 92
Moreno Pérez, S., 465 n. 20
Moreto, Agustín, 446
Morínigo, Marcos A., 394 n. 93, 512 n.
1, 514 n. 1, 515 n. 1, 516 n. 3, 520
n. 11, 531 n. 28, 532 n. 29, 533 n. 30,
534 n. 31, 568 n. 98
Morreale, Margherita, 216 n. 33, 225 n.
42, 241 n. 21, 243 n. 23, 254 n. 1, 255
n. 2, 256 nn. 3 y 4, 259 n. 14, 265 n. 21,
275 n. 41, 276 n. 43, 291 n. 18, 379 n.
68, 503 n. 5, 509 n. 8
Moura Santos, Maria José de, 464 n. 20
Moya Corral, J. A., 485 n. 39 bis, 487
n. 41
Mulertt, Werner, 430 n. 34
Mulroney, M., 266 n. 23
Müller, Bodo, 328 n. 14
Müller, E., 193 n. 12
Müller, F. W., 336 n. 21
Muller, H. F., 65 n. 1
Munteanu, Dan, 534 n. 31
Munthe, Ake W. Son, 461 n. 20

Muñoz Cortés, Manuel, 4, 6, 79 n. 19,
87 n. 26, 214 n. 31, 239 n. 20, 299 n.
25, 335 n. 21, 340 n. 26, 398 n. 99, 419
n. 23, 446 n. 4
Muñoz Garrigós, José, 242 n. 21, 266 n.
23, 496 n. 55
Muñoz Torrero, Diego, 414
Muñoz y Manzano, Cipriano, Conde
de la Viñaza, 396 n. 96
Muñoz y Romero, Tomás, 48 n. 50
Muqqadam ben Mu'afa, 126
Murillo, Bartolomé Esteban, 352 n. 1
Myers, O. T., 270 n. 29

Nahón, Zarita, 447 n. 8
Náñez Fernández, Emilio, 285 n. 1,
334 n. 67, 341 n. 79
Napoleón, 364
Narbona Jiménez, A., 213 n. 7 bis
Nassau, Mauricio de, 346 n. 87
Navarro Artiles, F., 438 n. 58
Navarro de Kelly, Emilia, 300 n. 21
Navarro Tomás, Tomás, 19, 48 n. 32,
216 n. 15, 289 n. 31, 371 n. 8, 374 n. 27,
375 n. 29, 391 n. 4, 398 n. 13, 410 n. 23,
412 n. 25, 418 n. 32, 419 n. 35, 421 n.
37, 424 n. 41, 426 n. 42, 481 n. 57
Navas Ruiz, Ricardo, 339 n. 77
Naylor, E. W., 219 n. 21
Neagu, Valeria, 467 n. 31
Nebrija, Elio Antonio de, 129, 167, 239
y n. 20, 240, 243 n. 27, 248, 249, 250,
251, 257, 258, 266, 258 n. 25, 313 n. 2
bis, 321, 335, 336, 347, 348 n. 92, 349,
351 n. 98
Neddermann, Emmy, 374 n. 28
Nehama, Joseph, 447 n. 8
Neira Martínez, Jesús, 300 n. 21, 405 n.
20, 409 n. 21

Villalón, Cristóbal de, 260 y n. 15, 269, 315, 350 y n. 96,

Villamediana, Conde de (Juan de Tassis), 302

Villar, P. Juan del, 322

Villarroel, F., 407 n. 20

Villena, Enrique de, 232 y n. 3, 233 n. 7, 235 n. 14 bis, 248-250

Viñaza, Conde de la, v. Muñoz y Manzano, Cipriano

Viñoles, Narciso, 247

Virgilio, 58, 61, 71, 85, 232 n. 3

Vitale, Maurizio, 260 n. 14

Viudas Camarasa, Antonio, 415 n. 30, 422 n. 38 bis, 432 n. 51 bis

Vives, J., 46 n. 44

Vives, Luis, 258, 262 n. 19, 351 y n. 99

Vossler, Karl, 17, 66 n. 10, 69 n. 1, 278 n. 34, 280 n. 35, 287 n. 4, 289 n. 8

Wagner, Max Leopold, 127 n. 18, 136 n. 38, 398 n. 13, 427 n. 45, 444 n. 8, 449 n. 1, 450 n. 1, 458 n. 14, 461 n. 18, 461 n. 20, 463 n. 24, 464 n. 27

Walberg, E., 251 n. 46

Walsh, John K., 120 n. 5, 132 n. 27

Wamba, 113

Wardropper, Bruce W., 270 n. 27, 290 n. 8 bis, 376 n. 32

Wartburg, W. von, 17, 41 n. 19, 81 n. 19, 99 n. 43, 153 n. 3, 342 n. 80

Watt, W.M., v. Montgomery Watt, W.

Webber, R.H., 193 n. 26

Weber de Kurlat, Frida, 244 n. 29, 265 n. 23, 291 nn. 10 y 11

Weigert, L., 285 n. 1, 344 n. 82

Weinberg, B., 260 n. 14

Weinrich, Harald, 76 n. 9, 285 n. 1

Weisser, F., 219 n. 21

Werner, R., 496 n. 98

Whinnom, Keith, 240 n. 22, 468 n. 32

Wiese, L., 206 n. 42

Wilson, E.M., 293 n. 14, 297 n. 21, 300 n. 21, 307 n. 30

Wilson, William E., 332 n. 62

Willis, R.S., 199 n. 33, 219 n. 21, 220 n. 21, 226 n. 34, 324 n. 34

Wirth, P., 65 n. 9

Wodbridge, H.C., 371 n. 26

Wolf, C., 478 n. 50

Woodford, A., 232 n. 2

Woodward, L.J., 280 n. 35

Wright, Leavitt O., 341 n. 79

Wright, R., 100 n. 44, 376 n. 32

Wulff, F., 424 n. 41

Wycichl, W., 107 n. 3

Yahuda, A.S., 445 n. 8

Ycaza Tigerino, Julián, 374 n. 27

Yehudá Haleví, 171, 394 n. 8

Ynduráin, Domingo, 367 n. 22, 375 n. 29

Ynduráin, Francisco, 216 n. 14, 285 n. 1, 291 n. 10, 298 n. 21, 303 n. 29, 304 n. 29, 374 n. 28, 376 n. 32, 377 n. 33, 444 n. 3, 398 n. 13, 403 n. 19

Zaccaria, E., 254 n. 4

Zahareas, A.N., 220 n. 21

Zamora Munné, Juan Clemente, 348 n. 93, 467 n. 30

Zamora Vicente, Alonso, 150 n. 1, 154 n. 6, 247 n. 37, 270 n. 27, 289 n. 8, 321 n. 23, 350 n. 96, 77 n. 33, 405 n. 20, 421 n. 37, 422 n. 38 bis, 423 n. 39, 432 n. 51 bis, 435 n. 55, 451 n. 1, 459 n. 14, 478 n. 50, 484 n. 67, 488 nn. 73, 75 y